Федор Михайлович
ДОСТОЕВСКИЙ
1821 — 1881

Федор ДОСТОЕВСКИЙ

Братья Карамазовы

АЗБУКА

Санкт-Петербург
2011

УДК 882
ББК 84(2Рос-Рус)1
Д 70

Примечания В. Ветловской

Оформление обложки В. Гореликова

Достоевский Ф. М.

Д 70   Братья Карамазовы: Роман. — СПб: Азбука, Азбука-Аттикус, 2011. — 896 с.

ISBN 978-5-389-01463-3

Последний, самый объемный и один из наиболее известных романов Ф. М. Достоевского обращает читателя к вневременным нравственно-философским вопросам о грехе, воздаянии, сострадании и милосердии. Книга, которую сам писатель определил как «роман о богохульстве и опровержении его», явилась попыткой «решить вопрос о человеке», «разгадать тайну» человека, что, по Достоевскому, означало «решить вопрос о Боге». Сквозь призму почти детективной истории о жестоком убийстве главы провинциальной семьи Карамазовых автор повествует об извечной борьбе Божественного и дьявольского в человеческой душе. Один из самых глубоких в мировой литературе опытов отражения христианского сознания, «Братья Карамазовы» стали в XX веке объектом парадоксальных философских и психоаналитических интерпретаций.

УДК 882
ББК 84(2Рос-Рус)1

ISBN 978-5-389-01463-3   Издательство АЗБУКА®

Истинно, истинно говорю вам: если пшеничное зерно, падши в землю, не умрет, то останется одно; а если умрет, то принесет много плода.

Евангелие от Иоанна, гл. XII, ст. 24.

ОТ АВТОРА

Начиная жизнеописание героя моего, Алексея Федоровича Карамазова, нахожусь в некотором недоумении. А именно: хотя я и называю Алексея Федоровича моим героем, но, однако, сам знаю, что человек он отнюдь не великий, а посему и предвижу неизбежные вопросы вроде таковых: чем же замечателен ваш Алексей Федорович, что вы выбрали его своим героем? Что сделал он такого? Кому и чем известен? Почему я, читатель, должен тратить время на изучение фактов его жизни?

Последний вопрос самый роковой, ибо на него могу лишь ответить: «Может быть, увидите сами из романа». Ну а коль прочтут роман и не увидят, не согласятся с примечательностью моего Алексея Федоровича? Говорю так, потому что с прискорбием это предвижу. Для меня он примечателен, но решительно сомневаюсь, успею ли это доказать читателю. Дело в том, что это, пожалуй, и деятель, но деятель неопределенный, невыяснившийся. Впрочем, странно бы требовать в такое время, как наше, от людей ясности. Одно, пожалуй, довольно несомненно: это человек странный, даже чудак. Но странность и чудачество скорее вредят, чем дают право на внимание, особенно когда все стремятся к тому, чтоб объединить частности и найти хоть какой-нибудь общий толк во всеобщей бестолочи. Чудак же в большинстве случаев частность и обособление. Не так ли?

Вот если вы не согласитесь с этим последним тезисом и ответите: «Не так» или «не всегда так», то я, пожалуй, и ободрюсь духом насчет значения героя моего Алексея Федоровича. Ибо не только чудак «не всегда» частность и обособление, а напротив, бывает так, что он-то, пожалуй, и носит в себе иной раз сердцевину целого, а остальные люди его эпохи — все, каким-нибудь наплывным ветром, на время почему-то от него оторвались...

Я бы, впрочем, не пускался в эти весьма нелюбопытные и смутные объяснения и начал бы просто-запросто без предисловия: понравится — так и так прочтут; но беда в том, что жизнеописание-то у меня одно, а романов два. Главный роман второй — это деятельность моего героя уже в наше время, именно в наш теперешний текущий момент. Первый же роман произошел еще тринадцать лет назад, и есть почти даже и не роман, а лишь один момент из первой юности моего героя. Обойтись мне без этого первого романа невозможно, потому что многое во втором романе стало бы непонятным. Но таким образом еще усложняется первоначальное мое затруднение: если уж я, то есть сам биограф, нахожу, что и одного-то романа, может быть, было бы для такого скромного и неопределенного героя излишне, то каково же являться с двумя и чем объяснить такую с моей стороны заносчивость.

Теряясь в разрешении сих вопросов, решаюсь их обойти безо всякого разрешения. Разумеется, прозорливый читатель уже давно угадал, что я с самого начала к тому клонил, и только досадовал на меня, зачем я даром трачу бесплодные слова и драгоценное время. На это отвечу уже в точности: тратил я бесплодные слова и драгоценное время, во-первых, из вежливости, а во-вторых, из хитрости: все-таки, дескать, заране в чем-то предупредил. Впрочем, я даже рад тому, что роман мой разбился сам собою на два рассказа «при существенном единстве целого»: познакомившись с первым рассказом, читатель уже сам определит: стоит ли ему приниматься за второй? Конечно, никто ничем не связан; можно бросить книгу и с двух страниц первого рассказа, с тем чтоб и не раскрывать более. Но ведь есть такие деликатные читатели, которые непременно захотят дочитать до конца, чтобы не ошибиться в беспристрастном суждении; таковы, например, все русские критики. Так вот перед такими-то все-таки сердцу легче: несмотря на всю их аккуратность и добросовестность, все-таки даю им самый законный предлог бросить рассказ на первом эпизоде романа. Ну вот и всё предисловие. Я совершенно согласен, что оно лишнее, но так как оно уже написано, то пусть и останется.

А теперь к делу.

Часть первая

Книга первая
ИСТОРИЯ ОДНОЙ СЕМЕЙКИ

I
ФЕДОР ПАВЛОВИЧ КАРАМАЗОВ

Алексей Федорович Карамазов был третьим сыном помещика нашего уезда Федора Павловича Карамазова, столь известного в свое время (да и теперь еще у нас припоминаемого) по трагической и темной кончине своей, приключившейся ровно тринадцать лет назад и о которой сообщу в своем месте. Теперь же скажу об этом «помещике» (как его у нас называли, хотя он всю жизнь совсем почти не жил в своем поместье) лишь то, что это был странный тип, довольно часто, однако, встречающийся, именно тип человека не только дрянного и развратного, но вместе с тем и бестолкового, — но из таких, однако, бестолковых, которые умеют отлично обделывать свои имущественные делишки, и только, кажется, одни эти. Федор Павлович, например, начал почти что ни с чем, помещик он был самый маленький, бегал обедать по чужим столам, норовил в приживальщики, а между тем в момент кончины его у него оказалось до ста тысяч рублей чистыми деньгами. И в то же время он все-таки всю жизнь свою продолжал быть одним из бестолковейших сумасбродов по всему нашему уезду. Повторю еще: тут не глупость; большинство этих сумасбродов довольно умно и хитро, — а именно бестолковость, да еще какая-то особенная, национальная.

Он был женат два раза, и у него было три сына: старший, Дмитрий Федорович, от первой супруги, а остальные два, Иван и Алексей, от второй. Первая супруга Федора Павловича была из довольно богатого и знатного рода дворян Миусовых, тоже помещиков нашего уезда. Как именно случилось, что девушка с приданым, да еще красивая и, сверх того, из бойких умниц, столь нередких у нас в теперешнее поколение, но появлявшихся уже и в прошлом, могла выйти замуж за такого ничтожного «мозгляка», как все его тогда называли, объяснять слишком не стану. Ведь знал же я одну девицу, еще в запрошлом «романтическом» поколении, которая после нескольких лет загадочной любви к одному господину, за которого, впрочем, всегда могла выйти замуж самым спокойным образом, кончила, однако же, тем, что сама навыдумала себе непреодолимые препятствия и в бурную ночь бросилась с высокого берега, похожего на утес, в довольно глубокую и быструю реку и погибла в ней решительно от собственных капризов, единственно из-за того, чтобы походить на шекспировскую Офелию, и даже так, что будь этот утес, столь давно ею намеченный и излюбленный, не столь живописен, а будь на его месте лишь прозаический плоский берег, то самоубийства, может быть, не произошло бы вовсе. Факт этот истинный, и надо думать, что в нашей русской жизни, в два или три последние поколения, таких или однородных с ним фактов происходило немало. Подобно тому и поступок Аделаиды Ивановны Миусовой был без сомнения отголоском чужих веяний и тоже пленной мысли раздражением. Ей, может быть, захотелось заявить женскую самостоятельность, пойти против общественных условий, против деспотизма своего родства и семейства, а услужливая фантазия убедила ее, положим, на один только миг, что Федор Павлович, несмотря на свой чин приживальщика, все-таки один из смелейших и насмешливейших людей той, переходной ко всему лучшему, эпохи, тогда как он был только злой шут, и больше ничего. Пикантное состояло еще и в том, что дело обошлось увозом, а это очень прельстило Аделаиду Ивановну. Федор же Павлович на все подобные пассажи был даже и по социальному своему положению весьма тогда подготовлен, ибо страстно желал устроить свою карьеру хотя чем бы то ни было; примазаться же к хорошей родне и взять приданое было очень заманчиво. Что же до обоюдной любви, то ее вовсе, кажется, не было — ни со стороны невесты, ни с его стороны, несмотря даже на красивость Аделаиды Ивановны. Так что случай этот был, может быть, единственным в своем роде в жизни Федора Павловича, сладострастнейшего человека во всю свою жизнь, в один миг готового прильнуть к какой угодно юбке, только бы та его поманила. А между тем одна только эта женщина не произвела в нем со страстной стороны никакого особенного впечатления.

Аделаида Ивановна, тотчас же после увоза, мигом разглядела, что мужа своего она только презирает, и больше ничего. Таким образом, следствия брака обозначились с чрезвычайною быстротой. Несмотря на то, что семейство даже довольно скоро примирилось с событием и выделило беглянке приданое, между супругами началась самая беспорядочная жизнь и вечные сцены. Рассказывали, что молодая супруга выказала при том несравненно более благородства и возвышенности, нежели Федор Павлович, который, как известно теперь, подтибрил у нее тогда же, разом, все ее денежки, до двадцати пяти тысяч, только что она их получила, так что тысячки эти с тех пор решительно как бы канули для нее в воду. Деревеньку же и довольно хороший городской дом, которые тоже пошли ей в приданое, он долгое время и изо всех сил старался перевести на свое имя чрез совершение какого-нибудь подходящего акта и наверно бы добился того из одного, так сказать, презрения и отвращения к себе, которое он возбуждал в своей супруге ежеминутно своими бесстыдными вымогательствами и вымаливаниями, из одной ее душевной усталости, только чтоб отвязался. Но, к счастию, вступилось семейство Аделаиды Ивановны и ограничило хапугу. Положительно известно, что между супругами происходили нередкие драки, но, по преданию, бил не Федор Павлович, а била Аделаида Ивановна, дама горячая, смелая, смуглая, нетерпеливая, одаренная замечательною физическою силой. Наконец она бросила дом и сбежала от Федора Павловича с одним погибавшим от нищеты семинаристом-учителем, оставив Федору Павловичу на руках трехлетнего Митю. Федор Павлович мигом завел в доме целый гарем и самое забубенное пьянство, а в антрактах ездил чуть не по всей губернии и слезно жаловался всем и каждому на покинувшую его Аделаиду Ивановну, причем сообщал такие подробности, которые слишком бы стыдно было сообщать супругу о своей брачной жизни. Главное, ему как будто приятно было и даже льстило разыгрывать пред всеми свою смешную роль обиженного супруга и с прикрасами даже расписывать подробности о своей обиде. «Подумаешь, что вы, Федор Павлович, чин получили, так вы довольны, несмотря на всю вашу горесть», — говорили ему насмешники. Многие даже прибавляли, что он рад явиться в подновленном виде шута и что нарочно, для усиления смеха, делает вид, что не замечает своего комического положения. Кто знает впрочем, может быть, было это в нем и наивно. Наконец ему удалось открыть следы своей беглянки. Бедняжка оказалась в Петербурге, куда перебралась с своим семинаристом и где беззаветно пустилась в самую полную эмансипацию. Федор Павлович немедленно захлопотал и стал собираться в Петербург, — для чего? — он, конечно, и сам не знал. Право, может быть, он бы тогда и поехал; но, предприняв такое решение, тотчас же почел себя в особенном праве, для бодрости, пред дорогой, пуститься вновь в самое безбрежное пьянство. И вот в это-то время семейством его супруги получилось известие о смерти ее в Петербурге. Она как-то вдруг умерла, где-то на чердаке, по одним сказаниям — от тифа, а по другим — будто бы с голоду. Федор Павлович узнал о смерти своей супруги пьяный; говорят, побежал по улице и начал кричать, в радости воздевая руки к небу: «Ныне отпущаеши», а по другим — плакал навзрыд как маленький ребенок, и до того, что, говорят, жалко даже было смотреть на него, несмотря на всё к нему отвращение. Очень может быть, что было и то, и другое, то есть что и радовался он своему освобождению, и плакал по освободительнице — всё вместе. В большинстве случаев люди, даже злодеи, гораздо наивнее и простодушнее, чем мы вообще о них заключаем. Да и мы сами тоже.

II

ПЕРВОГО СЫНА СПРОВАДИЛ

Конечно, можно представить себе, каким воспитателем и отцом мог быть такой человек. С ним как с отцом именно случилось то, что должно было случиться, то есть он вовсе и совершенно бросил своего ребенка, прижитого с Аделаидой Ивановной, не по злобе к нему или не из каких-нибудь оскорбленно-супружеских чувств, а просто потому, что забыл о нем совершенно. Пока он докучал всем своими слезами и жалобами, а дом свой обратил в развратный вертеп, трехлетнего мальчика Митю взял на свое попечение верный слуга этого дома Григорий, и не позаботься он тогда о нем, то, может быть, на ребенке некому было бы переменить рубашонку. К тому же так случилось, что родня ребенка по матери тоже как бы забыла о нем в первое время. Деда его, то есть самого господина Миусова, отца Аделаиды Ивановны, тогда уже не было в живых; овдовевшая супруга его, бабушка Мити, переехавшая в Москву, слишком расхворалась, сестры же повышли замуж, так что почти целый год пришлось Мите пробыть у слуги Григория и проживать у него в дворовой избе. Впрочем, если бы папаша о нем и вспомнил (не мог же он в самом деле не знать о его существовании), то и сам сослал бы его опять в избу, так как ребенок всё же мешал бы ему в его дебоширстве. Но случилось так, что из Парижа вернулся двоюродный брат покойной Аделаиды Ивановны, Петр Александрович Миусов, многие годы сряду выживший потом за границей, тогда же еще очень молодой человек, но человек особенный между Миусовыми, просвещенный, столичный, заграничный и притом всю жизнь свою европеец, а под конец жизни либерал сороковых и пятидесятых годов. В продолжение своей карьеры он перебывал в связях со многими либеральнейшими людьми своей эпохи, и в России и за границей, знавал лично и Прудона и Бакунина и особенно любил вспоминать и рассказывать, уже под концом своих странствий, о трех днях февральской парижской революции сорок восьмого года, намекая, что чуть ли и сам он не был в ней участником на баррикадах. Это было одно из самых отраднейших воспоминаний его молодости. Имел он состояние независимое, по прежней пропорции около тысячи душ. Превосходное имение его находилось сейчас же на выезде из нашего городка и граничило с землей нашего знаменитого монастыря, с которым Петр Александрович, еще в самых молодых летах, как только получил наследство, мигом начал нескончаемый процесс за право каких-то ловель в реке или порубок в лесу, доподлинно не знаю, но начать процесс с «клерикалами» почел даже своею гражданскою и просвещенною обязанностью. Услышав всё про Аделаиду Ивановну, которую, разумеется, помнил и когда-то даже заметил, и узнав, что остался Митя, он, несмотря на всё молодое негодование свое и презрение к

Федору Павловичу, в это дело ввязался. Тут-то он с Федором Павловичем в первый раз и познакомился. Он прямо ему объявил, что желал бы взять воспитание ребенка на себя. Он долго потом рассказывал, в виде характерной черты, что когда он заговорил с Федором Павловичем о Мите, то тот некоторое время имел вид совершенно не понимающего, о каком таком ребенке идет дело, и даже как бы удивился, что у него есть где-то в доме маленький сын. Если в рассказе Петра Александровича могло быть преувеличение, то всё же должно было быть и нечто похожее на правду. Но действительно Федор Павлович всю жизнь свою любил представляться, вдруг проиграть пред вами какую-нибудь неожиданную роль, и, главное, безо всякой иногда надобности, даже в прямой ущерб себе, как в настоящем, например, случае. Черта эта, впрочем, свойственна чрезвычайно многим людям, и даже весьма умным, не то что Федору Павловичу. Петр Александрович повел дело горячо и даже назначен был (купно с Федором Павловичем) в опекуны ребенку, потому что всё же после матери оставалось именьице — дом и поместье. Митя действительно переехал к этому двоюродному дяде, но собственного семейства у того не было, а так как сам он, едва лишь уладив и обеспечив свои денежные получения с своих имений, немедленно поспешил опять надолго в Париж, то ребенка и поручил одной из своих двоюродных теток, одной московской барыне. Случилось так, что, обжившись в Париже, и он забыл о ребенке, особенно когда настала та самая февральская революция, столь поразившая его воображение и о которой он уже не мог забыть всю свою жизнь. Московская же барыня умерла, и Митя перешел к одной из замужних ее дочерей. Кажется, он и еще потом переменил в четвертый раз гнездо. Об этом я теперь распространяться не стану, тем более что много еще придется рассказывать об этом первенце Федора Павловича, а теперь лишь ограничиваюсь самыми необходимыми о нем сведениями, без которых мне и романа начать невозможно.

Во-первых, этот Дмитрий Федорович был один только из трех сыновей Федора Павловича, который рос в убеждении, что он всё же имеет некоторое состояние и когда достигнет совершенных лет, то будет независим. Юность и молодость его протекли беспорядочно: в гимназии он не доучился, попал потом в одну военную школу, потом очутился на Кавказе, выслужился, дрался на дуэли, был разжалован, опять выслужился, много кутил и сравнительно прожил довольно денег. Стал же получать их от Федора Павловича не раньше совершеннолетия, а до тех пор наделал долгов. Федора Павловича, отца своего, узнал и увидал в первый раз уже после совершеннолетия, когда нарочно прибыл в наши места объясниться с ним насчет своего имущества. Кажется, родитель ему и тогда не понравился; пробыл он у него недолго и уехал поскорей, успев лишь получить от него некоторую сумму и войдя с ним в некоторую сделку насчет дальнейшего получения доходов с имения, которого (факт достопримечательный) ни доходности, ни стоимости он в тот раз от Федора Павловича так и не добился. Федор Павлович заметил тогда, с первого разу (и это надо запомнить), что Митя имеет о своем состоянии понятие преувеличенное и неверное. Федор Павлович был очень этим доволен, имея в виду свои особые расчеты. Он вывел лишь, что молодой человек легкомыслен, буен, со страстями, нетерпелив, кутила и которому только чтобы что-нибудь временно перехватить, и он хоть на малое время, разумеется, но тотчас успокоится. Вот это и начал эксплуатировать Федор Павлович, то есть отделываться малыми подачками, временными высылками, и в конце концов так случилось, что когда, уже года четыре спустя, Митя, потеряв терпение, явился в наш городок в другой раз, чтобы совсем уж покончить дела с родителем, то вдруг оказалось, к его величайшему изумлению, что у него уже ровно нет ничего, что и сосчитать даже трудно, что он перебрал уже деньгами всю стоимость своего имущества у Федора Павловича, может быть еще даже сам должен ему; что по таким-то и таким-то сделкам, в которые сам тогда-то и тогда пожелал вступить, он и права не имеет требовать ничего более, и проч., и проч. Молодой человек был поражен, заподозрил неправду, обман, почти вышел из себя и как бы потерял ум. Вот это-то обстоятельство и привело к катастрофе, изложение которой и составит предмет моего первого вступительного романа или, лучше сказать, его внешнюю сторону. Но, пока перейду к этому роману, нужно еще рассказать и об остальных двух сыновьях Федора Павловича, братьях Мити, и объяснить, откуда те-то взялись.

ВТОРОЙ БРАК И ВТОРЫЕ ДЕТИ

Федор Павлович, спровадив с рук четырехлетнего Митю, очень скоро после того женился во второй раз. Второй брак этот продолжался лет восемь. Взял он эту вторую супругу свою, тоже очень молоденькую особу, Софью Ивановну, из другой губернии, в которую заехал по одному мелкоподрядному делу, с каким-то жидком в компании. Федор Павлович хотя и кутил, и пил, и дебоширил, но никогда не переставал заниматься помещением своего капитала и устраивал делишки свои всегда удачно, хотя, конечно, почти всегда подловато. Софья Ивановна была из «сироток», безродная с детства, дочь какого-то темного дьякона, взросшая в богатом доме своей благодетельницы, воспитательницы и мучительницы, знатной генеральши-старухи, вдовы генерала Ворохова. Подробностей не знаю, но слышал лишь то, что будто воспитанницу, кроткую, незлобивую и безответную, раз сняли с петли, которую она привесила на гвозде в чулане, — до того тяжело было ей переносить своенравие и вечные попреки этой, по-видимому не злой, старухи, но бывшей лишь нестерпимейшею самодуркой от праздности. Федор Павлович предложил свою руку, о нем справились и его прогнали, и вот тут-то он опять, как и в первом браке, предложил сиротке увоз. Очень, очень может быть, что и она даже не пошла бы за него ни за что, если б узнала о нем своевременно побольше подробностей. Но дело было в другой губернии; да и что могла понимать шестнадцатилетняя девочка, кроме того, что лучше в реку, чем оставаться у благодетельницы. Так и променяла бедняжка благодетельницу на благодетеля. Федор Павлович не взял в этот раз ни гроша, потому что генеральша рассердилась, ничего не дала и, сверх того, прокляла их обоих; но он и не рассчитывал на этот раз взять, а прельстился лишь замечательною красотой невинной девочки и, главное, ее невинным видом, поразившим его, сладострастника и доселе порочного любителя лишь грубой женской красоты. «Меня эти невинные глазки как бритвой тогда по душе полоснули», — говаривал он потом, гадко по-своему хихикая. Впрочем, у развратного человека и это могло быть лишь сладострастным влечением. Не взяв же никакого вознаграждения, Федор Павлович с супругой не церемонился, и, пользуясь тем, что она, так сказать, пред ним «виновата» и что он ее почти «с петли снял», пользуясь, кроме того, ее феноменальным смирением и безответностью, даже попрал ногами самые обыкновенные брачные приличия. В дом, тут же при жене, съезжались дурные женщины, и устраивались оргии. Как характерную черту сообщу, что слуга Григорий, мрачный, глупый и упрямый резонер, ненавидевший прежнюю барыню Аделаиду Ивановну, на этот раз взял сторону новой барыни, защищал и бранился за нее с Федором Павловичем почти непозволительным для слуги образом, а однажды так даже разогнал оргию и всех наехавших безобразниц силой. Впоследствии с несчастною, с самого детства запуганною молодою женщиной произошло вроде какой-то нервной женской болезни, встречаемой чаще всего в простонародье у деревенских баб, именуемых за эту болезнь кликушами. От этой болезни, со страшными истерическими припадками, больная временами даже теряла рассудок. Родила она, однако же, Федору Павловичу двух сыновей, Ивана и Алексея, первого в первый год брака, а второго три года спустя. Когда она померла, мальчик Алексей был по четвертому году, и хоть и странно это, но я знаю, что он мать запомнил потом на всю жизнь, — как сквозь сон разумеется. По смерти ее с обоими мальчиками случилось почти точь-в-точь то же самое, что и с первым, Митей: они были совершенно забыты и заброшены отцом и попали всё к тому же Григорию и также к нему в избу. В избе их и нашла старуха самодурка генеральша, благодетельница и воспитательница их матери. Она еще была в живых и всё время, все восемь лет, не могла забыть обиды, ей нанесенной. О житье-бытье ее «Софьи» все восемь лет она имела из-под руки самые точные сведения и, слыша, как она больна и какие безобразия ее окружают, раза два или три произнесла вслух своим приживалкам: «Так ей и надо, это ей бог за неблагодарность послал».

Ровно три месяца по смерти Софьи Ивановны генеральша вдруг явилась в наш город лично и прямо на квартиру Федора Павловича и всего-то пробыла в городке с полчаса, но много сделала. Был тогда час вечерний. Федор Павлович, которого она все восемь лет не видала, вышел к ней пьяненький. Повествуют, что она мигом, безо всяких объяснений, только что увидала его, задала ему две знатные и звонкие пощечины и три раза рванула его за вихор сверху вниз, затем, не прибавив ни слова, направилась прямо в избу к двум мальчикам. С первого взгляда заметив, что они не вымыты и в грязном белье, она тотчас же дала еще пощечину самому Григорию и объявила ему, что увозит обоих детей к себе, затем вывела их в чем были, завернула в плед, посадила в карету и увезла в свой город. Григорий снес эту пощечину как преданный раб, не сгрубил ни слова, и когда провожал старую барыню до кареты, то, поклонившись ей в пояс, внушительно произнес, что ей «за сирот Бог заплатит». «А все-таки ты балбес!» — крикнула ему генеральша, отъезжая. Федор Павлович, сообразив всё дело, нашел, что оно дело хорошее и в формальном согласии своем насчет воспитания детей у генеральши не отказал потом ни в одном пункте. О полученных же пощечинах сам ездил рассказывать по всему городу.

Случилось так, что и генеральша скоро после того умерла, но выговорив, однако, в завещании обоим малюткам по тысяче рублей каждому «на их обучение, и чтобы все эти деньги были на них истрачены непременно, но с тем, чтобы хватило вплоть до совершеннолетия, потому что слишком довольно и такой подачки для этаких детей, а если кому угодно, то пусть сам раскошеливается», и проч., и проч. Я завещания сам не читал, но слышал, что именно было что-то странное в этом роде и слишком своеобразно выраженное. Главным наследником старухи оказался, однако же, честный человек, губернский предводитель дворянства той губернии Ефим Петрович Полснов. Списавшись с Федором Павловичем и мигом угадав, что от него денег на воспитание его же детей не вытащишь (хотя тот прямо никогда не отказывал, а только всегда в этаких случаях тянул, иногда даже изливаясь в чувствительностях), он принял в сиротах участие лично и особенно полюбил младшего из них, Алексея, так что тот долгое время даже и рос в его семействе. Это я прошу читателя заметить с самого начала. И если кому обязаны были молодые люди своим воспитанием и образованием на всю свою жизнь, то именно этому Ефиму Петровичу, благороднейшему и гуманнейшему человеку, из таких, какие редко встречаются. Он сохранил малюткам по их тысяче, оставленной генеральшей, неприкосновенно, так что они к совершеннолетию их возросли процентами, каждая до двух, воспитал же их на свои деньги и уж, конечно, гораздо более, чем по тысяче, издержал на каждого. В подробный рассказ их детства и юности я опять пока не вступаю, а обозначу лишь самые главные обстоятельства. Впрочем, о старшем, Иване, сообщу лишь то, что он рос каким-то угрюмым и закрывшимся сам в себе отроком, далеко не робким, но как бы еще с десяти лет проникнувшим в то, что растут они все-таки в чужой семье и на чужих милостях и что отец у них какой-то такой, о котором даже и говорить стыдно, и проч., и проч. Этот мальчик очень скоро, чуть не в младенчестве (как передавали по крайней мере), стал обнаруживать какие-то необыкновенные и блестящие способности к учению. В точности не знаю, но как-то так случилось, что с семьей Ефима Петровича он расстался чуть ли не тринадцати лет, перейдя в одну из московских гимназий и на пансион к какому-то опытному и знаменитому тогда педагогу, другу с детства Ефима Петровича. Сам Иван рассказывал потом, что всё произошло, так сказать, от «пылкости к добрым делам» Ефима Петровича, увлекшегося идеей, что гениальных способностей мальчик должен и воспитываться у гениального воспитателя. Впрочем, ни Ефима Петровича, ни гениального воспитателя уже не было в живых, когда молодой человек, кончив гимназию, поступил в университет. Так как Ефим Петрович плохо распорядился и получение завещанных самодуркой генеральшей собственных детских денег, возросших с тысячи уже на две процентами, замедлилось по разным совершенно неизбежимым у нас формальностям и проволочкам, то молодому человеку в первые его два года в университете пришлось очень солоно, так как он принужден был всё это время кормить и содержать себя сам и в то же время учиться. Заметить надо, что он даже и попытки не захотел тогда сделать списаться с отцом, — может быть, из гордости, из презрения к нему, а может быть, вследствие холодного здравого рассуждения, подсказавшего ему, что от папеньки никакой чуть-чуть серьезной поддержки не получит. Как бы там ни было, молодой человек не потерялся нисколько и добился-таки работы, сперва уроками в двугривенный, а потом бегая по редакциям газет и доставляя статейки в десять строчек об уличных происшествиях, за подписью «Очевидец». Статейки эти, говорят, были так всегда любопытно и пикантно составлены, что быстро пошли в ход, и уж в этом одном молодой человек оказал всё свое практическое и умственное превосходство над тою многочисленною, вечно нуждающеюся и несчастною частью нашей учащейся молодежи обоего пола, которая в столицах, по обыкновению, с утра до ночи обивает пороги разных газет и журналов, не умея ничего лучше выдумать, кроме вечного повторения одной и той же просьбы о переводах с французского или о переписке. Познакомившись с редакциями, Иван Федорович всё время потом не разрывал связей с ними и в последние свои годы в университете стал печатать весьма талантливые разборы книг на разные специальные темы, так что даже стал в литературных кружках известен. Впрочем, лишь в самое только последнее время ему удалось случайно обратить на себя вдруг особенное внимание в гораздо большем круге читателей, так что его весьма многие разом тогда отметили и запомнили. Это был довольно любопытный случай. Уже выйдя из университета и приготовляясь на свои две тысячи съездить за границу, Иван Федорович вдруг напечатал в одной из больших газет одну странную статью, обратившую на себя внимание даже и неспециалистов, и, главное, по предмету, по-видимому, вовсе ему незнакомому, потому что кончил он курс естественником. Статья была написана на поднявшийся повсеместно тогда вопрос о церковном суде. Разбирая некоторые уже поданные мнения об этом вопросе, он высказал и свой личный взгляд. Главное было в тоне и в замечательной неожиданности заключения. А между тем многие из церковников решительно сочли автора за своего. И вдруг рядом с ними не только гражданственники, но даже сами атеисты принялись и с своей стороны аплодировать. В конце концов некоторые догадливые люди решили, что вся статья есть лишь дерзкий фарс и насмешка. Упоминаю о сем случае особенно потому, что статья эта своевременно проникла и в подгородный знаменитый наш монастырь, где возникшим вопросом о церковном суде вообще интересовались, — проникла и произвела совершенное недоумение. Узнав же имя автора, заинтересовались и тем, что он уроженец нашего города и сын «вот этого самого Федора Павловича». А тут вдруг к самому этому времени явился к нам и сам автор.

Зачем приехал тогда к нам Иван Федорович, — я, помню, даже и тогда еще задавал себе этот вопрос с каким-то почти беспокойством. Столь роковой приезд этот, послуживший началом ко стольким последствиям, для меня долго потом, почти всегда, оставался делом неясным. Вообще судя, странно было, что молодой человек, столь ученый, столь гордый и осторожный на вид, вдруг явился в такой безобразный дом, к такому отцу, который всю жизнь его игнорировал, не знал его и не помнил, и хоть не дал бы, конечно, денег ни за что и ни в каком случае, если бы сын у него попросил, но всё же всю жизнь боялся, что и сыновья, Иван и Алексей, тоже когда-нибудь придут да и попросят денег. И вот молодой человек поселяется в доме такого отца, живет с ним месяц и другой, и оба уживаются как не надо лучше. Последнее даже особенно удивило не только меня, но и многих других. Петр Александрович Миусов, о котором я говорил уже выше, дальний родственник Федора Павловича по его первой жене, случился тогда опять у нас, в своем подгородном имении, пожаловав из Парижа, в котором уже совсем поселился. Помню, он-то именно и дивился всех более, познакомившись с заинтересовавшим его чрезвычайно молодым человеком, с которым он не без внутренней боли пикировался иногда познаниями. «Он горд, — говорил он нам тогда про него, — всегда добудет себе копейку, у него и теперь есть деньги на заграницу — чего ж ему здесь надо? Всем ясно, что он приехал к отцу не за деньгами, потому что во всяком случае отец их не даст. Пить вино и развратничать он не любит, а между тем старик и обойтись без него не может, до того ужились!» Это была правда; молодой человек имел даже видимое влияние на старика; тот почти начал его иногда как будто слушаться, хотя был чрезвычайно и даже злобно подчас своенравен; даже вести себя начал иногда приличнее...

Только впоследствии объяснилось, что Иван Федорович приезжал отчасти по просьбе и по делам своего старшего брата, Дмитрия Федоровича, которого в первый раз отроду узнал и увидал тоже почти в это же самое время, в этот самый приезд, но с которым, однако же, по одному важному случаю, касавшемуся более Дмитрия Федоровича, вступил еще до приезда своего из Москвы в переписку. Какое это было дело, читатель вполне узнает в свое время в подробности. Тем не менее даже тогда, когда я уже знал и про это особенное обстоятельство, мне Иван Федорович всё казался загадочным, а приезд его к нам все-таки необъяснимым.

Прибавлю еще, что Иван Федорович имел тогда вид посредника и примирителя между отцом и затеявшим тогда большую ссору и даже формальный иск на отца старшим братом своим, Дмитрием Федоровичем.

Семейка эта, повторяю, сошлась тогда вся вместе в первый раз в жизни, и некоторые члены ее в первый раз в жизни увидали друг друга. Лишь один только младший сын, Алексей Федорович, уже с год пред тем как проживал у нас и попал к нам, таким образом, раньше всех братьев. Вот про этого-то Алексея мне всего труднее говорить теперешним моим предисловным рассказом, прежде чем вывести его на сцену в романе. Но придется и про него написать предисловие, по крайней мере чтобы разъяснить предварительно один очень странный пункт, именно: будущего героя моего я принужден представить читателям с первой сцены его романа в ряске послушника. Да, уже с год как проживал он тогда в нашем монастыре и, казалось, на всю жизнь готовился в нем затвориться.

IV
ТРЕТИЙ СЫН АЛЕША

Было ему тогда всего двадцать лет (брату его Ивану шел тогда двадцать четвертый год, а старшему их брату, Дмитрию, — двадцать восьмой). Прежде всего объявляю, что этот юноша, Алеша, был вовсе не фанатик и, по-моему, по крайней мере, даже и не мистик вовсе. Заранее скажу мое полное мнение: был он просто ранний человеколюбец, и если ударился на монастырскую дорогу, то потому только, что в то время она одна поразила его и представила ему, так сказать, идеал исхода рвавшейся из мрака мирской злобы к свету любви души его. И поразила-то его эта дорога лишь потому, что на ней он встретил тогда необыкновенное, по его мнению, существо — нашего знаменитого монастырского старца Зосиму, к которому привязался всею горячею первою любовью своего неутолимого сердца. Впрочем, я не спорю, что был он и тогда уже очень странен, начав даже с колыбели. Кстати, я уже упоминал про него, что, оставшись после матери всего лишь по четвертому году, он запомнил ее потом на всю жизнь, ее лицо, ее ласки, «точно как будто она стоит предо мной живая». Такие воспоминания могут запоминаться (и это всем известно) даже и из более раннего возраста, даже с двухлетнего, но лишь выступая всю жизнь как бы светлыми точками из мрака, как бы вырванным уголком из огромной картины, которая вся погасла и исчезла, кроме этого только уголочка. Так точно было и с ним: он запомнил один вечер, летний, тихий, отворенное окно, косые лучи заходящего солнца (косые-то лучи и запомнились всего более), в комнате в углу образ, пред ним зажженную лампадку, а пред образом на коленях рыдающую как в истерике, со взвизгиваниями и вскрикиваниями, мать свою, схватившую его в обе руки, обнявшую его крепко до боли и молящую за него Богородицу, протягивающую его из объятий своих обеими руками к образу как бы под покров Богородице... и вдруг вбегает нянька и вырывает его у нее в испуге. Вот картина! Алеша запомнил в тот миг и лицо своей матери: он говорил, что оно было исступленное, но прекрасное, судя по тому, сколько мог он припомнить. Но он редко кому любил поверять это воспоминание. В детстве и юности он был мало экспансивен и даже мало разговорчив, но не от недоверия, не от робости или угрюмой нелюдимости, вовсе даже напротив, а от чего-то другого, от какой-то как бы внутренней заботы, собственно личной, до других не касавшейся, но столь для него важной, что он из-за нее как бы забывал других. Но людей он любил: он, казалось, всю жизнь жил, совершенно веря в людей, а между тем никто и никогда не считал его ни простячком, ни наивным человеком. Что-то было в нем, что говорило и внушало (да и всю жизнь потом), что он не хочет быть судьей людей, что он не захочет взять на себя осуждения и ни за что не осудит. Казалось даже, что он всё допускал, нимало не осуждая, хотя часто очень горько грустя. Мало того, в этом смысле он до того дошел, что его никто не мог ни удивить, ни испугать, и это даже в самой ранней своей молодости. Явясь по двадцатому году к отцу, положительно в вертеп грязного разврата, он, целомудренный и чистый, лишь молча удалялся, когда глядеть было нестерпимо, но без малейшего вида презрения или осуждения кому бы то ни было. Отец же, бывший когда-то приживальщик, а потому человек чуткий и тонкий на обиду, сначала недоверчиво и угрюмо его встретивший («много, дескать, молчит и много про себя рассуждает»), скоро кончил, однако же, тем, что стал его ужасно часто обнимать и целовать, не далее как через две какие-нибудь недели, правда с пьяными слезами, в хмельной чувствительности, но видно, что полюбив его искренно и глубоко и так, как никогда, конечно, не удавалось такому, как он, никого любить...

Да и все этого юношу любили, где бы он ни появился, и это с самых детских даже лет его. Очутившись в доме своего благодетеля и воспитателя, Ефима Петровича Поленова, он до того привязал к себе всех в этом семействе, что его решительно считали там как бы за родное дитя. А между тем он вступил в этот дом еще в таких младенческих летах, в каких никак нельзя ожидать в ребенке расчетливой хитрости, пронырства или искусства заискать и понравиться, уменья заставить себя полюбить. Так что дар возбуждать к себе особенную любовь он заключал в себе, так сказать, в самой природе, безыскусственно и непосредственно. То же самое было с ним и в школе, и, однако же, казалось бы, он именно был из таких детей, которые возбуждают к себе недоверие товарищей, иногда насмешки, а пожалуй, и ненависть. Он, например, задумывался и как бы отъединялся. Он с самого детства любил уходить в угол и книжки читать, и, однако же, и товарищи его до того полюбили, что решительно можно было назвать его всеобщим любимцем во всё время пребывания его в школе. Он редко бывал резв, даже редко весел, но все, взглянув на него, тотчас видели, что это вовсе не от какой-нибудь в нем угрюмости, что, напротив, он ровен и ясен. Между сверстниками он никогда не хотел выставляться. Может, по этому самому он никогда и никого не боялся, между тем мальчики тотчас поняли, что он вовсе не гордится своим бесстрашием, а смотрит как будто и не понимает, что он смел и бесстрашен. Обиды никогда не помнил. Случалось, что через час после обиды он отвечал обидчику или сам с ним заговаривал с таким доверчивым и ясным видом, как будто ничего и не было между ними вовсе. И не то чтоб он при этом имел вид, что случайно забыл или намеренно простил обиду, а просто не считал ее за обиду, и это решительно пленяло и покоряло детей. Была в нем одна лишь черта, которая во всех классах гимназии, начиная с низшего и даже до высших, возбуждала в его товарищах постоянное желание подтрунить над ним, но не из злобной насмешки, а потому, что это было им весело. Черта эта в нем была дикая, исступленная стыдливость и целомудренность. Он не мог слышать известных слов и известных разговоров про женщин. Эти «известные» слова и разговоры, к несчастию, неискоренимы в школах. Чистые в душе и сердце мальчики, почти еще дети, очень часто любят говорить в классах между собою и даже вслух про такие вещи, картины и образы, о которых не всегда заговорят даже и солдаты, мало того, солдаты-то многого не знают и не понимают из того, что уже знакомо в этом роде столь юным еще детям нашего интеллигентного и высшего общества. Нравственного разврата тут, пожалуй, еще нет, цинизма тоже нет настоящего, развратного, внутреннего, но есть наружный, и он-то считается у них нередко чем-то даже деликатным, тонким, молодецким и достойным подражания. Видя, что «Алешка Карамазов», когда заговорят «про это», быстро затыкает уши пальцами, они становились иногда подле него нарочно толпой и, насильно отнимая руки от ушей его, кричали ему в оба уха скверности, а тот рвался, спускался на пол, ложился, закрывался, и всё это не говоря им ни слова, не бранясь, молча перенося обиду. Под конец, однако, оставили его в покое и уже не дразнили «девчонкой», мало того, глядели на него в этом смысле с сожалением. Кстати, в классах он всегда стоял по учению из лучших, но никогда не был отмечен первым.

Когда умер Ефим Петрович, Алеша два года еще пробыл в губернской гимназии. Неутешная супруга Ефима Петровича, почти тотчас же по смерти его, отправилась на долгий срок в Италию со всем семейством, состоявшим всё из особ женского пола, а Алеша попал в дом к каким-то двум дамам, которых он прежде никогда и не видывал, каким-то дальним родственницам Ефима Петровича, но на каких условиях, он сам того не знал. Характерная тоже, и даже очень, черта его была в том, что он никогда не заботился, на чьи средства живет. В этом он был совершенная противоположность своему старшему брату, Ивану Федоровичу, пробедствовавшему два первые года в университете, кормя себя своим трудом, и с самого детства горько почувствовавшему, что живет он на чужих хлебах у благодетеля. Но эту странную черту в характере Алексея, кажется, нельзя было осудить очень строго, потому что всякий чуть-чуть лишь узнавший его тотчас, при возникшем на этот счет вопросе, становился уверен, что Алексей непременно из таких юношей вроде как бы юродивых, которому попади вдруг хотя бы даже целый капитал, то он не затруднится отдать его, по первому даже спросу, или на доброе дело, или, может быть, даже просто ловкому пройдохе, если бы тот у него попросил. Да и вообще говоря, он как бы вовсе не знал цены деньгам, разумеется не в буквальном смысле говоря. Когда ему выдавали карманные деньги, которых он сам никогда не просил, то он или по целым неделям не знал, что с ними делать, или ужасно их не берег, мигом они у него исчезали. Петр Александрович Миусов, человек насчет денег и буржуазной честности весьма щекотливый, раз, впоследствии, приглядевшись к Алексею, произнес о нем следующий афоризм: «Вот, может быть, единственный человек в мире, которого оставьте вы вдруг одного и без денег на площади незнакомого в миллион жителей города, и он ни за что не погибнет и не умрет с голоду и холоду, потому что его мигом накормят, мигом пристроят, а если не пристроят, то он сам мигом пристроится, и это не будет стоить ему никаких усилий и никакого унижения, а пристроившему никакой тягости, а может быть, напротив, почтут за удовольствие».

В гимназии своей он курса не кончил; ему оставался еще целый год, как он вдруг объявил своим дамам, что едет к отцу по одному делу, которое взбрело ему в голову. Те очень жалели его и не хотели было пускать. Проезд стоил очень недорого, и дамы не позволили ему заложить свои часы — подарок семейства благодетеля пред отъездом за границу, а роскошно снабдили его средствами, даже новым платьем и бельем. Он, однако, отдал им половину денег назад, объявив, что непременно хочет сидеть в третьем классе. Приехав в наш городок, он на первые расспросы родителя: «Зачем именно пожаловал, не докончив курса?» — прямо ничего не ответил, а был, как говорят, не по-обыкновенному задумчив. Вскоре обнаружилось, что он разыскивает могилу своей матери. Он даже сам признался было тогда, что затем только и приехал. Но вряд ли этим исчерпывалась вся причина его приезда. Всего вероятнее, что он тогда и сам не знал и не смог бы ни за что объяснить: что именно такое как бы поднялось вдруг из его души и неотразимо повлекло его на какую-то новую, неведомую, но неизбежную уже дорогу. Федор Павлович не мог указать ему, где похоронил свою вторую супругу, потому что никогда не бывал на ее могиле, после того как засыпали гроб, а за давностью лет и совсем запамятовал, где ее тогда хоронили...

К слову о Федоре Павловиче. Он долгое время пред тем прожил не в нашем городе. Года три-четыре по смерти второй жены он отправился на юг России и под конец очутился в Одессе, где и прожил сряду несколько лет. Познакомился он сначала, по его собственным словам, «со многими жидами, жидками, жидишками и жиденятами», а кончил тем, что под конец даже не только у жидов, но «и у евреев был принят». Надо думать, что в этот-то период своей жизни он и развил в себе особенное уменье сколачивать и выколачивать деньгу. Воротился он снова в наш городок окончательно всего только года за три до приезда Алеши. Прежние знакомые его нашли его страшно состарившимся, хотя был он вовсе еще не такой старик. Держал же он себя не то что благороднее, а как-то нахальнее. Явилась, например, наглая потребность в прежнем шуте — других в шуты рядить. Безобразничать с женским полом любил не то что по-прежнему, а даже как бы и отвратительнее. Вскорости он стал основателем по уезду многих новых кабаков. Видно было, что у него есть, может быть, тысяч до ста или разве немногим только менее. Многие из городских и из уездных обитателей тотчас же ему задолжали, под вернейшие залоги, разумеется. В самое же последнее время он как-то обрюзг, как-то стал терять ровность, самоотчетность, впал даже в какое-то легкомыслие, начинал одно и кончал другим, как-то раскидывался и всё чаще и чаще напивался пьян, и если бы не всё тот же лакей Григорий, тоже порядочно к тому времени состарившийся и смотревший за ним иногда вроде почти гувернера, то, может быть, Федор Павлович и не прожил бы без особых хлопот. Приезд Алеши как бы подействовал на него даже с нравственной стороны, как бы что-то проснулось в этом безвременном старике из того, что давно уже заглохло в душе его: «Знаешь ли ты, — стал он часто говорить Алеше, приглядываясь к нему, — что ты на нее похож, на кликушу-то?» Так называл он свою покойную жену, мать Алеши. Могилку «кликуши» указал наконец Алеше лакей Григорий. Он свел его на наше городское кладбище и там, в дальнем уголке, указал ему чугунную недорогую, но опрятную плиту, на которой была даже надпись с именем, званием, летами и годом смерти покойницы, а внизу было даже начертано нечто вроде четырехстишия из старинных, общеупотребительных на могилах среднего люда кладбищенских стихов. К удивлению, эта плита оказалась делом Григория. Это он сам воздвиг ее над могилкой бедной «кликуши» и на собственное иждивение, после того когда Федор Павлович, которому он множество раз уже досаждал напоминаниями об этой могилке, уехал наконец в Одессу, махнув рукой не только на могилы, но и на все свои воспоминания. Алеша не выказал на могилке матери никакой особенной чувствительности; он только выслушал важный и резонный рассказ Григория о сооружении плиты, постоял понурившись и ушел, не вымолвив ни слова. С тех пор, может быть даже во весь год, и не бывал на кладбище. Но на Федора Павловича этот маленький эпизод тоже произвел свое действие, и очень оригинальное. Он вдруг взял тысячу рублей и свез ее в наш монастырь на помин души своей супруги, но не второй, по матери Алеши, не «кликуши», а первой, Аделаиды Ивановны, которая колотила его. Ввечеру того дня он напился пьян и ругал Алеше монахов. Сам он был далеко не из религиозных людей; человек никогда, может быть, пятикопеечной свечки не поставил пред образом. Странные порывы внезапных чувств и внезапных мыслей бывают у этаких субъектов.

Я уже говорил, что он очень обрюзг. Физиономия его представляла к тому времени что-то резко свидетельствовавшее о характеристике и сущности всей прожитой им жизни. Кроме длинных и мясистых мешочков под маленькими его глазами, вечно наглыми, подозрительными и насмешливыми, кроме множества глубоких морщинок на его маленьком, но жирненьком личике, к острому подбородку его подвешивался еще большой кадык, мясистый и продолговатый, как кошелек, что придавало ему какой-то отвратительно сладострастный вид. Прибавьте к тому плотоядный, длинный рот, с пухлыми губами, из-под которых виднелись маленькие обломки черных, почти истлевших зубов. Он брызгался слюной каждый раз, когда начинал говорить. Впрочем, и сам он любил шутить над своим лицом, хотя, кажется, оставался им доволен. Особенно указывал он на свой нос, не очень большой, но очень тонкий, с сильно выдающеюся горбиной: «Настоящий римский, —

говорил он, — вместе с кадыком настоящая физиономия древнего римского патриция времен упадка». Этим он, кажется, гордился.

И вот довольно скоро после обретения могилы матери Алеша вдруг объявил ему, что хочет поступить в монастырь и что монахи готовы допустить его послушником. Он объяснил при этом, что это чрезвычайное желание его и что испрашивает он у него торжественное позволение как у отца. Старик уже знал, что старец Зосима, спасавшийся в монастырском скиту, произвел на его «тихого мальчика» особенное впечатление.

— Этот старец, конечно, у них самый честный монах, — промолвил он, молчаливо и вдумчиво выслушав Алешу, почти совсем, однако, не удивившись его просьбе. — Гм, так ты вот куда хочешь, мой тихий мальчик! — Он был вполпьяна и вдруг улыбнулся своею длинною, полупьяною, но не лишенною хитрости и пьяного лукавства улыбкою. — Гм, а ведь я так и предчувствовал, что ты чем-нибудь вот этаким кончишь, можешь это себе представить? Ты именно туда норовил. Ну что ж, пожалуй, у тебя же есть свои две тысчоночки, вот тебе и приданое, а я тебя, мой ангел, никогда не оставлю, да и теперь внесу за тебя что там следует, если спросят. Ну, а если не спросят, к чему нам навязываться, не так ли? Ведь ты денег, что канарейка, тратишь, по два зернышка в недельку... Гм. Знаешь, в одном монастыре есть одна подгородная слободка, и уж всем там известно, что в ней одни только «монастырские жены» живут, так их там называют, штук тридцать жен, я думаю... Я там был, и, знаешь, интересно, в своем роде разумеется, в смысле разнообразия. Скверно тем только, что русизм ужасный, француженок совсем еще нет, а могли бы быть, средства знатные. Проведают — приедут. Ну, а здесь ничего, здесь нет монастырских жен, а монахов штук двести. Честно. Постники. Сознаюсь... Гм. Так ты к монахам хочешь? А ведь мне тебя жаль, Алеша, воистину, веришь ли, я тебя полюбил... Впрочем, вот и удобный случай: помолишься за нас, грешных, слишком мы уж, сидя здесь, нагрешили. Я всё помышлял о том: кто это за меня когда-нибудь помолится? Есть ли в свете такой человек? Милый ты мальчик, я ведь на этот счет ужасно как глуп, ты, может быть, не веришь? Ужасно. Видишь ли: я об этом, как ни глуп, а всё думаю, всё думаю, изредка, разумеется, не всё же ведь. Ведь невозможно же, думаю, чтобы черти меня крючьями позабыли стащить к себе, когда я помру. Ну вот и думаю: крючья? А откуда они у них? Из чего? Железные? Где же их куют? Фабрика, что ли, у них какая там есть? Ведь там в монастыре иноки, наверно, полагают, что в аде, например, есть потолок. А я вот готов поверить в ад, только чтобы без потолка; выходит оно как будто деликатнее, просвещеннее, по-лютерански то есть. А в сущности ведь не всё ли равно: с потолком или без потолка? Ведь вот вопрос-то проклятый в чем заключается! Ну, а коли нет потолка, стало быть, нет и крючьев. А коли нет крючьев, стало быть, и всё побоку, значит, опять невероятно: кто же меня тогда крючьями-то потащит, потому что если уж меня не потащат, то что ж тогда будет, где же правда на свете? Il faudrait les inventer[1], эти крючья, для меня нарочно, для меня одного, потому что если бы ты знал, Алеша, какой я срамник!..

— Да, там нет крючьев, — тихо и серьезно, приглядываясь к отцу, выговорил Алеша.

— Так, так, одни только тени крючьев. Знаю, знаю. Это как один француз описывал ад: «J'ai vu l'ombre d'un cocher, qui avec l'ombre d'une brosse frottait l'ombre d'une carrosse»[2]. Ты, голубчик, почему знаешь, что нет крючьев? Побудешь у монахов, не то запоешь. А впрочем, ступай, доберись там до правды, да и приди рассказать: всё же идти на тот свет будет легче, коли наверно знаешь, что там такое. Да и приличнее тебе будет у монахов, чем у меня, с пьяным старикашкой да с девчонками... хоть до тебя, как до ангела, ничего не коснется. Ну авось и там до тебя ничего не коснется, вот ведь я почему и дозволяю тебе, что на последнее надеюсь. Ум-то у тебя не черт съел. Погоришь и погаснешь, вылечишься и назад придешь. А я тебя буду ждать: ведь я чувствую же, что ты единственный человек на земле, который меня не осудил, мальчик ты мой милый, я ведь чувствую же это, не могу же я это не чувствовать!..

И он даже расхныкался. Он был сентиментален. Он был зол и сентиментален.

---

[1] Их следовало бы выдумать *(фр.).*

[2] «Я видел тень кучера, которая тенью щетки чистила тень кареты» *(фр.).*

V

СТАРЦЫ

Может быть, кто из читателей подумает, что мой молодой человек был болезненная, экстазная, бедно развитая натура, бледный мечтатель, чахлый и испитой человечек. Напротив, Алеша был в то время статный, краснощекий, со светлым взором, пышущий здоровьем девятнадцатилетний подросток. Он был в то время даже очень красив собою, строен, средневысокого роста, темно-рус, с правильным, хотя несколько удлиненным овалом лица, с блестящими темно-серыми широко расставленными глазами, весьма задумчивый и по-видимому весьма спокойный. Скажут, может быть, что красные щеки не мешают ни фанатизму, ни мистицизму; а мне так кажется, что Алеша был даже больше, чем кто-нибудь, реалистом. О, конечно, в монастыре он совершенно веровал в чудеса, но, по-моему, чудеса реалиста никогда не смутят. Не чудеса склоняют реалиста к вере. Истинный реалист, если он не верующий, всегда найдет в себе силу и способность не поверить и чуду, а если чудо станет пред ним неотразимым фактом, то он скорее не поверит своим чувствам, чем допустит факт. Если же и допустит его, то допустит как факт естественный, но доселе лишь бывший ему неизвестным. В реалисте вера не от чуда рождается, а чудо от веры. Если реалист раз поверит, то он именно по реализму своему должен непременно допустить и чудо. Апостол Фома объявил, что не поверит, прежде чем не увидит, а когда увидел, сказал: «Господь мой и Бог мой!» Чудо ли заставило его уверовать? Вероятнее всего, что нет, а уверовал он лишь единственно потому, что желал уверовать и, может быть, уже веровал вполне, в тайнике существа своего, даже еще тогда, когда произносил: «Не поверю, пока не увижу».

Скажут, может быть, что Алеша был туп, неразвит, не кончил курса и проч. Что он не кончил курса, это была правда, но сказать, что он был туп или глуп, было бы большою несправедливостью. Просто повторю, что сказал уже выше: вступил он на эту дорогу потому только, что в то время она одна поразила его и представила ему разом весь идеал исхода рвавшейся из мрака к свету души его. Прибавьте, что он был юноша отчасти уже нашего последнего времени, то есть честный по природе своей, требующий правды, ищущий ее и верующий в нее, а уверовав, требующий немедленного участия в ней всею силой души своей, требующий скорого подвига, с непременным желанием хотя бы всем пожертвовать для этого подвига, даже жизнью. Хотя, к несчастию, не понимают эти юноши, что жертва жизнию есть, может быть, самая легчайшая изо всех жертв во множестве таких случаев и что пожертвовать, например, из своей кипучей юностью жизни пять-шесть лет на трудное, тяжелое учение, на науку, хотя бы для того только, чтобы удесятерить в себе силы для служения той же правде и тому же подвигу, который излюбил и который предложил себе совершить, — такая жертва сплошь да рядом для многих из них почти совсем не по силам. Алеша избрал лишь противоположную всем дорогу, но с тою же жаждой скорого подвига. Едва только он, задумавшись серьезно, поразился убеждением, что бессмертие и Бог существуют, то сейчас же, естественно, сказал себе: «Хочу жить для бессмертия, а половинного компромисса не принимаю». Точно так же если бы он порешил, что бессмертия и Бога нет, то сейчас бы пошел в атеисты и в социалисты (ибо социализм есть не только рабочий вопрос, или так называемого четвертого сословия, но по преимуществу есть атеистический вопрос, вопрос современного воплощения атеизма, вопрос Вавилонской башни, строящейся именно без бога, не для достижения небес с земли, а для сведения небес на землю). Алеше казалось даже странным и невозможным жить по-прежнему. Сказано: «Раздай всё и иди за мной, если хочешь быть совершен». Алеша и сказал себе: «Не могу я отдать вместо „всего“ два рубля, а вместо „иди за мной“ ходить лишь к обедне». Из воспоминаний его младенчества, может быть, сохранилось нечто о нашем подгородном монастыре, куда могла возить его мать к обедне. Может быть, подействовали и косые лучи заходящего солнца пред образом, к которому его протягивала его кликуша-мать. Задумчивый он приехал к нам тогда, может быть, только лишь посмотреть: всё ли тут или и тут только два рубля, и — в монастыре встретил этого старца...

Старец этот, как я уже объяснил выше, был старец Зосима; но надо бы здесь сказать несколько слов и о том, что такое вообще «старцы» в наших монастырях, и вот жаль, что чувствую себя на этой дороге не довольно компетентным и твердым. Попробую, однако, сообщить малыми словами и в поверхностном изложении. И во-первых, люди специальные и компетентные утверждают, что старцы и старчество появились у нас, по нашим русским монастырям, весьма лишь недавно, даже нет и ста лет, тогда как на всем православном Востоке, особенно на Синае и на Афоне, существуют далеко уже за тысячу лет. Утверждают, что существовало старчество и у нас на Руси во времена древнейшие или непременно должно было существовать, но вследствие бедствий России, татарщины, смут, перерыва прежних сношений с Востоком после покорения Константинополя установление это забылось у нас и старцы пресеклись. Возрождено же оно у нас опять с конца прошлого столетия одним из великих подвижников (как называют его) Паисием Величковским и учениками его, но и доселе, даже через сто почти лет, существует весьма еще не во многих монастырях и даже подвергалось иногда почти что гонениям, как неслыханное по России новшество. В особенности процвело оно у нас на Руси в одной знаменитой пустыне, Козельской Оптиной. Когда и кем насадилось оно и в нашем подгородном монастыре, не могу сказать, но в нем уже считалось третье преемничество старцев, и старец Зосима был из них последним, но и он уж почти помирал от слабости и болезней, а заменить его даже и не знали кем. Вопрос для нашего монастыря был важный, так как монастырь наш ничем особенно не был до тех пор знаменит: в нем не было ни мощей святых угодников, ни явленных чудотворных икон, не было даже славных преданий, связанных с нашею историей, не числилось за ним исторических подвигов и заслуг отечеству. Процвел он и прославился на всю Россию именно из-за старцев, чтобы видеть и послушать которых стекались к нам богомольцы толпами со всей России из-за тысяч верст. Итак, что же такое старец? Старец — это берущий вашу душу, вашу волю в свою душу и в свою волю. Избрав старца, вы от своей воли отрешаетесь и отдаете ее ему в полное послушание, с полным самоотрешением. Этот искус, эту страшную школу жизни обрекающий себя принимает добровольно в надежде после долгого искуса победить себя, овладеть собою до того, чтобы мог наконец достичь, чрез послушание всей жизни, уже совершенной свободы, то есть свободы от самого себя, избегнуть участи тех, которые всю жизнь прожили, а себя в себе не нашли. Изобретение это, то есть старчество, — не теоретическое, а выведено на Востоке из практики, в наше время уже тысячелетней. Обязанности к старцу не то, что обыкновенное «послушание», всегда бывшее и в наших русских монастырях. Тут признается вечная исповедь всех подвизающихся старцу и неразрушимая связь между связавшим и связанным. Рассказывают, например, что однажды, в древнейшие времена христианства, один таковой послушник, не исполнив некоего послушания, возложенного на него его старцем, ушел от него из монастыря и пришел в другую страну, из Сирии в Египет. Там после долгих и великих подвигов сподобился наконец претерпеть истязания и мученическую смерть за веру. Когда же церковь хоронила тело его, уже чтя его как святого, то вдруг при возгласе диакона: «Оглашенные, изыдите!» — гроб с лежащим в нем телом мученика сорвался с места и был извергнут из храма, и так до трех раз. И наконец лишь узнали, что этот святой страстотерпец нарушил послушание и ушел от своего старца, а потому без разрешения старца не мог быть и прощен, даже несмотря на свои великие подвиги. Но когда призванный старец разрешил его от послушания, тогда лишь могло совершиться и погребение его. Конечно, всё это лишь древняя легенда, но вот и недавняя быль: один из наших современных иноков спасался на Афоне, и вдруг старец его повелел ему оставить Афон, который он излюбил как святыню, как тихое пристанище, до глубины души своей, и идти сначала в Иерусалим на поклонение святым местам, а потом обратно в Россию, на север, в Сибирь: «Там тебе место, а не здесь». Пораженный и убитый горем монах явился в Константинополь ко вселенскому патриарху и молил разрешить его послушание, и вот вселенский владыка ответил ему, что не только он, патриарх вселенский, не может разрешить его, но и на всей земле нет, да и не может быть такой власти, которая бы могла разрешить его от послушания, раз уже наложенного старцем, кроме лишь власти самого того старца, который наложил его. Таким образом, старчество одарено властью в известных случаях беспредельною и непостижимою. Вот почему во многих монастырях старчество у нас сначала встречено было почти гонением. Между тем старцев тотчас же стали высоко уважать в народе. К старцам нашего монастыря стекались, например, и простолюдины и самые знатные люди, с тем чтобы, повергаясь пред ними, исповедовать им свои сомнения, свои грехи, свои страдания и испросить совета и наставления. Видя это, противники старцев кричали, вместе с прочими обвинениями, что здесь самовластно и легкомысленно унижается таинство исповеди, хотя беспрерывное исповедование своей души старцу послушником его или светским производится совсем не как таинство. Кончилось, однако, тем, что старчество удержалось и мало-помалу по русским монастырям водворяется. Правда, пожалуй, и то, что это испытанное и уже тысячелетнее орудие для нравственного перерождения человека от рабства к свободе и к нравственному совершенствованию может обратиться в обоюдоострое орудие, так что иного, пожалуй, приведет вместо смирения и окончательного самообладания, напротив, к самой сатанинской гордости, то есть к цепям, а не к свободе.

Старец Зосима был лет шестидесяти пяти, происходил из помещиков, когда-то в самой ранней юности был военным и служил на Кавказе обер-офицером. Без сомнения, он поразил Алешу каким-нибудь особенным свойством души своей. Алеша жил в самой келье старца, который очень полюбил его и допустил к себе. Надо заметить, что Алеша, живя тогда в монастыре, был еще ничем не связан, мог выходить куда угодно хоть на целые дни, и если носил свой подрясник, то добровольно, чтобы ни от кого в монастыре не отличаться. Но уж конечно это ему и самому нравилось. Может быть, на юношеское воображение Алеши сильно подействовала эта сила и слава, которая окружала беспрерывно его старца. Про старца Зосиму говорили многие, что он, допуская к себе столь многие годы всех приходивших к нему исповедовать сердце свое и жаждавших от него совета и врачебного слова, до того много принял в душу свою откровений, сокрушений, сознаний, что под конец приобрел прозорливость уже столь тонкую, что с первого взгляда на лицо незнакомого, приходившего к нему, мог угадывать: с чем тот пришел, чего тому нужно и даже какого рода мучение терзает его совесть, и удивлял, смущал и почти пугал иногда пришедшего таким знанием тайны его, прежде чем тот молвил слово. Но при этом Алеша почти всегда замечал, что многие, почти все, входившие в первый раз к старцу на уединенную беседу, входили в страхе и беспокойстве, а выходили от него почти всегда светлыми и радостными, и самое мрачное лицо обращалось в счастливое. Алешу необыкновенно поражало и то, что старец был вовсе не строг; напротив, был всегда почти весел в обхождении. Монахи про него говорили, что он именно привязывается душой к тому, кто грешнее, и, кто всех более грешен, того он всех более и возлюбит. Из монахов находились, даже и под самый конец жизни старца, ненавистники и завистники его, но их становилось уже мало, и они молчали, хотя было в их числе несколько весьма знаменитых и важных в монастыре лиц, как например один из древнейших иноков, великий молчальник и необычайный постник. Но все-таки огромное большинство держало уже несомненно сторону старца Зосимы, а из них очень многие даже любили его всем сердцем, горячо и искренно; некоторые же были привязаны к нему почти фанатически. Такие прямо говорили, не совсем, впрочем, вслух, что он святой, что в этом нет уже и сомнения, и, предвидя близкую кончину его, ожидали немедленных даже чудес и великой славы в самом ближайшем будущем от почившего монастырю. В чудесную силу старца верил беспрекословно и Алеша, точно так же, как беспрекословно верил и рассказу о вылетавшем из церкви гробе. Он видел, как многие из приходивших с больными детьми или взрослыми родственниками и моливших, чтобы старец возложил на них руки и прочитал над ними молитву, возвращались вскорости, а иные так и на другой же день, обратно и, падая со слезами пред старцем, благодарили его за исцеление их больных. Исцеление ли было в самом деле или только естественное улучшение в ходе болезни — для Алеши в этом вопроса не существовало, ибо он вполне уже верил в духовную силу своего учителя, и слава его была как бы собственным его торжеством. Особенно же дрожало у него сердце, и весь как бы сиял он, когда старец выходил к толпе ожидавших его выхода у врат скита богомольцев из простого народа, нарочно, чтобы видеть старца и благословиться у него, стекавшегося со всей России. Они повергались пред ним, плакали, целовали ноги его, целовали землю, на которой он стоит, вопили, бабы протягивали к нему детей своих, подводили больных кликуш. Старец говорил с ними, читал над ними краткую молитву, благословлял и отпускал их. В последнее время от припадков болезни он становился иногда так слаб, что едва бывал в силах выйти из кельи, и богомольцы ждали иногда в монастыре его выхода по нескольку дней. Для Алеши не составляло никакого вопроса, за что они его так любят, за что они повергаются пред ним и плачут от умиления, завидев лишь лицо его. О, он отлично понимал, что для смиренной души русского простолюдина, измученной трудом и горем, а главное, всегдашнею несправедливостью и всегдашним грехом, как своим, так и мировым, нет сильнее потребности и утешения, как обрести святыню или святого, пасть пред ним и поклониться ему: «Если у нас грех, неправда и искушение, то всё равно есть на земле там-то, где-то святой и высший; у того зато правда, тот зато знает правду; значит, не умирает она на земле, а, стало быть, когда-нибудь и к нам перейдет и воцарится по всей земле, как обещано». Знал Алеша, что так именно и чувствует и даже рассуждает народ, он понимал это, но то, что старец именно и есть этот самый святой, этот хранитель божьей правды в глазах народа, — в этом он не сомневался нисколько и сам вместе с этими плачущими мужиками и больными их бабами, протягивающими старцу детей своих. Убеждение же в том, что старец, почивши, доставит необычайную славу монастырю, царило в душе Алеши, может быть, даже сильнее, чем у кого бы то ни было в монастыре. И вообще всё это последнее время какой-то глубокий, пламенный внутренний восторг всё сильнее и сильнее разгорался в его сердце. Не смущало его нисколько, что этот старец все-таки стоит пред ним единицей: «Всё равно, он свят, в его сердце тайна обновления для всех, та мощь, которая установит наконец правду на земле, и будут все святы, и будут любить друг друга, и не будет ни богатых, ни бедных, ни возвышающихся, ни униженных, а будут все как дети божии и наступит настоящее царство Христово». Вот о чем грезилось сердцу Алеши.

Кажется, что на Алешу произвел сильнейшее впечатление приезд его обоих братьев, которых он до того совершенно не знал. С братом Дмитрием Федоровичем он сошелся скорее и ближе, хотя тот приехал позже, чем с другим (единоутробным) братом своим, Иваном Федоровичем. Он ужасно интересовался узнать брата Ивана, но вот тот уже жил два месяца, а они хоть и виделись довольно часто, но всё еще никак не сходились: Алеша был и сам молчалив и как бы ждал чего-то, как бы стыдился чего-то, а брат Иван, хотя Алеша и подметил вначале на себе его длинные и любопытные взгляды, кажется, вскоре перестал даже и думать о нем. Алеша заметил это с некоторым смущением. Он приписал равнодушие брата разнице в их летах и в особенности в образовании. Но думал Алеша и другое: столь малое любопытство и участие к нему, может быть, происходило у Ивана и от чего-нибудь совершенно Алеше неизвестного. Ему всё казалось почему-то, что Иван чем-то занят, чем-то внутренним и важным, что он стремится к какой-то цели, может быть очень трудной, так что ему не до него, и что вот это и есть та единственная причина, почему он смотрит на Алешу рассеянно. Задумывался Алеша и о том: не было ли тут какого-нибудь презрения к нему, к глупенькому послушнику, от ученого атеиста. Он совершенно знал, что брат его атеист. Презрением этим, если оно и было, он обидеться не мог, но все-таки с каким-то непонятным себе самому и тревожным смущением ждал, когда брат захочет подойти к нему ближе. Брат Дмитрий Федорович отзывался о брате Иване с глубочайшим уважением, с каким-то особым проникновением говорил о нем. От него же узнал Алеша все подробности того важного дела, которое связало в последнее время обоих старших братьев замечательною и тесною связью. Восторженные отзывы Дмитрия о брате Иване были тем характернее в глазах Алеши, что брат Дмитрий был человек в сравнении с Иваном почти вовсе необразованный, и оба, поставленные вместе один с другим, составляли, казалось, такую яркую противоположность как личности и характеры, что, может быть, нельзя бы было и придумать двух человек несходнее между собой.

Вот в это-то время и состоялось свидание, или, лучше сказать, семейная сходка, всех членов этого нестройного семейства в келье старца, имевшая чрезвычайное влияние на Алешу. Предлог к этой сходке, по-настоящему, был фальшивый. Тогда именно несогласия по наследству и по имущественным расчетам Дмитрия Федоровича с отцом его, Федором Павловичем, дошли, по-видимому, до невозможной точки. Отношения обострились и стали невыносимы. Федор Павлович, кажется, первый и, кажется, шутя подал мысль о том, чтобы сойтись всем в келье старца Зосимы и, хоть и не прибегая к прямому его посредничеству, все-таки как-нибудь сговориться приличнее, причем сан и лицо старца могли бы иметь нечто внушающее и примирительное. Дмитрий Федорович, никогда у старца не бывавший и даже не видавший его, конечно, подумал, что старцем его хотят как бы испугать; но так как он и сам укорял себя втайне за многие особенно резкие выходки в споре с отцом за последнее время, то и принял вызов. Кстати заметить, что жил он не в доме отца, как Иван Федорович, а отдельно, в другом конце города. Тут случилось, что проживавший в это время у нас Петр Александрович Миусов особенно ухватился за эту идею Федора Павловича. Либерал сороковых и пятидесятых годов, вольнодумец и атеист, он, от скуки может быть, а может быть, для легкомысленной потехи, принял в этом деле чрезвычайное участие. Ему вдруг захотелось посмотреть на монастырь и на «святого». Так как всё еще продолжались его давние споры с монастырем и всё еще тянулась тяжба о поземельной границе их владений, о каких-то правах рубки в лесу и рыбной ловли в речке и проч., то он и поспешил этим воспользоваться под предлогом того, что сам желал бы сговориться с отцом игуменом: нельзя ли как-нибудь покончить их споры полюбовно? Посетителя с такими благими намерениями, конечно, могли принять в монастыре внимательнее и предупредительнее, чем просто любопытствующего. Вследствие всех сих соображений и могло устроиться некоторое внутреннее влияние в монастыре на больного старца, в последнее время почти совсем уже не покидавшего келью и отказывавшего по болезни даже обыкновенным посетителям. Кончилось тем, что старец дал согласие и день был назначен. «Кто меня поставил делить между ними?» — заявил он только с улыбкой Алеше.

Узнав о свидании, Алеша очень смутился. Если кто из этих тяжущихся и пререкающихся мог смотреть серьезно на этот съезд, то, без сомнения, один только брат Дмитрий; остальные же все придут из целей легкомысленных и для старца, может быть, оскорбительных — вот что понимал Алеша. Брат Иван и Миусов приедут из любопытства, может быть, самого грубого, а отец его, может быть, для какой-нибудь шутовской и актерской сцены. О, Алеша хоть и молчал, но довольно и глубоко знал уже своего отца. Повторяю, этот мальчик был вовсе не столь простодушным, каким все считали его. С тяжелым чувством дожидался он назначенного дня. Без сомнения, он очень заботился про себя, в сердце своем, о том, чтобы как-нибудь все эти семейные несогласия кончились. Тем не менее самая главная забота его была о старце: он трепетал за него, за славу его, боялся оскорблений ему, особенно тонких, вежливых насмешек Миусова и недомолвок свысока ученого Ивана, так это всё представлялось ему. Он даже хотел рискнуть предупредить старца, сказать ему что-нибудь об этих могущих прибыть лицах, но подумал и промолчал. Передал только накануне назначенного дня чрез одного знакомого брату Дмитрию, что очень любит его и ждет от него исполнения обещанного. Дмитрий задумался, потому что ничего не мог припомнить, что бы такое ему обещал, ответил только письмом, что изо всех сил себя сдержит «пред низостью», и хотя глубоко уважает старца и брата Ивана, но убежден, что тут или какая-нибудь ему ловушка, или недостойная комедия. «Тем не менее скорее проглочу свой язык, чем манкирую уважением к святому мужу, тобою столь уважаемому», — закончил Дмитрий свое письмецо. Алешу оно не весьма ободрило.

Книга вторая
НЕУМЕСТНОЕ СОБРАНИЕ

I
ПРИЕХАЛИ В МОНАСТЫРЬ

Выдался прекрасный, теплый и ясный день. Был конец августа. Свидание со старцем условлено было сейчас после поздней обедни, примерно к половине двенадцатого. Наши посетители монастыря к обедне, однако, не пожаловали, а приехали ровно к шапочному разбору. Приехали они в двух экипажах; в первом экипаже, в щегольской коляске, запряженной парой дорогих лошадей, прибыл Петр Александрович Миусов со своим дальним родственником, очень молодым человеком, лет двадцати, Петром Фомичом Калгановым. Этот молодой человек готовился поступить в университет; Миусов же, у которого он почему-то пока жил, соблазнял его с собою за границу, в Цюрих или в Иену, чтобы там поступить в университет и окончить курс. Молодой человек еще не решился. Он был задумчив и как бы рассеян. Лицо его было приятное, сложение крепкое, рост довольно высокий. Во взгляде его случалась странная неподвижность: подобно всем очень рассеянным людям, он глядел на вас иногда в упор и подолгу, а между тем совсем вас не видел. Был он молчалив и несколько неловок, но бывало, — впрочем не иначе как с кем-нибудь один на один, — что он вдруг станет ужасно разговорчив, порывист, смешлив, смеясь бог знает иногда чему. Но одушевление его столь же быстро и вдруг погасло, как быстро и вдруг нарождалось. Был он одет всегда хорошо и даже изысканно: он уже имел некоторое независимое состояние и ожидал еще гораздо бо́льшего. С Алешей был приятелем.

В весьма ветхой, дребезжащей, но поместительной извозчичьей коляске, на паре старых сиво-розовых лошадей, сильно отстававших от коляски Миусова, подъехали и Федор Павлович с сынком своим Иваном Федоровичем. Дмитрию Федоровичу еще накануне сообщен был и час и срок, но он запоздал. Посетители оставили экипажи у ограды, в гостинице, и вошли в монастырские ворота пешком. Кроме Федора Павловича, остальные трое, кажется, никогда не видали никакого монастыря, а Миусов так лет тридцать, может быть, и в церкви не был. Он озирался с некоторым любопытством, не лишенным некоторой напущенной на себя развязности. Но для наблюдательного его ума, кроме церковных и хозяйственных построек, весьма, впрочем, обыкновенных, во внутренности монастыря ничего не представлялось. Проходил последний народ из церкви, снимая шапки и крестясь. Между простонародьем встречались и приезжие более высшего общества, две-три дамы, один очень старый генерал; все они стояли в гостинице. Нищие обступили наших посетителей тотчас же, но им никто ничего не дал. Только Петруша Калганов вынул из портмоне гривенник и, заторопившись и сконфузившись бог знает отчего, поскорее сунул одной бабе, быстро проговорив: «Разделить поровну». Никто ему на это ничего из его сопутников не заметил, так что нечего было ему конфузиться; но, заметив это, он еще больше сконфузился.

Было, однако, странно; их по-настоящему должны бы были ждать и, может быть, с некоторым даже почетом: один недавно еще тысячу рублей пожертвовал, а другой был богатейшим помещиком и образованнейшим, так сказать, человеком, от которого все они тут отчасти зависели по поводу ловель рыбы в реке, вследствие оборота, какой мог принять процесс. И вот, однако ж, никто из официальных лиц их не встречает. Миусов рассеянно смотрел на могильные камни около церкви и хотел было заметить, что могилки эти, должно быть, обошлись дорогонько хоронившим за право хоронить в таком «святом» месте, но промолчал: простая либеральная ирония перерождалась в нем почти что уж в гнев.

— Черт, у кого здесь, однако, спросить, в этой бестолковщине... Это нужно бы решить, потому что время уходит, — промолвил он вдруг, как бы говоря про себя.

Вдруг подошел к ним один пожилой лысоватый господин в широком летнем пальто и с сладкими глазками.

Приподняв шляпу, медово присюсюкивая, отрекомендовался он всем вообще тульским помещиком Максимовым. Он мигом вошел в заботу наших путников.

— Старец Зосима живет в скиту, в скиту наглухо, шагов четыреста от монастыря, через лесок, через лесок...

— Это и я знаю-с, что через лесок, — ответил ему Федор Павлович, — да дорогу-то мы не совсем помним, давно не бывали.

— А вот в эти врата, и прямо леском... леском. Пойдемте. Не угодно ли... мне самому... я сам... Вот сюда, сюда...

Они вышли из врат и направились лесом. Помещик Максимов, человек лет шестидесяти, не то что шел, а, лучше сказать, почти бежал сбоку, рассматривая их всех с судорожным, невозможным почти любопытством. В глазах его было что-то лупоглазое.

— Видите ли, мы к этому старцу по своему делу, — заметил строго Миусов, — мы, так сказать, получили аудиенцию «у сего лица», а потому хоть и благодарны вам за дорогу, но вас уж не попросим входить вместе.

— Я был, был, я уже был... Un chevalier parfait![1] — и помещик пустил на воздух щелчок пальцем.

— Кто это chevalier?[2] — спросил Миусов.

— Старец, великолепный старец, старец... Честь и слава монастырю. Зосима. Это такой старец...

Но беспорядочную речь его перебил догнавший путников монашек, в клобуке, невысокого росту, очень бледный и испитой. Федор Павлович и Миусов остановились. Монах с чрезвычайно вежливым, почти поясным поклоном произнес:

— Отец игумен, после посещения вашего в скиту, покорнейше просит вас всех, господа, у него откушать. У него в час, не позже. И вас также, — обратился он к Максимову.

— Это я непременно исполню! — вскричал Федор Павлович, ужасно обрадовавшись приглашению, — непременно. И знаете, мы все дали слово вести себя здесь порядочно... А вы, Петр Александрович, пожалуете?

— Да еще же-бы нет? Да я зачем же сюда и приехал, как не видеть все их здешние обычаи. Я одним только

---

[1] Рыцарь — и притом совершенный! *(фр.)*
[2] Рыцарь? *(фр.)*

затрудняюсь, именно тем, что я теперь с вами, Федор Павлович...

— Да, Дмитрия Федоровича еще не существует.

— Да и отлично бы было, если б он манкировал, мне приятно, что ли, вся эта ваша мазня, да еще с вами на придачу? Так к обеду будем, поблагодарите отца игумена, — обратился он к монашку.

— Нет, уж я вас обязан руководить к самому старцу, — ответил монах.

— А я, коль так, к отцу игумену, я тем временем прямо к отцу игумену, — защебетал помещик Максимов.

— Отец игумен в настоящий час занят, но как вам будет угодно... — нерешительно произнес монах.

— Преназойливый старичишка, — заметил вслух Миусов, когда помещик Максимов побежал обратно к монастырю.

— На фон Зона похож, — проговорил вдруг Федор Павлович.

— Вы только это и знаете... С чего он похож на фон Зона? Вы сами-то видели фон Зона?

— Его карточку видел. Хоть не чертами лица, так чем-то неизъяснимым. Чистейший второй экземпляр фон Зона. Я это всегда по одной только физиономии узнаю.

— А пожалуй; вы в этом знаток. Только вот что, Федор Павлович, вы сами сейчас изволили упомянуть, что мы дали слово вести себя прилично, помните. Говорю вам, удержитесь. А начнете шута из себя строить, так я не намерен, чтобы меня с вами на одну доску здесь поставили... Видите, какой человек, — обратился он к монаху, — я вот с ним боюсь входить к порядочным людям.

На бледных, бескровных губах монашка показалась тонкая, молчальная улыбочка, не без хитрости в своем роде, но он ничего не ответил, и слишком ясно было, что промолчал из чувства собственного достоинства. Миусов еще больше наморщился.

«О, черт их всех дери, веками лишь выработанная наружность, а в сущности шарлатанство и вздор!» — пронеслось у него в голове.

— Вот и скит, дошли! — крикнул Федор Павлович, — ограда и врата запертые.

И он пустился класть большие кресты пред святыми, написанными над вратами и сбоку врат.

— В чужой монастырь со своим уставом не ходят, — заметил он. — Всех здесь в скиту двадцать пять святых спасаются, друг на друга смотрят и капусту едят. И ни одной-то женщины в эти врата не войдет, вот что особенно замечательно. И это ведь действительно так. Только как же я слышал, что старец дам принимает? — обратился он вдруг к монашку.

— Из простонародья женский пол и теперь тут, вон там, лежат у галерейки, ждут. А для высших дамских лиц пристроены здесь же на галерее, но вне ограды, две комнатки, вот эти самые окна, и старец выходит к ним внутренним ходом, когда здоров, то есть всё же за ограду. Вот и теперь одна барыня, помещица харьковская, госпожа Хохлакова, дожидается со своею расслабленною дочерью. Вероятно, обещал к ним выйти, хотя в последние времена столь расслабел, что и к народу едва появляется.

— Значит, всё же лазеечка к барыням-то из скита проведена. Не подумайте, отец святой, что я что-нибудь, я только так. Знаете, на Афоне, это вы слышали ль, не только посещения женщин не полагается, но и совсем не полагается женщин и никаких даже существ женского рода, курочек, индюшечек, телушечек...

— Федор Павлович, я ворочусь и вас брошу здесь одного, и вас без меня отсюда выведут за руки, это я вам предрекаю.

— А чем я вам мешаю, Петр Александрович. Посмотрите-ка, — вскричал он вдруг, шагнув за ограду скита, — посмотрите, в какой они долине роз проживают!

Действительно, хоть роз теперь и не было, но было множество редких и прекрасных осенних цветов везде, где только можно было их насадить. Лелеяла их, видимо, опытная рука. Цветники устроены были в оградах церквей и между могил. Домик, в котором находилась келья старца, деревянный, одноэтажный, с галереей пред входом, был тоже обсажен цветами.

— А было ль это при предыдущем старце, Варсонофии? Тот изящности-то, говорят, не любил, вскакивал и бил палкой даже дамский пол, — заметил Федор Павлович, подымаясь на крылечко.

— Старец Варсонофий действительно казался иногда как бы юродивым, но много рассказывают и глупостей. Палкой же никогда и никого не бивал, — ответил монашек. — Теперь, господа, минутку повремените, я о вас повещу.

— Федор Павлович, в последний раз условие, слышите. Ведите себя хорошо, не то я вам отплачу, — успел еще раз пробормотать Миусов.

— Совсем неизвестно, с чего вы в таком великом волнении, — насмешливо заметил Федор Павлович, — али грешков боитесь? Ведь он, говорят, по глазам узнает, кто с чем приходит. Да и как высоко цените вы их мнение, вы, такой парижанин и передовой господин, удивили вы меня даже, вот что!

Но Миусов не успел ответить на этот сарказм, их попросили войти. Вошел он несколько раздраженный...

«Ну, теперь заране себя знаю, раздражен, заспорю... начну горячиться — и себя и идею унижу», — мелькнуло у него в голове.

II

СТАРЫЙ ШУТ

Они вступили в комнату почти одновременно со старцем, который при появлении их тотчас показался из своей спаленки. В келье еще раньше их дожидались выхода старца два скитские иеромонаха, один — отец библиотекарь, а другой — отец Паисий, человек больной, хотя и не старый, но очень, как говорили про него, ученый. Кроме того, ожидал, стоя в уголку (и всё время потом оставался стоя), молодой паренек, лет двадцати двух на вид, в статском сюртуке, семинарист и будущий богослов, покровительствуемый почему-то монастырем и братиею. Он был довольно высокого роста, со свежим лицом, с широкими скулами, с умными и внимательными узенькими карими глазами. В лице выражалась совершенная почтительность, но приличная, без видимого заискивания. Вошедших гостей он даже и не приветствовал поклоном, как лицо им не равное, а, напротив, подведомственное и зависимое.

Старец Зосима вышел в сопровождении послушника и Алеши. Иеромонахи поднялись и приветствовали его глубочайшим поклоном, пальцами касаясь земли, затем, благословившись, поцеловали руку его. Благословив их, старец ответил им каждому столь же глубоким поклоном, перстами касаясь земли, и у каждого из них попросил и для себя благословения. Вся церемония произошла весьма серьезно, вовсе не как вседневный обряд какой-нибудь, а почти с каким-то чувством. Миусову, однако, показалось, что всё делается с намеренным внушением. Он стоял впереди всех вошедших с ним товарищей. Следовало бы, — и он даже обдумывал это еще вчера вечером, — несмотря ни на какие идеи, единственно из простой вежливости (так как уж здесь такие обычаи), подойти и благословиться у старца, по крайней мере хоть благословиться, если уж не целовать руку. Но, увидя теперь все эти поклоны и лобызания иеромонахов, он в одну секунду переменил решение: важно и серьезно отдал он довольно глубокий, по-светскому, поклон и отошел к стулу. Точно так же поступил и Федор Павлович, на этот раз как обезьяна совершенно передразнив Миусова. Иван Федорович раскланялся очень важно и вежливо, но тоже держа руки по швам, а Калганов до того сконфузился, что и совсем не поклонился. Старец опустил поднявшуюся было для благословения руку и, поклонившись им в другой раз, попросил всех садиться. Кровь залила щеки Алеши; ему стало стыдно. Сбывались его дурные предчувствия.

Старец уселся на кожаный красного дерева диванчик, очень старинной постройки, а гостей, кроме обоих иеромонахов, поместил у противоположной стены, всех четверых рядышком, на четырех красного дерева обитых черною сильно протершеюся кожей стульях. Иеромонахи уселись по сторонам, один у дверей, другой у окна. Семинарист, Алеша и послушник оставались стоя. Вся келья была очень необширна и какого-то вялого вида. Вещи и мебель были грубые, бедные и самые лишь необходимые. Два горшка цветов на окне, а в углу много икон — одна из них Богородицы, огромного размера и писанная, вероятно, еще задолго до раскола. Пред ней теплилась лампадка. Около нее две другие иконы в сияющих ризах, затем около них деланные херувимчики, фарфоровые яички, католический крест из слоновой кости с обнимающею его Mater dolorosa[1] и несколько заграничных гравюр с великих итальянских художников прошлых столетий. Подле этих изящных и до-

---

[1] Скорбящей Богоматерью *(лат.)*.

рогих гравюрных изображений красовалось несколько листов самых простонароднейших русских литографий святых, мучеников, святителей и проч., продающихся за копейки на всех ярмарках. Было несколько литографических портретов русских современных и прежних архиереев, но уже по другим стенам. Миусов бегло окинул всю эту «казенщину» и пристальным взглядом уперся в старца. Он уважал свой взгляд, имел эту слабость, во всяком случае в нем простительную, приняв в соображение, что было ему уже пятьдесят лет — возраст, в который умный светский и обеспеченный человек всегда становится к себе почтительнее, иногда даже поневоле.

С первого мгновения старец ему не понравился. В самом деле, было что-то в лице старца, что многим бы, и кроме Миусова, не понравилось. Это был невысокий сгорбленный человечек с очень слабыми ногами, всего только шестидесяти пяти лет, но казавшийся от болезни гораздо старше, по крайней мере лет на десять. Всё лицо его, впрочем очень сухенькое, было усеяно мелкими морщинками, особенно было много их около глаз. Глаза же были небольшие, из светлых, быстрые и блестящие, вроде как бы две блестящие точки. Серенькие волосики сохранились лишь на висках, бородка была крошечная и реденькая, клином, а губы, часто усмехавшиеся, — тоненькие, как две бечевочки. Нос не то чтобы длинный, а востренький, точно у птички.

«По всем признакам злобная и мелко-надменная душонка», — пролетело в голове Миусова. Вообще он был очень недоволен собой.

Пробившие часы помогли начать разговор. Ударило скорым боем на дешевых маленьких стенных часах с гирями ровно двенадцать.

— Ровнешенько настоящий час, — вскричал Федор Павлович, — а сына моего Дмитрия Федоровича всё еще нет. Извиняюсь за него, священный старец! (Алеша весь так и вздрогнул от «священного старца».) Сам же я всегда аккуратен, минута в минуту, помня, что точность есть вежливость королей...

— Но ведь вы по крайней мере не король, — пробормотал, сразу не удержавшись, Миусов.

— Да, это так, не король. И представьте, Петр Александрович, ведь это я и сам знал, ей-богу! И вот всегда-то я так некстати скажу! Ваше преподобие! — воскликнул он с каким-то мгновенным пафосом. — Вы видите пред собою шута, шута воистину! Так и рекомендуюсь. Старая привычка, увы! А что некстати иногда вру, так это даже с намерением, с намерением рассмешить и приятным быть. Надобно же быть приятным, не правда ли? Приезжаю лет семь назад в один городишко, были там делишки, а я кой с какими купчишками завязал было компаньишку. Идем к исправнику, потому что его надо было кой о чем попросить и откушать к нам позвать. Выходит исправник, высокий, толстый, белокурый и угрюмый человек, — самые опасные в таких случаях субъекты: печень у них, печень. Я к нему прямо, и знаете, с развязностию светского человека: «Господин исправник, будьте, говорю, нашим, так сказать, Направником!» — «Каким это, говорит, Направником?» Я уж вижу с первой полсекунды, что дело не выгорело, стоит серьезный, уперся: «Я, говорю, пошутить желал, для общей веселости, так как господин Направник известный наш русский капельмейстер, а нам именно нужно для гармонии нашего предприятия вроде как бы тоже капельмейстера...» И резонно ведь разъяснил и сравнил, не правда ли? «Извините, говорит, я исправник и каламбуров из звания моего строить не позволю». Повернулся и уходит. Я за ним, кричу: «Да, да, вы исправник, а не Направник!» — «Нет, говорит, уж коль сказано, так, значит, я Направник». И представьте, ведь дело-то наше расстроилось! И всё-то я так, всегда-то я так. Непременно-то я своею же любезностью себе наврежу! Раз, много лет уже тому назад, говорю одному влиятельному даже лицу: «Ваша супруга щекотливая женщина-с», — в смысле то есть чести, так сказать нравственных качеств, а он мне вдруг на то: «А вы ее щекотали?» Не удержался, вдруг, дай, думаю, полюбезничаю: «Да, говорю, щекотал-с» — ну тут он меня и пощекотал... Только давно уж это произошло, так что уж не стыдно и рассказать; вечно-то я так себе наврежу!

— Вы это и теперь делаете, — с отвращением пробормотал Миусов.

Старец молча разглядывал того и другого.

— Будто! Представьте, ведь я и это знал, Петр Александрович, и даже, знаете, предчувствовал, что делаю, только что стал говорить, и даже, знаете, предчувствовал, что вы мне первый это и заметите. В эти секунды, когда вижу, что шутка у меня не выходит, у меня, ваше преподобие, обе щеки к нижним деснам присыхать начинают, почти как бы судорога делается; это у меня еще с юности, как я был у дворян приживальщиком и приживанием хлеб добывал. Я шут коренной, с рождения, всё равно, ваше преподобие, что юродивый; не спорю, что и дух нечистый, может, во мне заключается, небольшого, впрочем, калибра, поважнее-то другую бы квартиру выбрал, только не вашу, Петр Александрович, и вы ведь квартира неважная. Но зато я верую, в бога верую. Я только в последнее время усумнился, но зато теперь сижу и жду великих словес. Я, ваше преподобие, как философ Дидерот. Известно ли вам, святейший отец, как Дидерот-философ явился к митрополиту Платону при императрице Екатерине. Входит и прямо сразу: «Нет бога». На что великий святитель подымает перст и отвечает: «Рече безумец в сердце своем несть бог!» Тот как был, так и в ноги: «Верую, кричит, и крещенье принимаю». Так его и окрестили тут же. Княгиня Дашкова была восприемницей, а Потемкин крестным отцом...

— Федор Павлович, это несносно! Ведь вы сами знаете, что вы врете и что этот глупый анекдот неправда, к чему вы ломаетесь? — дрожащим голосом проговорил, совершенно уже не сдерживая себя, Миусов.

— Всю жизнь предчувствовал, что неправда! — с увлечением воскликнул Федор Павлович. — Я вам, господа, зато всю правду скажу: старец великий! простите, я последнее, о крещении-то Дидерота, сам сейчас присочинил, вот сию только минуточку, вот как рассказывал, а прежде никогда и в голову не приходило. Для пикантности присочинил. Для того и ломаюсь, Петр Александрович, чтобы милее быть. А впрочем, и сам не знаю иногда для чего. А что до Дидерота, так я этого «рече безумца» раз двадцать от здешних же помещиков еще в молодых летах моих слышал, как у них проживал; от вашей тетеньки, Петр Александрович, Мавры Фоминишны тоже, между прочим, слышал. Все-то они до сих пор уверены, что безбожник Дидерот к митрополиту Платону спорить о боге приходил...

Миусов встал, не только потеряв терпение, но даже как бы забывшись. Он был в бешенстве и сознавал, что от этого сам смешон. Действительно, в келье происходило нечто совсем невозможное. В этой самой келье, может быть уже сорок или пятьдесят лет, еще при прежних старцах, собирались посетители, но всегда с глубочайшим благоговением, не иначе. Все почти допускаемые, входя в келью, понимали, что им оказывают тем великую милость. Многие повергались на колени и не вставали с колен во всё время посещения. Многие из «высших» даже лиц и даже из ученейших, мало того, некоторые из вольнодумных даже лиц, приходившие или по любопытству, или по иному поводу, входя в келью со всеми или получая свидание наедине, ставили себе в первейшую обязанность, все до единого, глубочайшую почтительность и деликатность во всё время свидания, тем более что здесь денег не полагалось, а была лишь любовь и милость с одной стороны, а с другой — покаяние и жажда разрешить какой-нибудь трудный вопрос души или трудный момент в жизни собственного сердца. Так что вдруг такое шутовство, которое обнаружил Федор Павлович, непочтительное к месту, в котором он находился, произвело в свидетелях, по крайней мере в некоторых из них, недоумение и удивление. Иеромонахи, впрочем нисколько не изменившие своих физиономий, с серьезным вниманием следили, что скажет старец, но, кажется, готовились уже встать, как Миусов. Алеша готов был заплакать и стоял, понурив голову. Всего страннее казалось ему то, что брат его, Иван Федорович, единственно на которого он надеялся и который один имел такое влияние на отца, что мог бы его остановить, сидел теперь совсем неподвижно на своем стуле, опустив глаза и по-видимому с каким-то даже любознательным любопытством ожидал, чем это всё кончится, точно сам он был совершенно тут посторонний человек. На Ракитина (семинариста), тоже Алеше очень знакомого и почти близкого, Алеша и взглянуть не мог: он знал его мысли (хотя знал их один Алеша во всем монастыре).

— Простите меня... — начал Миусов, обращаясь к старцу, — что я, может быть, тоже кажусь вам участником в этой недостойной шутке. Ошибка моя в том, что я поверил, что даже и такой, как Федор Павлович, при посещении столь почтенного лица захочет понять свои обязанности... Я не сообразил, что придется просить извинения именно за то, что с ним входишь...

Петр Александрович не договорил и, совсем сконфузившись, хотел было уже выйти из комнаты.

— Не беспокойтесь, прошу вас, — привстал вдруг с своего места на свои хилые ноги старец и, взяв за обе руки

Петра Александровича, усадил его опять в кресла. — Будьте спокойны, прошу вас. Я особенно прошу вас быть моим гостем, — и с поклоном, повернувшись, сел опять на свой диванчик.

— Великий старец, изреките, оскорбляю я вас моею живостью или нет? — вскричал вдруг Федор Павлович, схватившись обеими руками за ручки кресел и как бы готовясь из них выпрыгнуть сообразно с ответом.

— Убедительно и вас прошу не беспокоиться и не стесняться, — внушительно проговорил ему старец... — Не стесняйтесь, будьте совершенно как дома. А главное, не стыдитесь столь самого себя, ибо от сего лишь всё и выходит.

— Совершенно как дома? То есть в натуральном-то виде? О, этого много, слишком много, но — с умилением принимаю! Знаете, благословенный отец, вы меня на натуральный-то вид не вызывайте, не рискуйте... до натурального вида я и сам не дойду. Это я, чтобы вас охранить, предупреждаю. Ну-с, а прочее всё еще подвержено мраку неизвестности, хотя бы некоторые и желали расписать меня. Это я по вашему адресу, Петр Александрович, говорю, а вам, святейшее существо, вот что вам: восторг изливаю! — Он привстал и, подняв вверх руки, произнес: — Блаженно чрево, носившее тебя, и сосцы, тебя питавшие, — сосцы особенно! Вы меня сейчас замечанием вашим: «Не стыдиться столь самого себя, потому что от сего лишь всё и выходит», — вы меня замечанием этим как бы насквозь проткнули и внутри прочли. Именно мне всё так и кажется, когда я к людям вхожу, что я подлее всех и что меня все за шута принимают, так вот «давай же я и в самом деле сыграю шута, не боюсь ваших мнений, потому что все вы до единого подлее меня!» Вот потому я и шут, от стыда шут, старец великий, от стыда. От мнительности одной и буяню. Ведь если б я только был уверен, когда вхожу, что все меня за милейшего и умнейшего человека сейчас же примут, — господи! какой бы я тогда был добрый человек! Учитель! — повергся он вдруг на колени, — что мне делать, чтобы наследовать жизнь вечную? — Трудно было и теперь решить: шутит он или в самом деле в таком умилении?

Старец поднял на него глаза и с улыбкой произнес:

— Сами давно знаете, что надо делать, ума в вас довольно: не предавайтесь пьянству и словесному невоздержанию, не предавайтесь сладострастию, а особенно обожанию денег, да закройте ваши питейные дома, если не можете всех, то хоть два или три. А главное, самое главное — не лгите.

— То есть это про Дидерота, что ли?

— Нет, не то что про Дидерота. Главное, самому себе не лгите. Лгущий самому себе и собственную ложь свою слушающий до того доходит, что уж никакой правды ни в себе, ни кругом не различает, а стало быть, входит в неуважение и к себе и к другим. Не уважая же никого, перестает любить, а чтобы, не имея любви, занять себя и развлечь, предается страстям и грубым сладостям и доходит совсем до скотства в пороках своих, а всё от беспрерывной лжи и людям и себе самому. Лгущий себе самому прежде всех и обидеться может. Ведь обидеться иногда очень приятно, не так ли? И ведь знает человек, что никто не обидел его, а что он сам себе обиду навыдумал и налгал для красы, сам преувеличил, чтобы картину создать, к слову привязался и из горошинки сделал гору, — знает сам это, а все-таки самый первый обижается, обижается до приятности, до ощущения большого удовольствия, а тем самым доходит и до вражды истинной... Да встаньте же, сядьте, прошу вас очень, ведь всё это тоже ложные жесты...

— Блаженный человек! Дайте ручку поцеловать, — подскочил Федор Павлович и быстро чмокнул старца в худенькую его руку. — Именно, именно приятно обидеться. Это вы так хорошо сказали, что я и не слыхал еще. Именно, именно я-то всю жизнь и обижался до приятности, для эстетики обижался, ибо не токмо приятно, но и красиво иной раз обиженным быть; — вот что вы забыли, великий старец: красиво! Это я в книжку запишу! А лгал я, лгал, решительно всю жизнь мою, на всяк день и час. Воистину ложь есмь и отец лжи! Впрочем, кажется, не отец лжи, это я всё в текстах сбиваюсь, ну хоть сын лжи, и того будет довольно. Только... ангел вы мой... про Дидерота иногда можно! Дидерот не повредит, а вот иное словцо повредит. Старец великий, кстати, вот было забыл, а ведь так и положил, еще с третьего года, здесь справиться, именно заехать сюда и настоятельно разузнать и спросить: не прикажите только Петру Александровичу прерывать. Вот что спрошу: справедливо ли, отец великий, то, что в Четьи-Минеи повествуется где-то о каком-то святом чудотворце, которого мучили за веру, и когда отрубили ему под конец голову, то он встал, поднял свою голову и «любезно ее лобызаше», и долго шел, неся ее в руках, и «любезно ее лобызаше». Справедливо это или нет, отцы честные?

— Нет, несправедливо, — сказал старец.

— Ничего подобного во всех Четьих-Минеях не существует. Про какого это святого, вы говорите, так написано? — спросил иеромонах, отец библиотекарь.

— Сам не знаю про какого. Не знаю и не ведаю. Введен в обман, говорили. Слышал, и знаете кто рассказал? А вот Петр Александрович Миусов, вот что за Дидерота сейчас рассердился, вот он-то и рассказал.

— Никогда я вам этого не рассказывал, я с вами и не говорю никогда вовсе.

— Правда, вы не мне рассказывали; но вы рассказывали в компании, где и я находился, четвертого года это дело было. Я потому и упомянул, что рассказом сим смешливым вы потрясли мою веру, Петр Александрович. Вы не знали о сем, не ведали, а я воротился домой с потрясенною верой и с тех пор всё более и более сотрясаюсь. Да, Петр Александрович, вы великого падения были причиной! Это уж не Дидерот-с!

Федор Павлович патетически разгорячился, хотя и совершенно ясно было уже всем, что он опять представляется. Но Миусов все-таки был больно уязвлен.

— Какой вздор, и всё это вздор, — бормотал он. — Я действительно, может быть, говорил когда-то... только не вам. Мне самому говорили. Я это в Париже слышал, от одного француза, что будто бы у нас в Четьи-Минеи это за обедней читают... Это очень ученый человек, который специально изучал статистику России... долго жил в России... Я сам Четьи-Минеи не читал... да и не стану читать... Мало ли что болтается за обедом?.. Мы тогда обедали...

— Да, вот вы тогда обедали, а я вот веру-то и потерял! — поддразнивал Федор Павлович.

— Какое мне дело до вашей веры! — крикнул было Миусов, но вдруг сдержал себя, с презрением проговорив: — Вы буквально мараете всё, к чему ни прикоснетесь.

Старец вдруг поднялся с места:

— Простите, господа, что оставляю вас пока на несколько лишь минут, — проговорил он, обращаясь ко всем посетителям, — но меня ждут еще раньше вашего прибывшие. А вы все-таки не лгите, — прибавил он, обратившись к Федору Павловичу с веселым лицом.

Он пошел из кельи, Алеша и послушник бросились, чтобы свести его с лестницы. Алеша задыхался, он рад был уйти, но рад был и тому, что старец не обижен и весел. Старец направился к галерее, чтобы благословить ожидавших его. Но Федор Павлович все-таки остановил его в дверях кельи.

— Блаженнейший человек! — вскричал он с чувством, — позвольте мне еще раз вашу ручку облобызать! Нет, с вами еще можно говорить, можно жить! Вы думаете, что я всегда так лгу и шутов изображаю? Знайте же, что это я всё время нарочно, чтобы вас испробовать, так представлялся. Это я всё время вас ощупывал, можно ли с вами жить? Моему-то смирению есть ли при вашей гордости место? Лист вам похвальный выдаю: можно с вами жить! А теперь молчу, на всё время умолкаю. Сяду в кресло и замолчу. Теперь вам, Петр Александрович, говорить, вы теперь самый главный человек остались... на десять минут.

III
ВЕРУЮЩИЕ БАБЫ

Внизу у деревянной галерейки, приделанной к наружной стене ограды, толпились на этот раз всё женщины, баб около двадцати. Их уведомили, что старец наконец выйдет, и они собрались в ожидании. Вышли на галерейку и помещицы Хохлаковы, тоже ожидавшие старца, но в отведенном для благородных посетительниц помещении. Их было две: мать и дочь. Госпожа Хохлакова-мать, дама богатая и всегда со вкусом одетая, была еще довольно молодая и очень миловидная собою особа, немного бледная, с очень оживленными и почти совсем черными глазами. Ей было не более тридцати трех лет, и она уже лет пять как была вдовой. Четырнадцатилетняя дочь ее страдала параличом ног. Бедная девочка не могла ходить уже с полгода, и ее возили в длинном покойном кресле на колесах. Это было прелестное личико, немного худенькое от болезни, но веселое. Что-то шаловливое светилось в ее темных больших глазах с длинными ресницами. Мать еще с весны собиралась ее везти за границу, но летом опоздали за устройством по имению. Они уже с неделю как жили в нашем городе, больше по делам, чем для богомолья, но уже раз, три дня тому назад, посещали старца. Теперь они приехали вдруг опять, хотя и знали, что старец почти уже не может вовсе никого принимать, и, настоятельно умоляя, просили еще раз «счастья узреть великого исцелителя».

В ожидании выхода старца мамаша сидела на стуле, подле кресел дочери, а в двух шагах от нее стоял старик монах, не из здешнего монастыря, а захожий из одной дальней северной малоизвестной обители. Он тоже желал благословиться у старца. Но показавшийся на галерее старец прошел сначала прямо к народу. Толпа затеснилась к крылечку о трех ступеньках, соединявшему низенькую галерейку с полем. Старец стал на верхней ступеньке, надел эпитрахиль и начал благословлять теснившихся к нему женщин. Притянули к нему одну кликушу за обе руки. Та, едва лишь завидела старца, вдруг начала, как-то нелепо взвизгивая, икать и вся затряслась, как в родимце. Наложив ей на голову эпитрахиль, старец прочел над нею краткую молитву, и она тотчас затихла и успокоилась. Не знаю, как теперь, но в детстве моем мне часто случалось в деревнях и по монастырям видеть и слышать этих кликуш. Их приводили к обедне, они визжали или лаяли по-собачьи на всю церковь, но, когда выносили дары и их подводили к дарам, тотчас «беснование» прекращалось и больные на несколько времени всегда успокоивались. Меня, ребенка, очень это поражало и удивляло. Но тогда же я услышал от иных помещиков и особенно от городских учителей моих, на мои расспросы, что это всё притворство, чтобы не работать, и что это всегда можно искоренить надлежащею строгостью, причем приводились для подтверждения разные анекдоты. Но впоследствии я с удивлением узнал от специалистов-медиков, что тут никакого нет притворства, что это страшная женская болезнь, и кажется, по преимуществу у нас на Руси, свидетельствующая о тяжелой судьбе нашей сельской женщины, болезнь, происходящая от изнурительных работ слишком вскоре после тяжелых, неправильных, безо всякой медицинской помощи родов; кроме того, от безвыходного горя, от побоев и проч., чего иные женские натуры выносить по общему примеру все-таки не могут. Странное же и мгновенное исцеление беснующейся и бьющейся женщины, только лишь, бывало, ее подведут к дарам, которое объясняли мне притворством и сверх того фокусом, устраиваемым чуть ли не самими «клерикалами», происходило, вероятно, тоже самым натуральным образом, и подводившие ее к дарам бабы, а главное, и сама больная, вполне веровали, как установившейся истине, что нечистый дух, овладевший больною, никогда не может вынести, если ее, больную, подведя к дарам, наклонят пред ними. А потому и всегда происходило (и должно было происходить) в нервной и, конечно, тоже психически больной женщине непременное как бы сотрясение всего организма ее в момент преклонения пред дарами, сотрясение, вызванное ожиданием непременного чуда исцеления и самою полною верой в то, что оно совершится. И оно совершалось хотя бы только на одну минуту. Точно так же оно и теперь совершилось, едва лишь старец накрыл больную епитрахилью.

Многие из теснившихся к нему женщин заливались слезами умиления и восторга, вызванного эффектом минуты; другие рвались облобызать хоть край одежды его, иные что-то причитали. Он благословлял всех, а с иными разговаривал. Кликушу он уже знал, ее привели не издалека, из деревни всего верст за шесть от монастыря, да и прежде ее водили к нему.

— А вот далекая! — указал он на одну еще вовсе не старую женщину, но очень худую и испитую, не то что загоревшую, а как бы всю почерневшую лицом. Она стояла на коленях и неподвижным взглядом смотрела на старца. Во взгляде ее было что-то как бы исступленное.

— Издалека, батюшка, издалека, отселева триста верст. Издалека, отец, издалека, — проговорила женщина нараспев, как-то покачивая плавно из стороны в сторону головой и подпирая щеку ладонью. Говорила она как бы причитывая. Есть в народе горе молчаливое и многотерпеливое; оно уходит в себя и молчит. Но есть горе и надорванное: оно пробьется раз слезами и с той минуты уходит в причитывания. Это особенно у женщин. Но не легче оно молчаливого горя. Причитания утоляют тут лишь тем, что еще более растравляют и надрывают сердце. Такое горе и утешения не желает, чувством своей неутолимости питается. Причитания лишь потребность раздражать беспрерывно рану.

— По мещанству, надоть быть? — продолжал, любопытно в нее вглядываясь, старец.

— Городские мы, отец, городские, по крестьянству мы, а городские, в городу проживаем. Тебя повидать, отец, прибыла. Слышали о тебе, батюшка, слышали. Сыночка младенчика схоронила, пошла молить бога. В трех монастырях побывала, да указали мне: «Зайди, Настасьюшка, и сюда, к вам то есть, голубчик, к вам». Пришла, вчера у стояния была, а сегодня и к вам.

— О чем плачешь-то?

— Сыночка жаль, батюшка, трехлеточек был, без трех только месяцев и три бы годика ему. По сыночку мучусь, отец, по сыночку. Последний сыночек оставался, четверо было у нас с Никитушкой, да не стоят у нас детушки, не стоят, желанный, не стоят. Трех первых схоронила я, не жалела я их очень-то, а этого последнего схоронила и забыть его не могу. Вот точно он тут предо мной стоит, не отходит. Душу мне иссушил. Посмотрю на его бельишечко, на рубашоночку аль на сапожки и взвою. Разложу, что после него осталось, всякую вещь его, смотрю и вою. Говорю Никитушке, мужу-то моему: отпусти ты меня, хозяин, на богомолье сходить. Извозчик он, не бедные мы, отец, не бедные, сами от себя извоз ведем, всё свое содержим, и лошадок и экипаж. Да на что теперь нам добро? Зашибаться он стал без меня, Никитушка-то мой, это наверно что так, да и прежде того: чуть я отвернусь, а уж он и ослабеет. А теперь и о нем не думаю. Вот уж третий месяц из дому. Забыла я, обо всем забыла и помнить не хочу; а и что я с ним теперь буду? Кончила я с ним, кончила, со всеми покончила. И не глядела бы я теперь на свой дом и на свое добро, и не видала б я ничего вовсе!

— Вот что, мать, — проговорил старец, — однажды древний великий святой увидел во храме такую же, как ты, плачущую мать и тоже по младенце своем, по единственном, которого тоже призвал Господь. «Или не знаешь ты, — сказал ей святой, — сколь сии младенцы пред престолом Божиим дерзновенны? Даже и нет никого дерзновеннее их в царствии небесном: ты, Господи, даровал нам жизнь, говорят они Богу, и только лишь мы узрели ее, как ты ее у нас и взял назад. И столь дерзновенно просят и спрашивают, что Господь дает им немедленно ангельский чин. А посему, — молвил святой, — и ты радуйся, жено, а не плачь, и твой младенец теперь у Господа в сонме ангелов его пребывает». Вот что сказал святой плачущей жене в древние времена. Был же он великий святой и неправды ей поведать не мог. Посему знай и ты, мать, что и твой младенец наверно теперь предстоит пред престолом Господним, и радуется, и веселится, и о тебе Бога молит. А потому и ты плачь, но радуйся.

Женщина слушала его, подпирая рукой щеку и потупившись. Она глубоко вздохнула.

— Тем самым и Никитушка меня утешал, в одно слово, как ты, говорил: «Неразумная ты, говорит, чего плачешь, сыночек наш наверно теперь у Господа Бога вместе с ангелами воспевает». Говорит он это мне, а и сам плачет, вижу я, как и я же, плачет. «Знаю я, говорю, Никитушка, где ж ему и быть, коль не у Господа Бога, только здесь-то, с нами-то его теперь, Никитушка, нет, подле-то, вот как прежде сидел!» И хотя бы я только взглянула на него лишь разочек, только один разочек на него мне бы опять поглядеть, и не подошла бы к нему, не промолвила, в углу бы притаилась, только бы минуточку едину повидать, послыхать его, как он играет на дворе, придет, бывало, крикнет своим голосочком: «Мамка, где ты?» Только б услыхать-то мне, как он по комнате своими ножками пройдет разик, всего бы только разик, ножками-то своими тук-тук, да так часто, часто, помню, как, бывало, бежит ко мне, кричит да смеется, только б я его ножки-то услышала, услышала бы, признала! Да нет его, батюшка, нет, и не услышу его никогда! Вот его поясочек, а его-то и нет, и никогда-то мне теперь не видать, не слыхать его!..

Она вынула из-за пазухи маленький позументный поясочек своего мальчика и, только лишь взглянула на него, так и затряслась от рыданий, закрыв пальцами глаза свои, сквозь которые потекли вдруг брызнувшие ручьем слезы.

— А это, — проговорил старец, — это древняя «Рахиль плачет о детях своих и не может утешиться, потому что их нет», и таковой вам, матерям, предел на земле положен. И не утешайся, и не надо тебе утешаться, не утешайся и плачь, только каждый раз, когда плачешь, вспоминай неуклонно, что сыночек твой — есть единый от ангелов Божиих — оттуда на тебя смотрит и видит тебя, и на твои слезы радуется, и на них Господу Богу указывает. И надолго еще тебе сего великого материнского плача будет, но обратится он под конец тебе в тихую радость, и будут горькие слезы твои лишь слезами тихого умиления и сердечного очищения, от грехов спасающего. А младенчика твоего помяну за упокой, как звали-то?

— Алексеем, батюшка.

— Имя-то милое. На Алексея человека божия?

— Божия, батюшка, божия, Алексея человека божия!

— Святой-то какой! Помяну, мать, помяну и печаль твою на молитве вспомяну и супруга твоего за здравие помяну. Только его тебе грех оставлять. Ступай к мужу и береги его. Увидит оттуда твой мальчик, что бросила ты его отца, и заплачет по вас; зачем же ты блаженство-то его нарушаешь? Ведь жив он, жив, ибо жива душа вовеки; и нет его в доме, а он невидимо подле вас. Как же он в дом придет, коль ты говоришь, что возненавидела дом свой? К кому ж он придет, коль вас вместе, отца с матерью, не найдет? Вот он снится теперь тебе, и ты мучаешься, а тогда он тебе кроткие сны пошлет. Ступай к мужу, мать, сего же дня ступай.

— Пойду, родной, по твоему слову пойду. Сердце ты мое разобрал. Никитушка, ты мой Никитушка, ждешь ты меня, голубчик, ждешь! — начала было причитать баба, но старец уже обратился к одной старенькой старушонке, одетой не по-страннически, а по-городски. По глазам ее видно было, что у нее какое-то дело и что пришла она нечто сообщить. Назвалась она унтер-офицерскою вдовой, не издалека, всего из нашего же города. Сыночек у ней Васенька, где-то в комиссариате служил, да в Сибирь поехал, в Иркутск. Два раза оттуда писал, а тут вот уже год писать перестал. Справлялась она о нем, да, по правде, не знает, где и справиться-то.

— Только и говорит мне намедни Степанида Ильинишна Бедрягина, купчиха она, богатая: возьми ты, говорит, Прохоровна, и запиши ты, говорит, сыночка своего в поминанье, снеси в церковь, да и помяни за упокой. Душа-то его, говорит, затоскует, он и напишет письмо. «И это, — говорит Степанида Ильинишна, — как есть верно, многократно испытано». Да только я сумлеваюсь... Свет ты наш, правда оно аль неправда, и хорошо ли так будет?

— И не думай о сем. Стыдно это и спрашивать. Да и как это возможно, чтобы живую душу да еще родная мать за упокой поминала! Это великий грех, колдовству подобно, только по незнанию твоему лишь прощается. А ты лучше помоли царицу небесную, скорую заступницу и помощницу, о здоровье его, да чтоб и тебя простила за неправильное размышление твое. И вот что я тебе еще скажу, Прохоровна: или сам он к тебе вскоре обратно прибудет, сынок твой, или наверно письмо пришлет. Так ты и знай. Ступай и отселе покойна будь. Жив твой сынок, говорю тебе.

— Милый ты наш, награди тебя бог, благодетель ты наш, молебщик ты за всех нас и за грехи наши...

А старец уже заметил в толпе два горящие, стремящиеся к нему взгляда изнуренной, на вид чахоточной, хотя и молодой еще крестьянки. Она глядела молча, глаза просили о чем-то, но она как бы боялась приблизиться.

— Ты с чем, родненькая?

— Разреши мою душу, родимый, — тихо и не спеша промолвила она, стала на колени и поклонилась ему в ноги.

— Согрешила, отец родной, греха моего боюсь.

Старец сел на нижнюю ступеньку, женщина приблизилась к нему, не вставая с колен.

— Вдовею я, третий год, — начала она полушепотом, сама как бы вздрагивая. — Тяжело было замужем-то, старый был он, больно избил меня. Лежал он больной; думаю я, гляжу на него: а коль выздоровеет, опять встанет, что тогда? И вошла ко мне тогда эта самая мысль...

— Постой, — сказал старец и приблизил ухо свое прямо к ее губам. Женщина стала продолжать тихим шепотом, так что ничего почти нельзя было уловить. Она кончила скоро.

— Третий год? — спросил старец.

— Третий год. Сперва не думала, а теперь хворать начала, тоска пристала.

— Издалека?

— За пятьсот верст отселева.

— На исповеди говорила?

— Говорила, по два раза говорила.

— Допустили к причастию-то?

— Допустили. Боюсь; помирать боюсь.

— Ничего не бойся, и никогда не бойся, и не тоскуй. Только бы покаяние не оскудевало в тебе — и всё бог простит. Да и греха такого нет и не может быть на всей земле, какого бы не простил Господь воистину кающемуся. Да и совершить не может совсем такого греха великого человек, который бы истощил бесконечную божью любовь. Али может быть такой грех, чтобы превысил божью любовь? О покаянии лишь заботься, непрестанном, а боязнь отгони вовсе. Веруй, что Бог тебя любит так, как ты и не помышляешь о том, хотя бы со грехом твоим и во грехе твоем любит. А об одном кающемся больше радости в небе, чем о десяти праведных, сказано давно. Иди же и не бойся. На людей не огорчайся, за обиды не сердись. Покойнику в сердце всё прости, чем тебя оскорбил, примирись с ним воистину. Коли каешься, так и любишь. А будешь любить, то ты уже Божья... Любовью всё покупается, всё спасается. Уж коли я, такой же, как и ты, человек грешный, над тобой умилился и пожалел тебя, кольми паче бог. Любовь такое бесценное сокровище, что на нее весь мир купить можешь, и не только свои, но и чужие грехи еще выкупишь. Ступай и не бойся.

Он перекрестил ее три раза, снял с своей шеи и надел на нее образок. Она молча поклонилась ему до земли. Он привстал и весело поглядел на одну здоровую бабу с грудным ребеночком на руках.

— Из Вышегорья, милый.

— Шесть верст, однако, отсюда, с ребеночком томилась. Чего тебе?

— На тебя глянуть пришла. Я ведь у тебя бывала, аль забыл? Не велика же в тебе память, коли уж меня забыл. Сказали у нас, что ты хворый, думаю, что ж, я пойду его сама повидаю: вот и вижу тебя, да какой же ты хворый? Еще двадцать лет проживешь, право, бог с тобою! Да и мало ли за тебя молебщиков, тебе ль хворать?

— Спасибо тебе за всё, милая.

— Кстати будет просьбица моя невеликая: вот тут шестьдесят копеек, отдай ты их, милый, такой, какая меня бедней. Пошла я сюда, да и думаю: лучше уж чрез него подам, уж он знает, которой отдать.

— Спасибо, милая, спасибо, добрая. Люблю тебя. Непременно исполню. Девочка на руках-то?

— Девочка, свет, Лизавета.

— Благослови господь вас обеих, и тебя и младенца Лизавету. Развеселила ты мое сердце, мать. Прощайте, милые, прощайте, дорогие, любезные.

Он всех благословил и глубоко всем поклонился.

МАЛОВЕРНАЯ ДАМА

Приезжая дама помещица, взирая на всю сцену разговора с простонародьем и благословения его, проливала тихие слезы и утирала их платочком. Это была чувствительная светская дама и с наклонностями во многом искренно добрыми. Когда старец подошел наконец и к ней, она встретила его восторженно:

— Я столько, столько вынесла, смотря на всю эту умилительную сцену... — не договорила она от волнения. — О, я понимаю, что вас любит народ, я сама люблю народ, я желаю его любить, да и как не любить народ, наш прекрасный, простодушный в своем величии русский народ!

— Как здоровье вашей дочери? Вы опять пожелали со мною беседовать?

— О, я настоятельно просила, я умоляла, я готова была на колени стать и стоять на коленях хоть три дня пред вашими окнами, пока бы вы меня впустили. Мы приехали к вам, великий исцелитель, чтобы высказать всю нашу восторженную благодарность. Ведь вы Лизу мою исцелили, исцелили совершенно, а чем? — тем, что в четверг помолились над нею, возложили на нее ваши руки. Мы облобызать эти руки спешили, излить наши чувства и наше благоговение!

— Как так исцелил? Ведь она всё еще в кресле лежит?

— Но ночные лихорадки совершенно исчезли, вот уже двое суток, с самого четверга, — нервно заспешила дама. — Мало того: у ней ноги окрепли. Сегодня утром она встала здоровая, она спала всю ночь, посмотрите на ее румянец, на ее светящиеся глазки. То всё плакала, а теперь смеется, весела, радостна. Сегодня непременно требовала, чтоб ее поставили на ноги постоять, и она целую минуту простояла сама, безо всякой поддержки. Она бьется со мной об заклад, что через две недели будет кадриль танцевать. Я призывала здешнего доктора Герценштубе; он пожимает плечами и говорит: дивлюсь, недоумеваю. И вы хотите, чтобы мы не беспокоили вас, могли не лететь сюда, не благодарить? Lise, благодари же, благодари!

Миленькое, смеющееся личико Lise сделалось было вдруг серьезным, она приподнялась в креслах, сколько могла, и, смотря на старца, сложила пред ним свои ручки, но не вытерпела и вдруг рассмеялась...

— Это я на него, на него! — указала она на Алешу, с детской досадой на себя за то, что не вытерпела и рассмеялась. Кто бы посмотрел на Алешу, стоявшего на шаг позади старца, тот заметил бы в его лице быструю краску, в один миг залившую его щеки. Глаза его сверкнули и потупились.

— У ней к вам, Алексей Федорович, поручение... Как ваше здоровье, — продолжала маменька, обращаясь вдруг к Алеше и протягивая к нему свою прелестно гантированную ручку. Старец оглянулся и вдруг внимательно посмотрел на Алешу. Тот приблизился к Лизе и, как-то странно и неловко усмехаясь, протянул и ей руку. Lise сделала важную физиономию.

— Катерина Ивановна присылает вам чрез меня вот это, — подала она ему маленькое письмецо. — Она особенно просит, чтобы вы зашли к ней, да поскорей, поскорей, и чтобы не обманывать, а непременно прийти.

— Она меня просит зайти? К ней меня... Зачем же? — с глубоким удивлением пробормотал Алеша. Лицо его вдруг стало совсем озабоченное.

— О, это всё по поводу Дмитрия Федоровича и... всех этих последних происшествий, — бегло пояснила мамаша. — Катерина Ивановна остановилась теперь на одном решении... но для этого ей непременно надо вас видеть... зачем? Конечно не знаю, но она просила как можно скорей. И вы это сделаете, наверно сделаете, тут даже христианское чувство велит.

— Я видел ее всего только один раз, — продолжал всё в том же недоумении Алеша.

— О, это такое высокое, такое недостижимое существо!.. Уж по одним страданиям своим... Сообразите, что она вынесла, что она теперь выносит, сообразите, что ее ожидает... всё это ужасно, ужасно!

— Хорошо, я приду, — решил Алеша, пробежав коротенькую и загадочную записочку, в которой, кроме убедительной просьбы прийти, не было никаких пояснений.

— Ах, как это с вашей стороны мило и великолепно будет, — вдруг, вся одушевясь, вскричала Lise. — А я ведь маме говорю: ни за что он не пойдет, он спасается. Экой, экой вы прекрасный! Ведь я всегда думала, что вы прекрасный, вот что мне приятно вам теперь сказать!

— Lise! — внушительно проговорила мамаша, впрочем тотчас же улыбнулась.

— Вы и нас забыли, Алексей Федорович, вы совсем не хотите бывать у нас: а между тем Lise мне два раза говорила, что только с вами ей хорошо. — Алеша поднял потупленные глаза, опять вдруг покраснел и опять вдруг, сам не зная чему, усмехнулся. Впрочем, старец уже не наблюдал его. Он вступил в разговор с захожим монахом, ожидавшим, как мы уже говорили, подле кресел Lise его выхода. Это был, по-видимому, из самых простых монахов, то есть из простого звания, с коротеньким, нерушимым мировоззрением, но верующий и в своем роде упорный. Он объявил себя откуда-то с дальнего севера, из Обдорска, от святого Сильвестра, из одного бедного монастыря всего в девять монахов. Старец благословил его и пригласил зайти к нему в келью, когда ему будет угодно.

— Как же вы дерзаете делать такие дела? — спросил вдруг монах, внушительно и торжественно указывая на Lise. Он намекал на ее «исцеление».

— Об этом, конечно, говорить еще рано. Облегчение не есть еще полное исцеление и могло произойти и от других причин. Но если что и было, то ничьею силой, кроме как божиим изволением. Всё от Бога. Посетите меня, отец, — прибавил он монаху, — а то не во всякое время могу: хвораю и знаю, что дни мои сочтены.

— О нет, нет, Бог вас у нас не отнимет, вы проживете еще долго, долго, — вскричала мамаша. — Да и чем вы больны? Вы смотрите таким здоровым, веселым, счастливым.

— Мне сегодня необыкновенно легче, но я уже знаю, что это всего лишь минута. Я мою болезнь теперь безошибочно понимаю. Если же я вам кажусь столь веселым, то ничем и никогда не могли вы меня столь обрадовать, как сделав такое замечание. Ибо для счастия созданы люди, и кто вполне счастлив, тот прямо удостоен сказать себе: «Я выполнил завет божий на сей земле». Все праведные, все святые, все святые мученики были все счастливы.

— О, как вы говорите, какие смелые и высшие слова, — вскричала мамаша. — Вы скажете и как будто пронзите. А между тем счастие, счастие — где оно? Кто может сказать про себя, что он счастлив? О, если уж вы были так добры, что допустили нас сегодня еще раз вас видеть, то выслушайте всё, что я вам прошлый раз не договорила, не посмела сказать, всё, чем я так страдаю, и так давно, давно! Я страдаю, простите меня, я страдаю... — И она в каком-то горячем порывистом чувстве сложила пред ним руки.

— Чем же особенно?

— Я страдаю... неверием...

— В Бога неверием?

— О нет, нет, я не смею и подумать об этом, но будущая жизнь — это такая загадка! И никто-то, ведь никто на нее не отвечает! Послушайте, вы целитель, вы знаток души человеческой; я, конечно, не смею претендовать на то, чтобы вы мне совершенно верили, но уверяю вас самым великим словом, что я не из легкомыслия теперь говорю, что мысль эта о будущей загробной жизни до страдания волнует меня, до ужаса и испуга... И я не знаю, к кому обратиться, я не смела всю жизнь... И вот я теперь осмеливаюсь обратиться к вам... О боже, за какую вы меня теперь сочтете! — Она всплеснула руками.

— Не беспокойтесь о моем мнении, — ответил старец. — Я вполне верую в искренность вашей тоски.

— О, как я вам благодарна! Видите, я закрываю глаза и думаю: если все веруют, то откуда взялось это? А тут уверяют, что всё это взялось сначала от страха пред грозными явлениями природы и что всего этого нет. Ну что, думаю, я всю жизнь верила — умру, и вдруг ничего нет, и только «вырастет лопух на могиле», как прочитала я у одного писателя. Это ужасно! Чем, чем возвратить веру? Впрочем, я верила, лишь когда была маленьким ребенком, механически, ни о чсм не думая... Чем же, чем это доказать, я теперь пришла повергнуться пред вами и просить вас об этом. Ведь если я упущу и теперешний случай — то мне во всю жизнь никто уж не ответит. Чем же доказать, чем убедиться? О, мне несчастие! Я стою и кругом вижу, что всем всё равно, почти всем, никто об этом теперь не заботится, а я одна только переносить этого не могу. Это убийственно, убийственно!

— Без сомнения, убийственно. Но доказать тут нельзя ничего, убедиться же возможно.

— Как? Чем?

— Опытом деятельной любви. Постарайтесь любить ваших ближних деятельно и неустанно. По мере того как будете преуспевать в любви, будете убеждаться и в бытии Бога, и в бессмертии души вашей. Если же дойдете до полного самоотвержения в любви к ближнему, тогда уж несомненно уверуете, и никакое сомнение даже и не возможет зайти в вашу душу. Это испытано, это точно.

— Деятельной любви? Вот и опять вопрос, и такой вопрос, такой вопрос! Видите, я так люблю человечество, что, верите ли, мечтаю иногда бросить всё, всё, что имею, оставить Lise и идти в сестры милосердия. Я закрываю глаза, думаю и мечтаю, и в эти минуты я чувствую в себе непреодолимую силу. Никакие раны, никакие гнойные язвы не могли бы меня испугать. Я бы перевязывала и обмывала собственными руками, я была бы сиделкой у этих страдальцев, я готова целовать эти язвы...

— И то уж много и хорошо, что ум ваш мечтает об этом, а не о чем ином. Нет-нет да невзначай и в самом деле сделаете какое-нибудь доброе дело.

— Да, но долго ли бы я могла выжить в такой жизни? — горячо и почти как бы исступленно продолжала дама. — Вот главнейший вопрос! Это самый мой мучительный из вопросов. Я закрываю глаза и спрашиваю сама себя: долго ли бы ты выдержала на этом пути? И если больной, язвы которого ты обмываешь, не ответит тебе тотчас же благодарностью, а, напротив, станет тебя же мучить капризами, не ценя и не замечая твоего человеколюбивого служения, станет кричать на тебя, грубо требовать, даже жаловаться какому-нибудь начальству (как и часто случается с очень страдающими) — что тогда? Продолжится твоя любовь или нет? И вот — представьте, я с содроганием это уже решила: если есть что-нибудь, что могло бы расхолодить мою «деятельную» любовь к человечеству тотчас же, то это единственно неблагодарность. Одним словом, я работница за плату, я требую тотчас же платы, то есть похвалы себе и платы за любовь любовью. Иначе я никого не способна любить!

Она была в припадке самого искреннего самобичевания и, кончив, с вызывающею решимостью поглядела на старца.

— Это точь-в-точь как рассказывал мне, давно уже впрочем, один доктор, — заметил старец. — Человек был уже пожилой и бесспорно умный. Он говорил так же откровенно, как вы, хотя и шутя, но скорбно шутя; я, говорит, люблю человечество, но дивлюсь на себя самого: чем больше я люблю человечество вообще, тем меньше я люблю людей в частности, то есть порознь, как отдельных лиц. В мечтах я нередко, говорит, доходил до страстных помыслов о служении человечеству и, может быть, действительно пошел бы на крест за людей, если б это вдруг как-нибудь потребовалось, а между тем я двух дней не в состоянии прожить ни с кем в одной комнате, о чем знаю из опыта. Чуть он близко от меня, и вот уж его личность давит мое самолюбие и стесняет мою свободу. В одни сутки я могу даже лучшего человека возненавидеть: одного за то, что он долго ест за обедом, другого за то, что у него насморк и он беспрерывно сморкается. Я, говорит, становлюсь врагом людей, чуть-чуть лишь те ко мне прикоснутся. Зато всегда так происходило, что чем более я ненавидел людей в частности, тем пламеннее становилась любовь моя к человечеству вообще.

— Но что же делать? Что же в таком случае делать? Тут надо в отчаяние прийти?

— Нет, ибо и того довольно, что вы о сем сокрушаетесь. Сделайте, что можете, и сочтется вам. У вас же много уже сделано, ибо вы могли столь глубоко и искренно сознать себя сами! Если же вы и со мной теперь говорили столь искренно для того, чтобы, как теперь от меня, лишь похвалу получить за вашу правдивость, то, конечно, ни до чего не дойдете в подвигах деятельной любви; так всё и останется лишь в мечтах ваших, и вся жизнь мелькнет как призрак. Тут, понятно, и о будущей жизни забудете, и сами собой под конец как-нибудь успокоитесь.

— Вы меня раздавили! Я теперь только, вот в это мгновение, как вы говорили, поняла, что я действительно ждала только вашей похвалы моей искренности, когда вам рассказывала о том, что не выдержу неблагодарности. Вы мне подсказали меня, вы уловили меня и мне же объяснили меня!

— Взаправду вы говорите? Ну теперь, после такого вашего признания, я верую, что вы искренни и сердцем добры. Если не дойдете до счастия, то всегда помните, что вы на хорошей дороге, и постарайтесь с нее не сходить. Главное, убегайте лжи, всякой лжи, лжи себе самой в особенности. Наблюдайте свою ложь и вглядывайтесь в нее каждый час, каждую минуту. Брезгливости убегайте тоже и к другим, и к себе: то, что вам кажется внутри себя скверным, уже одним тем, что вы это заметили в себе, очищается. Страха тоже убегайте, хотя страх есть лишь последствие всякой лжи. Не пугайтесь никогда собственного вашего малодушия в достижении любви, даже дурных при этом поступков ваших не пугайтесь очень. Жалею, что не могу сказать вам ничего отраднее, ибо любовь деятельная сравнительно с мечтательною есть дело жестокое и устрашающее. Любовь мечтательная жаждет подвига скорого, быстро удовлетворимого и чтобы все на него глядели. Тут действительно доходит до того, что даже и жизнь отдают, только бы не продлилось долго, а поскорей совершилось, как бы на сцене, и чтобы все глядели и хвалили. Любовь же деятельная — это работа и выдержка, а для иных так, пожалуй, целая наука. Но предрекаю, что в ту даже самую минуту, когда вы будете с ужасом смотреть на то, что, несмотря на все ваши усилия, вы не только не подвинулись к цели, но даже как бы от нее удалились, — в ту самую минуту, предрекаю вам это, вы вдруг и достигнете цели и узрите ясно над собою чудодейственную силу Господа, вас всё время любившего и всё время таинственно руководившего. Простите, что пробыть не могу с вами долее, ждут меня. До свидания.

Дама плакала.

— Lise, Lise, благословите же ее, благословите! — вдруг вспорхнулась она вся.

— А ее и любить не стоит. Я видел, как она всё время шалила, — шутливо произнес старец. — Вы зачем всё время смеялись над Алексеем?

А Lise и вправду всё время занималась этою проделкой. Она давно уже, еще с прошлого раза, заметила, что Алеша ее конфузится и старается не смотреть на нее, и вот это ее ужасно стало забавлять. Она пристально ждала и ловила его взгляд: не выдерживая упорно направленного на него взгляда, Алеша нет-нет и вдруг невольно, непреодолимою силой, взглядывал на нее сам, и тотчас же она усмехалась торжествующею улыбкой прямо ему в глаза. Алеша конфузился и досадовал еще более. Наконец совсем от нее отвернулся и спрятался за спину старца. После нескольких минут он опять, влекомый тою же непреодолимою силой, повернулся посмотреть, глядят ли на него или нет, и увидел, что Lise, совсем почти свесившись из кресел, выглядывала на него сбоку и ждала изо всех сил, когда он поглядит; поймав же его взгляд, расхохоталась так, что даже и старец не выдержал:

— Вы зачем его, шалунья, так стыдите?

Lise вдруг, совсем неожиданно, покраснела, сверкнула глазками, лицо ее стало ужасно серьезным, и она с горячею, негодующею жалобой вдруг заговорила скоро, нервно:

— А он зачем всё забыл? Он меня маленькую на руках носил, мы играли с ним. Ведь он меня читать ходил учить, вы это знаете? Он два года назад, прощаясь, говорил, что никогда не забудет, что мы вечные друзья, вечные, вечные! И вот он вдруг меня теперь боится, я его съем, что ли? Чего он не хочет подойти, чего он не разговаривает? Зачем он к нам не хочет прийти? Разве вы его не пускаете: ведь мы же знаем, что он везде ходит. Мне неприлично его звать, он первый должен бы был припомнить, коли не забыл. Нет-с, он теперь спасается! Вы что на него эту долгополую-то ряску надели... Побежит, упадет...

И она вдруг, не выдержав, закрыла лицо рукой и рассмеялась ужасно, неудержимо, своим длинным, нервным, сотрясающимся и неслышным смехом. Старец выслушал ее улыбаясь и с нежностью благословил; когда же она стала целовать его руку, то вдруг прижала ее к глазам своим и заплакала:

— Вы на меня не сердитесь, я дура, ничего не стою... и Алеша, может быть, прав, очень прав, что не хочет к такой смешной ходить.

— Непременно пришлю его, — решил старец.

V

БУ́ДИ, БУ́ДИ!

Отсутствие старца из кельи продолжалось минут около двадцати пяти. Было уже за половину первого, а Дмитрия Федоровича, ради которого все собрались, всё еще не бывало. Но о нем почти как бы и забыли, и когда старец вступил опять в келью, то застал самый оживленный общий разговор между своими гостями. В разговоре участвовали прежде всего Иван Федорович и оба иеромонаха. Ввязывался, и по-видимому очень горячо, в разговор и Миусов, но ему опять не везло; он был видимо на втором плане, и ему даже мало отвечали, так что это новое обстоятельство лишь усилило всё накоплявшуюся его раздражительность. Дело в том, что он и прежде с Иваном Федоровичем несколько пикировался в познаниях и некоторую небрежность его к себе хладнокровно не выносил: «До сих пор, по крайней мере, стоял на высоте всего, что есть передового в Европе, а это новое поколение решительно нас игнорирует», — думал он про себя. Федор Павлович, который сам дал слово усесться на стуле и замолчать, действительно некоторое время молчал, но с насмешливою улыбочкой следил за своим соседом Петром Александровичем и видимо радовался его раздражительности. Он давно уже собирался отплатить ему кое за что и теперь не хотел упустить случая. Наконец не вытерпел, нагнулся к плечу соседа и вполголоса поддразнил его еще раз:

— Ведь вы давеча почему не ушли после «любезно-то лобызаше» и согласились в такой неприличной компании оставаться? А потому, что чувствовали себя униженным и оскорбленным и остались, чтобы для реваншу выставить ум. Теперь уж вы не уйдете, пока им ума своего не выставите.

— Вы опять? Сейчас уйду, напротив.

— Позже, позже всех отправитесь! — кольнул еще раз Федор Павлович. Это было почти в самый момент возвращения старца.

Спор на одну минутку затих, но старец, усевшись на прежнее место, оглядел всех, как бы приветливо вызывая продолжать. Алеша, изучивший почти всякое выражение его лица, видел ясно, что он ужасно утомлен и себя пересиливает. В последнее время болезни с ним случались от истощения сил обмороки. Почти такая же бледность, как пред обмороком, распространялась и теперь по его лицу, губы его побелели. Но он, очевидно, не хотел распустить собрание; казалось, он имел притом какую-то свою цель — какую же? Алеша пристально следил за ним.

— О любопытнейшей их статье толкуем, — произнес иеромонах Иосиф, библиотекарь, обращаясь к старцу и указывая на Ивана Федоровича. — Нового много выводят, да, кажется, идея-то о двух концах. По поводу вопроса о церковно-общественном суде и обширности его права ответили журнальною статьею одному духовному лицу, написавшему о вопросе сем целую книгу...

— К сожалению, вашей статьи не читал, но о ней слышал, — ответил старец, пристально и зорко вглядываясь в Ивана Федоровича.

— Они стоят на любопытнейшей точке, — продолжал отец библиотекарь, — по-видимому, совершенно отвергают в вопросе о церковно-общественном суде разделение церкви от государства.

— Это любопытно, но в каком же смысле? — спросил старец Ивана Федоровича.

Тот наконец ему ответил, но не свысока-учтиво, как боялся еще накануне Алеша, а скромно и сдержанно, с видимою предупредительностью и, по-видимому, без малейшей задней мысли.

— Я иду из положения, что это смешение элементов, то есть сущностей церкви и государства, отдельно взятых, будет, конечно, вечным, несмотря на то, что оно невозможно и что его никогда нельзя будет привести не только в нормальное, но и в сколько-нибудь согласимое состояние, потому что ложь лежит в самом основании дела. Компромисс между государством и церковью в таких вопросах, как например о суде, по-моему, в совершенной и чистой сущности своей невозможен. Духовное лицо, которому я возражал, утверждает, что церковь занимает точное и определенное место в государстве. Я же возразил ему, что, напротив, церковь должна заключать сама в себе всё государство, а не занимать в нем лишь некоторый угол, и что если теперь это почему-нибудь невозможно, то в сущности вещей несомненно должно быть поставлено прямою и главнейшею целью всего дальнейшего развития христианского общества.

— Совершенно справедливо! — твердо и нервно проговорил отец Паисий, молчаливый и ученый иеромонах.

— Чистейшее ультрамонтанство! — вскричал Миусов, в нетерпении переложив ногу на ногу.

— Э, да у нас и гор-то нету! — воскликнул отец Иосиф и, обращаясь к старцу, продолжал: — Они отвечают, между прочим, на следующие «основные и существенные» положения своего противника, духовного лица, заметьте себе. Первое: что «ни один общественный союз не может и не должен присвоивать себе власть — распоряжаться гражданскими и политическими правами своих членов». Второе: что «уголовная и судно-гражданская власть не должна принадлежать церкви и несовместима с природой ее и как божественного установления, и как союза людей для религиозных целей» и наконец, в-третьих: что «церковь есть царство не от мира сего»...

— Недостойнейшая игра слов для духовного лица! — не вытерпел и прервал опять отец Паисий. — Я читал эту кни-

гу, на которую вы возражали, — обратился он к Ивану Федоровичу, — и удивлен был словами духовного лица, что
«церковь есть царство не от мира сего». Если не от мира
сего, то, стало быть, и не может быть на земле ее вовсе.
В святом Евангелии слова «не от мира сего» не в том смысле употреблены. Играть такими словами невозможно. Господь наш Иисус Христос именно приходил установить церковь на земле. Царство небесное, разумеется, не от мира
сего, а в небе, но в него входят не иначе как чрез церковь,
которая основана и установлена на земле. А потому светские каламбуры в этом смысле невозможны и недостойны.
Церковь же есть воистину царство и определена царствовать
и в конце своем должна явиться как царство на всей земле
несомненно — на что имеем обетование...

Он вдруг умолк, как бы сдержав себя. Иван Федорович, почтительно и внимательно его выслушав, с чрезвычайным спокойствием, но по-прежнему охотно и простодушно продолжал, обращаясь к старцу:

— Вся мысль моей статьи в том, что в древние времена,
первых трех веков христианства, христианство на земле являлось лишь церковью и было лишь церковь. Когда же римское языческое государство возжелало стать христианским,
то непременно случилось так, что, став христианским, оно
лишь включило в себя церковь, но само продолжало оставаться государством языческим по-прежнему, в чрезвычайно многих своих отправлениях. В сущности так несомненно
и должно было произойти. Но в Риме, как в государстве,
слишком многое осталось от цивилизации и мудрости языческой, как например самые даже цели и основы государства. Христова же церковь, вступив в государство, без сомнения не могла уступить ничего из своих основ, от того
камня, на котором стояла она, и могла лишь преследовать
не иначе как свои цели, раз твердо поставленные и указан-
ные ей самим Господом, между прочим: обратить весь мир,
а стало быть, и всё древнее языческое государство в церковь.
Таким образом (то есть в целях будущего), не церковь должна искать себе определенного места в государстве, как «всякий общественный союз» или как «союз людей для религиозных целей» (как выражается о церкви автор, которому
возражаю), а, напротив, всякое земное государство должно
бы впоследствии обратиться в церковь вполне и стать не
чем иным, как лишь церковью, и уже отклонив всякие не-

сходные с церковными свои цели. Всё же это ничем не унизит его, не отнимет ни чести, ни славы его как великого государства, ни славы властителей его, а лишь поставит его с ложной, еще языческой и ошибочной дороги на правильную и истинную дорогу, единственно ведущую к вечным цлям. Вот почему автор книги об «Основах церковно-общественного суда» судил бы правильно, если бы, изыскивая и предлагая эти основы, смотрел бы на них как на временный, необходимый еще в наше грешное и незавершившееся время компромисс, но не более. Но чуть лишь сочинитель этих основ осмеливается объявлять, что основы, которые предлагает он теперь и часть которых перечислил сейчас отец Иосиф, суть основы незыблемые, стихийные и вековечные, то уже прямо идет против церкви и святого, вековечного и незыблемого предназначения ее. Вот вся моя статья, полный ее конспект.

— То есть в двух словах, — упирая на каждое слово, проговорил опять отец Паисий, — по иным теориям, слишком выяснившимся в наш девятнадцатый век, церковь должна перерождаться в государство, так как бы из низшего в высший вид, чтобы затем в нем исчезнуть, уступив науке, духу времени и цивилизации. Если же не хочет того и сопротивляется, то отводится ей в государстве за то как бы некоторый лишь угол, да и то под надзором, — и это повсеместно в наше время в современных европейских землях. По русскому же пониманию и упованию надо, чтобы не церковь перерождалась в государство, как из низшего в высший тип, а, напротив, государство должно кончить тем, чтобы сподобиться стать единственно лишь церковью и ничем иным более. Сие и буди, буди!

— Ну-с, признаюсь, вы меня теперь несколько ободрили, — усмехнулся Миусов, переложив опять ногу на ногу. — Сколько я понимаю, это, стало быть, осуществление какого-то идеала, бесконечно далекого, во втором пришествии. Это как угодно. Прекрасная утопическая мечта об исчезновении войн, дипломатов, банков и проч. Что-то даже похожее на социализм. А то я думал, что всё это серьезно и что церковь *теперь*, например, будет судить уголовщину и приговаривать розги и каторгу, а пожалуй, так и смертную казнь.

— Да если б и теперь был один лишь церковно-общественный суд, то и теперь бы церковь не посылала на каторгу или на смертную казнь. Преступление и взгляд на него должны бы были несомненно тогда измениться, конечно мало-помалу, не вдруг и не сейчас, но, однако, довольно скоро... — спокойно и не смигнув глазом произнес Иван Федорович.

— Вы серьезно? — пристально глянул на него Миусов.

— Если бы всё стало церковью, то церковь отлучала бы от себя преступного и непослушного, а не рубила бы тогда голов, — продолжал Иван Федорович. — Я вас спрашиваю, куда бы пошел отлученный? Ведь тогда он должен был бы не только от людей, как теперь, но и от Христа уйти. Ведь он своим преступлением восстал бы не только на людей, но и на церковь Христову. Это и теперь, конечно, так в строгом смысле, но все-таки не объявлено, и совесть нынешнего преступника весьма и весьма часто вступает с собою в сделки: «Украл, дескать, но не на церковь иду, Христу не враг» — вот что говорит себе нынешний преступник сплошь да рядом, ну а тогда, когда церковь станет на место государства, тогда трудно было бы ему это сказать, разве с отрицанием всей церкви на всей земле: «Все, дескать, ошибаются, все уклонились, все ложная церковь, я один, убийца и вор, — справедливая христианская церковь». Это ведь очень трудно себе сказать, требует условий огромных, обстоятельств, не часто бывающих. Теперь, с другой стороны, возьмите взгляд самой церкви на преступление: разве не должен он измениться против теперешнего, почти языческого, и из механического отсечения зараженного члена, как делается ныне для охранения общества, преобразиться, и уже вполне и не ложно, в идею о возрождении вновь человека, о воскресении его и спасении его...

— То есть что же это такое? Я опять перестаю понимать, — перебил Миусов, — опять какая-то мечта. Что-то бесформенное, да и понять нельзя. Как это отлучение, что за отлучение? Я подозреваю, вы просто потешаетесь, Иван Федорович.

— Да ведь по-настоящему то же самое и теперь, — заговорил вдруг старец, и все разом к нему обратились, — ведь если бы теперь не было Христовой церкви, то не было бы преступнику никакого и удержу в злодействе и даже кары за него потом, то есть кары настоящей, не механической, как они сказали сейчас, и которая лишь раздражает в большинстве случаев сердце, а настоящей кары, единственной действительной, единственной устрашающей и умиротворяющей, заключающейся в сознании собственной совести.

— Как же так, позвольте узнать? — с живейшим любопытством спросил Миусов.

— Это вот как, — начал старец. — Все эти ссылки в работы, а прежде с битьем, никого не исправляют, а главное, почти никакого преступника и не устрашают, и число преступлений не только не уменьшается, а чем далее, тем более нарастает. Ведь вы с этим должны же согласиться. И выходит, что общество, таким образом, совсем не охранено, ибо хоть и отсекается вредный член механически и ссылается далеко, с глаз долой, но на его место тотчас же появляется другой преступник, а может, и два другие. Если что и охраняет общество даже в наше время и даже самого преступника исправляет и в другого человека перерождает, то это опять-таки единственно лишь закон Христов, сказывающийся в сознании собственной совести. Только сознав свою вину как сын Христова общества, то есть церкви, он сознает и вину свою пред самим обществом, то есть пред церковью. Таким образом, пред одною только церковью современный преступник и способен сознать вину свою, а не то что пред государством. Вот если бы суд принадлежал обществу как церкви, тогда бы оно знало, кого воротить из отлучения и опять приобщить к себе. Теперь же церковь, не имея никакого деятельного суда, а имея лишь возможность одного нравственного осуждения, от деятельной кары преступника и сама удаляется. Не отлучает она его от себя, а лишь не оставляет его отеческим назиданием. Мало того, даже старается сохранить с преступником всё христианское церковное общение: допускает его к церковным службам, к святым дарам, дает ему подаяние и обращается с ним более как с плененным, чем как с виновным. И что было бы с преступником, о господи! если б и христианское общество, то есть церковь, отвергло его подобно тому, как отвергает и отсекает его гражданский закон? Что было бы, если б и церковь карала его своим отлучением тотчас же и каждый раз вослед кары государственного закона? Да выше не могло бы и быть отчаяния, по крайней мере для преступника русского, ибо русские преступники еще веруют. А впрочем, кто знает: может быть, случилось бы тогда страшное дело — произошла бы, может быть, потеря веры в отчаянном сердце преступника, и тогда что? Но церковь, как мать нежная и любящая, от деятельной кары сама устраняется, так как и без ее кары слишком больно наказан виновный государственным судом, и надо же его хоть кому-нибудь пожалеть. Главное же потому устраняется, что суд церкви есть суд единственно вмещающий в себе истину и ни с каким иным судом вследствие сего существенно и нравственно сочетаться даже и в компромисс временный не может. Тут нельзя уже в сделки вступать. Иностранный преступник, говорят, редко раскаивается, ибо самые даже современные учения утверждают его в мысли, что преступление его не есть преступление, а лишь восстание против несправедливо угнетающей силы. Общество отсекает его от себя вполне механически торжествующею над ним силой и сопровождает отлучение это ненавистью (так по крайней мере они сами о себе, в Европе, повествуют), — ненавистью и полнейшим к дальнейшей судьбе его, как брата своего, равнодушием и забвением. Таким образом, всё происходит без малейшего сожаления церковного, ибо во многих случаях там церквей уже и нет вовсе, а остались лишь церковники и великолепные здания церквей, сами же церкви давно уже стремятся там к переходу из низшего вида, как церковь, в высший вид, как государство, чтобы в нем совершенно исчезнуть. Так, кажется, по крайней мере в лютеранских землях. В Риме же так уж тысячу лет вместо церкви провозглашено государство. А потому сам преступник членом церкви уж и не сознает себя и, отлученный, пребывает в отчаянии. Если же возвращается в общество, то нередко с такою ненавистью, что самое общество как бы уже само отлучает от себя. Чем это кончится, можете сами рассудить. Во многих случаях, казалось бы, и у нас то же; но в том и дело, что, кроме установленных судов, есть у нас, сверх того, еще и церковь, которая никогда не теряет общения с преступником, как с милым и всё еще дорогим сыном своим, а сверх того, есть и сохраняется, хотя бы даже только мысленно, и суд церкви, теперь хотя и не деятельный, но всё же живущий для будущего, хотя бы в мечте, да и преступником самим несомненно, инстинктом души его, признаваемый. Справедливо и то, что было здесь сейчас сказано, что если бы действительно наступил суд церкви, и во всей своей силе, то есть если бы всё общество обратилось лишь в церковь, то не только суд церкви повлиял бы на исправление преступника так, как никогда не влияет ныне, но, может быть, и вправду самые преступления уменьшились бы в невероятную долю. Да и церковь, сомнения нет, понимала бы будущего преступника и будущее преступление во многих случаях совсем иначе, чем ныне, и сумела бы возвратить отлученного, предупредить замышляющего и возродить падшего. Правда, — усмехнулся старец, — теперь общество христианское пока еще само не готово и стоит лишь на семи праведниках; но так как они не оскудевают, то и пребывает всё же незыблемо, в ожидании своего полного преображения из общества как союза почти еще языческого во единую вселенскую и владычествующую церковь. Сие и бу́ди, бу́ди, хотя бы и в конце веков, ибо лишь сему предназначено совершиться! И нечего смущать себя временами и сроками, ибо тайна времен и сроков в мудрости божией, в предвидении его и в любви его. И что по расчету человеческому может быть еще и весьма отдаленно, то по предопределению Божьему, может быть, уже стоит накануне своего появления, при дверях. Сие последнее бу́ди, бу́ди.

— Бу́ди! бу́ди! — благоговейно и сурово подтвердил отец Паисий.

— Странно, в высшей степени странно! — произнес Миусов, и не то что с горячностью, а как бы с затаенным каким-то негодованием.

— Что же кажется вам столь странным? — осторожно осведомился отец Иосиф.

— Да что же это в самом деле такое? — воскликнул Миусов, как бы вдруг прорвавшись, — устраняется на земле государство, а церковь возводится на степень государства! Это не то что ультрамонтанство, это архиультрамонтанство! Это папе Григорию Седьмому не мерещилось!

— Совершенно обратно изволите понимать! — строго проговорил отец Паисий, — не церковь обращается в государство, поймите это. То Рим и его мечта. То третье диаволово искушение! А, напротив, государство обращается в церковь, восходит до церкви и становится церковью на всей земле, что совершенно уже противоположно и ультрамонтанству, и Риму, и вашему толкованию, и есть лишь великое предназначение православия на земле. От Востока звезда сия воссияет.

Миусов внушительно помолчал. Вся фигура его выразила собою необыкновенное собственное достоинство. Свысока-снисходительная улыбка показалась на его губах. Алеша следил за всем с сильно бьющимся сердцем. Весь этот разговор взволновал его до основания. Он случайно взглянул на Ракитина; тот стоял неподвижно на своем прежнем месте у двери, внимательно вслушиваясь и всматриваясь, хотя и опустив глаза. Но по оживленному румянцу на его щеках Алеша догадался, что и Ракитин взволнован, кажется, не меньше его; Алеша знал, чем он взволнован.

— Позвольте мне сообщить вам один маленький анекдот, господа, — внушительно и с каким-то особенно осанистым видом проговорил вдруг Миусов. — В Париже, уже несколько лет тому, вскоре после декабрьского переворота, мне пришлось однажды, делая по знакомству визит одному очень-очень важному и управляющему тогда лицу, повстречать у него одного прелюбопытнейшего господина. Был этот индивидуум не то что сыщиком, а вроде управляющего целою командой политических сыщиков, — в своем роде довольно влиятельная должность. Придравшись к случаю, я, из чрезвычайного любопытства, разговорился с ним; а так как он принят был не по знакомству, а как подчиненный чиновник, пришедший с известного рода рапортом, то, видя, с своей стороны, как я принят у его начальника, он удостоил меня некоторою откровенностью, — ну, разумеется, в известной степени, то есть скорее был вежлив, чем откровенен, именно как французы умеют быть вежливыми, тем более что видел во мне иностранца. Но я его очень понял. Тема шла о социалистах-революционерах, которых тогда, между прочим, преследовали. Опуская главную суть разговора, приведу лишь одно любопытнейшее замечание, которое у этого господчика вдруг вырвалось: «Мы, — сказал он, — собственно этих всех социалистов — анархистов, безбожников и революционеров — не очень-то и опасаемся; мы за ними следим, и ходы их нам известны. Но есть из них, хотя и немного, несколько особенных людей: это в бога верующие и христиане, а в то же время и социалисты. Вот этих-то мы больше всех опасаемся, это страшный народ! Социалист-христианин страшнее социалиста-безбожника». Слова эти и тогда меня поразили, но теперь у вас, господа, они мне как-то вдруг припомнились...

— То есть вы их прикладываете к нам и в нас видите социалистов? — прямо и без обиняков спросил отец Паисий. Но прежде чем Петр Александрович сообразил дать ответ, отворилась дверь и вошел столь опоздавший Дмитрий Федорович. Его и вправду как бы перестали ждать, и внезапное появление его произвело в первый момент даже некоторое удивление.

VI
ЗАЧЕМ ЖИВЕТ ТАКОЙ ЧЕЛОВЕК!

Дмитрий Федорович, двадцативосьмилетний молодой человек, среднего роста и приятного лица, казался, однако же, гораздо старее своих лет. Был он мускулист, и в нем можно было угадывать значительную физическую силу, тем не менее в лице его выражалось как бы нечто болезненное. Лицо его было худощаво, щеки ввалились, цвет же их отливал какою-то нездоровою желтизной. Довольно большие темные глаза навыкате смотрели хотя, по-видимому, и с твердым упорством, но как-то неопределенно. Даже когда он волновался и говорил с раздражением, взгляд его как бы не повиновался его внутреннему настроению и выражал что-то другое, иногда совсем не соответствующее настоящей минуте. «Трудно узнать, о чем он думает», — отзывались иной раз разговаривавшие с ним. Иные, видевшие в его глазах что-то задумчивое и угрюмое, случалось, вдруг поражались внезапным смехом его, свидетельствовавшим о веселых и игривых мыслях, бывших в нем именно в то время, когда он смотрел с такою угрюмостью. Впрочем, некоторая болезненность его лица в настоящую минуту могла быть понятна: все знали или слышали о чрезвычайно тревожной и «кутящей» жизни, которой он именно в последнее время у нас предавался, равно как всем известно было и то необычайное раздражение, до которого он достиг в ссорах со своим отцом из-за спорных денег. По городу ходило уже об этом несколько анекдотов. Правда, что он и от природы был раздражителен, «ума отрывистого и неправильного», как характерно выразился о нем у нас наш мировой судья Семен Иванович Качальников в одном собрании. Вошел он безукоризненно и щегольски одетый, в застегнутом сюртуке, в черных перчатках и с цилиндром в руках. Как военный недавно в отставке, он носил усы и брил пока бороду. Темно-русые волосы его были коротко обстрижены и зачесаны как-то височками вперед. Шагал он решительно, широко, по-фрунтовому. На мгновение остановился он на пороге и, окинув всех взглядом, прямо направился к старцу, угадав в нем хозяина. Он глубоко поклонился ему и попросил благословения. Старец, привстав, благословил его; Дмитрий Федорович почтительно поцеловал его руку и с необыкновенным волнением, почти с раздражением произнес:

— Простите великодушно за то, что заставил столько ждать. Но слуга Смердяков, посланный батюшкою, на настойчивый мой вопрос о времени, ответил мне два раза самым решительным тоном, что назначено в час. Теперь я вдруг узнаю...

— Не беспокойтесь, — перебил старец, — ничего, несколько замешкались, не беда...

— Чрезвычайно вам благодарен и менее не мог ожидать от вашей доброты. — Отрезав это, Дмитрий Федорович еще раз поклонился, затем, вдруг обернувшись в сторону своего «батюшки», сделал и тому такой же почтительный и глубокий поклон. Видно было, что он обдумал этот поклон заранее и надумал его искренно, почтя своею обязанностью выразить тем свою почтительность и добрые намерения. Федор Павлович, хоть и застигнутый врасплох, тотчас по-своему нашелся: в ответ на поклон Дмитрия Федоровича он вскочил с кресел и ответил сыну точно таким же глубоким поклоном. Лицо его сделалось вдруг важно и внушительно, что придало ему, однако, решительно злой вид. Затем молча, общим поклоном откланявшись всем бывшим в комнате, Дмитрий Федорович своими большими и решительными шагами подошел к окну, уселся на единственный оставшийся стул неподалеку от отца Паисия и, весь выдвинувшись вперед на стуле, тотчас приготовился слушать продолжение им прерванного разговора.

Появление Дмитрия Федоровича заняло не более каких-нибудь двух минут, и разговор не мог не возобновиться. Но на этот раз на настойчивый и почти раздражительный вопрос отца Паисия Петр Александрович не почел нужным ответить.

— Позвольте мне эту тему отклонить, — произнес он с некоторою светскою небрежностью. — Тема эта к тому же мудреная. Вот Иван Федорович на нас усмехается: должно быть, у него есть что-нибудь любопытное и на этот случай. Вот его спросите.

— Ничего особенного, кроме маленького замечания, — тотчас же ответил Иван Федорович, — о том, что вообще европейский либерализм, и даже наш русский либеральный дилетантизм, часто и давно уже смешивает конечные результаты социализма с христианскими. Этот дикий вывод — конечно, характерная черта. Впрочем, социализм с христианством смешивают, как оказывается, не одни либералы и дилетанты, а вместе с ними, во многих случаях, и жандармы, то есть заграничные разумеется. Ваш парижский анекдот довольно характерен, Петр Александрович.

— Вообще эту тему я опять прошу позволения оставить, — повторил Петр Александрович, — а вместо того я вам расскажу, господа, другой анекдот о самом Иване Федоровиче, интереснейший и характернейший. Не далее как дней пять тому назад, в одном здешнем, по преимуществу дамском, обществе он торжественно заявил в споре, что на всей земле нет решительно ничего такого, что бы заставляло людей любить себе подобных, что такого закона природы: чтобы человек любил человечество — не существует вовсе, и что если есть и была до сих пор любовь на земле, то не от закона естественного, а единственно потому, что люди веровали в свое бессмертие. Иван Федорович прибавил при этом в скобках, что в этом-то и состоит весь закон естественный, так что уничтожьте в человечестве веру в свое бессмертие, в нем тотчас же иссякнет не только любовь, но и всякая живая сила, чтобы продолжать мировую жизнь. Мало того: тогда ничего уже не будет безнравственного, всё будет позволено, даже антропофагия. Но и этого мало, он закончил утверждением, что для каждого частного лица, например как бы мы теперь, не верующего ни в Бога, ни в бессмертие свое, нравственный закон природы должен немедленно измениться в полную противоположность прежнему, религиозному, и что эгоизм даже до злодейства не только должен быть дозволен человеку, но даже признан необходимым, самым разумным и чуть ли не благороднейшим исходом в его положении. По такому парадоксу можете заключить, господа, и о всем остальном, что изволит провозглашать и что намерен еще, может быть, провозгласить наш милый эксцентрик и парадоксалист Иван Федорович.

— Позвольте, — неожиданно крикнул вдруг Дмитрий Федорович, — чтобы не ослышаться: «Злодейство не только должно быть дозволено, но даже признано самым необходимым и самым умным выходом из положения всякого безбожника»! Так или не так?

— Точно так, — сказал отец Паисий.

— Запомню.

Произнеся это, Дмитрий Федорович так же внезапно умолк, как внезапно влетел в разговор. Все посмотрели на него с любопытством.

— Неужели вы действительно такого убеждения о последствиях иссякновения у людей веры в бессмертие души их? — спросил вдруг старец Ивана Федоровича.

— Да, я это утверждал. Нет добродетели, если нет бессмертия.

— Блаженны вы, коли так веруете, или уже очень несчастны!

— Почему несчастен? — улыбнулся Иван Федорович.

— Потому что, по всей вероятности, не веруете сами ни в бессмертие вашей души, ни даже в то, что написали о церкви и о церковном вопросе.

— Может быть, вы правы!.. Но всё же я и не совсем шутил... — вдруг странно признался, впрочем быстро покраснев, Иван Федорович.

— Не совсем шутили, это истинно. Идея эта еще не решена в вашем сердце и мучает его. Но и мученик любит иногда забавляться своим отчаянием, как бы тоже от отчаяния. Пока с отчаяния и вы забавляетесь — и журнальными статьями, и светскими спорами, сами не веруя своей диалектике и с болью сердца усмехаясь ей про себя... В вас этот вопрос не решен, и в этом ваше великое горе, ибо настоятельно требует разрешения...

— А может ли быть он во мне решен? Решен в сторону положительную? — продолжал странно спрашивать Иван Федорович, всё с какою-то необъяснимою улыбкой смотря на старца.

— Если не может решиться в положительную, то никогда не решится и в отрицательную, сами знаете это свойство вашего сердца; и в этом вся мука его. Но благодарите творца, что дал вам сердце высшее, способное такою мукой мучиться, «горняя мудрствовати и горних искати, наше бо жительство на небесех есть». Дай вам Бог, чтобы решение сердца вашего постигло вас еще на земле, и да благословит Бог пути ваши!

Старец поднял руку и хотел было с места перекрестить Ивана Федоровича. Но тот вдруг встал со стула, подошел к нему, принял его благословение и, поцеловав его руку, вернулся молча на свое место. Вид его был тверд и серьезен. Поступок этот, да и весь предыдущий, неожиданный от Ивана Федоровича, разговор со старцем как-то всех поразили своею загадочностью и даже какою-то торжественностью, так что все на минуту было примолкли, а в лице Алеши выразился почти испуг. Но Миусов вдруг вскинул плечами, и в ту же минуту Федор Павлович вскочил со стула.

— Божественный и святейший старец! — вскричал он, указывая на Ивана Федоровича. — Это мой сын, плоть от плоти моея, любимейшая плоть моя! Это мой почтительнейший, так сказать, Карл Мор, а вот этот сейчас вошедший сын, Дмитрий Федорович, и против которого у вас управы ищу, — это уж непочтительнейший Франц Мор, — оба из «Разбойников» Шиллера, а я, я сам в таком случае уж Regierender Graf von Moor![1] Рассудите и спасите! Нуждаемся не только в молитвах, но и в пророчествах ваших.

— Говорите без юродства и не начинайте оскорблением домашних ваших, — ответил старец слабым изнеможенным голосом. Он видимо уставал, чем далее, тем более, и приметно лишался сил.

— Недостойная комедия, которую я предчувствовал, еще идя сюда! — воскликнул Дмитрий Федорович в негодовании и тоже вскочив с места. — Простите, преподобный отец, — обратился он к старцу, — я человек необразованный и даже не знаю, как вас именовать, но вас обманули, а вы слишком были добры, позволив нам у вас съехаться. Батюшке нужен лишь скандал, для чего — это уж его расчет. У него всегда свой расчет. Но, кажется, я теперь знаю для чего...

— Обвиняют меня все, все они! — кричал в свою очередь Федор Павлович, — вот и Петр Александрович обвиняет. Обвиняли, Петр Александрович, обвиняли! — обернулся он вдруг к Миусову, хотя тот и не думал перебивать его. — Обвиняют в том, что я детские деньги за сапог спрятал и взял баш на баш; но позвольте, разве не существует суда? Там вам сочтут, Дмитрий Федорович, по самым же

---

[1] Владетельный граф фон Моор! *(нем.)*

распискам вашим, письмам и договорам, сколько у вас было, сколько вы истребили и сколько у вас остается! Отчего Петр Александрович уклоняется произнести суждение? Дмитрий Федорович ему не чужой. Оттого, что все на меня, а Дмитрий Федорович в итоге еще мне же должен, да не сколько-нибудь, а несколько тысяч-с, на что имею все документы! Ведь город трещит и гремит от его кутежей! А там, где он прежде служил, там по тысяче и по две за обольщение честных девиц платил; это, Дмитрий Федорович, нам известно-с, в самых секретных подробностях, и я докажу-с... Святейший отец, верите ли: влюбил в себя благороднейшую из девиц, хорошего дома, с состоянием, дочь прежнего начальника своего, храброго полковника, заслуженного, имевшего Анну с мечами на шее, компрометировал девушку предложением руки, теперь она здесь, теперь она сирота, его невеста, а он, на глазах ее, к одной здешней обольстительнице ходит. Но хоть обольстительница эта и жила, так сказать, в гражданском браке с одним почтенным человеком, но характера независимого, крепость неприступная для всех, всё равно что жена законная, ибо добродетельна, — да-с! отцы святые, она добродетельна! А Дмитрий Федорович хочет эту крепость золотым ключом отпереть, для чего он теперь надо мной и куражится, хочет с меня денег сорвать, а пока уж тысячи на эту обольстительницу просорил; на то и деньги занимает беспрерывно и, между прочим, у кого, как вы думаете? Сказать аль нет, Митя?

— Молчать! — закричал Дмитрий Федорович, — подождите, пока я выйду, а при мне не смейте марать благороднейшую девицу... Уж одно то, что вы о ней осмеливаетесь заикнуться, позор для нее... Не позволю!

Он задыхался.

— Митя, Митя! — слабонервно и выдавливая из себя слезы, вскричал Федор Павлович, — а родительское-то благословение на что? А ну прокляну, что тогда будет?

— Бесстыдник и притворщик! — неистово рявкнул Дмитрий Федорович.

— Это он отца, отца! Что же с прочими? Господа, представьте себе: есть здесь бедный, но почтенный человек, отставной капитан, был в несчастье, отставлен от службы, но не гласно, не по суду, сохранив всю свою честь, многочисленным семейством обременен. А три недели тому наш Дмитрий Федорович в трактире схватил его за бороду, вытащил за эту самую бороду на улицу и на улице всенародно избил и всё за то, что тот состоит негласным поверенным по одному моему делишку.

— Ложь всё это! Снаружи правда, внутри ложь! — весь в гневе дрожал Дмитрий Федорович. — Батюшка! Я свои поступки не оправдываю; да, всенародно признаюсь: я поступил как зверь с этим капитаном и теперь сожалею и собой гнушаюсь за зверский гнев, но этот ваш капитан, ваш поверенный, пошел вот к этой самой госпоже, о которой вы выражаетесь, что она обольстительница, и стал ей предлагать от вашего имени, чтоб она взяла имеющиеся у вас мои векселя и подала на меня, чтобы по этим векселям меня засадить, если я уж слишком буду приставать к вам в расчетах по имуществу. Вы же теперь меня упрекаете тем, что я имею слабость к этой госпоже, тогда как сами же учили ее заманить меня! Ведь она прямо в глаза рассказывает, сама мне рассказывала, над вами смеясь! Засадить же вы меня хотите только потому, что меня к ней же ревнуете, потому что сами вы приступать начали к этой женщине со своею любовью, и мне это опять-таки всё известно, и опять-таки она смеялась, — слышите, — смеясь над вами, пересказывала. Так вот вам, святые люди, этот человек, этот упрекающий развратного сына отец! Господа свидетели, простите гнев мой, но я предчувствовал, что этот коварный старик созвал всех вас сюда на скандал. Я пошел с тем, чтобы простить, если б он протянул мне руку, простить и прощения просить! Но так как он оскорбил сию минуту не только меня, но и благороднейшую девицу, которой даже имени не смею произнести всуе из благоговения к ней, то и решился обнаружить всю его игру публично, хотя бы он и отец мой!..

Он не мог более продолжать. Глаза его сверкали, он дышал трудно. Но и все в келье были взволнованы. Все, кроме старца, с беспокойством встали со своих мест. Отцы иеромонахи смотрели сурово, но ждали, однако, воли старца. Тот же сидел совсем уже бледный, но не от волнения, а от болезненного бессилия. Умоляющая улыбка светилась на губах его; он изредка подымал руку, как бы желая остановить беснующихся, и уж, конечно, одного жеста его было бы достаточно, чтобы сцена была прекращена; но он сам как будто чего-то еще выжидал и пристально приглядывался, как бы желая что-то еще понять, как бы еще не уяснив себе чего-то. Наконец Петр Александрович Миусов окончательно почувствовал себя униженным и опозоренным.

— В происшедшем скандале мы все виноваты! — горячо проговорил он, — но я всё же ведь не предчувствовал, идя сюда, хотя и знал, с кем имею дело... Это надо кончить сейчас же! Ваше преподобие, поверьте, что я всех обнаруженных здесь подробностей в точности не знал, не хотел им верить и только теперь в первый раз узнаю... Отец ревнует сына к скверного поведения женщине и сам с этою же тварью сговаривается засадить сына в тюрьму... И вот в такой-то компании меня принудили сюда явиться... Я обманут, я заявляю всем, что обманут не меньше других...

— Дмитрий Федорович! — завопил вдруг каким-то не своим голосом Федор Павлович, — если бы только вы не мой сын, то я в ту же минуту вызвал бы вас на дуэль... на пистолетах, на расстоянии трех шагов... через платок! через платок! — кончил он, топая обеими ногами.

Есть у старых лгунов, всю жизнь свою проактерствовавших, минуты, когда они до того зарисуются, что уже воистину дрожат и плачут от волнения, несмотря на то, что даже в это самое мгновение (или секунду только спустя) могли бы сами шепнуть себе: «Ведь ты лжешь, старый бесстыдник, ведь ты актер и теперь, несмотря на весь твой „святой" гнев и „святую" минуту гнева».

Дмитрий Федорович страшно нахмурился и с невыразимым презрением поглядел на отца.

— Я думал... я думал, — как-то тихо и сдержанно проговорил он, — что приеду на родину с ангелом души моей, невестою моей, чтобы лелеять его старость, а вижу лишь развратного сладострастника и подлейшего комедианта!

— На дуэль! — завопил опять старикашка, задыхаясь и брызгаясь с каждым словом слюной. — А вы, Петр Александрович Миусов, знайте, сударь, что, может быть, во всем вашем роде нет и не было выше и честнее — слышите, честнее — женщины, как эта, по-вашему, тварь, как вы осмелились сейчас назвать ее! А вы, Дмитрий Федорович, на эту же «тварь» вашу невесту променяли, стало быть, сами присудили, что и невеста ваша подошвы ее не стоит, вот какова эта тварь!

— Стыдно! — вырвалось вдруг у отца Иосифа.

— Стыдно и позорно! — своим отроческим голосом, дрожащим от волнения, и весь покраснев, крикнул вдруг Калганов, всё время молчавший.

— Зачем живет такой человек! — глухо прорычал Дмитрий Федорович, почти уже в исступлении от гнева, как-то чрезвычайно приподняв плечи и почти от того сгорбившись, — нет, скажите мне, можно ли еще позволить ему бесчестить собою землю, — оглядел он всех, указывая на старика рукой. Он говорил медленно и мерно.

— Слышите ли, слышите ли вы, монахи, отцеубийцу, — набросился Федор Павлович на отца Иосифа. — Вот ответ на ваше «стыдно»! Что стыдно? Эта «тварь», эта «скверного поведения женщина», может быть, святее вас самих, господа спасающиеся иеромонахи! Она, может быть, в юности пала, заеденная средой, но она «возлюбила много», а возлюбившую много и Христос простил...

— Христос не за такую любовь простил... — вырвалось в нетерпении у кроткого отца Иосифа.

— Нет, за такую, за эту самую, монахи, за эту! Вы здесь на капусте спасаетесь и думаете, что праведники! Пескариков кушаете, в день по пескарику, и думаете пескариками бога купить!

— Невозможно, невозможно! — слышалось в келье со всех сторон.

Но вся эта дошедшая до безобразия сцена прекратилась самым неожиданным образом. Вдруг поднялся с места старец. Совсем почти потерявшийся от страха за него и за всех, Алеша успел, однако, поддержать его за руку. Старец шагнул по направлению к Дмитрию Федоровичу и, дойдя до него вплоть, опустился пред ним на колени. Алеша подумал было, что он упал от бессилия, но это было не то. Став на колени, старец поклонился Дмитрию Федоровичу в ноги полным, отчетливым, сознательным поклоном и даже лбом своим коснулся земли. Алеша был так изумлен, что даже не успел поддержать его, когда тот поднимался. Слабая улыбка чуть-чуть блестела на его губах.

— Простите! Простите все! — проговорил он, откланиваясь на все стороны своим гостям.

Дмитрий Федорович стоял несколько мгновений как пораженный: ему поклон в ноги — что такое? Наконец вдруг вскрикнул: «О боже!» — и, закрыв руками лицо, бросился вон из комнаты. За ним повалили гурьбой и все гости, от смущения даже не простясь и не откланявшись хозяину. Одни только иеромонахи опять подошли под благословение.

— Это что же он в ноги-то, это эмблема какая-нибудь? — попробовал было разговор начать вдруг почему-то присмиревший Федор Павлович, ни к кому, впрочем, не осмеливаясь обратиться лично. Они все выходили в эту минуту из ограды скита.

— Я за сумасшедший дом и за сумасшедших не отвечаю, — тотчас же озлобленно ответил Миусов, — но зато избавлю себя от вашего общества, Федор Павлович, и поверьте, что навсегда. Где этот давешний монах?..

Но «этот монах», то есть тот, который приглашал их давеча на обед к игумену, ждать себя не заставил. Он тут же встретил гостей, тотчас же как они сошли с крылечка из кельи старца, точно дожидал их всё время.

— Сделайте одолжение, почтенный отец, засвидетельствуйте всё мое глубокое уважение отцу игумену и извините меня лично, Миусова, пред его высокопреподобием в том, что по встретившимся внезапно непредвиденным обстоятельствам ни за что не могу иметь честь принять участие в его трапезе, несмотря на всё искреннейшее желание мое, — раздражительно проговорил монаху Петр Александрович.

— А ведь непредвиденное-то обстоятельство — это ведь я! — сейчас же подхватил Федор Павлович. — Слышите, отец, это Петр Александрович со мной не желает вместе оставаться, а то бы он тотчас пошел. И пойдете, Петр Александрович, извольте пожаловать к отцу игумену, и — доброго вам аппетита! Знайте, что это я уклонюсь, а не вы. Домой, домой, дома поем, а здесь чувствую себя неспособным, Петр Александрович, мой любезнейший родственник.

— Не родственник я вам и никогда им не был, низкий вы человек!

— Я нарочно и сказал, чтобы вас побесить, потому что вы от родства уклоняетесь, хотя все-таки вы родственник, как ни финтите, по святцам докажу; за тобой, Иван Федорович, я в свое время лошадей пришлю, оставайся, если хочешь, и ты. Вам же, Петр Александрович, даже приличие велит теперь явиться к отцу игумену, надо извиниться в том, что мы с вами там накутили...

— Да правда ли, что вы уезжаете? Не лжете ли вы?

— Петр Александрович, как же бы я посмел после того, что случилось! Увлекся, простите, господа, увлекся! И, кроме того, потрясен! Да и стыдно. Господа, у иного сердце как у Александра Македонского, а у другого — как у собачки Фидельки. У меня — как у собачки Фидельки. Оробел! Ну как после такого эскапада да еще на обед, соусы монастырские уплетать? Стыдно, не могу, извините!

«Черт его знает, а ну как обманывает!» — остановился в раздумье Миусов, следя недоумевающим взглядом за удалявшимся шутом. Тот обернулся и, заметив, что Петр Александрович за ним следит, послал ему рукою поцелуй.

— Вы-то идете к игумену? — отрывисто спросил Миусов Ивана Федоровича.

— Почему же нет? К тому же я особенно приглашен игуменом еще вчерашнего дня.

— К несчастию, я действительно чувствую себя почти в необходимости явиться на этот проклятый обед, — всё с тою же горькою раздражительностью продолжал Миусов, даже и не обращая внимания, что монашек слушает. — Хоть там-то извиниться надо за то, что мы здесь натворили, и разъяснить, что это не мы... Как вы думаете?

— Да, надо разъяснить, что это не мы. К тому же батюшки не будет, — заметил Иван Федорович.

— Да еще же бы с вашим батюшкой! Проклятый этот обед!

И однако, все шли. Монашек молчал и слушал. Дорогой через лесок он только раз лишь заметил, что отец игумен давно уже ожидают и что более получаса опоздали. Ему не ответили. Миусов с ненавистью посмотрел на Ивана Федоровича.

«А ведь идет на обед как ни в чем не бывало! — подумал он. — Медный лоб и карамазовская совесть».

VII

СЕМИНАРИСТ-КАРЬЕРИСТ

Алеша довел своего старца в спаленку и усадил на кровать. Это была очень маленькая комнатка с необходимою мебелью; кровать была узенькая, железная, а на ней вместо тюфяка один только войлок. В уголку, у икон, стоял налой, а на нем лежали крест и Евангелие. Старец опустился на кровать в бессилии; глаза его блестели, и дышал он трудно. Усевшись, он пристально и как бы обдумывая нечто посмотрел на Алешу.

— Ступай, милый, ступай, мне и Порфирия довольно, а ты поспеши. Ты там нужен, ступай к отцу игумену, за обедом и прислужи.

— Благословите здесь остаться, — просящим голосом вымолвил Алеша.

— Ты там нужнее. Там миру нет. Прислужишь и пригодишься. Подымутся беси, молитву читай. И знай, сынок (старец любил его так называть), что и впредь тебе не здесь место. Запомни сие, юноша. Как только сподобит Бог преставиться мне — и уходи из монастыря. Совсем иди.

Алеша вздрогнул.

— Чего ты? Не здесь твое место пока. Благословляю тебя на великое послушание в миру. Много тебе еще странствовать. И ожениться должен будешь, должен. Всё должен будешь перенести, пока вновь прибудеши. А дела много будет. Но в тебе не сомневаюсь, потому и посылаю тебя. С тобой Христос. Сохрани его, и он сохранит тебя. Горе узришь великое и в горе сем счастлив будешь. Вот тебе завет: в горе счастья ищи. Работай, неустанно работай. Запомни слово мое отныне, ибо хотя и буду еще беседовать с тобой, но не только дни, а и часы мои сочтены.

В лице Алеши опять изобразилось сильное движение. Углы губ его тряслись.

— Чего же ты снова? — тихо улыбнулся старец. — Пусть мирские слезами провожают своих покойников, а мы здесь отходящему отцу радуемся. Радуемся и молим о нем. Оставь же меня. Молиться надо. Ступай и поспеши. Около братьев будь. Да не около одного, а около обоих.

Старец поднял руку благословить. Возражать было невозможно, хотя Алеше чрезвычайно хотелось остаться. Хотелось ему еще спросить, и даже с языка срывался вопрос: «Что предозначал этот земной поклон брату Дмитрию?» — но он не посмел спросить. Он знал, что старец и сам бы, без вопроса, ему разъяснил, если бы можно было. Но значит, не было на то его воли. А поклон этот страшно поразил Алешу; он веровал слепо, что в нем был таинственный смысл. Таинственный, а может быть, и ужасный. Когда он вышел за ограду скита, чтобы поспеть в монастырь к началу обеда у игумена (конечно, чтобы только прислужить за столом), у него вдруг больно сжалось сердце, и он остановился на месте: пред ним как бы снова прозвучали слова старца, предрекавшего столь близкую кончину свою.

Что предрекал, да еще с такою точностию, старец, то должно было случиться несомненно, Алеша веровал тому свято. Но как же он останется без него, как же будет он не видеть его, не слышать его? И куда он пойдет? Велит не плакать, и идти из монастыря, Господи! Давно уже Алеша не испытывал такой тоски. Он пошел поскорее лесом, отделявшим скит от монастыря, и, не в силах даже выносить свои мысли, до того они давили его, стал смотреть на вековые сосны по обеим сторонам лесной дорожки. Переход был не длинен, шагов в пятьсот, не более; в этот час никто бы не мог и повстречаться, но вдруг на первом изгибе дорожки он заметил Ракитина. Тот поджидал кого-то.

— Не меня ли ждешь? — спросил, поравнявшись с ним, Алеша.

— Именно тебя, — усмехнулся Ракитин. — Поспешаешь к отцу игумену. Знаю; у того стол. С самого того времени, как архиерея с генералом Пахатовым принимал, помнишь, такого стола еще не было. Я там не буду, а ты ступай, соусы подавай. Скажи ты мне, Алексей, одно: что сей сон значит? Я вот что хотел спросить.

— Какой сон?

— А вот земной-то поклон твоему братцу Дмитрию Федоровичу. Да еще как лбом-то стукнулся!

— Это ты про отца Зосиму?

— Да, про отца Зосиму.

— Лбом?

— А, непочтительно выразился! Ну, пусть непочтительно. Итак, что же сей сон означает?

— Не знаю, Миша, что значит.

— Так я и знал, что он тебе это не объяснит. Мудреного тут, конечно, нет ничего, одни бы, кажись, всегдашние благоглупости. Но фокус был проделан нарочно. Вот теперь и заговорят все святоши в городе и по губернии разнесут: «Что, дескать, сей сон означает?» По-моему, старик действительно прозорлив: уголовщину пронюхал. Смердит у вас.

— Какую уголовщину?

Ракитину видимо хотелось что-то высказать.

— В вашей семейке она будет, эта уголовщина. Случится она между твоими братцами и твоим богатеньким батюшкой. Вот отец Зосима и стукнулся лбом на всякий будущий случай. Потом что случится: «Ах, ведь это старец святой предрек, напророчествовал», — хотя какое бы в том пророчество, что он лбом стукнулся? Нет, это, дескать, эмблема была, аллегория, и черт знает что! Расславят, запомнят: преступление, дескать, предугадал, преступника отметил. У юродивых и всё так: на кабак крестится, а в храм камнями мечет. Так и твой старец: праведника палкой вон, а убийце в ноги поклон.

— Какое преступление? Какому убийце? Что ты? — Алеша стал как вкопанный, остановился и Ракитин.

— Какому? Быдто не знаешь? Бьюсь об заклад, что ты сам уж об этом думал. Кстати, это любопытно: слушай, Алеша, ты всегда правду говоришь, хотя всегда между двух стульев садишься: думал ты об этом или не думал, отвечай?

— Думал, — тихо ответил Алеша. Даже Ракитин смутился.

— Что ты? Да неужто и ты уж думал? — вскричал он.

— Я... я не то чтобы думал, — пробормотал Алеша, — а вот как ты сейчас стал про это так странно говорить, то мне и показалось, что я про это сам думал.

— Видишь (и как ты это ясно выразил), видишь? Сегодня, глядя на папашу и на братца Митеньку, о преступлении подумал? Стало быть, не ошибаюсь же я?

— Да подожди, подожди, — тревожно прервал Алеша, — из чего ты-то всё это видишь?.. Почему это тебя так занимает, вот первое дело?

— Два вопроса раздельные, но естественные. Отвечу на каждый порознь. Почему вижу? Ничего я бы тут не видел, если бы Дмитрия Федоровича, брата твоего, вдруг сегодня не понял всего как есть, разом и вдруг, всего как он есть. По какой-то одной черте так и захватил его разом всего. У этих честнейших, но любострастных людей есть черта, которую не переходи. Не то — не то он и папеньку ножом пырнет. А папенька пьяный и невоздержный беспутник, никогда и ни в чем меры не понимал — не удержатся оба, и бух оба в канаву...

— Нет, Миша, нет, если только это, так ты меня ободрил. До того не дойдет.

— А чего ты весь трясешься? Знаешь ты штуку? Пусть он и честный человек, Митенька-то (он глуп, но честен); но он — сладострастник. Вот его определение и вся внутренняя суть. Это отец ему передал свое подлое сладострастие. Ведь я только на тебя, Алеша, дивлюсь: как это ты девственник? Ведь и ты Карамазов! Ведь в вашем семействе сладострастие до воспаления доведено. Ну вот эти три сладострастника друг за другом теперь и следят... с ножами за сапогом. Состукнулись трое лбами, а ты, пожалуй, четвертый.

— Ты про эту женщину ошибаешься. Дмитрий ее... презирает, — как-то вздрагивая, проговорил Алеша.

— Грушеньку-то? Нет, брат, не презирает. Уж когда невесту свою въявь на нее променял, то не презирает. Тут... тут, брат, нечто, чего ты теперь не поймешь. Тут влюбится человек в какую-нибудь красоту, в тело женское, или даже только в часть одну тела женского (это сладострастник может понять), то и отдаст за нее собственных детей, продаст отца и мать, Россию и отечество; будучи честен, пойдет и украдет; будучи кроток — зарежет, будучи верен — изменит. Певец женских ножек, Пушкин, ножки в стихах воспевал; другие не воспевают, а смотреть на ножки не могут без судорог. Но ведь не одни ножки... Тут, брат, презрение не помогает, хотя бы он и презирал Грушеньку. И презирает, да оторваться не может.

— Я это понимаю, — вдруг брякнул Алеша.

— Быдто? И впрямь, стало быть, ты это понимаешь, коли так с первого слова брякнул, что понимаешь, — с злорадством проговорил Ракитин. — Ты это нечаянно брякнул, это вырвалось. Тем драгоценнее признание: стало быть, тебе уж знакомая тема, об этом уж думал, о сладострастье-то. Ах ты, девственник! Ты, Алешка, тихоня, ты святой, я согласен, но ты тихоня, и черт знает о чем ты уж не думал, черт знает что тебе уж известно! Девственник, а уж такую глубину прошел, — я тебя давно наблюдаю. Ты сам Карамазов, ты Карамазов вполне — стало быть, значит же что-нибудь порода и подбор. По отцу сладострастник, по матери юродивый. Чего дрожишь? Аль правду говорю? Знаешь что: Грушенька просила меня: «Приведи ты его (тебя то есть), я с него ряску стащу». Да ведь как просила-то: приведи да приведи! Подумал только: чем ты это ей так любопытен? Знаешь, необычайная и она женщина тоже!

— Кланяйся, скажи, что не приду, — криво усмехнулся Алеша. — Договаривай, Михаил, о чем зачал, я тебе потом мою мысль скажу.

— Чего тут договаривать, всё ясно. Всё это, брат, старая музыка. Если уж и ты сладострастника в себе заключаешь, то что же брат твой Иван, единоутробный? Ведь и он Карамазов. В этом весь ваш карамазовский вопрос заключается: сладострастники, стяжатели и юродивые! Брат твой Иван теперь богословские статейки пока в шутку по какому-то глупейшему неизвестному расчету печатает, будучи сам атеистом, и в подлости этой сам сознается — брат твой этот, Иван. Кроме того, от братца Мити невесту себе отбивает, ну и этой цели, кажется, что достигнет. Да еще как: с согласия самого Митеньки, потому что Митенька сам ему невесту свою уступает, чтобы только отвязаться от нее да уйти поскорей к Грушеньке. И всё это при всем своем благородстве и бескорыстии, заметь себе это. Вот эти-то люди самые роковые и есть! Черт вас разберет после этого: сам подлость свою сознает и сам в подлость лезет! Слушай дальше: Митеньке теперь пересекает дорогу старикашка отец. Ведь тот по Грушеньке с ума вдруг сошел, ведь у него слюна бежит, когда на нее глядит только. Ведь это он только из-за нее одной в келье сейчас, скандал такой сделал, за то только, что Миусов ее беспутною тварью назвать осмелился. Влюбился хуже кошки. Прежде она ему тут только по делишкам каким-то темным да кабачным на жалованье прислуживала, а теперь вдруг догадался и разглядел, остервенился, с предложениями лезет, не с честными конечно. Ну и столкнутся же они, папенька с сыночком, на этой дорожке. А Грушенька ни тому, ни другому; пока еще виляет да обоих дразнит, высматривает, который выгоднее, потому хоть у папаши можно много денег тяпнуть, да ведь зато он не женится, а пожалуй, так под конец ожидовеет и запрет кошель. В таком случае и Митенька свою цену имеет; денег у него нет, но зато способен жениться. Да-с, способен жениться! Бросить невесту, несравненную красоту, Катерину Ивановну, богатую, дворянку и полковничью дочь, и жениться на Грушеньке, бывшей содержанке старого купчишки, развратного мужика и городского головы Самсонова. Из всего сего действительно может столкновение произойти уголовное. А этого брат твой Иван и ждет, тут он и в малине: и Катерину Ивановну приобретет, по которой сохнет, да и шестьдесят ее тысяч приданого тяпнет. Маленькому-то человечку и голышу, как он, это и весьма прельстительно для начала. И ведь заметь себе: не только Митю не обидит, но даже по гроб одолжит. Ведь я наверно знаю, что Митенька сам и вслух, на прошлой неделе еще, кричал в трактире пьяный, с цыганками, что недостоин невесты своей Катеньки, а брат Иван — так вот тот достоин. А сама Катерина Ивановна уж, конечно, такого обворожителя, как Иван Федорович, под конец не отвергнет; ведь она уж и теперь между двумя ими колеблется. И чем только этот Иван прельстил вас всех, что вы все пред ним благоговеете? А он над вами же смеется: в малине, дескать, сижу и на ваш счет лакомствую.

— Почему ты всё это знаешь? Почему так утвердительно говоришь? — резко и нахмурившись спросил вдруг Алеша.

— А почему ты теперь спрашиваешь и моего ответа вперед боишься? Значит, сам соглашаешься, что я правду сказал.

— Ты Ивана не любишь. Иван не польстится на деньги.

— Вы́дто? А красота Катерины Ивановны? Не одни же тут деньги, хотя и шестьдесят тысяч вещь прельстительная.

— Иван выше смотрит. Иван и на тысячи не польстится. Иван не денег, не спокойствия ищет. Он мучения, может быть, ищет.

— Это еще что за сон? Ах вы... дворяне!

— Эх, Миша, душа его бурная. Ум его в плену. В нем мысль великая и неразрешенная. Он из тех, которым не надобно миллионов, а надобно мысль разрешить.

— Литературное воровство, Алешка. Ты старца своего перефразировал. Эк ведь Иван вам загадку задал! — с явною злобой крикнул Ракитин. Он даже в лице изменился, и губы его перекосились. — Да и загадка-то глупая, отгадывать нечего. Пошевели мозгами — поймешь. Статья его смешна и нелепа. А слышал давеча его глупую теорию: «Нет бессмертия души, так нет и добродетели, значит, всё позволено». (А братец-то Митенька, кстати, помнишь, как крикнул: «Запомню!») Соблазнительная теория подлецам... Я ругаюсь, это глупо... не подлецам, а школьным фанфаронам с «неразрешимою глубиной мыслей». Хвастунишка, а суть-то вся: «С одной стороны, нельзя не признаться, а с другой — нельзя не сознаться!» Вся его теория — подлость! Человечество само в себе силу найдет, чтобы жить для добродетели, даже и не веря в бессмертие души! В любви к свободе, к равенству, братству найдет...

Ракитин разгорячился, почти не мог сдержать себя. Но вдруг, как бы вспомнив что-то, остановился.

— Ну довольно, — еще кривее улыбнулся он, чем прежде. — Чего ты смеешься? Думаешь, что я пошляк?

— Нет, я и не думал думать, что ты пошляк. Ты умен, но... оставь, это я сдуру усмехнулся. Я понимаю, что ты можешь разгорячиться, Миша. По твоему увлечению я догадался, что ты сам неравнодушен к Катерине Ивановне, я, брат, это давно подозревал, а потому и не любишь брата Ивана. Ты к нему ревнуешь?

— И к ее денежкам тоже ревную? Прибавляй, что ли?

— Нет, я ничего о деньгах не прибавлю, я не стану тебя обижать.

— Верю, потому что ты сказал, но черт вас возьми опять-таки с твоим братом Иваном! Не поймете вы никто, что его и без Катерины Ивановны можно весьма не любить. И за что я его стану любить, черт возьми! Ведь удостоивает же он меня сам ругать. Почему же я его не имею права ругать?

— Я никогда не слыхал, чтоб он хоть что-нибудь сказал о тебе, хорошего или дурного; он совсем о тебе не говорит.

— А я так слышал, что третьего дня у Катерины Ивановны он отделывал меня на чем свет стоит — вот до чего интересовался вашим покорным слугой. И кто, брат, кого после этого ревнует — не знаю! Изволил выразить мысль, что если я-де не соглашусь на карьеру архимандрита в весьма недалеком будущем и не решусь постричься, то непременно уеду в Петербург и примкну к толстому журналу, непременно к отделению критики, буду писать лет десяток и в конце концов переведу журнал на себя. Затем буду опять его издавать и непременно в либеральном и атеистическом направлении, с социалистическим оттенком, с маленьким даже лоском социализма, но держа ухо востро, то есть, в сущности, держа нашим и вашим и отводя глаза дуракам. Конец карьеры моей, по толкованию твоего братца, в том, что оттенок социализма не помешает мне откладывать на текущий счет подписные денежки и пускать их при случае в оборот, под руководством какого-нибудь жидишки, до тех пор, пока не выстрою капитальный дом в Петербурге, с тем чтобы перевесть в него и редакцию, а в остальные этажи напустить жильцов. Даже место дому назначил: у Нового Каменного моста через Неву, который проектируется, говорят, в Петербурге, с Литейной на Выборгскую...

— Ах, Миша, ведь это, пожалуй, как есть всё и сбудется, до последнего даже слова! — вскричал вдруг Алеша, не удержавшись и весело усмехаясь.

— И вы в сарказмы пускаетесь, Алексей Федорович.

— Нет, нет, я шучу, извини. У меня совсем другое на уме. Позволь, однако: кто бы тебе мог такие подробности сообщить, и от кого бы ты мог о них слышать. Ты не мог ведь быть у Катерины Ивановны лично, когда он про тебя говорил?

— Меня не было, зато был Дмитрий Федорович, и я слышал это своими ушами от Дмитрия же Федоровича, то есть, если хочешь, он не мне говорил, а я подслушал, разумеется поневоле, потому что у Грушеньки в ее спальне сидел и выйти не мог всё время, пока Дмитрий Федорович в следующей комнате находился.

— Ах да, я и забыл, ведь она тебе родственница...

— Родственница? Это Грушенька-то мне родственница? — вскричал вдруг Ракитин, весь покраснев. — Да ты с ума спятил, что ли? Мозги не в порядке.

— А что? Разве не родственница? Я так слышал...

— Где ты мог это слышать? Нет, вы, господа Карамазовы, каких-то великих и древних дворян из себя корчите, тогда как отец твой бегал шутом по чужим столам да при милости на кухне числился. Положим, я только поповский сын и тля пред вами, дворянами, но не оскорбляйте же меня так весело и беспутно. У меня тоже честь есть, Алексей Федорович. Я Грушеньке не могу быть родней, публичной девке, прошу понять-с!

Ракитин был в сильном раздражении.

— Извини меня ради бога, я никак не мог предполагать, и притом какая она публичная? Разве она... такая? — покраснел вдруг Алеша. — Повторяю тебе, я так слышал, что родственница. Ты к ней часто ходишь и сам мне говорил, что ты с нею связей любви не имеешь... Вот я никогда не думал, что уж ты-то ее так презираешь! Да неужели она достойна того?

— Если я ее посещаю, то на то могу иметь свои причины, ну и довольно с тебя. А насчет родства, так скорей твой братец али даже сам батюшка навяжет ее тебе, а не мне, в родню. Ну вот и дошли. Ступай-ка на кухню лучше. Ай! что тут такое, что это? Аль опоздали? Да не могли же они так скоро отобедать? Аль тут опять что Карамазовы напрокудили? Наверно так. Вот и батюшка твой, и Иван Федорович за ним. Это они от игумена вырвались. Вон отец Исидор с крыльца кричит им что-то вослед. Да и батюшка твой кричит и руками машет, верно бранится. Ба, да вон и Миусов в коляске уехал, видишь, едет. Вот и Максимов-помещик бежит — да тут скандал; значит, не было обеда! Уж не прибили ли они игумена? Али их, пожалуй, прибили? Вот бы стоило!..

Ракитин восклицал не напрасно. Скандал действительно произошел, неслыханный и неожиданный. Всё произошло «по вдохновению».

VIII
СКАНДАЛ

Когда Миусов и Иван Федорович входили уже к игумену, то в Петре Александровиче, как в искренно порядочном и деликатном человеке, быстро произошел один деликатный в своем роде процесс, ему стало стыдно сердиться. Он почувствовал про себя, что дрянного Федора Павловича, в сущности, должен бы был он до того не уважать, что не следовало бы ему терять свое хладнокровие в келье старца и так самому потеряться, как оно вышло. «По крайней мере монахи-то уж тут не виноваты ни в чем, — решил он вдруг на крыльце игумена, — а если и тут порядочный народ (этот отец Николай игумен тоже, кажется, из дворян), то почему же не быть с ними милым, любезным и вежливым?.. Спорить не буду, буду даже поддакивать, завлеку любезностью и... и... наконец, докажу им, что я не компания этому Эзопу, этому шуту, этому пьеро́ и попался впросак точно так же, как и они все...» Спорные же порубки в лесу и эту ловлю рыбы (где всё это — он и сам не знал) он решил им уступить окончательно, раз навсегда, сегодня же, тем более что всё это очень немногого стоило, и все свои иски против монастыря прекратить.

Все эти благие намерения еще более укрепились, когда они вступили в столовую отца игумена. Столовой у того, впрочем, не было, потому что было у него всего по-настоящему две комнаты во всем помещении, правда гораздо обширнейшие и удобнейшие, чем у старца. Но убранство комнат также не отличалось особым комфортом: мебель была кожаная, красного дерева, старой моды двадцатых годов; даже полы были некрашеные; зато всё блистало чистотой, на окнах было много дорогих цветов; но главную роскошь в эту минуту, естественно, составлял роскошно сервированный стол, хотя, впрочем, и тут говоря относительно: скатерть была чистая, посуда блестящая; превосходно выпеченный хлеб трех сортов, две бутылки вина, две бутылки великолепного монастырского меду и большой стеклянный кувшин с монастырским квасом, славившимся в околотке. Водки не было вовсе. Ракитин повествовал потом, что обед приготовлен был на этот раз из пяти блюд: была уха со стерлядью и с пирожками с рыбой; затем разварная рыба, как-то отменно и особенно приготовленная; затем котлеты из красной рыбы, мороженое и компот, и наконец, киселек вроде бланманже. Всё это пронюхал Ракитин, не утерпев и нарочно заглянув на игуменскую кухню, с которою тоже имел свои связи. Он везде имел связи и везде добывал языка. Сердце он имел весьма беспокойное и завистливое. Значительные свои способности он совершенно в себе сознавал, но нервно преувеличивал их в своем самомнении. Он знал наверно, что будет в своем роде деятелем, но Алешу, который был к нему очень привязан, мучило то, что его друг Ракитин бесчестен и решительно не сознает того сам, напротив, зная про себя, что он не украдет денег со стола, окончательно считал себя человеком высшей честности. Тут уж не только Алеша, но и никто бы не мог ничего сделать.

Ракитин, как лицо мелкое, приглашен быть к обеду не мог, зато были приглашены отец Иосиф и отец Паисий и с ними еще один иеромонах. Они уже ожидали в столовой игумена, когда вступили Петр Александрович, Калганов и Иван Федорович. Дожидался еще в сторонке и помещик Максимов. Отец игумен, чтобы встретить гостей, выступил вперед на средину комнаты. Это был высокий, худощавый, но всё еще сильный старик, черноволосый, с сильною проседью, с длинным постным и важным лицом. Он раскланялся с гостями молча, но те на этот раз подошли под благословение. Миусов рискнул было даже поцеловать ручку, но игумен вовремя как-то отдернул, и поцелуй не состоялся. Зато Иван Федорович и Калганов благословились на этот раз вполне, то есть с самым простодушным и простонародным чмоком в руку.

— Мы должны сильно извиниться, ваше высокопреподобие, — начал Петр Александрович, с любезностью осклабляясь, но всё же важным и почтительным тоном, — извиниться, что являемся одни без приглашенного вами сопутника нашего, Федора Павловича; он принужден был от вашей трапезы уклониться, и не без причины. В келье у преподобного отца Зосимы, увлекшись своею несчастною родственною распрей с сыном, он произнес несколько слов совершенно некстати... словом сказать, совершенно неприличных... о чем, как кажется (он взглянул на иеромонахов), вашему высокопреподобию уже и известно. А потому, сам сознавая себя виновным и искренно раскаиваясь, почувствовал стыд и, не могши преодолеть его, просил нас, меня и сына своего, Ивана Федоровича, заявить пред вами всё свое искреннее сожаление, сокрушение и покаяние... Одним словом, он надеется и хочет вознаградить всё потом, а теперь, испрашивая вашего благословения, просит вас забыть о случившемся...

Миусов умолк. Произнеся последние слова своей тирады, он остался собою совершенно доволен, до того, что и следов недавнего раздражения не осталось в душе его. Он вполне и искренно любил опять человечество. Игумен, с важностью выслушав его, слегка наклонил голову и произнес в ответ:

— Чувствительно сожалею об отлучившемся. Может быть, за трапезой нашею он полюбил бы нас, равно как и мы его. Милости просим, господа, откушать.

Он стал перед образом и начал вслух молитву. Все почтительно преклонили головы, а помещик Максимов даже особенно выставился вперед, сложив перед собой ладошками руки от особого благоговения.

И вот тут-то Федор Павлович и выкинул свое последнее колено. Надо заметить, что он действительно хотел было уехать и действительно почувствовал невозможность, после своего позорного поведения в келье старца, идти как ни в чем не бывало к игумену на обед. Не то чтоб он стыдился себя так уж очень и обвинял; может быть, даже совсем напротив; но всё же он чувствовал, что обедать-то уж неприлично. Но только было подали к крыльцу гостиницы его дребезжащую коляску, как он, уже влезая в нее, вдруг приостановился. Ему вспомнились его же собственные слова у старца: «Мне всё так и кажется, когда я вхожу куда-нибудь, что я подлее всех и что меня все за шута принимают, — так вот давай же я и в самом деле сыграю шута, потому что вы все до единого глупее и подлее меня». Ему захотелось всем отомстить за собственные пакости. Вспомнил он вдруг теперь кстати, как когда-то, еще прежде, спросили его раз: «За что вы такого-то так ненавидите?» И он ответил тогда, в припадке своего шутовского бесстыдства: «А вот за что: он, правда, мне ничего не сделал, но зато я сделал ему одну бессовестнейшую пакость, и только что сделал, тотчас же за то и возненавидел его». Припомнив это теперь, он тихо и злобно усмехнулся в минутном раздумье. Глаза его сверкнули, и даже губы затряслись. «А коль начал, так и кончить», — решил он вдруг. Сокровеннейшее ощущение его в этот миг можно было бы выразить такими словами: «Ведь уж теперь себя не реабилитируешь, так давай-ка я им еще наплюю до бесстыдства: не стыжусь, дескать, вас, да и только!» Кучеру он велел подождать, а сам скорыми шагами воротился в монастырь и прямо к игумену. Он еще не знал хорошо, что сделает, но знал, что уже не владеет собою и — чуть толчок — мигом дойдет теперь до последнего предела какой-нибудь мерзости, — впрочем, только мерзости, а отнюдь не какого-нибудь преступления или такой выходки, за которую может суд наказать. В последнем случае он всегда умел себя сдерживать и даже сам себе дивился насчет этого в иных случаях. Он показался в столовой игумена ровно в тот миг, когда кончилась молитва и все двинулись к столу. Остановившись на пороге, оглядел компанию и засмеялся длинным, наглым, злым смешком, всем отважно глядя в глаза.

— А они-то думали, я уехал, а я вот он! — вскричал он на всю залу.

Одно мгновение все смотрели на него в упор и молчали, и вдруг все почувствовали, что выйдет сейчас что-нибудь отвратительное, нелепое, с несомненным скандалом. Петр Александрович из самого благодушного настроения перешел немедленно в самое свирепое. Всё, что угасло было в его сердце и затихло, разом воскресло и поднялось.

— Нет, вынести этого я не могу! — вскричал он, — совсем не могу и... никак не могу!

Кровь бросилась ему в голову. Он даже спутался, но было уже не до слога, и он схватил свою шляпу.

— Чего такого он не может? — вскричал Федор Павлович, — «никак не может и ни за что не может»? Ваше преподобие, входить мне аль нет? Принимаете сотрапезника?

— Милости просим от всего сердца, — ответил игумен. — Господа! Позволю ли себе, — прибавил он вдруг, — просить вас от всей души, оставив случайные распри ваши, сойтись в любви и родственном согласии, с молитвой ко Господу, за смиренною трапезою нашей...

— Нет, нет, невозможно, — крикнул как бы не в себе Петр Александрович.

— А коли Петру Александровичу невозможно, так и мне невозможно, и я не останусь. Я с тем и шел. Я всюду теперь буду с Петром Александровичем: уйдете, Петр Александрович, и я пойду, останетесь — и я останусь. Родственным-то согласием вы его наипаче кольнули, отец игумен: не признает он себя мне родственником! Так ли, фон Зон? Вот и фон Зон стоит. Здравствуй, фон Зон.

— Вы... это мне-с? — проборматал изумленный помещик Максимов.

— Конечно, тебе, — крикнул Федор Павлович. — А то кому же? Не отцу же игумену быть фон Зоном!

— Да ведь и я не фон Зон, я Максимов.

— Нет, ты фон Зон. Ваше преподобие, знаете вы, что такое фон Зон? Процесс такой уголовный был: его убили в блудилище — так, кажется, у вас сии места именуются, — убили и ограбили и, несмотря на его почтенные лета, вколотили в ящик, закупорили и из Петербурга в Москву отослали в багажном вагоне, за нумером. А когда заколачивали, то блудные плясавицы пели песни и играли на гуслях, то есть на фортоплясах. Так вот это тот самый фон Зон и есть. Он из мертвых воскрес, так ли, фон Зон?

— Что же это такое? Как же это? — послышались голоса в группе иеромонахов.

— Идем! — крикнул Петр Александрович, обращаясь к Калганову.

— Нет-с, позвольте! — визгливо перебил Федор Павлович, шагнув еще шаг в комнату, — позвольте и мне довершить. Там в келье ославили меня, что я будто бы непочтительно вел себя, а именно тем, что про пескариков крикнул. Петр Александрович Миусов, родственник мой, любит, чтобы в речи было plus de noblesse que de sincérité[1], а я, обратно, люблю, чтобы в моей речи было plus de sincérité que de noblesse[2], и — наплевать на noblesse![3] Так ли, фон Зон? Позвольте, отец игумен, я хоть и шут и представляюсь шутом, но я рыцарь чести и хочу высказать. Да-с, я рыцарь чести, а в Петре Александровиче — прищемленное самолюбие и ничего больше. Я и приехал-то, может быть, сюда давеча, чтобы посмотреть да высказать. У меня здесь сын Алексей спасается; я отец, я об его участи забочусь и должен заботиться. Я всё слушал да представлялся, да и смотрел потихоньку, а теперь хочу вам и последний акт представления проделать. У нас ведь как? У нас что падает, то уж и лежит. У нас что раз упало, то уж и вовеки лежи. Как бы не так-с! Я встать желаю. Отцы святые, я вами возмущен. Исповедь есть великое таинство, пред которым и я благоговею и готов повергнуться ниц, а тут вдруг там в келье все на коленках и исповедуются вслух. Разве вслух позволено исповедоваться? Святыми отцами установлено исповедание на ухо, тогда только исповедь ваша будет таинством, и это издревле. А то как я ему объясню при всех, что я, например, то и то... ну то есть то и то, понимаете? Иногда ведь и сказать неприлично. Так ведь это скандал! Нет, отцы, с вами тут, пожалуй, в хлыстовщину втянешься... Я при первом же случае напишу в синод, а сына своего Алексея домой возьму...

Здесь нотабене. Федор Павлович слышал, где в колокола звонят. Были когда-то злые сплетни, достигшие даже до архиерея (не только по нашему, но и в других монастырях, где установилось старчество), что будто слишком уважаются старцы, в ущерб даже сану игуменскому, и что, между прочим, будто бы старцы злоупотребляют таинством исповеди и проч., и проч. Обвинения нелепые, которые и пали в свое время сами собой и у нас, и повсеместно. Но глупый дьявол, который подхватил и нес Федора Павловича на его собственных нервах куда-то всё дальше и дальше в позорную глубину, подсказал ему это бывшее обвинение, в котором Федор Павлович сам не понимал первого слова. Да и высказать-то его грамотно не сумел, тем более что на этот

---

1 Больше благородства, чем искренности *(фр.)*.
2 Больше искренности, чем благородства *(фр.)*.
3 Благородство! *(фр.)*

раз никто в келье старца на коленях не стоял и вслух не исповедовался, так что Федор Павлович ничего не мог подобного сам видеть и говорил лишь по старым слухам и сплетням, которые кое-как припомнил. Но, высказав свою глупость, он почувствовал, что сморозил нелепый вздор, и вдруг захотелось ему тотчас же доказать слушателям, а пуще всего себе самому, что сказал он вовсе не вздор. И хотя он отлично знал, что с каждым будущим словом всё больше и нелепее будет прибавлять к сказанному уже вздору еще такого же, — но уж сдержать себя не мог и полетел как с горы.

— Какая подлость! — крикнул Петр Александрович.

— Простите, — сказал вдруг игумен. — Было сказано издревле: «И начат глаголати на мя многая некая, даже и до скверных некиих вещей. Аз же вся слышав, глаголах в себе: се врачество Иисусово есть и послал исцелити тщеславную душу мою». А потому и мы благодарим вас с покорностью, гость драгоценный!

И он поклонился Федору Павловичу в пояс.

— Те-те-те! Ханжество и старые фразы! Старые фразы и старые жесты! Старая ложь и казенщина земных поклонов! Знаем мы эти поклоны! «Поцелуй в губы и кинжал в сердце», как в «Разбойниках» Шиллера. Не люблю, отцы, фальши, а хочу истины! Но не в пескариках истина, и я это провозгласил! Отцы монахи, зачем поститесь? Зачем вы ждете за это себе награды на небеси? Так ведь из-за этакой награды и я пойду поститься! Нет, монах святой, ты будь-ка добродетелен в жизни, принеси пользу обществу, не заключаясь в монастыре на готовые хлеба и не ожидая награды там наверху, — так это-то потруднее будет. Я тоже ведь, отец игумен, умею складно сказать. Что у них тут наготовлено? — подошел он к столу. — Портвейн старый Фактори, медок разлива братьев Елисеевых, ай да отцы! Не похоже ведь на пескариков. Ишь бутылочек-то отцы наставили, хе-хе-хе! А кто это всё доставлял сюда? Это мужик русский, труженик, своими мозольными руками заработанный грош сюда несет, отрывая его от семейства и от нужд государственных! Ведь вы, отцы святые, народ сосете!

— Это уж совсем недостойно с вашей стороны, — проговорил отец Иосиф. Отец Паисий упорно молчал. Миусов бросился бежать из комнаты, а за ним и Калганов.

— Ну, отцы, и я за Петром Александровичем! Больше я к вам не приду, просить будете на коленях, не приду.

Тысячу рубликов я вам прислал, так вы опять глазки навострили, хе-хе-хе! Нет, еще не прибавлю. Мщу за мою прошедшую молодость, за всё унижение мое! — застучал он кулаком по столу в припадке выделанного чувства. — Много значил этот монастырек в моей жизни! Много горьких слез я из-за него пролил! Вы жену мою, кликушу, восставляли против меня. Вы меня на семи соборах проклинали, по околотку разнесли! Довольно, отцы, нынче век либеральный, век пароходов и железных дорог. Ни тысячи, ни ста рублей, ни ста копеек, ничего от меня не получите!

Опять нотабене. Никогда и ничего такого особенного не значил наш монастырь в его жизни, и никаких горьких слез не проливал он из-за него. Но он до того увлекся выделанными слезами своими, что на одно мгновение чуть было себе сам не поверил; даже заплакал было от умиления; но в тот же миг почувствовал, что пора поворачивать оглобли назад. Игумен на злобную ложь его наклонил голову и опять внушительно произнес:

— Сказано снова: «Претерпи смотрительне находящее на тя невольно бесчестие с радостию, и да не смутишися, ниже возненавидиши бесчестящего тя». Так и мы поступим.

— Те-те-те, вознепщеваху! и прочая галиматья! Непщуйте, отцы, а я пойду. А сына моего Алексея беру отселе родительскою властию моею навсегда. Иван Федорович, почтительнейший сын мой, позвольте вам приказать за мною следовать! Фон Зон, чего тебе тут оставаться! Приходи сейчас ко мне в город. У меня весело. Всего верстушка какая-нибудь, вместо постного-то масла подам поросенка с кашей; пообедаем; коньячку поставлю, потом ликерцу; мамуровка есть... Эй, фон Зон, не упускай своего счастия!

Он вышел, крича и жестикулируя. Вот в это-то мгновение Ракитин и увидел его выходящего и указал Алеше.

— Алексей! — крикнул ему издали отец, завидев его, — сегодня же переезжай ко мне совсем, и подушку и тюфяк тащи, и чтобы твоего духу здесь не пахло.

Алеша остановился как вкопанный, молча и внимательно наблюдая сцену. Федор Павлович между тем влез в коляску, а за ним, даже и не оборотившись к Алеше проститься, молча и угрюмо стал было влезать Иван Федорович. Но тут произошла еще одна паясническая и невероятная почти сцена, восполнившая эпизод. Вдруг у подножки коляски появился помещик Максимов. Он прибежал запыхавшись, чтобы не опоздать. Ракитин и Алеша видели, как он бежал. Он так спешил, что в нетерпении занес уже ногу на ступеньку, на которой еще стояла левая нога Ивана Федоровича, и, схватившись за кузов, стал было подпрыгивать в коляску.

— И я, и я с вами! — выкрикивал он, подпрыгивая, смеясь мелким веселым смешком, с блаженством в лице и на всё готовый, — возьмите и меня!

— Ну не говорил ли я, — восторженно крикнул Федор Павлович, — что это фон Зон! Что это настоящий воскресший из мертвых фон Зон! Да как ты вырвался оттуда? Что ты там нафонзонил такого и как ты-то мог от обеда уйти? Ведь надо же медный лоб иметь! У меня лоб, а я, брат, твоему удивляюсь! Прыгай, прыгай скорей! Пусти его, Ваня, весело будет. Он тут как-нибудь в ногах полежит. Полежишь, фон Зон? Али на облучок его с кучером примостить?.. Прыгай на облучок, фон Зон!..

Но Иван Федорович, усевшийся уже на место, молча и изо всей силы вдруг отпихнул в грудь Максимова, и тот отлетел на сажень. Если не упал, то только случайно.

— Пошел! — злобно крикнул кучеру Иван Федорович.

— Ну чего же ты? Чего же ты? Зачем ты его так? — вскинулся Федор Павлович, но коляска уже поехала. Иван Федорович не ответил.

— Ишь ведь ты! — помолчав две минуты, проговорил опять Федор Павлович, косясь на сынка. — Сам ведь ты весь этот монастырь затеял, сам подстрекал, сам одобрял, чего ж теперь сердишься?

— Полно вам вздор толочь, отдохните хоть теперь немного, — сурово отрезал Иван Федорович.

Федор Павлович опять помолчал с две минуты.

— Коньячку бы теперь хорошо, — сентенциозно заметил он. Но Иван Федорович не ответил.

— Доедем, и ты выпьешь.

Иван Федорович всё молчал.

Федор Павлович подождал еще минуты с две.

— А Алешку-то я все-таки из монастыря возьму, несмотря на то, что вам это очень неприятно будет, почтительнейший Карл фон Мор.

Иван Федорович презрительно вскинул плечами и, отворотясь, стал смотреть на дорогу. Затем уж до самого дома не говорили.

Книга третья
СЛАДОСТРАСТНИКИ

I
В ЛАКЕЙСКОЙ

Дом Федора Павловича Карамазова стоял далеко не в самом центре города, но и не совсем на окраине. Был он довольно ветх, но наружность имел приятную: одноэтажный, с мезонином, окрашенный серенькою краской и с красною железною крышкой. Впрочем, мог еще простоять очень долго, был поместителен и уютен. Много было в нем разных чуланчиков, разных пряток и неожиданных лесенок. Водились в нем крысы, но Федор Павлович на них не вполне сердился: «Все же не так скучно по вечерам, когда остаешься один». А он действительно имел обыкновение отпускать слуг на ночь во флигель и в доме сам запирался один на всю ночь. Флигель этот стоял на дворе, был обширен и прочен; в нем же определил Федор Павлович быть и кухне, хотя кухня была и в доме: не любил он кухонного запаха, и кушанье приносили через двор зимой и летом. Вообще дом был построен на большую семью: и господ, и слуг можно было бы поместить впятеро больше. Но в момент нашего рассказа в доме жил лишь Федор Павлович с Иваном Федоровичем, а в людском флигеле всего только три человека прислуги: старик Григорий, старуха Марфа, его жена, и слуга Смердяков, еще молодой человек. Приходится сказать несколько поподробнее об этих трех служебных лицах. О старике Григории Васильевиче Кутузове мы, впрочем, уже говорили довольно. Это был человек твердый и неуклонный, упорно и прямолинейно идущий к своей точке, если только эта точка по каким-нибудь причинам (часто удивительно нелогическим) становилась пред ним как непреложная истина. Вообще говоря, он был честен и неподкупен. Жена его, Марфа Игнатьевна, несмотря на то что пред волей мужа беспрекословно всю жизнь склонялась, ужасно приставала к нему, например, тотчас после освобождения крестьян, уйти от Федора Павловича в Москву и там начать какую-нибудь торговлишку (у них водились кое-какие деньжонки); но Григорий решил тогда же и раз навсегда, что баба врет, «потому что всякая баба бесчестна», но что уходить им от прежнего господина не следует, каков бы он там сам ни был, «потому что это ихний таперича долг».

— Ты понимаешь ли, что есть долг? — обратился он к Марфе Игнатьевне.

— Про долг я понимаю, Григорий Васильевич, но какой нам тут долг, чтобы нам здесь оставаться, того ничего не пойму, — ответила твердо Марфа Игнатьевна.

— И не понимай, а оно так будет. Впредь молчи.

Так и вышло: они не ушли, а Федор Павлович назначил им жалованье, небольшое, и жалованье выплачивал. Григорий знал к тому же, что он на барина имеет влияние неоспоримое. Он чувствовал это, и это было справедливо: хитрый и упрямый шут, Федор Павлович, очень твердого характера «в некоторых вещах жизни», как он сам выражался, бывал, к собственному удивлению своему, весьма даже слабоват характером в некоторых других «вещах жизни». И он сам знал в каких, знал и боялся многого. В некоторых вещах жизни надо было держать ухо востро, и при этом тяжело было без верного человека, а Григорий был человек вернейший. Даже так случалось, что Федор Павлович много раз в продолжение своей карьеры мог быть бит, и больно бит, и всегда выручал Григорий, хотя каждый раз прочитывал ему после того наставление. Но одни побои не испугали бы Федора Павловича: бывали высшие случаи, и даже очень тонкие и сложные, когда Федор Павлович и сам бы не в состоянии, пожалуй, был определить ту необычайную потребность в верном и близком человеке, которую он моментально и непостижимо вдруг иногда начинал ощущать в себе. Это были почти болезненные случаи: развратнейший и в сладострастии своем часто жестокий, как злое насекомое, Федор Павлович вдруг ощущал в себе иной раз, пьяными минутами, духовный страх и нравственное сотрясение, почти, так сказать, даже физически отзывавшееся в душе его. «Душа у меня точно в горле трепещется в эти разы», — говаривал он иногда. Вот в эти-то мгновения он и любил, чтобы подле, поблизости, пожалуй хоть и не в той комнате, а во флигеле, был такой человек, преданный, твердый, совсем не такой, как он, не развратный, который хотя бы всё это совершающееся беспутство и видел и знал все тайны, но всё же из преданности допускал бы это всё, не противился, главное — не укорял и ничем бы не грозил, ни в сем веке, ни в будущем; а в случае нужды так бы и защитил его, — от кого? От кого-то неизвестного, но страшного и опасного. Дело было именно в том, чтобы был непременно *другой* человек, старинный и дружественный, чтобы в больную минуту позвать его, только с тем чтобы всмотреться в его лицо, пожалуй переброситься словцом, совсем даже посторонним каким-нибудь, и коли он ничего, не сердится, то как-то и легче сердцу, а коли сердится, ну, тогда грустней. Случалось (но, впрочем, чрезвычайно редко), что Федор Павлович шел даже ночью во флигель будить Григория, чтобы тот на минутку пришел к нему. Тот приходил, и Федор Павлович заговаривал о совершеннейших пустяках и скоро отпускал, иногда даже с насмешечкой и шуточкой, а сам, плюнув, ложился спать и спал уже сном праведника. Нечто в этом роде случилось с Федором Павловичем и по приезде Алеши. Алеша «пронзил его сердце» тем, что «жил, всё видел и ничего не осудил». Мало того, принес с собою небывалую вещь: совершенное отсутствие презрения к нему, старику, напротив — всегдашнюю ласковость и совершенно натуральную прямодушную привязанность к нему, столь мало ее заслужившему. Всё это было для старого потаскуна и бессемейника совершенным сюрпризом, совсем для него, любившего доселе одну лишь «скверну», неожиданным. По уходе Алеши он признался себе, что понял кое-что, чего доселе не хотел понимать.

Я уже упоминал в начале моего рассказа, как Григорий ненавидел Аделаиду Ивановну, первую супругу Федора Павловича и мать первого сына его, Дмитрия Федоровича, и как, наоборот, защищал вторую его супругу, кликушу, Софью Ивановну, против самого своего господина и против всех, кому бы пришло на ум молвить о ней худое или легкомысленное слово. В нем симпатия к этой несчастной обратилась во что-то священное, так что и двадцать лет спустя он бы не перенес, от кого бы то ни шло, даже худого намека о ней и тотчас бы возразил обидчику. По наружности своей Григорий был человек холодный и важный, не болтливый, выпускающий слова веские, не-легкомысленные. Точно так же невозможно было бы разъяснить в нем с первого взгляда: любил он свою безответную, покорную жену или нет, а между тем он ее действительно любил, и та, конечно, это понимала. Эта Марфа Игнатьевна была женщина не только не глупая, но, может быть, и умнее своего супруга, по меньшей мере рассудительнее его в делах житейских, а между тем она ему подчинялась безропотно и безответно, с самого начала супружества, и бесспорно уважала его за духовный верх. Замечательно, что оба они всю жизнь свою чрезвычайно мало говорили друг с другом, разве о самых необходимых и текущих вещах. Важный и величественный Григорий обдумывал все свои дела и заботы всегда один, так что Марфа Игнатьевна раз навсегда давно уже поняла, что в советах ее он совсем не нуждается. Она чувствовала, что муж ценит ее молчание и признает за это в ней ум. Бить он ее никогда не бивал, разве всего только один раз, да и то слегка. В первый год брака Аделаиды Ивановны с Федором Павловичем, раз в деревне, деревенские девки и бабы, тогда еще крепостные, собраны были на барский двор попеть и поплясать. Начали «Во лузях», и вдруг Марфа Игнатьевна, тогда еще женщина молодая, выскочила вперед пред хором и прошлась «русскую» особенным манером, не по-деревенскому, как бабы, а как танцевала она, когда была дворовою девушкой у богатых Миусовых на домашнем помещичьем их театре, где обучал актеров танцевать выписанный из Москвы танцмейстер. Григорий видел, как прошлась его жена, и дома у себя в избе, через час, поучил ее, потаскав маленько за волосы. Но тем и кончились раз навсегда побои и не повторялись более ни разу во всю жизнь, да и Марфа Игнатьевна закаялась с тех пор танцевать.

Детей им бог не дал, был один ребеночек, да и тот умер. Григорий же видимо любил детей, даже не скрывал этого, то есть не стыдился выказывать. Дмитрия Федоровича он к себе принял на руки, когда сбежала Аделаида Ивановна, трехлетним мальчиком и провозился с ним почти год, сам гребешком вычесывал, сам даже обмывал его в корыте. Потом хлопотал он и с Иваном Федоровичем, и с Алешей, за что и получил пощечину; но об этом обо всем я уже повествовал. Собственный же ребеночек порадовал его лишь одною надеждой, когда Марфа Игнатьевна еще была беременна. Когда же родился, то поразил его сердце скорбью и ужасом. Дело в том, что родился этот мальчик шестипалым. Увидя это, Григорий был до того убит, что не только молчал вплоть до самого дня крещения, но и нарочно уходил молчать в сад. Была весна, он все три дня копал гряды в огороде в саду. На третий день приходилось крестить младенца; Григорий к этому времени уже нечто сообразил. Войдя в избу, где собрался причт и пришли гости и, наконец, сам Федор Павлович, явившийся лично в качестве восприемника, он вдруг заявил, что ребенка «не надо бы крестить вовсе», — заявил не громко, в словах не распространялся, еле выцеживал по словечку, а только тупо и пристально смотрел при этом на священника.

— Почему так? — с веселым удивлением осведомился священник.

— Потому это... дракон... — пробормотал Григорий.

— Как дракон, какой дракон?

Григорий промолчал некоторое время.

— Смешение природы произошло... — пробормотал он, хоть и весьма неясно, но очень твердо, и видимо не желая больше распространяться.

Посмеялись и, разумеется, бедненького ребеночка окрестили. Григорий молился у купели усердно, но мнения своего о новорожденном не изменил. Впрочем, ничему не помешал, только все две недели, как жил болезненный мальчик, почти не глядел на него, даже замечать не хотел и большею частью уходил из избы. Но когда мальчик через две недели помер от молочницы, то сам его уложил в гробик, с глубокою тоской смотрел на него и, когда засыпали неглубокую маленькую его могилку, стал на колени и поклонился могилке в землю. С тех пор многие годы он ни разу о своем ребенке не упомянул, да и Марфа Игнатьевна ни разу при нем про ребенка своего не вспоминала, а когда с кем случалось говорить о своем «деточке», то говорила шепотом, хотя бы тут и не было Григория Васильевича. По замечанию Марфы Игнатьевны, он, с самой той могилки, стал по преимуществу заниматься «божественным», читал Четии-Минеи, больше молча и один, каждый раз надевая большие свои серебряные круглые очки. Редко читывал вслух, разве великим постом. Любил книгу Иова, добыл откуда-то список слов и проповедей «богоносного отца нашего Исаака Сирина», читал его упорно и многолетно, почти ровно ничего не понимал в нем, но за это-то, может быть, наиболее ценил и любил эту книгу. В самое последнее время стал прислушиваться и вникать в хлыстовщину, на что по соседству оказался случай, видимо был потрясен, но переходить в новую веру не заблагорассудил. Начетливость «от божественного», разумеется, придала его физиономии еще пущую важность.

Может быть, он склонен был к мистицизму. А тут как нарочно случай появления на свет его шестипалого младенца и смерть его совпали как раз с другим весьма странным, неожиданным и оригинальным случаем, оставившим на душе его, как однажды он сам впоследствии выразился, «печать». Так случилось, что в тот самый день, как похоронили шестипалого крошку, Марфа Игнатьевна, проснувшись ночью, услышала словно плач новорожденного ребенка. Она испугалась и разбудила мужа. Тот прислушался и заметил, что скорее это кто-нибудь стонет, «женщина будто бы». Он встал, оделся; была довольно теплая майская ночь. Выйдя на крыльцо, он ясно вслушался, что стоны идут из сада. Но сад был на ночь запираем со двора на замок, попасть же в него, кроме этого входа, нельзя было, потому что кругом всего сада шел крепкий и высокий забор. Воротясь домой, Григорий засветил фонарь, взял садовый ключ и, не обращая внимания на истерический ужас своей супруги, всё еще уверявшей, что она слышит детский плач и что это плачет, наверно, ее мальчик и зовет ее, молча пошел в сад. Тут он ясно уразумел, что стоны идут из их баньки, стоявшей в саду, недалеко от калитки, и что стонет взаправду женщина. Отворив баню, он увидал зрелище, пред которым остолбенел: городская юродивая, скитавшаяся по улицам и известная всему городу, по прозвищу Лизавета Смердящая, забравшись в их баню, только что родила младенца. Младенец лежал подле нее, а она помирала подле него. Говорить ничего не говорила, уже по тому одному, что не умела говорить. Но всё это надо бы разъяснить особо.

II

ЛИЗАВЕТА СМЕРДЯЩАЯ

Тут было одно особенное обстоятельство, которое глубоко потрясло Григория, окончательно укрепив в нем одно неприятное и омерзительное прежнее подозрение. Эта Лизавета Смердящая была очень малого роста девка, «двух аршин с малым», как умилительно вспоминали о ней после ее смерти многие из богомольных старушек нашего городка. Двадцатилетнее лицо ее, здоровое, широкое и румяное, было вполне идиотское; взгляд же глаз неподвижный и неприятный, хотя и смирный. Ходила она всю жизнь, и летом и зимой, босая и в одной посконной рубашке. Почти черные волосы ее, чрезвычайно густые, закурчавленные как у барана, держались на голове ее в виде как бы какой-то огромной шапки. Кроме того, всегда были запачканы в земле, в грязи, с налипшими в них листочками, лучиночками, стружками, потому что спала она всегда на земле и в грязи. Отец ее был бездомный, разорившийся и хворый мещанин Илья, сильно запивавший и приживавший уже много лет вроде работника у одних зажиточных хозяев, тоже наших мещан. Мать же Лизаветы давно померла. Вечно болезненный и злобный Илья бесчеловечно бивал Лизавету, когда та приходила домой. Но приходила она редко, потому что приживала по всему городу как юродивый божий человек. И хозяева Ильи, и сам Илья, и даже многие из городских сострадательных людей, из купцов и купчих преимущественно, пробовали не раз одевать Лизавету приличнее, чем в одной рубашке, а к зиме всегда надевали на нее тулуп, а ноги обували в сапоги; но она обыкновенно, давая всё надеть на себя беспрекословно, уходила и где-нибудь, преимущественно на соборной церковной паперти, непременно снимала с себя всё, ей пожертвованное, — платок ли, юбку ли, тулуп, сапоги, — всё оставляла на месте и уходила босая и в одной рубашке по-прежнему. Раз случилось, что новый губернатор нашей губернии, обозревая наездом наш городок, очень обижен был в своих лучших чувствах, увидав Лизавету, и хотя понял, что это «юродивая», как и доложили ему, но все-таки поставил на вид, что молодая девка, скитающаяся в одной рубашке, нарушает благоприличие, а потому чтобы сего впредь не было. Но губернатор уехал, а Лизавету оставили как была. Наконец отец ее помер, и она тем самым стала всем богомольным лицам в городе еще милее, как сирота. В самом деле, ее как будто все даже любили, даже мальчишки ее не дразнили и не обижали, а мальчишки у нас, особенно в школе, народ задорный. Она входила в незнакомые дома, и никто не выгонял ее, напротив, всяк-то приласкает и грошик даст. Дадут ей грошик, она возьмет и тотчас снесет и опустит в которую-нибудь кружку, церковную аль острожную. Дадут ей на базаре бублик или калачик, непременно пойдет и первому встречному ребеночку отдаст бублик или калачик, а то так остановит какую-нибудь нашу самую богатую барыню и той отдаст; и барыни принимали даже с радостию. Сама же питалась не иначе как только черным хлебом с водой. Зайдет она, бывало, в богатую лавку, садится, тут дорогой товар лежит, тут и деньги, хозяева никогда ее не остерегаются, знают, что хоть тысячи выложи при ней денег и забудь, она из них не возьмет ни копейки. В церковь редко заходила, спала же или по церковным папертям, или перелезши через чей-нибудь плетень (у нас еще много плетней вместо заборов даже до сегодня) в чьем-нибудь огороде. Домой, то есть в дом тех хозяев, у которых жил ее покойный отец, она являлась примерно раз в неделю, а по зимам приходила и каждый день, но только лишь на ночь, и ночует либо в сенях, либо в коровнике. Дивились на нее, что она выносит такую жизнь, но уж так она привыкла; хоть и мала была ростом, но сложения необыкновенно крепкого. Утверждали и у нас иные из господ, что всё это она делает лишь из гордости, но как-то это не вязалось: она и говорить-то ни слова не умела и изредка только шевелила что-то языком и мычала — какая уж тут гордость. Вот и случилось, что однажды (давненько это было), в одну сентябрьскую светлую и теплую ночь, в полнолуние, весьма уже по-нашему поздно, одна хмельная ватага разгулявшихся наших господ, молодцов пять или шесть, возвращалась из клуба «задами» по домам. По обе стороны переулка шел плетень, за которым тянулись огороды прилежащих домов; переулок же выходил на мостки через нашу вонючую и длинную лужу, которую у нас принято называть иногда речкой. У плетня, в крапиве и в лопушнике, усмотрела наша компания спящую Лизавету. Подгулявшие господа остановились над нею с хохотом и начали острить со всею возможною бесцензурностью. Одному барчонку пришел вдруг в голову совершенно эксцентрический вопрос на невозможную тему: «Можно ли, дескать, хотя кому бы то ни было, счесть такого зверя за женщину, вот хоть бы теперь, и проч.». Все с гордым омерзением решили, что нельзя. Но в этой кучке случился Федор Павлович, и он мигом выскочил и решил, что можно счесть за женщину, даже очень, и что тут даже нечто особого рода пикантное, и проч., и проч. Правда, в ту пору он у нас слишком уж даже выделанно напрашивался на свою роль шута, любил выскакивать и веселить господ, с видимым равенством конечно, но на деле совершенным пред ними хамом. Это было именно то самое время, когда он получил из Петербурга известие о смерти его первой супруги, Аделаиды Ивановны, и когда с крепом на шляпе пил и безобразничал так, что иных в городе, даже из самых беспутнейших, при взгляде на него коробило. Ватага, конечно, расхохоталась над неожиданным мнением; какой-то один из ватаги даже начал подстрекать Федора Павловича, но остальные принялись плевать еще пуще, хотя всё еще с чрезмерною веселостью, и наконец пошли все прочь своею дорогой. Впоследствии Федор Павлович клятвенно уверял, что тогда и он вместе со всеми ушел; может быть, так именно и было, никто этого не знает наверно и никогда не знал, но месяцев через пять или шесть все в городе заговорили с искренним и чрезвычайным негодованием о том, что Лизавета ходит беременная, спрашивали и доискивались: чей грех, кто обидчик? Вот тут-то вдруг и разнеслась по всему городу странная молва, что обидчик есть самый этот Федор Павлович. Откуда взялась эта молва? Из той ватаги гулявших господ как раз оставался к тому времени в городе лишь один участник, да и то пожилой и почтенный статский советник, обладавший семейством и взрослыми дочерьми и который уж отнюдь ничего бы не стал распространять, если бы даже что и было; прочие же участники, человек пять, на ту пору разъехались. Но молва прямешенько указывала на Федора Павловича и продолжала указывать. Конечно, тот не очень-то даже и претендовал на это: каким-нибудь купчишкам или мещанам он и отвечать не стал бы. Тогда он был горд и разговаривал не иначе как в своей компании чиновников и дворян, которых столь веселил. Вот в эту-то пору Григорий энергически и изо всех сил стал за своего барина и не только защищал его против всех этих наговоров, но вступал за него в брань и препирательства и многих переуверил. «Она сама, низкая, виновата», — говорил он утвердительно, а обидчиком был не кто иной, как «Карп с винтом» (так назывался один известный тогда городу страшный арестант, к тому времени бежавший из губернского острога и в нашем городе тайком проживавший). Догадка это показалась правдоподобною, Карпа помнили, именно помнили, что в те самые ночи, под осень, он по городу шлялся и троих ограбил. Но весь этот случай и все эти толки не только не отвратили общей симпатии от бедной юродивой, но ее еще пуще стали все охранять и оберегать. Купчиха Кондратьева, одна зажиточная вдова, даже так распорядилась, что в конце еще апреля завела Лизавету к себе, с тем чтоб ее и не выпускать до самых родов. Стерегли неусыпно, но так вышло, что, несмотря на всю неусыпность, Лизавета в самый последний день, вечером, вдруг тайком ушла от Кондратьевой и очутилась в саду Федора Павловича. Как она в ее положении перелезла через высокий и крепкий забор сада, осталось некоторого рода загадкой. Одни уверяли, что ее «перенесли», другие, что сс «псрснесло». Вероятнее всего, что всё произошло хоть и весьма мудреным, но натуральным образом, и Лизавета, умевшая лазить по плетням в чужие огороды, чтобы в них ночевать, забралась как-нибудь и на забор Федора Павловича, а с него, хоть и со вредом себе, соскочила в сад, несмотря на свое положение. Григорий бросился к Марфе Игнатьевне и послал ее к Лизавете помогать, а сам сбегал за старухой повитухой, мещанкой, кстати недалеко жившею. Ребеночка спасли, а Лизавета к рассвету померла. Григорий взял младенца, принес в дом, посадил жену и положил его к ней на колени, к самой ее груди: «Божье дитя-сирота — всем родня, а нам с тобой подавно. Этого покойничек наш прислал, а произошел сей от бесова сына и от праведницы. Питай и впредь не плачь». Так Марфа Игнатьевна и воспитала ребеночка. Окрестили и назвали Павлом, а по отчеству все его и сами, без указу, стали звать Федоровичем. Федор Павлович не противоречил ничему и даже нашел всё это забавным, хотя изо всех сил продолжал от всего отрекаться. В городе понравилось, что он взял подкидыша. Впоследствии Федор Павлович сочинил подкидышу и фамилию: назвал он его Смердяковым, по прозвищу матери его, Лизаветы Смердящей. Вот этот-то Смердяков и вышел вторым слугой Федора Павловича и проживал, к началу нашей истории, во флигеле вместе со стариком Григорием и старухой Марфой. Употреблялся же в поварах. Очень бы надо примолвить кое-что и о нем специально, но мне совестно столь долго отвлекать внимание моего читателя на столь обыкновенных лакеев, а потому и перехожу к моему рассказу, уповая, что о Смердякове как-нибудь сойдет само собою в дальнейшем течении повести.

III
ИСПОВЕДЬ ГОРЯЧЕГО СЕРДЦА. В СТИХАХ

Алеша, выслушав приказание отца, которое тот выкрикнул ему из коляски, уезжая из монастыря, оставался некоторое время на месте в большом недоумении. Не то чтоб он стоял как столб, с ним этого не случалось. Напротив, он, при всем беспокойстве, успел тотчас же сходить на кухню игумена и разузнать, что наделал вверху его папаша. Затем, однако, пустился в путь, уповая, что по дороге к городу успеет как-нибудь разрешить томившую его задачу. Скажу заранее: криков отца и приказания переселиться домой, «с подушками и тюфяком», он не боялся нимало. Он слишком хорошо понял, что приказание переезжать, вслух и с таким показным криком, дано было «в увлечении», так сказать даже для красоты, — вроде как раскутившийся недавно в их же городке мещанин, на своих собственных именинах, и при гостях, рассердясь на то, что ему не дают больше водки, вдруг начал бить свою же собственную посуду, рвать свое и женино платье, разбивать свою мебель и, наконец, стекла в доме, и всё опять-таки для красы; и всё в том же роде, конечно, случилось теперь и с папашей. Назавтра, конечно, раскутившийся мещанин, отрезвившись, пожалел разбитые чашки и тарелки. Алеша знал, что и старик назавтра же наверно отпустит его опять в монастырь, даже сегодня же, может, отпустит. Да и был он уверен вполне, что отец кого другого, а его обидеть не захочет. Алеша уверен был, что его и на всем свете никто и никогда обидеть не захочет, даже не только не захочет, но и не может. Это было для него аксиомой, дано раз навсегда, без рассуждений, и он в этом смысле шел вперед, безо всякого колебания.

Но в эту минуту в нем копошилась некоторая другая боязнь, совсем другого рода, и тем более мучительная, что он ее и сам определить бы не мог, именно боязнь женщины, и именно Катерины Ивановны, которая так настоятельно умоляла его давешнею, переданною ему госпожою Хохлаковою, запиской прийти к ней для чего-то. Это требование и необходимость непременно пойти вселила сразу какое-то мучительное чувство в его сердце, и всё утро, чем далее, тем более, всё больнее и больнее в нем это чувство разбаливалось, несмотря на все последовавшие затем сцены и приключения в монастыре, и сейчас у игумена, и проч., и проч. Боялся он не того, что не знал, о чем она с ним заговорит и что он ей ответит. И не женщины вообще он боялся в ней: женщин он знал, конечно, мало, но все-таки всю жизнь, с самого младенчества и до самого монастыря, только с ними одними и жил. Он боялся вот этой женщины, именно самой Катерины Ивановны. Он боялся ее с самого того времени, как в первый раз ее увидал. Видал же он ее всего только раз или два, даже три пожалуй, вымолвил даже однажды случайно с ней несколько слов. Образ ее вспоминался ему как красивой, гордой и властной девушки. Но не красота ее мучила его, а что-то другое. Вот именно эта необъяснимость его страха и усиливала в нем теперь этот страх. Цели этой девушки были благороднейшие, он знал это; она стремилась спасти брата его Дмитрия, пред ней уже виноватого, и стремилась из одного лишь великодушия. И вот, несмотря на сознание и на справедливость, которую не мог же он не отдать всем этим прекрасным и великодушным чувствам, по спине его проходил мороз, чем ближе он подвигался к ее дому.

Он сообразил, что брата Ивана Федоровича, который был с нею так близок, он у нее не застанет: брат Иван наверно теперь с отцом. Дмитрия же не застанет еще вернее, и ему предчувствовалось почему. Итак, разговор их состоится наедине. Хотелось бы очень ему повидать прежде этого рокового разговора брата Дмитрия и забежать к нему. Не показывая письма, он бы мог с ним что-нибудь перемолвить. Но брат Дмитрий жил далеко и наверно теперь тоже не дома. Постояв с минуту на месте, он решился наконец окончательно. Перекрестив себя привычным и спешным крестом и сейчас же чему-то улыбнувшись, он твердо направился к своей страшной даме.

Дом ее он знал. Но если бы пришлось пойти на Большую улицу, потом через площадь и проч., то было бы довольно не близко. Наш небольшой городок чрезвычайно разбросан, и расстояния в нем бывают довольно большие. Притом его ждал отец, может быть не успел еще забыть своего приказания, мог раскапризиться, а потому надо было поспешить, чтобы поспеть туда и сюда. Вследствие всех этих соображений он и решился сократить путь, пройдя задами, а все эти ходы он знал в городке как пять пальцев. Задами значило почти без дорог, вдоль пустынных заборов, перелезая иногда даже через чужие плетни, минуя чужие дворы, где, впрочем, всякий-то его знал и все с ним здоровались. Таким путем он мог выйти на Большую улицу вдвое ближе. Тут в одном месте ему пришлось проходить даже очень близко от отцовского дома, именно мимо соседского с отцовским сада, принадлежавшего одному ветхому маленькому закривившемуся домишке в четыре окна. Обладательница этого домишка была, как известно было Алеше, одна городская мещанка, безногая старуха, которая жила со своею дочерью, бывшею цивилизованной горничной в столице, проживавшею еще недавно всё по генеральским местам, а теперь уже с год, за болезнию старухи, прибывшею домой и щеголявшею в шикарных платьях. Эта старуха и дочка впали, однако, в страшную бедность и даже ходили по соседству на кухню к Федору Павловичу за супом и хлебом ежедневно. Марфа Игнатьевна им отливала с охотой. Но дочка, приходя за супом, платьев своих ни одного не продала, а одно из них было даже с предлинным хвостом. О последнем обстоятельстве Алеша узнал, и уж конечно совсем случайно, от своего друга Ракитина, которому решительно всё в их городишке было известно, и, узнав, позабыл, разумеется, тотчас. Но, поравнявшись теперь с садом соседки, он вдруг вспомнил именно про этот хвост, быстро поднял понуренную и задумавшуюся свою голову и... наткнулся вдруг на самую неожиданную встречу.

За плетнем в соседском саду, взмостясь на что-то, стоял, высунувшись по грудь, брат его Дмитрий Федорович и изо всех сил делал ему руками знаки, звал его и манил, видимо боясь не только крикнуть, но даже сказать вслух слово, чтобы не услышали. Алеша тотчас подбежал к плетню.

— Хорошо, что ты сам оглянулся, а то я чуть было тебе не крикнул, — радостно и торопливо прошептал ему Дмитрий Федорович. — Полезай сюда! Быстро! Ах, как славно, что ты пришел. Я только что о тебе думал...

Алеша и сам был рад и недоумевал только, как перелезть через плетень. Но «Митя» богатырскою рукой подхватил его локоть и помог скачку. Подобрав подрясник, Алеша перескочил с ловкостью босоногого городского мальчишки.

— Ну и гуляй, идем! — восторженным шепотом вырвалось у Мити.

— Куда же, — шептал и Алеша, озираясь во все стороны и видя себя в пустом саду, в котором никого, кроме их обоих, не было. Сад был маленький, но хозяйский домишко все-таки стоял от них не менее как шагах в пятидесяти. — Да тут никого нет, чего ты шепчешь?

— Чего шепчу? Ах, черт возьми, — крикнул вдруг Дмитрий Федорович самым полным голосом, — да чего же я шепчу? Ну, вот сам видишь, как может выйти вдруг сумбур природы. Я здесь на секрете и стерегу секрет. Объяснение впредь, но, понимая, что секрет, я вдруг и говорить стал секретно, и шепчу как дурак, тогда как не надо. Идем! Вон куда! До тех пор молчи. Поцеловать тебя хочу!

Слава Высшему на свете,
Слава Высшему во мне!..

Я это сейчас только пред тобой, сидя здесь, повторял...

Сад был величиной с десятину или немногим более, но обсажен деревьями лишь кругом, вдоль по всем четырем заборам, — яблонями, кленом, липой, березой. Средина сада была пустая, под лужайкой, на которой накашивалось в лето несколько пудов сена. Сад отдавался хозяйкой с весны внаем за несколько рублей. Были и гряды с малиной, крыжовником, смородиной, тоже всё около заборов; грядки с овощами близ самого дома, заведенные, впрочем, недавно. Дмитрий Федорович вел гостя в один самый отдаленный от дома угол сада. Там вдруг, среди густо стоявших лип и старых кустов смородины и бузины, калины и сирени, открылось что-то вроде развалин стариннейшей зеленой беседки, почерневшей и покривившейся, с решетчатыми стенками, но с крытым верхом и в которой еще можно было укрыться от дождя. Беседка строена была бог весть когда, по преданию лет пятьдесят назад, каким-то тогдашним владельцем домика, Александром Карловичем фон Шмидтом, отставным подполковником. Но всё уже истлело, пол сгнил, все половицы шатались, от дерева пахло сыростью. В беседке стоял деревянный зеленый стол, врытый в землю, а кругом шли лавки, тоже зеленые, на которых еще можно было сидеть. Алеша сейчас же заметил восторженное состояние брата, но, войдя в беседку, увидал на столике полбутылки коньяку и рюмочку.

— Это коньяк! — захохотал Митя, — а ты уж смотришь: «опять пьянствует»? Не верь фантому.

> Не верь толпе пустой и лживой,
> Забудь сомнения свои...

Не пьянствую я, а лишь «лакомствую», как говорит твой свинья Ракитин, который будет статским советником и всё будет говорить «лакомствую». Садись. Я бы взял тебя, Алешка, и прижал к груди, да так, чтобы раздавить, ибо на всем свете... по-настоящему... по-на-сто-яще-му... (вникни! вникни!) люблю только одного тебя!

Он проговорил последнюю строчку в каком-то почти исступлении.

— Одного тебя, да еще одну «подлую», в которую влюбился, да с тем и пропал. Но влюбиться не значит любить. Влюбиться можно и ненавидя. Запомни! Теперь, пока весело, говорю! Садись вот здесь за стол, а я подле сбоку, и буду смотреть на тебя, и всё говорить. Ты будешь всё молчать, а я буду всё говорить, потому что срок пришел. А впрочем, знаешь, я рассудил, что надо говорить действительно тихо, потому что здесь... здесь... могут открыться самые неожиданные уши. Всё объясню, сказано: продолжение впредь. Почему рвался к тебе, жаждал сейчас тебя, все эти дни, и сейчас? (Я здесь уже пять дней как бросил якорь.) Все эти дни? Потому что тебе одному всё скажу, потому что нужно, потому что ты нужен, потому что завтра лечу с облаков, потому что завтра жизнь кончится и начнется. Испытывал ты, видал ты во сне, как в яму с горы падают? Ну, так я теперь не во сне лечу. И не боюсь, и ты не бойся. То есть боюсь, но мне сладко. То есть не сладко, а восторг... Ну да черт, всё равно, что бы ни было. Сильный дух, слабый дух, бабий дух, — что бы ни было! Восхвалим природу: видишь, солнца сколько, небо-то как чисто, листья все зелены, совсем еще лето, час четвертый пополудни, тишина! Куда шел?

— Шел к отцу, а сначала хотел зайти к Катерине Ивановне.

— К ней и к отцу! Ух! Совпадение! Да ведь я тебя для чего же и звал-то, для чего и желал, для чего алкал и жаждал всеми изгибами души и даже ребрами? Чтобы послать тебя именно к отцу от меня, а потом и к ней, к Катерине Ивановне, да тем и покончить и с ней, и с отцом. Послать ангела. Я мог бы послать всякого, но мне надо было послать ангела. И вот ты сам к ней и к отцу.

— Неужто ты меня хотел послать? — с болезненным выражением в лице вырвалось у Алеши.

— Стой, ты это знал. И вижу, что ты всё сразу понял. Но молчи, пока молчи. Не жалей и не плачь!

Дмитрий Федорович встал, задумался и приложил палец ко лбу:

— Она тебя сама позвала, она тебе письмо написала, или что-нибудь, оттого ты к ней и пошел, а то разве бы ты пошел?

— Вот записка, — вынул ее из кармана Алеша. Митя быстро пробежал ее.

— И ты пошел по задам! О боги! Благодарю вас, что направили его по задам и он попался ко мне, как золотая рыбка старому дурню рыбаку в сказке. Слушай, Алеша, слушай, брат. Теперь я намерен уже всё говорить. Ибо хоть кому-нибудь надо же сказать. Ангелу в небе я уже сказал, но надо сказать и ангелу на земле. Ты ангел на земле. Ты выслушаешь, ты рассудишь, и ты простишь... А мне того и надо, чтобы меня кто-нибудь высший простил. Слушай: если два существа вдруг отрываются от всего земного и летят в необычайное, или по крайней мере один из них, и пред тем, улетая или погибая, приходит к другому и говорит: сделай мне то и то, такое, о чем никогда никого не просят, но о чем можно просить лишь на смертном одре, — то неужели же тот не исполнит... если друг, если брат?

— Я исполню, но скажи, что такое, и скажи поскорей, — сказал Алеша.

— Поскорей... Гм. Не торопись, Алеша: ты торопишься и беспокоишься. Теперь спешить нечего. Теперь мир на новую улицу вышел. Эх, Алеша, жаль, что ты до восторга не додумывался! А впрочем, что ж я ему говорю? Это ты-то не додумывался! Что ж я, балбесина, говорю:

> Будь, человек, благороден!

Чей это стих?

Алеша решился ждать. Он понял, что все дела его действительно, может быть, теперь только здесь. Митя на минуту задумался, опершись локтем на стол и склонив голову на ладонь. Оба помолчали.

— Леша, — сказал Митя, — ты один не засмеешься! Я хотел бы начать... мою исповедь... гимном к радости Шиллера. An die Freude![1] Но я по-немецки не знаю, знаю только, что an die Freude. Не думай тоже, что я спьяну болтаю. Я совсем не спьяну. Коньяк есть коньяк, но мне нужно две бутылки, чтоб опьянеть, —

> И Силен румянорожий
> На споткнувшемся осле, —

а я и четверти бутылки не выпил и не Силен. Не Силен, а силён, потому что решение навеки взял. Ты каламбур мне прости, ты многое мне сегодня должен простить, не то что каламбур. Не беспокойся, я не размазываю, я дело говорю и к делу вмиг приду. Не стану жида из души тянуть. Постой, как это...

Он поднял голову, задумался и вдруг восторженно начал:

> Робок, наг и дик скрывался
> Троглодит в пещерах скал,
> По полям номад скитался
> И поля опустошал.
> Зверолов, с копьем, стрелами,
> Грозен бегал по лесам...
> Горе брошенным волнами
> К неприютным берегам!

---

[1] К радости! (нем.)

С Олимпийския вершины
Сходит мать Церера вслед
Похищенной Прозерпины:
Дик лежит пред нею свет.
Ни угла, ни угощенья
Нет нигде богине там;
И нигде богопочтенья
Не свидетельствует храм.

Плод полей и грозды сладки
Не блистают на пирах;
Лишь дымятся тел остатки
На кровавых алтарях.
И куда печальным оком
Там Церера ни глядит —
В унижении глубоком
Человека всюду зрит!

Рыдания вырвались вдруг из груди Мити. Он схватил Алешу за руку.

— Друг, друг, в унижении, в унижении и теперь. Страшно много человеку на земле терпеть, страшно много ему бед! Не думай, что я всего только хам в офицерском чине, который пьет коньяк и развратничает. Я, брат, почти только об этом и думаю, об этом униженном человеке, если только не вру. Дай бог мне теперь не врать и себя не хвалить. Потому мыслю об этом человеке, что я сам такой человек.

Чтоб из низости душою
Мог подняться человек,
С древней матерью-землею
Он вступи в союз навек.

Но только вот в чем дело: как я вступлю в союз с землею навек? Я не целую землю, не взрезаю ей грудь; что же мне мужиком сделаться аль пастушком? Я иду и не знаю: в вонь ли я попал и позор или в свет и радость. Вот ведь где беда, ибо всё на свете загадка! И когда мне случалось погружаться в самый, в самый глубокий позор разврата (а мне только это и случалось), то я всегда это стихотворение о Церере и о человеке читал. Исправляло оно меня? Никогда! Потому что я Карамазов. Потому что если уж полечу в бездну, то так-таки прямо, головой вниз и вверх пятами, и даже доволен, что именно в унизительном таком положении падаю и считаю это для себя красотой.

И вот в самом-то этом позоре я вдруг начинаю гимн. Пусть я проклят, пусть я низок и подл, но пусть и я целую край той ризы, в которую облекается бог мой; пусть я иду в то же самое время вслед за чертом, но я все-таки и твой сын, Господи, и люблю тебя, и ощущаю радость, без которой нельзя миру стоять и быть.

> Душу божьего творенья
> Радость вечная поит,
> Тайной силою броженья
> Кубок жизни пламенит;
> Травку выманила к свету,
> В солнцы хаос развила
> И в пространствах, звездочету
> Неподвластных, разлила.
>
> У груди благой природы
> Всё, что дышит, радость пьет;
> Все созданья, все народы
> За собой она влечет;
> Нам друзей дала в несчастье,
> Гроздий сок, венки харит,
> Насекомым — сладострастье...
> Ангел — богу предстоит.

Но довольно стихов! Я пролил слезы, и ты дай мне поплакать. Пусть это будет глупость, над которою все будут смеяться, но ты нет. Вот и у тебя глазенки горят. Довольно стихов. Я тебе хочу сказать теперь о «насекомых», вот о тех, которых бог одарил сладострастьем:

Насекомым — сладострастье!

Я, брат, это самое насекомое и есть, и это обо мне специально и сказано. И мы все, Карамазовы, такие же, и в тебе, ангеле, это насекомое живет и в крови твоей бури родит. Это — бури, потому что сладострастье буря, больше бури! Красота — это страшная и ужасная вещь! Страшная, потому что неопределимая, а определить нельзя потому, что Бог задал одни загадки. Тут берега сходятся, тут все противоречия вместе живут. Я, брат, очень необразован, но я много об этом думал. Страшно много тайн! Слишком много загадок угнетают на земле человека. Разгадывай как знаешь и вылезай сух из воды. Красота! Перенести я притом не могу, что иной, высший даже сердцем человек и с умом

126

высоким, начинает с идеала Мадонны, а кончает идеалом содомским. Еще страшнее, кто уже с идеалом содомским в душе не отрицает и идеала Мадонны, и горит от него сердце его и воистину, воистину горит, как и в юные беспорочные годы. Нет, широк человек, слишком даже широк, я бы сузил. Черт знает что такое даже, вот что! Что уму представляется позором, то сердцу сплошь красотой. В содоме ли красота? Верь, что в содоме-то она и сидит для огромного большинства людей, — знал ты эту тайну иль нет? Ужасно то, что красота есть не только страшная, но и таинственная вещь. Тут дьявол с богом борется, а поле битвы — сердце людей. А впрочем, что у кого болит, тот о том и говорит. Слушай, теперь к самому делу.

IV
ИСПОВЕДЬ ГОРЯЧЕГО СЕРДЦА. В АНЕКДОТАХ

Я там кутил. Давеча отец говорил, что я по нескольку тысяч платил за обольщение девиц. Это свинский фантом, и никогда того не бывало, а что было, то собственно на «это» денег не требовало. У меня деньги — аксессуар, жар души, обстановка. Ныне вот она моя дама, завтра на ее месте уличная девчоночка. И ту и другую веселю, деньги бросаю пригоршнями, музыка, гам, цыганки. Коли надо, и ей даю, потому что берут, берут с азартом, в этом надо признаться, и довольны, и благодарны. Барыньки меня любили, не все, а случалось, случалось: но я всегда переулочки любил, глухие и темные закоулочки, за площадью, — там приключения, там неожиданности, там самородки в грязи. Я, брат, аллегорически говорю. У нас в городишке таких переулков вещественных не было, но нравственные были. Но если бы ты был то, что я, ты понял бы, что эти значат. Любил разврат, любил и срам разврата. Любил жестокость: разве я не клоп, не злое насекомое? Сказано — Карамазов! Раз пикник всем городом был, поехали на семи тройках; в темноте, зимой, в санях, стал я жать одну соседскую девичью ручку и принудил к поцелуям эту девочку, дочку чиновника, бедную, милую, кроткую, безответную. Позволила, многое позволила в темноте. Думала, бедняжка, что я завтра за ней приеду и предложение сделаю (меня ведь, главное, за жениха ценили); а я с ней после того ни слова, пять месяцев ни полслова. Видел, как следили за мной из угла залы, когда, бывало, танцуют (а у нас то и дело что танцуют), ее глазки, видел, как горели огоньком — огоньком кроткого негодования. Забавляла эта игра только мое сладострастие насекомого, которое я в себе кормил. Чрез пять месяцев она за чиновника вышла и уехала... сердясь и всё еще любя, может быть. Теперь они счастливо живут. Заметь, что я никому не сказал, не ославил; я хоть и низок желаниями и низость люблю, но я не бесчестен. Ты краснеешь, у тебя глаза сверкнули. Довольно с тебя этой грязи. И всё это еще только так, цветочки польдекоковские, хотя жестокое насекомое уже росло, уже разрасталось в душе. Тут, брат, целый альбом воспоминаний. Пусть им бог, миленьким, здоровья пошлет. Я, разрывая, любил не ссориться. И никогда не выдавал, никогда ни одну не ославил. Но довольно. Неужели ты думал, что я тебя для этой только дряни зазвал сюда? Нет, я тебе любопытнее вещь расскажу; но не удивляйся, что не стыжусь тебя, а как будто даже и рад.

— Это ты оттого, что я покраснел, — вдруг заметил Алеша. — Я не от твоих речей покраснел и не за твои дела, а за то, что я то же самое, что и ты.

— Ты-то? Ну, хватил немного далеко.

— Нет, не далеко, — с жаром проговорил Алеша. (Видимо, эта мысль давно уже в нем была.) — Всё одни и те же ступеньки. Я на самой низшей, а ты вверху, где-нибудь на тринадцатой. Я так смотрю на это дело, но это всё одно и то же, совершенно однородное. Кто ступил на нижнюю ступеньку, тот всё равно непременно вступит и на верхнюю.

— Стало быть, совсем не вступать?

— Кому можно — совсем не вступать.

— А тебе — можно?

— Кажется, нет.

— Молчи, Алеша, молчи, милый, хочется мне ручку твою поцеловать, так, из умиления. Эта шельма Грушенька знаток в человеках, она мне говорила однажды, что она когда-нибудь тебя съест. Молчу, молчу! Из мерзостей, с поля, загаженного мухами, перейдем на мою трагедию, тоже на поле, загаженное мухами, то есть всякою низостью. Дело-то ведь в том, что старикашка хоть и соврал об обольщении невинностей, но в сущности, в трагедии моей, это так ведь и было, хотя раз только было, да и то не состоялось. Старик, который меня же корил небылицей, этой-то штуки и не знает: я никому никогда не рассказывал, тебе первому сейчас расскажу, конечно Ивана исключая, Иван всё знает. Раньше тебя давно знает. Но Иван — могила.

— Иван — могила?

— Да.

Алеша слушал чрезвычайно внимательно.

— Я ведь в этом баталионе, в линейном, хоть и прапорщиком состоял, но всё равно как бы под надзором, вроде как ссыльный какой. А городишко принимал меня страшно хорошо. Денег я бросал много, верили, что я богат, я и сам тому верил. А впрочем, чем-то и другим я им, должно быть, угодил. Хоть и головами покивали, а, право, любили. Мой подполковник, старик уже, невзлюбил меня вдруг. Придирался ко мне; да рука у меня была, к тому же весь город за меня стоял, придраться нельзя было очень-то. Виноват был я и сам, сам нарочно почтения не отдавал надлежащего. Гордился. У этого старого упрямца, недурного очень человека и добродушнейшего хлебосола, были когда-то две жены, обе померли. Одна, первая, была из каких-то простых и оставила ему дочь, тоже простую. Была уже при мне девою лет двадцати четырех и жила с отцом вместе с теткой, сестрой покойной матери. Тетка — бессловесная простота, а племянница, старшая дочь подполковника, — бойкая простота. Люблю, вспоминая, хорошее слово сказать: никогда-то, голубчик, я прелестнее характера женского не знал, как этой девицы, Агафьей звали ее, представь себе, Агафьей Ивановной. Да и недурна она вовсе была, в русском вкусе — высокая, дебелая, полнотелая, с глазами прекрасными, лицо, положим, грубоватое. Не выходила замуж, хотя двое сватались, отказала и веселости не теряла. Сошелся я с ней — не этаким образом, нет, тут было чисто, а так, по-дружески. Я ведь часто с женщинами сходился совершенно безгрешно, по-дружески. Болтаю с ней такие откровенные вещи, что ух! — а она только смеется. Многие женщины откровенности любят, заметь себе, а она к тому же была девушка, что очень меня веселило. И вот еще что: никак бы ее барышней нельзя было назвать. Жили они у отца с теткой, как-то добровольно принижая себя, со всем другим обществом не равняясь. Ее все любили и нуждались в ней, потому что портниха была знатная: был талант, денег за услуги не требовала, делала из любезности, но когда дарили — не отказывалась принять. Подполковник же, тот — куда! Подполковник был одно из самых первых лиц по нашему месту. Жил широко, принимал весь город, ужины, танцы. Когда я приехал и в баталион поступил, заговорили во всем городишке, что вскоре пожалует к нам, из столицы, вторая дочь подполковника, раскрасавица из красавиц, а теперь только что-де вышла из аристократического столичного одного института. Эта вторая дочь — вот эта самая Катерина Ивановна и есть, и уже от второй жены подполковника. А вторая эта жена, уже покойница, была из знатного, какого-то большого генеральского дома, хотя, впрочем, как мне достоверно известно, денег подполковнику тоже никаких не принесла. Значит, была с родней, да и только, разве там какие надежды, а в наличности ничего. И однако, когда приехала институтка (погостить, а не навсегда), весь городишко у нас точно обновился, самые знатные наши дамы — две превосходительные, одна полковница, да и все, все за ними, тотчас же приняли участие, расхватали ее, веселить начали, царица балов, пикников, живые картины состряпали в пользу каких-то гувернанток. Я молчу, я кучу, я одну штуку именно тогда удрал такую, что весь город тогда загалдел. Вижу, она меня раз обмерила взглядом, у батарейного командира это было, да я тогда не подошел: пренебрегаю, дескать, знакомиться. Подошел я к ней уже несколько спустя, тоже на вечере, заговорил, еле поглядела, презрительные губки сложила, а, думаю, подожди, отмщу! Бурбон я был ужаснейший в большинстве тогдашних случаев, и сам это чувствовал. Главное, то чувствовал, что «Катенька» не то чтобы невинная институтка такая, а особа с характером, гордая и в самом деле добродетельная, а пуще всего с умом и образованием, а у меня ни того, ни другого. Ты думаешь, я предложение хотел сделать? Нимало, просто отмстить хотел за то, что я такой молодец, а она не чувствует. А пока кутеж и погром. Меня наконец подполковник на три дня под арест посадил. Вот к этому-то времени как раз отец мне шесть тысяч прислал, после того как я послал ему форменное отречение от всех и вся, то есть мы, дескать, «в расчете», и требовать больше ничего не буду. Не понимал я тогда ничего: я, брат, до самого сюда приезда, и даже до самых последних теперешних дней, и даже, может быть, до сегодня, не понимал ничего об этих всех наших с отцом денежных пререканиях. Но это к черту, это потом. А тогда, получив эти шесть, узнал я вдруг заведомо по одному письмецу от приятеля про одну любопытнейшую вещь для себя, именно что подполковником нашим недовольны, что подозревают его не в порядке, одним словом, что враги его готовят ему закуску. И впрямь приехал начальник дивизии и распек на чем свет стоит. Затем немного спустя велено в отставку подать. Я тебе рассказывать не буду, как это всё вышло в подробности, были у него враги действительно, только вдруг в городе чрезмерное охлаждение к нему и ко всей фамилии, все вдруг точно отхлынули. Вот и вышла тогда первая моя штука: встречаю я Агафью Ивановну, с которой всегда дружбу хранил, и говорю: «А ведь у папаши казенных-то денег четырех тысяч пятисот рублей нет». — «Что вы это, почему говорите? Недавно генерал был, все налицо были...» — «Тогда были, а теперь нет». Испугалась ужасно: «Не пугайте, пожалуйста, от кого вы слышали?» — «Не беспокойтесь, говорю, никому не скажу, а вы знаете, что я на сей счет могила, а вот что хотел я вам только на сей счет тоже в виде, так сказать, „всякого случая" присовокупить: когда потребуют у папаши четыре-то тысячки пятьсот, а у него не окажется, так чем под суд-то, а потом в солдаты на старости лет угодить, пришлите мне тогда лучше вашу институтку секретно, мне как раз деньги выслали, я ей четыре-то тысячки, пожалуй, и отвалю и в святости секрет сохраню». — «Ах, какой вы, говорит, подлец (так и сказала)! какой вы злой, говорит, подлец! Да как вы смеете!» Ушла в негодовании страшном, а я ей вслед еще раз крикнул, что секрет сохранен будет свято и нерушимо. Эти обе бабы, то есть Агафья и тетка ее, скажу вперед, оказались во всей этой истории чистыми ангелами, а сестру эту, гордячку, Катю, воистину обожали, принижали себя пред нею, горничными ее были... Только Агафья эту штуку, то есть разговор-то наш, ей тогда и передай. Я это потом всё как пять пальцев узнал. Не скрыла, ну а мне, разумеется, того было и надо.

Вдруг приезжает новый майор принимать баталион. Принимает. Старый подполковник вдруг заболевает, двинуться не можт, двое суток дома сидит, суммы казенной не сдает. Доктор наш Кравченко уверял, что действительно болен был. Только я вот что досконально знал по секрету и даже давно: что сумма, когда отсмотрит ее начальство, каждый раз после того, и это уже года четыре сряду, исчезала на время. Ссужал ее подполковник вернейшему одному человеку, купцу нашему, старому вдовцу, Трифонову, бородачу в золотых очках. Тот съездит на ярмарку, сделает какой надо ему там оборот и возвращает тотчас подполковнику деньги в целости, а с тем вместе привозит с ярмарки гостинцу, а с гостинцами и процентики. Только в этот раз (я тогда узнал всё это совершенно случайно от подростка, слюнявого сынишки Трифонова, сына и наследника, развратнейшего мальчишки, какого свет производил), в этот раз, говорю, Трифонов, возвратясь с ярмарки, ничего не возвратил. Подполковник бросился к нему: «Никогда я от вас ничего не получал, да и получать не мог» — вот ответ. Ну, так и сидит наш подполковник дома, голову себе обвязал полотенцем, ему они все три льду к темени прикладывают; вдруг вестовой с книгою и с приказом: «Сдать казенную сумму, тотчас же, немедленно, через два часа». Он расписался, я эту подпись в книге потом видел, — встал, сказал, что одеваться в мундир идет, прибежал в свою спальню, взял двухствольное охотничье свое ружье, зарядил, вкатил солдатскую пулю, снял с правой ноги сапог, ружье упер в грудь, а ногой стал курок искать. А Агафья уже подозревала, мои тогдашние слова запомнила, подкралась и вовремя подсмотрела; ворвалась, бросилась на него сзади, обняла, ружье выстрелило вверх в потолок; никого не ранило; вбежали остальные, схватили его, отняли ружье, за руки держат... Всё это я потом узнал до черты. Сидел я тогда дома, были сумерки, и только что хотел выходить, оделся, причесался, платок надушил, фуражку взял, как вдруг отворяется дверь и — предо мною, у меня на квартире, Катерина Ивановна.

Бывают же странности: никто-то не заметил тогда на улице, как она ко мне прошла, так что в городе так это и кануло. Я же нанимал квартиру у двух чиновниц, древнейших старух, они мне и прислуживали, бабы почтительные, слушались меня во всем и по моему приказу замолчали потом обе, как чугунные тумбы. Конечно, я всё тотчас понял. Она вошла и прямо глядит на меня, темные глаза смотрят решительно, дерзко даже, но в губах и около губ, вижу, есть нерешительность.

— Мне сестра сказала, что вы дадите четыре тысячи пятьсот рублей, если я приду за ними... к вам сама. Я пришла... дайте деньги!.. — не выдержала, задохлась, испугалась, голос пресекся, а концы губ и линии около губ задрожали. — Алешка, слушаешь или спишь?

— Митя, я знаю, что ты всю правду скажешь, — произнес в волнении Алеша.

— Ее самую и скажу. Если всю правду, то вот как было, себя не пощажу. Первая мысль была — карамазовская. Раз, брат, меня фаланга укусила, я две недели от нее в жару пролежал; ну так вот и теперь вдруг за сердце, слышу, укусила фаланга, злое-то насекомое, понимаешь? Обмерил я ее глазом. Видел ты ее? Ведь красавица. Да не тем она красива тогда была. Красива была она тем в ту минуту, что она благородная, а я подлец, что она в величии своего великодушия и жертвы своей за отца, а я клоп. И вот от меня, клопа и подлеца, она *вся* зависит, вся, вся кругом, и с душой и с телом. Очерчена. Я тебе прямо скажу: эта мысль, мысль фаланги, до такой степени захватила мне сердце, что оно чуть не истекло от одного томления. Казалось бы, и борьбы не могло уже быть никакой: именно бы поступить как клопу, как злому тарантулу, безо всякого сожаления... Пересекло у меня дух даже. Слушай: ведь я, разумеется, завтра же приехал бы руки просить, чтобы всё это благороднейшим, так сказать, образом завершить и чтобы никто, стало быть, этого не знал и не мог бы знать. Потому что ведь я человек хоть и низких жсланий, но честный. И вот вдруг мне тогда в ту же секунду кто-то и шепни на ухо: «Да ведь завтра-то этакая, как приедешь с предложением руки, и не выйдет к тебе, а велит кучеру со двора тебя вытолкать. Ославляй, дескать, по всему городу, не боюсь тебя!» Взглянул я на девицу, не соврал мой голос: так конечно, так оно и будет. Меня выгонят в шею, по теперешнему лицу уже судить можно. Закипела во мне злость, захотелось подлейшую, поросячью, купеческую штучку выкинуть: поглядеть это на нее с насмешкой, и тут же, пока стоит перед тобой, и огорошить ее с интонацией, с какою только купчик умеет сказать:

— Это четыре-то тысячи! Да я пошутил-с, что вы это? Слишком легковерно, сударыня, сосчитали. Сотенки две, я пожалуй, с моим даже удовольствием и охотою, а четыре тысячи — это деньги не такие, барышня, чтоб их на такое легкомыслие кидать. Обеспокоить себя напрасно изволили.

Видишь, я бы, конечно, всё потерял, она бы убежала, но зато инфернально, мстительно вышло бы, всего остального стоило бы. Выл бы потом всю жизнь от раскаяния, но только чтобы теперь эту штучку отмочить! Веришь ли, никогда этого у меня ни с какой не бывало, ни с единою женщиной, чтобы в этакую минуту я на нее глядел с ненавистью, — и вот крест кладу: я на эту глядел тогда секунды три или пять со страшною ненавистью, — с тою самою ненавистью, от которой до любви, до безумнейшей любви — один волосок! Я подошел к окну, приложил лоб к мерзлому стеклу и помню, что мне лоб обожгло льдом, как огнем. Долго не задержал, не беспокойся, обернулся, подошел к столу, отворил ящик и достал пятитысячный пятипроцентный безыменный билет (в лексиконе французском лежал у меня). Затем молча ей показал, сложил, отдал, сам отворил ей дверь в сени, и, отступя шаг, поклонился ей в пояс почтительнейшим, проникновеннейшим поклоном, верь тому! Она вся вздрогнула, посмотрела пристально секунду, страшно побледнела, ну как скатерть, и вдруг, тоже ни слова не говоря, не с порывом, а мягко так, глубоко, тихо, склонилась вся и прямо мне в ноги — лбом до земли, не по-институтски, по-русски! Вскочила и побежала. Когда она выбежала, я был при шпаге: я вынул шпагу и хотел было тут же заколоть себя, для чего — не знаю, глупость была страшная, конечно, но, должно быть, от восторга. Понимаешь ли ты, что от иного восторга можно убить себя; но я не закололся, а только поцеловал шпагу и вложил ее опять в ножны, — о чем, впрочем, мог бы тебе и не упоминать. И даже, кажется, я сейчас-то, рассказывая обо всех борьбах, немножко размазал, чтобы себя похвалить. Но пусть, пусть так и будет, и черт дери всех шпионов сердца человеческого! Вот весь мой этот бывший «случай» с Катериной Ивановной. Теперь, значит, брат Иван о нем знает да ты — и только!

Дмитрий Федорович встал, в волнении шагнул шаг и другой, вынул платок, обтер со лба пот, затем сел опять, но не на то место, где прежде сидел, а на другое, на скамью напротив, у другой стены, так что Алеша должен был совсем к нему повернуться.

ИСПОВЕДЬ ГОРЯЧЕГО СЕРДЦА. «ВВЕРХ ПЯТАМИ»

— Теперь, — сказал Алеша, — я первую половину этого дела знаю.

— Первую половину ты понимаешь: это драма, и произошла она там. Вторая же половина есть трагедия, и произойдет она здесь.

— Изо второй половины я до сих пор ничего не понимаю, — сказал Алеша.

— А я-то? Я-то разве понимаю?

— Постой, Дмитрий, тут есть одно главное слово. Скажи мне: ведь ты жених, жених и теперь?

— Женихом я стал не сейчас, а всего три месяца лишь спустя после тогдашнего-то. На другой же день, как это тогда случилось, я сказал себе, что случай исчерпан и кончен, продолжения не будет. Прийти с предложением руки казалось мне низостью. С своей стороны и она все шесть недель потом как у нас в городе прожила — ни словечком о себе знать не дала. Кроме одного, вправду, случая: на другой день после ее посещения прошмыгнула ко мне их горничная, и, ни слова не говоря, пакет передала. На пакете адрес: такому-то. Вскрываю — сдача с билета в пять тысяч. Надо было всего четыре тысячи пятьсот, да на продаже пятитысячного билета потеря рублей в двести с лишком произошла. Прислала мне всего двести шестьдесят, кажется, рубликов, не помню хорошенько, и только одни деньги — ни записки, ни словечка, ни объяснения. Я в пакете искал знака какого-нибудь карандашом — н-ничего! Что ж, я закутил пока на мои остальные рубли, так что и новый майор мне выговор наконец принужден был сделать. Ну, а подполковник казенную сумму сдал — благополучно и всем на удивление, потому что никто уже у него денег в целости не предполагал. Сдал, да и захворал, слег, лежал недели три, затем вдруг размягчение в мозгу произошло, и в пять дней скончался. Похоронили с воинскими почестями, еще не успел отставку получить. Катерина Ивановна, сестра и тетка, только что похоронив отца, дней через десять двинулись в Москву. И вот пред отъездом только, в самый тот день, когда уехали (я их не видал и не провожал), получаю крошечный пакетик, синенький, кружевная бумажка, а на ней одна только строчка карандашом: «Я вам напишу, ждите. К.» Вот и всё.

Поясню тебе теперь в двух словах. В Москве у них дела обернулись с быстротою молнии и с неожиданностью арабских сказок. Эта генеральша, ее главная родственница, вдруг разом лишается своих двух ближайших наследниц, своих двух ближайших племянниц — обе на одной и той же неделе помирают от оспы. Потрясенная старуха Кате обрадовалась, как родной дочери, как звезде спасения, накинулась на нее, переделала тотчас завещание в ее пользу, но это в будущем, а пока теперь, прямо в руки, — восемьдесят тысяч, вот тебе, мол, приданое, делай с ним что хочешь. Истерическая женщина, я ее в Москве потом наблюдал. Ну вот вдруг я тогда и получаю по почте четыре тысячи пятьсот рублей; разумеется, недоумеваю и удивлен как бессловесный. Три дня спустя приходит и обещанное письмо. Оно и теперь у меня, оно всегда со мной, и умру я с ним — хочешь, покажу? Непременно прочти: предлагается в невесты, сама себя предлагает, «люблю, дескать, безумно, пусть вы меня не любите — всё равно, будьте только моим мужем. Не пугайтесь — ни в чем вас стеснять не буду, буду ваша мебель, буду тот ковер, по которому вы ходите... Хочу любить вас вечно, хочу спасти вас от самого себя...» Алеша, я недостоин даже пересказывать эти строки моими подлыми словами и моим подлым тоном, всегдашним моим подлым тоном, от которого я никогда не мог исправиться! Пронзило это письмо меня до сегодня, и разве мне теперь легко, разве мне сегодня легко? Тогда я тотчас же написал ответ (я никак не мог сам приехать в Москву). Слезами писал его; одного стыжусь вечно: упомянул, что она теперь богатая и с приданым, а я только нищий бурбон — про деньги упомянул! Я бы должен был это перенести, да с пера сорвалось. Тогда же, тотчас написал в Москву Ивану и всё ему объяснил в письме по возможности, в шесть листов письмо было, и послал Ивана к ней. Что ты смотришь, что ты глядишь на меня? Ну да, Иван влюбился в нее, влюблен и теперь, я это знаю, я глупость сделал, по-вашему, по-светскому, но, может быть, вот эта-то глупость одна теперь и спасет нас всех! Ух! Разве ты не видишь, как она его почитает, как она его уважает? Разве она может, сравнив нас обоих, любить такого, как я, да еще после всего того, что здесь произошло?

— А я уверен, что она любит такого, как ты, а не такого, как он.

— Она свою добродетель любит, а не меня, — невольно, но почти злобно вырвалось вдруг у Дмитрия Федоровича. Он засмеялся, но через секунду глаза его сверкнули, он весь покраснел и с силой ударил кулаком по столу.

— Клянусь, Алеша, — воскликнул он со страшным и искренним гневом на себя, — верь не верь, но вот как бог свят, и что Христос есть Господь, клянусь, что я хоть и усмехнулся сейчас ее высшим чувствам, но знаю, что я в миллион раз ничтожнее душой, чем она, и что эти лучшие чувства ее — искренни, как у небесного ангела! В том и трагедия, что я знаю это наверно. Что в том, что человек капельку декламирует? Разве я не декламирую? А ведь искренен же я, искренен. Что же касается Ивана, то ведь я же понимаю, с каким проклятием должен он смотреть теперь на природу, да еще при его-то уме! Кому, чему отдано предпочтение? Отдано извергу, который и здесь, уже женихом будучи и когда на него все глядели, удержать свои дебоширства не мог, — и это при невесте-то, при невесте-то! И вот такой, как я, предпочтен, а он отвергается. Но для чего же? А для того, что девица из благородности жизнь и судьбу свою изнасиловать хочет! Нелепость! Я Ивану в этом смысле ничего и никогда не говорил, Иван, разумеется, мне тоже об этом никогда ни полслова, ни малейшего намека; но судьба свершится, и достойный станет на место, а недостойный скроется в переулок навеки — в грязный свой переулок, в возлюбленный и свойственный ему переулок, и там, в грязи и вони, погибнет добровольно и с наслаждением. Заврался я что-то, слова у меня все износились, точно наобум ставлю, но так, как я определил, так тому и быть. Потону в переулке, а она выйдет за Ивана.

— Брат, постой, — с чрезвычайным беспокойством опять прервал Алеша, — ведь тут все-таки одно дело ты мне до сих пор не разъяснил: ведь ты жених, ведь ты все-таки жених? Как же ты хочешь порвать, если она, невеста, не хочет?

— Я жених, формальный и благословенный, произошло всё в Москве, по моем приезде, с парадом, с образами, и в лучшем виде. Генеральша благословила и — веришь ли, поздравила даже Катю: ты выбрала, говорит, хорошо, я вижу его насквозь. И веришь ли, Ивана она невзлюбила и не поздравила. В Москве же я много и с Катей переговорил, я ей всего себя расписал, благородно, в точности, в искренности. Всё выслушала:

> Было милое смущенье,
> Были нежные слова...

Ну, слова-то были и гордые. Она вынудила у меня тогда великое обещание исправиться. Я дал обещание. И вот..

— Что же?

— И вот я тебя кликнул и перетащил сюда сегодня, сегодняшнего числа, — запомни! — с тем чтобы послать тебя, и опять-таки сегодня же, к Катерине Ивановне, и...

— Что?

— Сказать ей, что я больше к ней не приду никогда, приказал, дескать, кланяться.

— Да разве это возможно?

— Да я потому-то тебя и посылаю вместо себя, что это невозможно, а то как же я сам-то ей это скажу?

— Да куда же ты пойдешь?

— В переулок.

— Так это к Грушеньке! — горестно воскликнул Алеша, всплеснув руками. — Да неужто же Ракитин в самом деле правду сказал? А я думал, что ты только так к ней походил и кончил.

— Это жениху-то ходить? Да разве это возможно, да еще при такой невесте и на глазах у людей? Ведь честь-то у меня есть небось. Только что я стал ходить к Грушеньке, так тотчас же и перестал быть женихом и честным человеком, ведь я это понимаю же. Что ты смотришь? Я, видишь ли, сперва всего пошел ее бить. Я узнал и знаю теперь достоверно, что Грушеньке этой был этим штабс-капитаном, отцовским поверенным, вексель на меня передан, чтобы взыскала, чтоб я унялся и кончил. Испугать хотели. Я Грушеньку и двинулся бить. Видал я ее и прежде мельком. Она не поражает. Про старика купца знал, который теперь вдобавок и болен, расслаблен лежит, но ей куш все-таки оставит знатный. Знал тоже, что деньгу нажить любит, наживает, на злые проценты дает, пройдоха, шельма, без жалости. Пошел я бить ее, да у ней и остался. Грянула гроза, ударила чума, заразился и заражен доселе, и знаю, что уж всё кончено, что ничего другого и никогда не будет. Цикл времен совершен. Вот мое дело. А тогда вдруг как нарочно у меня в кармане, у нищего, очутились три тысячи. Мы отсюда с ней в Мокрое, это двадцать пять отсюда верст, цыган туда добыл, цыганок, шампанского, всех мужиков там шампанским перепоил, всех баб и девок, двинул тысячами. Через три дня гол, но сокол. Ты думал, достиг чего сокол-то? Даже издали не показала. Я говорю тебе: изгиб. У Грушеньки, шельмы, есть такой один изгиб тела, он и на ножке у ней отразился, даже в пальчике-мизинчике на левой ножке отозвался. Видел и целовал, но и только — клянусь! Говорит: «Хочешь, выйду замуж, ведь ты нищий. Скажи, что бить не будешь и позволишь всё мне делать, что я захочу, тогда, может, и выйду», — смеется. И теперь смеется!

Дмитрий Федорович почти с какою-то яростью поднялся с места, он вдруг стал как пьяный. Глаза его вдруг налились кровью.

— И ты в самом деле хочешь на ней жениться?

— Коль захочет, так тотчас же, а не захочет, и так останусь; у нее на дворе буду дворником. Ты... ты, Алеша... — остановился он вдруг пред ним и, схватив его за плечи, стал вдруг с силою трясти его, — да знаешь ли ты, невинный ты мальчик, что всё это бред, немыслимый бред, ибо тут трагедия! Узнай же, Алексей, что я могу быть низким человеком, со страстями низкими и погибшими, но вором, карманным вором, воришкой по передним, Дмитрий Карамазов не может быть никогда. Ну так узнай же теперь, что я воришка, я вор по карманам и по передним! Как раз пред тем, как я Грушеньку пошел бить, призывает меня в то самое утро Катерина Ивановна и в ужасном секрете, чтобы покамест никто не знал (для чего, не знаю, видно, так ей было нужно), просит меня съездить в губернский город и там по почте послать три тысячи Агафье Ивановне, в Москву; потому в город, чтобы здесь и не знали. Вот с этими-то тремя тысячами в кармане я и очутился тогда у Грушеньки, на них и в Мокрое съездили. Потом я сделал вид, что слетал в город, но расписки почтовой ей не представил, сказал, что послал, расписку принесу, и до сих пор не несу, забыл-с. Теперь, как ты думаешь, вот ты сегодня пойдешь и ей скажешь: «Приказали вам кланяться», а она тебе: «А деньги?» Ты еще мог бы сказать ей: «Это низкий сладострастник и с неудержимыми чувствами подлое существо. Он тогда не послал ваши деньги, а растратил, потому что удержаться не мог, как животное», — но все-таки ты мог бы прибавить: «Зато он не вор, вот ваши три тысячи, посылает обратно, пошлите сами Агафье Ивановне, а сам велел кланяться». А теперь вдруг она: «А где деньги?»

— Митя, ты несчастен, да! Но всё же не столько, сколько ты думаешь, — не убивай себя отчаянием, не убивай!

— А что ты думаешь, застрелюсь, как не достану трех тысяч отдать? В том-то и дело, что не застрелюсь. Не в силах теперь, потом, может быть, а теперь я к Грушеньке пойду... Пропадай мое сало!

— А у ней?

— Буду мужем ее, в супруги удостоюсь, а коль придет любовник, выйду в другую комнату. У ее приятелей буду калоши грязные обчищать, самовар раздувать, на посылках бегать...

— Катерина Ивановна всё поймет, — торжественно проговорил вдруг Алеша, — поймет всю глубину во всем этом горе и примирится. У нее высший ум, потому что нельзя быть несчастнее тебя, она увидит сама.

— Не помирится она со всем, — осклабился Митя. — Тут, брат, есть нечто, с чем нельзя никакой женщине примириться. А знаешь, что всего лучше сделать?

— Что?

— Три тысячи ей отдать.

— Где же взять-то? Слушай, у меня есть две тысячи, Иван даст тоже тысячу, вот и три, возьми и отдай.

— А когда они прибудут, твои три тысячи? Ты еще и несовершеннолетний вдобавок, а надо непременно, непременно, чтобы ты сегодня уже ей откланялся, с деньгами или без денег, потому что я дальше тянуть не могу, дело на такой точке стало. Завтра уже поздно, поздно. Я тебя к отцу пошлю.

— К отцу?

— Да, к отцу прежде нее. У него три тысячи и спроси.

— Да ведь он, Митя, не даст.

— Еще бы дал, знаю, что не даст. Знаешь ты, Алексей, что значит отчаяние?

— Знаю.

— Слушай: юридически он мне ничего не должен. Всё я у него выбрал, всё, я это знаю. Но ведь нравственно-то должен он мне, так иль не так? Ведь он с материных двадцати восьми тысяч пошел и сто тысяч нажил. Пусть он мне даст только три тысячи из двадцати восьми, только три, и душу мою из ада извлечет, и зачтется это ему за многие грехи! Я же на этих трех тысячах, вот тебе великое слово, покончу, и не услышит он ничего обо мне более вовсе. В последний раз случай ему даю быть отцом. Скажи ему, что сам Бог ему этот случай посылает.

— Митя, он ни за что не даст.

— Знаю, что не даст, в совершенстве знаю. А теперь особенно. Мало того, я вот что еще знаю: теперь, на днях только, всего только, может быть, вчера, он в первый раз узнал *серьезно* (подчеркни: серьезно), что Грушенька-то в самом деле, может быть, не шутит и за меня замуж захочет прыгнуть. Знает он этот характер, знает эту кошку. Ну так неужто ж он мне вдобавок и деньги даст, чтоб этакому случаю способствовать, тогда как сам он от нее без памяти? Но и этого еще мало, я еще больше тебе могу привести: я знаю, что у него уж дней пять как вынуты три тысячи рублей, разменены в сотенные кредитки и упакованы в большой пакет под пятью печатями, а сверху красною тесемочкой накрест перевязаны. Видишь, как подробно знаю! На пакете же написано: «Ангелу моему Грушеньке, коли захочет прийти»; сам нацарапал, в тишине и в тайне, и никто-то не знает, что у него деньги лежат, кроме лакея Смердякова, в честность которого он верит, как в себя самого. Вот он уж третий аль четвертый день Грушеньку ждет, надеется, что придет за пакетом, дал он ей знать, а та знать дала, что «может-де и приду». Так ведь если она придет к старику, разве я могу тогда жениться на ней? Понимаешь теперь, зачем, значит, я здесь на секрете сижу и что именно сторожу?

— Ее?

— Ее. У этих шлюх, здешних хозяек, нанимает каморку Фома. Фома из наших мест, наш бывший солдат. Он у них прислуживает, ночью сторожит, а днем тетеревей ходит стрелять, да тем и живет. Я у него тут и засел; ни ему, ни хозяйкам секрет не известен, то есть что я здесь сторожу.

— Один Смердяков знает?

— Он один. Он мне и знать даст, коль та к старику придет.

— Это он тебе про пакет сказал?

— Он. Величайший секрет. Даже Иван не знает ни о деньгах, ни о чем. А старик Ивана в Чермашню посылает на два, на три дня прокатиться: объявился покупщик на рощу срубить ее за восемь тысяч, вот и упрашивает старик Ивана: «помоги, дескать, съезди сам» денька на два, на три, значит. Это он хочет, чтобы Грушенька без него пришла.

— Стало быть, он и сегодня ждет Грушеньку?

— Нет, сегодня она не придет, есть приметы. Наверно не придет! — крикнул вдруг Митя. — Так и Смердяков полагает. Отец теперь пьянствует, сидит за столом с братом Иваном. Сходи, Алексей, спроси у него эти три тысячи...

— Митя, милый, что с тобой! — воскликнул Алеша, вскакивая с места и всматриваясь в исступленного Дмитрия Федоровича. Одно мгновение он думал, что тот помешался.

— Что ты? Я не помешан в уме, — пристально и даже как-то торжественно смотря, произнес Дмитрий Федорович. — Небось я тебя посылаю к отцу и знаю, что говорю: я чуду верю.

— Чуду?

— Чуду промысла божьего. Богу известно мое сердце, он видит всё мое отчаяние. Он всю эту картину видит. Неужели он попустит совершиться ужасу? Алеша, я чуду верю, иди!

— Я пойду. Скажи, ты здесь будешь ждать?

— Буду, понимаю, что нескоро, что нельзя этак прийти и прямо бух! Он теперь пьян. Буду ждать и три часа, и четыре, и пять, и шесть, и семь, но только знай, что сегодня, хотя бы даже в полночь, ты явишься к Катерине Ивановне, *с деньгами или без денег*, и скажешь: «Велел вам кланяться». Я именно хочу, чтобы ты этот стих сказал: «Велел, дескать, кланяться».

— Митя! А вдруг Грушенька придет сегодня... не сегодня, так завтра аль послезавтра?

— Грушенька? Подсмотрю, ворвусь и помешаю...

— А если...

— А коль если, так убью. Так не переживу.

— Кого убьешь?

— Старика. Ее не убью.

— Брат, что ты говоришь!

— Я ведь не знаю, не знаю... Может быть, не убью, а может, убью. Боюсь, что ненавистен он вдруг мне станет своим лицом в ту самую минуту. Ненавижу я его кадык, его нос, его глаза, его бесстыжую насмешку. Личное омерзение чувствую. Вот этого боюсь. Вот и не удержусь...

— Я пойду, Митя. Я верю, что Бог устроит, как знает лучше, чтобы не было ужаса.

— А я буду сидеть и чуда ждать. Но если не свершится, то...

Алеша, задумчивый, направился к отцу.

VI

СМЕРДЯКОВ

Он и вправду застал еще отца за столом. Стол же был, по всегдашнему обыкновению, накрыт в зале, хотя в доме находилась и настоящая столовая. Эта зала была самая большая в доме комната, с какою-то старинною претензией меблированная. Мебель была древнейшая, белая, с красною ветхою полушелковою обивкой. В простенках между окон вставлены были зеркала в вычурных рамах старинной резьбы, тоже белых с золотом. На стенах, обитых белыми бумажными и во многих местах уже треснувшими обоями, красовались два большие портрета — одного какого-то князя, лет тридцать назад бывшего генерал-губернатором местного края, и какого-то архиерея, давно уже тоже почившего. В переднем углу помещалось несколько икон, пред которыми на ночь зажигалась лампадка... не столько из благоговения, сколько для того, чтобы комната на ночь была освещена. Федор Павлович ложился по ночам очень поздно, часа в три, в четыре утра, а до тех пор всё, бывало, ходит по комнате или сидит в креслах и думает. Такую привычку сделал. Ночевал он нередко совсем один в доме, отсылая слуг во флигель, но большею частью с ним оставался по ночам слуга Смердяков, спавший в передней на залавке. Когда вошел Алеша, весь обед был уже покончен, но подано было варенье и кофе. Федор Павлович любил после обеда сладости с коньячком. Иван Федорович находился тут же за столом и тоже кушал кофе. Слуги Григорий и Смердяков стояли у стола. И господа, и слуги были в видимом и необыкновенно веселом одушевлении. Федор Павлович громко хохотал и смеялся; Алеша еще из сеней услышал его визгливый, столь знакомый ему прежде смех и тотчас же заключил, по звукам смеха, что отец еще далеко не пьян, а пока лишь всего благодушествует.

— Вот и он, вот и он! — завопил Федор Павлович, вдруг страшно обрадовавшись Алеше. — Присоединяйся к нам, садись, кофейку — постный ведь, постный, да горячий, да славный! Коньячку не приглашаю, ты постник, а хочешь, хочешь? Нет, я лучше тебе ликерцу дам, знатный! — Смердяков, сходи в шкаф, на второй полке направо, вот ключи, живей!

Алеша стал было от ликера отказываться.

— Всё равно подадут, не для тебя, так для нас, — сиял Федор Павлович. — Да постой, ты обедал аль нет?

— Обедал, — сказал Алеша, съевший, по правде, всего только ломоть хлеба и выпивший стакан квасу на игуменской кухне. — Вот я кофе горячего выпью с охотой.

— Милый! Молодец! Он кофейку выпьет. Не подогреть ли? Да нет, и теперь кипит. Кофе знатный, смердяковский. На кофе да на кулебяки Смердяков у меня артист, да на уху еще, правда. Когда-нибудь на уху приходи, заранее дай знать... Да постой, постой, ведь я тебе давеча совсем велел сегодня же переселиться с тюфяком и подушками? Тюфяк-то притащил? хе-хе-хе!..

— Нет, не принес, — усмехнулся и Алеша.

— А испугался, испугался-таки давеча, испугался? Ах ты, голубчик, да я ль тебя обидеть могу. Слушай, Иван, не могу я видеть, как он этак смотрит в глаза и смеется, не могу. Утроба у меня вся начинает на него смеяться, люблю его! Алешка, дай я тебе благословение родительское дам.

Алеша встал, но Федор Павлович успел одуматься.

— Нет, нет, я только теперь перекрещу тебя, вот так, садись. Ну, теперь тебе удовольствие будет, и именно на твою тему. Насмеешься. У нас валаамова ослица заговорила, да как говорит-то, как говорит!

Валаамовою ослицей оказался лакей Смердяков. Человек еще молодой, всего лет двадцати четырех, он был страшно нелюдим и молчалив. Не то чтобы дик или чего-нибудь стыдился, нет, характером он был, напротив, надменен и как будто всех презирал. Но вот и нельзя миновать, чтобы не сказать о нем хотя двух слов, и именно теперь. Воспитали его Марфа Игнатьевна и Григорий Васильевич, но мальчик рос «безо всякой благодарности», как выражался о нем Григорий, мальчиком диким и смотря на свет из угла. В детстве он очень любил вешать кошек и потом хоронить их с церемонией. Он надевал для этого простыню, что составляло вроде как бы ризы, и пел и махал чем-нибудь над мертвою кошкой, как будто кадил. Всё это потихоньку, в величайшей тайне. Григорий поймал его однажды на этом упражнении и больно наказал розгой. Тот ушел в угол и косился оттуда с неделю. «Не любит он нас с тобой, этот изверг, — говорил Григорий Марфе Игнатьевне, — да и никого не любит. Ты разве человек, — обращался он вдруг прямо к Смердякову, — ты не человек, ты из банной мокроты завелся, вот ты кто...» Смердяков, как оказалось впоследствии, никогда не мог простить ему этих слов. Григорий выучил его грамоте и, когда минуло ему лет двенадцать, стал учить священной истории. Но дело кончилось тотчас же ничем. Как-то однажды, всего только на втором или третьем уроке, мальчик вдруг усмехнулся.

— Чего ты? — спросил Григорий, грозно выглядывая на него из-под очков.

— Ничего-с. Свет создал Господь Бог в первый день, а солнце, луну и звезды на четвертый день. Откуда же свет-то сиял в первый день?

Григорий остолбенел. Мальчик насмешливо глядел на учителя. Даже было во взгляде его что-то высокомерное. Григорий не выдержал. «А вот откуда!» — крикнул он и неистово ударил ученика по щеке. Мальчик вынес пощечину, не возразив ни слова, но забился опять в угол на несколько дней. Как раз случилось так, что через неделю у него объявилась падучая болезнь в первый раз в жизни, не покидавшая его потом во всю жизнь. Узнав об этом, Федор Павлович как будто вдруг изменил на мальчика свой взгляд. Прежде он как-то равнодушно глядел на него, хотя никогда не бранил и, встречая, всегда давал копеечку. В благодушном настроении иногда посылал со стола мальчишке чего-нибудь сладенького. Но тут, узнав о болезни, решительно стал о нем заботиться, пригласил доктора, стал было лечить, но оказалось, что вылечить невозможно. Средним числом припадки приходили по разу в месяц, и в разные сроки. Припадки тоже бывали разной силы — иные легкие, другие очень жестокие. Федор Павлович запретил наистрожайше Григорию наказывать мальчишку телесно и стал пускать его к себе наверх. Учить его чему бы то ни было тоже пока запретил. Но раз, когда мальчику было уже лет пятнадцать, заметил Федор Павлович, что тот бродит около шкафа с книгами и сквозь стекло читает их названия. У Федора Павловича водилось книг довольно, томов сотня с лишком, но никто никогда не видал его самого за книгой. Он тотчас же передал ключ от шкафа Смердякову: «Ну и читай, будешь библиотекарем, чем по двору шляться, садись да читай. Вот прочти эту», — и Федор Павлович вынул ему «Вечера на хуторе близ Диканьки».

Малый прочел, но остался недоволен, ни разу не усмехнулся, напротив, кончил нахмурившись.

— Что ж? Не смешно? — спросил Федор Павлович.

Смердяков молчал.

— Отвечай, дурак.

— Про неправду всё написано, — ухмыляясь, прошамкал Смердяков.

— Ну и убирайся к черту, лакейская ты душа. Стой, вот тебе «Всеобщая история» Смарагдова, тут уж всё правда, читай.

Но Смердяков не прочел и десяти страниц из Смарагдова, показалось скучно. Так и закрылся опять шкаф с книгами. Вскорости Марфа и Григорий доложили Федору Павловичу, что в Смердякове мало-помалу проявилась вдруг ужасная какая-то брезгливость: сидит за супом, возьмет ложку и ищет-ищет в супе, нагибается, высматривает, почерпнет ложку и подымет на свет.

— Таракан, что ли? — спросит, бывало, Григорий.

— Муха, может, — заметит Марфа.

Чистоплотный юноша никогда не отвечал, но и с хлебом, и с мясом, и со всеми кушаньями оказалось то же самое: подымет, бывало, кусок на вилке на свет, рассматривает точно в микроскоп, долго, бывало, решается и наконец-то решится в рот отправить. «Вишь, барчонок какой объявился», — бормотал, на него глядя, Григорий. Федор Павлович, услышав о новом качестве Смердякова, решил немедленно, что быть ему поваром, и отдал его в ученье в Москву. В ученье он пробыл несколько лет и воротился, сильно переменившись лицом. Он вдруг как-то необычайно постарел, совсем даже несоразмерно с возрастом сморщился, пожелтел, стал походить на скопца. Нравственно же воротился почти тем же самым, как и до отъезда в Москву: всё так же был нелюдим и ни в чьем обществе не ощущал ни малейшей надобности. Он и в Москве, как передавали потом, всё молчал; сама же Москва его как-то чрезвычайно мало заинтересовала, так что он узнал в ней разве кое-что, на всё остальное и внимания не обратил. Был даже раз в театре, но молча и с неудовольствием воротился. Зато прибыл к нам из Москвы в хорошем платье, в чистом сюртуке и белье, очень тщательно вычищал сам щеткой свое платье неизменно по два раза в день, а сапоги свои опойковые, щегольские, ужасно любил чистить особенною английскою ваксой так, чтоб они сверкали как зеркало. Поваром он оказался превосходным. Федор Павлович положил ему жалованье, и это жалованье Смердяков употреблял чуть не в целости на платье, на помаду, на духи и проч. Но женский пол он, кажется, так же презирал, как и мужской, держал себя с ним степенно, почти недоступно. Федор Павлович стал поглядывать на него и с некоторой другой точки зрения. Дело в том, что припадки его падучей болезни усилились, и в те дни кушанье готовилось уже Марфой Игнатьевной, что было Федору Павловичу вовсе не на руку.

— С чего у тебя припадки-то чаще? — косился он иногда на нового повара, всматриваясь в его лицо. — Хоть бы ты женился на какой-нибудь, хочешь женю?..

Но Смердяков на эти речи только бледнел от досады, но ничего не отвечал. Федор Павлович отходил, махнув рукой. Главное, в честности его он был уверен, и это раз навсегда, в том, что он не возьмет ничего и не украдет. Раз случилось, что Федор Павлович, пьяненький, обронил на собственном дворе в грязи три радужные бумажки, которые только что получил, и хватился их на другой только день: только что бросился искать по карманам, а радужные вдруг уже лежат у него все три на столе. Откуда? Смердяков поднял и еще вчера принес. «Ну, брат, я таких, как ты, не видывал», — отрезал тогда Федор Павлович и подарил ему десять рублей. Надо прибавить, что не только в честности его он был уверен, но почему-то даже и любил его, хотя малый и на него глядел так же косо, как и на других, и всё молчал. Редко, бывало, заговорит. Если бы в то время кому-нибудь вздумалось спросить, глядя на него: чем этот парень интересуется и что всего чаще у него на уме, то, право, невозможно было бы решить, на него глядя. А между тем он иногда в доме же, аль хоть на дворе, или на улице, случалось, останавливался, задумывался и стоял так по десятку даже минут. Физиономист, вглядевшись в него, сказал бы, что тут ни думы, ни мысли нет, а так какое-то созерцание. У живописца Крамского есть одна замечательная картина под названием «Созерцатель»: изображен лес зимой, и в лесу, на дороге, в оборванном кафтанишке и лаптишках стоит один-одинешенек, в глубочайшем уединении забредший мужичонко, стоит и как бы задумался, но он не думает, а что-то «созерцает». Если б его толкнуть, он вздрогнул бы и посмотрел на вас, точно проснувшись, но ничего не понимая. Правда, сейчас бы и очнулся, а спросили бы его, о чем он это стоял и думал, то наверно бы ничего не припомнил, но зато наверно бы затаил в себе то впечатление, под которым находился во время своего созерцания. Впечатления же эти ему дороги, и он наверно их копит, неприметно и даже не сознавая, — для чего и зачем, конечно, тоже не знает: может, вдруг, накопив впечатлений за многие годы, бросит всё и уйдет в Иерусалим, скитаться и спасаться, а может, и село родное вдруг спалит, а может быть, случится и то, и другое вместе. Созерцателей в народе довольно. Вот одним из таких созерцателей был наверно и Смердяков, и наверно тоже копил впечатления свои с жадностью, почти сам еще не зная зачем.

VII

КОНТРОВЕРЗА

Но валаамова ослица вдруг заговорила. Тема случилась странная: Григорий поутру, забирая в лавке у купца Лукьянова товар, услышал от него об одном русском солдате, что тот, где-то далеко на границе, у азиятов, попав к ним в плен и будучи принуждаем ими под страхом мучительной и немедленной смерти отказаться от христианства и перейти в ислам, не согласился изменить своей веры и принял муки, дал содрать с себя кожу и умер, славя и хваля Христа, — о каковом подвиге и было напечатано как раз в полученной в тот день газете. Об этом вот и заговорил за столом Григорий. Федор Павлович любил и прежде, каждый раз после стола, за десертом, посмеяться и поговорить хотя бы даже с Григорием. В этот же раз был в легком и приятно раскидывающемся настроении. Попивая коньячок и выслушав сообщенное известие, он заметил, что такого солдата следовало бы произвести сейчас же во святые и снятую кожу его препроводить в какой-нибудь монастырь: «То-то народу повалит и денег». Григорий поморщился, видя, что Федор Павлович нисколько не умилился, а по всегдашней привычке своей начинает кощунствовать. Как вдруг Смердяков, стоявший у двери, усмехнулся. Смердяков весьма часто и прежде допускался стоять у стола, то есть под конец обеда. С самого же прибытия в наш город Ивана Федоровича стал являться к обеду почти каждый раз.

— Ты чего? — спросил Федор Павлович, мигом заметив усмешку и поняв, конечно, что относится она к Григорию.

— А я насчет того-с, — заговорил вдруг громко и неожиданно Смердяков, — что если этого похвального солдата подвиг был и очень велик-с, то никакого опять-таки, по-моему, не было бы греха и в том, если б и отказаться при этой случайности от Христова примерно имени и от собственного крещения своего, чтобы спасти тем самым свою жизнь для добрых дел, коими в течение лет и искупить малодушие.

— Это как же не будет греха? Врешь, за это тебя прямо в ад и там, как баранину, поджаривать станут, — подхватил Федор Павлович.

И вот тут-то и вошел Алеша. Федор Павлович, как мы видели, ужасно обрадовался Алеше.

— На твою тему, на твою тему! — радостно хихикал он, усаживая Алешу слушать.

— Насчет баранины это не так-с, да и ничего там за это не будет-с, да и не должно быть такого, если по всей справедливости, — солидно заметил Смердяков.

— Как так по всей справедливости, — крикнул еще веселей Федор Павлович, подталкивая коленом Алешу.

— Подлец он, вот он кто! — вырвалось вдруг у Григория. Гневно посмотрел он Смердякову прямо в глаза.

— Насчет подлеца повремените-с, Григорий Васильевич, — спокойно и сдержанно отразил Смердяков, — а лучше рассудите сами, что раз я попал к мучителям рода христианского в плен и требуют они от меня имя божие проклясть и от святого крещения своего отказаться, то я вполне уполномочен в том собственным рассудком, ибо никакого тут и греха не будет.

— Да ты уж это говорил, ты не расписывай, а докажи! — кричал Федор Павлович.

— Бульонщик! — прошептал Григорий презрительно.

— Насчет бульонщика тоже повремените-с, а не ругаясь рассудите сами, Григорий Васильевич. Ибо едва только я скажу мучителям: «Нет, я не христианин и истинного Бога моего проклинаю», как тотчас же я самым высшим Божьим судом немедленно и специально становлюсь анафема проклят и от церкви святой отлучен совершенно как бы иноязычником, так даже, что в тот же миг-с — не то что как только произнесу, а только что помыслю произнести, так что даже самой четверти секунды тут не пройдет-с, как я отлучен, — так или не так, Григорий Васильевич?

Он с видимым удовольствием обращался к Григорию, отвечая, в сущности, на одни лишь вопросы Федора Павловича и очень хорошо понимая это, но нарочно делая вид, что вопросы эти как будто задает ему Григорий.

— Иван! — крикнул вдруг Федор Павлович, — нагнись ко мне к самому уху. Это он для тебя всё это устроил, хочет, чтобы ты его похвалил. Ты похвали.

Иван Федорович выслушал совершенно серьезно восторженное сообщение папаши.

— Стой, Смердяков, помолчи на время, — крикнул опять Федор Павлович. — Иван, опять ко мне к самому уху нагнись.

Иван Федорович вновь с самым серьезнейшим видом нагнулся.

— Люблю тебя так же, как и Алешку. Ты не думай, что я тебя не люблю. Коньячку?

— Дайте. — «Однако сам-то ты порядочно нагрузился», — пристально поглядел на отца Иван Федорович. Смердякова же он наблюдал с чрезвычайным любопытством.

— Анафема ты проклят и теперь, — разразился вдруг Григорий, — и как же ты после того, подлец, рассуждать смеешь, если...

— Не бранись, Григорий, не бранись! — прервал Федор Павлович.

— Вы переждите, Григорий Васильевич, хотя бы самое даже малое время-с, и прослушайте дальше, потому что я всего не окончил. Потому в самое то время, как я

Богом стану немедленно проклят-с, в самый, тот самый высший момент-с, я уже стал всё равно как бы иноязычником, и крещение мое с меня снимается и ни во что вменяется, — так ли хоть это-с?

— Заключай, брат, скорей, заключай, — поторопил Федор Павлович, с наслаждением хлебнув из рюмки.

— А коли я уж не христианин, то, значит, я и не солгал мучителям, когда они спрашивали: «Христианин я или не христианин», ибо я уже был самим Богом совлечен моего христианства, по причине одного лишь замысла и прежде чем даже слово успел мое молвить мучителям. А коли я уже разжалован, то каким же манером и по какой справедливости станут спрашивать с меня на том свете как с христианина за то, что я отрекся Христа, тогда как я за помышление только одно, еще до отречения, был уже крещения моего совлечен? Коли я уж не христианин, значит, я и не могу от Христа отречься, ибо не от чего тогда мне и отрекаться будет. С татарина поганого кто же станет спрашивать, Григорий Васильевич, хотя бы и в небесах, за то, что он не христианином родился, и кто же станет его за это наказывать, рассуждая, что с одного вола двух шкур не дерут. Да и сам Бог вседержитель с татарина если и будет спрашивать, когда тот помрет, то, полагаю, каким-нибудь самым малым наказанием (так как нельзя же совсем не наказать его), рассудив, что ведь неповинен же он в том, если от поганых родителей поганым на свет произошел. Не может же Господь Бог насильно взять татарина и говорить про него, что и он был христианином? Ведь значило бы тогда, что Господь вседержитель скажет сущую неправду. А разве может Господь вседержитель неба и земли произнести ложь, хотя бы в одном только каком-нибудь слове-с?

Григорий остолбенел и смотрел на оратора, выпучив глаза. Он хоть и не понимал хорошо, что говорят, но что-то из всей этой дребедени вдруг понял и остановился с видом человека, вдруг стукнувшегося лбом об стену. Федор Павлович допил рюмку и залился визгливым смехом.

— Алешка, Алешка, каково! Ах ты, казуист! Это он был у иезуитов где-нибудь, Иван. Ах ты, иезуит смердящий, да кто же тебя научил? Но только ты врешь, казуист, врешь, врешь и врешь. Не плачь, Григорий, мы его сею же минутой разобьем в дым и прах. Ты мне вот что скажи, ослица: пусть ты пред мучителями прав, но ведь ты сам-то в себе всё же отрёкся от веры своей и сам же говоришь, что в тот же час был анафема проклят, а коли раз уж анафема, так тебя за эту анафему по головке в аду не погладят. Об этом ты как полагаешь, иезуит ты мой прекрасный?

— Это сумления нет-с, что сам в себе я отрёкся, а всё же никакого и тут специально греха не было-с, а коли был грешок, то самый обыкновенный весьма-с.

— Как так обыкновенный весьма-с!

— Врёшь, пр-р-роклятый, — прошипел Григорий.

— Рассудите сами, Григорий Васильевич, — ровно и степенно, сознавая победу, но как бы и великодушничая с разбитым противником, продолжал Смердяков, — рассудите сами, Григорий Васильевич: ведь сказано же в Писании, что коли имеете веру хотя бы на самое малое даже зерно и притом скажете сей горе, чтобы съехала в море, то и съедет, нимало не медля, по первому же вашему приказанию. Что же, Григорий Васильевич, коли я неверующий, а вы столь верующий, что меня беспрерывно даже ругаете, то попробуйте сами-с сказать сей горе, чтобы не то чтобы в море (потому что до моря отсюда далеко-с), но даже хоть в речку нашу вонючую съехала, вот что у нас за садом течёт, то и увидите сами в тот же момент, что ничего не съедет-с, а всё останется в прежнем порядке и целости, сколько бы вы ни кричали-с. А это означает, что и вы не веруете, Григорий Васильевич, надлежащим манером, а лишь других за то всячески ругаете. Опять-таки и то взямши, что никто в наше время, не только вы-с, но и решительно никто, начиная с самых даже высоких лиц до самого последнего мужика-с, не сможет спихнуть горы в море, кроме разве какого-нибудь одного человека на всей земле, много двух, да и то, может, где-нибудь там в пустыне египетской в секрете спасаются, так что их и не найдёшь вовсе, — то коли так-с, коли все остальные выходят неверующие, то неужели же всех сих остальных, то есть население всей земли-с, кроме каких-нибудь тех двух пустынников, проклянёт Господь и при милосердии своём, столь известном, никому из них не простит? А потому и я уповаю, что, раз усомнившись, буду прощён, когда раскаяния слёзы пролью.

— Стой! — завизжал Фёдор Павлович в апофеозе восторга, — так двух-то таких, что горы могут сдвигать, ты все-таки полагаешь, что есть они? Иван, наруби черту, запиши: весь русский человек тут сказался!

— Вы совершенно верно заметили, что это народная в вере черта, — с одобрительною улыбкой согласился Иван Федорович.

— Соглашаешься! Значит, так, коли уж ты соглашаешься! Алешка, ведь правда? Ведь совершенно русская вера такая?

— Нет, у Смердякова совсем не русская вера, — серьезно и твердо проговорил Алеша.

— Я не про веру его, я про эту черту, про этих двух пустынников, про эту одну только черточку: ведь это же по-русски, по-русски?

— Да, черта эта совсем русская, — улыбнулся Алеша.

— Червонца стоит твое слово, ослица, и пришлю тебе его сегодня же, но в остальном ты все-таки врешь, врешь и врешь; знай, дурак, что здесь мы все от легкомыслия лишь не веруем, потому что нам некогда: во-первых, дела одолели, а во-вторых, времени Бог мало дал, всего во дню определил только двадцать четыре часа, так что некогда и выспаться, не только покаяться. А ты-то там пред мучителями отрекся, когда больше не о чем и думать-то было тебе как о вере и когда именно надо было веру свою показать! Так ведь это, брат, составляет, я думаю?

— Составляет-то оно составляет, но рассудите сами, Григорий Васильевич, что ведь тем более и облегчает, что составляет. Ведь коли бы я тогда веровал в самую во истину, как веровать надлежит, то тогда действительно было бы грешно, если бы муки за свою веру не принял и в поганую Магометову веру перешел. Но ведь до мук и не дошло бы тогда-с, потому стоило бы мне в тот же миг сказать сей горе: двинься и подави мучителя, то она бы двинулась и в тот же миг его придавила, как таракана, и пошел бы я как ни в чем не бывало прочь, воспевая и славя Бога. А коли я именно в тот же самый момент это всё и испробовал и нарочно уже кричал сей горе: подави сих мучителей, — а та не давила, то как же, скажите, я бы в то время не усомнился, да еще в такой страшный час смертного великого страха? И без того уж знаю, что царствия небесного в полноте не достигну (ибо не двинулась же по слову моему гора, значит, не очень-то вере моей там верят, и не очень уж большая награда меня на том свете ждет), для чего же я еще сверх того и безо всякой уже пользы кожу с себя дам содрать? Ибо если бы даже кожу мою уже до половины содрали со спины, то и тогда по слову моему или крику не двинулась бы сия гора. Да в этакую минуту не только что сумление может найти, но даже от страха и самого рассудка решиться можно, так что и рассуждать-то будет совсем невозможно. А, стало быть, чем я тут выйду особенно виноват, если, не видя ни там, ни тут своей выгоды, ни награды, хоть кожу-то по крайней мере свою сберегу? А потому, на милость господню весьма уповая, питаюсь надеждой, что и совсем прощен буду-с...

VIII

ЗА КОНЬЯЧКОМ

Спор кончился, но странное дело, столь развеселившийся Федор Павлович под конец вдруг нахмурился. Нахмурился и хлопнул коньячку, и это уже была совсем лишняя рюмка.

— А убирайтесь вы, иезуиты, вон, — крикнул он на слуг. — Пошел, Смердяков. Сегодня обещанный червонец пришлю, а ты пошел. Не плачь, Григорий, ступай к Марфе, она утешит, спать уложит. Не дают, канальи, после обеда в тишине посидеть, — досадливо отрезал он вдруг, когда тотчас же по приказу его удалились слуги. — Смердяков за обедом теперь каждый раз сюда лезет, это ты ему столь любопытен, чем ты его так заласкал? — прибавил он Ивану Федоровичу.

— Ровно ничем, — ответил тот, — уважать меня вздумал; это лакей и хам. Передовое мясо, впрочем, когда срок наступит.

— Передовое?

— Будут другие и получше, но будут и такие. Сперва будут такие, а за ними получше.

— А когда срок наступит?

— Загорится ракета, да и не догорит, может быть. Народ этих бульонщиков пока не очень-то любит слушать.

— То-то, брат, вот этакая валаамова ослица думает, думает, да и черт знает про себя там до чего додумается.

— Мыслей накопит, — усмехнулся Иван.

— Видишь, я вот знаю, что он и меня терпеть не может, равно как и всех, и тебя точно так же, хотя тебе и кажется, что он тебя «уважать вздумал». Алешку подавно, Алешку он презирает. Да не украдет он, вот что, не сплетник он, молчит, из дому сору не вынесет, кулебяки славно печет, да к тому же ко всему и черт с ним, по правде-то, так стоит ли об нем говорить?

— Конечно, не стоит.

— А что до того, что он там про себя надумает, то русского мужика, вообще говоря, надо пороть. Я это всегда утверждал. Мужик наш мошенник, его жалеть не стоит, и хорошо еще, что дерут его иной раз и теперь. Русская земля крепка березой. Истребят леса — пропадет земля русская. Я за умных людей стою. Мужиков мы драть перестали с большого ума, а те сами себя пороть продолжают. И хорошо делают. В ту же меру мерится, в ту же и возмерится, или как это там... Одним словом, возмерится. А Россия свинство. Друг мой, если бы ты знал, как я ненавижу Россию... то есть не Россию, а все эти пороки... а пожалуй что и Россию. Tout cela c'est de la cochonnerie[1]. Знаешь, что люблю? Я люблю остроумие.

— Вы опять рюмку выпили. Довольно бы вам.

— Подожди, я еще одну и еще одну, а там и покончу. Нет, постой, ты меня перебил. В Мокром я проездом спрашиваю старика, а он мне: «Мы оченно, говорит, любим пуще всего девок по приговору пороть и пороть даем всё парням. После эту ж, которую ноне порол, завтра парень в невесты берет, так что оно самим девкам, говорит, у нас повадно». Каковы маркизы де Сады, а? А как хочешь, оно остроумно. Съездить бы и нам поглядеть, а? Алешка, ты покраснел? Не стыдись, детка. Жаль, что давеча я у игумена за обед не сел да монахам про Мокрых девок не рассказал. Алешка, не сердись, что я твоего игумена давеча разобидел. Меня, брат, зло берет. Ведь коли Бог есть, существует, — ну, конечно, я тогда виноват и отвечу, а коли нет его вовсе-то, так ли их еще надо, твоих отцов-то? Ведь с них мало тогда головы срезать, потому что они развитие задерживают. Веришь ты, Иван, что это меня в моих чувствах терзает. Нет, ты не веришь, потому я вижу по твоим глазам. Ты веришь людям, что я всего только шут. Алеша, веришь, что я не всего только шут?

---

[1] Всё это свинство (фр.).

— Верю, что не всего только шут.

— И верю, что веришь и искренно говоришь. Искренно смотришь и искренно говоришь. А Иван нет. Иван высокомерен... А все-таки я бы с твоим монастырьком покончил. Взять бы всю эту мистику да разом по всей русской земле и упразднить, чтоб окончательно всех дураков обрезонить. А серебра-то, золота сколько бы на монетный двор поступило!

— Да зачем упразднять? — сказал Иван.

— А чтоб истина скорей воссияла, вот зачем.

— Да ведь коль эта истина воссияет, так вас же первого сначала ограбят, а потом... упразднят.

— Ба! А ведь, пожалуй, ты прав. Ах, я ослица, — вскинулся вдруг Федор Павлович, слегка ударив себя по лбу. — Ну, так пусть стоит твой монастырек, Алешка, коли так. А мы, умные люди, будем в тепле сидеть да коньячком пользоваться. Знаешь ли, Иван, что это самим Богом должно быть непременно нарочно так устроено? Иван, говори: есть Бог или нет? Стой: наверно говори, серьезно говори! Чего опять смеешься?

— Смеюсь я тому, как вы сами давеча остроумно заметили о вере Смердякова в существование двух старцев, которые могут горы сдвигать.

— Так разве теперь похоже?

— Очень.

— Ну так, значит, и я русский человек, и у меня русская черта, и тебя, философа, можно тоже на своей черте поймать в этом же роде. Хочешь, поймаю. Побьемся об заклад, что завтра же поймаю. А все-таки говори: есть Бог или нет? Только серьезно! Мне надо теперь серьезно.

— Нет, нету Бога.

— Алешка, есть Бог?

— Есть Бог.

— Иван, а бессмертие есть, ну там какое-нибудь, ну хоть маленькое, малюсенькое?

— Нет и бессмертия.

— Никакого?

— Никакого.

— То есть совершеннейший нуль или нечто? Может быть, нечто какое-нибудь есть? Всё же ведь не ничто!

— Совершенный нуль.

— Алешка, есть бессмертие?

— Есть.

— А Бог и бессмертие?

— И Бог, и бессмертие. В Боге и бессмертие.

— Гм. Вероятнее, что прав Иван. Господи, подумать только о том, сколько отдал человек веры, сколько всяких сил даром на эту мечту, и это столько уж тысяч лет! Кто же это так смеется над человеком? Иван? В последний раз и решительно: есть Бог или нет? Я в последний раз!

— И в последний раз нет.

— Кто же смеется над людьми, Иван?

— Черт, должно быть, — усмехнулся Иван Федорович.

— А черт есть?

— Нет, и черта нет.

— Жаль. Черт возьми, что б я после того сделал с тем, кто первый выдумал Бога! Повесить его мало на горькой осине.

— Цивилизации бы тогда совсем не было, если бы не выдумали Бога.

— Не было бы? Это без Бога-то?

— Да. И коньячку бы не было. А коньяк все-таки у вас взять придется.

— Постой, постой, постой, милый, еще одну рюмочку. Я Алешу оскорбил. Ты не сердишься, Алексей? Милый Алексейчик ты мой, Алексейчик!

— Нет, не сержусь. Я ваши мысли знаю. Сердце у вас лучше головы.

— У меня-то сердце лучше головы? Господи, да еще кто это говорит? Иван, любишь ты Алешку?

— Люблю.

— Люби. (Федор Павлович сильно хмелел.) Слушай, Алеша, я старцу твоему давеча грубость сделал. Но я был в волнении. А ведь в старце этом есть остроумие, как ты думаешь, Иван?

— Пожалуй что и есть.

— Есть, есть, il y a du Piron là-dedans[1]. Это иезуит, русский то есть. Как у благородного существа, в нем это затаенное негодование кипит на то, что надо представляться... святыню на себя натягивать.

— Да ведь он же верует в Бога.

---

[1] Тут чувствуется Пирон *(фр.)*.

— Ни на грош. А ты не знал? Да он всем говорит это сам, то есть не всем, а всем умным людям, которые приезжают. Губернатору Шульцу он прямо отрезал: credo[1], да не знаю во что.

— Неужто?

— Именно так. Но я его уважаю. Есть в нем что-то мефистофелевское или, лучше, из «Героя нашего времени»... Арбенин али как там... то есть, видишь, он сладострастник; он до того сладострастник, что я бы и теперь за дочь мою побоялся аль за жену, если бы к нему исповедоваться пошла. Знаешь, как начнет рассказывать... Третьего года он нас зазвал к себе на чаек, да с ликерцем (барыни ему ликер присылают), да как пустился расписывать старину, так мы животики надорвали... Особенно как он одну расслабленную излечил. «Если бы ноги не болели, я бы вам, говорит, протанцевал один танец». А, каков? «Наафонил я, говорит, на своем веку немало». Он у Демидова-купца шестьдесят тысяч тяпнул.

— Как, украл?

— Тот ему как доброму человеку привез: «Сохрани, брат, у меня назавтра обыск». А тот и сохранил. «Ты ведь на церковь, говорит, пожертвовал». Я ему говорю: подлец ты, говорю. Нет, говорит, не подлец, а я широк... А впрочем, это не он... Это другой. Я про другого сбился... и не замечаю. Ну, вот еще рюмочку, и довольно; убери бутылку, Иван. Я врал, отчего ты не остановил меня, Иван... и не сказал, что вру?

— Я знал, что вы сами остановитесь.

— Врешь, это ты по злобе на меня, по единственной злобе. Ты меня презираешь. Ты приехал ко мне и меня в доме моем презираешь.

— Я и уеду; вас коньяк разбирает.

— Я тебя просил Христом-богом в Чермашню съездить... на день, на два, а ты не едешь.

— Завтра поеду, коли вы так настаиваете.

— Не поедешь. Тебе подсматривать здесь за мной хочется, вот тебе чего хочется, злая душа, оттого ты и не поедешь?

Старик не унимался. Он дошел до той черточки пьянства, когда иным пьяным, дотоле смирным, непременно вдруг захочется разозлиться и себя показать.

---

[1] Верую (*лат.*).

— Что ты глядишь на меня? Какие твои глаза? Твои глаза глядят на меня и говорят мне: «Пьяная ты харя». Подозрительные твои глаза, презрительные твои глаза... Ты себе на уме приехал. Вот Алешка смотрит, и глаза его сияют. Не презирает меня Алеша. Алексей, не люби Ивана...

— Не сердитесь на брата! Перестаньте его обижать, — вдруг настойчиво произнес Алеша.

— Ну что ж, я пожалуй. Ух, голова болит. Убери коньяк, Иван, третий раз говорю. — Он задумался и вдруг длинно и хитро улыбнулся: — Не сердись, Иван, на старого мозгляка. Я знаю, что ты не любишь меня, только все-таки не сердись. Не за что меня и любить-то. В Чермашню съездишь, я к тебе сам приеду, гостинцу привезу. Я тебе там одну девчоночку укажу, я ее там давно насмотрел. Пока она еще босоножка. Не пугайся босоножек, не презирай — перлы!..

И он чмокнул себя в ручку.

— Для меня, — оживился он вдруг весь, как будто на мгновение отрезвев, только что попал на любимую тему, — для меня... Эх вы, ребята! Деточки, поросяточки вы маленькие, для меня... даже во всю мою жизнь не было безобразной женщины, вот мое правило! Можете вы это понять? Да где же вам это понять: у вас еще вместо крови молочко течет, не вылупились! По моему правилу, во всякой женщине можно найти чрезвычайно, черт возьми, интересное, чего ни у которой другой не найдешь, — только надобно уметь находить, вот где штука! Это талант! Для меня мовешек[1] не существовало: уж одно то, что она женщина, уж это одно половина всего... да где вам это понять! Даже вьельфильки[2], и в тех иногда отыщешь такое, что только диву дашься на прочих дураков, как это ей состариться дали и до сих пор не заметили! Босоножку и мовешку надо сперва-наперво удивить — вот как надо за нее браться. А ты не знал? Удивить ее надо до восхищения, до пронзения, до стыда, что в такую чернявку, как она, такой барин влюбился. Истинно славно, что всегда есть и будут хамы да баре на свете, всегда тогда будет и такая поломоечка, и всегда ее господин, а ведь того только и надо для счастья жизни! Постой... слушай, Алешка, я твою мать-по-

[1] Дурнушек (от *фр.* mauvais).
[2] Старые девы (от *фр.* vieille fille).

койницу всегда удивлял, только в другом выходило роде. Никогда, бывало, ее не ласкаю, а вдруг, как минутка-то наступит, — вдруг пред нею так весь и рассыплюсь, на коленях ползаю, ножки целую и доведу ее всегда, всегда, — помню это как вот сейчас, — до этакого маленького такого смешка, рассыпчатого, звонкого, не громкого, нервного, особенного. У ней только он и был. Знаю, бывало, что так у ней всегда болезнь начиналась, что завтра же она кликушей выкликать начнет и что смешок этот теперешний, маленький, никакого восторга не означает, ну да ведь хоть и обман, да восторг. Вот оно что значит свою черточку во всем уметь находить! Раз Белявский — красавчик один тут был и богач, за ней волочился и ко мне наладил ездить — вдруг у меня же и дай мне пощечину, да при ней. Так она, этакая овца, — да я думал, она изобьет меня за эту пощечину, ведь как напала: «Ты, говорит, теперь битый, битый, ты пощечину от него получил! Ты меня, говорит, ему продавал... Да как он смел тебя ударить при мне! И не смей ко мне приходить никогда, никогда! Сейчас беги, вызови его на дуэль...» Так я ее тогда в монастырь для смирения возил, отцы святые ее отчитывали. Но вот тебе Бог, Алеша, не обижал я никогда мою кликушечку! Раз только разве один, еще в первый год: молилась уж она тогда очень, особенно богородичные праздники наблюдала и меня тогда от себя в кабинет гнала. Думаю, дай-ка выбью я из нее эту мистику! «Видишь, говорю, видишь, вот твой образ, вот он, вот я его сниму. Смотри же, ты его за чудотворный считаешь, а я вот сейчас на него при тебе плюну, и мне ничего за это не будет!..» Как она увидела, господи, думаю: убьет она меня теперь, а она только вскочила, всплеснула руками, потом вдруг закрыла руками лицо, вся затряслась и пала на пол... так и опустилась... Алеша, Алеша! Что с тобой, что с тобой!

Старик вскочил в испуге. Алеша с самого того времени, как он заговорил о его матери, мало-помалу стал изменяться в лице. Он покраснел, глаза его загорелись, губы вздрогнули... Пьяный старикашка брызгался слюной и ничего не замечал до той самой минуты, когда с Алешей вдруг произошло нечто очень странное, а именно с ним вдруг повторилось точь-в-точь то же самое, что сейчас только он рассказал про «кликушу». Алеша вдруг вскочил из-за стола, точь-в-точь как, по рассказу, мать его, всплеснул руками, потом закрыл ими лицо, упал как подкошенный на стул и так и затрясся вдруг весь от истерического припадка внезапных, сотрясающих и неслышных слез. Необычайное сходство с матерью особенно поразило старика.

— Иван, Иван! скорей ему воды. Это как она, точь-в-точь как она, как тогда его мать! Вспрысни его изо рта водой, я так с той делал. Это он за мать свою, за мать свою... — бормотал он Ивану.

— Да ведь и моя, я думаю, мать его мать была, как вы полагаете? — вдруг с неудержимым гневным презрением прорвался Иван. Старик вздрогнул от его засверкавшего взгляда. Но тут случилось нечто очень странное, правда на одну секунду: у старика действительно, кажется, выскочило из ума соображение, что мать Алеши была и матерью Ивана...

— Как так твоя мать? — пробормотал он, не понимая. — Ты за что это? Ты про какую мать?.. да разве она... Ах, черт! Да ведь она и твоя! Ах, черт! Ну это, брат, затмение как никогда, извини, а я думал, Иван... Хе-хе-хе! — Он остановился. Длинная, пьяная, полубессмысленная усмешка раздвинула его лицо. И вот вдруг в это самое мгновение раздался в сенях страшный шум и гром, послышались неистовые крики, дверь распахнулась и в залу влетел Дмитрий Федорович. Старик бросился к Ивану в испуге:

— Убьет, убьет! Не давай меня, не давай! — выкрикивал он, вцепившись в полу сюртука Ивана Федоровича.

IX

СЛАДОСТРАСТНИКИ

Сейчас вслед за Дмитрием Федоровичем вбежали в залу и Григорий со Смердяковым. Они же в сенях и боролись с ним, не впускали его (вследствие инструкции самого Федора Павловича, данной уже несколько дней назад). Воспользовавшись тем, что Дмитрий Федорович, ворвавшись в залу, на минуту остановился, чтоб осмотреться, Григорий обежал стол, затворил на обе половинки противоположные входным двери залы, ведущие во внутренние покои, и стал пред затворенною дверью, раздвинув обе руки крестом и готовый защищать вход, так сказать, до последней капли. Увидав это, Дмитрий не вскрикнул, а даже как бы взвизгнул и бросился на Григория.

— Значит, она там! Ее спрятали там! Прочь, подлец! — Он рванул было Григория, но тот оттолкнул его. Вне себя от ярости, Дмитрий размахнулся и изо всей силы ударил Григория. Старик рухнулся как подкошенный, а Дмитрий, перескочив через него, вломился в дверь. Смердяков оставался в зале, на другом конце, бледный и дрожащий, тесно прижимаясь к Федору Павловичу.

— Она здесь, — кричал Дмитрий Федорович, — я сейчас сам видел, как она повернула к дому, только я не догнал. Где она? Где она?

Непостижимое впечатление произвел на Федора Павловича этот крик: «Она здесь!» Весь испуг соскочил с него.

— Держи, держи его! — завопил он и ринулся вслед за Дмитрием Федоровичем. Григорий меж тем поднялся с полу, но был еще как бы вне себя. Иван Федорович и Алеша побежали вдогонку за отцом. В третьей комнате послышалось, как вдруг что-то упало об пол, разбилось и зазвенело: это была большая стеклянная ваза (не из дорогих) на мраморном пьедестале, которую, пробегая мимо, задел Дмитрий Федорович.

— Ату его! — завопил старик. — Караул!

Иван Федорович и Алеша догнали-таки старика и силою воротили в залу.

— Чего гонитесь за ним! Он вас и впрямь там убьет! — гневно крикнул на отца Иван Федорович.

— Ванечка, Лешечка, она, стало быть, здесь, Грушенька здесь, сам, говорит, видел, что пробежала...

Он захлебывался. Он не ждал в этот раз Грушеньки, и вдруг известие, что она здесь, разом вывело его из ума. Он весь дрожал, он как бы обезумел.

— Да ведь вы видели сами, что она не приходила! — кричал Иван.

— А может, через тот вход?

— Да ведь он заперт, тот вход, а ключ у вас...

Дмитрий вдруг появился опять в зале. Он, конечно, нашел тот вход запертым, да и действительно ключ от запертого входа был в кармане у Федора Павловича. Все окна во всех комнатах были тоже заперты; ниоткуда, стало быть, не могла пройти Грушенька и ниоткуда не могла выскочить.

— Держи его! — завизжал Федор Павлович, только что завидел опять Дмитрия, — он там в спальне у меня деньги украл! — И, вырвавшись от Ивана, он опять бросился на Дмитрия. Но тот поднял обе руки и вдруг схватил старика за обе последние космы волос его, уцелевшие на висках, дернул его и с грохотом ударил об пол. Он успел еще два или три раза ударить лежачего каблуком по лицу. Старик пронзительно застонал. Иван Федорович, хоть и не столь сильный, как брат Дмитрий, обхватил того руками и изо всей силы оторвал от старика. Алеша всею своею силенкой тоже помог ему, обхватив брата спереди.

— Сумасшедший, ведь ты убил его! — крикнул Иван.

— Так ему и надо! — задыхаясь, воскликнул Дмитрий. — А не убил, так еще приду убить. Не устережете!

— Дмитрий! Иди отсюда вон сейчас! — властно вскрикнул Алеша.

— Алексей! Скажи ты мне один, тебе одному поверю: была здесь сейчас она или не была? Я ее сам видел, как она сейчас мимо плетня из переулка в эту сторону проскользнула. Я крикнул, она убежала...

— Клянусь тебе, она здесь не была, и никто здесь не ждал ее вовсе!

— Но я ее видел... Стало быть, она... Я узнаю сейчас, где она... Прощай, Алексей! Езопу теперь о деньгах ни слова, а к Катерине Ивановне сейчас же и непременно: «Кланяться велел, кланяться велел, кланяться! Именно кланяться и раскланяться!» Опиши ей сцену.

Тем временем Иван и Григорий подняли старика и усадили в кресла. Лицо его было окровавлено, но сам он был в памяти и с жадностью прислушивался к крикам Дмитрия. Ему всё еще казалось, что Грушенька вправду где-нибудь в доме. Дмитрий Федорович ненавистно взглянул на него уходя.

— Не раскаиваюсь за твою кровь! — воскликнул он, — берегись, старик, береги мечту, потому что и у меня мечта! Проклинаю тебя сам и отрекаюсь от тебя совсем...

Он выбежал из комнаты.

— Она здесь, она верно здесь! Смердяков, Смердяков, — чуть слышно хрипел старик, пальчиком маня Смердякова.

— Нет ее здесь, нет, безумный вы старик, — злобно закричал на него Иван. — Ну, с ним обморок! Воды, полотенце! Поворачивайся, Смердяков!

Смердяков бросился за водой. Старика наконец раздели, снесли в спальню и уложили в постель. Голову обвязали ему мокрым полотенцем. Ослабев от коньяку, от сильных ощущений и от побоев, он мигом, только что коснулся подушки, завел глаза и забылся. Иван Федорович и Алеша вернулись в залу. Смердяков выносил черепки разбитой вазы, а Григорий стоял у стола, мрачно потупившись.

— Не намочить ли и тебе голову и не лечь ли тебе тоже в постель, — обратился к Григорию Алеша. — Мы здесь за ним посмотрим; брат ужасно больно ударил тебя... по голове.

— Он меня дерзнул! — мрачно и раздельно произнес Григорий.

— Он и отца «дерзнул», не то что тебя! — заметил, кривя рот, Иван Федорович.

— Я его в корыте мыл... он меня дерзнул! — повторял Григорий.

— Черт возьми, если б я не оторвал его, пожалуй, он бы так и убил. Много ли надо Езопу? — прошептал Иван Федорович Алеше.

— Боже сохрани! — воскликнул Алеша.

— А зачем «сохрани»? — всё тем же шепотом продолжал Иван, злобно скривив лицо. — Один гад съест другую гадину, обоим туда и дорога!

Алеша вздрогнул.

— Я, разумеется, не дам совершиться убийству, как не дал и сейчас. Останься тут, Алеша, я выйду походить по двору; у меня голова начала болеть.

Алеша пошел в спальню к отцу и просидел у сго изголовья за ширмами около часа. Старик вдруг открыл глаза и долго молча смотрел на Алешу, видимо припоминая и соображая. Вдруг необыкновенное волнение изобразилось в его лице.

— Алеша, — зашептал он опасливо, — где Иван?

— На дворе, у него голова болит. Он нас стережет.

— Подай зеркальце, вон там стоит, подай!

Алеша подал ему маленькое складное кругленькое зеркальце, стоявшее на комоде. Старик погляделся в него: распух довольно сильно нос, и на лбу над левою бровью был значительный багровый подтек.

— Что говорит Иван? Алеша, милый, единственный сын мой, я Ивана боюсь; я Ивана больше, чем того, боюсь. Я только тебя одного не боюсь...

— Не бойтесь и Ивана, Иван сердится, но он вас защитит.

— Алеша, а тот-то? К Грушеньке побежал! Милый ангел, скажи правду: была давеча Грушенька али нет?

— Никто ее не видал. Это обман, не была!

— Ведь Митька-то на ней жениться хочет, жениться!

— Она за него не пойдет.

— Не пойдет, не пойдет, не пойдет, не пойдет, ни за что не пойдет!.. — радостно так весь и встрепенулся старик, точно ничего ему не могли сказать в эту минуту отраднее. В восхищении он схватил руку Алеши и крепко прижал ее к своему сердцу. Даже слезы засветились в глазах его. — Образок-то, Божией-то Матери, вот про который я давеча рассказал, возьми уж себе, унеси с собой. И в монастырь воротиться позволяю... давеча пошутил, не сердись. Голова болит, Алеша... Леша, утоли ты мое сердце, будь ангелом, скажи правду!

— Вы всё про то: была ли она или не была? — горестно проговорил Алеша.

— Нет, нет, нет, я тебе верю, а вот что: сходи ты к Грушеньке сам аль повидай ее как; расспроси ты ее скорей, как можно скорей, угадай ты сам своим глазом: к кому она хочет, ко мне аль к нему? Ась? Что? Можешь аль не можешь?

— Коль ее увижу, то спрошу, — пробормотал было Алеша в смущении.

— Нет, она тебе не скажет, — перебил старик, — она егоза. Она тебя целовать начнет и скажет, что за тебя хочет. Она обманщица, она бесстыдница, нет, тебе нельзя к ней идти, нельзя!

— Да и нехорошо, батюшка, будет, нехорошо совсем.

— Куда он посылал-то тебя давеча, кричал: «Сходи», когда убежал?

— К Катерине Ивановне посылал.

— За деньгами? Денег просить?

— Нет, не за деньгами.

— У него денег нет, нет ни капли. Слушай, Алеша, я полежу ночь и обдумаю, а ты пока ступай. Может, и ее встретишь... Только зайди ты ко мне завтра наверно поутру; наверно. Я тебе завтра одно словечко такое скажу; зайдешь?

— Зайду.

— Коль придешь, сделай вид, что сам пришел, навестить пришел. Никому не говори, что я звал. Ивану ни слова не говори.

— Хорошо.

— Прощай, ангел, давеча ты за меня заступился, век не забуду. Я тебе одно словечко завтра скажу... только еще подумать надо...

— А как вы теперь себя чувствуете?

— Завтра же, завтра встану и пойду, совсем здоров, совсем здоров, совсем здоров!..

Проходя по двору, Алеша встретил брата Ивана на скамье у ворот: тот сидел и вписывал что-то в свою записную книжку карандашом. Алеша передал Ивану, что старик проснулся и в памяти, а его отпустил ночевать в монастырь.

— Алеша, я с большим удовольствием встретился бы с тобой завтра поутру, — привстав, приветливо проговорил Иван — приветливость даже совсем для Алеши неожиданная.

— Я завтра буду у Хохлаковых, — ответил Алеша. — Я у Катерины Ивановны, может, завтра тоже буду, если теперь не застану...

— А теперь все-таки к Катерине Ивановне! Это «раскланяться-то, раскланяться»? — улыбнулся вдруг Иван. Алеша смутился.

— Я, кажется, всё понял из давешних восклицаний и кой из чего прежнего. Дмитрий, наверно, просил тебя сходить к ней и передать, что он... ну... ну, одним словом, «откланивается»?

— Брат! Чем весь этот ужас кончится у отца и Дмитрия? — воскликнул Алеша.

— Нельзя наверно угадать. Ничем, может быть: расплывется дело. Эта женщина — зверь. Во всяком случае, старика надо в доме держать, а Дмитрия в дом не пускать.

— Брат, позволь еще спросить: неужели имеет право всякий человек решать, смотря на остальных людей, кто из них достоин жить и кто более недостоин?

— К чему же тут вмешивать решение по достоинству? Этот вопрос всего чаще решается в сердцах людей совсем не на основании достоинств, а по другим причинам, гораздо более натуральным. А насчет права, так кто же не имеет права желать?

— Не смерти же другого?

— А хотя бы даже и смерти? К чему же лгать пред собою, когда все люди так живут, а пожалуй, так и не могут иначе жить. Ты это насчет давешних моих слов о том, что «два гада поедят друг друга»? Позволь и тебя спросить в таком случае: считаешь ты и меня, как Дмитрия, способным пролить кровь Езопа, ну, убить его, а?

— Что ты, Иван! Никогда и в мыслях этого у меня не было! Да и Дмитрия я не считаю...

— Спасибо хоть за это, — усмехнулся Иван. — Знай, что я его всегда защищу. Но в желаниях моих я оставляю за собою в данном случае полный простор. До свидания завтра. Не осуждай и не смотри на меня как на злодея, — прибавил он с улыбкою.

Они крепко пожали друг другу руки, как никогда еще прежде. Алеша почувствовал, что брат сам первый шагнул к нему шаг и что сделал он это для чего-то, непременно с каким-то намерением.

X
ОБЕ ВМЕСТЕ

Вышел же Алеша из дома отца в состоянии духа разбитом и подавленном еще больше, чем давеча, когда входил к отцу. Ум его был тоже как бы раздроблен и разбросан, тогда как сам он вместе с тем чувствовал, что боится соединить разбросанное и снять общую идею со всех мучительных противоречий, пережитых им в этот день. Что-то граничило почти с отчаянием, чего никогда не бывало в сердце Алеши. Надо всем стоял, как гора, главный, роковой и неразрешимый вопрос: чем кончится у отца с братом Дмитрием пред этою страшною женщиной? Теперь уж он сам был свидетелем. Он сам тут присутствовал и видел их друг пред другом. Впрочем, несчастным, вполне и страшно несчастным, мог оказаться лишь брат Дмитрий: его сторожила несомненная беда. Оказались тоже и другие люди, до которых всё это касалось и, может быть, гораздо более, чем могло казаться Алеше прежде. Выходило что-то даже загадочное. Брат Иван сделал к нему шаг, чего так давно желал Алеша, и вот сам он отчего-то чувствует теперь, что его испугал этот шаг сближения. А те женщины? Странное дело: давеча он направлялся к Катерине Ивановне в чрезвычайном смущении, теперь же не чувствовал никакого; напротив, спешил к ней сам, словно ожидая найти у ней указания. А однако, передать ей поручение было видимо теперь тяжелее, чем давеча: дело о трех тысячах было решено окончательно, и брат Дмитрий, почувствовав теперь себя бесчестным и уже безо всякой надежды, конечно, не остановится более и ни пред каким падением. К тому же еще велел передать Катерине Ивановне и только что происшедшую у отца сцену.

Было уже семь часов и смеркалось, когда Алеша пошел к Катерине Ивановне, занимавшей один очень просторный и удобный дом на Большой улице. Алеша знал, что она живет с двумя тетками. Одна из них приходилась, впрочем, теткой лишь сестре Агафье Ивановне; это была та бессловесная особа в доме ее отца, которая ухаживала за нею там вместе с сестрой, когда она приехала к ним туда из института. Другая же тетка была тонная и важная московская барыня, хотя и из бедных. Слышно было, что обе они подчинялись во всем Катерине Ивановне и состояли при ней единственно для этикета. Катерина же Ивановна подчинялась лишь своей благодетельнице, генеральше, оставшейся за болезнию в Москве и к которой она обязана была посылать по два письма с подробными известиями о себе каждую неделю.

Когда Алеша вошел в переднюю и попросил о себе доложить отворившей сму горничной, в зале, очевидно, уже знали о его прибытии (может быть, заметили его из окна), но только Алеша вдруг услышал какой-то шум, послышались чьи-то бегущие женские шаги, шумящие платья: может быть, выбежали две или три женщины. Алеше показалось странным, что он мог произвести своим прибытием такое волнение. Его, однако, тотчас же ввели в залу. Это была большая комната, уставленная элегантною и обильною мебелью, совсем не по-провинциальному. Было много диванов и кушеток, диванчиков, больших и маленьких столиков; были картины на стенах, вазы и лампы на столах, было много цветов, был даже аквариум у окна. От сумерек в комнате было несколько темновато. Алеша разглядел на диване, на котором, очевидно, сейчас сидели, брошенную шелковую мантилью, а на столе пред диваном двс недопитые чашки шоколату, бисквиты, хрустальную тарелку с синим изюмом и другую с конфетами. Кого-то угощали. Алеша догадался, что попал на гостей, и поморщился. Но в тот же миг поднялась портьера и быстрыми, спешными шагами вошла Катерина Ивановна, с радостною восхищенною улыбкой протягивая обе руки Алеше. В ту же минуту служанка внесла и поставила на стол две зажженные свечи.

— Слава богу, наконец-то и вы! Я одного только вас и молила у Бога весь день! Садитесь.

Красота Катерины Ивановны еще и прежде поразила Алешу, когда брат Дмитрий, недели три тому назад, привозил его к ней в первый раз представить и познакомить, по собственному чрезвычайному желанию Катерины Ивановны. Разговор между ними в то свидание, впрочем, не завязался. Полагая, что Алеша очень сконфузился, Катерина Ивановна как бы щадила его и всё время проговорила в тот раз с Дмитрием Федоровичем. Алеша молчал, но многое очень хорошо разглядел. Его поразила властность, гордая развязность, самоуверенность надменной девушки. И всё это было несомненно. Алеша чувствовал, что он не преувеличивает. Он нашел, что большие черные горящие глаза ее прекрасны и особенно идут к ее бледному, даже несколько бледно-желтому продолговатому лицу. Но в этих глазах, равно как и в очертании прелестных губ, было нечто такое, во что, конечно, можно было брату его влюбиться ужасно, но что, может быть, нельзя было долго любить. Он почти прямо высказал свою мысль Дмитрию, когда тот после визита пристал к нему, умоляя его не утаить, какое он вынес впечатление, повидав его невесту.

— Ты будешь с нею счастлив, но, может быть... неспокойно счастлив.

— То-то, брат, такие такими и остаются, они не смиряются пред судьбой. Так ты думаешь, что я не буду ее вечно любить?

— Нет, может быть, ты будешь ее вечно любить, но, может быть, не будешь с нею всегда счастлив...

Алеша произнес тогда свое мнение, краснея и досадуя на себя, что, поддавшись просьбам брата, высказал такие «глупые» мысли. Потому что ему самому его мнение показалось ужасно как глупым тотчас же, как он его высказал. Да и стыдно стало ему высказывать так властно мнение о женщине. Тем с бо́льшим изумлением почувствовал он теперь при первом взгляде на выбежавшую к нему Катерину Ивановну, что, может быть, тогда он очень ошибся. В этот раз лицо ее сияло неподдельною простодушною добротой, прямою и пылкою искренностью. Изо всей прежней «гордости и надменности», столь поразивших тогда Алешу, замечалась теперь лишь одна смелая, благородная энергия и какая-то ясная, могучая вера в себя. Алеша понял с первого взгляда на нее, с первых слов, что весь трагизм ее положения относительно столь любимого ею человека для нее вовсе не тайна, что она, может быть, уже знает всё, решительно всё. И однако же, несмотря на то, было столько света в лице ее, столько веры в будущее. Алеша почувствовал себя пред нею вдруг серьезно и умышленно виноватым. Он был побежден и привлечен сразу. Кроме всего этого, он заметил с первых же слов ее, что она в каком-то сильном возбуждении, может быть очень в ней необычайном, — возбуждении, похожем почти даже на какой-то восторг.

— Я потому так ждала вас, что от вас от одного могу теперь узнать всю правду — ни от кого больше!

— Я пришел... — пробормотал Алеша, путаясь, — я... он послал меня...

— А, он послал вас, ну так я и предчувствовала. Теперь всё знаю, всё! — воскликнула Катерина Ивановна с засверкавшими вдруг глазами. — Постойте, Алексей Федорович, я вам заранее скажу, зачем я вас так ожидала. Видите, я, может быть, гораздо более знаю, чем даже вы сами; мне не известий от вас нужно. Мне вот что от вас нужно: мне надо знать ваше собственное, личное последнее впечатление о нем, мне нужно, чтобы вы мне рассказали в самом прямом, неприкрашенном, в грубом даже (о, во сколько хотите грубом!) виде — как вы сами смотрите на него сейчас и на его положение после вашей с ним встречи сегодня? Это будет, может быть, лучше, чем если б я сама, к которой он не хочет больше ходить, объяснилась с ним лично. Поняли вы, чего я от вас хочу? Теперь с чем же он вас послал ко мне (я так и знала, что он вас пошлет!) — говорите просто, самое последнее слово говорите!..

— Он приказал вам... кланяться, и что больше не придет никогда... а вам кланяться.

170

— Кланяться? Он так и сказал, так и выразился?

— Да.

— Мельком, может быть, нечаянно, ошибся в слово, не то слово поставил, какое надо?

— Нет, он велел именно, чтоб я передал это слово: «кланяться». Просил раза три, чтоб я не забыл передать.

Катерина Ивановна вспыхнула.

— Помогите мне теперь, Алексей Федорович, теперь-то мне и нужна ваша помощь: я вам скажу мою мысль, а вы мне только скажите на нее, верно или нет я думаю. Слушайте, если б он велел мне кланяться мельком, не настаивая на передаче слова, не подчеркивая слова, то это было бы всё... Тут был бы конец! Но если он особенно настаивал на этом слове, если особенно поручал вам не забыть передать мне этот *поклон,* — то, стало быть, он был в возбуждении, вне себя, может быть? Решился и решения своего испугался! Не ушел от меня твердым шагом, а полетел с горы. Подчеркивание этого слова может означать одну браваду...

— Так, так! — горячо подтвердил Алеша, — мне самому так теперь кажется.

— А коли так, то он еще не погиб! Он только в отчаянии, но я еще могу спасти его. Стойте: не передавал ли он вам что-нибудь о деньгах, о трех тысячах?

— Не только говорил, но это, может быть, всего сильнее убивало его. Он говорил, что лишен теперь чести и что теперь уже всё равно, — с жаром ответил Алеша, чувствуя всем сердцем своим, как надежда вливается в его сердце и что в самом деле, может быть, есть выход и спасение для его брата. — Но разве вы... про эти деньги знаете? — прибавил он и вдруг осекся.

— Давно знаю, и знаю наверно. Я в Москве телеграммой спрашивала и давно знаю, что деньги не получены. Он деньги не послал, но я молчала. В последнюю неделю я узнала, как ему были и еще нужны деньги... Я поставила во всем этом одну только цель: чтоб он знал, к кому воротиться и кто его самый верный друг. Нет, он не хочет верить, что я ему самый верный друг, не захотел узнать меня, он смотрит на меня только как на женщину. Меня всю неделю мучила страшная забота: как бы сделать, чтоб он не постыдился предо мной этой растраты трех тысяч? То есть пусть стыдится и всех и себя самого, но пусть меня не стыдится. Ведь Богу он говорит же всё, не стыдясь. Зачем же не знает до сих пор, сколько я могу для него вынести? Зачем, зачем не знает меня, как он смеет не знать меня после всего, что было? Я хочу его спасти навеки. Пусть он забудет меня как свою невесту! И вот он боится предо мной за честь свою! Ведь вам же, Алексей Федорович, он не побоялся открыться? Отчего я до сих пор не заслужила того же?

Последние слова она произнесла в слезах; слезы брызнули из ее глаз.

— Я должен вам сообщить, — произнес тоже дрожащим голосом Алеша, — о том, что сейчас было у него с отцом. — И он рассказал всю сцену, рассказал, что был послан за деньгами, что тот ворвался, избил отца и после того особенно и настоятельно еще раз подтвердил ему, Алеше, идти «кланяться»... — Он пошел к этой женщине... — тихо прибавил Алеша.

— А вы думаете, что я эту женщину не перенесу? Он думает, что я не перенесу? Но он на ней не женится, — нервно рассмеялась она вдруг, — разве Карамазов может гореть такою страстью вечно? Это страсть, а не любовь. Он не женится, потому что она и не выйдет за него... — опять странно усмехнулась вдруг Катерина Ивановна.

— Он, может быть, женится, — грустно проговорил Алеша, потупив глаза.

— Он не женится, говорю вам! Эта девушка — это ангел, знаете вы это? Знаете вы это! — воскликнула вдруг с необыкновенным жаром Катерина Ивановна. — Это самое фантастическое из фантастических созданий! Я знаю, как она обольстительна, но я знаю, как она и добра, тверда, благородна. Чего вы смотрите так на меня, Алексей Федорович? Может быть, удивляетесь моим словам, может быть, не верите мне? Аграфена Александровна, ангел мой! — крикнула она вдруг кому-то, смотря в другую комнату, — подите к нам, это милый человек, это Алеша, он про наши дела всё знает, покажитесь ему!

— А я только и ждала за занавеской, что вы позовете, — произнес нежный, несколько слащавый даже, женский голос.

Поднялась портьера, и... сама Грушенька, смеясь и радуясь, подошла к столу. В Алеше как будто что передернулось. Он приковался к ней взглядом, глаз отвести не мог. Вот она, эта ужасная женщина — «зверь», как полчаса назад вырвалось про нее у брата Ивана. И однако же, пред ним стояло, казалось бы, самое обыкновенное и простое существо на взгляд, — добрая, милая женщина, положим красивая, но так похожая на всех других красивых, но «обыкновенных» женщин! Правда, хороша она была очень, очень даже, — русская красота, так многими до страсти любимая. Это была довольно высокого роста женщина, несколько пониже, однако, Катерины Ивановны (та была уже совсем высокого роста), полная, с мягкими, как бы неслышными даже движениями тела, как бы тоже изнеженными до какой-то особенной слащавой выделки, как и голос ее. Она подошла не как Катерина Ивановна — мощною бодрою походкой; напротив, неслышно. Ноги́ ее на полу совсем не было слышно. Мягко опустилась она в кресло, мягко прошумев своим пышным черным шелковым платьем и изнеженно кутая свою белую как кипень полную шею и широкие плечи в дорогую черную шерстяную шаль. Ей было двадцать два года, и лицо ее выражало точь-в-точь этот возраст. Она была очень бела лицом, с высоким бледно-розовым оттенком румянца. Очертание лица ее было как бы слишком широко, а нижняя челюсть выходила даже капельку вперед. Верхняя губа была тонка, а нижняя, несколько выдавшаяся, была вдвое полнее и как бы припухла. Но чудеснейшие, обильнейшие темно-русые волосы, темные соболиные брови и прелестные серо-голубые глаза с длинными ресницами заставили бы непременно самого равнодушного и рассеянного человека, даже где-нибудь в толпе, на гулянье, в давке, вдруг остановиться пред этим лицом и надолго запомнить его. Алешу поразило всего более в этом лице его детское, простодушное выражение. Она глядела как дитя, радовалась чему-то как дитя, она именно подошла к столу, «радуясь» и как бы сейчас чего-то ожидая с самым детским нетерпеливым и доверчивым любопытством. Взгляд ее веселил душу — Алеша это почувствовал. Было и еще что-то в ней, о чем он не мог или не сумел бы дать отчет, но что, может быть, и ему сказалось бессознательно, именно опять-таки эта мягкость, нежность движений тела, эта кошачья неслышность этих движений. И однако ж, это было мощное и обильное тело. Под шалью сказывались широкие полные плечи, высокая, еще совсем юношеская грудь.

Это тело, может быть, обещало формы Венеры Милосской, хотя непременно и теперь уже в несколько утрированной пропорции, — это предчувствовалось. Знатоки русской женской красоты могли бы безошибочно предсказать, глядя на Грушеньку, что эта свежая, еще юношеская красота к тридцати годам потеряет гармонию, расплывется, самое лицо обрюзгнет, около глаз и на лбу чрезвычайно быстро появятся морщиночки, цвет лица огрубеет, побагровеет может быть, — одним словом, красота на мгновение, красота летучая, которая так часто встречается именно у русской женщины. Алеша, разумеется, не думал об этом, но, хоть и очарованный, он, с неприятным каким-то ощущением и как бы жалея, спрашивал себя: зачем это она так тянет слова и не может говорить натурально? Она делала это, очевидно находя в этом растягивании и в усиленно слащавом оттенении слогов и звуков красоту. Это была, конечно, лишь дурная привычка дурного тона, свидетельствовавшая о низком воспитании, о пошло усвоенном с детства понимании приличного. И однако же, этот выговор и интонация слов представлялись Алеше почти невозможным каким-то противоречием этому детски простодушному и радостному выражению лица, этому тихому, счастливому, как у младенца, сиянию глаз! Катерина Ивановна мигом усадила ее в кресло против Алеши и с восторгом поцеловала ее несколько раз в ее смеющиеся губки. Она точно была влюблена в нее.

— Мы в первый раз видимся, Алексей Федорович, — проговорила она в упоении, — я захотела узнать ее, увидать ее, я хотела идти к ней, но она по первому желанию моему пришла сама. Я так и знала, что мы с ней всё решим, всё! Так сердце предчувствовало... Меня упрашивали оставить этот шаг, но я предчувствовала исход и не ошиблась. Грушенька всё разъяснила мне, все свои намерения; она, как ангел добрый, слетела сюда и принесла покой и радость...

— Не погнушались мной, милая, достойная барышня, — нараспев протянула Грушенька всё с тою же милою, радостной улыбкой.

— И не смейте говорить мне такие слова, обаятельница, волшебница! Вами-то гнушаться? Вот я нижнюю губку вашу еще раз поцелую. Она у вас точно припухла, так вот чтоб она еще больше припухла, и еще, еще... Посмотрите, как она смеется, Алексей Федорович, сердце веселится, глядя на этого ангела... — Алеша краснел и дрожал незаметною малою дрожью.

— Нежите вы меня, милая барышня, а я, может, и вовсе не стою ласки вашей.

— Не стоит! Она-то этого не стоит! — воскликнула опять с тем же жаром Катерина Ивановна, — знайте, Алексей Федорович, что мы фантастическая головка, что мы своевольное, но гордое-прегордое сердечко! Мы благородны, Алексей Федорович, мы великодушны, знаете ли вы это? Мы были лишь несчастны. Мы слишком скоро готовы были принести всякую жертву недостойному, может быть, или легкомысленному человеку. Был один, один тоже офицер, мы его полюбили, мы ему всё принесли, давно это было, пять лет назад, а он нас забыл, он женился. Теперь он овдовел, писал, он едет сюда, — и знайте, что мы одного его, одного его только любим до сих пор и любили всю жизнь! Он приедет, и Грушенька опять будет счастлива, а все пять лет эти она была несчастна. Но кто же попрекнет ее, кто может похвалиться ее благосклонностью! Один этот старик безногий, купец, — но он был скорей нашим отцом, другом нашим, сберегателем. Он застал нас тогда в отчаянии, в муках, оставленную тем, кого мы так любили... да ведь она утопиться тогда хотела, ведь старик этот спас ее, спас ее!

— Очень уж вы защищаете меня, милая барышня, очень уж вы во всем поспешаете, — протянула опять Грушенька.

— Защищаю? Да нам ли защищать, да еще смеем ли мы тут защищать? Грушенька, ангел, дайте мне вашу ручку, посмотрите на эту пухленькую, маленькую, прелестную ручку, Алексей Федорович; видите ли вы ее, она мне счастье принесла и воскресила меня, и я вот целовать ее сейчас буду, и сверху и в ладошку, вот, вот и вот! — И она три раза как бы в упоении поцеловала действительно прелестную, слишком, может быть, пухлую ручку Грушеньки. Та же, протянув эту ручку, с нервным, звонким прелестным смешком следила за «милою барышней», и ей видимо было приятно, что ее ручку так целуют. «Может быть, слишком уж много восторга», — мелькнуло в голове Алеши. Он покраснел. Сердце его было всё время как-то особенно неспокойно.

— Не устыдите ведь вы меня, милая барышня, что ручку мою при Алексее Федоровиче так целовали.

— Да разве я вас тем устыдить хотела? — промолвила несколько удивленно Катерина Ивановна, — ах, милая, как вы меня дурно понимаете!

— Да вы то меня, может, тоже не так совсем понимаете, милая барышня, я, может, гораздо дурнее того, чем у вас на виду. Я сердцем дурная, я своевольная. Я Дмитрия Федоровича, бедного, из-за насмешки одной тогда заполонила.

— Но ведь теперь вы же его и спасете. Вы дали слово. Вы вразумите его, вы откроете ему, что любите другого, давно, и который теперь вам руку свою предлагает...

— Ах нет, я вам не давала такого слова. Вы это сами мне всё говорили, а я не давала.

— Я вас не так, стало быть, поняла, — тихо и как бы капельку побледнев, проговорила Катерина Ивановна. — Вы обещали...

— Ах нет, ангел-барышня, ничего я вам не обещала, — тихо и ровно всё с тем же веселым и невинным выражением перебила Грушенька. — Вот и видно сейчас, достойная барышня, какая я пред вами скверная и самовластная. Мне что захочется, так я так и поступлю. Давеча я, может, вам и пообещала что, а вот сейчас опять думаю: вдруг он опять мне понравится, Митя-то, — раз уж мне ведь он очень понравился, целый час почти даже нравился. Вот я, может быть, пойду да и скажу ему сейчас, чтоб он у меня с сего же дня остался... Вот я какая непостоянная...

— Давеча вы говорили... совсем не то... — едва проговорила Катерина Ивановна.

— Ах, давеча! А ведь я сердцем нежная, глупая. Ведь подумать только, что он из-за меня перенес! А вдруг домой приду да и пожалею его — тогда что?

— Я не ожидала...

— Эх, барышня, какая вы предо мной добрая, благородная выходите. Вот вы теперь, пожалуй, меня, этакую дуру, и разлюбите за мой характер. Дайте мне вашу милую ручку, ангел-барышня, — нежно попросила она и как бы с благоговением взяла ручку Катерины Ивановны. — Вот я, милая барышня, вашу ручку возьму и так же, как вы мне, поцелую. Вы мне три раза поцеловали, а мне бы вам надо триста раз за это поцеловать, чтобы сквитаться. Да так уж и быть, а затем пусть как Бог пошлет; может, я вам полная раба буду и во всем пожелаю вам рабски угодить. Как Бог положит, пусть так оно и будет безо всяких между собой сговоров и обещаний. Ручка-то, ручка-то у вас милая, ручка-то! Барышня вы милая, раскрасавица вы моя невозможная!

Она тихо понесла эту ручку к губам своим, правда, с странною целью: «сквитаться» поцелуями. Катерина Ивановна не отняла руки: она с робкою надеждой выслушала последнее, хотя тоже очень странно выраженное обещание Грушеньки «рабски» угодить ей; она напряженно смотрела ей в глаза: она видела в этих глазах всё то же простодушное, доверчивое выражение, всё ту же ясную веселость... «Она, может быть, слишком наивна!» — промелькнуло надеждой в сердце Катерины Ивановны. Грушенька меж тем как бы в восхищении от «милой ручки» медленно поднимала ее к губам своим. Но у самых губ она вдруг ручку задержала на два, на три мгновения, как бы раздумывая о чем-то.

— А знаете что, ангел-барышня, — вдруг протянула она самым уже нежным и слащавейшим голоском, — знаете что, возьму я да вашу ручку и не поцелую. — И она засмеялась маленьким развеселым смешком.

— Как хотите... Что с вами? — вздрогнула вдруг Катерина Ивановна.

— А так и оставайтесь с тем на память, что вы-то у меня ручку целовали, а я у вас нет. — Что-то сверкнуло вдруг в ее глазах. Она ужасно пристально глядела на Катерину Ивановну.

— Наглая! — проговорила вдруг Катерина Ивановна, как бы вдруг что-то поняв, вся вспыхнула и вскочила с места. Не спеша поднялась и Грушенька.

— Так я и Мите сейчас перескажу, как вы мне целовали ручку, а я-то у вас совсем нет. А уж как он будет смеяться!

— Мерзавка, вон!

— Ах как стыдно, барышня, ах как стыдно, это вам даже и непристойно совсем, такие слова, милая барышня.

— Вон, продажная тварь! — завопила Катерина Ивановна. Всякая черточка дрожала в ее совсем исказившемся лице.

— Ну уж и продажная. Сами вы девицей к кавалерам за деньгами в сумерки хаживали, свою красоту продавать приносили, ведь я же знаю.

Катерина Ивановна вскрикнула и бросилась было на нее, но ее удержал всею силой Алеша:

— Ни шагу, ни слова! Не говорите, не отвечайте ничего, она уйдет, сейчас уйдет!

В это мгновение в комнату вбежали на крик обе родственницы Катерины Ивановны, вбежала и горничная. Все бросились к ней.

— И уйду, — проговорила Грушенька, подхватив с дивана мантилью. — Алеша, милый, проводи-ка меня!

— Уйдите, уйдите поскорей! — сложил пред нею, умоляя, руки Алеша.

— Милый Алешенька, проводи! Я тебе дорóгой хорошенькое-хорошенькое одно словцо скажу! Я это для тебя, Алешенька, сцену проделала. Проводи, голубчик, после понравится.

Алеша отвернулся, ломая руки. Грушенька, звонко смеясь, выбежала из дома.

С Катериной Ивановной сделался припадок. Она рыдала, спазмы душили ее. Все около нее суетились.

— Я вас предупреждала, — говорила ей старшая тетка, — я вас удерживала от этого шага... вы слишком пылки... разве можно было решиться на такой шаг! Вы этих тварей не знаете, а про эту говорят, что она хуже всех... Нет, вы слишком своевольны!

— Это тигр! — завопила Катерина Ивановна. — Зачем вы удержали меня, Алексей Федорович, я бы избила ее, избила!

Она не в силах была сдерживать себя пред Алешей, может быть, и не хотела сдерживаться.

— Ее нужно плетью, на эшафоте, чрез палача, при народе!..

Алеша попятился к дверям.

— Но боже! — вскрикнула вдруг Катерина Ивановна, всплеснув руками, — он-то! Он мог быть так бесчестен, так бесчеловечен! Ведь он рассказал этой твари о том, что было там, в тогдашний роковой, вечно проклятый, проклятый день! «Приходили красу продавать, милая барышня!» Она знает! Ваш брат подлец, Алексей Федорович!

Алеше хотелось что-то сказать, но он не находил ни одного слова. Сердце его сжималось от боли.

— Уходите, Алексей Федорович! Мне стыдно, мне ужасно! Завтра... умоляю вас на коленях, придите завтра. Не осудите, простите, я не знаю, что с собой еще сделаю!

Алеша вышел на улицу как бы шатаясь. Ему тоже хотелось плакать, как и ей. Вдруг его догнала служанка.

— Барышня забыла вам передать это письмецо от госпожи Хохлаковой, оно у них с обеда лежит.

Алеша машинально принял маленький розовый конвертик и сунул его, почти не сознавая, в карман.

XI
ЕЩЕ ОДНА ПОГИБШАЯ РЕПУТАЦИЯ

От города до монастыря было не более версты с небольшим. Алеша спешно пошел по пустынной в этот час дороге. Почти уже стала ночь, в тридцати шагах трудно уже было различать предметы. На половине дороги приходился псрекресток. На перекрестке, под уединенною ракитой, завиделась какая-то фигура. Только что Алеша вступил на перекресток, как фигура сорвалась с места, бросилась на него и неистовым голосом прокричала:

— Кошелек или жизнь!

— Так это ты, Митя! — удивился сильно вздрогнувший, однако, Алеша.

— Ха-ха-ха! Ты не ожидал? Я думаю: где тебя подождать? У ее дома? Оттуда три дороги, и я могу тебя прозевать. Надумал наконец дождаться здесь, потому что здесь-то он пройдет непременно, другого пути в монастырь не имеется. Ну, объявляй правду, дави меня, как таракана... Да что с тобой?

— Ничего, брат... я так с испугу. Ах, Дмитрий! Давеча эта кровь отца... — Алеша заплакал, ему давно хотелось заплакать, а теперь у него вдруг как бы что-то порвалось в душе. — Ты чуть не убил его... проклял его... и вот теперь... сейчас... ты шутишь шутки... «кошелек или жизнь»!

— А, да что ж? Неприлично, что ли? Не идет к положению?

— Да нет... я так...

— Стой. Посмотри на ночь: видишь, какая мрачная ночь, облака-то, ветер какой поднялся! Спрятался я здесь, под ракитой, тебя жду, и вдруг подумал (вот тебе бог!): да чего же больше маяться, чего ждать? Вот ракита, платок есть, рубашка есть, веревку сейчас можно свить, помочи в придачу и — не бременить уж более землю, не бесчестить низким своим присутствием! И вот слышу, ты идешь, — господи, точно слетело что на меня вдруг: да ведь есть же, стало быть, человек, которого и я люблю, ведь вот он, вот тот человечек, братишка мой милый, кого я всех больше на свете люблю и кого я единственно люблю! И так я тебя полюбил, так в эту минуту любил, что подумал: брошусь сейчас к нему на шею! Да глупая мысль пришла: «Повеселю его, испугаю». Я и закричал как дурак: «Кошелек!» Прости дурачеству — это только вздор, а на душе у меня... тоже прилично... Ну да черт, говори, однако, что там? Что она сказала? Дави меня, рази меня, не щади! В исступление пришла?

— Нет, не то... Там было совсем не то, Митя. Там... Я там сейчас их обеих застал.

— Каких обеих?

— Грушеньку у Катерины Ивановны.

Дмитрий Федорович остолбенел.

— Невозможно! — вскричал он, — ты бредишь! Грушенька у ней?

Алеша рассказал всё, что случилось с ним с самой той минуты, как вошел к Катерине Ивановне. Он рассказывал минут десять, нельзя сказать, чтобы плавно и складно, но, кажется, передал ясно, схватывая самые главные слова, самые главные движения и ярко передавая, часто одною чертой, собственные чувства. Брат Дмитрий слушал молча, глядел в упор со страшною неподвижностью, но Алеше ясно было, что он уже всё понял, осмыслил весь факт. Но лицо его, чем дальше подвигался рассказ, становилось не то что мрачным, а как бы грозным. Он нахмурил брови, стиснул зубы, неподвижный взгляд его стал как бы еще неподвижнее, упорнее, ужаснее... Тем неожиданнее было, когда вдруг с непостижимою быстротой изменилось разом всё лицо его, доселе гневное и свирепое, сжатые губы раздвинулись и Дмитрий Федорович залился вдруг самым неудержимым, самым неподдельным смехом. Он буквально залился смехом, он долгое время даже не мог говорить от смеха.

— Так и не поцеловала ручку! Так и не поцеловала, так и убежала! — выкрикивал он в болезненном каком-то восторге — в наглом восторге можно бы тоже сказать, если бы восторг этот не был столь безыскусствен. — Так та кричала, что это тигр! Тигр и есть! Так ее на эшафот надо? Да, да, надо бы, надо, я сам того мнения, что надо, давно надо! Видишь ли, брат, пусть эшафот, но надо еще сперва выздороветь. Понимаю царицу наглости, вся она тут, вся она в этой ручке высказалась, инфернальница![1] Это царица всех инфернальниц, каких можно только вообразить на свете! В своем роде восторг! Так она домой побежала? Сейчас я... ах... Побегу-ка я к ней! Алешка, не вини меня, я ведь согласен, что ее придушить мало...

— А Катерина Ивановна! — печально воскликнул Алеша.

— И ту вижу, всю насквозь и ту вижу, и так вижу, как никогда! Тут целое открытие всех четырех стран света, пяти то есть! Этакий шаг! Это именно та самая Катенька, институточка, которая к нелепому грубому офицеру не побоялась из великодушной идеи спасти отца прибежать, рискуя страшно быть оскорбленною! Но гордость наша, но потребность риска, но вызов судьбе, вызов в беспредельность! Ты говоришь, ее эта тетка останавливала? Эта тетка, знаешь, сама самовластная, это ведь родная сестра московской той генеральши, она поднимала еще больше той нос, да муж был уличен в казнокрадстве, лишился всего, и имения, и всего, и гордая супруга вдруг понизила тон, да с тех пор и не поднялась. Так она удерживала Катю, а та не послушалась. «Всё, дескать, могу победить, всё мне подвластно; захочу, и Грушеньку околдую», — и сама ведь себе верила, сама над собой форсила, кто ж виноват? Ты думаешь, она нарочно эту ручку первая поцеловала у Грушеньки, с расчетом хитрым? Нет, она взаправду, она взаправду влюбилась в Грушеньку, то есть не в Грушеньку, а в свою же мечту, в свой бред, — потому-де что это *моя* мечта, *мой* бред! Голубчик Алеша, да как ты от них, от этаких, спасся? Убежал, что ли, подобрав подрясник? Ха-ха-ха!

— Брат, а ты, кажется, и не обратил внимания, как ты обидел Катерину Ивановну тем, что рассказал Грушеньке о том дне, а та сейчас ей бросила в глаза, что вы сами «к кавалерам красу тайком продавать ходили!». Брат, что же больше этой обиды? — Алешу всего более мучила мысль,

---

[1] Страстная, демоническая женщина (от *лат.* infernalis).

что брат точно рад унижению Катерины Ивановны, хотя, конечно, того быть не могло.

— Ба! — страшно вдруг нахмурился Дмитрий Федорович и ударил себя ладонью по лбу. Он только что теперь обратил внимание, хотя Алеша рассказал всё давеча зараз, и обиду и крик Катерины Ивановны: «Ваш брат подлец!» — Да, в самом деле, может быть, я и рассказал Грушеньке о том «роковом дне», как говорит Катя. Да, это так, рассказал, припоминаю! Это было тогда же, в Мокром, я был пьян, цыганки пели... Но ведь я рыдал, рыдал тогда сам, я стоял на коленках, я молился на образ Кати, и Грушенька это понимала. Она тогда всё поняла, я припоминаю, она сама плакала... А, черт! Да могло ли иначе быть теперь? Тогда плакала, а теперь... Теперь «кинжал в сердце»! Так у баб.

Он потупился и задумался.

— Да, я подлец! Несомненный подлец, — произнес он вдруг мрачным голосом. — Всё равно, плакал или нет, всё равно подлец! Передай там, что принимаю наименование, если это может утешить. Ну и довольно, прощай, что болтать-то! Веселого нет. Ты своею дорогой, а я своею. Да и видеться больше не хочу, до какой-нибудь самой последней минуты. Прощай, Алексей! — Он крепко сжал руку Алеши и, всё еще потупившись и не поднимая головы, точно сорвавшись, быстро зашагал к городу. Алеша смотрел ему вслед, не веря, чтоб он так совсем вдруг ушел.

— Стой, Алексей, еще одно признание, тебе одному! — вдруг воротился Дмитрий Федорович назад. — Смотри на меня, пристально смотри: видишь, вот тут, вот тут — готовится страшное бесчестие. (Говоря «вот тут», Дмитрий Федорович ударял себя кулаком по груди и с таким странным видом, как будто бесчестие лежало и сохранялось именно тут на груди его, в каком-то месте, в кармане может быть, или на шее висело зашитое.) Ты уже знаешь меня: подлец, подлец признанный! Но знай, что бы я ни сделал прежде, теперь или впереди, — ничто, ничто не может сравниться в подлости с тем бесчестием, которое именно теперь, именно в эту минуту ношу вот здесь на груди моей, вот тут, тут, которое действует и совершается и которое я полный хозяин остановить, могу остановить или совершить, заметь это себе! Ну так знай же, что я его совершу, а не остановлю. Я давеча тебе всё рассказал, а этого не рассказал, потому что даже и у меня на то медного лба не хватило! Я могу еще остановиться: остановясь, я могу завтра же целую половину потерянной чести воротить, но я не остановлюсь, я совершу подлый замысел, и будь ты вперед свидетелем, что я заранее и зазнамо говорю это! Гибель и мрак! Объяснять нечего, в свое время узнаешь. Смрадный переулок и инфернальница! Прощай. Не молись обо мне, не стою, да и не нужно совсем, совсем не нужно... не нуждаюсь вовсе! Прочь!..

И он вдруг удалился, на этот раз уже совсем. Алеша пошел к монастырю. «Как же, как же я никогда его не увижу, что он говорит? — дико представлялось ему, — да завтра же непременно увижу и разыщу его, нарочно разыщу, что он такое говорит!..»

Монастырь он обошел кругом и через сосновую рощу прошел прямо в скит. Там ему отворили, хотя в этот час уже никого не впускали. Сердце у него дрожало, когда он вошел в келью старца: «Зачем, зачем он выходил, зачем тот послал его „в мир“? Здесь тишина, здесь святыня, а там — смущенье, там мрак, в котором сразу потеряешься и заблудишься...»

В келье находились послушник Порфирий и иеромонах отец Паисий, весь день каждый час заходивший узнать о здоровии отца Зосимы, которому, как со страхом узнал Алеша, становилось всё хуже и хуже. Даже обычной вечерней беседы с братией на сей раз не могло состояться. Обыкновенно повечеру, после службы, ежедневно, на сон грядущий, стекалась монастырская братия в келью старца, и всякий вслух исповедовал ему сегодняшние прегрешения свои, грешные мечты, мысли, соблазны, даже ссоры между собой, если таковые случались. Иные исповедовались на коленях. Старец разрешал, мирил, наставлял, налагал покаяние, благословлял и отпускал. Вот против этих-то братских «исповедей» и восставали противники старчества, говоря, что это профанация исповеди как таинства, почти кощунство, хотя тут было совсем иное. Выставляли даже епархиальному начальству, что такие исповеди не только не достигают доброй цели, но действительно и нарочито вводят в грех и соблазн. Многие-де из братии тяготятся ходить к старцу, а приходят поневоле, потому что все идут, так чтобы не приняли их за гордых и бунтующих помыслом. Рассказывали, что некоторые из братии, отправляясь на вечернюю исповедь, условливались между собою заранее: «я, дескать, скажу, что я на тебя утром озлился, а ты подтверди», — это чтобы было что сказать, чтобы только отделаться. Алеша знал, что это действительно иногда так и происходило. Он знал тоже, что есть из братии весьма негодующие и на то, что, по обычаю, даже письма от родных, получаемые скитниками, приносились сначала к старцу, чтоб он распечатывал их прежде получателей. Предполагалось, разумеется, что всё это должно совершаться свободно и искренно, от всей души, во имя вольного смирения и спасительного назидания, но на деле, как оказывалось, происходило иногда и весьма неискренно, а, напротив, выделанно и фальшиво. Но старшие и опытнейшие из братии стояли на своем, рассуждая, что «кто искренно вошел в эти стены, чтобы спастись, для тех все эти послушания и подвиги окажутся несомненно спасительными и принесут им великую пользу; кто же, напротив, тяготится и ропщет, тот всё равно как бы и не инок и напрасно только пришел в монастырь, такому место в миру. От греха же и от диавола не только в миру, но и во храме не убережешься, а стало быть, и нечего греху потакать».

— Ослабел, сонливость напала, — шепотом сообщил Алеше отец Паисий, благословив его. — Разбудить даже трудно. Но и не надо будить. Минут на пять просыпался, просил снести братии его благословение, а у братии просил о нем ночных молитв. Заутра намерен еще раз причаститься. О тебе вспоминал, Алексей, спрашивал, ушел ли ты, отвечали, что в городе. «На то я и благословил его; там его место, а пока не здесь», — вот что изрек о тебе. Любовно о тебе вспоминал, с заботой, смыслишь ли ты, чего удостоился? Только как же это определил он тебе пока быть срок в миру? Значит, предвидит нечто в судьбе твоей! Пойми, Алексей, что если и возвратишься в мир, то как бы на возложенное на тя послушание старцем твоим, а не на суетное легкомыслие и не на мирское веселие...

Отец Паисий вышел. Что старец отходил, в том не было сомнения для Алеши, хотя мог прожить еще и день и два. Алеша твердо и горячо решил, что, несмотря на обещание, данное им, видеться с отцом, Хохлаковыми, братом и Катериной Ивановной, — завтра он не выйдет из монастыря совсем и останется при старце своем до самой кончины его. Сердце его загорелось любовью, и он горько упрекнул себя, что мог на мгновение там, в городе, даже забыть о том, кого оставил в монастыре на одре смерти и кого чтил выше всех на свете. Он прошел в спаленку старца, стал на колени и поклонился спящему до земли. Тот тихо, недвижимо спал, чуть дыша ровно и почти неприметно. Лицо его было спокойно.

Воротясь в другую комнату, в ту самую, в которой поутру старец принимал гостей, Алеша, почти не раздеваясь и сняв лишь сапоги, улегся на кожаном, жестком и узком диванчике, на котором он и всегда спал, давно уже, каждую ночь, принося лишь подушку. Тюфяк же, о котором кричал давеча отец его, он уже давно забыл постилать себе. Он снимал лишь свой подрясник и им накрывался вместо одеяла. Но перед сном он бросился на колени и долго молился. В горячей молитве своей он не просил Бога разъяснить ему смущение его, а лишь жаждал радостного умиления, прежнего умиления, всегда посещавшего его душу после хвалы и славы Богу, в которых и состояла обыкновенно вся на сон грядущий молитва его. Эта радость, посещавшая его, вела за собой легкий и спокойный сон. Молясь и теперь, он вдруг случайно нащупал в кармане тот розовый маленький пакетик, который передала ему догнавшая его на дороге служанка Катерины Ивановны. Он смутился, но докончил молитву. Затем после некоторого колебания вскрыл пакет. В нем было к нему письмецо, подписанное Lise, — тою самою молоденькою дочерью госпожи Хохлаковой, которая утром так смеялась над ним при старце.

«Алексей Федорович, — писала она, — пишу вам от всех секретно, и от мамаши, и знаю, как это нехорошо. Но я не могу больше жить, если не скажу вам того, что родилось в моем сердце, а этого никто, кроме нас двоих, не должен до времени знать. Но как я вам скажу то, что я так хочу вам сказать? Бумага, говорят, не краснеет, уверяю вас, что это неправда и что краснеет она так же точно, как и я теперь вся. Милый Алеша, я вас люблю, люблю еще с детства, с Москвы, когда вы были совсем не такой, как теперь, и люблю на всю жизнь. Я вас избрала сердцем моим, чтобы с вами соединиться, а в старости кончить вместе нашу жизнь. Конечно, с тем условием, что вы выйдете из монастыря. Насчет же лет наших мы подождем, сколько приказано законом. К тому времени я непременно выздоровлю, буду ходить и танцевать. Об этом не может быть слова.

Видите, как я всё обдумала, одного только не могу придумать: что подумаете вы обо мне, когда прочтете? Я всё смеюсь и шалю, я давеча вас рассердила, но уверяю вас, что сейчас, перед тем как взяла перо, я помолилась на образ Богородицы, да и теперь молюсь и чуть не плачу.

Мой секрет у вас в руках; завтра, как придете, не знаю, как и взгляну на вас. Ах, Алексей Федорович, что, если я опять не удержусь, как дура, и засмеюсь, как давеча, на вас глядя? Ведь вы меня примете за скверную насмешницу и письму моему не поверите. А потому умоляю вас, милый, если у вас есть сострадание ко мне, когда вы войдете завтра, то не глядите мне слишком прямо в глаза, потому что я, встретясь с вашими, может быть, непременно вдруг рассмеюсь, а к тому же вы будете в этом длинном платье... Даже теперь я вся холодею, когда об этом подумаю, а потому, как войдете, не смотрите на меня некоторое время совсем, а смотрите на маменьку или на окошко...

Вот я написала вам любовное письмо, боже мой, что я сделала! Алеша, не презирайте меня, и если я что сделала очень дурное и вас огорчила, то извините меня. Теперь тайна моей, погибшей навеки может быть, репутации в ваших руках.

Я сегодня непременно буду плакать. До свиданья, до *ужасного* свиданья. Lise.

P. S. Алеша, только вы непременно, непременно, непременно придите! Lise».

Алеша прочел с удивлением, прочел два раза, подумал и вдруг тихо, сладко засмеялся. Он было вздрогнул, смех этот показался ему греховным. Но мгновение спустя он опять рассмеялся так же тихо и так же счастливо. Медленно вложил он письмо в конвертик, перекрестился и лег. Смятение души его вдруг прошло. «Господи, помилуй их всех, давешних, сохрани их, несчастных и бурных, и направь. У тебя пути: ими же веси путями спаси их. Ты любовь, ты всем пошлешь и радость!» — бормотал, крестясь, засыпая безмятежным сном, Алеша.

Часть вторая

Книга четвертая
НАДРЫВЫ

I
ОТЕЦ ФЕРАПОНТ

Рано утром, еще до света, был пробужден Алеша. Старец проснулся и почувствовал себя весьма слабым, хотя и пожелал с постели пересесть в кресло. Он был в полной памяти; лицо же его было хотя и весьма утомленное, но ясное, почти радостное, а взгляд веселый, приветливый, зовущий. «Может, и не переживу наступившего дня сего», — сказал он Алеше; затем возжелал исповедаться и причаститься немедленно. Духовником его всегда был отец Паисий. По совершении обоих таинств началось соборование. Собрались иеромонахи, келья мало-помалу наполнилась скитниками. Наступил меж тем день. Стали приходить и из монастыря. Когда кончилась служба, старец со всеми возжелал проститься и всех целовал. По тесноте кельи, приходившие прежде выходили и уступали другим. Алеша стоял подле старца, который опять пересел в кресло. Он говорил и учил сколько мог, голос его, хоть и слабый, был еще довольно тверд. «Столько лет учил вас и, стало быть, столько лет вслух говорил, что как бы и привычку взял говорить, а говоря, вас учить, и до того сие, что молчать мне почти и труднее было бы, чем говорить, отцы и братия милые, даже и теперь при слабости моей», — пошутил он, умиленно взирая на толпившихся около него. Алеша упомнил потом кое-что из того, что он тогда сказал. Но хоть и внятно говорил, и хоть и голосом достаточно твердым, но речь его была довольно несвязна. Говорил он о многом, казалось, хотел бы всё сказать, всё высказать еще раз, пред смертною минутой, изо всего недосказанного в жизни, и не поучения лишь одного ради, а как бы жаждая поделиться радостью и восторгом своим со всеми и вся, излиться еще раз в жизни сердцем своим...

«Любите друг друга, отцы, — учил старец (сколько запомнил потом Алеша). — Любите народ божий. Не святее же мы мирских за то, что сюда пришли и в сих стенах затворились, а, напротив, всякий сюда пришедший, уже тем самым, что пришел сюда, познал про себя, что он хуже всех мирских и всех и вся на земле... И чем долее потом будет жить инок в стенах своих, тем чувствительнее должен и сознавать сие. Ибо в противном случае незачем ему было и приходить сюда. Когда же познает, что не только он хуже всех мирских, но и пред всеми людьми за всех и за вся виноват, за все грехи людские, мировые и единоличные, то тогда лишь цель нашего единения достигается. Ибо знайте, милые, что каждый единый из нас виновен за всех и за вся на земле несомненно, не только по общей мировой вине, а единолично каждый за всех людей и за всякого человека на сей земле. Сие сознание есть венец пути иноческого, да и всякого на земле человека. Ибо иноки не иные суть человеки, а лишь только такие, какими и всем на земле людям быть надлежало бы. Тогда лишь и умилилось бы сердце наше в любовь бесконечную, вселенскую, не знающую насыщения. Тогда каждый из вас будет в силах весь мир любовию приобрести и слезами своими мировые грехи омыть... Всяк ходи около сердца своего, всяк себе исповедайся неустанно. Греха своего не бойтесь, даже и сознав его, лишь бы покаяние было, но условий с Богом не делайте. Паки говорю — не гордитесь. Не гордитесь пред малыми, не гордитесь и пред великими. Не ненавидьте и отвергающих вас, позорящих вас, поносящих вас и на вас клевещущих. Не ненавидьте атеистов, злоучителей, материалистов, даже злых из них, не токмо добрых, ибо и из них много добрых, наипаче в наше время. Поминайте их на молитве тако: спаси всех, Господи, за кого некому помолиться, спаси и тех, кто не хочет тебе молиться. И прибавьте тут же: не по гордости моей молю о сем, Господи, ибо и сам мерзок есмь паче всех и вся... Народ божий любите, не отдавайте стада отбивать пришельцам, ибо если заснете в лени и в брезгливой гордости вашей, а пуще в корыстолюбии, то придут со всех стран и отобьют у вас стадо ваше. Толкуйте народу Евангелие неустанно... Не лихоимствуйте... Сребра и золота не любите, не держите... Веруйте и знамя держите. Высоко возносите его...»

Старец, впрочем, говорил отрывочнее, чем здесь было изложено и как записал потом Алеша. Иногда он пресекал говорить совсем, как бы собираясь с силами, задыхался, но был как бы в восторге. Слушали его с умилением, хотя многие и дивились словам его и видели в них темноту... Потом все эти слова вспомнили. Когда Алеше случилось на минуту отлучиться из кельи, то он был поражен всеобщим волнением и ожиданием толпившейся в келье и около кельи братии. Ожидание было между иными почти тревожное, у других торжественное. Все ожидали чего-то немедленного и великого тотчас по успении старца. Ожидание это, с одной точки зрения, было почти как бы и легкомысленное, но даже и самые строгие старцы подвергались сему. Всего строже было лицо старца иеромонаха Паисия. Алеша отлучился из кельи лишь потому, что был таинственно вызван, чрез одного монаха, прибывшим из города Ракитиным со странным письмом к Алеше от госпожи Хохлаковой. Та сообщила Алеше одно любопытное, чрезвычайно кстати пришедшее известие. Дело состояло в том, что вчера между верующими простонародными женщинами, приходившими поклониться старцу и благословиться у него, была одна городская старушка, Прохоровна, унтерофицерская вдова. Спрашивала она старца: можно ли ей помянуть сыночка своего Васеньку, заехавшего по службе далеко в Сибирь, в Иркутск, и от которого она уже год не получала никакого известия, вместо покойника в церкви за упокой? На что старец ответил ей со строгостию, запретив и назвав такого рода поминание подобным колдовству. Но затем, простив ей по неведению, прибавил, «как бы смотря в книгу будущего» (выражалась госпожа Хохлакова в письме своем), и утешение, «что сын ее Вася жив несомненно, и что или сам приедет к ней вскорости, или письмо пришлет, и чтоб она шла в свой дом и ждала сего. И что же? — прибавляла в восторге госпожа Хохлакова, — пророчество совершилось даже буквально, и даже более того». Едва лишь старушка вернулась домой, как ей тотчас же передали уже ожидавшее ее письмо из Сибири. Но этого еще мало: в письме этом, писанном с дороги, из Екатеринбурга, Вася уведомлял свою мать, что едет сам в Россию, возвращается с одним чиновником и что недели чрез три по получении письма сего «он надеется обнять свою мать». Госпожа Хохлакова настоятельно и горячо умоляла Алешу немедленно передать это свершившееся вновь «чудо предсказания» игумену и всей братии: «Это должно быть всем, всем известно!» — восклицала она, заключая письмо свое. Письмо ее было писано наскоро, поспешно, волнение писавшей отзывалось в каждой строчке его. Но Алеше уже и нечего было сообщать братии, ибо все уже всё знали: Ракитин, послав за ним монаха, поручил тому, кроме того, «почтительнейше донести и его высокопреподобию отцу Паисию, что имеет до него он, Ракитин, некое дело, но такой важности, что и минуты не смеет отложить для сообщения ему, за дерзость же свою земно просит простить его». Так как отцу Паисию монашек сообщил просьбу Ракитина раньше, чем Алеше, то Алеше, придя на место, осталось лишь, прочтя письмецо, сообщить его тотчас же отцу Паисию в виде лишь документа. И вот даже этот суровый и недоверчивый человек, прочтя нахмурившись известие о «чуде», не мог удержать вполне некоторого внутреннего чувства своего. Глаза его сверкнули, уста важно и проникновенно вдруг улыбнулись.

— То ли узрим? — как бы вырвалось у него вдруг.

— То ли еще узрим, то ли еще узрим! — повторили кругом монахи, но отец Паисий, снова нахмурившись, попросил всех хотя бы до времени вслух о сем не сообщать никому, «пока еще более подтвердится, ибо много в светских легкомыслия, да и случай сей мог произойти естественно», — прибавил он осторожно, как бы для очистки совести, но почти сам не веруя своей оговорке, что очень хорошо усмотрели и слушавшие. В тот же час, конечно, «чудо» стало известно всему монастырю и многим даже пришедшим в монастырь к литургии светским. Всех же более, казалось, был поражен совершившимся чудом вчерашний захожий в обитель монашек «от святого Сильвестра», из одной малой обители Обдорской на дальнем Севере. Он поклонился вчера старцу, стоя около госпожи Хохлаковой, и, указывая ему на «исцелевшую» дочь этой дамы, проникновенно спросил его: «Как дерзаете вы делать такие дела?»

Дело в том, что теперь он был уже в некотором недоумении и почти не знал, чему верить. Еще вчера ввечеру посетил он монастырского отца Ферапонта в особой келье его за пасекой и был поражен этою встречей, которая произвела на него чрезвычайное и ужасающее впечатление. Старец этот, отец Ферапонт, был тот самый престарелый монах, великий постник и молчальник, о котором мы уже и упоминали как о противнике старца Зосимы, и главное — старчества, которое и считал он вредным и легкомысленным новшеством. Противник этот был чрезвычайно опасный, несмотря на то, что он, как молчальник, почти и не говорил ни с кем ни слова. Опасен же был он, главное, тем, что множество братии вполне сочувствовало ему, а из приходящих мирских очень многие чтили его как великого праведника и подвижника, несмотря на то, что видели в нем несомненно юродивого. Но юродство-то и пленяло. К старцу Зосиме этот отец Ферапонт никогда не ходил. Хотя он и проживал в скиту, но его не очень-то беспокоили скитскими правилами, потому опять-таки, что держал он себя прямо юродивым. Было ему лет семьдесят пять, если не более, а проживал он за скитскою пасекой, в углу стены, в старой, почти развалившейся деревянной келье, поставленной тут еще в древнейшие времена, еще в прошлом столетии, для одного тоже величайшего постника и молчальника, отца Ионы, прожившего до ста пяти лет и о подвигах которого даже до сих пор ходили в монастыре и в окрестностях его многие любопытнейшие рассказы. Отец Ферапонт добился того, что и его наконец поселили, лет семь тому назад, в этой самой уединенной келейке, то есть просто в избе, но которая весьма похожа была на часовню, ибо заключала в себе чрезвычайно много жертвованных образов с теплившимися вековечно пред ними жертвованными лампадками, как бы смотреть за которыми и возжигать их и приставлен был отец Ферапонт. Ел он, как говорили (да оно и правда было), всего лишь по два фунта хлеба в три дня, не более; приносил ему их каждые три дня живший тут же на пасеке пасечник, но даже и с этим прислуживавшим ему пасечником отец Ферапонт тоже редко когда молвил слово. Эти четыре фунта хлеба, вместе с воскресною просвиркой, после поздней обедни, аккуратно присылаемой блаженному игумном, и составляли всё его недельное пропитание. Воду же в кружке переменяли ему на каждый день. У обедни он редко появлялся. Приходившие поклонники видели, как он простаивал иногда весь день на молитве, не вставая с колен и не озираясь. Если ж и вступал когда с ними в беседу, то был краток, отрывист, странен и всегда почти груб. Бывали, однако, очень редкие случаи, что и он разговорится с прибывшими, но большею частию произносил одно лишь какое-нибудь странное слово, задававшее всегда посетителю большую загадку, и затем уже, несмотря ни на какие просьбы, не произносил ничего в объяснение. Чина священнического не имел, был простой лишь монах. Ходил очень странный слух, между самыми, впрочем, темными людьми, что отец Ферапонт имеет сообщение с небесными духами и с ними только ведет беседу, вот почему с людьми и молчит. Обдорский монашек, пробравшись на пасеку по указанию пасечника, тоже весьма молчаливого и угрюмого монаха, пошел в уголок, где стояла келейка отца Ферапонта. «Может, и заговорит, как с пришельцем, а может, и ничего от него не добьешься», — предупредил его пасечник. Подходил монашек, как и сам передавал он потом, с величайшим страхом. Час был уже довольно поздний. Отец Ферапонт сидел в этот раз у дверей келейки, на низенькой скамеечке. Над ним слегка шумел огромный старый вяз. Набегал вечерний холодок. Обдорский монашек повергся ниц пред блаженным и попросил благословения.

— Хочешь, чтоб и я пред тобой, монах, ниц упал? — проговорил отец Ферапонт. — Восстани!

Монашек встал.

— Благословляя да благословишися, садись подле. Откулева занесло?

Что всего более поразило бедного монашка, так это то, что отец Ферапонт, при несомненном великом постничестве его и будучи в столь преклонных летах, был еще на вид старик сильный, высокий, державший себя прямо, несогбенно, с лицом свежим, хоть и худым, но здоровым. Несомненно тоже сохранилась в нем еще и значительная сила. Сложения же был атлетического. Несмотря на столь великие лета его, был он даже и не вполне сед, с весьма еще густыми, прежде совсем черными волосами на голове и бороде. Глаза его были серые, большие, светящиеся, но чрезвычайно вылупившиеся, что даже поражало. Говорил с сильным ударением на *о*. Одет же был в рыжеватый длинный армяк, грубого арестантского, по прежнему именованию, сукна и подпоясан толстою веревкой. Шея и грудь обнажены. Толстейшего холста почти совсем почерневшая рубаха, по месяцам не снимавшаяся, выглядывала из-под армяка. Говорили, что носит он на себе под армяком тридцатифунтовые вериги. Обут же был в старые почти развалившиеся башмаки на босу ногу.

— Из малой Обдорской обители, от святого Селивестра, — смиренно ответил захожий монашек, быстрыми, любопытными своими глазками, хотя несколько и испуганными, наблюдая отшельника.

— Бывал у твоего Селивестра. Живал. Здоров ли Селивестр-от?

Монашек замялся.

— Бестолковые вы человеки! Како соблюдаете пост?

— Трапезник наш по древлему скитскому тако устроен: о четыредесятнице в понедельник, в среду и пяток трапезы не поставляют. Во вторник и четверток на братию хлебы белые, взвар с медом, ягода морошка или капуста соленая да толокно мешано. В субботу шти белые, лапша гороховая, каша соковая, всё с маслом. В неделю ко штям сухая рыба да каша. В страстную же седмицу от понедельника даже до субботнего вечера, дней шесть, хлеб с водою точию ясти и зелие не варено, и се с воздержанием; аще есть можно и не на всяк день приимати, но, яко же речено бысть, о первой седмице. Во святый же великий пяток ничесо же ясти, такожде и великую субботу поститися нам до третиего часа и тогда вкусити мало хлеба с водой и по единой чаше вина испити. Во святый же великий четверток ядим варения без масла, пием же вино и ино сухоядением. Ибо иже в Лаодикии собор о велицем четвертке тако глаголет: «Яко не достоит в четыредесятницу последней недели четверток разрешити и всю четыредесятницу бесчестити». Вот как у нас. Но что сие сравнительно с вами, великий отче, — ободрившись, прибавил монашек, — ибо и круглый год, даже и во святую Пасху, лишь хлебом с водою питаетесь, и что у нас хлеба на два дня, то у вас на всю седмицу идет. Воистину дивно таковое великое воздержание ваше.

— А грузди? — спросил вдруг отец Ферапонт, произнося букву *г* придыхательно, почти как хер.

— Грузди? — переспросил удивленный монашек.

— То-то. Я-то от их хлеба уйду, не нуждаясь в нем вовсе, хотя бы и в лес, и там груздем проживу или ягодой, а они здесь не уйдут от своего хлеба, стало быть, черту связаны. Ныне поганцы рекут, что поститься столь нечего. Падменное и поганое сие есть рассуждение их.

— Ох, правда, — вздохнул монашек.

— А чертей у тех видел? — спросил отец Ферапонт.

— У кого же у тех? — робко осведомился монашек.

— Я к игумену прошлого года во святую пятидесятницу восходил, а с тех пор и не был. Видел, у которого на персях сидит, под рясу прячется, токмо рожки выглядывают; у которого из кармана высматривает, глаза быстрые, меня-то боится; у которого во чреве поселился, в самом нечистом брюхе его, а у некоего так на шее висит, уцепился, так и носит, а его не видит.

— Вы... видите? — осведомился монашек.

— Говорю — вижу, наскрозь вижу. Как стал от игумена выходить, смотрю — один за дверь от меня прячется, да матерой такой, аршина в полтора али больше росту, хвостище же толстый, бурый, длинный, да концом хвоста в щель дверную и попади, а я не будь глуп, дверь-то вдруг и прихлопнул, да хвост-то ему и защемил. Как завизжит, начал биться, а я его крестным знамением, да трижды — и закрестил. Тут и подох, как паук давленый. Теперь надоть быть погнил в углу-то, смердит, а они-то не видят, не чухают. Год не хожу. Тебе лишь, как иностранцу, открываю.

— Страшные словеса ваши! А что, великий и блаженный отче, — осмеливался всё больше и больше монашек, — правда ли, про вас великая слава идет, даже до отдаленных земель, будто со святым духом беспрерывное общение имеете?

— Слетает. Бывает.

— Как же слетает? В каком же виде?

— Птицею.

— Святый дух в виде голубине?

— То святый дух, а то Святодух. Святодух иное, тот может и другою птицею снизойти: ино ласточкой, ино щеглом, а ино и синицею.

— Как же вы узнаете его от синицы-то?

— Говорит.

— Как же говорит, каким языком?

— Человечьим.

— А что же он вам говорит?

— Вот сегодня возвестил, что дурак посетит и спрашивать будет негоже. Много, инок, знать хочеши.

— Ужасны словеса ваши, блаженнейший и святейший отче, — качал головою монашек. В пугливых глазках его завиделась, впрочем, и недоверчивость.

— А видишь ли древо сие? — спросил, помолчав, отец Ферапонт.

— Вижу, блаженнейший отче.

— По-твоему, вяз, а по-моему, иная картина.

— Какая же? — помолчал в тщетном ожидании монашек.

— Бывает в нощи. Видишь сии два сука? В нощи же и се Христос руце ко мне простирает и руками теми ищет меня, явно вижу и трепещу. Страшно, о страшно!

— Что же страшного, коли сам бы Христос?

— А захватит и вознесет.

— Живого-то?

— А в духе и славе Илии, не слыхал, что ли? обымет и унесет...

Хотя обдорский монашек после сего разговора воротился в указанную ему келейку, у одного из братии, даже в довольно сильном недоумении, но сердце его несомненно всё же лежало больше к отцу Ферапонту, чем к отцу Зосиме. Монашек обдорский был прежде всего за пост, а такому великому постнику, как отец Ферапонт, не дивно было и «чудная видети». Слова его, конечно, были как бы и нелепые, но ведь господь знает, что в них заключалось-то, в этих словах, а у всех Христа ради юродивых и не такие еще бывают слова и поступки. Защемленному же чертову хвосту он не только в иносказательном, но и в прямом смысле душевно и с удовольствием готов был поверить. Кроме сего, он и прежде, еще до прихода в монастырь, был в большом предубеждении против старчества, которое знал доселе лишь по рассказам и принимал его вслед за многими другими решительно за вредное новшество. Ободняв уже в монастыре, успел отметить и тайный ропот некоторых легкомысленных и несогласных на старчество братии. Был он к тому же по натуре своей инок шныряющий и проворный, с превеликим ко всему любопытством. Вот почему великое известие о новом «чуде», совершенном старцем Зосимою, повергло его в чрезвычайное недоумение. Алеша припомнил потом, как в числе теснившихся к старцу и около кельи его иноков мелькала много раз пред ним шныряющая везде по всем кучкам фигурка любопытного обдорского гостя, ко всему прислушивающегося и всех вопрошающего. Но тогда он мало обратил внимания на него и только потом всё припомнил... Да и не до того ему было: старец Зосима, почувствовавший вновь усталость и улегшийся опять в постель, вдруг, заводя уже очи, вспомнил о нем и потребовал его к себе. Алеша немедленно прибежал. Около старца находились тогда всего лишь отец Паисий, отец иеромонах Иосиф да Порфирий-послушник. Старец, раскрыв утомленные очи и пристально глянув на Алешу, вдруг спросил его:

— Ждут ли тебя твои, сынок?

Алеша замялся.

— Не имеют ли нужды в тебе? Обещал ли кому вчера на сегодня быти?

— Обещался... отцу... братьям... другим тоже...

— Видишь. Непременно иди. Не печалься. Знай, что не умру без того, чтобы не сказать при тебе последнее мое на земле слово. Тебе скажу это слово, сынок, тебе и завещаю его. Тебе, сынок милый, ибо любишь меня. А теперь пока иди к тем, кому обещал.

Алеша немедленно покорился. Хотя и тяжело ему было уходить. Но обещание слышать последнее слово его на земле и, главное, как бы ему, Алеше, завещанное, потрясло его душу восторгом. Он заспешил, чтоб, окончив всё в городе, поскорей воротиться. Как раз и отец Паисий молвил ему напутственное слово, произведшее на него весьма сильное и неожиданное впечатление. Это когда уже они оба вышли из кельи старца.

— Помни, юный, неустанно, — так прямо и безо всякого предисловия начал отец Паисий, — что мирская наука, соединившись в великую силу, разобрала, в последний век особенно, всё, что завещано в книгах святых нам небесного, и после жестокого анализа у ученых мира сего не осталось изо всей прежней святыни решительно ничего. Но разбирали они по частям, а целое просмотрели, и даже удивления достойно, до какой слепоты. Тогда как целое стоит пред их же глазами незыблемо, как и прежде, и врата адовы не одолеют его. Разве не жило оно девятнадцать веков, разве не живет и теперь в движениях единичных душ и в движениях народных масс? Даже в движениях душ тех же самых, всё разрушивших атеистов живет оно, как прежде, незыблемо! Ибо и отрекшиеся от христианства и бунтующие против него в существе своем сами того же самого Христова облика суть, таковыми же и остались, ибо до сих пор ни мудрость их, ни жар сердца их не в силах были создать иного высшего образа человеку и достоинству его, как образ, указанный древле Христом. А что было попыток, то выходили одни лишь уродливости. Запомни сие особенно, юный, ибо в мир назначаешься отходящим старцем твоим. Может, вспоминая сей день великий, не забудешь и слов моих, ради сердечного тебе напутствия данных, ибо млад еси, а соблазны в мире тяжелые и не твоим силам вынести их. Ну теперь ступай, сирота.

С этим словом отец Паисий благословил его. Выходя из монастыря и обдумывая все эти внезапные слова, Алеша вдруг понял, что в этом строгом и суровом доселе к нему монахе он встречает теперь нового неожиданного друга и горячо любящего его нового руководителя, — точно как бы старец Зосима завещал ему его умирая. «А может быть, так оно и впрямь между ними произошло», — подумал вдруг Алеша. Неожиданное же и ученое рассуждение его, которое он сейчас выслушал, именно это, а не другое какое-нибудь, свидетельствовало лишь о горячности сердца отца Паисия: он уже спешил как можно скорее вооружить юный ум для борьбы с соблазнами и огородить юную душу, ему завещанную, оградой, какой крепче и сам не мог представить себе.

II

У ОТЦА

Прежде всего Алеша пошел к отцу. Подходя, он вспомнил, что отец очень настаивал накануне, чтоб он как-нибудь вошел потихоньку от брата Ивана. «Почему ж? — подумалось вдруг теперь Алеше. — Если отец хочет что-нибудь мне сказать одному, потихоньку, то зачем же мне входить потихоньку? Верно, он вчера в волнении хотел что-то другое сказать, да не успел», — решил он. Тем не менее очень был рад, когда отворившая ему калитку Марфа Игнатьевна (Григорий, оказалось, расхворался и лежал во флигеле) сообщила ему на его вопрос, что Иван Федорович уже два часа как вышел-с.

— А батюшка?

— Встал, кофе кушает, — как-то сухо ответила Марфа Игнатьевна.

Алеша вошел. Старик сидел один за столом, в туфлях и в старом пальтишке, и просматривал для развлечения, без большого, однако, внимания, какие-то счеты. Он был совсем один во всем доме (Смердяков тоже ушел за провизией к обеду). Но не счеты его занимали. Хоть он и встал поутру рано с постели и бодрился, а вид все-таки имел усталый и слабый. Лоб его, на котором за ночь разрослись огромные багровые подтеки, обвязан был красным платком. Нос тоже за ночь сильно припух, и на нем тоже образовалось несколько хоть и незначительных подтеков пятнами, но решительно придававших всему лицу какой-то особенно злобный и раздраженный вид. Старик знал про это сам и недружелюбно поглядел на входившего Алешу.

— Кофе холодный, — крикнул он резко, — не потчую. Я, брат, сам сегодня на одной постной ухе сижу и никого не приглашаю. Зачем пожаловал?

— Узнать о вашем здоровье, — проговорил Алеша.

— Да. И, кроме того, я тебе вчера сам велел прийти. Вздор всё это. Напрасно изволил потревожиться. Я так, впрочем, и знал, что ты тотчас притащишься...

Он проговорил это с самым неприязненным чувством. Тем временем встал с места и озабоченно посмотрел в зеркало (может быть, в сороковой раз с утра) на свой нос. Начал тоже прилаживать покрасивее на лбу свой красный платок.

— Красный-то лучше, а в белом на больницу похоже, — сентенциозно заметил он. — Ну что там у тебя? Что твой старец?

— Ему очень худо, он, может быть, сегодня умрет, — ответил Алеша, но отец даже и не расслышал, да и вопрос свой тотчас забыл.

— Иван ушел, — сказал он вдруг. — Он у Митьки изо всех сил невесту его отбивает, для того здесь и живет, — прибавил он злобно и, скривив рот, посмотрел на Алешу.

— Неужто ж он вам сам так сказал? — спросил Алеша.

— Да, и давно еще сказал. Как ты думаешь: недели с три как сказал. Не зарезать же меня тайком и он приехал сюда? Для чего-нибудь да приехал же?

— Что вы! Чего вы это так говорите? — смутился ужасно Алеша.

— Денег он не просит, правда, а всё же от меня ни шиша не получит. Я, милейший Алексей Федорович, как можно дольше на свете намерен прожить, было бы вам это известно, а потому мне каждая копейка нужна, и чем дольше буду жить, тем она будет нужнее, — продолжал он, похаживая по комнате из угла в угол, держа руки по карманам своего широкого, засаленного, из желтой летней коломянки, пальто. — Теперь я пока все-таки мужчина, пятьдесят пять всего, но я хочу и еще лет двадцать на линии мужчины состоять, так ведь состареюсь — поган стану, не пойдут они ко мне тогда доброю волей, ну вот тут-то денежки мне и понадобятся. Так вот я теперь и подкапливаю всё побольше да побольше для одного себя-с, милый сын мой Алексей Федорович, было бы вам известно, потому что я в скверне моей до конца хочу прожить, было бы вам это известно. В скверне-то слаще: все ее ругают, а все в ней живут, только все тайком, а я открыто. Вот за простодушие-то это мое на меня все сквернавцы и накинулись. А в рай твой, Алексей Федорович, я не хочу, это было бы тебе известно, да порядочному человеку оно даже в рай-то твой и неприлично, если даже там и есть он. По-моему, заснул и не проснулся, и нет ничего, поминайте меня, коли хотите, а не хотите, так и черт вас дери. Вот моя философия. Вчера Иван здесь хорошо говорил, хоть и были мы все пьяны. Иван хвастун, да и никакой у него такой учености нет... да и особенного образования тоже нет никакого, молчит да усмехается на тебя молча, — вот на чем только и выезжает.

Алеша его слушал и молчал.

— Зачем он не говорит со мной? А и говорит, так ломается; подлец твой Иван! А на Грушке сейчас женюсь, только захочу. Потому что с деньгами стоит только захотеть-с, Алексей Федорович, всё и будет. Вот Иван-то этого самого и боится и сторожит меня, чтоб я не женился, а для того наталкивает Митьку, чтобы тот на Грушке женился: таким образом хочет и меня от Грушки уберечь (будто бы я ему денег оставлю, если на Грушке не женюсь!), а с другой стороны, если Митька на Грушке женится, так Иван его невесту богатую себе возьмет, вот у него расчет какой! Подлец твой Иван!

— Как вы раздражительны. Это вы со вчерашнего; пошли бы вы да легли, — сказал Алеша.

— Вот ты говоришь это, — вдруг заметил старик, точно это ему в первый раз только в голову вошло, — говоришь, а я на тебя не сержусь, а на Ивана, если б он мне это самое сказал, я бы рассердился. С тобой только одним бывали у меня добренькие минутки, а то я ведь злой человек.

— Не злой вы человек, а исковерканный, — улыбнулся Алеша.

— Слушай, я разбойника Митьку хотел сегодня было засадить, да и теперь еще не знаю, как решу. Конечно, в теперешнее модное время принято отцов да матерей за предрассудок считать, но ведь по законам-то, кажется, и в наше время не позволено стариков отцов за волосы таскать, да по роже каблуками на полу бить, в их собственном доме, да похваляться прийти и совсем убить — всё при свидетелях-с. Я бы, если бы захотел, скрючил его и мог бы за вчерашнее сейчас засадить.

— Так вы не хотите жаловаться, нет?

— Иван отговорил. Я бы наплевал на Ивана, да я сам одну штуку знаю...

И, нагнувшись к Алеше, он продолжал конфиденциальным полушепотом:

— Засади я его, подлеца, она услышит, что я его засадил, и тотчас к нему побежит. А услышит если сегодня, что тот меня до полусмерти, слабого старика, избил, так, пожалуй, бросит его, да ко мне придет навестить... Вот ведь мы какими характерами одарены — только чтобы насупротив делать. Я ее насквозь знаю! А что, коньячку не выпьешь? Возьми-ка кофейку холодненького, да я тебе и прилью четверть рюмочки, хорошо это, брат, для вкуса.

— Нет, не надо, благодарю. Вот этот хлебец возьму с собой, коли дадите, — сказал Алеша и, взяв трехкопеечную французскую булку, положил ее в карман подрясника. — А коньяку и вам бы не пить, — опасливо посоветовал он, вглядываясь в лицо старика.

— Правда твоя, раздражает, а спокою не дает. А ведь только одну рюмочку... Я ведь из шкапика...

Он отворил ключом «шкапик», налил рюмочку, выпил, потом шкапик запер и ключ опять в карман положил.

— И довольно, с рюмки не околею.

— Вот вы теперь и добрее стали, — улыбнулся Алеша.

— Гм! Я тебя и без коньяку люблю, а с подлецами и я подлец. Ванька не едет в Чермашню — почему? Шпионить ему надо: много ль я Грушеньке дам, коли она придет. Все подлецы! Да я Ивана не признаю совсем. Откуда такой появился? Не наша совсем душа. И точно я ему что оставлю? Да я и завещания-то не оставлю, было бы это вам известно. А Митьку я раздавлю, как таракана. Я черных тараканов ночью туфлей давлю: так и щелкнет, как наступить. Щелкнет и Митька твой. *Твой* Митька, потому что ты его любишь. Вот ты его любишь, а я не боюсь, что ты его любишь. А кабы Иван его любил, я бы за себя боялся того, что он его любит. Но Иван никого не любит, Иван не наш человек, эти люди, как Иван, это, брат, не наши люди, это пыль поднявшаяся... Подует ветер, и пыль пройдет... Вчера было глупость мне в голову пришла, когда я тебе на сегодня велел приходить: хотел было я через тебя узнать насчет Митьки-то, если б ему тысячку, ну другую, я бы теперь отсчитал, согласился ли бы он, нищий и мерзавец, отселева убраться совсем, лет на пять, а лучше на тридцать пять, да без Грушки и уже от нее совсем отказаться, а?

— Я... я спрошу его... — пробормотал Алеша. — Если все три тысячи, так, может быть, он...

— Врешь! Не надо теперь спрашивать, ничего не надо! Я передумал. Это вчера глупость в башку мне сглупу влезла. Ничего не дам, ничегошеньки, мне денежки мои нужны самому, — замахал рукою старик. — Я его и без того, как таракана, придавлю. Ничего не говори ему, а то еще будет надеяться. Да и тебе совсем нечего у меня делать, ступай-ка. Невеста-то эта, Катерина-то Ивановна, которую он так тщательно от меня всё время прятал, за него идет али нет? Ты вчера ходил к ней, кажется?

— Она его ни за что не хочет оставить.

— Вот таких-то эти нежные барышни и любят, кутил да подлецов! Дрянь, я тебе скажу, эти барышни бледные; то ли дело... Ну! кабы мне его молодость, да тогдашнее мое лицо (потому что я лучше его был собой в двадцать восемь-то лет), так я бы точно так же, как и он, побеждал. Каналья он! А Грушеньку все-таки не получит-с, не получит-с... В грязь обращу!

Он снова рассвирепел с последних слов.

— Ступай и ты, нечего тебе у меня делать сегодня, — резко отрезал он.

Алеша подошел проститься и поцеловал его в плечо.

— Ты чего это? — удивился немного старик. — Еще увидимся ведь. Аль думаешь, не увидимся?

— Совсем нет, я только так, нечаянно.

— Да ничего и я, и я только так... — глядел на него старик. — Слышь ты, слышь, — крикнул он ему вслед, — приходи когда-нибудь, поскорей, и на уху, уху сварю, особенную, не сегодняшнюю, непременно приходи! Да завтра, слышишь, завтра приходи!

И только что Алеша вышел за дверь, подошел опять к шкапику и хлопнул еще полрюмочки.

— Больше не буду! — пробормотал он, крякнув, опять запер шкапик, опять положил ключ в карман, затем пошел в спальню, в бессилии прилег на постель и в один миг заснул.

III
СВЯЗАЛСЯ СО ШКОЛЬНИКАМИ

«Слава богу, что он меня про Грушеньку не спросил, — подумал в свою очередь Алеша, выходя от отца и направляясь в дом госпожи Хохлаковой, — а то бы пришлось, пожалуй, про вчерашнюю встречу с Грушенькой рассказать». Алеша больно почувствовал, что за ночь бойцы собрались с новыми силами, а сердце их с наступившим днем опять окаменело: «Отец раздражен и зол, он выдумал что-то и стал на том; а что Дмитрий? Тот тоже за ночь укрепился, тоже, надо быть, раздражен и зол, и тоже что-нибудь, конечно, надумал... О, непременно надо сегодня его успеть разыскать во что бы ни стало...»

Но Алеше не удалось долго думать: с ним вдруг случилось дорогой одно происшествие, на вид хоть и не очень важное, но сильно его поразившее. Как только он прошел площадь и свернул в переулок, чтобы выйти в Михайловскую улицу, параллельную Большой, но отделявшуюся от нее лишь канавкой (весь город наш пронизан канавками), он увидел внизу пред мостиком маленькую кучку школьников, всё малолетних деток, от девяти до двенадцати лет, не больше. Они расходились по домам из класса со своими ранчиками за плечами, другие с кожаными мешочками на ремнях через плечо, одни в курточках, другие в пальтишках, а иные и в высоких сапогах со складками на голенищах, в каких особенно любят щеголять маленькие детки, которых балуют зажиточные отцы. Вся группа оживленно о чем-то толковала, по-видимому совещалась. Алеша никогда не мог безучастно проходить мимо ребяток, в Москве тоже это бывало с ним, и хоть он больше всего любил трехлетних детей или около того, но и школьники лет десяти, одиннадцати ему очень нравились. А потому как ни озабочен он был теперь, но ему вдруг захотелось свернуть к ним и вступить в разговор. Подходя, он вглядывался в их румяные, оживленные личики и вдруг увидал, что у всех мальчиков было в руках по камню, у других так по два. За канавкой же, примерно шагах в тридцати от группы, стоял у забора и еще мальчик, тоже школьник, тоже с мешочком на боку, по росту лет десяти, не больше, или даже меньше того, — бледненький, болезненный и со сверкавшими черными глазками. Он внимательно и пытливо наблюдал группу шести школьников, очевидно его же товарищей, с ним же вышедших сейчас из школы, но с которыми он, видимо, был во вражде. Алеша подошел и, обратясь к одному курчавому, белокурому, румяному мальчику в черной курточке, заметил, оглядев его:

— Когда я носил вот такой, как у вас, мешочек, так у нас носили на левом боку, чтобы правою рукой тотчас достать; а у вас ваш мешок на правом боку, вам неловко доставать.

Алеша безо всякой предумышленной хитрости начал прямо с этого делового замечания, а между тем взрослому и нельзя начинать иначе, если надо войти прямо в доверенность ребенка и особенно целой группы детей. Надо именно начинать серьезно и деловито и так, чтобы было совсем на равной ноге; Алеша понимал это инстинктом.

— Да он левша, — ответил тотчас же другой мальчик, молодцеватый и здоровый, лет одиннадцати. Все остальные пять мальчиков уперлись глазами в Алешу.

— Он и камни левшой бросает, — заметил третий мальчик. В это мгновение в группу как раз влетел камень, задел слегка мальчика-левшу, но пролетел мимо, хотя пущен был ловко и энергически. Пустил же его мальчик за канавкой.

— Лупи его, сажай в него, Смуров! — закричали все. Но Смуров (левша) и без того не заставил ждать себя и тотчас отплатил: он бросил камнем в мальчика за канавкой, но неудачно: камень ударился в землю. Мальчик за канавкой тотчас же пустил еще в группу камень, на этот раз прямо в Алешу, и довольно больно ударил его в плечо. У мальчишки за канавкой весь карман был полон заготовленными камнями. Это видно было за тридцать шагов по отдувшимся карманам его пальтишка.

— Это он в вас, в вас, он нарочно в вас метил. Ведь вы Карамазов, Карамазов? — закричали хохоча мальчики. — Ну, все разом в него, пали!

И шесть камней разом вылетели из группы. Один угодил мальчику в голову, и тот упал, но мигом вскочил и с остервенением начал отвечать в группу камнями. С обеих сторон началась непрерывная перестрелка, у многих в группе тоже оказались в кармане заготовленные камни.

— Что вы это! Не стыдно ли, господа! Шестеро на одного, да вы убьете его! — закричал Алеша.

Он выскочил и стал навстречу летящим камням, чтобы загородить собою мальчика за канавкой. Трое или четверо на минутку унялись.

— Он сам первый начал! — закричал мальчик в красной рубашке раздраженным детским голоском, — он подлец, он давеча в классе Красоткина перочинным ножиком пырнул, кровь потекла. Красоткин только фискалить не хотел, а этого надо избить...

— Да за что? Вы, верно, сами его дразните?

— А вот он опять вам камень в спину прислал. Он вас знает, — закричали дети. — Это он в вас теперь кидает, а не в нас. Ну все, опять в него, не промахивайся, Смуров!

И опять началась перестрелка, на этот раз очень злая. Мальчику за канавкой ударило камнем в грудь; он вскрикнул, заплакал и побежал вверх в гору, на Михайловскую улицу. В группе загалдели: «Ага, струсил, бежал, мочалка!»

— Вы еще не знаете, Карамазов, какой он подлый, его убить мало, — повторил мальчик в курточке, с горящими глазенками, старше всех по-видимому.

— А какой он? — спросил Алеша. — Фискал, что ли? Мальчики переглянулись как будто с усмешкой.

— Вы туда же идете, в Михайловскую? — продолжал тот же мальчик. — Так вот догоните-ка его... Вон видите, он остановился опять, ждет и на вас глядит.

— На вас глядит, на вас глядит! — подхватили мальчики.

— Так вот и спросите его, любит ли он банную мочалку, растрепанную. Слышите, так и спросите.

Раздался общий хохот. Алеша смотрел на них, а они на него.

— Не ходите, он вас зашибет, — закричал предупредительно Смуров.

— Господа, я его спрашивать о мочалке не буду, потому что вы, верно, его этим как-нибудь дразните, но я узнаю от него, за что вы его так ненавидите...

— Узнайте-ка, узнайте-ка, — засмеялись мальчики.

Алеша перешел мостик и пошел в горку мимо забора прямо к опальному мальчику.

— Смотрите, — кричали ему вслед предупредительно, — он вас не побоится, он вдруг пырнет, исподтишка... как Красоткина.

Мальчик ждал его, не двигаясь с места. Подойдя совсем, Алеша увидел пред собою ребенка не более девяти лет от роду, из слабых и малорослых, с бледненьким худеньким продолговатым личиком, с большими темными и злобно смотревшими на него глазами. Одет он был в довольно ветхий старенький пальтишко, из которого уродливо вырос. Голые руки торчали из рукавов. На правом коленке панталон была большая заплатка, а на правом сапоге, на носке, где большой палец, большая дырка, видно, что сильно замазанная чернилами. В оба отдувшиеся кармашка его пальто были набраны камни. Алеша остановился пред ним в двух шагах, вопросительно смотря на него. Мальчик, догадавшись тотчас по глазам Алеши, что тот его бить не хочет, тоже спустил куражу и сам даже заговорил.

— Я один, а их шесть... Я их всех перебью один, — сказал он вдруг, сверкнув глазами.

— Вас один камень, должно быть, очень больно ударил, — заметил Алеша.

— А я Смурову в голову попал! — вскрикнул мальчик.

— Они мне там сказали, что вы меня знаете и за что-то в меня камнем бросили? — спросил Алеша.

Мальчик мрачно посмотрел на него.

— Я вас не знаю. Разве вы меня знаете? — допрашивал Алеша.

— Не приставайте! — вдруг раздражительно вскрикнул мальчик, сам, однако ж, не двигаясь с места, как бы всё чего-то выжидая и опять злобно засверкав глазенками.

— Хорошо, я пойду, — сказал Алеша, — только я вас не знаю и не дразню. Они мне сказали, как вас дразнят, но я вас не хочу дразнить, прощайте!

— Монах в гарнитуровых штанах! — крикнул мальчик, всё тем же злобным и вызывающим взглядом следя за Алешей, да кстати и став в позу, рассчитывая, что Алеша непременно бросится на него теперь, но Алеша повернулся, поглядел на него и пошел прочь. Но не успел он сделать и трех шагов, как в спину его больно ударился пущенный мальчиком самый большой булыжник, который только был у него в кармане.

— Так вы сзади? Они правду, стало быть, говорят про вас, что вы нападаете исподтишка? — обернулся опять Алеша, но на этот раз мальчишка с остервенением опять пустил в Алешу камнем и уже прямо в лицо, но Алеша успел заслониться вовремя, и камень ударил его в локоть.

— Как вам не стыдно! Что я вам сделал? — вскричал он.

Мальчик молча и задорно ждал лишь одного, что вот теперь Алеша уж несомненно на него бросится; видя же, что тот даже и теперь не бросается, совершенно озлился, как звереныш: он сорвался с места и кинулся сам на Алешу, и не успел тот шевельнуться, как злой мальчишка, нагнув голову и схватив обеими руками его левую руку, больно укусил ему средний ее палец. Он впился в него зубами и секунд десять не выпускал его. Алеша закричал от боли, дергая изо всей силы палец. Мальчик выпустил его наконец и отскочил на прежнюю дистанцию. Палец был больно прокушен, у самого ногтя, глубоко, до кости; полилась кровь. Алеша вынул платок и крепко обернул в него раненую руку. Обертывал он почти целую минуту. Мальчишка всё это время стоял и ждал. Наконец Алеша поднял на него свой тихий взор.

— Ну хорошо, — сказал он, — видите, как вы меня больно укусили, ну и довольно ведь, так ли? Теперь скажите, что я вам сделал?

Мальчик посмотрел с удивлением.

— Я хоть вас совсем не знаю и в первый раз вижу, — всё так же спокойно продолжал Алеша, — но не может быть, чтоб я вам ничего не сделал, — не стали бы вы меня так мучить даром. Так что же я сделал и чем я виноват пред вами, скажите?

Вместо ответа мальчик вдруг громко заплакал, в голос, и вдруг побежал от Алеши. Алеша пошел тихо вслед за ним на Михайловскую улицу, и долго еще видел он, как бежал вдали мальчик, не умаляя шагу, не оглядываясь и, верно, всё так же в голос плача. Он положил непременно, как только найдется время, разыскать его и разъяснить эту чрезвычайно поразившую его загадку. Теперь же ему было некогда.

IV
У ХОХЛАКОВЫХ

Скоро подошел он к дому госпожи Хохлаковой, к дому каменному, собственному, двухэтажному, красивому, из лучших домов в нашем городке. Хотя госпожа Хохлакова проживала большею частию в другой губернии, где имела поместье, или в Москве, где имела собственный дом, но и в нашем городке у нее был свой дом, доставшийся от отцов и дедов. Да и поместье ее, которое имела она в нашем уезде, было самое большое из всех трех ее поместий, а между тем приезжала она доселе в нашу губернию весьма редко. Она выбежала к Алеше еще в прихожую.

— Получили, получили письмо о новом чуде? — быстро, нервно заговорила она.

— Да, получил.

— Распространили, показали всем? Он матери сына возвратил!

— Он сегодня умрет, — сказал Алеша.

— Слышала, знаю, о, как я желаю с вами говорить! С вами или с кем-нибудь обо всем этом. Нет, с вами, с вами! И как жаль, что мне никак нельзя его видеть! Весь город возбужден, все в ожидании. Но теперь... знаете ли, что у нас теперь сидит Катерина Ивановна?

— Ах, это счастливо! — воскликнул Алеша. — Вот я с ней и увижусь у вас, она вчера велела мне непременно прийти к ней сегодня.

— Я всё знаю, всё знаю. Я слышала всё до подробности о том, что было у ней вчера... и обо всех этих ужасах с этою... тварью. C'est tragique[1], и я бы на ее месте, — я не

---

[1] Это потрясающе *(фр.)*.

знаю, что б я сделала на ее месте! Но и брат-то ваш, Дмитрий-то Федорович ваш, каков — о боже! Алексей Федорович, я сбиваюсь, представьте: там теперь сидит ваш брат, то есть не тот, не ужасный вчерашний, а другой, Иван Федорович, сидит и с ней говорит: разговор у них торжественный... И если бы вы только поверили, что между ними теперь происходит, — то это ужасно, это, я вам скажу, надрыв, это ужасная сказка, которой поверить ни за что нельзя: оба губят себя неизвестно для чего, сами знают про это и сами наслаждаются этим. Я вас ждала! Я вас жаждала! Я, главное, этого вынести не могу. Я сейчас вам всё расскажу, но теперь другое и уже самое главное, — ах, ведь я даже и забыла, что это самое главное: скажите, почему с Lise истерика? Только что она услыхала, что вы подходите, и с ней тотчас же началась истерика!

— Maman, это с вами теперь истерика, а не со мной, — прощебетал вдруг в щелочку голосок Lise из боковой комнаты. Щелочка была самая маленькая, а голосок надрывчатый, точь-в-точь такой, когда ужасно хочется засмеяться, но изо всех сил перемогаешь смех. Алеша тотчас же заметил эту щелочку, и, наверно, Lise со своих кресел на него из нее выглядывала, но этого уж он разглядеть не мог.

— Не мудрено, Lise, не мудрено... от твоих же капризов и со мной истерика будет, а впрочем, она так больна, Алексей Федорович, она всю ночь была так больна, в жару, стонала! Я насилу дождалась утра и Герценштубе. Он говорит, что ничего не может понять и что надо обождать. Этот Герценштубе всегда придет и говорит, что ничего не может понять. Как только вы подошли к дому, она вскрикнула и с ней случился припадок, и приказала себя сюда в свою прежнюю комнату перевезть...

— Мама, я совсем не знала, что он подходит, я вовсе не от него в эту комнату захотела переехать.

— Это уж неправда, Lise, тебе Юлия прибежала сказать, что Алексей Федорович идет, она у тебя на сторожах стояла.

— Милый голубчик мама, это ужасно неостроумно с вашей стороны. А если хотите поправиться и сказать сейчас что-нибудь очень умное, то скажите, милая мама, милостивому государю вошедшему Алексею Федоровичу, что он уже тем одним доказал, что не обладает остроумием, что решился прийти к нам сегодня после вчерашнего и несмотря на то, что над ним все смеются.

— Lise, ты слишком много себе позволяешь, и уверяю тебя, что я наконец прибегну к мерам строгости. Кто ж над ним смеется, я так рада, что он пришел, он мне нужен, совсем необходим. Ох, Алексей Федорович, я чрезвычайно несчастна!

— Да что ж такое с вами, мама-голубчик?

— Ах, эти твои капризы, Lise, непостоянство, твоя болезнь, эта ужасная ночь в жару, этот ужасный и вечный Герценштубе, главное вечный, вечный и вечный! И, наконец, всё, всё... И, наконец, даже это чудо! О, как поразило, как потрясло меня это чудо, милый Алексей Федорович! И там эта трагедия теперь в гостиной, которую я не могу перенести, не могу, я вам заранее объявляю, что не могу. Комедия, может быть, а не трагедия. Скажите, старец Зосима еще проживет до завтра, проживет? О боже мой! Что со мной делается, я поминутно закрываю глаза и вижу, что всё вздор, всё вздор.

— Я бы очень вас попросил, — перебил вдруг Алеша, — дать мне какую-нибудь чистую тряпочку, чтобы завязать палец. Я очень поранил его, и он у меня мучительно теперь болит.

Алеша развернул свой укушенный палец. Платок был густо замаран кровью. Госпожа Хохлакова вскрикнула и зажмурила глаза.

— Боже, какая рана, это ужасно!

Но Lise как только увидела в щелку палец Алеши, тотчас со всего размаха отворила дверь.

— Войдите, войдите ко мне сюда, — настойчиво и повелительно закричала она, — теперь уж без глупостей! О господи, что ж вы стояли и молчали такое время? Он мог истечь кровью, мама! Где это вы, как это вы? Прежде всего воды, воды! Надо рану промыть, просто опустить в холодную воду, чтобы боль перестала, и держать, всё держать... Скорей, скорей воды, мама, в полоскательную чашку. Да скорее же, — нервно закончила она. Она была в совершенном испуге; рана Алеши страшно поразила ее.

— Не послать ли за Герценштубе? — воскликнула было госпожа Хохлакова.

— Мама, вы меня убьете. Ваш Герценштубе приедет и скажет, что не может понять! Воды, воды! Мама, ради бога, сходите сами, поторопите Юлию, которая где-то там завязла и никогда не может скоро прийти! Да скорее же, мама, иначе я умру...

— Да это ж пустяки! — воскликнул Алеша, испугавшись их испуга.

Юлия прибежала с водой. Алеша опустил в воду палец.

— Мама, ради бога, принесите корпию; корпию и этой едкой мутной воды для порезов, ну как ее зовут! У нас есть, есть, есть... Мама, вы сами знаете, где стклянка, в спальне вашей в шкапике направо, там большая стклянка и корпия...

— Сейчас принесу всё, Lise, только не кричи и не беспокойся. Видишь, как твердо Алексей Федорович переносит свое несчастие. И где это вы так ужасно могли поранить себя, Алексей Федорович?

Госпожа Хохлакова поспешно вышла. Lise того только и ждала.

— Прежде всего отвечайте на вопрос, — быстро заговорила она Алеше, — где это вы так себя изволили поранить? А потом уж я с вами буду говорить совсем о другом. Ну!

Алеша, инстинктом чувствуя, что для нее время до возвращения мамаши дорого, — поспешно, много выпустив и сократив, но, однако, точно и ясно, передал ей о загадочной встрече своей со школьниками. Выслушав его, Lise всплеснула руками:

— Ну можно ли, можно ли вам, да еще в этом платье, связываться с мальчишками! — гневно вскричала она, как будто даже имея какое-то право над ним, — да вы сами после того мальчик, самый маленький мальчик, какой только может быть! Однако вы непременно разузнайте мне как-нибудь про этого скверного мальчишку и мне всё расскажите, потому что тут какой-то секрет. Теперь второе, но прежде вопрос: можете ли вы, Алексей Федорович, несмотря на страдание от боли, говорить о совершенных пустяках, но говорить рассудительно?

— Совершенно могу, да и боли я такой уже теперь не чувствую.

— Это оттого, что ваш палец в воде. Ее нужно сейчас же переменить, потому что она мигом нагреется. Юлия, мигом принеси кусок льду из погреба и новую полоскательную чашку с водой. Ну, теперь она ушла, я о деле: мигом, милый Алексей Федорович, извольте отдать мне мое письмо, которое я вам прислала вчера, — мигом, потому что сейчас может прийти маменька, а я не хочу...

— Со мной нет письма.

— Неправда, оно с вами. Я так и знала, что вы так ответите. Оно у вас в этом кармане. Я так раскаивалась в этой глупой шутке всю ночь. Воротите же письмо сейчас, отдайте!

— Оно там осталось.

— Но вы не можете же меня считать за девочку, за маленькую-маленькую девочку, после моего письма с такою глупою шуткой! Я прошу у вас прощения за глупую шутку, но письмо вы непременно мне принесите, если уж его нет у вас в самом деле, — сегодня же принесите, непременно, непременно!

— Сегодня никак нельзя, потому что я уйду в монастырь и не приду к вам дня два, три, четыре может быть, потому что старец Зосима...

— Четыре дня, экой вздор! Послушайте, вы очень надо мной смеялись?

— Я ни капли не смеялся.

— Почему же?

— Потому что я совершенно всему поверил.

— Вы меня оскорбляете!

— Нисколько. Я как прочел, то тотчас и подумал, что этак всё и будет, потому что я, как только умрет старец Зосима, сейчас должен буду выйти из монастыря. Затем я буду продолжать курс и сдам экзамен, а как придет законный срок, мы и женимся. Я вас буду любить. Хоть мне и некогда было еще думать, но я подумал, что лучше вас жены не найду, а мне старец велит жениться...

— Да ведь я урод, меня на креслах возят! — засмеялась Лиза с зардевшимся на щеках румянцем.

— Я вас сам буду в кресле возить, но я уверен, что вы к тому сроку выздоровеете.

— Но вы сумасшедший, — нервно проговорила Лиза, — из такой шутки и вдруг вывели такой вздор!.. Ах, вот и мамаша, может быть, очень кстати. Мама, как вы всегда запоздаете, можно ли так долго! Вот уж Юлия и лед несет!

— Ах, Lise, не кричи, главное — ты не кричи. У меня от этого крику... Что ж делать, коли ты сама корпию в другое место засунула... Я искала, искала... Я подозреваю, что ты это нарочно сделала.

— Да ведь не могла же я знать, что он придет с укушенным пальцем, а то, может быть, вправду нарочно бы сделала. Ангел мама, вы начинаете говорить чрезвычайно остроумные вещи.

— Пусть остроумные, но какие чувства, Lise, насчет пальца Алексея Федоровича и всего этого! Ох, милый Алексей Федорович, меня убивают не частности, не Герценштубе какой-нибудь, а всё вместе, всё в целом, вот чего я не могу вынести.

— Довольно, мама, довольно о Герценштубе, — весело смеялась Лиза, — давайте же скорей корпию, мама, и воду. Это просто свинцовая примочка, Алексей Федорович, я теперь вспомнила имя, но это прекрасная примочка. Мама, вообразите себе, он с мальчишками дорогой подрался на улице, и это мальчишка ему укусил, ну не маленький ли, не маленький ли он сам человек, и можно ли ему, мама, после этого жениться, потому что он, вообразите себе, он хочет жениться, мама. Представьте себе, что он женат, ну не смех ли, не ужасно ли это?

И Lise всё смеялась своим нервным мелким смешком, лукаво смотря на Алешу.

— Ну как же жениться, Lise, и с какой стати это, и совсем это тебе некстати... тогда как этот мальчик может быть бешеный.

— Ах, мама! Разве бывают бешеные мальчики?

— Почему ж не бывают, Lise, точно я глупость сказала. Вашего мальчика укусила бешеная собака, и он стал бешеный мальчик и вот кого-нибудь и укусит около себя в свою очередь. Как она вам хорошо перевязала, Алексей Федорович, я бы никогда так не сумела. Чувствуете вы теперь боль?

— Теперь очень небольшую.

— А не боитесь ли вы воды? — спросила Lise.

— Ну, довольно, Lise, я, может быть, в самом деле очень поспешно сказала про бешеного мальчика, а ты уж сейчас и вывела. Катерина Ивановна только что узнала, что вы пришли, Алексей Федорович, так и бросилась ко мне, она вас жаждет, жаждет.

— Ах, мама! Подите одна туда, а он не может пойти сейчас, он слишком страдает.

— Совсем не страдаю, я очень могу пойти... — сказал Алеша.

— Как! Вы уходите? Так-то вы? Так-то вы?

— Что ж? Ведь я когда кончу там, то опять приду, и мы опять можем говорить сколько вам будет угодно. А мне очень хотелось бы видеть поскорее Катерину Ивановну, потому что я во всяком случае очень хочу как можно скорей воротиться сегодня в монастырь.

— Мама, возьмите его и скорее уведите. Алексей Федорович, не трудитесь заходить ко мне после Катерины Ивановны, а ступайте прямо в ваш монастырь, туда вам и дорога! А я спать хочу, я всю ночь не спала.

— Ах, Lise, это только шутки с твоей стороны, но что если бы ты в самом деле заснула! — воскликнула госпожа Хохлакова.

— Я не знаю, чем я... Я останусь еще минуты три, если хотите, даже пять, — пробормотал Алеша.

— Даже пять! Да уведите же его скорее, мама, это монстр!

— Lise, ты с ума сошла. Уйдемте, Алексей Федорович, она слишком капризна сегодня, я ее раздражать боюсь. О, горе с нервною женщиной, Алексей Федорович! А ведь в самом деле она, может быть, при вас спать захотела. Как это вы так скоро нагнали на нее сон, и как это счастливо!

— Ах, мама, как вы мило стали говорить, целую вас, мамочка, за это.

— И я тебя тоже, Lise. Послушайте, Алексей Федорович, — таинственно и важно быстрым шепотом заговорила госпожа Хохлакова, уходя с Алешей, — я вам ничего не хочу внушать, ни подымать этой завесы, но вы войдите и сами увидите всё, что там происходит, это ужас, это самая фантастическая комедия: она любит вашего брата Ивана Федоровича и уверяет себя изо всех сил, что любит вашего брата Дмитрия Федоровича. Это ужасно! Я войду вместе с вами и, если не прогонят меня, дождусь конца.

V

НАДРЫВ В ГОСТИНОЙ

Но в гостиной беседа уже оканчивалась; Катерина Ивановна была в большом возбуждении, хотя и имела вид решительный. В минуту, когда вошли Алеша и госпожа Хохлакова, Иван Федорович вставал, чтоб уходить. Лицо его было несколько бледно, и Алеша с беспокойством поглядел на него. Дело в том, что тут для Алеши разрешалось теперь одно из его сомнений, одна беспокойная загадка, с некоторого времени его мучившая. Еще с месяц назад ему уже несколько раз и с разных сторон внушали, что брат Иван любит Катерину Ивановну и, главное, действительно намерен «отбить» ее у Мити. До самого последнего времени это казалось Алеше чудовищным, хотя и беспокоило его очень. Он любил обоих братьев и страшился между ними такого соперничества. Между тем сам Дмитрий Федорович вдруг прямо объявил ему вчера, что даже рад соперничеству брата Ивана и что это ему же, Дмитрию, во многом поможет. Чему же поможет? Жениться ему на Грушеньке? Но дело это считал Алеша отчаянным и последним. Кроме всего этого, Алеша несомненно верил до самого вчерашнего вечера, что Катерина Ивановна сама до страсти и упорно любит брата его Дмитрия, — но лишь до вчерашнего вечера верил. Сверх того, ему почему-то всё мерещилось, что она не может любить такого, как Иван, а любит его брата Дмитрия, и именно таким, каким он есть, несмотря на всю чудовищность такой любви. Вчера же в сцене с Грушенькой ему вдруг как бы померещилось иное. Слово «надрыв», только что произнесенное госпожой Хохлаковой, заставило его почти вздрогнуть, потому что именно в эту ночь, полупроснувшись на рассвете, он вдруг, вероятно отвечая своему сновидению, произнес: «Надрыв, надрыв!» Снилась же ему всю ночь вчерашняя сцена у Катерины Ивановны. Теперь вдруг прямое и упорное уверение госпожи Хохлаковой, что Катерина Ивановна любит брата Ивана и только сама, нарочно, из какой-то игры, из «надрыва», обманывает себя и сама себя мучит напускною любовью своею к Дмитрию из какой-то будто бы благодарности, — поразило Алешу: «Да, может быть, и в самом деле полная правда именно в этих словах!» Но в таком случае, каково же положение брата Ивана? Алеша чувствовал каким-то инстинктом, что такому характеру, как Катерина Ивановна, надо было властвовать, а властвовать она могла бы лишь над таким, как Дмитрий, и отнюдь не над таким, как Иван. Ибо Дмитрий только (положим, хоть в долгий срок) мог бы смириться наконец пред нею, «к своему же счастию» (чего даже желал бы Алеша), но Иван нет, Иван не мог бы пред нею смириться, да и смирение это не дало бы ему счастия. Такое уж понятие Алеша почему-то невольно составил себе об Иване. И вот все эти колебания и соображения пролетели и мелькнули в его уме в тот миг, когда он вступал теперь в гостиную. Промелькнула и еще одна мысль — вдруг и неудержимо: «А что, если она и никого не любит, ни того, ни другого?» Замечу, что Алеша как бы стыдился таких своих мыслей и упрекал себя в них, когда они в последний месяц, случалось, приходили ему. «Ну что я понимаю в любви и в женщинах и как могу я заключать такие решения», — с упреком себе думал он после каждой подобной своей мысли или догадки. А между тем нельзя было не думать. Он понимал инстинктом, что теперь, например, в судьбе двух братьев его это соперничество слишком важный вопрос и от которого слишком много зависит. «Один гад съест другую гадину», — произнес вчера брат Иван, говоря в раздражении про отца и брата Дмитрия. Стало быть, брат Дмитрий в глазах его гад и, может быть, давно уже гад? Не с тех ли пор, как узнал брат Иван Катерину Ивановну? Слова эти, конечно, вырвались у Ивана вчера невольно, но тем важнее, что невольно. Если так, то какой же тут мир? Не новые ли, напротив, поводы к ненависти и вражде в их семействе? А главное, кого ему, Алеше, жалеть? И что каждому пожелать? Он любит их обоих, но что каждому из них пожелать среди таких страшных противоречий? В этой путанице можно было совсем потеряться, а сердце Алеши не могло выносить неизвестности, потому что характер любви его был всегда деятельный. Любить пассивно он не мог; возлюбив, он тотчас же принимался и помогать. А для этого надо было поставить цель, надо твердо было знать, что каждому из них хорошо и нужно, а утвердившись в верности цели, естественно, каждому из них и помочь. Но вместо твердой цели во всем была лишь неясность и путаница. «Надрыв» произнесено теперь! Но что он мог понять хотя бы даже в этом надрыве? Первого даже слова во всей этой путанице он не понимает!

Увидав Алешу, Катерина Ивановна быстро и с радостью проговорила Ивану Федоровичу, уже вставшему со своего места, чтоб уходить:

— На минутку! Останьтесь еще на одну минуту. Я хочу услышать мнение вот этого человека, которому я всем существом моим доверяю. Катерина Осиповна, не уходите и вы, — прибавила она, обращаясь к госпоже Хохлаковой.

Она усадила Алешу подле себя, а Хохлакова села напротив, рядом с Иваном Федоровичем.

— Здесь все друзья мои, все, кого я имею в мире, милые друзья мои, — горячо начала она голосом, в котором дрожали искренние страдальческие слезы, и сердце Алеши опять разом повернулось к ней. — Вы, Алексей Федорович, вы были вчера свидетелем этого... ужаса и видели, какова я была. Вы не видали этого, Иван Федорович, он видел. Что он подумал обо мне вчера — не знаю, знаю только одно, что, повторись то же самое сегодня, сейчас, и я высказала бы такие же чувства, какие вчера, — такие же чувства, такие же слова и такие же движения. Вы помните мои движения, Алексей Федорович, вы сами удержали меня в одном из них... (Говоря это, она покраснела, и глаза ее засверкали.) Объявляю вам, Алексей Федорович, что я не могу ни с чем примириться. Слушайте, Алексей Федорович, я даже не знаю, люблю ли я *его* теперь. Он мне стал *жалок,* это плохое свидетельство любви. Если б я любила его, продолжала любить, то я, может быть, не жалела бы его теперь, а, напротив, ненавидела.,.

Голос ее задрожал, и слезинки блеснули на ее ресницах. Алеша вздрогнул внутри себя: «Эта девушка правдива и искренна, — подумал он, — и... и она более не любит Дмитрия!»

— Это так! Так! — воскликнула было госпожа Хохлакова.

— Подождите, милая Катерина Осиповна, я не сказала главного, не сказала окончательного, что решила в эту ночь. Я чувствую, что, может быть, решение мое ужасно — для меня, но предчувствую, что я уже не переменю его ни за что, ни за что, во всю жизнь мою, так и будет. Мой милый, мой добрый, мой всегдашний и великодушный советник и глубокий сердцеведец и единственный друг мой, какого я только имею в мире, Иван Федорович, одобряет меня во всем и хвалит мое решение... Он его знает.

— Да, я одобряю его, — тихим, но твердым голосом произнес Иван Федорович.

— Но я желаю, чтоб и Алеша (ах, Алексей Федорович, простите, что я вас назвала Алешей просто), я желаю, чтоб и Алексей Федорович сказал мне теперь же при обоих друзьях моих — права я или нет? У меня инстинктивное предчувствие, что вы, Алеша, брат мой милый (потому что вы брат мой милый), — восторженно проговорила она опять, схватив его холодную руку своею горячею рукой, — я предчувствую, что ваше решение, ваше одобрение, несмотря на все муки мои, подаст мне спокойствие, потому что после ваших слов я затихну и примирюсь — я это предчувствую!

— Я не знаю, о чем вы спросите меня, — выговорил с зардевшимся лицом Алеша, — я только знаю, что я вас люблю и желаю вам в эту минуту счастья больше, чем себе самому!.. Но ведь я ничего не знаю в этих делах... — вдруг зачем-то поспешил он прибавить.

— В этих делах, Алексей Федорович, в этих делах теперь главное — честь и долг, и не знаю, что еще, но нечто высшее, даже, может быть, высшее самого долга. Мне сердце сказывает про это непреодолимое чувство, и оно непреодолимо влечет меня. Всё, впрочем, в двух словах, я уже решилась: если даже он и женится на той... твари, — начала она торжественно, — которой я никогда, никогда простить не могу, то *я все-таки не оставлю его!* От этих пор я уже никогда, никогда не оставлю его! — произнесла она с каким-то надрывом какого-то бледного вымученного восторга. — То есть не то чтоб я таскалась за ним, попадалась сму поминутно на глаза, мучила его — о нет, я уеду в другой город, куда хотите, но я всю жизнь, всю жизнь мою буду следить за ним не уставая. Когда же он станет с тою несчастен, а это непременно и сейчас же будет, то пусть придет ко мне, и он встретит друга, сестру... Только сестру, конечно, и это навеки так, но он убедится, наконец, что эта сестра действительно сестра его, любящая и всю жизнь ему пожертвовавшую. Я добьюсь того, я настою на том, что наконец он узнает меня и будет передавать мне всё, не стыдясь! — воскликнула она как бы в исступлении. — Я буду богом его, которому он будет молиться, — и это по меньшей мере он должен мне за измену свою и за то, что я перенесла чрез него вчера. И пусть же он видит во всю жизнь свою, что я всю жизнь мою буду верна ему и моему данному ему раз слову, несмотря на то, что он был неверен и изменил. Я буду... Я обращусь лишь в средство для его счастия (или как это сказать), в инструмент, в машину для его счастия, и это на всю жизнь, на всю жизнь, и чтоб он видел это впредь всю жизнь свою! Вот всё мое решение! Иван Федорович в высшей степени одобряет меня.

Она задыхалась. Она, может быть, гораздо достойнее, искуснее и натуральнее хотела бы выразить свою мысль, но вышло слишком поспешно и слишком обнаженно. Много было молодой невыдержки, многое отзывалось лишь вчерашним раздражением, потребностью погордиться, это она почувствовала сама. Лицо ее как-то вдруг омрачилось, выражение глаз стало нехорошо. Алеша тотчас же заметил всё это, и в сердце его шевельнулось сострадание. А тут как раз подбавил и брат Иван.

— Я высказал только мою мысль, — сказал он. — У всякой другой вышло бы всё это надломленно, вымученно, а у вас — нет. Другая была бы неправа, а вы правы. Я не знаю, как это мотивировать, но я вижу, что вы искренни в высшей степени, а потому вы и правы...

— Но ведь это только в эту минуту... А что такое эта минута? Всего лишь вчерашнее оскорбление — вот что значит эта минута! — не выдержала вдруг госпожа Хохлакова, очевидно не желавшая вмешиваться, но не удержавшаяся и вдруг сказавшая очень верную мысль.

— Так, так, — перебил Иван, с каким-то вдруг азартом и видимо озлясь, что его перебили, — так, но у другой эта минута лишь вчерашнее впечатление, и только минута, а с характером Катерины Ивановны эта минута — протянется всю ее жизнь. Что для других лишь обещание, то для нее вековечный, тяжелый, угрюмый может быть, но неустанный долг. И она будет питаться чувством этого исполненного долга! Ваша жизнь, Катерина Ивановна, будет проходить теперь в страдальческом созерцании собственных чувств, собственного подвига и собственного горя, но впоследствии страдание это смягчится, и жизнь ваша обратится уже в сладкое созерцание раз навсегда исполненного твердого и гордого замысла, действительно в своем роде гордого, во всяком случае отчаянного, но побежденного вами, и это сознание доставит вам наконец самое полное удовлетворение и примирит вас со всем остальным...

Проговорил он это решительно с какой-то злобой, видимо нарочно, и даже, может быть, не желая скрыть своего намерения, то есть что говорит нарочно и в насмешку.

— О боже, как это всё не так! — воскликнула опять госпожа Хохлакова.

— Алексей Федорович, скажите же вы! Мне мучительно надо знать, что вы мне скажете! — воскликнула Катерина Ивановна и вдруг залилась слезами. Алеша встал с дивана.

— Это ничего, ничего! — с плачем продолжала она, — это от расстройства, от сегодняшней ночи, но подле таких двух друзей, как вы и брат ваш, я еще чувствую себя крепкою... потому что знаю... вы оба меня никогда не оставите...

— К несчастью, я завтра же, может быть, должен уехать в Москву и надолго оставить вас... И это, к несчастию, неизменимо... — проговорил вдруг Иван Федорович.

— Завтра, в Москву! — перекосилось вдруг всё лицо Катерины Ивановны, — но... но боже мой, как это счастливо! — вскричала она в один миг совсем изменившимся голосом и в один миг прогнав свои слезы, так что и следа не осталось. Именно в один миг произошла в ней удивительная перемена, чрезвычайно изумившая Алешу: вместо плакавшей сейчас в каком-то надрыве своего чувства бедной оскорбленной девушки явилась вдруг женщина, совершенно владеющая собой и даже чем-то чрезвычайно довольная, точно вдруг чему-то обрадовавшаяся.

— О, не то счастливо, что я вас покидаю, уж разумеется нет, — как бы поправилась она вдруг с милою светскою улыбкой, — такой друг, как вы, не может этого подумать; я слишком, папротив, несчастна, что вас лишусь (она вдруг стремительно бросилась к Ивану Федоровичу и, схватив его за обе руки, с горячим чувством пожала их); но вот что счастливо, это то, что вы сами, лично, в состоянии будете передать теперь в Москве, тетушке и Агаше, всё мое положение, весь теперешний ужас мой, в полной откровенности с Агашей и щадя милую тетушку, так, как сами сумеете это сделать. Вы не можете себе представить, как я была вчера и сегодня утром несчастна, недоумевая, как я напишу им это ужасное письмо... потому что в письме этого никак, ни за что не передашь... Теперь же мне легко будет написать, потому что вы там у них будете налицо и всё объясните. О, как я рада! Но я только этому рада, опять-таки поверьте мне. Сами вы мне, конечно, незаменимы... Сейчас же бегу напишу письмо, — заключила она вдруг и даже шагнула уже, чтобы выйти из комнаты.

— А Алеша-то? А мнение-то Алексея Федоровича, которое вам так непременно желалось выслушать? — вскричала госпожа Хохлакова. Язвительная и гневливая нотка прозвучала в ее словах.

— Я не забыла этого, — приостановилась вдруг Катерина Ивановна, — и почему вы так враждебны ко мне в такую минуту, Катерина Осиповна? — с горьким, горячим упреком произнесла она. — Что я сказала, то я и подтверждаю. Мне необходимо мнение его, мало того: мне надо решение его! Что он скажет, так и будет — вот до какой степени, напротив, я жажду ваших слов, Алексей Федорович... Но что с вами?

— Я никогда не думал, я не могу этого представить! — воскликнул вдруг Алеша горестно.

— Чего, чего?

— Он едет в Москву, а вы вскрикнули, что рады, — это вы нарочно вскрикнули! А потом тотчас стали объяснять, что вы не тому рады, а что, напротив, жалеете, что... теряете друга, — но и это вы нарочно сыграли... как на театре в комедии сыграли!..

— На театре? Как?.. Что это такое? — воскликнула Катерина Ивановна в глубоком изумлении, вся вспыхнув и нахмурив брови.

— Да как ни уверяйте его, что вам жалко в нем друга, а все-таки вы настаиваете ему в глаза, что счастье в том, что он уезжает... — проговорил как-то совсем уже задыхаясь Алеша. Он стоял за столом и не садился.

— О чем вы, я не понимаю...

— Да я и сам не знаю... У меня вдруг как будто озарение... Я знаю, что я нехорошо это говорю, но я все-таки всё скажу, — продолжал Алеша тем же дрожащим и пересекающимся голосом. — Озарение мое в том, что вы брата Дмитрия, может быть, совсем не любите... с самого начала... Да и Дмитрий, может быть, не любит вас тоже вовсе... с самого начала... а только чтит... Я, право, не знаю, как я всё это теперь смею, но надо же кому-нибудь правду сказать... потому что никто здесь правды не хочет сказать...

— Какой правды? — вскричала Катерина Ивановна, и что-то истерическое зазвенело в ее голосе.

— А вот какой, — пролепетал Алеша, как будто полетев с крыши, — позовите сейчас Дмитрия — я его найду, — и пусть он придет сюда и возьмет вас за руку, потом возьмет за руку брата Ивана и соединит ваши руки. Потому что вы мучаете Ивана, потому только, что его любите... а мучите

потому, что Дмитрия надрывом любите... внеправду любите... потому что уверили себя так...

Алеша оборвался и замолчал.

— Вы... вы... вы маленький юродивый, вот вы кто! —
с побледневшим уже лицом и скривившимися от злобы
губами отрезала вдруг Катерина Ивановна. Иван Федорович вдруг засмеялся и встал с места. Шляпа была в руках
его.

— Ты ошибся, мой добрый Алеша, — проговорил он
с выражением лица, которого никогда еще Алеша у него
не видел, — с выражением какой-то молодой искренности
и сильного неудержимо откровенного чувства, — никогда
Катерина Ивановна не любила меня! Она знала всё время,
что я ее люблю, хоть я и никогда не говорил ей ни слова
о моей любви, — знала, но меня не любила. Другом тоже
я ее не был ни разу, ни одного дня: гордая женщина в
моей дружбе не нуждалась. Она держала меня при себе
для беспрерывного мщения. Она мстила мне и на мне за
все оскорбления, которые постоянно и всякую минуту вы-
носила во весь этот срок от Дмитрия, оскорбления с первой встречи их... Потому что и самая первая встреча их
осталась у ней на сердце как оскорбление. Вот каково ее
сердце! Я всё время только и делал, что выслушивал о
любви ее к нему. Я теперь еду, но знайте, Катерина Ивановна, что вы действительно любите только его. И по мере оскорблений его всё больше и больше. Вот это и есть
ваш надрыв. Вы именно любите его таким, каким он есть,
вас оскорбляющим его любите. Если б он исправился, вы
его тотчас забросили бы и разлюбили вовсе. Но вам он
нужен, чтобы созерцать беспрерывно ваш подвиг верности
и упрекать его в неверности. И всё это от вашей гордости.
О, тут много принижения и унижения, но всё это от гордости... Я слишком молод и слишком сильно любил вас.
Я знаю, что это бы не надо мне вам говорить, что было
бы больше достоинства с моей стороны просто выйти от
вас; было бы и не так для вас оскорбительно. Но ведь я
еду далеко и не приеду никогда. Это ведь навеки... Я не
хочу сидеть подле надрыва... Впрочем, я уже не умею говорить, всё сказал... Прощайте, Катерина Ивановна, вам
нельзя на меня сердиться, потому что я во сто раз более
вас наказан: наказан уже тем одним, что никогда вас не
увижу! Прощайте. Мне не надобно руки вашей. Вы слиш-

ком сознательно меня мучили, чтоб я вам в эту минуту мог простить. Потом прощу, а теперь не надо руки.

Den Dank, Dame, begehr ich nicht[1], —

прибавил он с искривленною улыбкой, доказав, впрочем, совершенно неожиданно, что и он может читать Шиллера до заучивания наизусть, чему прежде не поверил бы Алеша. Он вышел из комнаты, даже не простившись и с хозяйкой, госпожой Хохлаковой. Алеша всплеснул руками.

— Иван, — крикнул он ему, как потерянный, вслед, — воротись, Иван! Нет, нет, он теперь ни за что не воротится! — воскликнул он опять в горестном озарении, — но это я, я виноват, я начал! Иван говорил злобно, нехорошо. Несправедливо и злобно... — Алеша восклицал как полоумный.

Катерина Ивановна вдруг вышла в другую комнату.

— Вы ничего не наделали, вы действовали прелестно, как ангел, — быстро и восторженно зашептала горестному Алеше госпожа Хохлакова. — Я употреблю все усилия, чтоб Иван Федорович не уехал...

Радость сияла на ее лице, к величайшему огорчению Алеши; но Катерина Ивановна вдруг вернулась. В руках ее были два радужные кредитные билеты.

— Я имею к вам одну большую просьбу, Алексей Федорович, — начала она, прямо обращаясь к Алеше по-видимому спокойным и ровным голосом, точно и в самом деле ничего сейчас не случилось. — Неделю — да, кажется, неделю назад — Дмитрий Федорович сделал один горячий и несправедливый поступок, очень безобразный. Тут есть одно нехорошее место, один трактир. В нем он встретил этого отставного офицера, штабс-капитана этого, которого ваш батюшка употреблял по каким-то своим делам. Рассердившись почемуто на этого штабс-капитана, Дмитрий Федорович схватил его за бороду и при всех вывел в этом унизительном виде на улицу и на улице еще долго вел, и говорят, что мальчик, сын этого штабс-капитана, который учится в здешнем училище, еще ребенок, увидав это, бежал всё подле и плакал вслух и просил за отца и бросался ко всем и просил, чтобы защитили, а все смеялись. Простите, Алексей Федорович, я не могу вспомнить без негодования

---

[1] Награда не нужна мне, господа *(нем.)*.

этого позорного *его* поступка... одного из таких поступков, на которые может решиться только один Дмитрий Федорович в своем гневе... и в страстях своих! Я и рассказать этого не могу, не в состоянии... Я сбиваюсь в словах. Я справлялась об этом обиженном и узнала, что он очень бедный человек. Фамилия его Снегирев. Он за что-то провинился на службе, его выключили, я не умею вам это рассказать, и теперь он с своим семейством, с несчастным семейством больных детей и жены, сумасшедшей кажется, впал в страшную нищету. Он уже давно здесь в городе, он что-то делает, писарем где-то был, а ему вдруг теперь ничего не платят. Я бросила взгляд на вас... то есть я думала — я не знаю, я как-то путаюсь, — видите, я хотела вас просить, Алексей Федорович, добрейший мой Алексей Федорович, сходить к нему, отыскать предлог, войти к ним, то есть к этому штабс-капитану, — о боже! как я сбиваюсь — и деликатно, осторожно — именно как только вы один сумеете сделать (Алеша вдруг покраснел) — суметь отдать ему это вспоможение, вот, двести рублей. Он, наверно, примет... то есть уговорить его принять... Или нет, как это? Видите ли, это не то что плата ему за примирение, чтоб он не жаловался (потому что он, кажется, хотел жаловаться), а просто сочувствие, желание помочь, от меня, от меня, от невесты Дмитрия Федоровича, а не от него самого... Одним словом, вы сумеете... Я бы сама поехала, но вы сумеете гораздо лучше меня. Он живет в Озерной улице, в доме мещанки Калмыковой... Ради бога, Алексей Федорович, сделайте мне это, а теперь... теперь я несколько... устала. До свиданья...

Она вдруг так быстро повернулась и скрылась опять за портьеру, что Алеша не успел и слова сказать, — а ему хотелось сказать. Ему хотелось просить прощения, обвинить себя, — ну что-нибудь сказать, потому что сердце его было полно, и выйти из комнаты он решительно не хотел без этого. Но госпожа Хохлакова схватила его за руку и вывела сама. В прихожей она опять остановила его, как и давеча.

— Гордая, себя борет, но добрая, прелестная, великодушная! — полушепотом восклицала госпожа Хохлакова. — О, как я ее люблю, особенно иногда, и как я всему, всему теперь вновь опять рада! Милый Алексей Федорович, вы ведь не знали этого: знайте же, что мы все, все — я, обе ее тетки — ну все, даже Lise, вот уже целый месяц как мы только того и желаем и молим, чтоб она разошлась с вашим любимцем Дмитрием Федоровичем, который ее знать не хочет и нисколько не любит, и вышла бы за Ивана Федоровича, образованного и превосходного молодого человека, который ее любит больше всего на свете. Мы ведь целый заговор тут составили, и я даже, может быть, не уезжаю лишь из-за этого...

— Но ведь она же плакала, опять оскорбленная! — вскричал Алеша.

— Не верьте слезам женщины, Алексей Федорович, — я всегда против женщин в этом случае, я за мужчин.

— Мама, вы его портите и губите, — послышался тоненький голосок Lise из-за двери.

— Нет, это я всему причиной, я ужасно виноват! — повторял неутешный Алеша в порыве мучительного стыда за свою выходку и даже закрывая руками лицо от стыда.

— Напротив, вы поступили как ангел, как ангел, я это тысячи тысяч раз повторить готова.

— Мама, почему он поступил как ангел, — послышался опять голос Lise.

— Мне вдруг почему-то вообразилось, на всё это глядя, — продолжал Алеша, как бы и не слыхав Лизы, — что она любит Ивана, вот я и сказал эту глупость... и что теперь будет!

— Да с кем, с кем? — воскликнула Lise, — мама, вы, верно, хотите умертвить меня. Я вас спрашиваю — вы мне не отвечаете.

В эту минуту вбежала горничная.

— С Катериной Ивановной худо... Они плачут... истерика, бьются.

— Что такое, — закричала Lise, уж тревожным голосом. — Мама, это со мной будет истерика, а не с ней!

— Lise, ради бога, не кричи, не убивай меня. Ты еще в таких летах, что тебе нельзя всего знать, что большие знают, прибегу — всё расскажу, что можно тебе сообщить. О боже мой! Я бегу, бегу... Истерика — это добрый знак, Алексей Федорович, это превосходно, что с ней истерика. Это именно так и надо. Я в этом случае всегда против женщин, против всех этих истерик и женских слез. Юлия, беги и скажи, что я лечу. А что Иван Федорович так вышел, так она сама виновата. Но он не уедет. Lise, ради бога, не кричи! Ах да, ты не кричишь, это я кричу, прости свою мамашу, но я в восторге, в восторге, в восторге! А заметили вы, Алексей Федорович, каким молодым человеком Иван Федорович давеча вышел, сказал это всё и вышел! Я думала, он такой ученый, академик, а он вдруг так горячо-горячо, откровенно и молодо, неопытно и молодо, и так это всё прекрасно, прекрасно, точно вы... И этот стишок немецкий сказал, ну точно как вы! Но бегу, бегу. Алексей Федорович, спешите скорей по этому поручению и поскорей вернитесь. Lise, не надобно ли тебе чего? Ради бога, не задерживай ни минуты Алексея Федоровича, он сейчас к тебе вернется...

Госпожа Хохлакова наконец убежала. Алеша, прежде чем идти, хотел было отворить дверь к Lise.

— Ни за что! — вскричала Lise, — теперь уж ни за что! Говорите так, сквозь дверь. За что вы в ангелы попали? Я только это одно и хочу знать.

— За ужасную глупость, Lise! Прощайте.

— Не смейте так уходить! — вскричала было Lise.

— Lise, у меня серьезное горе! Я сейчас ворочусь, но у меня большое, большое горе!

И он выбежал из комнаты.

VI

НАДРЫВ В ИЗБЕ

У него было действительно серьезное горе, из таких, какие он доселе редко испытывал. Он выскочил и «наглупил» — и в каком же деле: в любовных чувствах! «Ну что я в этом понимаю, что я в этих делах разбирать могу? — в сотый раз повторял он про себя, краснея, — ох, стыд бы ничего, стыд только должное мне наказание, — беда в том, что несомненно теперь я буду причиною новых несчастий... А старец посылал меня, чтобы примирить и соединить. Так ли соединяют?» Тут он вдруг опять припомнил, как он «соединил руки», и страшно стыдно стало ему опять. «Хоть я сделал это всё и искренно, но вперед надо быть умнее», — заключил он вдруг и даже не улыбнулся своему заключению.

Поручение Катерины Ивановны было дано в Озерную улицу, а брат Дмитрий жил как раз тут по дороге, недалеко от Озерной улицы в переулке. Алеша решил зайти к нему во всяком случае прежде, чем к штабс-капитану, хоть и предчувствовал, что не застанет брата. Он подозревал, что тот, может быть, как-нибудь нарочно будет прятаться от него теперь, но во что бы то ни стало надо было его разыскать. Время же уходило: мысль об отходившем старце ни на минуту, ни на секунду не оставляла его с того часа, как он вышел из монастыря.

В поручении Катерины Ивановны промелькнуло одно обстоятельство, чрезвычайно тоже его заинтересовавшее: когда Катерина Ивановна упомянула о маленьком мальчике, школьнике, сыне того штабс-капитана, который бежал, плача в голос, подле отца, то у Алеши и тогда уже вдруг мелькнула мысль, что этот мальчик есть, наверное, тот давешний школьник, укусивший его за палец, когда он, Алеша, допрашивал его, чем он его обидел. Теперь уж Алеша был почти уверен в этом, сам не зная еще почему. Таким образом, увлекшись посторонними соображениями, он развлекся и решил не «думать» о сейчас наделанной им «беде», не мучить себя раскаянием, а делать дело, а там что будет, то и выйдет. На этой мысли он окончательно ободрился. Кстати, завернув в переулок к брату Дмитрию и чувствуя голод, он вынул из кармана взятую у отца булку и съел дорогой. Это подкрепило его силы.

Дмитрия дома не оказалось. Хозяева домишка — старик столяр, его сын и старушка, жена его, — даже подозрительно посмотрели на Алешу. «Уж третий день как не ночует, может, куда и выбыл», — ответил старик на усиленные вопросы Алеши. Алеша понял, что он отвечает по данной инструкции. На вопрос его: «Не у Грушеньки ли он, и не у Фомы ли опять прячется» (Алеша нарочно пустил в ход эти откровенности), все хозяева даже пугливо на него посмотрели. «Любят его, стало быть, руку его держат, — подумал Алеша, — это хорошо».

Наконец он разыскал в Озерной улице дом мещанки Калмыковой, ветхий домишко, перекосившийся, всего в три окна на улицу, с грязным двором, посреди которого уединенно стояла корова. Вход был со двора в сени; налево из сеней жила старая хозяйка со старухою дочерью, и, кажется, обе глухие. На вопрос его о штабс-капитане, несколько раз повторенный, одна из них, поняв наконец, что спрашивают жильцов, ткнула ему пальцем чрез сени, указывая на дверь в чистую избу. Квартира штабс-капитана действительно оказалась только простою избой. Алеша взялся было рукой за железную скобу, чтоб отворить дверь, как вдруг необыкновенная тишина за дверями поразила его. Он знал, однако, со слов Катерины Ивановны, что отставной штабс-капитан человек семейный: «Или спят все они, или, может быть, услыхали, что я пришел, и ждут, пока я отворю; лучше я снова постучусь к ним», — и он постучал. Ответ послышался, но не сейчас, а секунд даже, может быть, десять спустя.

— Кто таков? — прокричал кто-то громким и усиленно сердитым голосом.

Алеша отворил тогда дверь и шагнул чрез порог. Он очутился в избе, хотя и довольно просторной, но чрезвычайно загроможденной и людьми, и всяким домашним скарбом. Налево была большая русская печь. От печи к левому окну чрез всю комнату была протянута веревка, на которой было развешено разное тряпье. По обеим стенам налево и направо помещалось по кровати, покрытых вязаными одеялами. На одной из них, на левой, была воздвигнута горка из четырех ситцевых подушек, одна другой меньше. На другой же кровати, справа, виднелась лишь одна очень маленькая подушечка. Далее в переднем углу было небольшое место, отгороженное занавескою или простыней, тоже перекинутою чрез веревку, протянутую поперек угла. За этою занавескою тоже примечалась сбоку устроенная на лавке и на приставленном к ней стуле постель. Простой деревянный четырехугольный мужицкий стол был отодвинут из переднего угла к серединному окошку. Все три окна, каждое в четыре мелкие, зеленые, заплесневшие стекла, были очень тусклы и наглухо заперты, так что в комнате было довольно душно и не так светло. На столе стояла сковорода с остатками глазной яичницы, лежал надъеденный ломоть хлеба и, сверх того, находился полуштоф со слабыми остатками земных благ лишь на донушке. Возле левой кровати на стуле помещалась женщина, похожая на даму, одетая в ситцевое платье. Она была очень худа лицом, желтая; чрезвычайно впалые щеки ее свидетельствовали с первого раза о ее болезненном состоянии. Но всего более поразил Алешу взгляд бедной дамы — взгляд чрезвычайно вопросительный и в то же время ужасно надменный. И до тех пор пока дама не заговорила сама и пока объяснялся Алеша с хозяином, она всё время так же надменно и вопросительно переводила свои большие карие глаза с одного говорившего на другого. Подле этой дамы у левого окошка стояла молодая девушка с довольно некрасивым лицом, с рыженькими жиденькими волосами, бедно, хотя и весьма опрятно одетая. Она брезгливо осматривала вошедшего Алешу. Направо, тоже у постели, сидело и еще одно женское существо. Это было очень жалкое создание, молодая тоже девушка, лет двадцати, но горбатая и безногая, с отсохшими, как сказали потом Алеше, ногами. Костыли ее стояли подле, в углу, между кроватью и стеной. Замечательно прекрасные и добрые глаза бедной девушки с какою-то спокойною кротостью поглядели на Алешу. За столом, кончая яичницу, сидел господин лет сорока пяти, невысокого роста, сухощавый, слабого сложения, рыжеватый, с рыженькою редкою бородкой, весьма похожею на растрепанную мочалку (это сравнение и особенно слово «мочалка» так и сверкнули почему-то с первого же взгляда в уме Алеши, он это потом припомнил). Очевидно, этот самый господин и крикнул из-за двери: «кто таков», так как другого мужчины в комнате не было. Но когда Алеша вошел, он словно сорвался со скамьи, на которой сидел за столом, и, наскоро обтираясь дырявою салфеткой, подлетел к Алеше.

— Монах на монастырь просит, знал к кому прийти! — громко между тем проговорила стоявшая в левом углу девица. Но господин, подбежавший к Алеше, мигом повернулся к ней на каблуках и взволнованным срывающимся каким-то голосом ей ответил:

— Нет-с, Варвара Николавна, это не то-с, не угадали-с! Позвольте спросить в свою очередь, — вдруг опять повернулся он к Алеше, — что побудило вас-с посетить... эти недра-с?

Алеша внимательно смотрел на него, он в первый раз этого человека видел. Было в нем что-то угловатое, спешащее и раздражительное. Хотя он очевидно сейчас выпил, но пьян не был. Лицо его изображало какую-то крайнюю наглость и в то же время — странно это было — видимую трусость. Он похож был на человека, долгое время подчинявшегося и натерпевшегося, но который бы вдруг вскочил и захотел заявить себя. Или, еще лучше, на человека, которому ужасно бы хотелось вас ударить, но который ужасно боится, что вы его ударите. В речах его и в интонации довольно пронзительного голоса слышался какой-то юродливый юмор, то злой, то робеющий, не выдерживающий тона и срывающийся. Вопрос о «недрах» задал он как бы весь дрожа, выпучив глаза и подскочив к Алеше до того в упор, что тот машинально сделал шаг назад. Одет был этот господин в темное, весьма плохое, какое-то нанковое пальто, заштопанное и в пятнах. Панталоны на нем были чрезвычайно какие-то светлые, такие, что никто давно и не носит, клетчатые и из очень тоненькой какой-то материи, смятые снизу и сбившиеся оттого наверх, точно он из них, как маленький мальчик, вырос.

— Я... Алексей Карамазов... — проговорил было в ответ Алеша.

— Отменно умею понимать-с, — тотчас же отрезал господин, давая знать, что ему и без того известно, кто он такой. — Штабс я капитан-с Снегирев-с, в свою очередь; но всё же желательно узнать, что именно побудило...

— Да я так только зашел. Мне, в сущности, от себя хотелось бы вам сказать одно слово... Если только позволите...

— В таком случае вот и стул-с, извольте взять место-с. Это в древних комедиях говорили: «Извольте взять место»... — и штабс-капитан быстрым жестом схватил порожний стул (простой мужицкий, весь деревянный и ничем не обитый) и поставил его чуть не посредине комнаты; затем, схватив другой такой же стул для себя, сел напротив Алеши, по-прежнему к нему в упор и так, что колени их почти соприкасались вместе.

— Николай Ильич Снегирев-с, русской пехоты бывший штабс-капитан-с, хоть и посрамленный своими пороками, но всё же штабс-капитан. Скорее бы надо сказать: штабс-капитан Словоерсов, а не Снегирев, ибо лишь со второй половины жизни стал говорить словоерсами. Словоерс приобретается в унижении.

— Это так точно, — усмехнулся Алеша, — только невольно приобретается или нарочно?

— Видит бог, невольно. Всё не говорил, целую жизнь не говорил словоерсами, вдруг упал и встал с словоерсами. Это делается высшею силой. Вижу, что интересуетесь современными вопросами. Чем, однако, мог возбудить столь любопытства, ибо живу в обстановке, невозможной для гостеприимства.

— Я пришел... по тому самому делу...

— По тому самому делу? — нетерпеливо прервал штабс-капитан.

— По поводу той встречи вашей с братом моим Дмитрием Федоровичем, — неловко отрезал Алеша.

— Какой же это встречи-с? Это уж не той ли самой-с? Значит, насчет мочалки, банной мочалки? — надвинулся он вдруг так, что в этот раз положительно стукнулся коленками в Алешу. Губы его как-то особенно сжались в ниточку.

— Какая это мочалка? — пробормотал Алеша.

— Это он на меня тебе, папа, жаловаться пришел! — крикнул знакомый уже Алеше голосок давешнего мальчика из-за занавески в углу. — Это я ему давеча палец укусил!

Занавеска отдернулась, и Алеша увидел давешнего врага своего, в углу, под образами, на прилаженной на лавке и на стуле постельке. Мальчик лежал накрытый своим пальтишком и еще стареньким ватным одеяльцем. Очевидно, был нездоров и, судя по горящим глазам, в лихорадочном жару. Он бесстрашно, не по-давешнему, глядел теперь на Алешу: «Дома, дескать, теперь не достанешь».

— Какой такой палец укусил? — привскочил со стула штабс-капитан. — Это вам он палец укусил-с?

— Да, мне. Давеча он на улице с мальчиками камнями перебрасывался; они в него шестеро кидают, а он один. Я подошел к нему, а он и в меня камень бросил, потом другой мне в голову. Я спросил: что я ему сделал? Он вдруг бросился и больно укусил мне палец, не знаю за что.

— Сейчас высеку-с! Сею минутой высеку-с, — совсем уже вскочил со стула штабс-капитан.

— Да я ведь вовсе не жалуюсь, я только рассказал... Я вовсе не хочу, чтобы вы его высекли. Да он, кажется, теперь и болен...

— А вы думали, я высеку-с? Что я Илюшечку возьму да сейчас и высеку пред вами для вашего полного удовлетворения? Скоро вам это надо-с? — проговорил штабс-капитан, вдруг повернувшись к Алеше с таким жестом, как будто хотел на него броситься. — Жалею, сударь, о вашем пальчике, но не хотите ли я, прежде чем Илюшечку сечь, свои четыре пальца, сейчас же на ваших глазах, для вашего

справедливого удовлетворения, вот этим самым ножом от-
тяпаю. Четырех-то пальцев, я думаю, вам будет довольно-с
для утоления жажды мщения-с, пятого не потребуете?.. —
Он вдруг остановился и как бы задохся. Каждая черточка
на его лице ходила и дергалась, глядел же с чрезвычайным
вызовом. Он был как бы в исступлении.

— Я, кажется, теперь всё понял, — тихо и грустно ответил Алеша, продолжая сидеть. — Значит, ваш мальчик —
добрый мальчик, любит отца и бросился на меня как на
брата вашего обидчика... Это я теперь понимаю, — повторил он раздумывая. — Но брат мой Дмитрий Федорович
раскаивается в своем поступке, я знаю это, и если только
ему возможно будет прийти к вам или, всего лучше, сви-
деться с вами опять в том самом месте, то он попросит
у вас при всех прощения... если вы пожелаете.

— То есть вырвал бороденку и попросил извинения...
Всё, дескать, закончил и удовлетворил, так ли-с?

— О нет, напротив, он сделает всё, что вам будет угодно и как вам будет угодно!

— Так что если б я попросил его светлость стать на
коленки предо мной в этом самом трактире-с — «Столичный город» ему наименование — или на площади-с, так
он и стал бы?

— Да, он станет и на колени.

— Пронзили-с. Прослезили меня и пронзили-с. Слишком наклонен чувствовать. Позвольте же отрекомендовать-
ся вполне: моя семья, мои две дочери и мой сын — мой
помет-с. Умру я, кто-то их возлюбит-с? А пока живу я,
кто-то меня, скверненького, кроме них, возлюбит? Великое это дело устроил Господь для каждого человека в моем
роде-с. Ибо надобно, чтоб и человека в моем роде мог хоть
кто-нибудь возлюбить-с...

— Ах, это совершенная правда! — воскликнул Алеша.

— Да полноте наконец паясничать; какой-нибудь дурак придет, а вы срамите! — вскрикнула неожиданно девушка у окна, обращаясь к отцу с брезгливою и презрительною миной.

— Повремените немного, Варвара Николавна, позвольте выдержать направление, — крикнул ей отец, хотя и повелительным тоном, но, однако, весьма одобрительно смотря на нее. — Это уж у нас такой характер-с, — повернулся
он опять к Алеше.

И ничего во всей природе
Благословить он не хотел.

То есть надо бы в женском роде: благословить она не хотела-с. Но позвольте вас представить и моей супруге: вот-с Арина Петровна, дама без ног-с, лет сорока трех, ноги ходят, да немножко-с. Из простых-с. Арина Петровна, разгладьте черты ваши: вот Алексей Федорович Карамазов. Встаньте, Алексей Федорович, — он взял его за руку и с силой, которой даже нельзя было ожидать от него, вдруг его приподнял. — Вы даме представляетесь, надо встать-с. Не тот-с Карамазов, маменька, который... гм и так далее, а брат его, блистающий смиренными добродетелями. Позвольте, Арина Петровна, позвольте, маменька, позвольте вашу ручку предварительно поцеловать.

И он почтительно, нежно даже поцеловал у супруги ручку. Девица у окна с негодованием повернулась к сцене спиной, надменно вопросительное лицо супруги вдруг выразило необыкновенную ласковость.

— Здравствуйте, садитесь, господин Черномазов, — проговорила она.

— Карамазов, маменька, Карамазов (мы из простых-с), — подшепнул он снова.

— Ну Карамазов или как там, а я всегда Черномазов... Садитесь же, и зачем он вас поднял? Дама без ног, он говорит, ноги-то есть, да распухли, как ведра, а сама я высохла. Прежде-то я куды была толстая, а теперь вон словно иглу проглотила...

— Мы из простых-с, из простых-с, — подсказал еще раз капитан.

— Папа, ах папа! — проговорила вдруг горбатая девушка, доселе молчавшая на своем стуле, и вдруг закрыла глаза платком.

— Шут! — брякнула девица у окна.

— Видите, у нас какие известия, — расставила руки мамаша, указывая на дочерей, — точно облака идут; пройдут облака, и опять наша музыка. Прежде, когда мы военными были, к нам много приходило таких гостей. Я, батюшка, это к делу не приравниваю. Кто любит кого, тот и люби того. Дьяконица тогда приходит и говорит: «Александр Александрович превосходнейшей души человек, а Настасья, говорит, Петровна, это исчадие ада». — «Ну, отвечаю, это как кто кого обожает, а ты и мала куча, да вонюча». — «А тебя, говорит, надо в повиновении держать». — «Ах ты, черная ты, — говорю ей, — шпага, ну и кого ты учить пришла?» — «Я, — говорит она, — воздух чистый впускаю, а ты нечистый». — «А спроси, — отвечаю ей, — всех господ офицеров, нечистый ли во мне воздух али другой какой?» И так это у меня с того самого времени на душе сидит, что намедни сижу я вот здесь, как теперь, и вижу, тот самый генерал вошел, что на святую сюда приезжал: «Что, — говорю ему, — ваше превосходительство, можно ли благородной даме воздух свободный впускать?» — «Да, отвечает, надо бы у вас форточку али дверь отворить, по тому самому, что у вас воздух несвежий». Ну и все-то так! А и что им мой воздух дался? От мертвых и того хуже пахнет. «Я, говорю, воздуху вашего не порчу, а башмаки закажу и уйду». Батюшки, голубчики, не попрекайте мать родную! Николай Ильич, батюшка, я ль тебе не угодила, только ведь у меня и есть, что Илюшечка из класса придет и любит. Вчера яблочко принес. Простите, батюшки, простите, голубчики, мать родную, простите меня, совсем одинокую, а и чего вам мой воздух противен стал!

И бедная вдруг разрыдалась, слезы брызнули ручьем. Штабс-капитан стремительно подскочил к ней.

— Маменька, маменька, голубчик, полно, полно! Не одинокая ты. Все-то тебя любят, все обожают! — и он начал опять целовать у нее обе руки и нежно стал гладить по ее лицу своими ладонями; схватив же салфетку, начал вдруг обтирать с лица ее слезы. Алеше показалось даже, что у него и у самого засверкали слезы. — Ну-с, видели-с? Слышали-с? — как-то вдруг яростно обернулся он к нему, показывая рукой на бедную слабоумную.

— Вижу и слышу, — пробормотал Алеша.

— Папа, папа! Неужели ты с ним... Брось ты его, папа! — крикнул вдруг мальчик, привстав на своей постельке и горящим взглядом смотря на отца.

— Да полноте вы, наконец, паясничать, ваши выверты глупые показывать, которые ни к чему никогда не ведут!.. — совсем уже озлившись, крикнула всё из того угла Варвара Николаевна, даже ногой топнула.

— Совершенно справедливо на этот раз изволите из себя выходить, Варвара Николавна, и я вас стремительно удовлетворю. Шапочку вашу наденьте, Алексей Федорович, а я вот картуз возьму — и пойдемте-с. Надобно вам одно серьезное словечко сказать, только вне этих стен. Эта вот сидящая девица — это дочка моя-с, Нина Николаевна-с, забыл я вам ее представить — ангел божий во плоти... к смертным слетевший... если можете только это понять...

— Весь ведь так и сотрясается, словно судорогой его сводит, — продолжала в негодовании Варвара Николаевна.

— А эта, вот что теперь на меня ножкой топает и паяцем меня давеча обличила, — это тоже ангел божий во плоти-с и справедливо меня обозвала-с. Пойдемте же, Алексей Федорович, покончить надо-с...

И, схватив Алешу за руку, он вывел его из комнаты прямо на улицу.

VII
И НА ЧИСТОМ ВОЗДУХЕ

— Воздух чистый-с, а в хоромах-то у меня и впрямь несвежо, во всех даже смыслах. Пройдемте, сударь, шажком. Очень бы хотелось мне вас заинтересовать-с.

— Я и сам к вам имею одно чрезвычайное дело... — заметил Алеша, — и только не знаю, как мне начать.

— Как не узнать, что у вас до меня дело-с? Без дела-то вы бы никогда ко мне и не заглянули. Али в самом деле только жаловаться на мальчика приходили-с? Так ведь это невероятно-с. А кстати о мальчике-с: я вам там всего изъяснить не мог-с, а здесь теперь сцену эту вам опишу-с. Видите ли, мочалка-то была гуще-с, еще всего неделю назад, — я про бороденку мою говорю-с; это ведь бороденку мою мочалкой прозвали, школьники главное-с. Ну-с вот-с, тянет меня тогда ваш братец Дмитрий Федорович за мою бороденку, вытянул из трактира на площадь, а как раз школьники из школы выходят, а с ними и Илюша. Как увидал он меня в таком виде-с, бросился ко мне: «Папа, кричит, папа!» Хватается за меня, обнимает меня, хочет меня вырвать, кричит моему обидчику: «Пустите, пустите, это папа мой, папа, простите его» — так ведь и кричит: «Простите»; ручонками-то тоже его схватил, да руку-то ему, эту самую-то руку его, и целует-с... Помню я в ту минуту, какое у него было личико-с, не забыл-с и не забуду-с!..

— Клянусь, — воскликнул Алеша, — брат вам самым искренним образом, самым полным, выразит раскаяние, хотя бы даже на коленях на той самой площади... Я заставлю его, иначе он мне не брат!

— Ага, так это еще в прожекте находится. Не прямо от него, а от благородства лишь вашего сердца исходит пылкого-с. Так бы и сказали-с. Нет, уж в таком случае позвольте мне и о высочайшем рыцарском и офицерском благородстве вашего братца досказать, ибо он его тогда выразил-с. Кончил он это меня за мочалку тащить, пустил на волю-с: «Ты, говорит, офицер, и я офицер, если можешь найти секунданта, порядочного человека, то присылай — дам удовлетворение, хотя бы ты и мерзавец!» Вот что сказал-с. Воистину рыцарский дух! Удалились мы тогда с Илюшей, а родословная фамильная картина навеки у Илюши в памяти душевной отпечатлелась. Нет уж, где нам дворянами оставаться-с. Да и посудите сами-с, изволили сами быть сейчас у меня в хоромах — что видели-с? Три дамы сидят-с, одна без ног слабоумная, другая без ног горбатая, а третья с ногами, да слишком уж умная, курсистка-с, в Петербург снова рвется, там на берегах Невы права женщины русской отыскивать. Про Илюшу не говорю-с, всего девять лет-с, один как перст, ибо умри я — и что со всеми этими недрами станется, я только про это одно вас спрошу-с? А если так, то вызови я его на дуэль, а ну как он меня тотчас же и убьет, ну что же тогда? С ними-то тогда со всеми что станется-с? Еще хуже того, если он не убьет, а лишь только меня искалечит: работать нельзя, а рот-то все-таки остается, кто ж его накормит тогда, мой рот, и кто ж их-то всех тогда накормит-с? Аль Илюшу вместо школы милостыню просить высылать ежедневно? Так вот что оно для меня значит-с на дуэль-то его вызвать-с, глупое это слово-с, и больше ничего-с.

— Он будет у вас просить прощения, он посреди площади вам в ноги поклонится, — вскричал опять Алеша с загоревшимся взором.

— Хотел я его в суд позвать, — продолжал штабс-капитан, — но разверните наш кодекс, много ль мне придется удовлетворения за личную обиду мою с обидчика

235

получить-с? А тут вдруг Аграфена Александровна призывает меня и кричит: «Думать не смей! Если в суд его позовешь, так подведу так, что всему свету публично обнаружится, что бил он тебя за твое же мошенничество, тогда самого тебя под суд упекут». А Господь один видит, от кого мошенничество-то это вышло-с и по чьему приказу я как мелкая сошка тут действовал-с, — не по ее ли самой распоряжению да Федора Павловича? «А к тому же, прибавляет, навеки тебя прогоню, и ничего ты у меня впредь не заработаешь. Купцу моему тоже скажу (она его так и называет, старика-то: купец мой), так и тот тебя сгонит». Вот и думаю, если уж и купец меня сгонит, то что тогда, у кого заработаю? Ведь они только двое мне и остались, так как батюшка ваш Федор Павлович не только мне доверять перестал, по одной посторонней причине-с, но еще сам, заручившись моими расписками, в суд меня тащить хочет. Вследствие всего сего я и притих-с, и вы недра видели-с. А теперь позвольте спросить: больно он вам пальчик давеча укусил, Илюша-то? В хоромах-то я при нем войти в сию подробность не решился.

— Да, очень больно, и он очень был раздражен. Он мне, как Карамазову, за вас отомстил, мне это ясно теперь. Но если бы вы видели, как он с товарищами-школьниками камнями перекидывался? Это очень опасно, они могут его убить, они дети, глупы, камень летит и может голову проломить.

— Да уж и попало-с, не в голову, так в грудь-с, повыше сердца-с, сегодня удар камнем, синяк-с, пришел, плачет, охает, а вот и заболел.

— И знаете, ведь он там сам первый и нападает на всех, он озлился за вас, они говорят, что он одному мальчику, Красоткину, давеча в бок перочинным ножиком пырнул...

— Слышал и про это, опасно-с: Красоткин это чиновник здешний, еще, может быть, хлопоты выйдут-с...

— Я бы вам советовал, — с жаром продолжал Алеша, — некоторое время не посылать его вовсе в школу, пока он уймется... и гнев этот в нем пройдет...

— Гнев-с! — подхватил штабс-капитан, — именно гнев-с. В маленьком существе, а великий гнев-с. Вы этого всего не знаете-с. Позвольте мне пояснить эту повесть особенно. Дело в том, что после того события все школьники в школе стали его мочалкой дразнить. Дети в школах народ безжалостный: порознь ангелы божии, а вместе, особенно в школах, весьма часто безжалостны. Начали они его дразнить, воспрянул в Илюше благородный дух. Обыкновенный мальчик, слабый сын, — тот бы смирился, отца своего застыдился, а этот один против всех восстал за отца. За отца и за истину-с, за правду-с. Ибо что он тогда вынес, как вашему братцу руки целовал и кричал ему: «Простите папочку, простите папочку», — то это только Бог один знает да я-с. И вот так-то детки наши — то есть не ваши, а наши-с, детки презренных, но благородных нищих-с, — правду на земле еще в девять лет от роду узнают-с. Богатым где: те всю жизнь такой глубины не исследуют, а мой Илюшка в ту самую минуту на площади-то-с, как руки-то его целовал, в ту самую минуту всю истину произошел-с. Вошла в него эта истина-с и пришибла его навеки-с, — горячо и опять как бы в исступлении произнес штабс-капитан и при этом ударил правым своим кулаком в левую ладонь, как бы желая наяву выразить, как пришибла его Илюшу «истина». — В тот самый день он у меня в лихорадке был-с, всю ночь бредил. Весь тот день мало со мной говорил, совсем молчал даже, только заметил я: глядит, глядит на меня из угла, а всё больше к окну припадает и делает вид, будто бы уроки учит, а я вижу, что не уроки у него на уме. На другой день я выпил-с и многого не помню-с, грешный человек, с горя-с. Маменька тоже тут плакать начала-с — маменьку-то я очень люблю-с, — ну с горя и клюкнул на последние-с. Вы, сударь, не презирайте меня: в России пьяные люди у нас самые добрые. Самые добрые люди у нас и самые пьяные. Лежу это я и Илюшу в тот день не очень запомнил, а в тот-то именно день мальчишки и подняли его на смех в школе с утра-с: «Мочалка, — кричат ему, — отца твоего за мочалку из трактира тащили, а ты подле бежал и прощения просил». На третий это день пришел он опять из школы, смотрю — лица на нем нет, побледнел. Что ты, говорю? Молчит. Ну в хоромах-то нечего было разговаривать, а то сейчас маменька и девицы участие примут, — девицы-то к тому же всё уже узнали, даже еще в первый день. Варвара-то Николавна уже стала ворчать: «Шуты, паяцы, разве может у вас что разумное быть?» — «Так точно, говорю, Варвара Николавна, разве может у нас что разумное быть?» Тем на тот раз и отделался. Вот-с к вечеру я и вывел мальчика погулять. А мы с ним, надо вам знать-с, каждый вечер и допрежь того гулять выходили, ровно по тому самому пути, по которому с вами теперь идем, от самой нашей калитки до вон того камня большущего, который вон там на дороге сиротой лежит у плетня и где выгон городской начинается: место пустынное и прекрасное-с. Идем мы с Илюшей, ручка его в моей руке, по обыкновению; махонькая у него ручка, пальчики тоненькие, холодненькие, — грудкой ведь он у меня страдает. «Папа, говорит, папа!» — «Что?» — говорю ему; глазенки, вижу, у него сверкают. «Папа, как он тебя тогда, папа!» — «Что делать, Илюша», — говорю. «Не мирись с ним, папа, не мирись. Школьники говорят, что он тебе десять рублей за это дал». — «Нет, говорю, Илюша, я денег от него не возьму теперь ни за что». Так он и затрясся весь, схватил мою руку в свои обе ручки, опять целует. «Папа, говорит, папа, вызови его на дуэль, в школе дразнят, что ты трус и не вызовешь его на дуэль, а десять рублей у него возьмешь».— «На дуэль, Илюша, мне нельзя его вызвать», — отвечаю я и излагаю ему вкратце всё то, что и вам на сей счет сейчас изложил. Выслушал он. «Папа, говорит, папа, все-таки не мирись: я вырасту, я вызову его сам и убью его!» Глазенки-то сверкают и горят. Ну при всем том ведь я и отец, надобно ж было ему слово правды сказать. «Грешно, — говорю я ему, — убивать, хотя бы и на поединке». — «Папа, говорит, папа, я его повалю, как большой буду, я ему саблю выбью своей саблей, брошусь на него, повалю его, замахнусь на него саблей и скажу ему: мог бы сейчас убить, но прощаю тебя, вот тебе!» Видите, видите, сударь, какой процессик в головке-то его произошел в эти два дня, это он день и ночь об этом именно мщении с саблей думал и ночью, должно быть, об этом бредил-с. Только стал он из школы приходить больно битый, это третьего дня я всё узнал, и вы правы-с; больше уж в школу эту я его не пошлю-с. Узнаю я, что он против всего класса один идет и всех сам вызывает, сам озлился, сердце в нем зажглось, — испугался я тогда за него. Опять ходим, гуляем. «Папа, спрашивает, папа, ведь богатые всех сильнее на свете?» — «Да, говорю, Илюша, нет на свете сильнее богатого». — «Папа, говорит, я разбогатею, я в офицеры пойду и всех разобью, меня царь наградит, я приеду, и тогда никто не посмеет...» Потом помолчал, да и говорит — губенки-то у него всё по-прежнему вздрагивают: «Папа, говорит, какой это нехороший город наш, папа!» — «Да, говорю, Илюшечка, не очень таки хорош наш город». — «Папа, переедем в другой город, в хороший, говорит, город, где про нас и не знают». — «Переедем, говорю, переедем, Илюша, — вот только денег скоплю». Обрадовался я случаю отвлечь его от мыслей темных, и стали мы мечтать с ним, как мы в другой город переедем, лошадку свою купим да тележку. Маменьку да сестриц усадим, закроем их, а сами сбоку пойдем, изредка тебя подсажу, а я тут подле пойду, потому лошадку свою поберечь надо, не всем же садиться, так и отправимся. Восхитился он этим, а главное, что своя лошадка будет и сам на ней поедет. А уж известно, что русский мальчик так и родится вместе с лошадкой. Болтали мы долго, слава богу, думаю, развлек я его, утешил. Это третьего дня вечером было, а вчера вечером уже другое оказалось. Опять он утром в эту школу пошел, мрачный вернулся, очень уж мрачен. Вечером взял я его за ручку, вывел гулять, молчит, не говорит. Ветерок тогда начался, солнце затмилось, осенью повеяло, да и смеркалось уж, — идем, обоим нам грустно. «Ну, мальчик, как же мы, говорю, с тобой в дорогу-то соберемся?» — думаю на вчерашний-то разговор навести. Молчит. Только пальчики его, слышу, в моей руке вздрогнули. «Э, думаю, плохо, новое есть». Дошли мы, вот как теперь, до этого самого камня, сел я на камень этот, а на небесах всё змеи запущены, гудят и трещат, змеев тридцать видно. Ведь ныне змеиный сезон-с. «Вот, говорю, Илюша, пора бы и нам змеек прошлогодний запустить. Починю-ка я его, где он у тебя там спрятан?» Молчит мой мальчик, глядит в сторону, стоит ко мне боком. А тут ветер вдруг загудел, понесло песком... Бросился он вдруг ко мне весь, обнял мне обеими ручонками шею, стиснул меня. Знаете, детки коли молчаливые да гордые, да слезы долго перемогают в себе, да как вдруг прорвутся, если горе большое придет, так ведь не то что слезы потекут-с, а брызнут, словно ручьи-с. Теплыми-то брызгами этими так вдруг и обмочил он мне всё лицо. Зарыдал как в судороге, затрясся, прижимает меня к себе, я сижу на камне. «Папочка, вскрикивает, папочка, милый папочка, как он тебя унизил!» Зарыдал тут и я-с, сидим и сотрясаемся обнявшись. «Папочка, говорит, папочка!» —

«Илюша, — говорю ему, — Илюшечка!» Никто-то нас тогда не видел-с, Бог один видел, авось мне в формуляр занесет-с. Поблагодарите вашего братца, Алексей Федорович. Нет-с, я моего мальчика для вашего удовлетворения не высеку-с!

Кончил он опять со своим давешним злым и юродливым вывертом. Алеша почувствовал, однако, что ему уж он доверяет и что будь на его месте другой, то с другим этот человек не стал бы так «разговаривать» и не сообщил бы ему того, что сейчас ему сообщил. Это ободрило Алешу, у которого душа дрожала от слез.

— Ах, как бы мне хотелось помириться с вашим мальчиком! — воскликнул он. — Если б вы это устроили...

— Точно так-с, — пробормотал штабс-капитан.

— Но теперь не про то, совсем не про то, слушайте, — продолжал восклицать Алеша, — слушайте. Я имею к вам поручение: этот самый мой брат, этот Дмитрий, оскорбил и свою невесту, благороднейшую девушку, и о которой вы, верно, слышали. Я имею право вам открыть про ее оскорбление, я даже должен так сделать, потому что она, узнав про вашу обиду и узнав всё про ваше несчастное положение, поручила мне сейчас... давеча... снести вам это вспоможение от нее... но только от нее одной, не от Дмитрия, который и ее бросил, отнюдь нет, и не от меня, от брата его, и не от кого-нибудь, а от нее, только от нее одной! Она вас умоляет принять ее помощь... вы оба обижены одним и тем же человеком... Она и вспомнила-то о вас лишь тогда, когда вынесла от него такую же обиду (по силе обиды), как и вы от него! Это значит, сестра идет к брату с помощью... Она именно поручила мне уговорить вас принять от нее вот эти двести рублей как от сестры. Никто-то об этом не узнает, никаких несправедливых сплетен не может произойти... вот эти двести рублей, и, клянусь, вы должны принять их, иначе... иначе, стало быть, все должны быть врагами друг другу на свете! Но ведь есть же и на свете братья... У вас благородная душа... вы должны это понять, должны!..

И Алеша протянул ему две новенькие радужные сторублевые кредитки. Оба они стояли тогда именно у большого камня, у забора, и никого кругом не было. Кредитки произвели, казалось, на штабс-капитана страшное впечатление: он вздрогнул, но сначала как бы от одного удивления: ничего подобного ему и не мерещилось, и такого исхода он не ожидал вовсе. Помощь от кого-нибудь, да еще такая значительная, ему и не мечталась даже во сне. Он взял кредитки и с минуту почти и отвечать не мог, совсем что-то новое промелькнуло в лице его.

— Это мне-то, мне-с, это столько денег, двести рублей! Батюшки! Да я уж четыре года не видал таких денег, господи! И говорит, что сестра... и вправду это, вправду?

— Клянусь вам, что всё, что я вам сказал, правда! — вскричал Алеша. Штабс-капитан покраснел.

— Послушайте-с, голубчик мой, послушайте-с, ведь если я и приму, то ведь не буду же я подлецом? В глазах-то ваших, Алексей Федорович, ведь не буду, не буду подлецом? Нет-с, Алексей Федорович, вы выслушайте, выслушайте-с, — торопился он, поминутно дотрогиваясь до Алеши обеими руками, — вы вот уговариваете меня принять тем, что «сестра» посылает, а внутри-то, про себя-то — не восчувствуете ко мне презрения, если я приму-с, а?

— Да нет же, нет! Спасением моим клянусь вам, что нет! И никто не узнает никогда, только мы: я, вы, да она, да еще одна дама, ее большой друг...

— Что дама! Слушайте, Алексей Федорович, выслушайте-с, ведь уж теперь минута такая пришла-с, что надо выслушать, ибо вы даже и понять не можете, что могут значить для меня теперь эти двести рублей, — продолжал бедняк, приходя постепенно в какой-то беспорядочный, почти дикий восторг. Он был как бы сбит с толку, говорил же чрезвычайно спеша и торопясь, точно опасаясь, что ему не дадут всего высказать. — Кроме того, что это честно приобретено, от столь уважаемой и святой «сестры-с», знаете ли вы, что я маменьку и Ниночку — горбатенького-то ангела моего, дочку-то, полечить теперь могу? Приезжал ко мне доктор Герценштубе, по доброте своего сердца, осматривал их обеих целый час: «Не понимаю, говорит, ничего», а, однако же, минеральная вода, которая в аптеке здешней есть (прописал он ее), несомненную пользу ей принесет, да ванны ножные из лекарств тоже ей прописал. Минеральная-то вода стоит тридцать копеек, а кувшинов-то надо выпить, может быть, сорок. Так я взял да рецепт и положил на полку под образа, да там и лежит. А Ниночку прописал купать в каком-то растворе, в горячих ваннах таких, да ежедневно утром и вечером, так где ж нам было сочинить такое леченье-с, у нас-то, в хоромах-то наших, без прислуги, без помощи, без посуды и воды-с? А Ниночка-то вся в ревматизме, я вам это еще и не говорил, по ночам ноет у ней вся правая половина, мучается и, верите ли, ангел божий, крепится, чтобы нас не обеспокоить, не стонет, чтобы нас не разбудить. Кушаем мы что попало, что добудется, так ведь она самый последний кусок возьмет, что собаке только можно выкинуть: «Не стою я, дескать, этого куска, я у вас отнимаю, вам бременем сижу». Вот что ее взгляд ангельский хочет изобразить. Служим мы ей, а ей это тягостно: «Не стою я того, не стою, недостойная я калека, бесполезная», — а еще бы она не стоила-с, когда она всех нас своею ангельскою кротостью у Бога вымолила, без нее, без ее тихого слова, у нас был бы ад-с, даже Варю и ту смягчила. А Варвару-то Николавну тоже не осуждайте-с, тоже ангел она, тоже обиженная. Прибыла она к нам летом, а было с ней шестнадцать рублей, уроками заработала и отложила их на отъезд, чтобы в сентябре, то есть теперь-то, в Петербург на них воротиться. А мы взяли денежки-то ее и прожили и не на что ей теперь воротиться, вот как-с. Да и нельзя воротиться-то, потому на нас, как каторжная, работает — ведь мы ее как клячу запрягли-оседлали, за всеми ходит, чинит, моет, пол метет, маменьку в постель укладывает, а маменька капризная-с, а маменька слезливая-с, а маменька сумасшедшая-с!.. Так ведь теперь я на эти двести рублей служанку нанять могу-с, понимаете ли вы, Алексей Федорович, лечение милых существ предпринять могу-с, курсистку в Петербург направлю-с, говядины куплю-с, диету новую заведу-с. Господи, да ведь это мечта!

Алеша был ужасно рад, что доставил столько счастия и что бедняк согласился быть осчастливленным.

— Стойте, Алексей Федорович, стойте, — схватился опять за новую, вдруг представившуюся ему мечту штабскапитан и опять затараторил исступленною скороговоркой, — да знаете ли вы, что мы с Илюшкой, пожалуй, и впрямь теперь мечту осуществим: купим лошадку да кибитку, да лошадку-то вороненькую, он просил непременно чтобы вороненькую, да отправимся, как третьего дня расписывали. У меня в К-ской губернии адвокат есть знакомый-с, с детства приятель-с, передавали мне чрез верного человека, что если приеду, то он мне у себя на конторе место письмоводителя будто бы даст-с, так ведь, кто его знает, может, и даст... Ну так посадить бы маменьку,

242

посадить бы Ниночку, Илюшечку править посажу, а я бы пешечком, пешечком, да всех бы и повез-с... Господи, да если бы только один должок пропащий здесь получить, так, может, достанет даже и на это-с!

— Достанет, достанет! — воскликнул Алеша. — Катерина Ивановна вам пришлет еще, сколько угодно, и знаете ли, у меня тоже есть деньги, возьмите сколько вам надо, как от брата, как от друга, потом отдадите... (Вы разбогатеете, разбогатеете!) И знаете, что никогда вы ничего лучше даже и придумать не в состоянии, как этот переезд в другую губернию! В этом ваше спасение, а главное, для вашего мальчика — и знаете, поскорее бы, до зимы бы, до холодов, и написали бы нам оттуда, и остались бы мы братьями... Нет, это не мечта!

Алеша хотел было обнять его, до того он был доволен. Но, взглянув на него, он вдруг остановился: тот стоял, вытянув шею, вытянув губы, с исступленным и побледневшим лицом и что-то шептал губами, как будто желая что-то выговорить; звуков не было, а он всё шептал губами, было как-то странно.

— Чего вы! — вздрогнул вдруг отчего-то Алеша.

— Алексей Федорович... я... вы... — бормотал и срывался штабс-капитан, странно и дико смотря на него в упор с видом решившегося полететь с горы, и в то же время губами как бы и улыбаясь, — я-с... вы-с... А не хотите ли, я вам один фокусик сейчас покажу-с! — вдруг прошептал он быстрым, твердым шепотом, речь уже не срывалась более.

— Какой фокусик?

— Фокусик, фокус-покус такой, — всё шептал штабс-капитан; рот его скривился на левую сторону, левый глаз прищурился, он, не отрываясь, всё смотрел на Алешу, точно приковался к нему.

— Да что с вами, какой фокус? — прокричал тот уж совсем в испуге.

— А вот какой, глядите! — взвизгнул вдруг штабс-капитан.

И показав ему обе радужные кредитки, которые всё время, в продолжение всего разговора, держал обе вместе за уголок большим и указательным пальцами правой руки, он вдруг с каким-то остервенением схватил их, смял и крепко зажал в кулаке правой руки.

— Видели-с, видели-с! — взвизгнул он Алеше, бледный и исступленный, и вдруг, подняв вверх кулак, со всего размаху бросил обе смятые кредитки на песок, — видели-с? — взвизгнул он опять, показывая на них пальцем, — ну так вот же-с!..

И вдруг, подняв правую ногу, он с дикою злобой бросился их топтать каблуком, восклицая и задыхаясь с каждым ударом ноги.

— Вот ваши деньги-с! Вот ваши деньги-с! Вот ваши деньги-с! Вот ваши деньги-с! — Вдруг он отскочил назад и выпрямился пред Алешей. Весь вид его изобразил собой неизъяснимую гордость.

— Доложите пославшим вас, что мочалка чести своей не продает-с! — вскричал он, простирая на воздух руку. Затем быстро повернулся и бросился бежать; но он не пробежал и пяти шагов, как, весь повернувшись опять, вдруг сделал Алеше ручкой. Но и опять, не пробежав пяти шагов, он в последний уже раз обернулся, на этот раз без искривленного смеха в лице, а напротив, всё оно сотрясалось слезами. Плачущею, срывающеюся, захлебывающеюся скороговоркой прокричал он:

— А что ж бы я моему мальчику-то сказал, если б у вас деньги за позор наш взял? — и, проговорив это, бросился бежать, на сей раз уже не оборачиваясь. Алеша глядел ему вслед с невыразимою грустью. О, он понимал, что тот до самого последнего мгновения сам не знал, что скомкает и швырнет кредитки. Бежавший ни разу не обернулся, так и знал Алеша, что не обернется. Преследовать и звать его он не захотел, он знал почему. Когда же тот исчез из виду, Алеша поднял обе кредитки. Они были лишь очень смяты, сплюснуты и сдавлены в песок, но совершенно целы и даже захрустели, как новенькие, когда Алеша развертывал их и разглаживал. Разгладив, он сложил их, сунул в карман и дошел к Катерине Ивановне докладывать об успехе ее поручения.

Книга пятая
PRO и CONTRA[1]

I
СГОВОР

Госпожа Хохлакова опять встретила Алешу первая. Она торопилась: случилось нечто важное: истерика Катерины Ивановны кончилась обмороком, затем наступила «ужасная, страшная слабость, она легла, завела глаза и стала бредить. Теперь жар, послали за Герценштубе, послали за тетками. Тетки уж здесь, а Герценштубе еще нет. Все сидят в ее комнате и ждут. Что-то будет, а она без памяти. А ну если горячка!»

Восклицая это, госпожа Хохлакова имела вид серьезно испуганный: «Это уж серьезно, серьезно!» — прибавляла она к каждому слову, как будто всё, что случалось с ней прежде, было несерьезно. Алеша выслушал ее с горестью; начал было излагать ей и свои приключения, но она его с первых же слов прервала: ей было некогда, она просила посидеть у Lise и у Lise подождать ее.

— Lise, милейший Алексей Федорович, — зашептала она ему почти на ухо, — Lise меня странно удивила сейчас, но и умилила, а потому сердце мое ей всё прощает. Представьте, только что вы ушли, она вдруг искренно стала раскаиваться, что над вами будто бы смеялась вчера и сегодня. Но ведь она не смеялась, она лишь шутила. Но так серьезно раскаивалась, почти до слез, так что я удивилась. Никогда она прежде серьезно не раскаивалась, когда надо мною смеялась, а всё в шутку. А вы знаете, она поминутно надо мною смеется. А вот теперь она серьезно, теперь пошло всё серьезно. Она чрезвычайно ценит ваше мнение, Алексей Фе-

---

[1] За и против *(лат.)*.

дорович, и если можете, то не обижайтесь на нее и не имейте претензии. Я сама только и делаю, что щажу ее, потому что она такая умненькая — верите ли вы? Она говорила сейчас, что вы были другом ее детства, — «самым серьезным другом моего детства», — представьте себе это, самым серьезным, а я-то? У ней на этот счет чрезвычайно серьезные чувства и даже воспоминания, а главное, эти фразы и словечки, самые неожиданные эти словечки, так что никак не ожидаешь, а вдруг оно и выскочит. Вот недавно о сосне, например: стояла у нас в саду в ее первом детстве сосна, может и теперь стоит, так что нечего говорить в прошедшем времени. Сосны не люди, они долго не изменяются, Алексей Федорович. «Мама, говорит, я помню эту сосну, как со сна», — то есть «сосну, как со сна» — это как-то она иначе выразилась, потому что тут путаница, «сосна» слово глупое, но только она мне наговорила по этому поводу что-то такое оригинальное, что я решительно не возьмусь передать. Да и всё забыла. Ну, до свиданья, я очень потрясена и, наверно, с ума схожу. Ах, Алексей Федорович, я два раза в жизни с ума сходила, и меня лечили. Ступайте к Lise. Ободрите ее, как вы всегда прелестно это сумеете сделать. Lise, — крикнула она, подходя к ее двери, — вот я привела к тебе столь оскорбленного тобою Алексея Федоровича, и он нисколько не сердится, уверяю тебя, напротив, удивляется, как ты могла подумать!

— Merci, maman; войдите, Алексей Федорович.

Алеша вошел. Lise смотрела как-то сконфуженно и вдруг вся покраснела. Она видимо чего-то стыдилась и, как всегда при этом бывает, быстро-быстро заговорила совсем о постороннем, точно этим только посторонним она и интересовалась в эту минуту.

— Мама мне вдруг передала сейчас, Алексей Федорович, всю историю об этих двухстах рублях и об этом вам поручении... к этому бедному офицеру... и рассказала всю эту ужасную историю, как его обидели, и, знаете, хоть мама рассказывает очень нетолково... она всё перескакивает... но я слушала и плакала. Что же, как же, отдали вы эти деньги, и как же теперь этот несчастный?..

— То-то и есть, что не отдал, и тут целая история, — ответил Алеша, с своей стороны как бы именно более всего озабоченный тем, что деньги не отдал, а между тем Lise отлично заметила, что и он смотрит в сторону и тоже видимо старается говорить о постороннем. Алеша присел к столу и стал рассказывать, но с первых же слов он совершенно перестал конфузиться и увлек, в свою очередь, Lise. Он говорил под влиянием сильного чувства и недавнего чрезвычайного впечатления, и рассказать ему удалось хорошо и обстоятельно. Он и прежде, еще в Москве, еще в детстве Lise, любил приходить к ней и рассказывать то из случившегося с ним сейчас, то из прочитанного, то вспоминать из прожитого им детства. Иногда даже оба мечтали вместе и сочиняли целые повести вдвоем, но большею частью веселые и смешные. Теперь они оба как бы вдруг перенеслись в прежнее московское время, года два назад. Lise была чрезвычайно растрогана его рассказом. Алеша с горячим чувством сумел нарисовать перед ней образ «Илюшечки». Когда же кончил во всей подробности сцену о том, как тот несчастный человек топтал деньги, то Lise всплеснула руками и вскричала в неудержимом чувстве:

— Так вы не отдали денег, так вы так и дали ему убежать! Боже мой, да вы хоть бы побежали за ним сами и догнали его...

— Нет, Lise, этак лучше, что я не побежал, — сказал Алеша, встал со стула и озабоченно прошелся по комнате.

— Как лучше, чем лучше? Теперь они без хлеба и погибнут!

— Не погибнут, потому что эти двести рублей их все-таки не минуют. Он всё равно возьмет их завтра. Завтра-то уж наверно возьмет, — проговорил Алеша, шагая в раздумье. — Видите ли, Lise, — продолжал он, вдруг остановясь пред ней, — я сам тут сделал одну ошибку, но и ошибка-то вышла к лучшему.

— Какая ошибка и почему к лучшему?

— А вот почему, это человек трусливый и слабый характером. Он такой измученный и очень добрый. Я вот теперь всё думаю: чем это он так вдруг обиделся и деньги растоптал, потому что, уверяю вас, он до самого последнего мгновения не знал, что растопчет их. И вот мне кажется, что он многим тут обиделся... да и не могло быть иначе в его положении. Во-первых, он уж тем обиделся, что слишком при мне деньгам обрадовался и предо мною этого не скрыл. Если б обрадовался, да не очень, не показал этого, фасоны бы стал делать, как другие, принимая деньги, кривляться, ну тогда бы еще мог снести и принять, а то он уж слишком правдиво обрадовался, а это-то и обидно. Ах, Lise, он правдивый и добрый человек, вот в этом-то и вся беда в этих случаях! У него всё время, пока он тогда говорил, голос был такой слабый, ослабленный, и говорил он так скоро-скоро, всё как-то хихикал таким смешком, или уже плакал... право, он плакал, до того он был в восхищении... и про дочерей своих говорил... и про место, что ему в другом городе дадут... И чуть только излил душу, вот вдруг ему и стыдно стало за то, что он так всю душу мне показал. Вот он меня сейчас и возненавидел. А он из ужасно стыдливых бедных. Главное же, обиделся тем, что слишком скоро меня за своего друга принял и скоро мне сдался; то бросался на меня, пугал, а тут вдруг, только что увидел деньги, и стал меня обнимать. Потому что он меня обнимал, всё руками трогал. Это именно вот в таком виде он должен был всё это унижение почувствовать, а тут как раз я эту ошибку сделал, очень важную: я вдруг и скажи ему, что если денег у него недостанет на переезд в другой город, то ему еще дадут, и даже я сам ему дам из моих денег сколько угодно. Вот это вдруг его и поразило: зачем, дескать, и я выскочил ему помогать? Знаете, Lise, это ужасно как тяжело для обиженного человека, когда все на него станут смотреть его благодетелями... я это слышал, мне это старец говорил. Я не знаю, как это выразить, но я это часто и сам видел. Да я ведь и сам точно так же чувствую. А главное то, что хоть он и не знал до самого последнего мгновения, что растопчет кредитки, но все-таки это предчувствовал, это уж непременно. Потому-то и восторг у него был такой сильный, что он предчувствовал... И вот хоть всё это так скверно, но все-таки к лучшему. Я так даже думаю, что к самому лучшему, лучше и быть не могло...

— Почему, почему лучше и быть не могло? — воскликнула Lise, с большим удивлением смотря на Алешу.

— Потому, Lise, что если б он не растоптал, а взял эти деньги, то, придя домой, чрез час какой-нибудь и заплакал бы о своем унижении, вот что вышло бы непременно. Заплакал бы и, пожалуй, завтра пришел бы ко мне чем свет и бросил бы, может быть, мне кредитки и растоптал бы как давеча. А теперь он ушел ужасно гордый и с торжеством, хоть и знает, что «погубил себя». А стало быть, теперь уж ничего нет легче, как заставить его принять эти же двести рублей не далее как завтра, потому что он уж свою честь доказал, деньги швырнул, растоптал... Не мог же он знать, когда топтал, что я завтра их ему опять принесу. А между тем деньги-то эти ему ужасно как ведь нужны. Хоть он теперь и горд, а все-таки ведь даже сегодня будет думать о том, какой помощи он лишился. Ночью будет еще сильнее думать, во сне будет видеть, а к завтрашнему утру, пожалуй, готов будет ко мне бежать и прощенья просить. А я-то вот тут и явлюсь: «Вот, дескать, вы гордый человек, вы доказали, ну теперь возьмите, простите нас». Вот тут-то он и возьмет.

Алеша с каким-то упоением произнес: «Вот тут-то он возьмет!» Lise захлопала в ладошки.

— Ах, это правда, ах, я это ужасно вдруг поняла! Ах, Алеша, как вы всё это знаете? Такой молодой и уж знает, что в душе... Я бы никогда этого не выдумала...

— Его, главное, надо теперь убедить в том, что он со всеми нами на равной ноге, несмотря на то, что он у нас деньги берет, — продолжал в своем упоении Алеша, — и не только на равной, но даже на высшей ноге...

— «На высшей ноге» — прелестно, Алексей Федорович, но говорите, говорите!

— То есть я не так выразился... про высшую ногу... но это ничего, потому что...

— Ах, ничего, ничего, конечно ничего! Простите, Алеша, милый... Знаете, я вас до сих пор почти не уважала... то есть уважала, да на равной ноге, а теперь буду на высшей уважать... Милый, не сердитесь, что я «острю», — подхватила она тотчас же с сильным чувством. — Я смешная и маленькая, но вы, вы... Слушайте, Алексей Федорович, нет ли тут во всем этом рассуждении нашем, то есть вашем... нет, уж лучше нашем... нет ли тут презрения к нему, к этому несчастному... в том, что мы так его душу теперь разбираем, свысока точно, а? В том, что так наверно решили теперь, что он деньги примет, а?

— Нет, Lise, нет презрения, — твердо ответил Алеша, как будто уже приготовленный к этому вопросу, — я уж об этом сам думал, идя сюда. Рассудите, какое уж тут презрение, когда мы сами такие же, как он, когда все такие же, как он. Потому что ведь и мы такие же, не лучше. А если б и лучше были, то были бы все-таки такие же на его месте... Я не знаю, как вы, Lise, но я считаю про себя, что у меня во многом мелкая душа. А у него и не мелкая, напротив, очень деликатная... Нет, Lise, нет тут никакого презрения к нему! Знаете, Lise, мой старец сказал один раз: за людьми сплошь надо как за детьми ходить, а за иными как за больными в больницах...

— Ах, Алексей Федорович, ах, голубчик, давайте за людьми как за больными ходить!

— Давайте, Lise, я готов, только я сам не совсем готов; я иной раз очень нетерпелив, а в другой раз и глазу у меня нет. Вот у вас другое дело.

— Ах, не верю! Алексей Федорович, как я счастлива!

— Как хорошо, что вы это говорите, Lise.

— Алексей Федорович, вы удивительно хороши, но вы иногда как будто педант... а между тем, смотришь, вовсе не педант. Подите посмотрите у дверей, отворите их тихонько и посмотрите, не подслушивает ли маменька, — прошептала вдруг Lise каким-то нервным, торопливым шепотом.

Алеша пошел, приотворил двери и доложил, что никто не подслушивает.

— Подойдите сюда, Алексей Федорович, — продолжала Lise, краснея всё более и более, — дайте вашу руку, вот так. Слушайте, я вам должна большое признание сделать: вчерашнее письмо я вам не в шутку написала, а серьезно...

И она закрыла рукой свои глаза. Видно было, что ей очень стыдно сделать это признание. Вдруг она схватила его руку и стремительно поцеловала ее три раза.

— Ах, Lise, вот и прекрасно, — радостно воскликнул Алеша. — А я ведь был совершенно уверен, что вы написали серьезно.

— Уверен, представьте себе! — отвела вдруг она его руку, не выпуская ее, однако, из своей руки, краснея ужасно и смеясь маленьким, счастливым смешком, — я ему руку поцеловала, а он говорит: «и прекрасно». — Но упрекала она несправедливо: Алеша тоже был в большом смятении.

— Я бы желал вам всегда нравиться, Lise, но не знаю, как это сделать, — проборматал он кое-как и тоже краснея.

— Алеша, милый, вы холодны и дерзки. Видите ли-с. Он изволил меня выбрать в свои супруги и на том успокоился! Он был уже уверен, что я написала серьезно, каково! Но ведь это дерзость — вот что!

— Да разве это худо, что я был уверен? — засмеялся вдруг Алеша.

— Ах, Алеша, напротив, ужасно как хорошо, — нежно и со счастьем посмотрела на него Lise. Алеша стоял, всё еще держа свою руку в ее руке. Вдруг он нагнулся и поцеловал ее в самые губки.

— Это что еще? Что с вами? — вскрикнула Lise. Алеша совсем потерялся.

— Ну, простите, если не так... Я, может быть, ужасно глупо... Вы сказали, что я холоден, я взял и поцеловал... Только я вижу, что вышло глупо...

Lise засмеялась и закрыла лицо руками.

— И в этом платье! — вырвалось у ней между смехом, но вдруг она перестала смеяться и стала вся серьезная, почти строгая.

— Ну, Алеша, мы еще подождем с поцелуями, потому что мы этого еще оба не умеем, а ждать нам еще очень долго, — заключила она вдруг. — Скажите лучше, за что вы берете меня, такую дуру, больную дурочку, вы, такой умный, такой мыслящий, такой замечающий? Ах, Алеша, я ужасно счастлива, потому что я вас совсем не стою!

— Стоите, Lise. Я на днях выйду из монастыря совсем. Выйдя в свет, надо жениться, это-то я знаю. Так и *он* мне велел. Кого ж я лучше вас возьму... и кто меня, кроме вас, возьмет? Я уж это обдумывал. Во-первых, вы меня с детства знаете, а во-вторых, в вас очень много способностей, каких во мне совсем нет. У вас душа веселее, чем у меня; вы, главное, невиннее меня, а уж я до многого, до многого прикоснулся... Ах, вы не знаете, ведь и я Карамазов! Что в том, что вы смеетесь и шутите, и надо мной тоже; напротив, смейтесь, я так этому рад... Но вы смеетесь как маленькая девочка, а про себя думаете как мученица...

— Как мученица? Как это?

— Да, Lise, вот давеча ваш вопрос: нет ли в нас презрения к тому несчастному, что мы так душу его анатомируем, — этот вопрос мученический... видите, я никак не умею это выразить, но у кого такие вопросы являются, тот сам способен страдать. Сидя в креслах, вы уж и теперь должны были много передумать...

— Алеша, дайте мне вашу руку, что вы ее отнимаете, — промолвила Lise ослабленным от счастья, упавшим каким-то голоском. — Послушайте, Алеша, во что вы оденетесь, как выйдете из монастыря, в какой костюм? Не смейтесь, не сердитесь, это очень, очень для меня важно.

— Про костюм, Lise, я еще не думал, но в какой хотите, в такой и оденусь.

— Я хочу, чтоб у вас был темно-синий бархатный пиджак, белый пикейный жилет и пуховая серая мягкая шляпа... Скажите, вы так и поверили давеча, что я вас не люблю, когда я от письма вчерашнего отреклась?

— Нет, не поверил.

— О, несносный человек, неисправимый!

— Видите, я знал, что вы меня... кажется, любите, но я сделал вид, что вам верю, что вы не любите, чтобы вам было... удобнее...

— Еще того хуже! И хуже и лучше всего. Алеша, я вас ужасно люблю. Я давеча, как вам прийти, загадала: спрошу у него вчерашнее письмо, и если он мне спокойно вынет и отдаст его (как и ожидать от него всегда можно), то значит, что он совсем меня не любит, ничего не чувствует, а просто глупый и недостойный мальчик, а я погибла. Но вы оставили письмо в келье, и это меня ободрило: не правда ли, вы потому оставили в келье, что предчувствовали, что я буду требовать назад письмо, так чтобы не отдавать его? Так ли? Ведь так?

— Ох, Lise, совсем не так, ведь письмо-то со мной и теперь и давеча было тоже, вот в этом кармане, вот оно.

Алеша вынул, смеясь, письмо и показал ей издали.

— Только я вам не отдам его, смотрите из рук.

— Как? Так вы давеча солгали, вы монах и солгали?

— Пожалуй, солгал, — смеялся и Алеша, — чтобы вам не отдавать письма, солгал. Оно очень мне дорого, — прибавил он вдруг с сильным чувством и опять покраснев, — это уж навеки, и я его никому никогда не отдам!

Lise смотрела на него в восхищении.

— Алеша, — залепетала она опять, — посмотрите у дверей, не подслушивает ли мамаша?

— Хорошо, Lise, я посмотрю, только не лучше ли не смотреть, а? Зачем подозревать в такой низости вашу мать?

— Как низости? В какой низости? Это то, что она подслушивает за дочерью, так это ее право, а не низость, — вспыхнула Lise. — Будьте уверены, Алексей Федорович, что когда я сама буду матерью и у меня будет такая же дочь, как я, то я непременно буду за нею подслушивать.

— Неужели, Lise? Это нехорошо.

— Ах, боже мой, какая тут низость? Если б обыкновенный светский разговор какой-нибудь и я бы подслушивала, то это низость, а тут родная дочь заперлась с молодым человеком... Слушайте, Алеша, знайте, я за вами тоже буду подсматривать, только что мы обвенчаемся, и знайте еще, что я все письма ваши буду распечатывать и всё читать... Это уж вы будьте предуведомлены...

— Да, конечно, если так... — бормотал Алеша, — только это нехорошо...

— Ах, какое презрение! Алеша, милый, не будем ссориться с самого первого раза, — я вам лучше всю правду скажу: это, конечно, очень дурно подслушивать, и, уж конечно, я не права, а вы правы, но только я все-таки буду подслушивать.

— Делайте. Ничего за мной такого не подглядите, — засмеялся Алеша.

— Алеша, а будете ли вы мне подчиняться? Это тоже надо заранее решить.

— С большою охотой, Lise, и непременно, только не в самом главном. В самом главном, если вы будете со мной несогласны, то я все-таки сделаю, как мне долг велит.

— Так и нужно. Так знайте, что и я, напротив, не только в самом главном подчиняться готова, но и во всем уступлю вам и вам теперь же клятву в этом даю — во всем и на всю жизнь, — вскричала пламенно Lise, — и это со счастием, со счастием! Мало того, клянусь вам, что я никогда не буду за вами подслушивать, ни разу и никогда, ни одного письма вашего не прочту, потому что вы правы, а я нет. И хоть мне ужасно будет хотеться подслушивать, я это знаю, но я все-таки не буду, потому что вы считаете это неблагородным. Вы теперь как мое провидение... Слушайте, Алексей Федорович, почему вы такой грустный все эти дни, и вчера и сегодня; я знаю, что у вас есть хлопоты, бедствия, но я вижу, кроме того, что у вас есть особенная какая-то грусть, секретная может быть, а?

— Да, Lise, есть и секретная, — грустно произнес Алеша. — Вижу, что меня любите, коли угадали это.

— Какая же грусть? О чем? Можно сказать? — с робкою мольбой произнесла Lise.

— Потом скажу, Lise... после... — смутился Алеша. — Теперь, пожалуй, и непонятно будет. Да я, пожалуй, и сам не сумею сказать.

— Я знаю, кроме того, что вас мучают ваши братья, отец?

— Да, и братья, — проговорил Алеша, как бы в раздумье.

— Я вашего брата Ивана Федоровича не люблю, Алеша, — вдруг заметила Lise.

Алеша замечание это отметил с некоторым удивлением, но не поднял его.

— Братья губят себя, — продолжал он, — отец тоже. И других губят вместе с собою. Тут «земляная карамазовская сила», как отец Паисий намедни выразился, — земляная и неистовая, необделанная... Даже носится ли дух божий вверху этой силы — и того не знаю. Знаю только, что и сам я Карамазов... Я монах, монах? Монах я, Lise? Вы как-то сказали сию минуту, что я монах?

— Да, сказала.

— А я в Бога-то вот, может быть, и не верую.

— Вы не веруете, что с вами? — тихо и осторожно проговорила Lise. Но Алеша не ответил на это. Было тут, в этих слишком внезапных словах его нечто слишком таинственное и слишком субъективное, может быть и ему самому неясное, но уже несомненно его мучившее.

— И вот теперь, кроме всего, мой друг уходит, первый в мире человек, землю покидает. Если бы вы знали, если бы вы знали, Lise, как я связан, как я спаян душевно с этим человеком! И вот я останусь один... Я к вам приду, Lise... Впредь будем вместе...

— Да, вместе, вместе! Отныне всегда вместе на всю жизнь. Слушайте, поцелуйте меня, я позволяю.

Алеша поцеловал ее.

— Ну теперь ступайте, Христос с вами! (И она перекрестила его.) Ступайте скорее к *нему,* пока жив. Я вижу, что жестоко вас задержала. Я буду сегодня молиться за него и за вас. Алеша, мы будем счастливы! Будем мы счастливы, будем?

— Кажется, будем, Lise.

Выйдя от Lise, Алеша не заблагорассудил пройти к госпоже Хохлаковой и, не простясь с нею, направился было из дому. Но только что отворил дверь и вышел на лестницу, откуда ни возьмись пред ним сама госпожа Хохлакова. С первого слова Алеша догадался, что она поджидала его тут нарочно.

— Алексей Федорович, это ужасно. Это детские пустяки и всё вздор. Надеюсь, вы не вздумаете мечтать... Глупости, глупости и глупости! — накинулась она на него.

— Только не говорите этого ей, — сказал Алеша, — а то она будет взволнована, а это ей теперь вредно.

— Слышу благоразумное слово благоразумного молодого человека. Понимать ли мне так, что вы сами только потому соглашались с ней, что не хотели, из сострадания к ее болезненному состоянию, противоречием рассердить ее?

— О нет, совсем нет, я совершенно серьезно с нею говорил, — твердо заявил Алеша.

— Серьезность тут невозможна, немыслима, и во-первых, я вас теперь совсем не приму ни разу, а во-вторых, я уеду и ее увезу, знайте это.

— Да зачем же, — сказал Алеша, — ведь это так еще неблизко, года полтора еще, может быть, ждать придется.

— Ах, Алексей Федорович, это, конечно, правда, и в полтора года вы тысячу раз с ней поссоритесь и разойдетесь. Но я так несчастна, так несчастна! Пусть это всё пустяки, но это меня сразило. Теперь я как Фамусов в последней сцене, вы Чацкий, она Софья, и представьте, я нарочно убежала сюда на лестницу, чтобы вас встретить, а ведь и там всё роковое произошло на лестнице. Я всё слышала, я едва устояла. Так вот где объяснение ужасов всей этой ночи и всех давешних истерик! Дочке любовь, а матери смерть. Ложись в гроб. Теперь второе и самое главное: что это за письмо, которое она вам написала, покажите мне его сейчас, сейчас!

— Нет, не надо. Скажите, как здоровье Катерины Ивановны, мне очень надо знать.

— Продолжает лежать в бреду, она не очнулась; ее тетки здесь и только ахают и надо мной гордятся, а Герценштубе приехал и так испугался, что я не знала, что с ним и делать и чем его спасти, хотела даже послать за доктором. Его увезли в моей карете. И вдруг в довершение всего вы вдруг с этим письмом. Правда, всё это еще через полтора года. Именем всего великого и святого, именем умирающего старца вашего покажите мне это письмо, Алексей Федорович, мне, матери! Если хотите, то держите его пальцами, а я буду читать из ваших рук.

— Нет, не покажу, Катерина Осиповна, хотя бы и она позволила, я не покажу. Я завтра приду и, если хотите, я с вами о многом переговорю, а теперь — прощайте!

И Алеша выбежал с лестницы на улицу.

II

СМЕРДЯКОВ С ГИТАРОЙ

Да и некогда было ему. У него блеснула мысль, еще когда он прощался с Lise. Мысль о том: как бы самым хитрейшим образом поймать сейчас брата Дмитрия, от него, очевидно, скрывающегося? Было уже не рано, был час третий пополудни. Всем существом своим Алеша стремился в монастырь к своему «великому» умирающему, но потребность видеть брата Дмитрия пересилила всё: в уме Алеши с каждым часом нарастало убеждение о неминуемой ужасной катастрофе, готовой совершиться. В чем именно состояла катастрофа и что хотел бы он сказать сию минуту брату, может быть, он и сам бы не определил. «Пусть благодетель мой умрет без меня, но по крайней мере я не буду укорять себя всю жизнь, что, может быть, мог бы что спасти и не спас, прошел мимо, торопился в свой дом. Делая так, по его великому слову сделаю...»

План его состоял в том, чтобы захватить брата Дмитрия нечаянно, а именно: перелезть, как вчера, через тот плетень, войти в сад и засесть в ту беседку. «Если же его там нет, — думал Алеша, — то, не сказавшись ни Фоме, ни хозяйкам, притаиться и ждать в беседке хотя бы до вечера. Если он по-прежнему караулит приход Грушеньки, то очень может быть, что и придет в беседку...» Алеша, впрочем, не рассуждал слишком много о подробностях плана, но он решил его исполнить, хотя бы пришлось и в монастырь не попасть сегодня...

Всё произошло без помехи: он перелез через плетень почти в том самом месте, как вчера, и скрытно пробрался в беседку. Ему не хотелось, чтоб его заметили: и хозяйка, и Фома (если он тут) могли держать сторону брата и слушаться его приказаний, а стало быть, или в сад Алешу не пустить, или брата предуведомить вовремя, что его ищут и спрашивают. В беседке никого не было. Алеша сел на свое вчерашнее место и начал ждать. Он оглядел беседку, она показалась ему почему-то гораздо более ветхою, чем вчера, дрянною такою показалась ему в этот раз. День был, впрочем, такой же ясный, как и вчера. На зеленом столе отпечатался кружок от вчерашней, должно быть, расплескавшейся рюмки с коньяком. Пустые и непригодные к делу мысли, как и всегда во время скучного ожидания, лезли ему в голову: например, почему он, войдя теперь сюда, сел именно точь-в-точь на то самое место, на котором вчера сидел, и почему не на другое? Наконец ему стало очень грустно, грустно от тревожной неизвестности. Но не просидел он и четверти часа, как вдруг, очень где-то вблизи, послышался аккорд гитары. Сидели или только сейчас уселся кто-то шагах от него в двадцати, никак не дальше, где-нибудь в кустах. У Алеши вдруг мелькнуло воспоминание, что, уходя вчера от брата из беседки, он увидел, или как бы мелькнула пред ним влево у забора садовая зеленая низенькая старая скамейка между кустами. На ней-то, стало быть, и уселись теперь гости. Кто же? Один мужской голос вдруг запел сладенькою фистулою куплет, аккомпанируя себе на гитаре:

> Непобедимой силой
> Привержен я к милой.
> Господи пом-и-илуй
> Ее и меня!
> Ее и меня!
> Ее и меня!

Голос остановился. Лакейский тенор и выверт песни лакейский. Другой, женский уже, голос вдруг произнес ласкательно и как бы робко, но с большим, однако, жеманством:

— Что вы к нам долго не ходите, Павел Федорович, что вы нас всё презираете?

— Ничего-с, — ответил мужской голос, хотя и вежливо, но прежде всего с настойчивым и твердым достоинством. Видимо, преобладал мужчина, а заигрывала женщина. «Мужчина — это, кажется, Смердяков, — подумал Алеша, — по крайней мере по голосу, а дама — это, верно, хозяйки здешнего домика дочь, которая из Москвы приехала, платье со шлейфом носит и за супом к Марфе Игнатьевне ходит...»

— Ужасно я всякий стих люблю, если складно, — продолжал женский голос. — Что же вы не продолжаете?

Голос запел снова:

> Царская корона —
> Была бы моя милая здорова.
> Господи пом-и-илуй
> Ее и меня!
> Ее и меня!
> Ее и меня!

— В прошлый раз еще лучше выходило, — заметил женский голос. — Вы спели про корону: «Была бы моя милочка здорова». Этак нежнее выходило, вы, верно, сегодня позабыли.

— Стихи вздор-с, — отрезал Смердяков.

— Ах нет, я очень стишок люблю.

— Это чтобы стих-с, то это существенный вздор-с. Рассудите сами: кто же на свете в рифму говорит? И если бы мы стали все в рифму говорить, хотя бы даже по приказанию начальства, то много ли бы мы насказали-с? Стихи не дело, Марья Кондратьевна.

— Как вы во всем столь умны, как это вы во всем произошли? — ласкался всё более и более женский голос.

— Я бы не то еще мог-с, я бы и не то еще знал-с, если бы не жребий мой с самого моего сыздетства. Я бы на дуэли из пистолета того убил, который бы мне произнес, что я подлец, потому что без отца от Смердящей произошел, а они и в Москве это мне в глаза тыкали, отсюда благодаря Григорию Васильевичу переползло-с. Григорий Васильевич попрекает, что я против рождества бунтую: «Ты, дескать, ей ложесна разверз». Оно пусть ложесна, но я бы дозволил убить себя еще во чреве с тем, чтобы лишь на свет не происходить вовсе-с. На базаре говорили, а ваша маменька тоже рассказывать мне пустилась по великой своей неделикатности, что ходила она с колтуном на голове, а росту была всего двух аршин с *малым*. Для чего же с *малым,* когда можно просто «с малым» сказать, как все люди произносят? Слезно выговорить захотелось, так ведь это мужицкая, так сказать, слеза-с, мужицкие самые чувства. Может ли русский мужик против образованного человека чувство иметь? По необразованности своей он никакого чувства не может иметь. Я с самого сыздетства, как услышу, бывало, «с малым», так точно на стену бы бросился. Я всю Россию ненавижу, Марья Кондратьевна.

— Когда бы вы были военным юнкерочком али гусариком молоденьким, вы бы не так говорили, а саблю бы вынули и всю Россию стали бы защищать.

— Я не только не желаю быть военным гусариком, Марья Кондратьевна, но желаю, напротив, уничтожения всех солдат-с.

— А когда неприятель придет, кто же нас защищать будет?

— Да и не надо вовсе-с. В двенадцатом году было на Россию великое нашествие императора Наполеона французского первого, отца нынешнему, и хорошо, кабы нас тогда покорили эти самые французы: умная нация покорила бы весьма глупую-с и присоединила к себе. Совсем даже были бы другие порядки-с.

— Да будто они там у себя так уж лучше наших? Я иного нашего щеголечка на трех молодых самых англичан не променяю, — нежно проговорила Марья Кондратьевна, должно быть, сопровождая в эту минуту слова свои самыми томными глазками.

— Это как кто обожает-с.

— А вы и сами точно иностранец, точно благородный самый иностранец, уж это я вам чрез стыд говорю.

— Если вы желаете знать, то по разврату и тамошние, и наши все похожи. Все шельмы-с, но с тем, что тамошний в лакированных сапогах ходит, а наш подлец в своей нищете смердит и ничего в этом дурного не находит. Русский народ надо пороть-с, как правильно говорил вчера Федор Павлович, хотя и сумасшедший он человек со всеми своими детьми-с.

— Вы Ивана Федоровича, говорили сами, так уважаете.

— А они про меня отнеслись, что я вонючий лакей. Они меня считают, что бунтовать могу; это они ошибаются-с. Была бы в кармане моем такая сумма, и меня бы здесь давно не было. Дмитрий Федорович хуже всякого лакея и поведением, и умом, и нищетой своею-с, и ничего-то он не умеет делать, а, напротив, от всех почтен. Я, положим, только бульонщик, но я при счастье могу в Москве кафе-ресторан открыть на Петровке. Потому что я готовлю специально, а ни один из них в Москве, кроме иностранцев, не может подать специально. Дмитрий Федорович голоштанник-с, а вызови он на дуэль самого первейшего графского сына, и тот с ним пойдет-с, а чем он лучше меня-с? Потому что он не в пример меня глупее. Сколько денег просвистал без всякого употребления-с.

— На дуэли очень, я думаю, хорошо, — заметила вдруг Марья Кондратьевна.

— Чем же это-с?

— Страшно так и храбро, особенно коли молодые офицерики с пистолетами в руках один против другого палят за которую-нибудь. Просто картинка. Ах, кабы девиц пускали смотреть, я ужасно как хотела бы посмотреть.

— Хорошо коли сам наводит, а коли ему самому в самое рыло наводят, так оно тогда самое глупое чувство-с. Убежите с места, Марья Кондратьевна.

— Неужто вы побежали бы?

Но Смердяков не удостоил ответить. После минутного молчания раздался опять аккорд и фистула залилась последним куплетом:

> Сколько ни стараться
> Стану удаляться,
> Жизнью наслажда-а-аться
> И в столице жить!
> Не буду тужить.
> Совсем не буду тужить,
> Совсем даже не намерен тужить!

Тут случилась неожиданность: Алеша вдруг чихнул; на скамейке мигом притихли. Алеша встал и пошел в их сторону. Это был действительно Смердяков, разодетый, напомаженный и чуть ли не завитой, в лакированных ботинках. Гитара лежала на скамейке. Дама же была Марья Кондратьевна, хозяйкина дочка; платье на ней было светло-голубое, с двухаршинным хвостом; девушка была еще молоденькая и недурная бы собой, но с очень уж круглым лицом и со страшными веснушками.

— Брат Дмитрий скоро воротится? — сказал Алеша как можно спокойнее.

Смердяков медленно приподнялся со скамейки; приподнялась и Марья Кондратьевна.

— Почему ж бы я мог быть известен про Дмитрия Федоровича; другое дело, кабы я при них сторожем состоял? — тихо, раздельно и пренебрежительно ответил Смердяков.

— Да я просто спросил, не знаете ли? — объяснил Алеша.

— Ничего я про ихнее пребывание не знаю, да и знать не желаю-с.

— А брат мне именно говорил, что вы-то и даете ему знать обо всем, что в доме делается, и обещались дать знать, когда придет Аграфена Александровна.

Смердяков медленно и невозмутимо вскинул на него глазами.

— А вы как изволили на сей раз пройти, так как ворота здешние уж час как на щеколду затворены? — спросил он, пристально смотря на Алешу.

— А я прошел с переулка через забор прямо в беседку. Вы, надеюсь, извините меня в этом, — обратился он к Марье Кондратьевне, — мне надо было захватить скорее брата.

— Ах, можем ли мы на вас обижаться, — протянула Марья Кондратьевна, польщенная извинением Алеши, — так как и Дмитрий Федорович часто этим манером в беседку ходят, мы и не знаем, а он уж в беседке сидит.

— Я его теперь очень ищу, я очень бы желал его видеть или от вас узнать, где он теперь находится. Поверьте, что по очень важному для него же самого делу.

— Они нам не сказываются, — пролепетала Марья Кондратьевна.

— Хотя бы я и по знакомству сюда приходил, — начал вновь Смердяков, — но они и здесь меня бесчеловечно стеснили беспрестанным спросом про барина: что, дескать, да как у них, кто приходит и кто таков уходит, и не могу ли я что иное им сообщить? Два раза грозили мне даже смертью.

— Как это смертью? — удивился Алеша.

— А для них разве это что составляет-с, по ихнему характеру, который сами вчера изволили наблюдать-с. Если, говорят, Аграфену Александровну пропущу и она здесь переночует, — не быть тебе первому живу. Боюсь я их очень-с, и кабы не боялся еще пуще того, то заявить бы должен на них городскому начальству. Даже бог знает что произвести могут-с.

— Намедни сказали им: «В ступе тебя истолку», — прибавила Марья Кондратьевна.

— Ну если в ступе, то это только, может быть, разговор... — заметил Алеша. — Если б я его мог сейчас встретить, я бы мог ему что-нибудь и об этом сказать...

— Вот что единственно могу сообщить, — как бы надумался вдруг Смердяков. — Бываю я здесь по всегдашнему соседскому знакомству, и как же бы я не ходил-с? С другой стороны, Иван Федорович чем свет сегодня послали меня к ним на квартиру в ихнюю Озерную улицу, без письма-с, с тем чтобы Дмитрий Федорович на словах непременно пришли в здешний трактир-с на площади, чтобы вместе обедать. Я пошел-с, но Дмитрия Федоровича я на квартире ихней не застал-с, а было уж восемь часов. «Был, говорят, да весь вышел» — этими самыми словами их хозяева сообщили. Тут точно у них заговор какой-с, обоюдный-с. Теперь же, может быть, они в эту самую минуту в трактире этом сидят с братцем Иваном Федоровичем, так как Иван Федорович домой обедать не приходили, а Федор Павлович отобедали час тому назад одни и теперь почивать легли. Убедительнейше, однако, прошу, чтобы вы им про меня и про то, что я сообщил, ничего не говорили-с, ибо они ни за что убьют-с.

— Брат Иван звал Дмитрия сегодня в трактир? — быстро переспросил Алеша.

— Это точно так-с.

— В трактир «Столичный город», на площади?

— В этот самый-с.

— Это очень возможно! — воскликнул Алеша в большом волнении. — Благодарю вас, Смердяков, известие важное, сейчас пойду туда.

— Не выдавайте-с, — проговорил ему вслед Смердяков.

— О нет, я в трактир явлюсь как бы нечаянно, будьте покойны.

— Да куда же вы, я вам калитку отопру, — крикнула было Марья Кондратьевна.

— Нет, здесь ближе, я опять чрез плетень.

Известие страшно потрясло Алешу. Он пустился к трактиру. В трактир ему входить было в его одежде неприлично, но осведомиться на лестнице и вызвать их, это было возможно. Но только что он подошел к трактиру, как вдруг отворилось одно окно и сам брат Иван закричал ему из окна вниз:

— Алеша, можешь ты ко мне сейчас войти сюда или нет? Одолжишь ужасно.

— Очень могу, только не знаю, как мне в моем платье.

— А я как раз в отдельной комнате, ступай на крыльцо, я сбегу навстречу...

Через минуту Алеша сидел рядом с братом. Иван был один и обедал.

III
БРАТЬЯ ЗНАКОМЯТСЯ

Находился Иван, однако, не в отдельной комнате. Это было только место у окна, отгороженное ширмами, но сидевших за ширмами все-таки не могли видеть посторонние. Комната эта была входная, первая, с буфетом у боковой стены. По ней поминутно шмыгали половые. Из посетителей был один лишь старичок, отставной военный, и пил в уголку чай. Зато в остальных комнатах трактира происходила вся обыкновенная трактирная возня, слышались призывные крики, откупоривание пивных бутылок, стук бильярдных шаров, гудел орган. Алеша знал, что Иван в этот трактир почти никогда не ходил и до трактиров вообще не охотник; стало быть, именно потому только и очутился здесь, подумал он, чтобы сойтись по условию с братом Дмитрием. И, однако, брата Дмитрия не было.

— Прикажу я тебе ухи аль чего-нибудь, не чаем же ведь ты одним живешь, — крикнул Иван, по-видимому ужасно довольный, что залучил Алешу. Сам он уж кончил обед и пил чай.

— Ухи давай, давай потом и чаю, я проголодался, — весело проговорил Алеша.

— А варенья вишневого? Здесь есть. Помнишь, как ты маленький у Поленова вишневое варенье любил?

— А ты это помнишь? Давай и варенья, я и теперь люблю.

Иван позвонил полового и приказал уху, чай и варенья.

— Я всё помню, Алеша, я помню тебя до одиннадцати лет, мне был тогда пятнадцатый год. Пятнадцать и одиннадцать, это такая разница, что братья в эти годы никогда не бывают товарищами. Не знаю, любил ли я тебя даже. Когда я уехал в Москву, то в первые годы я даже и не вспоминал об тебе вовсе. Потом, когда ты сам попал в Москву, мы раз только, кажется, и встретились где-то. А вот здесь я уже четвертый месяц живу, и до сих пор мы с тобой не сказали слова. Завтра я уезжаю и думал сейчас, здесь сидя: как бы мне его увидать, чтобы проститься, а ты и идешь мимо.

— А ты очень желал меня увидать?

— Очень, я хочу с тобой познакомиться раз навсегда и тебя с собой познакомить. Да с тем и проститься. По-моему, всего лучше знакомиться пред разлукой. Я видел, как ты на меня смотрел все эти три месяца, в глазах твоих было какое-то беспрерывное ожидание, а вот этого-то я и не терплю, оттого и не подошел к тебе. Но в конце я тебя научился уважать: твердо, дескать, стоит человечек. Заметь, я хоть и смеюсь теперь, но говорю серьезно. Ведь ты твердо стоишь, да? Я таких твердых люблю, на чем бы там они ни стояли, и будь они такие маленькие мальчуганы, как ты.

Ожидающий взгляд твой стал мне вовсе под конец не противен; напротив, полюбил я наконец твой ожидающий взгляд... Ты, кажется, почему-то любишь меня, Алеша?

— Люблю, Иван. Брат Дмитрий говорит про тебя: Иван — могила. Я говорю про тебя: Иван — загадка. Ты и теперь для меня загадка, но нечто я уже осмыслил в тебе, и всего только с сегодняшнего утра!

— Что ж это такое? — засмеялся Иван.

— А не рассердишься? — засмеялся и Алеша.

— Ну?

— А то, что ты такой же точно молодой человек, как и все остальные двадцатитрехлетние молодые люди, такой же молодой, молоденький, свежий и славный мальчик, ну желторотый, наконец, мальчик! Что, не очень тебя обидел?

— Напротив, поразил совпадением! — весело и с жаром вскричал Иван. — Веришь ли, что я, после давешнего нашего свидания у ней, только об этом про себя и думал, об этой двадцатитрехлетней моей желторотости, а ты вдруг теперь точно угадал и с этого самого начинаешь. Я сейчас здесь сидел и знаешь что говорил себе: не веруй я в жизнь, разуверься я в дорогой женщине, разуверься в порядке вещей, убедись даже, что всё, напротив, беспорядочный, проклятый и, может быть, бесовский хаос, порази меня хоть все ужасы человеческого разочарования — а я все-таки захочу жить и уж как припал к этому кубку, то не оторвусь от него, пока его весь не осилю! Впрочем, к тридцати годам, наверно, брошу кубок, хоть и не допью всего и отойду... не знаю куда. Но до тридцати моих лет, знаю это твердо, всё победит моя молодость — всякое разочарование, всякое отвращение к жизни. Я спрашивал себя много раз: есть ли в мире такое отчаяние, чтобы победило во мне эту исступленную и неприличную, может быть, жажду жизни, и решил, что, кажется, нет такого, то есть опять-таки до тридцати этих лет, а там уж сам не захочу, мне так кажется. Эту жажду жизни иные чахоточные сопляки-моралисты называют часто подлою, особенно поэты. Черта-то она отчасти карамазовская, это правда, жажда-то эта жизни, несмотря ни на что, в тебе она тоже непременно сидит, но почему ж она подлая? Центростремительной силы еще страшно много на нашей планете, Алеша. Жить хочется, и я живу, хотя бы и вопреки логике. Пусть я не верю в порядок вещей, но дороги мне клейкие, распускающиеся весной листочки, дорого голубое небо, дорог иной человек, которого иной раз, поверишь ли, не знаешь за что и любишь, дорог иной подвиг человеческий, в который давно уже, может быть, перестал и верить, а все-таки по старой памяти чтишь его сердцем. Вот тебе уху принесли, кушай на здоровье. Уха славная, хорошо готовят. Я хочу в Европу съездить, Алеша, отсюда и поеду; и ведь я знаю, что поеду лишь на кладбище, но на самое, на самое дорогое кладбище, вот что! Дорогие там лежат покойники, каждый камень над ними гласит о такой горячей минувшей жизни, о такой страстной вере в свой подвиг, в свою истину, в свою борьбу и в свою науку, что я, знаю заранее, паду на землю и буду целовать эти камни и плакать над ними, — в то же время убежденный всем сердцем моим, что всё это давно уже кладбище, и никак не более. И не от отчаяния буду плакать, а лишь просто потому, что буду счастлив пролитыми слезами моими. Собственным умилением упьюсь. Клейкие весенние листочки, голубое небо люблю я, вот что! Тут не ум, не логика, тут нутром, тут чревом любишь, первые свои молодые силы любишь... Понимаешь ты что-нибудь в моей ахинее, Алешка, аль нет? — засмеялся вдруг Иван.

— Слишком понимаю, Иван: нутром и чревом хочется любить — прекрасно ты это сказал, и рад я ужасно за то, что тебе так жить хочется, — воскликнул Алеша. — Я думаю, что все должны прежде всего на свете жизнь полюбить.

— Жизнь полюбить больше, чем смысл ее?

— Непременно так, полюбить прежде логики, как ты говоришь, непременно чтобы прежде логики, и тогда только я и смысл пойму. Вот что мне давно уже мерещится. Половина твоего дела сделана, Иван, и приобретена: ты жить любишь. Теперь надо постараться тебе о второй твоей половине, и ты спасен.

— Уж ты и спасаешь, да я и не погибал, может быть! А в чем она, вторая твоя половина?

— В том, что надо воскресить твоих мертвецов, которые, может быть, никогда и не умирали. Ну давай чаю. Я рад, что мы говорим, Иван.

— Ты, я вижу, в каком-то вдохновении. Ужасно я люблю такие professions de foi[1] вот от таких... послушников.

---

[1] Исповедания веры *(фр.)*.

Твердый ты человек, Алексей. Правда, что ты из монастыря хочешь выйти?

— Правда. Мой старец меня в мир посылает.

— Увидимся еще, стало быть, в миру-то, встретимся до тридцати-то лет, когда я от кубка-то начну отрываться. Отец вот не хочет отрываться от своего кубка до семидесяти лет, до восьмидесяти даже мечтает, сам говорил, у него это слишком серьезно, хоть он и шут. Стал на сладострастии своем и тоже будто на камне... хотя после тридцати-то лет, правда, и не на чем, пожалуй, стать, кроме как на этом... Но до семидесяти подло, лучше до тридцати: можно сохранить «оттенок благородства», себя надувая. Не видал сегодня Дмитрия?

— Нет, не видал, но я Смердякова видел. — И Алеша рассказал брату наскоро и подробно о своей встрече с Смердяковым. Иван стал вдруг очень озабоченно слушать, кое-что даже переспросил.

— Только он просил меня брату Дмитрию не сказывать о том, что он о нем говорил, — прибавил Алеша.

Иван нахмурился и задумался.

— Ты это из-за Смердякова нахмурился? — спросил Алеша.

— Да, из-за него. К черту его, Дмитрия я действительно хотел было видеть, но теперь не надо... — неохотно проговорил Иван.

— А ты в самом деле так скоро уезжаешь, брат?

— Да.

— Что же Дмитрий и отец? Чем это у них кончится? — тревожно промолвил Алеша.

— А ты всё свою канитель! Да я-то тут что? Сторож я, что ли, моему брату Дмитрию? — раздражительно отрезал было Иван, но вдруг как-то горько улыбнулся. — Каинов ответ Богу об убитом брате, а? Может быть, ты это думаешь в эту минуту? Но, черт возьми, не могу же я в самом деле оставаться тут у них сторожем? Дела кончил и еду. Уж не думаешь ли ты, что я ревную к Дмитрию, что я отбивал у него все эти три месяца его красавицу Катерину Ивановну. Э, черт, у меня свои дела были. Дела кончил и еду. Дела давеча кончил, ты был свидетелем.

— Это давеча у Катерины Ивановны?

— Да, у ней, и разом развязался. И что ж такое? Какое мне дело до Дмитрия? Дмитрий тут ни при чем. У меня были только собственные дела с Катериною Ивановною. Сам ты знаешь, напротив, что Дмитрий вел себя так, как будто был в заговоре со мной. Я ведь не просил его нисколько, а он сам мне торжественно ее передал и благословил. Это всё смеху подобно. Нет, Алеша, нет, если бы ты знал, как я себя теперь легко чувствую! Я вот здесь сидел и обедал и, веришь ли, хотел было спросить шампанского, чтоб отпраздновать первый мой час свободы. Тьфу, полгода почти — и вдруг разом, всё разом снял. Ну подозревал ли я даже вчера, что это, если захотеть, то ничего не стоит кончить!

— Ты про любовь свою говоришь, Иван?

— Любовь, если хочешь, да, я влюбился в барышню, в институтку. Мучился с ней, и она меня мучила. Сидел над ней... и вдруг всё слетело. Давеча я говорил вдохновенно, а вышел и расхохотался — веришь этому. Нет, я буквально говорю.

— Ты и теперь так это весело говоришь, — заметил Алеша, вглядываясь в его в самом деле повеселевшее вдруг лицо.

— Да почем же я знал, что я ее вовсе не люблю! Хе-хе! Вот и оказалось, что нет. А ведь как она мне нравилась! Как она мне даже давеча нравилась, когда я речь читал. И знаешь ли, и теперь нравится ужасно, а между тем как легко от нее уехать. Ты думаешь, я фанфароню?

— Нет. Только это, может, не любовь была.

— Алешка, — засмеялся Иван, — не пускайся в рассуждения о любви! Тебе неприлично. Давеча-то, давеча-то ты выскочил, ай! Я еще и забыл поцеловать тебя за это... А мучила-то она меня как! Воистину у надрыва сидел. Ох, она знала, что я ее люблю! Любила меня, а не Дмитрия, — весело настаивал Иван. — Дмитрий только надрыв. Всё, что я давеча ей говорил, истинная правда. Но только в том дело, самое главное, что ей нужно, может быть, лет пятнадцать аль двадцать, чтобы догадаться, что Дмитрия она вовсе не любит, а любит только меня, которого мучает. Да, пожалуй, и не догадается она никогда, несмотря даже на сегодняшний урок. Ну и лучше: встал да и ушел навеки. Кстати, что она теперь? Что там было, когда я ушел?

Алеша рассказал ему об истерике и о том, что она, кажется, теперь в беспамятстве и в бреду.

— А не врет Хохлакова?

— Кажется, нет.

— Надо справиться. От истерики, впрочем, никогда и никто не умирал. Да и пусть истерика, Бог женщине послал истерику любя. Не пойду я туда вовсе. К чему лезть опять.

— Ты, однако же, давеча ей сказал, что она никогда тебя не любила.

— Это я нарочно. Алешка, прикажу-ка я шампанского, выпьем за мою свободу. Нет, если бы ты знал, как я рад!

— Нет, брат, не будем лучше пить, — сказал вдруг Алеша, — к тому же мне как-то грустно.

— Да, тебе давно грустно, я это давно вижу.

— Так ты непременно завтра утром поедешь?

— Утром? Я не говорил, что утром... А впрочем, может, и утром. Веришь ли, я ведь здесь обедал сегодня, единственно чтобы не обедать со стариком, до того он мне стал противен. Я от него от одного давно бы уехал. А ты что так беспокоишься, что я уезжаю. У нас с тобой еще бог знает сколько времени до отъезда. Целая вечность времени, бессмертие!

— Если ты завтра уезжаешь, какая же вечность?

— Да нас-то с тобой чем это касается? — засмеялся Иван, — ведь свое-то мы успеем все-таки переговорить, свое-то, для чего мы пришли сюда? Чего ты глядишь с удивлением? Отвечай: мы для чего здесь сошлись? Чтобы говорить о любви к Катерине Ивановне, о старике и Дмитрии? О загранице? О роковом положении России? Об императоре Наполеоне? Так ли, для этого ли?

— Нет, не для этого.

— Сам понимаешь, значит, для чего. Другим одно, а нам, желторотым, другое, нам прежде всего надо предвечные вопросы разрешить, вот наша забота. Вся молодая Россия только лишь о вековечных вопросах теперь и толкует. Именно теперь, как старики все полезли вдруг практическими вопросами заниматься. Ты из-за чего все три месяца глядел на меня в ожидании? Чтобы допросить меня: «Како веруеши али вовсе не веруеши?» — вот ведь к чему сводились ваши трехмесячные взгляды, Алексей Федорович, ведь так?

— Пожалуй что и так, — улыбнулся Алеша. — Ты ведь не смеешься теперь надо мною, брат?

— Я-то смеюсь? Не захочу я огорчить моего братишку, который три месяца глядел на меня в таком ожидании. Алеша, взгляни прямо: я ведь и сам точь-в-точь такой же маленький мальчик, как и ты, разве только вот не послушник. Ведь русские мальчики как до сих пор орудуют? Иные то есть? Вот, например, здешний вонючий трактир, вот они и сходятся, засели в угол. Всю жизнь прежде не знали друг друга, а выйдут из трактира, сорок лет опять не будут знать друг друга, ну и что ж, о чем они будут рассуждать, пока поймали минутку в трактире-то? О мировых вопросах, не иначе: есть ли Бог, есть ли бессмертие? А которые в Бога не веруют, ну те о социализме и об анархизме заговорят, о переделке всего человечества по новому штату, так ведь это один же черт выйдет, всё те же вопросы, только с другого конца. И множество, множество самых оригинальных русских мальчиков только и делают, что о вековечных вопросах говорят у нас в наше время. Разве не так?

— Да, настоящим русским вопросы о том: есть ли Бог и есть ли бессмертие, или, как вот ты говоришь, вопросы с другого конца, — конечно, первые вопросы и прежде всего, да так и надо, — проговорил Алеша, всё с тою же тихою и испытующею улыбкой вглядываясь в брата.

— Вот что, Алеша, быть русским человеком иногда вовсе не умно, но все-таки глупее того, чем теперь занимаются русские мальчики, и представить нельзя себе. Но я одного русского мальчика, Алешку, ужасно люблю.

— Как ты это славно подвел, — засмеялся вдруг Алеша.

— Ну говори же, с чего начинать, приказывай сам, — с бога? Существует ли Бог, что ли?

— С чего хочешь, с того и начинай, хоть с «другого конца». Ведь ты вчера у отца провозгласил, что нет Бога, — пытливо поглядел на брата Алеша.

— Я вчера за обедом у старика тебя этим нарочно дразнил и видел, как у тебя разгорелись глазки. Но теперь я вовсе не прочь с тобой переговорить и говорю это очень серьезно. Я с тобой хочу сойтись, Алеша, потому что у меня нет друзей, попробовать хочу. Ну, представь же себе, может быть, и я принимаю Бога, — засмеялся Иван, — для тебя это неожиданно, а?

— Да, конечно, если ты только и теперь не шутишь.

— «Шутишь». Это вчера у старца сказали, что я шучу. Видишь, голубчик, был один старый грешник в восемнадцатом столетии, который изрек, что если бы не было бога, то следовало бы его выдумать, s'il n'existait pas Dieu il faudrait l'invenler. И действительно, человек выдумал Бога. И не то странно, не то было бы дивно, что Бог в самом деле существует, но то дивно, что такая мысль — мысль о необходимости Бога — могла залезть в голову такому дикому и злому животному, как человек, до того она свята, до того она трогательна, до того премудра и до того она делает честь человеку. Что же до меня, то я давно уже положил не думать о том: человек ли создал Бога или Бог человека? Не стану я, разумеется, перебирать на этот счет все современные аксиомы русских мальчиков, все сплошь выведенные из европейских гипотез; потому что что там гипотеза, то у русского мальчика тотчас же аксиома, и не только у мальчиков, но, пожалуй, и у ихних профессоров, потому что и профессора русские весьма часто у нас теперь те же русские мальчики. А потому обхожу все гипотезы. Ведь у нас с тобой какая теперь задача? Задача в том, чтоб я как можно скорее мог объяснить тебе мою суть, то есть что я за человек, во что верую и на что надеюсь, ведь так, так? А потому и объявляю, что принимаю Бога прямо и просто. Но вот, однако, что надо отметить: если Бог есть и если он действительно создал землю, то, как нам совершенно известно, создал он ее по эвклидовой геометрии, а ум человеческий с понятием лишь о трех измерениях пространства. Между тем находились и находятся даже и теперь геометры и философы, и даже из замечательнейших, которые сомневаются в том, чтобы вся вселенная или, еще обширнее — всё бытие было создано лишь по эвклидовой геометрии, осмеливаются даже мечтать, что две параллельные линии, которые, по Эвклиду, ни за что не могут сойтись на земле, может быть, и сошлись бы где-нибудь в бесконечности. Я, голубчик, решил так, что если я даже этого не могу понять, то где ж мне про Бога понять. Я смиренно сознаюсь, что у меня нет никаких способностей разрешать такие вопросы, у меня ум эвклидовский, земной, а потому где нам решать о том, что не от мира сего. Да и тебе советую об этом никогда не думать, друг Алеша, а пуще всего насчет Бога: есть ли он или нет? Всё это вопросы совершенно несвойственные уму, созданному с понятием лишь о трех измерениях. Итак, принимаю Бога, и не только с охотой, но, мало того, принимаю и премудрость его, и цель его, нам совершенно уж неизвестные, верую в порядок, в смысл жизни, верую в вечную гармонию, в которой мы будто бы все сольемся, верую в Слово, к которому стремится вселенная и которое само «бе к Богу» и которое есть само Бог, ну и прочее и прочее, и так далее в бесконечность. Слов-то много на этот счет наделано. Кажется, уж я на хорошей дороге — а? Ну так представь же себе, что в окончательном результате я мира этого божьего — не принимаю и хоть и знаю, что он существует, да не допускаю его вовсе. Я не Бога не принимаю, пойми ты это, я мира, им созданного, мира-то божьего не принимаю и не могу согласиться принять. Оговорюсь: я убежден, как младенец, что страдания заживут и сгладятся, что весь обидный комизм человеческих противоречий исчезнет, как жалкий мираж, как гнусненькое измышление малосильного и маленького, как атом, человеческого эвклидовского ума, что, наконец, в мировом финале, в момент вечной гармонии, случится и явится нечто до того драгоценное, что хватит его на все сердца, на утоление всех негодований, на искупление всех злодейств людей, всей пролитой ими их крови, хватит, чтобы не только было возможно простить, но и оправдать всё, что случилось с людьми, — пусть, пусть это всё будет и явится, но я-то этого не принимаю и не хочу принять! Пусть даже параллельные линии сойдутся и я это сам увижу: увижу и скажу, что сошлись, а все-таки не приму. Вот моя суть, Алеша, вот мой тезис. Это уж я серьезно тебе высказал. Я нарочно начал этот наш с тобой разговор как глупее нельзя начать, но довел до моей исповеди, потому что ее только тебе и надо. Не о Боге тебе нужно было, а лишь нужно было узнать, чем живет твой любимый тобою брат. Я и сказал.

Иван заключил свою длинную тираду вдруг с каким-то особенным и неожиданным чувством.

— А для чего ты начал так, как «глупее нельзя начать»? — спросил Алеша, задумчиво смотря на него.

— Да, во-первых, хоть для русизма: русские разговоры на эти темы все ведутся как глупее нельзя вести. А во-вторых, опять-таки чем глупее, тем ближе к делу. Чем глупее, тем и яснее. Глупость коротка и нехитра, а ум виляет и прячется. Ум подлец, а глупость пряма и честна. Я довел дело до моего отчаяния, и чем глупее я его выставил, тем для меня же выгоднее.

— Ты мне объяснишь, для чего «мира не принимаешь»? — проговорил Алеша.

— Уж конечно, объясню, не секрет, к тому и вел. Братишка ты мой, не тебя я хочу развратить и сдвинуть с твоего устоя, я, может быть, себя хотел бы исцелить тобою, — улыбнулся вдруг Иван, совсем как маленький кроткий мальчик. Никогда еще Алеша не видал у него такой улыбки.

IV

БУНТ

— Я тебе должен сделать одно признание, — начал Иван, — я никогда не мог понять, как можно любить своих ближних. Именно ближних-то, по-моему, и невозможно любить, а разве лишь дальних. Я читал вот как-то и где-то про «Иоанна Милостивого» (одного святого), что он, когда к нему пришел голодный и обмерзший прохожий и попросил согреть его, лег с ним вместе в постель, обнял его и начал дышать ему в гноящийся и зловонный от какой-то ужасной болезни рот его. Я убежден, что он это сделал с надрывом лжи, из-за заказанной долгом любви, из-за натащенной на себя эпитимии. Чтобы полюбить человека, надо, чтобы тот спрятался, а чуть лишь покажет лицо свое — пропала любовь.

— Об этом не раз говорил старец Зосима, — заметил Алеша, — он тоже говорил, что лицо человека часто многим еще неопытным в любви людям мешает любить. Но ведь есть и много любви в человечестве, и почти подобной Христовой любви, это я сам знаю, Иван...

— Ну я-то пока еще этого не знаю и понять не могу, и бесчисленное множество людей со мной тоже. Вопрос ведь в том, от дурных ли качеств людей это происходит, или уж оттого, что такова их натура. По-моему, Христова любовь к людям есть в своем роде невозможное на земле чудо. Правда, он был Бог. Но мы-то не боги. Положим, я, например, глубоко могу страдать, но другой никогда ведь не может узнать, до какой степени я страдаю, потому что он другой, а не я, и, сверх того, редко человек согласится признать другого за страдальца (точно будто это чин). Почему не согласится, как ты думаешь? Потому, например, что от меня дурно пахнет, что у меня глупое лицо, потому что я раз когда-то отдавил ему ногу. К тому же страдание и страдание: унизительное страдание, унижающее меня, голод например, еще допустит во мне мой благодетель, но чуть повыше страдание, за идею например, нет, он это в редких разве случаях допустит, потому что он, например, посмотрит на меня и вдруг увидит, что у меня вовсе не то лицо, какое, по его фантазии, должно бы быть у человека, страдающего за такую-то, например, идею. Вот он и лишает меня сейчас же своих благодеяний и даже вовсе не от злого сердца. Нищие, особенно благородные нищие, должны бы были наружу никогда не показываться, а просить милостыню чрез газеты. Отвлеченно еще можно любить ближнего и даже иногда издали, но вблизи почти никогда. Если бы всё было как на сцене, в балете, где нищие, когда они появляются, приходят в шелковых лохмотьях и рваных кружевах и просят милостыню, грациозно танцуя, ну тогда еще можно любоваться ими. Любоваться, но все-таки не любить. Но довольно об этом. Мне надо было лишь поставить тебя на мою точку. Я хотел заговорить о страдании человечества вообще, но лучше уж остановимся на страданиях одних детей. Это уменьшит размеры моей аргументации раз в десять, но лучше уж про одних детей. Тем не выгоднее для меня, разумеется. Но, во-первых, деток можно любить даже и вблизи, даже и грязных, даже дурных лицом (мне, однако же, кажется, что детки никогда не бывают дурны лицом). Во-вторых, о больших я и потому еще говорить не буду, что, кроме того, что они отвратительны и любви не заслуживают, у них есть и возмездие: они съели яблоко и познали добро и зло и стали «яко бози». Продолжают и теперь есть его. Но деточки ничего не съели и пока еще ни в чем не виновны. Любишь ты деток, Алеша? Знаю, что любишь, и тебе будет понятно, для чего я про них одних хочу теперь говорить. Если они на земле тоже ужасно страдают, то уж, конечно, за отцов своих, наказаны за отцов своих, съевших яблоко, — но ведь это рассуждение из другого мира, сердцу же человеческому здесь на земле непонятное. Нельзя страдать неповинному за другого, да еще такому неповинному! Подивись на меня, Алеша, я тоже ужасно люблю деточек. И заметь себе, жестокие люди, страстные, плотоядные, карамазовцы, иногда очень любят детей. Дети, пока дети, до семи лет например, страшно отстоят от людей; совсем будто другое существо и с другою природой. Я знал одного разбойника в остроге: ему случалось в свою карьеру, избивая целые семейства в домах, в которые забирался по ночам для грабежа, зарезать заодно несколько и детей. Но, сидя в остроге, он их до странности любил. Из окна острога он только и делал, что смотрел на играющих на тюремном дворе детей. Одного маленького мальчика он приучил приходить к нему под окно, и тот очень сдружился с ним... Ты не знаешь, для чего я это всё говорю, Алеша? У меня как-то голова болит, и мне грустно.

— Ты говоришь с странным видом, — с беспокойством заметил Алеша, — точно ты в каком безумии.

— Кстати, мне недавно рассказывал один болгарин в Москве, — продолжал Иван Федорович, как бы и не слушая брата, — как турки и черкесы там у них, в Болгарии, повсеместно злодействуют, опасаясь поголовного восстания славян, — то есть жгут, режут, насилуют женщин и детей, прибивают арестантам уши к забору гвоздями и оставляют так до утра, а поутру вешают — и проч., всего и вообразить невозможно. В самом деле, выражаются иногда про «зверскую» жестокость человека, но это страшно несправедливо и обидно для зверей: зверь никогда не может быть так жесток, как человек, так артистически, так художественно жесток. Тигр просто грызет, рвет и только это и умеет. Ему и в голову не вошло бы прибивать людей за уши на ночь гвоздями, если б он даже и мог это сделать. Эти турки, между прочим, с сладострастием мучили и детей, начиная с вырезания их кинжалом из чрева матери, до бросания вверх грудных младенцев и подхватывания их на штык в глазах матерей. На глазах-то матерей и составляло главную сладость. Но вот, однако, одна меня сильно заинтересовавшая картинка. Представь: грудной младенчик на руках трепещущей матери, кругом вошедшие турки. У них затеялась веселая штучка: они ласкают младенца, смеются, чтоб его рассмешить, им удается, младенец рассмеялся. В эту минуту турок наводит на него пистолет в четырех вершках расстояния от его лица. Мальчик радостно хохочет, тянется ручонками, чтоб схватить пистолет, и вдруг артист спускает курок прямо ему в лицо и раздробляет ему головку... Художественно, не правда ли? Кстати, турки, говорят, очень любят сладкое.

— Брат, к чему это всё? — спросил Алеша.

— Я думаю, что если дьявол не существует и, стало быть, создал его человек, то создал он его по своему образу и подобию.

— В таком случае, равно как и Бога.

— А ты удивительно как умеешь оборачивать словечки, как говорит Полоний в «Гамлете», — засмеялся Иван. — Ты поймал меня на слове, пусть, я рад. Хорош же твой Бог, коль его создал человек по образу своему и подобию. Ты спросил сейчас, для чего я это всё: я, видишь ли, любитель и собиратель некоторых фактиков и, веришь ли, записываю и собираю из газет и рассказов, откуда попало, некоторого рода анекдотики, и у меня уже хорошая коллекция. Турки, конечно, вошли в коллекцию, но это всё иностранцы. У меня есть и родные штучки и даже получше турецких. Знаешь, у нас больше битье, больше розга и плеть, и это национально: у нас прибитые гвоздями уши немыслимы, мы все-таки европейцы, но розги, но плеть — это нечто уже наше и не может быть у нас отнято. За границей теперь как будто и не бьют совсем, нравы, что ли, очистились, али уж законы такие устроились, что человек человека как будто уж и не смеет посечь, но зато они вознаградили себя другим и тоже чисто национальным, как и у нас, и до того национальным, что у нас оно как будто и невозможно, хотя, впрочем, кажется, и у нас прививается, особенно со времени религиозного движения в нашем высшем обществе. Есть у меня одна прелестная брошюрка, перевод с французского, о том, как в Женеве, очень недавно, всего лет пять тому, казнили одного злодея и убийцу, Ришара, двадцатитрехлетнего, кажется, малого, раскаявшегося и обратившегося к христианской вере пред самым эшафотом. Этот Ришар был чей-то незаконнорожденный, которого еще младенцем лет шести *подарили* родители каким-то горным швейцарским пастухам, и те его взрастили, чтоб употреблять в работу. Рос он у них как дикий зверенок, не научили его пастухи ничему, напротив, семи лет уже посылали пасти стадо, в мокреть и в холод, почти без одежды и почти не кормя его. И уж конечно, так делая, никто из них не задумывался и не раскаивался, напротив, считал себя в полном праве, ибо Ришар подарен им был как вещь, и они даже не находили необходимым кормить его. Сам Ришар свидетельствует, что в те годы, он, как блудный сын в Евангелии, желал ужасно поесть хоть того месива, которое давали откармливаемым на продажу свиньям, но ему не давали даже и этого и били, когда он крал у свиней, и так провел он всё детство свое и всю юность, до тех пор пока возрос и, укрепившись в силах, пошел сам воровать. Дикарь стал добывать деньги поденною работой в Женеве, добытое пропивал, жил как изверг и кончил тем, что убил какого-то старика и ограбил. Его схватили, судили и присудили к смерти. Там ведь не сентиментальничают. И вот в тюрьме его немедленно окружают пасторы и члены разных Христовых братств, благотворительные дамы и проч. Научили они его в тюрьме читать и писать, стали толковать ему Евангелие, усовещевали, убеждали, напирали, пилили, давили, и вот он сам торжественно сознается наконец в своем преступлении. Он обратился, он написал сам суду, что он изверг и что наконец-таки он удостоился того, что и его озарил Господь и послал ему благодать. Всё взволновалось в Женеве, вся благотворительная и благочестивая Женева. Всё, что было высшего и благовоспитанного, ринулось к нему в тюрьму; Ришара целуют, обнимают: «Ты брат наш, на тебя сошла благодать!» А сам Ришар только плачет в умилении: «Да, на меня сошла благодать! Прежде я всё детство и юность мою рад был корму свиней, а теперь сошла и на меня благодать, умираю во Господе!» — «Да, да, Ришар, умри во Господе, ты пролил кровь и должен умереть во Господе. Пусть ты невиновен, что не знал совсем Господа, когда завидовал корму свиней и когда тебя били за то, что ты крал у них корм (что ты делал очень нехорошо, ибо красть не позволено), — но ты пролил кровь и должен умереть». И вот наступает последний день. Расслабленный Ришар плачет и только и делает, что повторяет ежеминутно: «Это лучший из дней моих, я иду к Господу!» — «Да, — кричат пасторы, судьи и благотворительные дамы, — это счастливейший день твой, ибо ты идешь к Господу!» Всё это двигается к эшафоту вслед за позорною колесницей, в которой везут Ришара, в экипажах, пешком. Вот достигли эшафота: «Умри, брат наш, — кричат Ришару, — умри во Господе, ибо и на тебя сошла благодать!» И вот покрытого поцелуями братьев брата Ришара втащили на эшафот, положили на гильотину и оттяпали-таки ему по-братски голову за то, что и на него сошла благодать. Нет, это характерно. Брошюрка эта переведена по-русски какими-то русскими лютеранствующими благотворителями высшего общества и разослана для просвещения народа русского при газетах и других изданиях даром. Штука с Ришаром хороша тем, что национальна. У нас хоть нелепо рубить голову брату потому только, что он стал нам брат и что на него сошла благодать, но, повторяю, у нас есть свое, почти что не хуже. У нас историческое, непосредственное и ближайшее наслаждение истязанием битья. У Некрасова есть стихи о том, как мужик сечет лошадь кнутом по глазам, «по кротким глазам». Этого кто ж не видал, это русизм. Он описывает, как слабосильная лошаденка, на которую навалили слишком, завязла с возом и не может вытащить. Мужик бьет ее, бьет с остервенением, бьет, наконец, не понимая, что делает, в опьянении битья сечет больно, бесчисленно: «Хоть ты и не в силах, а вези, умри, да вези!» Клячонка рвется, и вот он начинает сечь ее, беззащитную, по плачущим, по «кротким глазам». Вне себя она рванула и вывезла и пошла, вся дрожа, не дыша, как-то боком, с какою-то припрыжкой, как-то неестественно и позорно — у Некрасова это ужасно. Но ведь это всего только лошадь, лошадей и сам Бог дал, чтоб их сечь. Так татары нам растолковали и кнут на память подарили. Но можно ведь сечь и людей. И вот интеллигентный образованный господин и его дама секут собственную дочку, младенца семи лет, розгами — об этом у меня подробно записано. Папенька рад, что прутья с сучками, «садче будет», говорит он, и вот начинает «сажать» родную дочь. Я знаю наверно, есть такие секущие, которые разгорячаются с каждым ударом до сладострастия, до буквального сладострастия, с каждым последующим ударом всё больше и больше, всё прогрессивнее. Секут минуту, секут, наконец, пять минут, секут десять минут, дальше, больше, чаще, садче. Ребенок кричит, ребенок, наконец, не может кричать, задыхается: «Папа, папа, папочка, папочка!» Дело каким-то чертовым неприличным случаем доходит до суда. Нанимается адвокат. Русский народ давно уже назвал у нас адвоката — «аблакат — нанятая совесть». Адвокат кричит в защиту своего клиента. «Дело, дескать, такое простое, семейное и обыкновенное, отец посек дочку, и вот, к стыду наших дней, дошло до суда!» Убежденные присяжные удаляются и выносят оправдательный приговор. Публика ревет от счастья, что оправдали мучителя. Э-эх, меня не было там, я бы рявкнул предложение учредить стипендию в честь имени истязателя!.. Картинки прелестные. Но о детках есть у меня и еще получше, у меня очень, очень много собрано о русских детках, Алеша. Девчоночку маленькую, пятилетнюю, возненавидели отец и мать, «почтеннейшие и чиновные люди,

277

образованные и воспитанные». Видишь, я еще раз положительно утверждаю, что есть особенное свойство у многих в человечестве — это любовь к истязанию детей, но одних детей. Ко всем другим субъектам человеческого рода эти же самые истязатели относятся даже благосклонно и кротко, как образованные и гуманные европейские люди, но очень любят мучить детей, любят даже самих детей в этом смысле. Тут именно незащищенность-то этих созданий и соблазняет мучителей, ангельская доверчивость дитяти, которому некуда деться и не к кому идти, — вот это-то и распаляет гадкую кровь истязателя. Во всяком человеке, конечно, таится зверь, зверь гневливости, зверь сладострастной распаляемости от криков истязуемой жертвы, зверь без удержу, спущенного с цепи, зверь нажитых в разврате болезней, подагр, больных печенок и проч. Эту бедную пятилетнюю девочку эти образованные родители подвергали всевозможным истязаниям. Они били, секли, пинали ее ногами, не зная сами за что, обратили всё тело ее в синяки; наконец дошли и до высшей утонченности: в холод, в мороз запирали ее на всю ночь в отхожее место, и за то, что она не просилась ночью (как будто пятилетний ребенок, спящий своим ангельским крепким сном, еще может в эти лета научиться проситься), — за это обмазывали ей всё лицо ее калом и заставляли ее есть этот кал, и это мать, мать заставляла! И эта мать могла спать, когда ночью слышались стоны бедного ребеночка, запертого в подлом месте! Понимаешь ли ты это, когда маленькое существо, еще не умеющее даже осмыслить, что с ней делается, бьет себя в подлом месте, в темноте и в холоде, крошечным своим кулачком в надорванную грудку и плачет своими кровавыми, незлобивыми, кроткими слезками к «Боженьке», чтобы тот защитил его, — понимаешь ли ты эту ахинею, друг мой и брат мой, послушник ты мой божий и смиренный, понимаешь ли ты, для чего эта ахинея так нужна и создана! Без нее, говорят, и пробыть бы не мог человек на земле, ибо не познал бы добра и зла. Для чего познавать это чертово добро и зло, когда это столького стоит? Да ведь весь мир познания не стоит тогда этих слезок ребеночка к «Боженьке». Я не говорю про страдания больших, те яблоко съели, и черт с ними, и пусть бы их всех черт взял, но эти, эти! Мучаю я тебя, Алешка, ты как будто бы не в себе. Я перестану, если хочешь.

— Ничего, я тоже хочу мучиться, — пробормотал Алеша.

— Одну, только одну еще картинку, и то из любопытства, очень уж характерная, и главное, только что прочел в одном из сборников наших древностей, в «Архиве», в «Старине», что ли, надо справиться, забыл даже, где и прочел. Это было в самое мрачное время крепостного права, еще в начале столетия, и да здравствует освободитель народа! Был тогда в начале столетия один генерал, генерал со связями большими и богатейший помещик, но из таких (правда, и тогда уже, кажется, очень немногих), которые, удаляясь на покой со службы, чуть-чуть не бывали уверены, что выслужили себе право на жизнь и смерть своих подданных. Такие тогда бывали. Ну вот живет генерал в своем поместье в две тысячи душ, чванится, третирует мелких соседей как приживальщиков и шутов своих. Псарня с сотнями собак и чуть не сотня псарей, все в мундирах, все на конях. И вот дворовый мальчик, маленький мальчик, всего восьми лет, пустил как-то, играя, камнем и зашиб ногу любимой генеральской гончей. «Почему собака моя любимая охромела?» Докладывают ему, что вот, дескать, этот самый мальчик камнем в нее пустил и ногу ей зашиб. «А, это ты, — оглядел его генерал, — взять его!» Взяли его, взяли у матери, всю ночь просидел в кутузке, наутро чем свет выезжает генерал во всем параде на охоту, сел на коня, кругом него приживальщики, собаки, псари, ловчие, все на конях. Вокруг собрана дворня для назидания, а впереди всех мать виновного мальчика. Выводят мальчика из кутузки. Мрачный, холодный, туманный осенний день, знатный для охоты. Мальчика генерал велит раздеть, ребеночка раздевают всего донага, он дрожит, обезумел от страха, не смеет пикнуть... «Гони его!» — командует генерал. «Беги, беги!» — кричат ему псари, мальчик бежит... «Ату его!» — вопит генерал и бросает на него всю стаю борзых собак. Затравил в глазах матери, и псы растерзали ребенка в клочки!.. Генерала, кажется, в опеку взяли. Ну... что же его? Расстрелять? Для удовлетворения нравственного чувства расстрелять? Говори, Алешка!

— Расстрелять! — тихо проговорил Алеша, с бледною, перекосившеюся какою-то улыбкой подняв взор на брата.

— Браво! — завопил Иван в каком-то восторге, — уж коли ты сказал, значит... Ай да схимник! Так вот какой у тебя бесенок в сердечке сидит, Алешка Карамазов!

— Я сказал нелепость, но...

— То-то и есть, что но... — кричал Иван. — Знай, послушник, что нелепости слишком нужны на земле. На нелепостях мир стоит, и без них, может быть, в нем совсем ничего бы и не произошло. Мы знаем, что знаем!

— Что ты знаешь?

— Я ничего не понимаю, — продолжал Иван как бы в бреду, — я и не хочу теперь ничего понимать. Я хочу оставаться при факте. Я давно решил не понимать. Если я захочу что-нибудь понимать, то тотчас же изменю факту, а я решил оставаться при факте...

— Для чего ты меня испытуешь? — с надрывом горестно воскликнул Алеша, — скажешь ли мне наконец?

— Конечно, скажу, к тому и вел, чтобы сказать. Ты мне дорог, я тебя упустить не хочу и не уступлю твоему Зосиме.

Иван помолчал с минуту, лицо его стало вдруг очень грустно.

— Слушай меня: я взял одних деток для того, чтобы вышло очевиднее. Об остальных слезах человеческих, которыми пропитана вся земля от коры до центра, я уж ни слова не говорю, я тему мою нарочно сузил. Я клоп и признаю со всем принижением, что ничего не могу понять, для чего всё так устроено. Люди сами, значит, виноваты: им дан был рай, они захотели свободы и похитили огонь с небеси, сами зная, что станут несчастны, значит, нечего их жалеть. О, по моему, по жалкому, земному эвклидовскому уму моему, я знаю лишь то, что страдание есть, что виновных нет, что всё одно из другого выходит прямо и просто, что всё течет и уравновешивается, — но ведь это лишь эвклидовская дичь, ведь я знаю же это, ведь жить по ней я не могу же согласиться! Что мне в том, что виновных нет и что я это знаю, — мне надо возмездие, иначе ведь я истреблю себя. И возмездие не в бесконечности где-нибудь и когда-нибудь, а здесь, уже на земле, и чтоб я его сам увидал. Я веровал, я хочу сам и видеть, а если к тому часу буду уже мертв, то пусть воскресят меня, ибо если всё без меня произойдет, то будет слишком обидно. Не для того же я страдал, чтобы собой, злодействами и страданиями моими унавозить кому-то будущую гармонию. Я хочу видеть своими глазами, как лань ляжет подле льва и как зарезанный встанет и обнимется с убившим его. Я хочу быть тут, когда все вдруг узнают, для чего всё так было. На этом желании зиждутся все религии на земле, а я верую. Но вот, однако же, детки, и что я с ними стану тогда делать? Это вопрос, который я не могу решить. В сотый раз повторяю — вопросов множество, но я взял одних деток, потому что тут неотразимо ясно то, что мне надо сказать. Слушай: если все должны страдать, чтобы страданием купить вечную гармонию, то при чем тут дети, скажи мне, пожалуйста? Совсем непонятно, для чего должны были страдать и они, и зачем им покупать страданиями гармонию? Для чего они-то тоже попали в материал и унавозили собою для кого-то будущую гармонию? Солидарность в грехе между людьми я понимаю, понимаю солидарность и в возмездии, но не с детками же солидарность в грехе, и если правда в самом деле в том, что и они солидарны с отцами их во всех злодействах отцов, то уж, конечно, правда эта не от мира сего и мне непонятна. Иной шутник скажет, пожалуй, что всё равно дитя вырастет и успеет нагрешить, но вот же он не вырос, его восьмилетнего затравили собаками. О Алеша, я не богохульствую! Понимаю же я, каково должно быть сотрясение вселенной, когда всё на небе и под землею сольется в один хвалебный глас и всё живое и жившее воскликнет: «Прав ты, Господи, ибо открылись пути твои!» Уж когда мать обнимется с мучителем, растерзавшим псами сына ее, и все трое возгласят со слезами: «Прав ты, Господи», то уж, конечно, настанет венец познания и всё объяснится. Но вот тут-то и запятая, этого-то я и не могу принять. И пока я на земле, я спешу взять свои меры. Видишь ли, Алеша, ведь, может быть, и действительно так случится, что когда я сам доживу до того момента али воскресну, чтоб увидать его, то и сам я, пожалуй, воскликну со всеми, смотря на мать, обнявшуюся с мучителем ее дитяти: «Прав ты, Господи!», но я не хочу тогда восклицать. Пока еще время, спешу оградить себя, а потому от высшей гармонии совершенно отказываюсь. Не стоит она слезинки хотя бы одного только того замученного ребенка, который бил себя кулачонком в грудь и молился в зловонной конуре своей неискупленными слезками своими к «боженьке»! Не стоит потому, что слезки его остались неискупленными. Они должны быть искуплены, иначе не может быть и гармонии. Но чем, чем ты искупишь их? Разве это возможно? Неужто тем, что они будут отомщены? Но зачем мне их отмщение, зачем мне ад для мучителей, что тут ад может поправить, когда те уже замучены? И какая же гармония, если ад: я простить хочу и обнять хочу, я не хочу, чтобы страдали больше. И если страдания детей пошли на пополнение той суммы страданий, которая необходима была для покупки истины, то я утверждаю заранее, что вся истина не стоит такой цены. Не хочу я, наконец, чтобы мать обнималась с мучителем, растерзавшим ее сына псами! Не смеет она прощать ему! Если хочет, пусть простит за себя, пусть простит мучителю материнское безмерное страдание свое; но страдания своего растерзанного ребенка она не имеет права простить, не смеет простить мучителя, хотя бы сам ребенок простил их ему! А если так, если они не смеют простить, где же гармония? Есть ли во всем мире существо, которое могло бы и имело право простить? Не хочу гармонии, из-за любви к человечеству не хочу. Я хочу оставаться лучше со страданиями неотомщенными. Лучше уж я останусь при неотомщенном страдании моем и неутоленном негодовании моем, *хотя бы я был и неправ*. Да и слишком дорого оценили гармонию, не по карману нашему вовсе столько платить за вход. А потому свой билет на вход спешу возвратить обратно. И если только я честный человек, то обязан возвратить его как можно заранее. Это и делаю. Не Бога я не принимаю, Алеша, я только билет ему почтительнейше возвращаю.

— Это бунт, — тихо и потупившись проговорил Алеша.

— Бунт? Я бы не хотел от тебя такого слова, — проникновенно сказал Иван. — Можно ли жить бунтом, а я хочу жить. Скажи мне сам прямо, я зову тебя — отвечай: представь, что это ты сам возводишь здание судьбы человеческой с целью в финале осчастливить людей, дать им наконец мир и покой, но для этого необходимо и неминуемо предстояло бы замучить всего лишь одно только крохотное созданьице, вот того самого ребеночка, бившего себя кулачонком в грудь, и на неотомщенных слезках его основать это здание, согласился ли бы ты быть архитектором на этих условиях, скажи и не лги!

— Нет, не согласился бы, — тихо проговорил Алеша.

— И можешь ли ты допустить идею, что люди, для которых ты строишь, согласились бы сами принять свое счастие на неоправданной крови маленького замученного, а приняв, остаться навеки счастливыми?

— Нет, не могу допустить. Брат, — проговорил вдруг с засверкавшими глазами Алеша, — ты сказал сейчас: есть ли во всем мире существо, которое могло бы и имело право простить? Но существо это есть, и оно может всё простить, всех и вся *и за всё,* потому что само отдало неповинную кровь свою за всех и за всё. Ты забыл о нем, а на нем-то и созиждается здание, и это ему воскликнут: «Прав ты, Господи, ибо открылись пути твои».

— А, это «единый безгрешный» и его кровь! Нет, не забыл о нем и удивлялся, напротив, всё время, как ты его долго не выводишь, ибо обыкновенно в спорах все ваши его выставляют прежде всего. Знаешь, Алеша, ты не смейся, я когда-то сочинил поэму, с год назад. Если можешь потерять со мной еще минут десять, то я б ее тебе рассказал?

— Ты написал поэму?

— О нет, не написал, — засмеялся Иван, — и никогда в жизни я не сочинил даже двух стихов. Но я поэму эту выдумал и запомнил. С жаром выдумал. Ты будешь первый мой читатель, то есть слушатель. Зачем в самом деле автору терять хоть единого слушателя, — усмехнулся Иван. — Рассказывать или нет?

— Я очень слушаю, — произнес Алеша.

— Поэма моя называется «Великий инквизитор», вещь нелепая, но мне хочется ее тебе сообщить.

V

ВЕЛИКИЙ ИНКВИЗИТОР

— Ведь вот и тут без предисловия невозможно, то есть без литературного предисловия, тьфу! — засмеялся Иван, — а какой уж я сочинитель! Видишь, действие у меня происходит в шестнадцатом столетии, а тогда, — тебе, впрочем, это должно быть известно еще из классов, — тогда как раз было в обычае сводить в поэтических произведениях на землю горние силы. Я уж про Данта не говорю. Во Франции судейские клерки, а тоже и по монастырям монахи давали целые представления, в которых выводили на сцену Мадонну, ангелов, святых, Христа и самого Бога. Тогда всё это было очень простодушно. В «Notre Dame de Paris»[1] у Виктора Гюго в честь рождения французского дофина, в Париже, при Людовике XI, в зале ратуши дается назида-

---

[1] «Соборе Парижской богоматери» *(фр.)*.

тельное и даровое представление народу под названием: «Le bon jugement de la très sainte et gracieuse Vierge Marie»,[1] где и является она сама лично и произносит свой bon jugement[2]. У нас в Москве, в допетровскую старину, такие же почти драматические представления, из Ветхого Завета особенно, тоже совершались по временам; но, кроме драматических представлений, по всему миру ходило тогда много повестей и «стихов», в которых действовали по надобности святые, ангелы и вся сила небесная. У нас по монастырям занимались тоже переводами, списыванием и даже сочинением таких поэм, да еще когда — в татарщину. Есть, например, одна монастырская поэмка (конечно, с греческого): «Хождение Богородицы по мукам», с картинами и со смелостью не ниже дантовских. Богоматерь посещает ад, и руководит ее «по мукам» архангел Михаил. Она видит грешников и мучения их. Там есть, между прочим, один презанимательный разряд грешников в горящем озере: которые из них погружаются в это озеро так, что уж и выплыть более не могут, то «тех уже забывает Бог» — выражение чрезвычайной глубины и силы. И вот, пораженная и плачущая Богоматерь падает пред престолом Божиим и просит всем во аде помилования, всем, которых она видела там, без различия. Разговор ее с Богом колоссально интересен. Она умоляет, она не отходит, и когда Бог указывает ей на прогвожденные руки и ноги ее сына и спрашивает: как я прощу его мучителей, — то она велит всем святым, всем мученикам, всем ангелам и архангелам пасть вместе с нею и молить о помиловании всех без разбора. Кончается тем, что она вымаливает у Бога остановку мук на всякий год от великой пятницы до троицына дня, а грешники из ада тут же благодарят Господа и вопиют к нему: «Прав ты, Господи, что так судил». Ну вот и моя поэмка была бы в том же роде, если б явилась в то время. У меня на сцене является он; правда, он ничего и не говорит в поэме, а только появляется и проходит. Пятнадцать веков уже минуло тому, как он дал обетование прийти во царствии своем, пятнадцать веков, как пророк его написал: «Се гряду скоро». «О дне же сем и часе не знает даже и сын, токмо лишь отец мой небесный»,

---

[1] «Милосердный суд пресвятой и всемилостивой Девы Марии» *(фр.)*.

[2] Милосердный суд *(фр.)*.

как изрек он и сам еще на земле. Но человечество ждет его с прежнею верой и с прежним умилением. О, с большею даже верой, ибо пятнадцать веков уже минуло с тех пор, как прекратились залоги с небес человеку:

> Верь тому, что сердце скажет,
> Нет залогов от небес.

И только одна лишь вера в сказанное сердцем! Правда, было тогда и много чудес. Были святые, производившие чудесные исцеления; к иным праведникам, по жизнеописаниям их, сходила сама Царица Небесная. Но дьявол не дремлет, и в человечестве началось уже сомнение в правдивости этих чудес. Как раз явилась тогда на севере, в Германии, страшная новая ересь. Огромная звезда, «подобная светильнику» (то есть церкви) «пала на источники вод, и стали они горьки». Эти ереси стали богохульно отрицать чудеса. Но тем пламеннее верят оставшиеся верными. Слезы человечества восходят к нему по-прежнему, ждут его, любят его, надеются на него, жаждут пострадать и умереть за него, как и прежде... И вот столько веков молило человечество с верой и пламенем: «Бо Господи явися нам», столько веков взывало к нему, что он, в неизмеримом сострадании своем, возжелал снизойти к молящим. Снисходил, посещал он и до этого иных праведников, мучеников и святых отшельников еще на земле, как и записано в их «житиях». У нас Тютчев, глубоко веровавший в правду слов своих, возвестил, что

> Удрученный ношей крестной
> Всю тебя, земля родная,
> В рабском виде Царь Небесный
> Исходил благословляя.

Что непременно и было так, это я тебе скажу. И вот он возжелал появиться хоть на мгновенье к народу, — к мучающемуся, страдающему, смрадно-грешному, но младенчески любящему его народу. Действие у меня в Испании, в Севилье, в самое страшное время инквизиции, когда во славу божию в стране ежедневно горели костры и

> В великолепных автодафе
> Сжигали злых еретиков.

О, это, конечно, было не то сошествие, в котором явится он, по обещанию своему, в конце времен во всей славе небесной и которое будет внезапно, «как молния, блистающая от востока до запада». Нет, он возжелал хоть на мгновенье посетить детей своих и именно там, где как раз затрещали костры еретиков. По безмерному милосердию своему он проходит еще раз между людей в том самом образе человеческом, в котором ходил три года между людьми пятнадцать веков назад. Он снисходит на «стогны жаркие» южного города, как раз в котором всего лишь накануне в «великолепном автодафе», в присутствии короля, двора, рыцарей, кардиналов и прелестнейших придворных дам, при многочисленном населении всей Севильи, была сожжена кардиналом великим инквизитором разом чуть не целая сотня еретиков ad majorem gloriam Dei[1]. Он появился тихо, незаметно, и вот все — странно это — узнают его. Это могло бы быть одним из лучших мест поэмы, то есть почему именно узнают его. Народ непобедимою силой стремится к нему, окружает его, нарастает кругом него, следует за ним. Он молча проходит среди их с тихою улыбкой бесконечного сострадания. Солнце любви горит в его сердце, лучи Света, Просвещения и Силы текут из очей его и, изливаясь на людей, сотрясают их сердца ответною любовью. Он простирает к ним руки, благословляет их, и от прикосновения к нему, даже лишь к одеждам его, исходит целящая сила. Вот из толпы восклицает старик, слепой с детских лет: «Господи, исцели меня, да и я тебя узрю», и вот как бы чешуя сходит с глаз его, и слепой его видит. Народ плачет и целует землю, по которой идет он. Дети бросают пред ним цветы, поют и вопиют ему: «Осанна!» «Это он, это сам он, — повторяют все, — это должен быть он, это никто как он». Он останавливается на паперти Севильского собора в ту самую минуту, когда во храм вносят с плачем детский открытый белый гробик: в нем семилетняя девочка, единственная дочь одного знатного гражданина. Мертвый ребенок лежит весь в цветах. «Он воскресит твое дитя», — кричат из толпы плачущей матери. Вышедший навстречу гроба соборный патер смотрит в недоумении и хмурит брови. Но вот раздается вопль матери умершего ребенка. Она повергается к ногам его: «Если это ты, то воскреси дитя мое!» — восклицает она, простирая к нему руки. Процессия останавливается,

---

[1] К вящей славе Господней (*лат.*).

гробик опускают на паперть к ногам его. Он глядит с состраданием, и уста его тихо и еще раз произносят: «Талифа куми» — «и восста девица». Девочка подымается в гробе, садится и смотрит, улыбаясь, удивленными раскрытыми глазками кругом. В руках ее букет роз, с которым она лежала в гробу. В народе смятение, крики, рыдания, и вот, в эту самую минуту, вдруг проходит мимо собора по площади сам кардинал великий инквизитор. Это девяностолетний почти старик, высокий и прямой, с иссохшим лицом, со впалыми глазами, но из которых еще светится, как огненная искорка, блеск. О, он не в великолепных кардинальских одеждах своих, в каких красовался вчера пред народом, когда сжигали врагов римской веры, — нет, в эту минуту он лишь в старой, грубой монашеской своей рясе. За ним в известном расстоянии следуют мрачные помощники и рабы его и «священная» стража. Он останавливается пред толпой и наблюдает издали. Он всё видел, он видел, как поставили гроб у ног его, видел, как воскресла девица, и лицо его омрачилось. Он хмурит седые густые брови свои, и взгляд его сверкает зловещим огнем. Он простирает перст свой и велит стражам взять его. И вот, такова его сила и до того уже приучен, покорен и трепетно послушен ему народ, что толпа немедленно раздвигается пред стражами, и те, среди гробового молчания, вдруг наступившего, налагают на него руки и уводят его. Толпа моментально, вся как один человек, склоняется головами до земли пред старцем инквизитором, тот молча благословляет народ и проходит мимо. Стража приводит пленника в тесную и мрачную сводчатую тюрьму в древнем адании святого судилища и запирает в нее. Проходит день, настает темная, горячая и «бездыханная» севильская ночь. Воздух «лавром и лимоном пахнет». Среди глубокого мрака вдруг отворяются железная дверь тюрьмы, и сам старик великий инквизитор со светильником в руке медленно входит в тюрьму. Он один, дверь за ним тотчас же запирается. Он останавливается при входе и долго, минуту или две, всматривается в лицо его. Наконец тихо подходит, ставит светильник на стол и говорит ему: «Это ты? ты? — Но, не получая ответа, быстро прибавляет: — Не отвечай, молчи. Да и что бы ты мог сказать? Я слишком знаю, что ты скажешь. Да ты и права не имеешь ничего прибавлять к тому, что уже сказано тобой прежде. Зачем же ты пришел нам мешать? Ибо ты пришел нам мешать, и сам это знаешь. Но знаешь ли, что будет завтра? Я не знаю, кто ты, и знать не хочу: ты ли это или только подобие его, но завтра же я осужу и сожгу тебя на костре, как злейшего из еретиков, и тот самый народ, который сегодня целовал твои ноги, завтра же по одному моему мановению бросится подгребать к твоему костру угли, знаешь ты это? Да, ты, может быть, это знаешь», — прибавил он в проникновенном раздумье, ни на мгновение не отрываясь взглядом от своего пленника.

— Я не совсем понимаю, Иван, что это такое? — улыбнулся всё время молча слушавший Алеша, — прямо ли безбрежная фантазия или какая-нибудь ошибка старика, какое-нибудь невозможное qui pro quo?[1]

— Прими хоть последнее, — рассмеялся Иван, — если уж тебя так разбаловал современный реализм и ты не можешь вынести ничего фантастического — хочешь qui pro quo, то пусть так и будет. Оно правда, — рассмеялся он опять, — старику девяносто лет, и он давно мог сойти с ума на своей идее. Пленник же мог поразить его своею наружностью. Это мог быть, наконец, просто бред, видение девяностолетнего старика пред смертью, да еще разгоряченного вчерашним автодафе во сто сожженных еретиков. Но не всё ли равно нам с тобою, что qui pro quo, что безбрежная фантазия? Тут дело в том только, что старику надо высказаться, что наконец за все девяносто лет он высказывается и говорит вслух то, о чем все девяносто лет молчал.

— А пленник тоже молчит? Глядит на него и не говорит ни слова?

— Да так и должно быть во всех даже случаях, — опять засмеялся Иван. — Сам старик замечает ему, что он и права не имеет ничего прибавлять к тому, что уже прежде сказано. Если хочешь, так в этом и есть самая основная черта римского католичества, по моему мнению по крайней мере: «всё, дескать, передано тобою папе и всё, стало быть, теперь у папы, а ты хоть и не приходи теперь вовсе, не мешай до времени по крайней мере». В этом смысле они не только говорят, но и пишут, иезуиты по крайней

---

[1] «Одно вместо другого», путаница, недоразумение *(лат.)*.

мере. Это я сам читал у их богословов. «Имеешь ли ты право возвестить нам хоть одну из тайн того мира, из которого ты пришел? — спрашивает его мой старик и сам отвечает ему за него, — нет, не имеешь, чтобы не прибавлять к тому, что уже было прежде сказано, и чтобы не отнять у людей свободы, за которую ты так стоял, когда был на земле. Всё, что ты вновь возвестишь, посягнет на свободу веры людей, ибо явится как чудо, а свобода их веры тебе была дороже всего еще тогда, полторы тысячи лет назад. Не ты ли так часто тогда говорил: „Хочу сделать вас свободными“. Но вот ты теперь увидел этих „свободных“ людей, — прибавляет вдруг старик со вдумчивою усмешкой. — Да, это дело нам дорого стоило, — продолжает он, строго смотря на него, — но мы докончили наконец это дело во имя твое. Пятнадцать веков мучились мы с этою свободой, но теперь это кончено, и кончено крепко. Ты не веришь, что кончено крспко? Ты смотришь на меня кротко и не удостоиваешь меня даже негодования? Но знай, что теперь и именно ныне эти люди уверены более чем когда-нибудь, что свободны вполне, а между тем сами же они принесли нам свободу свою и покорно положили ее к ногам нашим. Но это сделали мы, а того ль ты желал, такой ли свободы?»

— Я опять не понимаю, — прервал Алеша, — он иронизирует, смеется?

— Нимало. Он именно ставит в заслугу себе и своим, что наконец-то они побороли свободу и сделали так для того, чтобы сделать людей счастливыми. «Ибо теперь только (то есть он, конечно, говорит про инквизицию) стало возможным помыслить в первый раз о счастии людей. Человек был устроен бунтовщиком; разве бунтовщики могут быть счастливыми? Тебя предупреждали, — говорит он ему, — ты не имел недостатка в предупреждениях и указаниях, но ты не послушал предупреждений, ты отверг единственный путь, которым можно было устроить людей счастливыми, но, к счастью, уходя, ты передал дело нам. Ты обещал, ты утвердил своим словом, ты дал нам право связывать и развязывать и уж, конечно, не можешь и думать отнять у нас это право теперь. Зачем же ты пришел нам мешать?»

— А что значит: не имел недостатка в предупреждении и указании? — спросил Алеша.

— А в этом-то и состоит главное, что старику надо высказать.

«Страшный и умный дух, дух самоуничтожения и небытия, — продолжает старик, — великий дух говорил с тобой в пустыне, и нам передано в книгах, что он будто бы „искушал“ тебя. Так ли это? И можно ли было сказать хоть что-нибудь истиннее того, что он возвестил тебе в трех вопросах, и что ты отверг, и что в книгах названо „искушениями“? А между тем если было когда-нибудь на земле совершено настоящее громовое чудо, то это в тот день, в день этих трех искушений. Именно в появлении этих трех вопросов и заключалось чудо. Если бы возможно было помыслить, лишь для пробы и для примера, что три эти вопроса страшного духа бесследно утрачены в книгах и что их надо восстановить, вновь придумать и сочинить, чтоб внести опять в книги, и для этого собрать всех мудрецов земных — правителей, первосвященников, ученых, философов, поэтов — и задать им задачу: придумайте, сочините три вопроса, но такие, которые мало того, что соответствовали бы размеру события, но и выражали бы сверх того, в трех словах, в трех только фразах человеческих, всю будущую историю мира и человечества, — то думаешь ли ты, что вся премудрость земли, вместе соединившаяся, могла бы придумать хоть что-нибудь подобное по силе и по глубине тем трем вопросам, которые действительно были предложены тебе тогда могучим и умным духом в пустыне? Уж по одним вопросам этим, лишь по чуду их появления, можно понимать, что имеешь дело не с человеческим текущим умом, а сековечным и абсолютным. Ибо в этих трех вопросах как бы совокуплена в одно целое и предсказана вся дальнейшая история человеческая и явлены три образа, в которых сойдутся все неразрешимые исторические противоречия человеческой природы на всей земле. Тогда это не могло быть еще так видно, ибо будущее было неведомо, но теперь, когда прошло пятнадцать веков, мы видим, что всё в этих трех вопросах до того угадано и предсказано и до того оправдалось, что прибавить к ним или убавить от них ничего нельзя более.

Реши же сам, кто был прав: ты или тот, который тогда вопрошал тебя? Вспомни первый вопрос; хоть и не буквально, но смысл его тот: „Ты хочешь идти в мир и идешь с голыми руками, с каким-то обетом свободы, которого они, в простоте своей и в прирожденном бесчинстве своем, не могут и осмыслить, которого боятся они и страшатся, — ибо ничего и никогда не было для человека и для человеческого общества невыносимее свободы! А видишь ли сии камни в этой нагой раскаленной пустыне? Обрати их в хлебы, и за тобой побежит человечество как стадо, благодарное и послушное, хотя и вечно трепещущее, что ты отымешь руку свою и прекратятся им хлебы твои. Но ты не захотел лишить человека свободы и отверг предложение, ибо какая же свобода, рассудил ты, если послушание куплено хлебами? Ты возразил, что человек жив не единым хлебом, но знаешь ли, что во имя этого самого хлеба земного и восстанет на тебя дух земли, и сразится с тобою, и победит тебя, и все пойдут за ним, восклицая: „Кто подобен зверю сему, он дал нам огонь с небеси!" Знаешь ли ты, что пройдут века и человечество провозгласит устами своей премудрости и науки, что преступления нет, а стало быть, нет и греха, а есть лишь только голодные. „Накорми, тогда и спрашивай с них добродетели!" — вот что напишут на знамени, которое воздвигнут против тебя и которым разрушится храм твой. На месте храма твоего воздвигнется новое здание, воздвигнется вновь страшная Вавилонская башня, и хотя и эта не достроится, как и прежняя, но всё же ты бы мог избежать этой новой башни и на тысячу лет сократить страдания людей, ибо к нам же ведь придут они, промучившись тысячу лет со своей башней! Они отыщут нас тогда опять под землей, в катакомбах, скрывающихся (ибо мы будем вновь гонимы и мучимы), найдут нас и возопиют к нам: „Накормите нас, ибо те, которые обещали нам огонь с небеси, его не дали". И тогда уже мы и достроим их башню, ибо достроит тот, кто накормит, а накормим лишь мы, во имя твое, и солжем, что во имя твое. О, никогда, никогда без нас они не накормят себя! Никакая наука не даст им хлеба, пока они будут оставаться свободными, но кончится тем, что они принесут свою свободу к ногам нашим и скажут нам: „Лучше поработите нас, но накормите нас". Поймут наконец сами, что свобода и хлеб земной вдоволь для всякого вместе немыслимы, ибо никогда, никогда не сумеют они разделиться между собою! Убедятся тоже, что не могут быть никогда и свободными, потому что малосильны, порочны, ничтожны и бунтовщики. Ты обещал им хлеб небесный, но, повторяю опять, может ли он сравниться в глазах слабого, вечно порочного и вечно неблагодарного людского племени с земным? И если за тобою во имя хлеба небесного пойдут тысячи и десятки тысяч, то что станется с миллионами и с десятками тысяч миллионов существ, которые не в силах будут пренебречь хлебом земным для небесного? Иль тебе дороги лишь десятки тысяч великих и сильных, а остальные миллионы, многочисленные, как песок морской, слабых, но любящих тебя, должны лишь послужить материалом для великих и сильных? Нет, нам дóроги и слабые. Они порочны и бунтовщики, но под конец они-то станут и послушными. Они будут дивиться на нас и будут считать нас за богов за то, что мы, став во главе их, согласились выносить свободу и над ними господствовать — так ужасно им станет под конец быть свободными! Но мы скажем, что послушны тебе и господствуем во имя твое. Мы их обманем опять, ибо тебя мы уж не пустим к себе. В обмане этом и будет заключаться наше страдание, ибо мы должны будем лгать. Вот что значил этот первый вопрос в пустыне, и вот что ты отверг во имя свободы, которую поставил выше всего. А между тем в вопросе этом заключалась великая тайна мира сего. Приняв „хлебы“, ты бы ответил на всеобщую и вековечную тоску человеческую как единоличного существа, так и целого человечества вместе — это: „пред кем преклониться?“ Нет заботы беспрерывнее и мучительнее для человека, как, оставшись свободным, сыскать поскорее того, пред кем преклониться. Но ищет человек преклониться пред тем, что уже бесспорно, столь бесспорно, чтобы все люди разом согласились на всеобщее пред ним преклонение. Ибо забота этих жалких созданий не в том только состоит, чтобы сыскать то, пред чем мне или другому преклониться, но чтобы сыскать такое, чтоб и все уверовали в него и преклонились пред ним, и чтобы непременно *все вместе*. Вот эта потребность *общности* преклонения и есть главнейшее мучение каждого человека единолично и как целого человечества с начала веков. Из-за всеобщего преклонения они истребляли друг друга мечом. Они созидали богов и взывали друг к другу: „Бросьте ваших богов и придите поклониться нашим, не то смерть вам и богам вашим!“ И так будет до скончания мира, даже и тогда, когда исчезнут в мире и боги: всё равно падут пред идолами. Ты знал, ты не мог не знать эту основную тайну природы человеческой, но ты отверг единственное абсолютное знамя, которое предлагалось тебе, чтобы заставить всех преклониться пред тобою бесспорно, — знамя хлеба земного, и отверг во имя свободы и хлеба небесного. Взгляни же, что сделал ты далее. И всё опять во имя свободы! Говорю тебе, что нет у человека заботы мучительнее, как найти того, кому бы передать поскорее тот дар свободы, с которым это несчастное существо рождается. Но овладевает свободой людей лишь тот, кто успокоит их совесть. С хлебом тебе давалось бесспорное знамя: дашь хлеб, и человек преклонится, ибо ничего нет бесспорнее хлеба, но если в то же время кто-нибудь овладеет его совестью помимо тебя — о, тогда он даже бросит хлеб твой и пойдет за тем, который обольстит его совесть. В этом ты был прав. Ибо тайна бытия человеческого не в том, чтобы только жить, а в том, для чего жить. Без твердого представления себе, для чего ему жить, человек не согласится жить и скорей истребит себя, чем останется на земле, хотя бы кругом его всё были хлебы. Это так, но что же вышло: вместо того чтоб овладеть свободой людей, ты увеличил им ее еще больше! Или ты забыл, что спокойствие и даже смерть человеку дороже свободного выбора в познании добра и зла? Нет ничего обольстительнее для человека, как свобода его совести, но нет ничего и мучительнее. И вот вместо твердых основ для успокоения совести человеческой раз навсегда — ты взял всё, что есть необычайного, гадательного и неопределенного, взял всё, что было не по силам людей, а потому поступил как бы и не любя их вовсе, — и это кто же: тот, который пришел отдать за них жизнь свою! Вместо того чтоб овладеть людскою свободой, ты умножил ее и обременил ее мучениями душевное царство человека вовеки. Ты возжелал свободной любви человека, чтобы свободно пошел он за тобою, прельщенный и плененный тобою. Вместо твердого древнего закона — свободным сердцем должен был человек решать впредь сам, что добро и что зло, имея лишь в руководстве твой образ пред собою, — но неужели ты не подумал, что он отвергнет же наконец и оспорит даже и твой образ и твою правду, если его угнетут таким страшным бременем, как свобода выбора? Они воскликнут наконец, что правда не в тебе, ибо невозможно было оставить их в смятении и мучении более, чем сделал ты, оставив им столько забот и неразрешимых задач. Таким образом, сам ты и положил основание к разрушению своего же царства и не вини никого в этом более. А между тем то ли предлагалось тебе? Есть три силы, единственные три силы на земле, могущие навеки победить и пленить совесть этих слабосильных бунтовщиков, для их счастия, — эти силы: чудо, тайна и авторитет. Ты отверг и то, и другое, и третье и сам подал пример тому. Когда страшный и премудрый дух поставил тебя на вершине храма и сказал тебе: „Если хочешь узнать, сын ли ты божий, то верзись вниз, ибо сказано про того, что ангелы подхватят и понесут его, и не упадет и не расшибется, и узнаешь тогда, сын ли ты божий, и докажешь тогда, какова вера твоя в отца твоего", но ты, выслушав, отверг предложение и не поддался и не бросился вниз. О, конечно, ты поступил тут гордо и великолепно, как бог, но люди-то, но слабое бунтующее племя это — они-то Боги ли? О, ты понял тогда, что, сделав лишь шаг, лишь движение броситься вниз, ты тотчас бы и искусил Господа, и веру в него всю потерял, и разбился бы о землю, которую спасать пришел, и возрадовался бы умный дух, искушавший тебя. Но, повторяю, много ли таких, как ты? И неужели ты в самом деле мог допустить хоть минуту, что и людям будет под силу подобное искушение? Так ли создана природа человеческая, чтоб отвергнуть чудо и в такие страшные моменты жизни, моменты самых страшных основных и мучительных душевных вопросов своих оставаться лишь со свободным решением сердца? О, ты знал, что подвиг твой сохранится в книгах, достигнет глубины времен и последних пределов земли, и понадеялся, что, следуя тебе, и человек останется с Богом, не нуждаясь в чуде. Но ты не знал, что чуть лишь человек отвергнет чудо, то тотчас отвергнет и Бога, ибо человек ищет не столько Бога, сколько чудес. И так как человек оставаться без чуда не в силах, то насоздаст себе новых чудес, уже собственных, и поклонится уже знахарскому чуду, бабьему колдовству, хотя бы он сто раз был бунтовщиком, еретиком и безбожником. Ты не сошел со креста, когда кричали тебе, издеваясь и дразня тебя: „Сойди со креста и уверуем, что это ты". Ты не сошел потому, что опять-таки не захотел поработить человека чудом и жаждал свободной веры, а не чудесной. Жаждал свободной любви, а не рабских восторгов невольника пред могуществом, раз навсегда его ужаснувшим. Но и тут ты судил о людях слишком высоко, ибо, конечно, они невольники, хотя и созданы бунтовщиками. Озрись и суди, вот прошло пятнадцать веков, поди посмотри на них: кого ты вознес до себя? Клянусь, человек слабее и ниже создан, чем ты о нем думал! Может ли, может ли он исполнить то, что и ты? Столь уважая его, ты поступил, как бы перестав ему сострадать, потому что слишком много от него и потребовал, — и это кто же, тот, который возлюбил его более самого себя! Уважая его менее, менее бы от него и потребовал, а это было бы ближе к любви, ибо легче была бы ноша его. Он слаб и подл. Что в том, что он теперь повсеместно бунтует против нашей власти и гордится, что он бунтует? Это гордость ребенка и школьника. Это маленькие дети, взбунтовавшиеся в классе и выгнавшие учителя. Но придет конец и восторгу ребятишек, он будет дорого стоить им. Они ниспровергнут храмы и зальют кровью землю. Но догадаются наконец глупые дети, что хоть они и бунтовщики, но бунтовщики слабосильные, собственного бунта своего не выдерживающие. Обливаясь глупыми слезами своими, они сознаются наконец, что создавший их бунтовщиками, без сомнения, хотел посмеяться над ними. Скажут это они в отчаянии, и сказанное ими будет богохульством, от которого они станут еще несчастнее, ибо природа человеческая не выносит богохульства и в конце концов сама же всегда и отмстит за него. Итак, неспокойствие, смятение и несчастие — вот теперешний удел людей после того, как ты столь претерпел за свободу их! Великий пророк твой в видении и в иносказании говорит, что видел всех участников первого воскресения и что было их из каждого колена по двенадцати тысяч. Но если было их столько, то были и они как бы не люди, а боги. Они вытерпели крест твой, они вытерпели десятки лет голодной и нагой пустыни, питаясь акридами и кореньями, — и уж, конечно, ты можешь с гордостью указать на этих детей свободы, свободной любви, свободной и великолепной жертвы их во имя твое. Но вспомни, что их было всего только несколько тысяч, да и то богов, а остальные? И чем виноваты остальные слабые люди, что не могли вытерпеть того, что могучие? Чем виновата слабая душа, что не в силах вместить столь страшных даров? Да неужто же и впрямь приходил ты лишь к избранным и для избранных? Но если так, то тут тайна и нам не понять ее. А если тайна, то и мы вправе были проповедовать тайну и учить их, что не свободное решение сердец их важно и не любовь, а тайна, которой они повиноваться должны слепо, даже мимо их совести. Так мы и сделали. Мы исправили подвиг твой и основали его на *чуде, тайне* и *авторитете*. И люди обрадовались, что их вновь повели как стадо и что с сердец их снят наконец столь страшный дар, принесший им столько муки. Правы мы были, уча и делая так, скажи? Неужели мы не любили человечества, столь смиренно сознав его бессилие, с любовию облегчив его ношу и разрешив слабосильной природе его хотя бы и грех, но с нашего позволения? К чему же теперь пришел нам мешать? И что ты молча и проникновенно глядишь на меня кроткими глазами своими? Рассердись, я не хочу любви твоей, потому что сам не люблю тебя. И что мне скрывать от тебя? Или я не знаю, с кем говорю? То, что имею сказать тебе, всё тебе уже известно, я читаю это в глазах твоих. И я ли скрою от тебя тайну нашу? Может быть, ты именно хочешь услышать ее из уст моих, слушай же: мы не с тобой, а с *ним,* вот наша тайна! Мы давно уже не с тобою, а с *ним,* уже восемь веков. Ровно восемь веков назад как мы взяли от него то, что ты с негодованием отверг, тот последний дар, который он предлагал тебе, показав тебе все царства земные: мы взяли от него Рим и меч кесаря и объявили лишь себя царями земными, царями едиными, хотя и доныне не успели еще привести наше дело к полному окончанию. Но кто виноват? О, дело это до сих пор лишь в начале, но оно началось. Долго еще ждать завершения его, и еще много выстрадает земля, но мы достигнем и будем кесарями и тогда уже помыслим о всемирном счастии людей. А между тем ты бы мог еще и тогда взять меч кесаря. Зачем ты отверг этот последний дар? Приняв этот третий совет могучего духа, ты восполнил бы всё, чего ищет человек на земле, то есть: пред кем преклониться, кому вручить совесть и каким образом соединиться наконец всем в бесспорный общий и согласный муравейник, ибо потребность всемирного соединения есть третье и последнее мучение людей. Всегда человечество в целом своем стремилось устроиться непременно всемирно. Много было великих народов с великою историей, но чем выше были эти народы, тем были и несчастнее, ибо сильнее других сознавали потребность всемирности соединения людей. Великие завоеватели, Тимуры и Чингис-ханы, пролетели как вихрь по земле, стремясь завоевать вселенную, но и те, хотя и бессознательно, выразили ту же самую великую потребность человечества ко всемирному и всеобщему единению. Приняв мир и порфиру кесаря, основал бы всемирное царство и дал всемирный покой. Ибо кому же владеть людьми как не тем, которые владеют их совестью и в чьих руках хлебы их. Мы и взяли меч кесаря, а взяв его, конечно, отвергли тебя и пошли за *ним*. О, пройдут еще века бесчинства свободного ума, их науки и антропофагии, потому что, начав возводить свою Вавилонскую башню без нас, они кончат антропофагией. Но тогда-то и приползет к нам зверь, и будет лизать ноги наши, и обрызжет их кровавыми слезами из глаз своих. И мы сядем на зверя и воздвигнем чашу, и на ней будет написано: „Тайна!“ Но тогда лишь и тогда настанет для людей царство покоя и счастия. Ты гордишься своими избранниками, но у тебя лишь избранники, а мы успокоим всех. Да и так ли еще: сколь многие из этих избранников, из могучих, которые могли бы стать избранниками, устали наконец, ожидая тебя, и понесли и еще понесут силы духа своего и жар сердца своего на иную ниву и кончат тем, что на тебя же и воздвигнут *свободное* знамя свое. Но ты сам воздвиг это знамя. У нас же все будут счастливы и не будут более ни бунтовать, ни истреблять друг друга, как в свободе твоей, повсеместно. О, мы убедим их, что они тогда только и станут свободными, когда откажутся от свободы своей для нас и нам покорятся. И что же, правы мы будем или солжем? Они сами убедятся, что правы, ибо вспомнят, до каких ужасов рабства и смятения доводила их свобода твоя. Свобода, свободный ум и наука заведут их в такие дебри и поставят пред такими чудами и неразрешимыми тайнами, что одни из них, непокорные и свирепые, истребят себя самих, другие, непокорные, но малосильные, истребят друг друга, а третьи, оставшиеся, слабосильные и несчастные, приползут к ногам нашим и возопиют к нам: „Да, вы были правы, вы одни владели тайной его и мы возвращаемся к вам, спасите нас от себя самих“. Получая от нас хлебы, конечно, они ясно будут видеть, что мы их же хлебы, их же руками добытые, берем у них, чтобы им же раздать, безо всякого чуда, увидят, что не обратили мы камней в хлебы, но воистину более, чем самому хлебу, рады они будут тому, что получают его из рук наших! Ибо слишком будут помнить, что прежде, без нас, самые хлебы, добытые ими, обращались в руках их лишь в камни, а когда они воротились к нам, то самые камни обратились в руках их в хлебы. Слишком, слишком оценят они, что значит раз навсегда подчиниться! И пока люди не поймут сего, они будут несчастны. Кто более всего способствовал этому непониманию, скажи? Кто раздробил стадо и рассыпал его по путям неведомым? Но стадо вновь соберется и вновь покорится, и уже раз навсегда. Тогда мы дадим им тихое, смиренное счастье, счастье слабосильных существ, какими они и созданы. О, мы убедим их наконец не гордиться, ибо ты вознес их и тем научил гордиться; докажем им, что они слабосильны, что они только жалкие дети, но что детское счастье слаще всякого. Они станут робки и станут смотреть на нас и прижиматься к нам в страхе, как птенцы к наседке. Они будут дивиться и ужасаться на нас и гордиться тем, что мы так могучи и так умны, что могли усмирить такое буйное тысячемиллионное стадо. Они будут расслабленно трепетать гнева нашего, умы их оробеют, глаза их станут слезоточивы, как у детей и женщин, но столь же легко будут переходить они по нашему мановению к веселью и к смеху, светлой радости и счастливой детской песенке. Да, мы заставим их работать, но в свободные от труда часы мы устроим им жизнь как детскую игру, с детскими песнями, хором, с невинными плясками. О, мы разрешим им и грех, они слабы и бессильны, и они будут любить нас как дети за то, что мы им позволим грешить. Мы скажем им, что всякий грех будет искуплен, если сделан будет с нашего позволения; позволяем же им грешить потому, что их любим, наказание же за эти грехи, так и быть, возьмем на себя. И возьмем на себя, а нас они будут обожать как благодетелей, понесших на себе их грехи пред Богом. И не будет у них никаких от нас тайн. Мы будем позволять или запрещать им жить с их женами и любовницами, иметь или не иметь детей — всё судя по их послушанию — и они будут нам покоряться с весельем и радостью. Самые мучительные тайны их совести — всё, всё понесут они нам, и мы всё разрешим, и они поверят решению нашему с радостию, потому что оно избавит их от великой заботы и страшных теперешних мук решения личного и свободного. И все будут счастливы, все миллионы существ, кроме сотни тысяч управляющих ими.

Ибо лишь мы, мы, хранящие тайну, только мы будем несчастны. Будет тысячи миллионов счастливых младенцев и сто тысяч страдальцев, взявших на себя проклятие познания добра и зла. Тихо умрут они, тихо угаснут во имя твое и за гробом обрящут лишь смерть. Но мы сохраним секрет и для их же счастия будем манить их наградой небесною и вечною. Ибо если б и было что на том свете, то уж, конечно, не для таких, как они. Говорят и пророчествуют, что ты придешь и вновь победишь, придешь со своими избранниками, со своими гордыми и могучими, но мы скажем, что они спасли лишь самих себя, а мы спасли всех. Говорят, что опозорена будет блудница, сидящая на звере и держащая в руках своих *тайну,* что взбунтуются вновь малосильные, что разорвут порфиру ее и обнажат ее „гадкое" тело. Но я тогда встану и укажу тебе на тысячи миллионов счастливых младенцев, не знавших греха. И мы, взявшие грехи их для счастья их на себя, мы станем пред тобой и скажем: „Суди нас, если можешь и смеешь". Знай, что я не боюсь тебя. Знай, что и я был в пустыне, что и я питался акридами и кореньями, что и я благословлял свободу, которою ты благословил людей, и я готовился стать в число избранников твоих, в число могучих и сильных с жаждой „восполнить число". Но я очнулся и не захотел служить безумию. Я воротился и примкнул к сонму тех, которые *исправили подвиг твой.* Я ушел от гордых и воротился к смиренным для счастья этих смиренных. То, что я говорю тебе, сбудется, и царство наше созиждется. Повторяю тебе, завтра же ты увидишь это послушное стадо, которое по первому мановению моему бросится подгребать горячие угли к костру твоему, на котором сожгу тебя за то, что пришел нам мешать. Ибо если был кто всех более заслужил наш костер, то это ты. Завтра сожгу тебя. Dixi[1].

Иван остановился. Он разгорячился, говоря, и говорил с увлечением; когда же кончил, то вдруг улыбнулся.

Алеша, всё слушавший его молча, под конец же, в чрезвычайном волнении, много раз пытавшийся перебить речь брата, но видимо себя сдерживавший, вдруг заговорил, точно сорвался с места.

---

[1] Так я сказал *(лат.).*

— Но... это нелепость! — вскричал он, краснея. — Поэма твоя есть хвала Иисусу, а не хула... как ты хотел того. И кто тебе поверит о свободе? Так ли, так ли надо ее понимать! То ли понятие в православии... Это Рим, да и Рим не весь, это неправда — это худшие из католичества, инквизиторы, иезуиты!.. Да и совсем не может быть такого фантастического лица, как твой инквизитор. Какие это грехи людей, взятые на себя? Какие это носители тайны, взявшие на себя какое-то проклятие для счастия людей? Когда они виданы? Мы знаем иезуитов, про них говорят дурно, но то ли они, что у тебя? Совсем они не то, вовсе не то... Они просто римская армия для будущего всемирного земного царства, с императором — римским первосвященником во главе... вот их идеал, но безо всяких тайн и возвышенной грусти... Самое простое желание власти, земных грязных благ, порабощения... вроде будущего крепостного права, с тем что они станут помещиками... вот и всё у них. Они и в Бога не веруют, может быть. Твой страдающий инквизитор одна фантазия...

— Да стой, стой, — смеялся Иван, — как ты разгорячился. Фантазия, говоришь ты, пусть! Конечно, фантазия. Но позволь, однако: неужели ты в самом деле думаешь, что всё это католическое движение последних веков есть и в самом деле одно лишь желание власти для одних только грязных благ? Уж не отец ли Паисий так тебя учит?

— Нет, нет, напротив, отец Паисий говорил однажды что-то вроде даже твоего... но, конечно, не то, совсем не то, — спохватился вдруг Алеша.

— Драгоценное, однако же, сведение, несмотря на твое: «совсем не то». Я именно спрашиваю тебя, почему твои иезуиты и инквизиторы совокупились для одних только материальных скверных благ? Почему среди них не может случиться ни одного страдальца, мучимого великою скорбью и любящего человечество? Видишь: предположи, что нашелся хотя один из всех этих желающих одних только материальных и грязных благ — хоть один только такой, как мой старик инквизитор, который сам ел коренья в пустыне и бесновался, побеждая плоть свою, чтобы сделать себя свободным и совершенным, но однако же, всю жизнь свою любивший человечество и вдруг прозревший и увидавший, что невелико нравственное блаженство достигнуть совершенства воли с тем, чтобы в то же время убедиться, что миллионы остальных существ Божиих остались устроенными лишь в насмешку, что никогда не в силах они будут справиться со своею свободой, что из жалких бунтовщиков никогда не выйдет великанов для завершения башни, что не для таких гусей великий идеалист мечтал о своей гармонии. Поняв всё это, он воротился и примкнул... к умным людям. Неужели этого не могло случиться?

— К кому примкнул, к каким умным людям? — почти в азарте воскликнул Алеша. — Никакого у них нет такого ума и никаких таких тайн и секретов... Одно только разве безбожие, вот и весь их секрет. Инквизитор твой не верует в Бога, вот и весь его секрет!

— Хотя бы и так! Наконец-то ты догадался. И действительно так, действительно только в этом и весь секрет, но разве это не страдание, хотя бы для такого, как он, человека, который всю жизнь свою убил на подвиг в пустыне и не излечился от любви к человечеству? На закате дней своих он убеждается ясно, что лишь советы великого страшного духа могли бы хоть сколько-нибудь устроить в сносном порядке малосильных бунтовщиков, «недоделанные пробные существа, созданные в насмешку». И вот, убедясь в этом, он видит, что надо идти по указанию умного духа, страшного духа смерти и разрушения, а для того принять ложь и обман и вести людей уже сознательно к смерти и разрушению, и притом обманывать их всю дорогу, чтоб они как-нибудь не заметили, куда их ведут, для того чтобы хоть в дороге-то жалкие эти слепцы считали себя счастливыми. И заметь себе, обман во имя того, в идеал которого столь страстно веровал старик во всю свою жизнь! Разве это не несчастье? И если бы хоть один такой очутился во главе всей этой армии, «жаждущей власти для одних только грязных благ», то неужели же не довольно хоть одного такого, чтобы вышла трагедия? Мало того: довольно и одного такого, стоящего во главе, чтобы нашлась наконец настоящая руководящая идея всего римского дела со всеми его армиями и иезуитами, высшая идея этого дела. Я тебе прямо говорю, что я твердо верую, что этот единый человек и не оскудевал никогда между стоящими во главе движения. Кто знает, может быть, случались и между римскими первосвященниками эти единые. Кто знает, может быть, этот проклятый старик, столь упорно и столь по-своему любящий человечество, существует и теперь в виде целого сонма многих таковых единых стариков и не случайно вовсе, а существует как согласие, как тайный союз, давно уже устроенный для хранения тайны, для хранения ее от несчастных и малосильных людей, с тем чтобы сделать их счастливыми. Это непременно есть, да и должно так быть. Мне мерещится, что даже у масонов есть что-нибудь вроде этой же тайны в основе их и что потому католики так и ненавидят масонов, что видят в них конкурентов, раздробление единства идеи, тогда как должно быть едино стадо и един пастырь... Впрочем, защищая мою мысль, я имею вид сочинителя, не выдержавшего твоей критики. Довольно об этом.

— Ты, может быть, сам масон! — вырвалось вдруг у Алеши. — Ты не веришь в Бога, — прибавил он, но уже с чрезвычайною скорбью. Ему показалось к тому же, что брат смотрит на него с насмешкой. — Чем же кончается твоя поэма? — спросил он вдруг, смотря в землю, — или уж она кончена?

— Я хотел ее кончить так: когда инквизитор умолк, то некоторое время ждет, что пленник его ему ответит. Ему тяжело его молчание. Он видел, как узник всё время слушал его проникновенно и тихо, смотря ему прямо в глаза и, видимо, не желая ничего возражать. Старику хотелось бы, чтобы тот сказал ему что-нибудь, хотя бы и горькое, страшное. Но он вдруг молча приближается к старику и тихо целует его в его бескровные девяностолетние уста. Вот и весь ответ. Старик вздрагивает. Что-то шевельнулось в концах губ его; он идет к двери, отворяет ее и говорит ему: «Ступай и не приходи более... не приходи вовсе... никогда, никогда!» И выпускает его на «темные стогна града». Пленник уходит.

— А старик?

— Поцелуй горит на его сердце, но старик остается в прежней идее.

— И ты вместе с ним, и ты? — горестно воскликнул Алеша. Иван засмеялся.

— Да ведь это же вздор, Алеша, ведь это только бестолковая поэма бестолкового студента, который никогда двух стихов не написал. К чему ты в такой серьез берешь? Уж не думаешь ли ты, что я прямо поеду теперь туда, к иезуитам, чтобы стать в сонме людей, поправляющих его подвиг? О господи, какое мне дело! Я ведь тебе сказал:

мне бы только до тридцати лет дотянуть, а там — кубок об пол!

— А клейкие листочки, а дорогие могилы, а голубое небо, а любимая женщина! Как же жить-то будешь, чем ты любить-то их будешь? — горестно восклицал Алеша. — С таким адом в груди и в голове разве это возможно? Нет, именно ты едешь, чтобы к ним примкнуть... а если нет, то убьешь себя сам, а не выдержишь!

— Есть такая сила, что всё выдержит! — с холодною уже усмешкою проговорил Иван.

— Какая сила?

— Карамазовская... сила низости карамазовской.

— Это потонуть в разврате, задавить душу в растлении, да, да?

— Пожалуй, и это... только до тридцати лет, может быть, и избегну, а там...

— Как же избегнешь? Чем избегнешь? Это невозможно с твоими мыслями.

— Опять-таки по-карамазовски.

— Это чтобы «всё позволено»? Всё позволено, так ли, так ли?

Иван нахмурился и вдруг странно как-то побледнел.

— А, это ты подхватил вчерашнее словцо, которым так обиделся Миусов и что так наивно выскочил и переговорил брат Дмитрий? — криво усмехнулся он. — Да, пожалуй: «всё позволено», если уж слово произнесено. Не отрекаюсь. Да и редакция Митенькина недурна.

Алеша молча глядел на него.

— Я, брат, уезжая, думал, что имею на всем свете хоть тебя, — с неожиданным чувством проговорил вдруг Иван, — а теперь вижу, что и в твоем сердце мне нет места, мой милый отшельник. От формулы «всё позволено» я не отрекусь, ну и что же, за это ты от меня отречешься, да, да?

Алеша встал, подошел к нему и молча тихо поцеловал его в губы.

— Литературное воровство! — вскричал Иван, переходя вдруг в какой-то восторг, — это ты украл из моей поэмы! Спасибо, однако. Вставай, Алеша, идем, пора и мне и тебе.

Они вышли, но остановились у крыльца трактира.

— Вот что, Алеша, — проговорил Иван твердым голосом, — если в самом деле хватит меня на клейкие листочки, то любить их буду, лишь тебя вспоминая. Довольно мне того, что ты тут где-то есть, и жить еще не расхочу. Довольно этого тебе? Если хочешь, прими хоть за объяснение в любви. А теперь ты направо, я налево — и довольно, слышишь, довольно. То есть, если я бы завтра и не уехал (кажется, уеду наверно) и мы бы еще опять как-нибудь встретились, то уже на все эти темы ты больше со мной ни слова. Настоятельно прошу. И насчет брата Дмитрия тоже, особенно прошу тебя, даже и не заговаривай со мной никогда больше, — прибавил он вдруг раздражительно, — всё исчерпано, всё переговорено, так ли? А я тебе, с своей стороны, за это тоже одно обещание дам: когда к тридцати годам я захочу «бросить кубок об пол», то, где б ты ни был, я таки приду еще раз переговорить с тобою... хотя бы даже из Америки, это ты знай. Нарочно приеду. Очень интересно будет и на тебя поглядеть к тому времени: каков-то ты тогда будешь? Видишь, довольно торжественное обещание. А в самом деле мы, может быть, лет на семь, на десять прощаемся. Ну иди теперь к твоему Pater Seraphicus, ведь он умирает; умрет без тебя, так еще, пожалуй, на меня рассердишься, что я тебя задержал. До свидания, целуй меня еще раз, вот так, и ступай...

Иван вдруг повернулся и пошел своею дорогой, уже не оборачиваясь. Похоже было на то, как вчера ушел от Алеши брат Дмитрий, хотя вчера было совсем в другом роде. Странное это замечаньице промелькнуло, как стрелка, в печальном уме Алеши, печальном и скорбном в эту минуту. Он немного подождал, глядя вслед брату. Почему-то заприметил вдруг, что брат Иван идет как-то раскачиваясь и что у него правое плечо, если сзади глядеть, кажется ниже левого. Никогда он этого не замечал прежде. Но вдруг он тоже повернулся и почти побежал к монастырю. Уже сильно смеркалось, и ему было почти страшно; что-то нарастало в нем новое, на что он не мог бы дать ответа. Поднялся опять, как вчера, ветер, и вековые сосны мрачно зашумели кругом него, когда он вошел в скитский лесок. Он почти бежал. «„Pater Seraphicus“ — это имя он откуда-то взял — откуда? — промелькнуло у Алеши. — Иван, бедный Иван, и когда же я теперь тебя увижу... Вот и скит, господи! Да, да, это он, это Pater Seraphicus, он спасет меня... от него и навеки!»

Потом он с великим недоумением припоминал несколько раз в своей жизни, как мог он вдруг, после того как расстался с Иваном, так совсем забыть о брате Дмитрии, которого утром, всего только несколько часов назад, положил непременно разыскать и не уходить без того, хотя бы пришлось даже не воротиться на эту ночь в монастырь.

VI
ПОКА ЕЩЕ ОЧЕНЬ НЕЯСНАЯ

А Иван Федорович, расставшись с Алешей, пошел домой, в дом Федора Павловича. Но странное дело, на него напала вдруг тоска нестерпимая и, главное, с каждым шагом, по мере приближения к дому, всё более и более нараставшая. Не в тоске была странность, а в том, что Иван Федорович никак не мог определить, в чем тоска состояла. Тосковать ему случалось часто и прежде, и не диво бы, что пришла она в такую минуту, когда он завтра же, порвав вдруг со всем, что его сюда привлекло, готовился вновь повернуть круто в сторону и вступить на новый, совершенно неведомый путь, и опять совсем одиноким, как прежде, много надеясь, но не зная на что, многого, слишком многого ожидая от жизни, но ничего не умея сам определить ни в ожиданиях, ни даже в желаниях своих. И все-таки в эту минуту, хотя тоска нового и неведомого действительно была в душе его, мучило его вовсе не то. «Уж не отвращение ли к родительскому дому? — подумал он про себя. — Похоже на то, до того опротивел, и хоть сегодня я в последний раз войду за этот скверный порог, а все-таки противно...» Но нет, и это не то. Уж не прощание ли с Алешей и бывший с ним разговор: «Столько лет молчал со всем светом и не удостоивал говорить, и вдруг нагородил столько ахинеи». В самом деле, это могла быть молодая досада молодой неопытности и молодого тщеславия, досада на то, что не сумел высказаться, да еще с таким существом, как Алеша, на которого в сердце его несомненно существовали большие расчеты. Конечно, и это было, то есть эта досада, даже непременно должна была быть, но и это было не то, всё не то. «Тоска до тошноты, а определить не в силах, чего хочу. Не думать разве...»

Иван Федорович попробовал было «не думать», но и тем не мог пособить. Главное, тем она была досадна, эта тоска, и тем раздражала, что имела какой-то случайный, совершенно внешний вид; это чувствовалось. Стояло и торчало где-то какое-то существо или предмет, вроде как торчит что-нибудь иногда пред глазом, и долго, за делом или в горячем разговоре, не замечаешь его, а между тем видимо раздражаешься, почти мучаешься, и наконец-то догадаешься отстранить негодный предмет, часто очень пустой и смешной, какую-нибудь вещь, забытую не на своем месте, платок, упавший на пол, книгу, не убранную в шкаф, и проч., и проч. Наконец Иван Федорович в самом скверном и раздраженном состоянии духа достиг родительского дома и вдруг, примерно шагов за пятнадцать от калитки, взглянув на ворота, разом догадался о том, что его так мучило и тревожило.

На скамейке у ворот сидел и прохлаждался вечерним воздухом лакей Смердяков, и Иван Федорович с первого взгляда на него понял, что и в душе его сидел лакей Смердяков и что именно этого-то человека и не может вынести его душа. Всё вдруг озарилось и стало ясно. Давеча, еще с рассказа Алеши о его встрече со Смердяковым, что-то мрачное и противное вдруг вонзилось в сердце его и вызвало в нем тотчас же ответную злобу. Потом, за разговором, Смердяков на время позабылся, но, однако же, остался в его душе, и только что Иван Федорович расстался с Алешей и пошел один к дому, как тотчас же забытое ощущение вдруг быстро стало опять выходить наружу. «Да неужели же этот дрянной негодяй до такой степени может меня беспокоить!» — подумалось ему с нестерпимою злобой.

Дело в том, что Иван Федорович действительно очень невзлюбил этого человека в последнее время и особенно в самые последние дни. Он даже начал сам замечать эту нараставшую почти ненависть к этому существу. Может быть, процесс ненависти так обострился именно потому, что вначале, когда только что приехал к нам Иван Федорович, происходило совсем другое. Тогда Иван Федорович принял было в Смердякове какое-то особенное вдруг участие, нашел его даже очень оригинальным. Сам приучил его говорить с собою, всегда, однако, дивясь некоторой бестолковости или, лучше сказать, некоторому беспокойству его ума и не понимая, что такое «этого созерцателя» могло бы так постоянно и неотвязно беспокоить. Они говорили и о философских вопросах и даже о том, почему светил свет в первый день, когда солнце, луна и звезды устроены были лишь на четвертый день, и как это понимать следует; но Иван Федорович скоро убедился, что дело вовсе не в солнце, луне и звездах, что солнце, луна и звезды предмет хотя и любопытный, но для Смердякова совершенно третьестепенный, и что ему надо чего-то совсем другого. Так или этак, но во всяком случае начало выказываться и обличаться самолюбие необъятное, и притом самолюбие оскорбленное. Ивану Федоровичу это очень не понравилось. С этого и началось его отвращение. Впоследствии начались в доме неурядицы, явилась Грушенька, начались истории с братом Дмитрием, пошли хлопоты — говорили они и об этом, но хотя Смердяков вел всегда об этом разговор с большим волнением, а опять-таки никак нельзя было добиться, чего самому-то ему тут желается. Даже подивиться можно было нелогичности и беспорядку иных желаний его, поневоле выходивших наружу и всегда одинаково неясных. Смердяков всё выспрашивал, задавал какие-то косвенные, очевидно надуманные вопросы, но для чего — не объяснял того, и обыкновенно в самую горячую минуту своих же расспросов вдруг умолкал или переходил совсем на иное. Но главное, что раздражило наконец Ивана Федоровича окончательно и вселило в него такое отвращение, — была какая-то отвратительная и особая фамильярность, которую сильно стал выказывать к нему Смердяков, и чем дальше, тем больше. Не то чтоб он позволял себе быть невежливым, напротив, говорил он всегда чрезвычайно почтительно, но так поставилось, однако ж, дело, что Смердяков видимо стал считать себя бог знает почему в чем-то наконец с Иваном Федоровичем как бы солидарным, говорил всегда в таком тоне, будто между ними вдвоем было уже что-то условленное и как бы секретное, что-то когда-то произнесенное с обеих сторон, лишь им обоим только известное, а другим около них копошившимся смертным так даже и непонятное. Иван Федорович, однако, и тут долго не понимал этой настоящей причины своего нараставшего отвращения и наконец только лишь в самое последнее время успел догадаться, в чем дело. С брезгливым и раздражительным ощущением хотел было он пройти теперь молча и не глядя на Смердякова в калитку, но Смердяков встал со скамейки, и уже по одному этому жесту Иван Федорович вмиг догадался, что тот желает иметь с ним особенный разговор.

Иван Федорович поглядел на него и остановился, и то, что он так вдруг остановился и не прошел мимо, как желал того еще минуту назад, озлило его до сотрясения. С гневом и отвращением глядел он на скопческую испитую физиономию Смердякова с зачесанными гребешком височками и со взбитым маленьким хохолком. Левый чуть прищуренный глазок его мигал и усмехался, точно выговаривая: «Чего идешь, не пройдешь, видишь, что обоим нам, умным людям, переговорить есть чего». Иван Федорович затрясся:

«Прочь, негодяй, какая я тебе компания, дурак!» — полетело было с языка его, но, к величайшему его удивлению, слетело с языка совсем другое:

— Что батюшка, спит или проснулся? — тихо и смиренно проговорил он, себе самому неожиданно, и вдруг, тоже совсем неожиданно, сел на скамейку. На мгновение ему стало чуть не страшно, он вспомнил это потом. Смердяков стоял против него, закинув руки за спину, и глядел с уверенностью, почти строго.

— Еще почивают-с, — выговорил он неторопливо. («Сам, дескать, первый заговорил, а не я».) — Удивляюсь я на вас, сударь, — прибавил он, помолчав, как-то жеманно опустив глаза, выставив правую ножку вперед и поигрывая носочком лакированной ботинки.

— С чего ты на меня удивляешься? — отрывисто и сурово произнес Иван Федорович, изо всех сил себя сдерживая, и вдруг с отвращением понял, что чувствует сильнейшее любопытство и что ни за что не уйдет отсюда, не удовлетворив его.

— Зачем вы, сударь, в Чермашню не едете-с? — вдруг вскинул глазками Смердяков и фамильярно улыбнулся. «А чему я улыбнулся, сам, дескать, должен понять, если умный человек», — как бы говорил его прищуренный левый глазок.

— Зачем я в Чермашню поеду? — удивился Иван Федорович.

Смердяков опять помолчал.

— Сами даже Федор Павлович так вас об том умоляли-с, — проговорил он наконец, не спеша и как бы сам не ценя своего ответа: третьестепенною, дескать, причиной отделываюсь, только чтобы что-нибудь сказать.

— Э, черт, говори ясней, чего тебе надобно? — вскричал наконец гневливо Иван Федорович, со смирения переходя на грубость.

Смердяков приставил правую ножку к левой, вытянулся прямей, но продолжал глядеть с тем же спокойствием и с тою же улыбочкой.

— Существенного ничего нет-с... а так-с, к разговору...

Наступило опять молчание. Промолчали чуть не с минуту. Иван Федорович знал, что он должен был сейчас встать и рассердиться, а Смердяков стоял пред ним и как бы ждал: «А вот посмотрю я, рассердишься ты или нет?» Так по крайней мере представлялось Ивану Федоровичу. Наконец он качнулся, чтобы встать. Смердяков точно поймал мгновенье.

— Ужасное мое положение-с, Иван Федорович, не знаю даже, как и помочь себе, — проговорил он вдруг твердо и раздельно и с последним словом своим вздохнул. Иван Федорович тотчас же опять уселся.

— Оба совсем блажные-с, оба дошли до самого малого ребячества-с, — продолжал Смердяков. — Я про вашего родителя и про вашего братца-с Дмитрия Федоровича. Вот они встанут теперь, Федор Павлович, и начнут сейчас приставать ко мне каждую минуту: «Что не пришла? Зачем не пришла?» — и так вплоть до полуночи, даже и за полночь. А коль Аграфена Александровна не прийдет (потому что оне, пожалуй, совсем и не намерены вовсе никогда прийти-с), то накинутся на меня опять завтра поутру: «Зачем не пришла? Отчего не пришла, когда придет?» — точно я в этом в чем пред ними выхожу виноват. С другой стороны, такая статья-с, как только сейчас смеркнется, да и раньше того, братец ваш с оружьем в руках явится по соседству: «Смотри, дескать, шельма, бульонщик: проглядишь ее у меня и не дашь мне знать, что пришла, — убью тебя прежде всякого». Пройдет ночь, наутро и они тоже, как и Федор Павлович, мучительски мучить меня начнут: «Зачем не пришла, скоро ль покажется», — и точно я опять-таки и пред ними виноват выхожу-с в том, что ихняя госпожа не явилась. И до того с каждым днем и с каждым часом всё дальше серчают оба-с, что думаю иной час от страху сам жизни себя лишить-с. Я, сударь, на них не надеюсь-с.

— А зачем ввязался? Зачем Дмитрию Федоровичу стал переносить? — раздражительно проговорил Иван Федорович.

— А как бы я не ввязался-с? Да я и не ввязывался вовсе, если хотите знать в полной точности-с. Я с самого начала всё молчал, возражать не смея, а они сами определили мне своим слугой Личардой при них состоять. Только и знают с тех пор одно слово: «Убью тебя, шельму, если пропустишь!» Наверно полагаю, сударь, что со мной завтра длинная падучая приключится.

— Какая такая длинная падучая?

— Длинный припадок такой-с, чрезвычайно длинный-с. Несколько часов-с али, пожалуй, день и другой продолжается-с. Раз со мной продолжалось это дня три, упал я с чердака тогда. Перестанет бить, а потом зачнет опять; и я все три дня не мог в разум войти. За Герценштубе, за здешним доктором, тогда Федор Павлович носылали-с, так тот льду к темени прикладывал да еще одно средство употребил... Помереть бы мог-с.

— Да ведь, говорят, падучую нельзя заранее предузнать, что вот в такой-то час будет. Как же ты говоришь, что завтра придет? — с особенным и раздражительным любопытством осведомился Иван Федорович.

— Это точно, что нельзя предузнать-с.

— К тому же ты тогда упал с чердака.

— На чердак каждый день лазею-с, могу и завтра упасть с чердака. А не с чердака, так в погреб упаду-с, в погреб тоже каждый день хожу-с, по своей надобности-с.

Иван Федорович длинно посмотрел на него.

— Плетешь ты, я вижу, и я тебя что-то не понимаю, — тихо, но как-то грозно проговорил он, — притвориться, что ли, ты хочешь завтра на три дня в падучей? а?

Смердяков, смотревший в землю и игравший опять носочком правой ноги, поставил правую ногу на место, вместо нее выставил вперед левую, поднял голову и, усмехнувшись, произнес:

— Если бы я даже эту самую штуку и мог-с, то есть чтобы притвориться-с, и так как ее сделать совсем нетрудно опытному человеку, то и тут я в полном праве моем это средство употребить для спасения жизни моей от смерти; ибо когда я в болезни лежу, то хотя бы Аграфена Александровна пришла к ихнему родителю, не могут они тогда с больного человека спросить: «Зачем не донес?» Сами постыдятся.

— Э, черт! — вскинулся вдруг Иван Федорович с перекосившимся от злобы лицом. — Что ты всё об своей жизни трусишь! Все эти угрозы брата Дмитрия только азартные слова и больше ничего. Не убьет он тебя; убьет, да не тебя!

— Убьет как муху-с, и прежде всего меня-с. А пуще того я другого боюсь: чтобы меня в их сообществе не сочли, когда что нелепое над родителем своим учинят.

— Почему тебя сочтут сообщником?

— Потому сочтут сообщником, что я им эти самые знаки в секрете большом сообщил-с.

— Какие знаки? Кому сообщил? Черт тебя побери, говори яснее!

— Должен совершенно признаться, — с педантским спокойствием тянул Смердяков, — что тут есть один секрет у меня с Федором Павловичем. Они, как сами изволите знать (если только изволите это знать), уже несколько дней, как то есть ночь али даже вечер, так тотчас сызнутри и запрутся. Вы каждый раз стали под конец возвращаться рано к себе наверх, а вчера так и совсем никуда не выходили-с, а потому, может, и не знаете, как они старательно начали теперь запираться на ночь. И приди хоть сам Григорий Васильевич, так они, разве что по голосу убедясь, ему отопрут-с. Но Григорий Васильевич не приходит-с, потому служу им теперь в комнатах один я-с — так они сами определили с той самой минуты, как начали эту затею с Аграфеной Александровной, а на ночь так и я теперь, по ихнему распоряжению, удаляюсь и ночую во флигеле, с тем чтобы до полночи мне не спать, а дежурить, вставать и двор обходить, и ждать, когда Аграфена Александровна придут-с, так как они вот уже несколько дней ее ждут, словно как помешанные. Рассуждают же они так-с: она, говорят, его боится, Дмитрия-то Федоровича (они его Митькой зовут-с), а потому ночью попозже задами ко мне пройдет; ты же, говорит, ее сторожи до самой полночи и больше. И если она придет, то ты к дверям подбеги и постучи мне в дверь аль в окно из саду рукой два первые раза потише, этак: раз-два, а потом сейчас три раза поскорее: тук-тук-тук. Вот, говорят, я и пойму сейчас, что это она пришла, и отопру тебе дверь потихоньку. Другой знак сообщили мне на тот случай, если что экстренное произойдет: сначала два раза скоро: тук-тук, а потом, обождав еще один раз, гораздо крепче. Вот они и поймут, что нечто случилось внезапное и что оченно надо мне их видеть, и тоже мне отопрут, а я войду и доложу. Всё на тот случай, что Аграфена Александровна может сама не прийти, а пришлет о чем-нибудь известить; окромя того, Дмитрий Федорович тоже могут прийти, так и о нем известить, что он близко. Оченно боятся они Дмитрия Федоровича, так что если бы даже Аграфена Александровна уже пришла, и они бы с ней заперлись, а Дмитрий Федорович тем временем где появится близко, так и тут беспременно обязан я им тотчас о том доложить, постучамши три раза, так что первый-то знак в пять стуков означает: «Аграфена Александровна пришли», а второй знак в три стука — «оченно, дескать, надоть»; так сами по нескольку раз на примере меня учили и разъясняли. А так как во всей вселенной о знаках этих знают всего лишь я да они-с, так они безо всякого уже сумления и нисколько не окликая (вслух окликать они очень боятся) и отопрут. Вот эти самые знаки Дмитрию Федоровичу теперь и стали известны.

— Почему известны? Передал ты? Как же ты смел передать?

— От этого самого страху-с. И как же бы я посмел умолчать пред ними-с? Дмитрий Федорович каждый день напирали: «Ты меня обманываешь, ты от меня что скрываешь? Я тебе обе ноги сломаю!» Тут я им эти самые секретные знаки и сообщил, чтобы видели по крайности мое раболепие и тем самым удостоверились, что их не обманываю, а всячески им доношу.

— Если думаешь, что он этими знаками воспользуется и захочет войти, то ты его не пускай.

— А когда я сам в припадке буду лежать-с, как же я тогда не пущу-с, если б я даже и мог осмелиться их не пустить-с, зная их столь отчаянными-с.

— Э, черт возьми! Почему ты так уверен, что придет падучая, черт тебя побери? Смеешься ты надо мной или нет?

— Как же бы я посмел над вами смеяться, и до смеху ли, когда такой страх? Предчувствую, что будет падучая, предчувствие такое имею, от страху от одного и придет-с.

— Э, черт! Коли ты будешь лежать, то сторожить будет Григорий. Предупреди заранее Григория, уж он-то его не пустит.

— Про знаки я Григорию Васильевичу без приказания барина не смею никоим образом сообщить-с. А касательно того, что Григорий Васильевич их услышит и не пустит, так они как раз сегодня со вчерашнего расхворались, а Марфа Игнатьевна их завтра лечить намереваются. Так давеча и условились. А лечение это у них весьма любопытное-с: настойку такую Марфа Игнатьевна знают-с и постоянно держат, крепкую, на какой-то траве — секретом таким обладают-с. А лечат они этим секретным лекарством Григория Васильевича раза по три в год-с, когда у того поясница отнимается вся-с, вроде как бы с ним паралич-с, раза по три в год-с. Тогда они берут полотенце-с, мочат в этот настой и всю-то ему спину Марфа Игнатьевна трет полчаса-с, досуха-с, совсем даже покраснеет и вспухнет-с, а затем остальное, что в стклянке, дают ему выпить-с с некоторою молитвою-с, не всё, однако ж, потому что часть малую при сем редком случае и себе оставляют-с и тоже выпивают-с. И оба, я вам скажу, как не пьющие, так тут и свалятся-с и спят очень долгое время крепко-с; и как проснется Григорий Васильевич, то всегда почти после того здоров-с, а Марфа Игнатьевна проснется, и у нее всегда после того голова болит-с. Так вот, если завтра Марфа Игнатьевна свое это намерение исполнят-с, так вряд ли им что услыхать-с и Дмитрия Федоровича не допустить-с. Спать будут-с.

— Что за ахинея! И всё это как нарочно так сразу и сойдется: и у тебя падучая, и те оба без памяти! — прокричал Иван Федорович, — да ты сам уж не хочешь ли так подвести, чтобы сошлось? — вырвалось у него вдруг, и он грозно нахмурил брови.

— Как же бы я так подвел с... и для чего подводить, когда всё тут от Дмитрия Федоровича одного и зависит-с, и от одних его мыслей-с... Захотят они что учинить — учинят-с, а нет, так не я же нарочно их приведу, чтобы к родителю их втолкнуть.

— А зачем ему к отцу проходить, да еще потихоньку, если, как ты сам говоришь, Аграфена Александровна и совсем не придет, — продолжал Иван Федорович, бледнея от злобы, — сам же ты это говоришь, да и я всё время, тут живя, был уверен, что старик только фантазирует и что не придет к нему эта тварь. Зачем же Дмитрию врываться к старику, если та не придет? Говори! Я хочу твои мысли знать.

— Сами изволите знать, зачем придут, к чему же тут мои мысли? Придут по единой ихней злобе али по своей мнительности в случае примерно моей болезни, усомнятся и пойдут с нетерпения искать в комнаты, как вчерашний раз: не прошла ли, дескать, она как-нибудь от них потихоньку. Им совершенно тоже известно, что у Федора Павловича конверт большой приготовлен, а в нем три тысячи запечатаны, под тремя печатями-с, обвязано ленточкою и надписано собственною их рукой: «Ангелу моему Грушеньке, если захочет прийти», а потом, дня три спустя подписали еще: «и цыпленочку». Так вот это-то и сомнительно-с.

— Вздор! — крикнул Иван Федорович почти в исступлении. — Дмитрий не пойдет грабить деньги, да еще убивать при этом отца. Он мог вчера убить его за Грушеньку, как исступленный злобный дурак, но грабить не пойдет!

— Им очень теперь нужны деньги-с, до последней крайности нужны, Иван Федорович. Вы даже не знаете, сколь нужны, — чрезвычайно спокойно и с замечательною отчетливостью изъяснил Смердяков. — Эти самые три тысячи-с они к тому же считают как бы за свои собственные и так сами мне объяснили: «Мне, говорят, родитель остается еще три тысячи ровно должен». А ко всему тому рассудите, Иван Федорович, и некоторую чистую правду-с: ведь это почти что наверно так, надо сказать-с, что Аграфена Александровна, если только захотят они того сами, то непременно заставят их на себе жениться, самого барина то есть, Федора Павловича-с, если только захотят-с, — ну, а ведь они, может быть, и захотят-с. Ведь я только так говорю, что она не придет, а она, может быть, и более того захочет-с, то есть прямо барыней сделаться. Я сам знаю, что их купец Самсонов говорили ей самой со всею откровенностью, что это дело будет весьма не глупое, и притом смеялись. А они сами умом очень не глупые-с. Им за голыша, каков есть Дмитрий Федорович, выходить не стать-с. Так вот теперь это взямши, рассудите сами, Иван Федорович, что тогда ни Дмитрию Федоровичу, ни даже вам-с с братцем вашим Алексеем Федоровичем уж ничего-то ровно после смерти родителя не останется, ни рубля-с, потому что Аграфена Александровна для того и выйдут за них, чтобы всё на себя отписать и какие ни на есть капиталы на себя перевести-с. А помри ваш родитель теперь, пока еще этого нет ничего-с, то всякому из вас по сорока тысяч верных придется тотчас-с, даже и Дмитрию Федоровичу, которого они так ненавидят-с, так как завещания у них ведь не сделано-с... Это всё отменно Дмитрию Федоровичу известно...

Что-то как бы перекосилось и дрогнуло в лице Ивана Федоровича. Он вдруг покраснел.

— Так зачем же ты, — перебил он вдруг Смердякова, — после всего этого в Чермашню мне советуешь ехать? Что ты этим хотел сказать? Я уеду, и у вас вот что произойдет. — Иван Федорович с трудом переводил дух.

— Совершенно верно-с, — тихо и рассудительно проговорил Смердяков, пристально, однако же, следя за Иваном Федоровичем.

— Как совершенно верно? — переспросил Иван Федорович, с усилием сдерживая себя и грозно сверкая глазами.

— Я говорил, вас жалеючи. На вашем месте, если бы только тут я, так всё бы это тут же бросил... чем у такого дела сидеть-с.... — ответил Смердяков, с самым открытым видом смотря на сверкающие глаза Ивана Федоровича. Оба помолчали.

— Ты, кажется, большой идиот и уж конечно... страшный мерзавец! — встал вдруг со скамейки Иван Федорович. Затем тотчас же хотел было пройти в калитку, но вдруг остановился и повернулся к Смердякову. Произошло что-то странное: Иван Федорович внезапно, как бы в судороге, закусил губу, сжал кулаки и — еще мгновение, конечно, бросился бы на Смердякова. Тот по крайней мере это заметил в тот же миг, вздрогнул и отдернулся всем телом назад. Но мгновение прошло для Смердякова благополучно, и Иван Федорович молча, но как бы в каком-то недоумении, повернул в калитку.

— Я завтра в Москву уезжаю, если хочешь это знать, — завтра рано утром — вот и всё! — с злобою, раздельно и громко вдруг проговорил он, сам себе потом удивляясь, каким образом понадобилось ему тогда это сказать Смердякову.

— Самое это лучшее-с, — подхватил тот, точно и ждал того, — только разве то, что из Москвы вас могут по телеграфу отсюда обеспокоить-с, в каком-либо таком случае-с.

Иван Федорович опять остановился и опять быстро повернулся к Смердякову. Но и с тем точно что случилось. Вся фамильярность и небрежность его соскочили мгновенно; всё лицо его выразило чрезвычайное внимание и ожидание, но уже робкое и подобострастное: «Не скажешь ли, дескать, еще чего, не прибавишь ли», — так и читалось в его пристальном, так и впившемся в Ивана Федоровича взгляде.

— А из Чермашни разве не вызвали бы тоже... в каком-нибудь таком случае? — завопил вдруг Иван Федорович, не известно для чего вдруг ужасно возвысив голос.

— Тоже-с и из Чермашни-с... обеспокоят-с... — пробормотал Смердяков почти шепотом, точно как бы потерявшись, но пристально, пристально продолжая смотреть Ивану Федоровичу прямо в глаза.

— Только Москва дальше, а Чермашня ближе, так ты о прогонных деньгах жалеешь, что ли, настаивая в Чермашню, аль меня жалеешь, что я крюк большой сделаю?

— Совершенно верно-с... — пробормотал уже пресекшимся голосом Смердяков, гнусно улыбаясь и опять судорожно приготовившись вовремя отпрыгнуть назад. Но Иван Федорович вдруг, к удивлению Смердякова, засмеялся и быстро прошел в калитку, продолжая смеяться. Кто взглянул бы на его лицо, тот наверно заключил бы, что засмеялся он вовсе не оттого, что было так весело. Да и сам он ни за что не объяснил бы, что было тогда с ним в ту минуту. Двигался и шел он точно судорогой.

VII
«С УМНЫМ ЧЕЛОВЕКОМ И ПОГОВОРИТЬ ЛЮБОПЫТНО»

Да и говорил тоже. Встретив Федора Павловича в зале, только что войдя, он вдруг закричал ему, махая руками: «Я к себе наверх, а не к вам, до свидания», и прошел мимо, даже стараясь не взглянуть на отца. Очень может быть, что старик слишком был ему в эту минуту ненавистен, но такое бесцеремонное проявление враждебного чувства даже и для Федора Павловича было неожиданным. А старик и впрямь, видно, хотел ему что-то поскорей сообщить, для чего нарочно и вышел встретить его в залу; услышав же такую любезность, остановился молча и с насмешливым видом проследил сынка глазами на лестницу в мезонин до тех пор, пока тот скрылся из виду.

— Чего это он? — быстро спросил он вошедшего вслед за Иваном Федоровичем Смердякова.

— Сердятся на что-то-с, кто их разберет, — пробормотал тот уклончиво.

— А и черт! Пусть сердится! Подавай самовар и скорей сам убирайся, живо. Нет ли чего нового?

Тут начались расспросы именно из таких, на которые Смердяков сейчас жаловался Ивану Федоровичу, то есть всё насчет ожидаемой посетительницы, и мы эти расспросы здесь опустим. Чрез полчаса дом был заперт, и помешанный старикашка похаживал один по комнатам, в трепетном ожидании, что вот-вот раздадутся пять условных стуков, изредка заглядывая в темные окна и ничего в них не видя, кроме ночи.

Было уже очень поздно, а Иван Федорович всё не спал и соображал. Поздно он лег в эту ночь, часа в два. Но мы не станем передавать всё течение его мыслей, да и не время нам входить в эту душу: этой душе свой черед. И даже если б и попробовали что передать, то было бы очень мудрено это сделать, потому что были не мысли, а было что-то очень неопределенное, а главное — слишком взволнованное. Сам он чувствовал, что потерял все свои концы. Мучили его тоже разные странные и почти неожиданные совсем желания, например: уж после полночи ему вдруг настоятельно и нестерпимо захотелось сойти вниз, отпереть дверь, пройти во флигель и избить Смердякова, но спросили бы вы за что, и сам он решительно не сумел бы изложить ни одной причины в точности, кроме той разве, что стал ему этот лакей ненавистен как самый тяжкий обидчик, какого только можно приискать на свете. С другой стороны, не раз охватывала в эту ночь его душу какая-то необъяснимая и унизительная робость, от которой он — он это чувствовал — даже как бы терял вдруг физические силы. Голова его болела и кружилась. Что-то ненавистное щемило его душу, точно он собирался мстить кому. Ненавидел он даже Алешу, вспоминая давешний с ним разговор, ненавидел очень минутами и себя. О Катерине Ивановне он почти что и думать забыл и много этому потом удивлялся, тем более что сам твердо помнил, как еще вчера утром, когда он так размашисто похвалился у Катерины Ивановны, что завтра уедет в Москву, в душе своей тогда же шепнул про себя: «А ведь вздор, не поедешь, и не так тебе будет легко оторваться, как ты теперь фанфаронишь». Припоминая потом долго спустя эту ночь, Иван Федорович с особенным отвращением вспоминал, как он вдруг, бывало, вставал с дивана и тихонько, как бы страшно боясь, чтобы не подглядели за ним, отворял двери, выходил на лестницу и слушал вниз, в нижние комнаты, как шевелился и похаживал там внизу Федор Павлович, — слушал подолгу, минут по пяти, со странным каким-то любопытством, затаив дух, и с биением сердца, а для чего он всё это проделывал, для чего слушал — конечно, и сам не знал. Этот «поступок» он всю жизнь свою потом называл «мерзким» и всю жизнь свою считал, глубоко про себя, в тайниках души своей, самым подлым поступком изо всей своей жизни. К самому же Федору Павловичу он не чувствовал в те минуты никакой даже ненависти, а лишь любопытствовал почему-то изо всех сил: как он там внизу ходит, что он примерно там у себя теперь должен делать, предугадывал и соображал, как он должен был там внизу заглядывать в темные окна и вдруг останавливаться среди комнаты и ждать, ждать — не стучит ли кто. Выходил Иван Федорович для этого занятия на лестницу раза два. Когда всё затихло и уже улегся и Федор Павлович, часов около двух, улегся и Иван Федорович с твердым желанием поскорее заснуть, так как чувствовал себя страшно измученным. И впрямь: заснул он вдруг крепко и спал без снов, но проснулся рано, часов в семь, когда уже рассвело. Раскрыв глаза, к изумлению своему, он вдруг почувствовал в себе прилив какой-то необычайной энергии, быстро вскочил и быстро оделся, затем вытащил свой чемодан и, не медля, поспешно начал его укладывать. Белье как раз еще вчера утром получилось всё от прачки. Иван Федорович даже усмехнулся при мысли, что так всё оно сошлось, что нет никакой задержки внезапному отъезду. А отъезд выходил действительно внезапный. Хотя Иван Федорович и говорил вчера (Катерине Ивановне, Алеше и потом Смердякову), что завтра уедет, но, ложась вчера спать, он очень хорошо помнил, что в ту минуту и не думал об отъезде, по крайней мере совсем не мыслил, что, поутру проснувшись, первым движением бросится укладывать чемодан. Наконец чемодан и сак были готовы: было уже около девяти часов, когда Марфа Игнатьевна взошла к нему с обычным ежедневным вопросом: «Где изволите чай кушать, у себя аль сойдете вниз?» Иван Федорович сошел вниз, вид имел почти что веселый, хотя было в нем, в словах и в жестах его, нечто как бы раскидывающееся и торопливое. Приветливо поздоровавшись с отцом и даже особенно наведавшись о здоровье, он, не дождавшись, впрочем, окончания ответа родителя, разом объявил, что чрез час уезжает в Москву, совсем, и просит послать за лошадьми. Старик выслушал сообщение без малейшего удивления, пренеприлично позабыв поскорбеть об отъезде сынка; вместо того вдруг чрезвычайно захлопотал, вспомнив как раз кстати одно насущное собственное дело.

— Ах ты! Экой! Не сказал вчера... ну да всё равно и сейчас уладим. Сделай ты мне милость великую, отец ты мой родной, заезжай в Чермашню. Ведь тебе с Воловьей станции всего только влево свернуть, всего двенадцать каких-нибудь версточек, и вот она, Чермашня.

— Помилуйте, не могу: до железной дороги восемьдесят верст, а машина уходит со станции в Москву в семь часов вечера — ровно только, чтоб поспеть.

— Поспеешь завтра, не то послезавтра, а сегодня сверни в Чермашню. Чего тебе стоит родителя успокоить! Если бы здесь не дело, я сам давно слетал бы, потому что штука-то там спешная и чрезвычайная, а здесь у меня время теперь не такое... Видишь, там эта роща моя, в двух участках, в Бегичеве да в Дячкине, в пустошах. Масловы, старик с сыном, купцы, всего восемь тысяч дают на сруб, а всего только прошлого года покупщик нарывался, так двенадцать давал, да не здешний, вот где черта. Потому у здешних теперь сбыту нет: кулачат Масловы — отец с сыном, стотысячники: что положат, то и бери, а из здешних никто и не смеет против них тягаться. А Ильинский батюшка вдруг отписал сюда в прошлый четверг, что приехал Горсткин, тоже купчишка, знаю я его, только драгоценность-то в том, что не здешний, а из Погребова, значит, не боится он Масловых, потому не здешний. Одиннадцать тысяч, говорит, за рощу дам, слышишь? А пробудет он здесь, пишет батюшка, еще-то всего лишь неделю. Так вот бы ты поехал, да с ним и сговорился...

— Так вы напишите батюшке, тот и сговорится.

— Не умеет он, тут штука. Этот батюшка смотреть не умеет. Золото человек, я ему сейчас двадцать тысяч вручу без расписки на сохранение, а смотреть ничего не умеет, как бы и не человек вовсе, ворона обманет. А ведь ученый человек, представь себе это. Этот Горсткин на вид мужик, в синей поддёвке, только характером он совершенный подлец, в этом-то и беда наша общая: он лжет, вот черта. Иной раз так налжет, что только дивишься, зачем это он. Налгал третьего года, что жена у него умерла и что он уже женат на другой, и ничего этого не было, представь себе: никогда жена его не умирала, живет и теперь и его бьет каждые три дня по разу. Так вот и теперь надо узнать: лжет аль правду говорит, что хочет купить и одиннадцать тысяч дать?

— Так ведь и я тут ничего не сделаю, у меня тоже глазу нет.

— Стой, подожди, годишься и ты, потому я тебе все приметы его сообщу, Горсткина-то, я с ним дела уже давно имею. Видишь: ему на бороду надо глядеть; бороденка у него рыженькая, гаденькая, тоненькая. Коли бороденка трясется, а сам он говорит да сердится — значит ладно, правду говорит, хочет дело делать; а коли бороду гладит левою рукой, а сам посмеивается — ну, значит надуть хочет, плутует. В глаза ему никогда не гляди, по глазам ничего не разберешь, темна вода, плут, — гляди на бороду. Я тебе к нему записку дам, а ты покажи. Он Горсткин, только он не Горсткин, а Лягавый, так ты ему не говори, что он Лягавый, обидится. Коли сговоришься с ним и увидишь, что ладно, тотчас и отпиши сюда. Только это и напиши: «Не лжет, дескать». Стой на одиннадцати, одну тысячку можешь спустить, больше не спускай. Подумай: восемь и одиннадцать — три тысячи разницы. Эти я три тысячи ровно как нашел, скоро ли покупщика достанешь, а деньги до зарезу нужны. Дашь знать, что серьезно, тогда я сам уж отсюда слетаю и кончу, как-нибудь урву время. А теперь чего я туда поскачу, если всё это батька выдумал? Ну, едешь или нет?

— Э, некогда, избавьте.

— Эх, одолжи отца, припомню! Без сердца вы все, вот что! Чего тебе день али два? Куда ты теперь, в Венецию? Не развалится твоя Венеция в два-то дня. Я Алешку послал бы, да ведь что Алешка в этих делах? Я ведь единственно потому, что ты умный человек, разве я не вижу. Лесом не торгуешь, а глаз имеешь. Тут только чтобы видеть: всерьез или нет человек говорит. Говорю, гляди на бороду: трясется бороденка — значит всерьез.

— Сами ж вы меня в Чермашню эту проклятую толкаете, а? — вскричал Иван Федорович, злобно усмехнувшись.

Федор Павлович злобы не разглядел или не хотел разглядеть, а усмешку подхватил:

— Значит, едешь, едешь? Сейчас тебе записку настрочу.

— Не знаю, поеду ли, не знаю, дорогой решу.

— Что дорогой, реши сейчас. Голубчик, реши! Сговоришься, напиши мне две строчки, вручи батюшке, и он мне мигом твою цидулку пришлет. А затем и не держу тебя, ступай в Венецию. Тебя обратно на Воловью станцию батюшка на своих доставит...

Старик был просто в восторге, записку настрочил, послали за лошадьми, подали закуску, коньяк. Когда старик бывал рад, то всегда начинал экспансивничать, но на этот раз он как бы сдерживался. Про Дмитрия Федоровича, например, не произнес ни единого словечка. Разлукой же совсем не был тронут. Даже как бы и не находил, о чем говорить; и Иван Федорович это очень заметил: «Надоел же я ему, однако», — подумал он про себя. Только провожая сына уже с крыльца, старик немного как бы заметался, полез было лобызаться. Но Иван Федорович поскорее протянул ему для пожатия руку, видимо отстраняя лобзания. Старик тотчас понял и вмиг осадил себя.

— Ну, с Богом, с Богом! — повторял он с крыльца. — Ведь приедешь еще когда в жизни-то? Ну и приезжай, всегда буду рад. Ну, Христос с тобою!

Иван Федорович влез в тарантас.

— Прощай, Иван, очснь-то не брани! — крикнул в последний раз отец.

Провожать вышли все домашние: Смердяков, Марфа и Григорий. Иван Федорович подарил всем по десяти рублей. Когда уже он уселся в тарантас, Смердяков подскочил поправить ковер.

— Видишь... в Чермашню еду... — как-то вдруг вырвалось у Ивана Федоровича, опять как вчера, так само собою слетело, да еще с каким-то нервным смешком. Долго он это вспоминал потом.

— Значит, правду говорят люди, что с умным человеком и поговорить любопытно, — твердо ответил Смердяков, проникновенно глянув на Ивана Федоровича.

Тарантас тронулся и помчался. В душе путешественника было смутно, но он жадно глядел кругом на поля, на холмы, на деревья, на стаю гусей, пролетавшую над ним высоко по ясному небу. И вдруг ему стало так хорошо. Он попробовал заговорить с извозчиком, и его ужасно что-то заинтересовало из того, что ответил ему мужик, но чрез минуту сообразил, что всё мимо ушей пролетело и что он, по правде, и не понял того, что мужик ответил. Он замолчал, хорошо было и так: воздух чистый, свежий, холодноватый, небо ясное. Мелькнули было в уме его образы Алеши и Катерины Ивановны; но он тихо усмехнулся и тихо дунул на милые призраки, и они отлетели: «Будет еще их время», — подумал он. Станцию отмахали быстро, переменили лошадей и помчались на Воловью. «Почему с умным человеком поговорить любопытно, что он этим хотел сказать? — вдруг так и захватило ему дух. — А я зачем доложил ему, что в Чермашню еду?» Доскакали до Воловьей станции. Иван Федорович вышел из тарантаса, и ямщики его обступили. Рядились в Чермашню, двенадцать верст проселком, на вольных. Он велел впрягать. Вошел было в станционный дом, огляделся кругом, взглянул было на смотрительшу и вдруг вышел обратно на крыльцо.

— Не надо в Чермашню. Не опоздаю, братцы, к семи часам на железную дорогу?

— Как раз потрафим. Запрягать, что ли?

— Впрягай мигом. Не будет ли кто завтра из вас в городе?

— Как не быть, вот Митрий будет.

— Не можешь ли, Митрий, услугу оказать? Зайди ты к отцу моему, Федору Павловичу Карамазову, и скажи ты ему, что я в Чермашню не поехал. Можешь али нет?

— Почему не зайти, зайдем; Федора Павловича очень давно знаем.

— А вот тебе и на чай, потому он тебе, пожалуй, не даст... — весело засмеялся Иван Федорович.

— А и впрямь не дадут, — засмеялся и Митрий. — Спасибо, сударь, непременно выполним...

В семь часов вечера Иван Федорович вошел в вагон и полетел в Москву. «Прочь всё прежнее, кончено с прежним миром навеки, и чтобы не было из него ни вести, ни отзыва; в новый мир, в новые места, и без оглядки!» Но вместо восторга на душу его сошел вдруг такой мрак, а в сердце заныла такая скорбь, какой никогда он не ощущал прежде во всю свою жизнь. Он продумал всю ночь; вагон летел, и только на рассвете, уже въезжая в Москву, он вдруг как бы очнулся.

— Я подлец! — прошептал он про себя.

А Федор Павлович, проводив сынка, остался очень доволен. Целые два часа чувствовал он себя почти счастливым и попивал коньячок; но вдруг в доме произошло одно предосадное и пренеприятное для всех обстоятельство, мигом повергшее Федора Павловича в большое смятение: Смердяков пошел зачем-то в погреб и упал вниз с верхней ступеньки. Хорошо еще, что на дворе случилась в то время Марфа Игнатьевна и вовремя услышала. Падения она не видела, но зато услышала крик, крик особенный, странный, но ей уже давно известный, — крик эпилептика, падающего в припадке. Приключился ли с ним припадок в ту минуту, когда он сходил по ступенькам вниз, так что он, конечно, тотчас же и должен был слететь вниз в бесчувствии, или, напротив, уже от падения и от сотрясения произошел у Смердякова, известного эпилептика, его припадок — разобрать нельзя было, но нашли его уже на дне погреба, в корчах и судорогах, бьющимся и с пеной у рта. Думали сначала, что он наверно сломал себе что-нибудь, руку или ногу, и расшибся, но, однако, «сберег Господь», как выразилась Марфа Игнатьевна: ничего такого не случилось, а только трудно было достать его и вынести из погреба на свет Божий. Но попросили у соседей помощи и кое-как это совершили. Находился при всей этой церемонии и сам Федор Павлович, сам помогал, видимо перепуганный и как бы потерявшийся. Больной, однако, в чувство не входил: припадки хоть и прекращались на время, но зато возобновлялись опять, и все заключили, что произойдет то же самое, что и в прошлом году, когда он тоже упал нечаянно с чердака. Вспомнили, что тогда прикладывали ему к темени льду. Ледок в погребе еще нашелся, и Марфа Игнатьевна распорядилась, а Федор Павлович под вечер послал за доктором Герценштубе, который и прибыл немедленно. Осмотрев больного тщательно (это был самый тщательный и внимательный доктор во всей губернии, пожилой и почтеннейший старичок), он заключил, что припадок чрезвычайный и «может грозить опасностью», что покамест он, Герценштубе, еще не понимает всего, но что завтра утром, если не помогут теперешние средства, он решится принять другие. Больного уложили во флигеле, в комнатке рядом с помещением Григория и Марфы Игнатьевны. Затем Федор Павлович уже весь день претерпевал лишь несчастие за несчастием: обед сготовила Марфа Игнатьевна, и суп сравнительно с приготовлением Смердякова вышел «словно помои», а курица оказалась до того пересушенною, что и прожевать ее не было никакой возможности. Марфа Игнатьевна на горькие, хотя и справедливые, упреки барина возражала, что курица и без того была уже очень старая, а что сама она в поварах не училась. К вечеру вышла другая забота: доложили Федору Павловичу, что Григорий, который с третьего дня расхворался, как раз совсем почти слег, отнялась поясница. Федор Павлович окончил свой чай как можно пораньше и заперся один в доме. Был он в страшном и тревожном ожидании. Дело в том, что как раз в этот вечер ждал он прибытия Грушеньки уже почти наверно; по крайней мере получил он от Смердякова, еще рано поутру, почти заверение, что «они уж несомненно обещали прибыть-с». Сердце неугомонного старичка билось тревожно, он ходил по пустым своим комнатам и прислушивался. Надо было держать ухо востро: мог где-нибудь сторожить ее Дмитрий Федорович, а как она постучится в окно (Смердяков еще третьего дня уверил Федора Павловича, что передал ей, где и куда постучаться), то надо было отпереть двери как можно скорее и отнюдь не задерживать ее ни секунды напрасно в сенях, чтобы чего, боже сохрани, не испугалась и не убежала. Хлопотливо было Федору Павловичу, но никогда еще сердце его не купалось в более сладкой надежде: почти ведь наверно можно было сказать, что в этот раз она уже непременно придет!..

Книга шестая
РУССКИЙ ИНОК

I
СТАРЕЦ ЗОСИМА И ЕГО ГОСТИ

Когда Алеша с тревогой и с болью в сердце вошел в келью старца, то остановился почти в изумлении: вместо отходящего больного, может быть уже без памяти, каким боялся найти его, он вдруг его увидал сидящим в кресле, хотя с изможженным от слабости, но с бодрым и веселым лицом, окруженного гостями и ведущего с ними тихую и светлую беседу. Впрочем, встал он с постели не более как за четверть часа до прихода Алеши; гости уже собрались в его келью раньше и ждали, пока он проснется, по твердому заверению отца Паисия, что «учитель встанет несомненно, чтоб еще раз побеседовать с милыми сердцу его, как сам изрек и как сам пообещал еще утром». Обещанию же этому, да и всякому слову отходящего старца, отец Паисий веровал твердо, до того, что если бы видел его и совсем уже без сознания и даже без дыхания, но имел бы его обещание, что еще раз восстанет и простится с ним, то не поверил бы, может быть, и самой смерти, всё ожидая, что умирающий очнется и исполнит обетованное. Поутру же старец Зосима положительно изрек ему, отходя ко сну: «Не умру прежде, чем еще раз не упьюсь беседой с вами, возлюбленные сердца моего, на милые лики ваши погляжу, душу мою вам еще раз изолью». Собравшиеся на эту последнюю, вероятно, беседу старца были самые преданные ему друзья с давних лет. Их было четверо: иеромонахи отец Иосиф и отец Паисий, иеромонах отец Михаил, настоятель скита, человек не весьма еще старый, далеко не столь ученый, из звания простого, но духом твердый, нерушимо и просто верующий, с виду суровый, но проникновенный глубоким умилением в сердце своем, хотя видимо скрывал свое умиление до какого-то даже стыда. Четвертый гость был совсем уже старенький, простенький монашек, из беднейшего крестьянского звания, брат Анфим, чуть ли даже не малограмотный, молчаливый и тихий, редко даже с кем говоривший, между самыми смиренными смиреннейший и имевший вид человека, как бы навеки испуганного чем-то великим и страшным, не в подъем уму его. Этого как бы трепещущего человека старец Зосима весьма любил и во всю жизнь свою относился к нему с необыкновенным уважением, хотя, может быть, ни с кем во всю жизнь свою не сказал менее слов, как с ним, несмотря на то, что когда-то многие годы провел в странствованиях с ним вдвоем по всей святой Руси. Было это уже очень давно, лет пред тем уже сорок, когда старец Зосима впервые начал иноческий подвиг свой в одном бедном, малоизвестном костромском монастыре и когда вскоре после того пошел сопутствовать отцу Анфиму в странствиях его для сбора пожертвований на их бедный костромской монастырек. Все, и хозяин и гости, расположились во второй комнате старца, в которой стояла постель его, комнате, как и было указано прежде, весьма тесной, так что все четверо (кроме Порфирия-послушника, пребывавшего стоя) едва разместились вокруг кресел старца на принесенных из первой комнаты стульях. Начало уже смеркаться, комната освещалась от лампад и восковых свеч пред иконами. Увидав Алешу, смутившегося при входе и ставшего в дверях, старец радостно улыбнулся ему и протянул руку:

— Здравствуй, тихий, здравствуй, милый, вот и ты. И знал, что прибудешь.

Алеша подошел к нему, склонился пред ним до земли и заплакал. Что-то рвалось из его сердца, душа его трепетала, ему хотелось рыдать.

— Что ты, подожди оплакивать, — улыбнулся старец, положив правую руку свою на его голову, — видишь, сижу и беседую, может, и двадцать лет еще проживу, как пожелала мне вчера та добрая, милая, из Вышегорья, с девочкой Лизаветой на руках. Помяни, Господи, и мать, и девочку Лизавету! (Он перекрестился.) Порфирий, дар-то ее снес, куда я сказал?

Это он припомнил о вчерашних шести гривнах, пожертвованных веселою поклонницей, чтоб отдать «той, которая меня бедней». Такие жертвы происходят как епитимии, добровольно на себя почему-либо наложенные, и непременно из денег, собственным трудом добытых. Старец послал Порфирия еще с вечера к одной недавно еще погоревшей нашей мещанке, вдове с детьми, пошедшей после пожара нищенствовать. Порфирий поспешил донести, что дело уже сделано и что подал, как приказано ему было, «от неизвестной благотворительницы».

— Встань, милый, — продолжал старец Алеше, — дай посмотрю на тебя. Был ли у своих и видел ли брата?

Алеше странно показалось, что он спрашивает так твердо и точно об одном только из братьев, — но о котором же: значит, для этого-то брата, может быть, и отсылал его от себя и вчера, и сегодня.

— Одного из братьев видел, — ответил Алеша.

— Я про того, вчерашнего, старшего, которому я до земли поклонился.

— Того я вчера лишь видел, а сегодня никак не мог найти, — сказал Алеша.

— Поспеши найти, завтра опять ступай и поспеши, всё оставь и поспеши. Может, еще успеешь что-либо ужасное предупредить. Я вчера великому будущему страданию его поклонился.

Он вдруг умолк и как бы задумался. Слова были странные. Отец Иосиф, свидетель вчерашнего земного поклона старца, переглянулся с отцом Паисием. Алеша не вытерпел.

— Отец и учитель, — проговорил он в чрезвычайном волнении, — слишком неясны слова ваши... Какое это страдание ожидает его?

— Не любопытствуй. Показалось мне вчера нечто страшное... словно всю судьбу его выразил вчера его взгляд. Был такой у него один взгляд... так что ужаснулся я в сердце моем мгновенно тому, что уготовляет этот человек для себя. Раз или два в жизни видел я у некоторых такое же выражение лица... как бы изображавшее всю судьбу тех людей, и судьба их, увы, сбылась. Послал я тебя к нему, Алексей, ибо думал, что братский лик твой поможет ему. Но всё от Господа и все судьбы наши. «Если пшеничное зерно, падши в землю, не умрет, то останется одно; а если умрет, то принесет много плода». Запомни сие. А тебя, Алексей, много раз благословлял я мысленно в жизни моей за лик твой, узнай сие, — проговорил старец с тихою улыбкой. — Мыслю о тебе так: изыдешь из стен сих, а в миру пребудешь как инок. Много будешь иметь противников, но и самые враги твои будут любить тебя. Много несчастий принесет тебе жизнь, но ими-то ты и счастлив будешь, и жизнь благословишь, и других благословить заставишь — что важнее всего. Ну вот ты каков. Отцы и учители мои, — умиленно улыбаясь, обратился он к гостям своим, — никогда до сего дня не говорил я, даже и ему, за что был столь милым душе моей лик сего юноши. Теперь лишь скажу: был мне лик его как бы напоминанием и пророчеством. На заре дней моих, еще малым ребенком, имел я старшего брата, умершего юношей, на глазах моих, всего только семнадцати лет. И потом, проходя жизнь мою, убедился я постепенно, что был этот брат мой в судьбе моей как бы указанием и предназначением свыше, ибо не явись он в жизни моей, не будь его вовсе, и никогда-то, может быть, я так мыслю, не принял бы я иноческого сана и не вступил на драгоценный путь сей. То первое явление было еще в детстве моем, и вот уже на склоне пути моего явилось мне воочию как бы повторение его. Чудно это, отцы и учители, что, не быв столь похож на него лицом, а лишь несколько, Алексей казался мне до того схожим с тем духовно, что много раз считал я его как бы прямо за того юношу, брата моего, пришедшего ко мне на конце пути моего таинственно, для некоего воспоминания и проникновения, так что даже удивлялся себе самому и таковой странной мечте моей. Слышишь ли сие, Порфирий, — обратился он к прислуживавшему его послушнику. — Много раз видел я на лице твоем как бы огорчение, что я Алексея больше люблю, чем тебя. Теперь знаешь, почему так было, но и тебя люблю, знай это, и много раз горевал, что ты огорчаешься. Вам же, милые гости, хочу я поведать о сем юноше, брате моем, ибо не было в жизни моей явления драгоценнее сего, более пророческого и трогательного. Умилилось сердце мое, и созерцаю всю жизнь мою в сию минуту, како бы вновь ее всю изживая...

Здесь я должен заметить, что эта последняя беседа старца с посетившими его в последний день жизни его гостями сохранилась отчасти записанною. Записал Алексей Федорович Карамазов некоторое время спустя по смерти старца на память. Но была ли это вполне тогдашняя беседа, или он присовокупил к ней в записке своей и из прежних бесед с учителем своим, этого уже я не могу решить, к тому же вся речь старца в записке этой ведется как бы беспрерывно, словно как бы он излагал жизнь свою в виде повести, обращаясь к друзьям своим, тогда как, без сомнения, по последовавшим рассказам, на деле происходило несколько иначе, ибо велась беседа в тот вечер общая, и хотя гости хозяина своего мало перебивали, но всё же говорили и от себя, вмешиваясь в разговор, может быть, даже и от себя поведали и рассказали что-либо, к тому же и беспрерывности такой в повествовании сем быть не могло, ибо старец иногда задыхался, терял голос и даже ложился отдохнуть на постель свою, хотя и не засыпал, а гости не покидали мест своих. Раз или два беседа прерывалась чтением Евангелия, читал отец Паисий. Замечательно тоже, что никто из них, однако же, не полагал, что умрет он в самую эту же ночь, тем более что в этот последний вечер жизни своей он, после глубокого дневного сна, вдруг как бы обрел в себе новую силу, поддерживавшую его во всю длинную эту беседу с друзьями. Это было как бы последним умилением, поддержавшим в нем неимоверное оживление, но на малый лишь срок, ибо жизнь его пресеклась вдруг... Но об этом после. Теперь же хочу уведомить, что предпочел, не излагая всех подробностей беседы, ограничиться лишь рассказом старца по рукописи Алексея Федоровича Карамазова. Будет оно короче, да и не столь утомительно, хотя, конечно, повторяю это, многое Алеша взял и из прежних бесед и совокупил вместе.

II
ИЗ ЖИТИЯ В БОЗЕ ПРЕСТАВИВШЕГОСЯ ИЕРОСХИМОНАХА СТАРЦА ЗОСИМЫ, СОСТАВЛЕНО С СОБСТВЕННЫХ СЛОВ ЕГО АЛЕКСЕЕМ ФЕДОРОВИЧЕМ КАРАМАЗОВЫМ

Сведения биографические

а) О юноше брате старца Зосимы

Возлюбленные отцы и учители, родился я в далекой губернии северной, в городе В., от родителя дворянина, но не знатного и не весьма чиновного. Скончался он, когда было мне всего лишь два года от роду, и не помню я его вовсе. Оставил он матушке моей деревянный дом небольшой и некоторый капитал, не великий, но достаточный, чтобы прожить с детьми не нуждаясь. А было нас всего у матушки двое: я, Зиновий, и старший брат мой, Маркел. Был он старше меня годов на восемь, характера вспыльчивого и раздражительного, но добрый, не насмешливый и странно как молчаливый, особенно в своем доме, со мной, с матерью и с прислугой. Учился в гимназии хорошо, но с товарищами своими не сходился, хотя и не ссорился, так по крайней мере запомнила о нем матушка. За полгода до кончины своей, когда уже минуло ему семнадцать лет, повадился он ходить к одному уединенному в нашем городе человеку, как бы политическому ссыльному, высланному из Москвы в наш город за вольнодумство. Был же этот ссыльный немалый ученый и знатный философ в университете. Почему-то он полюбил Маркела и стал принимать его. Просиживал у него юноша целые вечера, и так во всю зиму, доколе не потребовали обратно ссыльного на государственную службу в Петербург, по собственной просьбе его, ибо имел покровителей. Начался Великий пост, а Маркел не хочет поститься, бранится и над этим смеется: «Всё это бредни, говорит, и нет никакого и Бога», — так что в ужас привел и мать и прислугу, да и меня малого, ибо хотя был я и девяти лет всего, но, услышав слова сии, испугался очень и я. Прислуга же была у нас вся крепостная, четверо человек, все купленные на имя знакомого нам помещика. Еще помню, как из сих четверых продала матушка одну, кухарку Афимью, хромую и пожилую, за шестьдесят рублей ассигнациями, а на место ее наняла вольную. И вот на шестой неделе поста стало вдруг брату хуже, а был он и всегда нездоровый, грудной, сложения слабого и наклонный к чахотке; роста же немалого, но тонкий и хилый, лицом же весьма благообразен. Простудился он, что ли, но доктор прибыл и вскоре шепнул матушке, что чахотка скоротечная и что весны не переживет. Стала мать плакать, стала просить брата с осторожностию (более для того, чтобы не испугать его), чтобы поговел и причастился святых божиих таин, ибо был он тогда еще на ногах. Услышав, рассердился и выбранил храм божий, однако задумался: догадался сразу, что болен опасно и что потому-то родительница и посылает его, пока силы есть, поговеть и причаститься. Впрочем, и сам уже знал, что давно нездоров, и еще за год пред тем проговорил раз за столом мне и матери хладнокровно: «Не жилец я на свете меж вами, может, и года не проживу», и вот словно и напророчил. Прошло дня три, и настала Страстная неделя. И вот брат со вторника утра пошел говеть. «Я это, матушка, собственно для вас делаю, чтоб обрадовать вас и успокоить», — сказал он ей. Заплакала мать от радости, да и с горя: «Знать, близка кончина его, коли такая в нем вдруг перемена». Но недолго походил он в церковь, слег, так что исповедовали и причастили его уже дома. Дни наступили светлые, ясные, благоуханные, Пасха была поздняя. Всю-то ночь он, я помню, кашляет, худо спит, а наутро всегда оденется и попробует сесть в мягкие кресла. Так и запомню его: сидит тихий, кроткий, улыбается, сам больной, а лик веселый, радостный. Изменился он весь душевно — такая дивная началась в нем вдруг перемена! Войдет к нему в комнату старая нянька: «Позволь, голубчик, я и у тебя лампадку зажгу пред образом». А он прежде не допускал, задувал даже. «Зажигай, милая, зажигай, изверг я был, что претил вам прежде. Ты Богу, лампадку зажигая, молишься, а я, на тебя радуясь, молюсь. Значит, одному Богу и молимся». Странными казались нам эти слова, а мать уйдет к себе и всё плачет, только к нему входя обтирала глаза и принимала веселый вид. «Матушка, не плачь, голубушка, — говорит, бывало, — много еще жить мне, много веселиться с вами, а жизнь-то, жизнь-то веселая, радостная!» — «Ах, милый, ну какое тебе веселье, когда ночь горишь в жару да кашляешь, так что грудь тебе чуть не разорвет». — «Мама, — отвечает ей, — не плачь, жизнь есть рай, и все мы в раю, да не хотим знать того, а если бы захотели узнать, завтра же и стал бы на всем свете рай». И дивились все словам его, так он это странно и так решительно говорил; умилялись и плакали. Приходили к нам знакомые: «Милые, говорит, дорогие, и чем я заслужил, что вы меня любите, за что вы меня такого любите, и как я того прежде не знал, не ценил». Входящим слугам говорил поминутно: «Милые мои, дорогие, за что вы мне служите, да и стою ли я того, чтобы служить-то мне? Если бы помиловал бог и оставил в живых, стал бы сам служить вам, ибо все должны один другому служить». Матушка, слушая, качала головой: «Дорогой ты мой, от болезни ты так говоришь». — «Мама, радость моя, говорит, нельзя, чтобы не было господ и слуг, но пусть же и я буду слугой моих слуг, таким же, каким и они мне. Да еще скажу тебе, матушка, что всякий из нас пред всеми во всем виноват, а я более всех». Матушка так даже тут усмехнулась, плачет и усмехается: «Ну и чем это ты, говорит, пред всеми больше всех виноват? Там убийцы, разбойники, а ты чего такого успел нагрешить, что себя больше всех обвиняешь?» — «Матушка, кровинушка ты моя, говорит (стал он такие любезные слова тогда говорить, неожиданные), кровинушка ты моя милая, радостная, знай, что воистину всякий пред всеми за всех и за всё виноват. Не знаю я, как истолковать тебе это, но чувствую, что это так до мучения. И как это мы жили, сердились и ничего не знали тогда?» Так он вставал со сна, каждый день всё больше и больше умиляясь и радуясь и весь трепеща любовью. Приедет, бывало, доктор — старик немец Эйзеншмидт ездил: «Ну что, доктор, проживу я еще денек-то на свете?» — шутит, бывало, с ним. «Не то что день, и много дней проживете, — ответит, бывало, доктор, — и месяцы, и годы еще проживете». — «Да чего годы, чего месяцы! — воскликнет, бывало, — что тут дни-то считать, и одного дня довольно человеку, чтобы всё счастие узнать. Милые мои, чего мы ссоримся, друг пред другом хвалимся, один на другом обиды помним: прямо в сад пойдем и станем гулять и резвиться, друг друга любить и восхвалять, и целовать, и жизнь нашу благословлять». — «Не жилец он на свете, ваш сын, — промолвил доктор матушке, когда провожала она его до крыльца, — он от болезни впадает в помешательство». Выходили окна его комнаты в сад, а сад у нас был тенистый, с деревьями старыми, на деревьях завязались весенние почки, прилетели ранние птички, гогочут, поют ему в окна. И стал он вдруг, глядя на них и любуясь, просить и у них прощения: «Птички божии, птички радостные, простите и вы меня, потому что и пред вами я согрешил». Этого уж никто тогда у нас не мог понять, а он от радости плачет: «Да, говорит, была такая божия слава кругом меня: птички, деревья, луга, небеса, один я жил в позоре, один всё обесчестил, а красы и славы не приметил вовсе». — «Уж много ты на себя грехов берешь», — плачет, бывало, матушка. «Матушка, радость моя, я ведь от веселья, а не от горя это плачу; мне ведь самому хочется пред ними виноватым быть, растолковать только тебе не могу, ибо не знаю, как их и любить. Пусть я грешен пред всеми, зато и меня все простят, вот и рай. Разве я теперь не в раю?»

И много еще было, чего и не припомнить и не вписать. Помню, однажды вошел я к нему один, когда никого у него не было. Час был вечерний, ясный, солнце закатывалось и всю комнату осветило косым лучом. Поманил он меня, увидав, подошел я к нему, взял он меня обеими руками за плечи, глядит мне в лицо умиленно, любовно; ничего не сказал, только поглядел так с минуту: «Ну, говорит, ступай теперь, играй, живи за меня!» Вышел я тогда и пошел играть. А в жизни потом много раз припоминал уже со слезами, как он велел жить за себя. Много еще говорил он таких дивных и прекрасных, хотя и непонятных нам тогда слов. Скончался же на третьей неделе после Пасхи, в памяти, и хотя и говорить уже перестал, но не изменился до самого последнего своего часа: смотрит радостно, в очах веселье, взглядами нас ищет, улыбается нам, нас зовет. Даже в городе много говорили о его кончине. Потрясло меня всё это тогда, но не слишком, хоть и плакал я очень, когда его хоронили. Юн был, ребенок, но на сердце осталось всё неизгладимо, затаилось чувство. В свое время должно было всё восстать и откликнуться. Так оно и случилось.

б) О Священном Писании в жизни отца Зосимы

Остались мы тогда одни с матушкой. Посоветовали ей скоро добрые знакомые, что вот, дескать, остался всего один у вас сынок, и не бедные вы, капитал имеете, так по примеру прочих почему бы сына вашего не отправить вам в Петербург, а оставшись здесь, знатной, может быть, участи его лишите. И надоумили матушку меня в Петербург в кадетский корпус свезти, чтобы в императорскую гвардию потом поступить. Матушка долго колебалась: как это с последним сыном расстаться, но, однако, решилась, хотя и не без многих слез, думая счастию моему способствовать. Свезла она меня в Петербург да и определила, а с тех пор я ее и не видал вовсе; ибо через три года сама скончалась, все три года по нас обоих грустила и трепетала. Из дома родительского вынес я лишь драгоценные воспоминания, ибо нет драгоценнее воспоминаний у человека, как от первого детства его в доме родительском, и это почти всегда так, если даже в семействе хоть только чуть-чуть любовь да союз. Да и от самого дурного семейства могут сохраниться воспоминания драгоценные, если только сама душа твоя способна искать драгоценное. К воспоминаниям же домашним причитаю и воспоминания о священной истории, которую в доме родительском, хотя и ребенком, я очень любопытствовал знать. Была у меня тогда книга, священная история, с прекрасными картинками, под названием «Сто четыре священные истории Ветхого и Нового завета», и по ней я и читать учился. И теперь она у меня здесь на полке лежит, как драгоценную память сохраняю. Но и до того еще как читать научился, помню, как в первый раз посетило меня некоторое проникновение духовное, еще восьми лет от роду. Повела матушка меня одного (не помню, где был тогда брат) во храм Господень, в Страстную неделю в понедельник к обедне. День был ясный, и я, вспоминая теперь, точно вижу вновь, как возносился из кадила фимиам и тихо восходил вверх, а сверху в куполе, в узенькое окошечко, так и льются на нас в церковь божьи лучи, и, восходя к ним волнами, как бы таял в них фимиам. Смотрел я умиленно и в первый раз от роду принял я тогда в душу первое семя слова божия осмысленно. Вышел на средину храма отрок с большою книгой, такою большою, что, показалось мне тогда, с трудом даже и нес ее, и возложил на налой, отверз и начал читать, и вдруг я тогда в первый раз нечто понял, в первый раз в жизни понял, что́ во храме Божием читают. Был муж в земле Уц, правдивый и благочестивый, и было у него столько-то богатства, столько-то верблюдов, столько овец и ослов, и дети его веселились, и любил он их очень, и молил за них Бога: может, согрешили они, веселясь. И вот восходит к Богу диавол вместе с сынами божьими и говорит Господу, что прошел по всей земле и под землею. «А видел ли раба моего Иова?» — спрашивает его Бог. И похвалился Бог диаволу, указав на великого святого раба своего. И усмехнулся диавол на слова божии: «Предай его мне и увидишь, что возропщет раб твой и проклянет твое имя». И предал Бог своего праведника, столь им любимого, диаволу, и поразил диавол детей его, и скот его, и разметал богатство его, всё вдруг, как божиим громом, и разодрал Иов одежды свои, и бросился на землю, и возопил: «Наг вышел из чрева матери, наг и возвращусь в землю, Бог дал, Бог и взял. Буди имя Господне благословенно отныне и до века!» Отцы и учители, пощадите теперешние слезы мои — ибо всё младенчество мое как бы вновь восстает предо мною, и дышу теперь, как дышал тогда детскою восьмилетнею грудкой моею, и чувствую, как тогда, удивление, и смятение, и радость. И верблюды-то так тогда мое воображение заняли, и сатана, который так с Богом говорит, и Бог, отдавший раба своего на погибель, и раб его, восклицающий: «Буди имя твое благословенно, несмотря на то, что казнишь меня», — а затем тихое и сладостное пение во храме: «Да исправится молитва моя», и снова фимиам от кадила священника и коленопреклоненная молитва! С тех пор — даже вчера еще взял ее — и не могу читать эту пресвятую повесть без слез. А и сколько тут великого, тайного, невообразимого! Слышал я потом слова насмешников и хулителей, слова гордые: как это мог Господь отдать любимого из святых своих на потеху диаволу, отнять от него детей, поразить его самого болезнью и язвами так, что черепком счищал с себя гной своих ран, и для чего: чтобы только похвалиться пред сатаной: «Вот что, дескать, может вытерпеть святой мой ради меня!» Но в том и великое, что тут тайна, — что мимоидущий лик земной и вечная истина соприкоснулись тут вместе. Пред правдой земною совершается действие вечной правды. Тут творец, как и в первые дни творения, завершая каждый день похвалою: «Хорошо то, что я сотворил», — смотрит на Иова и вновь хвалится созданием своим. А Иов, хваля Господа, служит не только ему, но послужит и всему созданию его в роды и роды и во веки веков, ибо к тому и предназначен был. Господи, что это за книга и какие уроки! Что за книга это священное писание, какое чудо и какая сила, данные с нею человеку! Точно изваяние мира и человека и характеров человеческих, и названо всё и указано на веки веков. И сколько тайн разрешенных и откровенных: восстановляет Бог снова Иова, дает ему вновь богатство, проходят опять многие годы, и вот у него уже новые дети, другие, и любит он их — Господи: «Да как мог бы он, казалось, возлюбить этих новых, когда тех прежних нет, когда тех лишился? Вспоминая тех, разве можно быть счастливым в полноте, как прежде, с новыми, как бы новые ни были ему милы?» Но можно, можно: старое горе великою тайной жизни человеческой переходит постепенно в тихую умиленную радость; вместо юной кипучей крови наступает кроткая ясная старость: благословляю восход солнца ежедневный, и сердце мое по-прежнему поет ему, но уже более люблю закат его, длинные косые лучи его, а с ними тихие, кроткие, умиленные воспоминания, милые образы изо всей долгой и благословенной жизни — а надо всем-то правда Божия, умиляющая, примиряющая, всепрощающая! Кончается жизнь моя, знаю и слышу это, но чувствую на каждый оставшийся день мой, как жизнь моя земная соприкасается уже с новою, бесконечною, неведомою, но близко грядущею жизнью, от предчувствия которой трепещет восторгом душа моя, сияет ум и радостно плачет сердце... Други и учители, слышал я не раз, а теперь в последнее время еще слышнее стало о том, как у нас иереи Божии, а пуще всего сельские, жалуются слезно и повсеместно на малое свое содержание и на унижение свое и прямо заверяют, даже печатно, — читал сие сам, — что не могут они уже теперь будто бы толковать народу Писание, ибо мало у них содержания, и если приходят уже лютеране и еретики и начинают отбивать стадо, то и пусть отбивают, ибо мало-де у нас содержания. Господи! думаю, дай Бог им более сего столь драгоценного для них содержания (ибо справедлива и их жалоба), но воистину говорю: если кто виноват сему, то наполовину мы сами! Ибо пусть нет времени, пусть он справедливо говорит, что угнетен всё время работой и требами, но не всё же ведь время, ведь есть же и у него хоть час один во всю-то неделю, чтоб и о Боге вспомнить. Да и не круглый же год работа. Собери он у себя раз в неделю, в вечерний час, сначала лишь только хоть деток, — прослышат отцы, и отцы приходить начнут. Да и не хоромы же строить для сего дела, а просто к себе в избу прими; не страшись, не изгадят они твою избу, ведь всего-то на час один собираешь. Разверни-ка он им эту книгу и начни читать без премудрых слов и без чванства, без возношения над ними, а умиленно и кротко, сам радуясь тому, что читаешь им и что они тебя слушают и понимают тебя, сам любя словеса сии, изредка лишь остановись и растолкуй иное непонятное простолюдину слово, не беспокойся, поймут всё, всё поймет православное сердце! Прочти им об Аврааме и Сарре, об Исааке и Ревекке, о том, как Иаков пошел к Лавану и боролся во сне с Господом и сказал: «Страшно место сие», — и поразишь благочестивый ум простолюдина. Прочти им, а деткам особенно, о том, как братья продали в рабство родного брата своего, отрока милого, Иосифа, сновидца и пророка великого, а отцу сказали, что зверь растерзал его сына, показав окровавленную одежду его.

Прочти, как потом братья приезжали за хлебом в Египет, и Иосиф, уже царедворец великий, ими не узнанный, мучил их, обвинил, задержал брата Вениамина, и всё любя: «Люблю вас и, любя, мучаю». Ибо ведь всю жизнь свою вспоминал неустанно, как продали его где-нибудь там в горячей степи, у колодца, купцам, и как он, ломая руки, плакал и молил братьев не продавать его рабом в чужую землю, и вот, увидя их после стольких лет, возлюбил их вновь безмерно, но томил их и мучил их, всё любя. Уходит наконец от них, не выдержав сам муки сердца своего, бросается на одр свой и плачет; утирает потом лицо свое и выходит сияющ и светел и возвещает им: «Братья, я Иосиф, брат ваш!» Пусть прочтет он далее о том, как обрадовался старец Иаков, узнав, что жив еще его милый мальчик, и потянулся в Египет, бросив даже отчизну, и умер в чужой земле, изрекши на веки веков в завещании своем величайшее слово, вмещавшееся таинственно в кротком и боязливом сердце его во всю его жизнь, о том, что от рода его, от Иуды, выйдет великое чаяние мира, примиритель и спаситель его! Отцы и учители, простите и не сердитесь, что как малый младенец толкую о том, что давно уже знаете и о чем меня же научите, стократ искуснее и благолепнее. От восторга лишь говорю сие, и простите слезы мои, ибо люблю книгу сию! Пусть заплачет и он, иерей Божий, и увидит, что сотрясутся в ответ ему сердца его слушающих. Нужно лишь малое семя, крохотное: брось он его в душу простолюдина, и не умрет оно, будет жить в душе его во всю жизнь, таиться в нем среди мрака, среди смрада грехов его, как светлая точка, как великое напоминание. И не надо, не надо много толковать и учить, всё поймет он просто. Думаете ли вы, что не поймет простолюдин? Попробуйте прочтите ему далее повесть, трогательную и умилительную, о прекрасной Эсфири и надменной Вастии; или чудное сказание о пророке Ионе во чреве китове. Не забудьте тоже притчи господни, преимущественно по Евангелию от Луки (так я делал), а потом из Деяний апостольских обращение Савла (это непременно, непременно!), а наконец, и из Четьи-Миней хотя бы житие Алексея человека божия и великой из великих радостной страдалицы, боговидицы и христоносицы матери Марии Египтяныни — и пронзишь ему сердце его сими простыми сказаниями, и всего-то лишь час в неделю, невзирая на малое свое содержание, один часок.

И увидит сам, что милостив народ наш и благодарен, отблагодарит во сто крат; помня радение иерея и умиленные слова его, поможет ему на ниве его добровольно, поможет и в дому его, да и уважением воздаст ему бо́льшим прежнего — вот уже и увеличится содержание его. Дело столь простодушное, что иной раз боимся даже и высказать, ибо над тобою же засмеются, а между тем сколь оно верное! Кто не верит в Бога, тот и в народ божий не поверит. Кто же уверовал в народ божий, тот узрит и святыню его, хотя бы и сам не верил в нее до того вовсе. Лишь народ и духовная сила его грядущая обратит отторгнувшихся от родной земли атеистов наших. И что за слово Христово без примера? Гибель народу без слова божия, ибо жаждет душа его слова и всякого прекрасного восприятия. В юности моей, давно уже, чуть не сорок лет тому, ходили мы с отцом Анфимом по всей Руси, собирая на монастырь подаяние, и заночевали раз на большой реке судоходной, на берегу, с рыбаками, а вместе с нами присел один благообразный юноша, крестьянин, лет уже восемнадцати на вид, поспешал он к своему месту назавтра купеческую барку бечевою тянуть. И вижу я, смотрит он пред собой умиленно и ясно. Ночь светлая, тихая, теплая, июльская, река широкая, пар от нее поднимается, свежит нас, слегка всплеснет рыбка, птички замолкли, всё тихо, благолепно, всё Богу молится. И не спим мы только оба, я да юноша этот, и разговорились мы о красе мира сего божьего и о великой тайне его. Всякая-то травка, всякая-то букашка, муравей, пчелка золотая, все-то до изумления знают путь свой, не имея ума, тайну божию свидетельствуют, беспрерывно совершают ее сами, и, вижу я, разгорелось сердце милого юноши. Поведал он мне, что лес любит, птичек лесных; был он птицелов, каждый их свист понимал, каждую птичку приманить умел; лучше того как в лесу ничего я, говорит, не знаю, да и всё хорошо. «Истинно, — отвечаю ему, — всё хорошо и великолепно, потому что всё истина. Посмотри, — говорю ему, — на коня, животное великое, близ человека стоящее, али на вола, его питающего и работающего ему, понурого и задумчивого, посмотри на лики их: какая кротость, какая привязанность к человеку, часто бьющему его безжалостно, какая незлобивость, какая доверчивость и какая красота в его лике. Трогательно даже это и знать, что на нем нет никакого греха, ибо всё совершенно, всё, кроме человека, безгрешно, и с ними Христос еще раньше нашего». — «Да неужто, — спрашивает юноша, — и у них Христос?» — «Как же может быть иначе, — говорю ему, — ибо для всех слово, всё создание и вся тварь, каждый листик устремляется к слову, Богу славу поет, Христу плачет, себе неведомо, тайной жития своего безгрешного совершает сие. Вон, — говорю ему, — в лесу скитается страшный медведь, грозный и свирепый, и ничем-то в том не повинный». И рассказал я ему, как приходил раз медведь к великому святому, спасавшемуся в лесу, в малой келейке, и умилился над ним великий святой, бесстрашно вышел к нему и подал ему хлеба кусок: «Ступай, дескать, Христос с тобой», и отошел свирепый зверь послушно и кротко, вреда не сделав. И умилился юноша на то, что отошел, вреда не сделав, и что и с ним Христос. «Ах, как, говорит, это хорошо, как всё божие хорошо и чудесно!» Сидит, задумался, тихо и сладко. Вижу, что понял. И заснул он подле меня сном легким, безгрешным. Благослови Господь юность! И помолился я тут за него сам, отходя ко сну. Господи, пошли мир и свет твоим людям!

в) Воспоминание о юностии молодости
старца Зосимы еще в миру.
Поединок

В Петербурге, в кадетском корпусе, пробыл я долго, почти восемь лет, и с новым воспитанием многое заглушил из впечатлений детских, хотя и не забыл ничего. Взамен того принял столько новых привычек и даже мнений, что преобразился в существо почти дикое, жестокое и нелепое. Лоск учтивости и светского обращения вместе с французским языком приобрел, а служивших нам в корпусе солдат считали мы все как за совершенных скотов, и я тоже. Я-то, может быть, больше всех, ибо изо всех товарищей был на всё восприимчивее. Когда вышли мы офицерами, то готовы были проливать свою кровь за оскорбленную полковую честь нашу, о настоящей же чести почти никто из нас и не знал, что она такое есть, а узнал бы, так осмеял бы ее тотчас же сам первый. Пьянством, дебоширством и ухарством чуть не гордились. Не скажу, чтобы были скверные; все эти молодые люди были хорошие, да вели-то себя скверно, а пуще всех я. Главное то, что у меня объявился свой капитал, а потому и пустился я жить в свое удовольствие, со всем юным стремлением, без удержу, поплыл на всех парусах. Но вот что дивно: читал я тогда и книги и даже с большим удовольствием; Библию же одну никогда почти в то время не развертывал, но никогда и не расставался с нею, а возил ее повсюду с собой: воистину берег эту книгу, сам того не ведая, «на день и час, на месяц и год». Прослужив этак года четыре, очутился я наконец в городе К., где стоял тогда наш полк. Общество городское было разнообразное, многолюдное и веселое, гостеприимное и богатое, принимали же меня везде хорошо, ибо был я отроду нрава веселого, да к тому же и слыл не за бедного, что в свете значит немало. Вот и случилось одно обстоятельство, послужившее началом всему. Привязался я к одной молодой и прекрасной девице, умной и достойной, характера светлого, благородного, дочери почтенных родителей. Люди были немалые, имели богатство, влияние и силу, меня принимали ласково и радушно. И вот покажись мне, что девица расположена ко мне сердечно, — разгорелось мое сердце при таковой мечте. Потом уж сам постиг и вполне догадался, что, может быть, вовсе я ее и не любил с такою силой, а только чтил ее ум и характер возвышенный, чего не могло не быть. Себялюбие, однако же, помешало мне сделать предложение руки в то время: тяжело и страшно показалось расстаться с соблазнами развратной, холостой и вольной жизни в таких юных летах, имея вдобавок и деньги. Намеки, однако ж, я сделал. Во всяком случае, отложил на малое время всякий решительный шаг. А тут вдруг случись командировка в другой уезд на два месяца. Возвращаюсь я через два месяца и вдруг узнаю, что девица уже замужем, за богатым пригородным помещиком, человеком хоть и старее меня годами, но еще молодым, имевшим связи в столице и в лучшем обществе, чего я не имел, человеком весьма любезным и сверх того образованным, а уж образования-то я не имел вовсе. Так я был поражен этим неожиданным случаем, что даже ум во мне помутился. Главное же в том заключалось, что, как узнал я тогда же, был этот молодой помещик женихом ее уже давно и что сам же я встречал его множество раз в ихнем доме, но не примечал ничего, ослепленный своими достоинствами. Но вот это-то по преимуществу меня и обидело:

как же это, все почти знали, а я один ничего не знал? И почувствовал я вдруг злобу нестерпимую. С краской в лице начал вспоминать, как много раз почти высказывал ей любовь мою, а так как она меня не останавливала и не предупредила, то, стало быть, вывел я, надо мною смеялась. Потом, конечно, сообразил и припомнил, что нисколько она не смеялась, сама же, напротив, разговоры такие шутливо прерывала и зачинала на место их другие, — но тогда сообразить этого я не смог и запылал отомщением. Вспоминаю с удивлением, что отомщение сие и гнев мой были мне самому до крайности тяжелы и противны, потому что, имея характер легкий, не мог подолгу ни на кого сердиться, а потому как бы сам искусственно разжигал себя и стал наконец безобразен и нелеп. Выждал я время и раз в большом обществе удалось мне вдруг «соперника» моего оскорбить будто бы из-за самой посторонней причины, подсмеяться над одним мнением его об одном важном тогда событии — в двадцать шестом году дело было — и подсмеяться, говорили люди, удалось остроумно и ловко. Затем вынудил у него объяснение и уже до того обошелся при объяснении грубо, что вызов мой он принял, несмотря на огромную разницу между нами, ибо был я и моложе его, незначителен и чина малого. Потом уж я твердо узнал, что принял он вызов мой как бы тоже из ревнивого ко мне чувства: ревновал он меня и прежде, немножко, к жене своей, еще тогда невесте; теперь же подумал, что если та узнает, что он оскорбление от меня перенес, а вызвать на поединок не решился, то чтобы не стала она невольно презирать его и не поколебалась любовь ее. Секунданта я достал скоро, товарища, нашего же полка поручика. Тогда хоть и преследовались поединки жестоко, но была на них как бы даже мода между военными — до того дикие нарастают и укрепляются иногда предрассудки. Был в исходе июнь, и вот встреча наша назавтра, за городом, в семь часов утра — и воистину случилось тут со мной нечто как бы роковое. С вечера возвратившись домой, свирепый и безобразный, рассердился я на моего денщика Афанасия и ударил его изо всей силы два раза по лицу, так что окровавил ему лицо. Служил он у меня еще недавно, и случалось и прежде, что ударял его, но никогда с такою зверскою жестокостью. И верите ли, милые, сорок лет тому минуло времени, а припоминаю и теперь о том со стыдом и мукой. Лег я спать, заснул часа три, встаю, уже начинается день. Я вдруг поднялся, спать более не захотел, подошел к окну, отворил — отпиралось у меня в сад, — вижу, восходит солнышко, тепло, прекрасно, зазвенели птички. Что же это, думаю, ощущаю я в душе моей как бы нечто позорное и низкое? Не оттого ли, что кровь иду проливать? Нет, думаю, как будто и не оттого. Не оттого ли, что смерти боюсь, боюсь быть убитым? Нет, совсем не то, совсем даже не то... И вдруг сейчас же и догадался, в чем было дело: в том, что я с вечера избил Афанасия! Всё мне вдруг снова представилось, точно вновь повторилось: стоит он предо мною, а я бью его с размаху прямо в лицо, а он держит руки по швам, голову прямо, глаза выпучил как во фронте, вздрагивает с каждым ударом и даже руки поднять, чтобы заслониться, не смеет — и это человек до того доведен, и это человек бьет человека! Экое преступление! Словно игла острая прошла мне всю душу насквозь. Стою я как ошалелый, а солнышко-то светит, листочки-то радуются, сверкают, а птички-то, птички-то Бога хвалят... Закрыл я обеими ладонями лицо, повалился на постель и заплакал навзрыд. И вспомнил я тут моего брата Маркела и слова его пред смертью слугам: «Милые мои, дорогие, за что вы мне служите, за что меня любите, да и стою ли я, чтобы служить-то мне?» — «Да, стою ли», — вскочило мне вдруг в голову. В самом деле, чем я так стою, чтобы другой человек, такой же, как я, образ и подобие божие, мне служил? Так и вонзился мне в ум в первый раз в жизни тогда этот вопрос. «Матушка, кровинушка ты моя, воистину всякий пред всеми за всех виноват, не знают только этого люди, а если б узнали — сейчас был бы рай!» «Господи, да неужто же и это неправда, — плачу я и думаю, — воистину я за всех, может быть, всех виновнее, да и хуже всех на свете людей!» И представилась мне вдруг вся правда, во всем просвещении своем: что я иду делать? Иду убивать человека доброго, умного, благородного, ни в чем предо мной не повинного, а супругу его тем навеки счастья лишу, измучаю и убью. Лежал я так на постели ничком, лицом в подушку и не заметил вовсе, как и время прошло. Вдруг входит мой товарищ, поручик, за мной, с пистолетами: «А, говорит, вот это хорошо, что ты уже встал, пора, идем». Заметался я тут, совсем потерялся, вышли мы, однако же, садиться в коляску: «Погоди здесь время, — говорю ему, — я в один миг сбегаю, кошелек забыл». И вбежал один в квартиру обратно, прямо в каморку к Афанасию: «Афанасий, говорю, я вчера тебя ударил два раза по лицу, прости ты меня», — говорю. Он так и вздрогнул, точно испугался, глядит — и вижу я, что этого мало, мало, да вдруг, так, как был, в эполетах-то, бух ему в ноги лбом до земли: «Прости меня!» — говорю. Тут уж он и совсем обомлел: «Ваше благородие, батюшка барин, да как вы... да стою ли я...» — и заплакал вдруг сам, точно как давеча я, ладонями обеими закрыл лицо, повернулся к окну и весь от слез так и затрясся, я же выбежал к товарищу, влетел в коляску, «вези» кричу. «Видал, — кричу ему, — победителя — вот он пред тобою!» Восторг во мне такой, смеюсь, всю дорогу говорю, говорю, не помню уж, что и говорил. Смотрит он на меня: «Ну, брат, молодец же ты, вижу, что поддержишь мундир». Так приехали мы на место, а они уже там, нас ожидают. Расставили нас, в двенадцати шагах друг от друга, ему первый выстрел — стою я пред ним веселый, прямо лицом к лицу, глазом не смигну, любя на него гляжу, знаю, что сделаю. Выстрелил он, капельку лишь оцарапало мне щеку да за ухо задело. «Слава богу, кричу, не убили человека!» — да свой-то пистолет схватил, оборотился назад, да швырком, вверх, в лес и пустил: «Туда, кричу, тебе и дорога!» Оборотился к противнику: «Милостивый государь, говорю, простите меня, глупого молодого человека, что по вине моей вас разобидел, а теперь стрелять в себя заставил. Сам я хуже вас в десять крат, а пожалуй, еще и того больше. Передайте это той особе, которую чтите больше всех на свете». Только что я это проговорил, так все трое они и закричали: «Помилуйте, — говорит мой противник, рассердился даже, — если вы не хотели драться, к чему же беспокоили?» — «Вчера, — говорю ему, — еще глуп был, а сегодня поумнел», — весело так ему отвечаю. «Верю про вчерашнее, говорит, но про сегодняшнее трудно заключить по вашему мнению». — «Браво, — кричу ему, в ладоши захлопал, — я с вами и в этом согласен, заслужил!» — «Будете ли, милостивый государь, стрелять, или нет?» — «Не буду, говорю, а вы, если хотите, стреляйте еще раз, только лучше бы вам не стрелять». Кричат и секунданты, особенно мой: «Как это срамить полк, на барьере стоя, прощения просить; если бы только я это знал!» Стал я тут пред ними пред всеми и уже не смеюсь: «Господа мои, говорю, неужели так теперь для нашего времени удивительно встретить человека, который бы сам покаялся в своей глупости и повинился, в чем сам виноват, публично?» — «Да не на барьере же», — кричит мой секундант опять. «То-то вот и есть, — отвечаю им, — это-то вот и удивительно, потому следовало бы мне повиниться, только что прибыли сюда, еще прежде ихнего выстрела, и не вводить их в великий и смертный грех, но до того безобразно, говорю, мы сами себя в свете устроили, что поступить так было почти и невозможно, ибо только после того, как я выдержал их выстрел в двенадцати шагах, слова мои могут что-нибудь теперь для них значить, а если бы до выстрела, как прибыли сюда, то сказали бы просто: трус, пистолета испугался и нечего его слушать. Господа, — воскликнул я вдруг от всего сердца, — посмотрите кругом на дары божии: небо ясное, воздух чистый, травка нежная, птички, природа прекрасная и безгрешная, а мы, только мы одни безбожные и глупые и не понимаем, что жизнь есть рай, ибо стоит только нам захотеть понять, и тотчас же он настанет во всей красоте своей, обнимемся мы и заплачем...» Хотел я и еще продолжать, да не смог, дух даже у меня захватило, сладостно, юно так, а в сердце такое счастье, какого и не ощущал никогда во всю жизнь. «Благоразумно всё это и благочестиво, — говорит мне противник, — и во всяком случае человек вы оригинальный». — «Смейтесь, — смеюсь и я ему, — а потом сами похвалите». — «Да я готов и теперь, говорит, похвалить, извольте, я протяну вам руку, потому, кажется, вы действительно искренний человек». — «Нет, говорю, сейчас не надо, а потом, когда я лучше сделаюсь и уважение ваше заслужу, тогда протяните — хорошо сделаете». Воротились мы домой, секундант мой всю-то дорогу бранится, а я-то его целую. Тотчас все товарищи прослышали, собрались меня судить в тот же день: «мундир, дескать, замарал, пусть в отставку подает». Явились и защитники: «Выстрел всё же, говорят, он выдержал». — «Да, но побоялся других выстрелов и попросил на барьере прощения». — «А кабы побоялся выстрелов, — возражают защитники, — так из своего бы пистолета сначала выстрелил, прежде чем прощения просить, а он в лес его еще заряженный бросил, пет, тут что-то другое вышло, оригинальное». Слушаю я, весело мне на них глядя. «Любезнейшие мои, — говорю я, — друзья и товарищи, не беспокойтесь, чтоб я в отставку подал, потому что это я уже и сделал, я уже подал, сегодня же в канцелярии, утром, и когда получу отставку, тогда тотчас же в монастырь пойду, для того и в отставку подаю». Как только я это сказал, расхохотались все до единого: «Да ты б с самого начала уведомил, ну теперь всё и объясняется, монаха судить нельзя», — смеются, не унимаются, да и не насмешливо вовсе, а ласково так смеются, весело, полюбили меня вдруг все, даже самые ярые обвинители, и потом весь-то этот месяц, пока отставка не вышла, точно на руках меня носят: «Ах ты, монах», — говорят. И всякий-то мне ласковое слово скажет, отговаривать начали, жалеть даже: «Что ты над собой делаешь?» — «Нет, говорят, он у нас храбрый, он выстрел выдержал и из своего пистолета выстрелить мог, а это ему сон накануне приснился, чтоб он в монахи пошел, вот он отчего». Точно то же почти произошло и в городском обществе. Прежде особенно-то и не примечали меня, а только принимали с радушием, а теперь вдруг все наперерыв узнали и стали звать к себе: сами смеются надо мной, а меня же любят. Замечу тут, что хотя о поединке нашем все вслух тогда говорили, но начальство это дело закрыло, ибо противник мой был генералу нашему близким родственником, а так как дело обошлось без крови, а как бы в шутку, да и я, наконец, в отставку подал, то и повернули действительно в шутку. И стал я тогда вслух и безбоязненно говорить, несмотря на их смех, потому что всё же был смех не злобный, а добрый. Происходили же все эти разговоры больше по вечерам в дамском обществе, женщины больше тогда полюбили меня слушать и мужчин заставляли. «Да как же это можно, чтоб я за всех виноват был, — смеется мне всякий в глаза, — ну разве я могу быть за вас, например, виноват?» — «Да где, — отвечаю им, — вам это и познать, когда весь мир давно уже на другую дорогу вышел и когда сущую ложь за правду считаем да и от других такой же лжи требуем. Вот я раз в жизни взял да и поступил искренно, и что же, стал для всех вас точно юродивый: хоть и полюбили меня, а всё же надо мной, говорю, смеетесь». — «Да как вас такого не любить?» — смеется мне вслух хозяйка, а собрание у ней было многолюдное. Вдруг, смотрю, подымается из среды дам та самая молодая особа, из-за которой я тогда на поединок вызвал и которую столь недавно еще в невесты себе прочил, а я и не заметил, как она теперь на вечер приехала. Поднялась, подошла ко мне, протянула руку: «Позвольте мне, говорит, изъяснить вам, что я первая не смеюсь над вами, а, напротив, со слезами благодарю вас и уважение мое к вам заявляю за тогдашний поступок ваш». Подошел тут и муж ее, а затем вдруг и все ко мне потянулись, чуть меня не целуют. Радостно мне так стало, но пуще всех заметил я вдруг тогда одного господина, человека уже пожилого, тоже ко мне подходившего, которого я хотя прежде и знал по имени, но никогда с ним знаком не был и до сего вечера даже и слова с ним не сказал.

г) Таинственный посетитель

Был он в городе нашем на службе уже давно, место занимал видное, человек был уважаемый всеми, богатый, славился благотворительностью, пожертвовал значительный капитал на богадельню и на сиротский дом и много, кроме того, делал благодеяний тайно, без огласки, что всё потом по смерти его и обнаружилось. Лет был около пятидесяти, и вид имел почти строгий, был малоречив; женат же был не более десяти лет с супругой еще молодою, от которой имел трех малолетних еще детей. Вот я на другой вечер сижу у себя дома, как вдруг отворяется моя дверь и входит ко мне этот самый господин.

А надо заметить, что жил я тогда уже не на прежней квартире, а как только подал в отставку, съехал на другую и нанял у одной старой женщины, вдовы чиновницы, и с ее прислугой, ибо и переезд-то мой на сию квартиру произошел лишь потому только, что я Афанасия в тот же день, как с поединка воротился, обратно в роту препроводил, ибо стыдно было в глаза ему глядеть после давешнего моего с ним поступка — до того наклонен стыдиться неприготовленный мирской человек даже иного справедливейшего своего дела.

«Я, — говорит мне вошедший ко мне господин, — слушаю вас уже несколько дней в разных домах с большим любопытством и пожелал наконец познакомиться лично, чтобы поговорить с вами еще подробнее. Можете вы оказать мне, милостивый государь, таковую великую услугу?» —

«Могу, говорю, с превеликим моим удовольствием и почту за особую честь», — говорю это ему, а сам почти испугался, до того он меня с первого разу тогда поразил. Ибо хоть и слушали меня и любопытствовали, но никто еще с таким серьезным и строгим внутренним видом ко мне не подходил. А этот еще сам в квартиру ко мне пришел. Сел он. «Великую, — продолжает он, — вижу в вас силу характера, ибо не побоялись истине послужить в таком деле, в каком рисковали, за свою правду, общее презрение от всех понести». — «Вы, может быть, очень меня преувеличенно хвалите», — говорю ему. «Нет, не преувеличенно, — отвечает мне, — поверьте, что совершить таковой поступок гораздо труднее, чем вы думаете. Я, собственно, — продолжает он, — этим только и поразился и за этим к вам и пришел. Опишите мне, если не побрезгаете столь непристойным, может быть, моим любопытством, что именно ощущали вы в ту минуту, когда на поединке решились просить прощения, если только запомните? Не сочтите вопрос мой за легкомыслие; напротив, имею, задавая таковой вопрос, свою тайную цель, которую, вероятно, и объясню вам впоследствии, если угодно будет Богу сблизить нас еще короче».

Всё время, как он говорил это, глядел я ему прямо в лицо и вдруг ощутил к нему сильнейшую доверенность, а кроме того, и необычайное и с моей стороны любопытство, ибо почувствовал, что есть у него в душе какая-то своя особая тайна.

«Вы спрашиваете, что я именно ощущал в ту минуту, когда у противника прощения просил, — отвечаю я ему, — но я вам лучше с самого начала расскажу, чего другим еще не рассказывал», — и рассказал ему всё, что произошло у меня с Афанасием и как поклонился ему до земли. «Из сего сами можете видеть, — заключил я ему, — что уже во время поединка мне легче было, ибо начал я еще дома, и раз только на эту дорогу вступил, то всё дальнейшее пошло не только не трудно, а даже радостно и весело».

Выслушал он, смотрит так хорошо на меня: «Всё это, говорит, чрезвычайно как любопытно, я к вам еще и еще приду». И стал с тех пор ко мне ходить чуть не каждый вечер. И сдружились бы мы очень, если б он мне и о себе говорил. Но о себе он не говорил почти ни слова, а всё меня обо мне же расспрашивал. Несмотря на то, я очень его полюбил и совершенно ему доверился во всех моих чувствах, ибо мыслю: на что мне тайна его, вижу и без сего, что праведен человек. К тому же еще человек столь серьезный и неравный мне летами, а ходит ко мне, юноше, и мною не брезгает. И многому я от него научился полезному, ибо высокого ума был человек. «Что жизнь есть рай, — говорит вдруг мне, — об этом я давно уже думаю, — и вдруг прибавил: — Только об этом и думаю». Смотрит на меня и улыбается. «Я больше вашего в этом, говорит, убежден, потом узнаете почему». Слушаю я это и думаю про себя: «Это он, наверно, хочет мне нечто открыть». — «Рай, говорит, в каждом из нас затаен, вот он теперь и во мне кроется, и, захочу, завтра же настанет он для меня в самом деле и уже на всю мою жизнь». Гляжу: с умилением говорит и таинственно на меня смотрит, точно вопрошает меня. «А о том, продолжает, что всякий человек за всех и за вся виноват, помимо своих грехов, о том вы совершенно правильно рассудили, и удивительно, как вы вдруг в такой полноте могли сию мысль обнять. И воистину верно, что когда люди эту мысль поймут, то настанет для них царствие небесное уже не в мечте, — а в самом деле». — «А когда, — воскликнул я ему тут с горестию, — сие сбудется, и сбудется ли еще когда-нибудь? Не мечта ли сие лишь только?» — «А вот уж вы, говорит, не веруете, проповедуете и сами не веруете. Знайте же, что несомненно сия мечта, как вы говорите, сбудется, тому верьте, но не теперь, ибо на всякое действие свой закон. Дело это душевное, психологическое. Чтобы переделать мир по-новому, надо, чтобы люди сами психически повернулись на другую дорогу. Раньше, чем не сделаешься в самом деле всякому братом, не наступит братства. Никогда люди никакою наукой и никакою выгодой не сумеют безобидно разделиться в собственности своей и в правах своих. Всё будет для каждого мало, и всё будут роптать, завидовать и истреблять друг друга. Вы спрашиваете, когда сие сбудется. Сбудется, но сначала должен заключиться период человеческого *уединения*». — «Какого это уединения?» — спрашиваю его. «А такого, какое теперь везде царствует, и особенно в нашем веке, но не заключился еще весь и не пришел еще срок ему. Ибо всякий-то теперь стремится отделить свое лицо наиболее, хочет испытать в себе самом полноту жизни, а между тем выходит изо всех его усилий вместо полноты жизни лишь полное самоубийство, ибо вместо полноты определения существа своего впадают в совершенное уединение. Ибо все-то в наш век разделились на единицы, всякий уединяется в свою нору, всякий от другого отдаляется, прячется и, что имеет, прячет и кончает тем, что сам от людей отталкивается и сам людей от себя отталкивает. Копит уединенно богатство и думает: сколь силен я теперь и сколь обеспечен, а и не знает безумный, что чем более копит, тем более погружается в самоубийственное бессилие. Ибо привык надеяться на себя одного и от целого отделился единицей, приучил свою душу не верить в людскую помощь, в людей и в человечество, и только и трепещет того, что пропадут его деньги и приобретенные им права его. Повсеместно ныне ум человеческий начинает насмешливо не понимать, что истинное обеспечение лица состоит в не личном уединенном его усилии, а в людской общей целостности. Но непременно будет так, что придет срок и сему страшному уединению, и поймут все разом, как неестественно отделились один от другого. Таково уже будет веяние времени, и удивятся тому, что так долго сидели во тьме, а света не видели. Тогда и явится знамение сына человеческого на небеси... Но до тех пор надо все-таки знамя беречь, и нет-нет, а хоть единично должен человек вдруг пример показать и вывести душу из уединения на подвиг братолюбивого общения, хотя бы даже и в чине юродивого. Это чтобы не умирала великая мысль...»

Вот в таких-то пламенных и восторгающих беседах проходили вечера наши один за другим. Я даже и общество бросил и гораздо реже стал появляться в гостях, кроме того что и мода на меня начала проходить. Говорю сие не в осуждение, ибо продолжали меня любить и весело ко мне относиться; но в том, что мода действительно в свете царица немалая, в этом всё же надо сознаться. На таинственного же посетителя моего стал я наконец смотреть в восхищении, ибо, кроме наслаждения умом его, начал предчувствовать, что питает он в себе некий замысел и готовится к великому, может быть, подвигу. Может, и то ему нравилось, что я наружно не любопытствовал о секрете его, ни прямо, ни намеком не расспрашивал. Но заметил я наконец, что и сам он как бы начал уже томиться желанием открыть мне нечто. По крайней мере это уже очень стало видно примерно месяц спустя, как он стал посещать меня. «Знаете ли вы, — спросил он меня однажды, — что в городе очень о нас обоих любопытствуют и дивятся тому, что я к вам столь часто хожу; но пусть их, ибо *скоро всё объяснится*». Иногда вдруг нападало на него чрезвычайное волнение, и почти всегда в таких случаях он вставал и уходил. Иногда же долго и как бы пронзительно смотрит на меня — думаю: «Что-нибудь сейчас да и скажет», а он вдруг перебьет и заговорит о чем-нибудь известном и обыкновенном. Стал тоже часто жаловаться на головную боль. И вот однажды, совсем даже неожиданно, после того как он долго и пламенно говорил, вижу, что он вдруг побледнел, лицо совсем перекосилось, сам же на меня глядит как в упор.

— Что с вами, — говорю, — уж не дурно ли вам?

А он именно на головную боль жаловался.

— Я... знаете ли вы... я... человека убил.

Проговорил да улыбается, а сам белый как мел. «Зачем это он улыбается», — пронзила мне мысль эта вдруг сердце, прежде чем я еще что-либо сообразил. Сам я побледнел.

— Что вы это? — кричу ему.

— Видите ли, — отвечает мне всё с бледною усмеш-кой, — как дорого мне стоило сказать первое слово. Теперь сказал и, кажется, стал на дорогу. Поеду.

Долго я ему не верил, да и не в один раз поверил, а лишь после того, как он три дня ходил ко мне и всё мне в подробности рассказал. Считал его за помешанного, но кончил тем, что убедился наконец явно с превеликою го-рестью и удивлением. Было им совершено великое и страш-ное преступление, четырнадцать лет пред тем, над одною богатою госпожой, молодою и прекрасною собой, вдовой помещицей, имевшею в городе нашем для приезда собст-венный дом. Почувствовав к ней любовь великую, сделал он ей изъяснение в любви и начал склонять ее выйти за него замуж. Но она отдала уже свое сердце другому, одному знатному не малого чина военному, бывшему в то время в походе и которого ожидала она, однако, скоро к себе. Пред-ложение его она отвергла, а его попросила к себе не ходить. Перестав ходить, он, зная расположение ее дома, пробрался к ней ночью из сада чрез крышу, с превеликою дерзостью, рискуя быть обнаруженным. Но, как весьма часто бывает, все с необыкновенною дерзостью совершаемые преступле-ния чаще других и удаются. Чрез слуховое окно войдя на чердак дома, он спустился к ней вниз в жилые комнаты по лесенке, с чердака, зная, что дверь, бывшая в конце лесенки, не всегда по небрежности слуг запиралась на замок. Понадеялся на оплошность сию и в сей раз и как раз застал. Пробравшись в жилые покои, он, в темноте, прошел в ее спальню, в которой горела лампада. И, как нарочно, обе горничные ее девушки ушли потихоньку без спросу, по соседству, на именинную пирушку, случившуюся в той же улице. Остальные же слуги и служанки спали в людских и в кухне, в нижнем этаже. При виде спящей разгорелась в нем страсть, а затем схватила его сердце мстительная ревнивая злоба, и, не помня себя, как пьяный, подошел и вонзил ей нож прямо в сердце, так что она и не вскрикнула. Затем с адским и с преступнейшим расчетом устроил так, чтобы подумали на слуг: не побрезгал взять ее кошелек, отворил ключами, которые вынул из-под подушки, ее комод и захватил из него некоторые вещи, именно так, как бы сделал невежа слуга, то есть ценные бумаги оставил, а взял одни деньги, взял несколько золотых вещей покрупнее, а драгоценнейшими в десять раз, но малыми вещами пренебрег. Захватил и еще кое-что себе на память, но о сем после. Совершив сие ужасное дело, вышел прежним путем. Ни на другой день, когда поднялась тревога, и никогда потом во всю жизнь, никому и в голову не пришло заподозрить настоящего злодея! Да и о любви его к ней никто не знал, ибо был и всегда характера молчаливого и несообщительного, и друга, которому поверял бы душу свою, не имел. Считали же его просто знакомым убитой и даже не столь близким, ибо в последние две недели он и не посещал ее. Заподозрили же тотчас крепостного слугу ее Петра, и как раз сошлись все обстоятельства, чтоб утвердить сие подозрение, ибо слуга этот знал, и покойница сама не скрывала, что намерена его в солдаты отдать, в зачет следуемого с ее крестьян рекрута, так как был одинок и дурного сверх того поведения. Слышали, как он в злобе, пьяный, грозился в питейном доме убить ее. За два же дня до ее кончины сбежал и проживал где-то в городе в неизвестных местах. На другой же день после убийства нашли его на дороге, при выезде из города, мертво пьяного, имевшего в кармане своем нож, да еще с запачканною почему-то в крови правою ладонью. Утверждал, что кровь шла из носу, но ему не поверили. Служанки же повинились, что были на пирушке и что входные двери с крыльца оставались незапертыми до их возвращения. Да и множество сверх того являлось подобных сему признаков, по которым неповинного слугу и захватили. Арестовали его и начали суд, но как раз через неделю арестованный заболел в горячке и умер в больнице без памяти. Тем дело и кончилось, предали воле божьей, и все — и судьи, и начальство, и всё общество — остались убеждены, что совершил преступление никто как умерший слуга. А засим началось наказание.

Таинственный гость, а теперь уже друг мой, поведал мне, что вначале даже и совсем не мучился угрызениями совести. Мучился долго, но не тем, а лишь сожалением, что убил любимую женщину, что ее нет уже более, что, убив ее, убил любовь свою, тогда как огонь страсти оставался в крови его. Но о пролитой неповинной крови, об убийстве человека он почти тогда и не мыслил. Мысль же о том, что жертва его могла стать супругой другому, казалась ему невозможною, а потому долгое время убежден был в совести своей, что и не мог поступить иначе. Томил его несколько вначале арест слуги, но скорая болезнь, а потом и смерть арестанта успокоили его, ибо умер тот, по всей очевидности (рассуждал он тогда), не от ареста или испуга, а от простудной болезни, приобретенной именно во дни его бегов, когда он, мертво пьяный, валялся целую ночь на сырой земле. Краденые же вещи и деньги мало смущали его, ибо (всё так же рассуждал он) сделана кража не для корысти, а для отвода подозрений в другую сторону. Сумма же краденого была незначительная, и он вскорости всю эту сумму, и даже гораздо бо́льшую, пожертвовал на учредившуюся у нас в городе богадельню. Нарочно сделал сие для успокоения совести насчет кражи, и, замечательно, на время, и даже долгое, действительно успокоился — сам передавал мне это. Пустился он тогда в большую служебную деятельность, сам напросился на хлопотливое и трудное поручение, занимавшее его года два, и, будучи характера сильного, почти забывал происшедшее; когда же вспоминал, то старался не думать о нем вовсе. Пустился и в благотворительность, много устроил и пожертвовал в нашем городе, заявил себя и в столицах, был избран в Москве и в Петербурге членом тамошних благотворительных обществ. Но всё же стал наконец задумываться с мучением, не в подъем своим силам. Тут понравилась ему одна прекрасная и благоразумная девица, и он вскорости женился на ней, мечтая, что женитьбой прогонит уединенную тоску свою, а вступив на новую дорогу и исполняя ревностно долг свой относительно жены и детей, удалится от старых воспоминаний вовсе. Но как раз случилось противное сему ожиданию. Еще в первый месяц брака стала его смущать беспрерывная мысль: «Вот жена любит меня, ну что, если б она узнала?» Когда стала беременна первым ребенком и поведала ему это, он вдруг смутился: «Даю жизнь, а сам отнял жизнь». Пошли дети: «Как я смею любить, учить и воспитать их, как буду про добродетель им говорить: я кровь пролил». Дети растут прекрасные, хочется их ласкать: «А я не могу смотреть на их невинные, ясные лики; недостоин того». Наконец начала ему грозно и горько мерещиться кровь убитой жертвы, погубленная молодая жизнь ее, кровь, вопиющая об отмщении. Стал он видеть ужасные сны. Но будучи тверд сердцем, сносил муку долго: «Искуплю всё сею тайною мукой моею». Но напрасная была и сия надежда: чем дальше, тем сильнее становилось страдание. В обществе за благотворительную деятельность стали его уважать, хотя и боялись все строгого и мрачного характера его, но чем более стали уважать его, тем становилось ему невыносимее. Признавался мне, что думал было убить себя. Но вместо того начала мерещиться ему иная мечта, — мечта, которую считал он вначале невозможною и безумною, но которая так присосалась наконец к его сердцу, что и оторвать нельзя было. Мечтал он так: восстать, выйти пред народом и объявить всем, что убил человека. Года три он проходил с этою мечтой, мерещилась она ему всё в разных видах. Наконец уверовал всем сердцем своим, что, объявив свое преступление, излечит душу свою несомненно и успокоится раз навсегда. Но, уверовав, почувствовал в сердце ужас, ибо: как исполнить? И вдруг произошел этот случай на моем поединке. «Глядя на вас, я теперь решился». Я смотрю на него.

— И неужели, — воскликнул я ему, всплеснув руками, — такой малый случай мог решимость такую в вас породить?

— Решимость моя три года рождалась, — отвечает мне, — а случай ваш дал ей только толчок. Глядя на вас, упрекнул себя и вам позавидовал, — проговорил он мне это даже с суровостью.

— Да вам и не поверят, — заметил я ему, — четырнадцать лет прошло.

— Доказательства имею, великие. Представлю.

И заплакал я тогда, облобызал его.

— Одно решите мне, одно! — сказал он мне (точно от меня теперь всё и зависело), — жена, дети! Жена умрет, может быть, с горя, а дети хоть и не лишатся дворянства и имения, — но дети варнака, и навек. А память-то, память какую в сердцах их по себе оставлю!

Молчу я.

— А расстаться-то с ними, оставить навеки? Ведь навек, навек!

Сижу я, молча про себя молитву шепчу. Встал я наконец, страшно мне стало.

— Что же? — смотрит на меня.

— Идите, — говорю, — объявите людям. Всё минется, одна правда останется. Дети поймут, когда вырастут, сколько в великой решимости вашей было великодушия.

Ушел он тогда от меня как бы и впрямь решившись. Но всё же более двух недель потом ко мне ходил, каждый вечер сряду, всё приготовлялся, всё не мог решиться. Измучил он мое сердце. То приходит тверд и говорит с умилением:

— Знаю, что наступит рай для меня, тотчас же и наступит, как объявлю. Четырнадцать лет было во аде. Пострадать хочу. Приму страдание и жить начну. Неправдой свет пройдешь, да назад не воротишься. Теперь не только ближнего моего, но и детей моих любить не смею. Господи, да ведь поймут же дети, может быть, чего стоило мне страдание мое, и не осудят меня! Господь не в силе, а в правде.

— Поймут все подвиг ваш, — говорю ему, — не сейчас, так потом поймут, ибо правде послужили, высшей правде, неземной...

И уйдет он от меня как бы утешенный, а назавтра вдруг опять приходит злобный, бледный, говорит насмешливо:

— Каждый раз, как вхожу к вам, вы смотрите с таким любопытством: «Опять, дескать, не объявил?» Подождите, не презирайте очень. Не так ведь оно легко сделать, как вам кажется. Я, может быть, еще и не сделаю вовсе. Не пойдете же вы на меня доносить тогда, а?

А я, бывало, не только что смотреть с любопытством неразумным, я и взглянуть-то на него боялся. Измучен был я до болезни, и душа моя была полна слез. Ночной даже сон потерял.

— Я сейчас, — продолжает, — от жены. Понимаете ли вы, что такое жена? Детки, когда я уходил, прокричали мне: «Прощайте, папа, приходите скорее с нами „Детское чтение" читать». Нет, вы этого не понимаете! Чужая беда не дает ума.

Сам засверкал глазами, губы запрыгали. Вдруг стукнул о стол кулаком, так что вещи на столе вспрыгнули, — такой мягкий человек, в первый раз с ним случилось.

— Да нужно ли? — воскликнул, — да надо ли? Ведь никто осужден не был, никого в каторгу из-за меня не сослали, слуга от болезни помер. А за кровь пролиянную я мучениями был наказан. Да и не поверят мне вовсе, никаким доказательствам моим не поверят. Надо ли объявлять, надо ли? За кровь пролитую я всю жизнь готов еще мучиться, только чтобы жену и детей не поразить. Будет ли справедливо их погубить с собою? Не ошибаемся ли мы? Где тут правда? Да и познают ли правду эту люди, оценят ли, почтут ли ее?

«Господи! — мыслю про себя, — о почтении людей думает в такую минуту!» И до того жалко мне стало его тогда, что, кажись, сам бы разделил его участь, лишь бы облегчить его. Вижу, он как исступленный. Ужаснулся я, поняв уже не умом одним, а живою душой, чего стоит такая решимость.

— Решайте же судьбу! — воскликнул опять.

— Идите и объявите, — прошептал я ему. Голосу во мне не хватало, но прошептал я твердо. Взял я тут со стола Евангелие, русский перевод, и показал ему от Иоанна, глава XII, стих 24:

«Истинно, истинно говорю вам: если пшеничное зерно, падши в землю, не умрет, то останется одно; а если умрет, то принесет много плода». Я этот стих только что прочел пред его приходом.

Прочел он.

— Правда, — говорит, но усмехнулся горько. — Да, в этих книгах, — говорит, помолчав, — ужас что такое встретишь. Под нос-то их легко совать. И кто это их писал, неужели люди?

— Дух святый писал, — говорю.

— Болтать-то вам легко, — усмехнулся он еще, но уже почти ненавистно. Взял я книгу опять, развернул в другом месте и показал ему «К евреям», глава X, стих 31. Прочел он: «Страшно впасть в руки Бога живаго».

Прочел он да так и отбросил книгу. Задрожал весь даже.

— Страшный стих, — говорит, — нечего сказать, подобрали. — Встал со стула. — Ну, — говорит, — прощайте, может, больше и не приду... в раю увидимся. Значит, четырнадцать лет, как уже «впал я в руки Бога живаго», — вот как эти четырнадцать лет, стало быть, называются. Завтра попрошу эти руки, чтобы меня отпустили...

Хотел было я обнять и облобызать его, да не посмел — искривленно так лицо у него было и смотрел тяжело. Вышел он. «Господи, — подумал я, — куда пошел человек!» Бросился я тут на колени пред иконой и заплакал о нем Пресвятой Богородице, скорой заступнице и помощнице. С полчаса прошло, как я в слезах на молитве стоял, а была уже поздняя ночь, часов около двенадцати. Вдруг, смотрю, отворяется дверь, и он входит снова. Я изумился.

— Где же вы были? — спрашиваю его.

— Я, — говорит, — я, кажется, что-то забыл... платок, кажется... Ну, хоть ничего не забыл, дайте присесть-то...

Сел на стул. Я стою над ним. «Сядьте, говорит, и вы». Я сел. Просидели минуты с две, смотрит на меня пристально и вдруг усмехнулся, запомнил я это, затем встал, крепко обнял меня и поцеловал...

— Попомни, — говорит, — как я к тебе в другой раз приходил. Слышишь, попомни это!

В первый раз мне *ты* сказал. И ушел. «Завтра», — подумал я.

Так оно и сбылось. И не знал я в сей вечер, что на завтра как раз приходится день рождения его. Сам я в последние дни никуда не выходил, а потому и узнать не мог ни от кого. В этот же день у него каждогодно бывало большое собрание, съезжался весь город. Съехались и теперь. И вот, после обеденной трапезы, выходит он на средину, а в руках бумага — форменное донесение по начальству. А так как начальство его было тут же, то тут же и прочел бумагу вслух всем собравшимся, а в ней полное описание всего преступления во всей подробности: «Как изверга себя извергаю из среды людей, Бог посетил меня, — заключил бумагу, — пострадать хочу!» Тут же вынес и выложил на стол всё, чем мнил доказать свое преступление и что четырнадцать лет сохранял: золотые вещи убитой, которые похитил, думая отвлечь от себя подозрение, медальон и крест ее, снятые с шеи, — в медальоне портрет ее жениха, записную книжку и, наконец, два письма: письмо жениха ее к ней с извещением о скором прибытии и ответ ее на сие письмо, который начала и не дописала, оставила на столе, чтобы завтра отослать на почту. Оба письма захватил он с собою — для чего? Для чего потом сохранял четырнадцать лет вместо того, чтоб истребить как улики? И вот что же случилось: все пришли в удивление и в ужас, и никто не захотел поверить, хотя все выслушали с чрезвычайным любопытством, но как от больного, а несколько дней спустя уже совсем решено было во всех домах и приговорено, что несчастный человек помешался. Начальство и суд не могли не дать хода делу, но приостановились и они: хотя представленные вещи и письма и заставили размышлять, но решено было и тут, что если сии документы и оказались бы верными, то всё же окончательное обвинение не могло бы быть произнесено на основании только сих документов. Да и вещи все он мог иметь от нее самой, как знакомый ее и по доверенности. Слышал я, впрочем, что подлинность вещей была потом проверена чрез многих знакомых и родных убитой и что сомнений в том не было. Но делу сему опять не суждено было завершиться. Дней через пять все узнали, что страдалец заболел и что опасаются за жизнь его. Какою болезнию он заболел, не могу объяснить, говорили, что расстройством сердцебиения, но известно стало, что совет докторов, по настоянию супруги его, свидетельствовал и душевное его состояние и что вынесли заключение, что помешательство уже есть. Я ничего не выдал, хотя и бросились расспрашивать меня, но когда пожелал его навестить, то долго мне возбраняли, главное супруга его: «Это вы, — говорит мне, — его расстроили, он и прежде был мрачен, а в последний год все замечали в нем необыкновенное волнение и странные поступки, а тут как раз вы его погубили; это вы его зачитали, не выходил он от вас целый месяц». И что же, не только супруга, но и все в городе накинулись на меня и меня обвинили: «Это всё вы», — говорят. Я молчу, да и рад в душе, ибо узрел несомненную милость божию к восставшему на себя и казнившему себя. А помешательству его я верить не мог. Допустили наконец и меня к нему, сам потребовал того настоятельно, чтобы проститься со мной. Вошел я и как раз увидел, что не только дни, но и часы его сочтены. Был он слаб, желт, руки трепещут, сам задыхается, но смотрит умиленно и радостно.

— Совершилось! — проговорил мне, — давно жажду видеть тебя, что не приходил?

Я ему не объявил, что меня не допускали к нему.

— Бог сжалился надо мной и зовет к себе. Знаю, что умираю, но радость чувствую и мир после стольких лет впервые. Разом ощутил в душе моей рай, только лишь исполнил, что надо было. Теперь уже смею любить детей моих и лобызать их. Мне не верят, и никто не поверил, ни жена, ни судьи мои; не поверят никогда и дети. Милость Божию вижу в сем к детям моим. Умру, и имя мое будет для них незапятнано. А теперь предчувствую Бога, сердце как в раю веселится... долг исполнил...

Говорить не может, задыхается, горячо мне руку жмет, пламенно глядит на меня. Но недолго мы беседовали, супруга его беспрерывно к нам заглядывала. Но успел-таки шепнуть мне:

— А помнишь ли, как я к тебе тогда в другой раз пришел, в полночь? Еще запомнить тебе велел? Знаешь ли, для чего я входил? Я ведь убить тебя приходил!

Я так и вздрогнул.

— Вышел я тогда от тебя во мрак, бродил по улицам и боролся с собою. И вдруг возненавидел тебя до того, что едва сердце вынесло. «Теперь, думаю, он единый связал меня, и судия мой, не могу уже отказаться от завтрашней казни моей, ибо он всё знает». И не то чтоб я боялся, что ты донесешь (не было и мысли о сем), но думаю: «Как я стану глядеть на него, если не донесу на себя?» И хотя бы ты был за тридевять земель, но жив, всё равно, невыносима эта мысль, что ты жив и всё знаешь, и меня судишь. Возненавидел я тебя, будто ты всему причиной и всему виноват. Воротился я к тебе тогда, помню, что у тебя на столе лежит кинжал. Я сел и тебя сесть попросил, и целую минуту думал. Если б я убил тебя, то всё равно бы погиб за это убийство, хотя бы и не объявил о прежнем преступлении. Но о сем я не думал вовсе и думать не хотел в ту минуту. Я только тебя ненавидел и отомстить тебе желал изо всех сил за всё. Но Господь мой поборол диавола в моем сердце. Знай, однако, что никогда ты не был ближе от смерти.

Через неделю он помер. Гроб его до могилы провожал весь город. Протоиерей сказал прочувствованное слово. Оплакивали страшную болезнь, прекратившую дни его. Но весь город восстал на меня, когда похоронили его, и даже принимать меня перестали. Правда, некоторые, вначале немногие, а потом всё больше и больше, стали веровать в истину его показаний и очень начали посещать меня и расспрашивать с большим любопытством и радостью: ибо любит человек падение праведного и позор его. Но я замолчал и вскорости из города совсем выбыл, а через пять месяцев удостоился Господом Богом стать на путь твердый и благолепный, благословляя перст невидимый, мне столь явно сей путь указавший. А многострадального раба божия Михаила памятую в молитвах моих и до сего дня на каждый день.

III
ИЗ БЕСЕД И ПОУЧЕНИЙ СТАРЦА ЗОСИМЫ

д) Нечто об иноке русском и о возможном значении его

Отцы и учители, что есть инок? В просвещенном мире слово сие произносится в наши дни у иных уже с насмешкой, а у некоторых и как бранное. И чем дальше, тем больше. Правда, ох правда, много и в монашестве тунеядцев, плотоугодников, сластолюбцев и наглых бродяг. На сие указывают образованные светские люди: «Вы, дескать, лентяи и бесполезные члены общества, живете чужим трудом, бесстыдные нищие». А между тем сколь много в монашестве смиренных и кротких, жаждущих уединения и пламенной в тишине молитвы. На сих меньше указывают и даже обходят молчанием вовсе, и сколь подивились бы, если скажу, что от сих кротких и жаждущих уединенной молитвы выйдет, может быть, еще раз спасение земли русской! Ибо воистину приготовлены в тишине «на день и час, и месяц и год». Образ Христов хранят пока в уединении своем благолепно и неискаженно, в чистоте правды Божией, от древнейших отцов, апостолов и мучеников, и, когда надо будет, явят его поколебавшейся правде мира. Сия мысль великая. От востока звезда сия воссияет.

Так мыслю об иноке, и неужели ложно, неужели надменно? Посмотрите у мирских и во всем превозносящемся над народом божиим мире, не исказился ли в нем лик божий и правда его? У них наука, а в науке лишь то, что подвержено чувствам. Мир же духовный, высшая половина существа человеческого отвергнута вовсе, изгнана с некиим торжеством, даже с ненавистью. Провозгласил мир свободу, в последнее время особенно, и что же видим в этой свободе ихней: одно лишь рабство и самоубийство! Ибо мир говорит: «Имеешь потребности, а потому насыщай их, ибо имеешь права такие же, как и у знатнейших и богатейших людей. Не бойся насыщать их, но даже приумножай» — вот нынешнее учение мира. В этом и видят свободу. И что же выходит из сего права на приумножение потребностей? У богатых *уединение* и духовное самоубийство, а у бедных — зависть и убийство, ибо права-то дали, а средств насытить потребности еще не указали. Уверяют, что мир чем далее, тем более единится, слагается в братское общение тем, что сокращает расстояния, передает по воздуху мысли. Увы, не верьте таковому единению людей. Понимая свободу как приумножение и скорое утоление потребностей, искажают природу свою, ибо зарождают в себе много бессмысленных и глупых желаний, привычек и нелепейших выдумок. Живут лишь для зависти друг к другу, для плотоугодия и чванства. Иметь обеды, выезды, экипажи, чины и рабов-прислужников считается уже такою необходимостью, для которой жертвуют даже жизнью, честью и человеколюбием, чтоб утолить эту необходимость, и даже убивают себя, если не могут утолить ее. У тех, которые небогаты, то же самое видим, а у бедных неутоление потребностей и зависть пока заглушаются пьянством. Но вскоре вместо вина упьются и кровью, к тому их ведут. Спрашиваю я вас: свободен ли такой человек? Я знал одного «борца за идею», который сам рассказывал мне, что, когда лишили его в тюрьме табаку, то он до того был измучен лишением сим, что чуть не пошел и не предал свою «идею», чтобы только дали ему табаку. А ведь этакой говорит: «За человечество бороться иду». Ну куда такой пойдет и на что он способен? На скорый поступок разве, а долго не вытерпит. И не дивно, что вместо свободы впали в рабство, а вместо служения братолюбию и человеческому единению впали, напротив, в *отъединение* и уединение, как говорил мне в юности моей таинственный гость и учитель мой. А потому в мире всё более и более угасает мысль о служении человечеству, о братстве и целостности людей и воистину встречается мысль сия даже уже с насмешкой, ибо как отстать от привычек своих, куда пойдет сей невольник, если столь привык утолять бесчисленные потребности свои, которые сам же навыдумал? В уединении он, и какое ему дело до целого. И достигли того, что вещей накопили больше, а радости стало меньше.

Другое дело путь иноческий. Над послушанием, постом и молитвой даже смеются, а между тем лишь в них заключается путь к настоящей, истинной уже свободе: отсекаю от себя потребности лишние и ненужные, самолюбивую и гордую волю мою смиряю и бичую послушанием, и достигаю тем, с помощию божьей, свободы духа, а с нею и веселья духовного! Кто же из них способнее вознести великую мысль и пойти ей служить — уединенный ли богач или сей *освобожденный* от тиранства вещей и привычек? Инока корят его уединением: «Уединился ты, чтобы себя спасти в монастырских стенах, а братское служение человечеству забыл». Но посмотрим еще, кто более братолюбию поусердствует? Ибо уединение не у нас, а у них, но не видят сего. А от нас и издревле деятели народные выходили, отчего же не может их быть и теперь? Те же смиренные и кроткие постники и молчальники восстанут и пойдут на великое дело. От народа спасение Руси. Русский же монастырь искони был с народом. Если же народ в уединении, то и мы в уединении. Народ верит по-нашему, а неверующий деятель у нас в России ничего не сделает, даже будь он искренен сердцем и умом гениален. Это помните. Народ встретит атеиста и поборет его, и станет единая православная Русь. Берегите же народ и оберегайте сердце его. В тишине воспитайте его. Вот ваш иноческий подвиг, ибо сей народ — богоносец.

е) Нечто о господах и слугах
и о том, возможно ли господам и слугам
стать взаимно по духу братьями

Боже, кто говорит, и в народе грех. А пламень растления умножается даже видимо, ежечасно, сверху идет. Наступает и в народе уединение: начинаются кулаки и мироеды; уже купец всё больше и больше желает почестей, стремится показать себя образованным, образования не имея нимало, а для сего гнусно пренебрегает древним обычаем и стыдится даже веры отцов. Ездит ко князьям, а всего-то сам мужик порченый. Народ загноился от пьянства и не может уже отстать от него. А сколько жестокости к семье, к жене, к детям даже; от пьянства всё. Видал я на фабриках десятилетних даже детей: хилых, чахлых, согбенных и уже развратных. Душная палата, стучащая машина, весь Божий день работы, развратные слова и вино, вино, а то ли надо душе такого малого еще дитяти? Ему надо солнце, детские игры и всюду светлый пример и хоть каплю любви к нему. Да не будет же сего, иноки, да не будет истязания детей, восстаньте и проповедуйте сие скорее, скорее. Но спасет Бог Россию, ибо хоть и развратен простолюдин и не может уже отказать себе во смрадном грехе, но всё же знает, что проклят Богом его смрадный грех и что поступает он худо, греша. Так что неустанно еще верует народ наш в правду, Бога признает, умилительно плачет. Не то у высших. Те вослед науке хотят устроиться справедливо одним умом своим, но уже без Христа, как прежде, и уже провозгласили, что нет преступления, нет уже греха. Да оно и правильно по-ихнему: ибо если нет у тебя Бога, то какое же тогда преступление? В Европе восстает народ на богатых уже силой, и народные вожаки повсеместно ведут его к крови и учат, что прав гнев его. Но «проклят гнев их, ибо жесток». А Россию спасет Господь, как спасал уже много раз. Из народа спасение выйдет, из веры и смирения его. Отцы и учители, берегите веру народа, и не мечта сие: поражало меня всю жизнь в великом народе нашем его достоинство благолепное и истинное, сам видел, сам свидетельствовать могу, видел и удивлялся, видел, несмотря даже на смрад грехов и нищий вид народа нашего. Не раболепен он, и это после рабства двух веков. Свободен видом и обращением, но безо всякой обиды. И не мстителен, и не завистлив. «Ты знатен, ты богат, ты умен и талантлив — и пусть, благослови тебя Бог. Чту тебя, но знаю, что и я человек. Тем, что без зависти чту тебя, тем-то и достоинство мое являю пред тобой человеческое». Воистину, если не говорят сего (ибо не умеют еще сказать сего), то так *поступают*, сам видел, сам испытывал, и верите ли: чем беднее и ниже человек наш русский, тем и более в нем сей благолепной правды заметно, ибо богатые из них кулаки и мироеды во множестве уже развращены, и много, много тут от нерадения и несмотрения нашего вышло! Но спасет Бог людей своих, ибо велика Россия смирением своим. Мечтаю видеть и как бы уже вижу ясно наше грядущее: ибо будет так, что даже самый развращенный богач наш кончит тем, что устыдится богатства своего пред бедным, а бедный, видя смирение сие, поймет и уступит ему с радостью, и лаской ответит на благолепный стыд его. Верьте, что кончится сим: на то идет. Лишь в человеческом духовном достоинстве равенство, и сие поймут лишь у нас. Были бы братья, будет и братство, а раньше братства никогда не разделятся. Образ Христов храним, и воссияет как драгоценный алмаз всему миру... Бу́ди, бу́ди!

Отцы и учители, произошло раз со мною умилительное дело. Странствуя, встретил я однажды, в губернском городе К., бывшего моего денщика Афанасия, а с тех пор, как я расстался с ним, прошло уже тогда восемь лет. Нечаянно увидел меня на базаре, узнал, подбежал ко мне и, боже, сколь обрадовался, так и кинулся ко мне: «Батюшка, барин, вы ли это? Да неужто вас вижу?» Повел меня к себе. Был уже он в отставке, женился, двух детей-младенцев уже прижил. Проживал с супругой своею мелким торгом на рынке с лотка. Компатка у него бедная, но чистенькая, радостная. Усадил меня, самовар поставил, за женой послал, точно я праздник какой ему сделал, у него появившись. Подвел ко мне деток: «Благословите, батюшка». — «Мне ли благословлять, — отвечаю ему, — инок я простой и смиренный, бога о них помолю, а о тебе, Афанасий Павлович, и всегда, на всяк день, с того самого дня, Бога молю, ибо с тебя, говорю, всё и вышло». И объяснил ему я это как умел. Так что же человек: смотрит на меня и всё не может представить, что я, прежний барин его, офицер, пред ним теперь в таком виде и в такой одежде: заплакал даже. «Чего же ты плачешь, — говорю ему, — незабвенный ты человек, лучше повеселись за меня душой, милый, ибо радостен и светел путь мой». Многого не говорил, а всё охал и качал на меня головой умиленно. «Где же ваше, спрашивает, богатство?» Отвечаю ему: «В монастырь отдал, а живем мы в общежитии». После чаю стал я прощаться с ними, и вдруг вынес он мне полтину, жертву на монастырь, а другую полтину, смотрю, сует мне в руку, торопится: «Это уж вам, говорит, странному, путешествующему, пригодится вам, может, батюшка». Принял я его полтину, поклонился ему и супруге его и ушел обрадованный и думаю дорогой: «Вот мы теперь оба, и он у себя, и я, идущий, охаем, должно быть, да усмехаемся радостно, в веселии сердца нашего, покивая головой и вспоминая, как Бог привел встретиться». И больше я уж с тех пор никогда не видал его. Был я ему господин, а он мне слуга, а теперь, как облобызались мы с ним любовно и в духовном умилении, меж нами великое человеческое единение произошло. Думал я о сем много, а теперь мыслю так: неужели так недоступно уму, что сие великое и простодушное единение могло бы в свой срок и повсеместно произойти меж наших русских людей? Верую, что произойдет, и сроки близки.

А про слуг прибавлю следующее: сердился я прежде, юношею, на слуг много: «кухарка горячо подала, денщик платье не вычистил». Но озарила меня тогда вдруг мысль моего милого брата, которую слышал от него в детстве моем: «Стою ли я того и весь-то, чтобы мне другой служил, а чтоб я, за нищету и темноту его, им помыкал?» И подивился я тогда же, сколь самые простые мысли, воочию ясные, поздно появляются в уме нашем. Без слуг невозможно в миру, но так сделай, чтобы был у тебя твой слуга свободнее духом, чем если бы был не слугой. И почему я не могу быть слугою слуге моему и так, чтобы он даже видел это, и уж безо всякой гордости с моей стороны, а с его — неверия? Почему не быть слуге моему как бы мне родным, так что приму его наконец в семью свою и возрадуюсь сему? Даже и теперь еще это так исполнимо, но послужит основанием к будущему уже великолепному единению людей, когда не слуг будет искать себе человек и не в слуг пожелает обращать себе подобных людей, как ныне, а, напротив, изо всех сил пожелает стать сам всем слугой по Евангелию. И неужели сие мечта, чтобы под конец человек находил свои радости лишь в подвигах просвещения и милосердия, а не в радостях жестоких, как ныне, — в объядении, блуде, чванстве, хвастовстве и завистливом превышении одного над другим? Твердо верую, что нет и что время близко. Смеются и спрашивают: когда же сие время наступит и похоже ли на то, что наступит? Я же мыслю, что мы со Христом это великое дело решим.

И сколько же было идей на земле, в истории человеческой, которые даже за десять лет немыслимы были и которые вдруг появлялись, когда приходил для них таинственный срок их, и проносились по всей земле? Так и у нас будет, и воссияет миру народ наш, и скажут все люди: «Камень, который отвергли зиждущие, стал главою угла». А насмешников вопросить бы самих: если у нас мечта, то когда же вы-то воздвигнете здание свое и устроитесь справедливо лишь умом своим, без Христа? Если же и утверждают сами, что они-то, напротив, и идут к единению, то воистину веруют в сие лишь самые из них простодушные, так что удивиться даже можно сему простодушию. Воистину у них мечтательной фантазии более, чем у нас. Мыслят устроиться справедливо, но, отвергнув Христа, кончат тем, что зальют мир кровью, ибо кровь зовет кровь, а извлекший меч погибнет мечом. И если бы не обетование Христово, то так и истребили бы друг друга даже до последних двух человек на земле. Да и сии два последние не сумели бы в гордости своей удержать друг друга, так что последний истребил бы предпоследнего, а потом и себя самого. И сбылось бы, если бы не обетование Христово, что ради кротких и смиренных сократится дело сие. Стал я тогда, еще в офицерском мундире, после поединка моего, говорить про слуг в обществе, и все-то, помню, на меня дивились: «Что же нам, говорят, посадить слугу на диван да ему чай подносить?» А я тогда им в ответ: «Почему же и не так, хотя бы только иногда». Все тогда засмеялись. Вопрос их был легкомысленный, а ответ мой неясный, но мыслю, что была в нем и некая правда.

ж) О молитве, о любви и о соприкосновении мирам иным

Юноша, не забывай молитвы. Каждый раз в молитве твоей, если искренна, мелькнет новое чувство, а в нем и новая мысль, которую ты прежде не знал и которая вновь ободрит тебя; и поймешь, что молитва есть воспитание. Запомни еще: на каждый день и когда лишь можешь, тверди про себя: «Господи, помилуй всех днесь пред тобою представших». Ибо в каждый час и каждое мгновение тысячи людей покидают жизнь свою на сей земле и души их становятся пред Господом — и сколь многие из них расстались с землею отъединенно, никому не ведомо, в грусти и тоске, что никто-то не пожалеет о них и даже не знает о них вовсе: жили ль они или нет. И вот, может быть, с другого конца земли вознесется ко Господу за упокой его и твоя молитва, хотя бы ты и не знал его вовсе, а он тебя. Сколь умилительно душе его, ставшей в страхе пред Господом, почувствовать в тот миг, что есть и за него молельщик, что осталось на земле человеческое существо, и его любящее. Да и Бог милостивее воззрит на обоих вас, ибо если уже ты столь пожалел его, то кольми паче пожалеет он, бесконечно более милосердый и любовный, чем ты. И простит его тебя ради.

Братья, не бойтесь греха людей, любите человека и во грехе его, ибо сие уж подобие божеской любви и есть верх любви на земле. Любите всё создание божие, и целое и каждую песчинку. Каждый листик, каждый луч божий любите. Любите животных, любите растения, любите всякую вещь. Будешь любить всякую вещь и тайну Божию постигнешь в вещах. Постигнешь однажды и уже неустанно начнешь ее познавать неё далее и более, на всяк день. И полюбишь наконец весь мир уже всецелою, всемирною любовью. Животных любите: им Бог дал начало мысли и радость безмятежную. Не возмущайте же ее, не мучьте их, не отнимайте у них радости, не противьтесь мысли божией. Человек, не возносись над животными: они безгрешны, а ты со своим величием гноишь землю своим появлением на ней и след свой гнойный оставляешь после себя — увы, почти всяк из нас! Деток любите особенно, ибо они тоже безгрешны, яко ангелы, и живут для умиления нашего, для очищения сердец наших и как некое указание нам. Горе оскорбившему младенца. А меня отец Анфим учил деток любить: он, милый и молчащий в странствиях наших, на подаянные грошики им пряничков и леденцу, бывало, купит и раздаст: проходить не мог мимо деток без сотрясения душевного: таков человек.

Пред иною мыслью станешь в недоумении, особенно видя грех людей, и спросишь себя: «Взять ли силой али смиренною любовью?» Всегда решай: «Возьму смиренною любовью». Решишься так раз навсегда и весь мир покорить возможешь. Смирение любовное — страшная сила, изо всех сильнейшая, подобной которой и нет ничего. На всяк день и час, на всякую минуту ходи около себя и смотри за собой, чтоб образ твой был благолепен. Вот ты прошел мимо малого ребенка, прошел злобный, со скверным словом, с гневливою душой; ты и не приметил, может, ребенка-то, а он видел тебя, и образ твой, неприглядный и нечестивый, может, в его беззащитном сердечке остался. Ты и не знал сего, а может быть, ты уже тем в него семя бросил дурное, и возрастет оно, пожалуй, а всё потому, что ты не уберегся пред дитятей, потому что любви осмотрительной, деятельной не воспитал в себе. Братья, любовь — учительница, но нужно уметь ее приобрести, ибо она трудно приобретается, дорого покупается, долгою работой и через долгий срок, ибо не на мгновение лишь случайное надо любить, а на весь срок. А случайно-то и всяк полюбить может, и злодей полюбит. Юноша брат мой у птичек прощения просил: оно как бы и бессмысленно, а ведь правда, ибо всё как океан, всё течет и соприкасается, в одном месте тронешь — в другом конце мира отдается. Пусть безумие у птичек прощения просить, но ведь и птичкам было бы легче, и ребенку, и всякому животному около тебя, если бы ты сам был благолепнее, чем ты есть теперь, хоть на одну каплю да было бы. Всё как океан, говорю вам. Тогда и птичкам стал бы молиться, всецелою любовию мучимый, как бы в восторге каком, и молить, чтоб и они грех твой отпустили тебе. Восторгом же сим дорожи, как бы ни казался он людям бессмысленным.

Други мои, просите у Бога веселья. Будьте веселы как дети, как птички небесные. И да не смущает вас грех людей в вашем делании, не бойтесь, что затрет он дело ваше и не даст ему совершиться, не говорите: «Силен грех, сильно нечестие, сильна среда скверная, а мы одиноки и бессильны, затрет нас скверная среда и не даст совершиться благому деланию». Бегите, дети, сего уныния! Одно тут спасение себе: возьми себя и сделай себя же ответчиком за весь грех людской. Друг, да ведь это и вправду так, ибо чуть только сделаешь себя за всё и за всех ответчиком искренно, то тотчас же увидишь, что оно так и есть в самом деле и что ты-то и есть за всех и за вся виноват. А скидывая свою же лень и свое бессилие на людей, кончишь тем, что гордости сатанинской приобщишься и на Бога возропщешь. О гордости же сатанинской мыслю так: трудно нам на земле ее и постичь, а потому сколь легко впасть в ошибку и приобщиться ей, да еще полагая, что нечто великое и прекрасное делаем. Да и многое из самых сильных чувств и движений природы нашей мы пока на земле не можем постичь, не соблазняйся и сим и не думай, что сие в чем-либо может тебе служить оправданием, ибо спросит с тебя судия вечный то, что ты мог постичь, а не то, чего не мог, сам убедишься в том, ибо тогда всё узришь правильно и спорить уже не станешь. На земле же воистину мы как бы блуждаем, и не было бы драгоценного Христова образа пред нами, то погибли бы мы и заблудились совсем, как род человеческий пред потопом. Многое на земле от нас скрыто, но взамен того даровано нам тайное сокровенное ощущение живой связи нашей с миром иным, с миром горним и высшим, да и корни наших мыслей и чувств не здесь, а в мирах иных. Вот почему и говорят философы, что сущности вещей нельзя постичь на земле. Бог взял семена из миров иных и посеял на сей земле и взрастил сад свой, и взошло всё, что могло взойти, но взращенное живет и живо лишь чувством соприкосновения своего таинственным мирам иным; если ослабевает или уничтожается в себе сие чувство, то умирает и взращенное в тебе. Тогда станешь к жизни равнодушен и даже возненавидишь ее. Мыслю так.

з) Можно ли быть судиею себе подобных? О вере до конца

Помни особенно, что не можешь ничьим судиею быти. Ибо не может быть на земле судья преступника, прежде чем сам сей судья не познает, что и он такой же точно преступник, как и стоящий пред ним, и что он-то за преступление стоящего пред ним, может, прежде всех и виноват. Когда же постигнет сие, то возможет стать и судиею. Как ни безумно на вид, но правда сие. Ибо был бы я сам праведен, может, и преступника, стоящего предо мною, не было бы. Если возможешь принять на себя преступление стоящего пред тобою и судимого сердцем твоим преступника, то немедленно приими и пострадай за него сам, его же без укора отпусти. И даже если б и самый закон поставил тебя его судиею, то сколь лишь возможно будет тебе сотвори и тогда в духе сем, ибо уйдет и осудит себя сам еще горше суда твоего. Если же отойдет с целованием твоим бесчувственный и смеясь над тобою же, то не соблазняйся и сим: значит, срок его еще не пришел, но придет в свое время; а не придет, всё равно: не он, так другой за него познает, и пострадает, и осудит, и обвинит себя сам, и правда будет восполнена. Верь сему, несомненно верь, ибо в сем самом и лежит всё упование и вся вера святых.

Делай неустанно. Если вспомнишь в нощи, отходя ко сну: «Я не исполнил, что надо было», то немедленно восстань и исполни. Если кругом тебя люди злобные и бесчувственные и не захотят тебя слушать, то пади пред ними и у них прощения проси, ибо воистину и ты в том виноват, что не хотят тебя слушать. А если уже не можешь говорить с озлобленными, то служи им молча и в уничижении, никогда не теряя надежды. Если же все оставят тебя и уже изгонят тебя силой, то, оставшись один, пади на землю и целуй ее, омочи ее слезами твоими, и даст плод от слез твоих земля, хотя бы и не видал и не слыхал тебя никто в уединении твоем. Верь до конца, хотя бы даже и случилось так, что все бы на земле совратились, а ты лишь единый верен остался: принеси и тогда жертву и восхвали Бога ты, единый оставшийся. А если вас таких двое сойдутся, то вот уж и весь мир, мир живой любви, обнимите друг друга в умилении и восхвалите Господа: ибо хотя и в вас двоих, но восполнилась правда его.

Если сам согрешишь и будешь скорбен даже до смерти о грехах твоих или о грехе твоем внезапном, то возрадуйся за другого, возрадуйся за праведного, возрадуйся тому, что если ты согрешил, то он зато праведен и не согрешил.

Если же злодейство людей возмутит тебя негодованием и скорбью уже необоримою, даже до желания отомщения злодеям, то более всего страшись сего чувства; тотчас же иди и ищи себе мук так, как бы сам был виновен в сем злодействе людей. Приими сии муки и вытерпи, и утолится сердце твое, и поймешь, что и сам виновен, ибо мог светить злодеям даже как единый безгрешный и не светил. Если бы светил, то светом своим озарил бы и другим путь, и тот, который совершил злодейство, может быть, не совершил бы его при свете твоем. И даже если ты и светил, но увидишь, что не спасаются люди даже и при свете твоем, то пребудь тверд и не усомнись в силе света небесного; верь тому, что если теперь не спаслись, то потом спасутся. А не спасутся и потом, то сыны их спасутся, ибо не умрет свет твой, хотя бы и ты уже умер. Праведник отходит, а свет его остается. Спасаются же и всегда по смерти спасающего. Не принимает род людской пророков своих и избивает их, но любят люди мучеников своих и чтят тех, коих замучили. Ты же для целого работаешь, для грядущего делаешь. Награды же никогда не ищи, ибо и без того уже велика тебе награда на сей земле: духовная радость твоя, которую лишь праведный обретает. Не бойся ни знатных, ни сильных, но будь премудр и всегда благолепен. Знай меру, знай сроки, научись сему. В уединении же оставаясь, молись. Люби повергаться на землю и лобызать ее. Землю целуй и неустанно, ненасытимо люби, всех люби, всё люби, ищи восторга и исступления сего. Омочи землю слезами радости твоея и люби сии слезы твои. Исступления же сего не стыдись, дорожи им, ибо есть дар божий, великий, да и не многим дается, а избранным.

и) О аде и адском огне,
рассуждение мистическое

Отцы и учители, мыслю: «Что есть ад?» Рассуждаю так: «Страдание о том, что нельзя уже более любить». Раз, в бесконечном бытии, не измеримом ни временем, ни пространством, дана была некоему духовному существу, появлением его на земле, способность сказать себе: «Я есмь, и я люблю». Раз, только раз, дано было ему мгновение любви деятельной, *живой,* а для того дана была земная жизнь, а с нею времена и сроки, и что же: отвергло сие счастливое существо дар бесценный, не оценило его, не возлюбило, взглянуло насмешливо и осталось бесчувственным. Таковой, уже отшедший с земли, видит и лоно Авраамово и беседует с Авраамом, как в притче о богатом и Лазаре нам указано, и рай созерцает, и ко Господу восходить может, но именно тем-то и мучается, что ко Господу взойдет он, не любивший, соприкоснется с любившими любовью их пренебрегший. Ибо зрит ясно и говорит себе уже сам: «Ныне уже знание имею и хоть возжаждал любить, но уже подвига не будет в любви моей, не будет и жертвы, ибо кончена жизнь земная и не придет Авраам хоть каплею воды живой (то есть вновь даром земной жизни, прежней и деятельной) прохладить пламень жажды любви духовной, которою пламенею теперь, на земле ее пренебрегши; нет уже жизни, и времени более не будет! Хотя бы и жизнь свою рад был отдать за других, но уже нельзя, ибо прошла та жизнь, которую возможно было в жертву любви принесть, и теперь бездна между тою жизнью и сим бытием». Говорят о пламени адском материальном: не исследую тайну сию и страшусь, но мыслю, что если б и был пламень материальный, то воистину обрадовались бы ему, ибо, мечтаю так, в мучении материальном хоть на миг позабылась бы ими страшнейшая сего мука духовная. Да и отнять у них эту муку духовную невозможно, ибо мучение сие не внешнее, а внутри их. А если б и возможно было отнять, то, мыслю, стали бы оттого еще горше несчастными. Ибо хоть и простили бы их праведные из рая, созерцая муки их, и призвали бы их к себе, любя бесконечно, но тем самым им еще более бы приумножили мук, ибо возбудили бы в них еще сильнее пламень жажды ответной, деятельной и благодарной любви, которая уже невозможна. В робости сердца моего мыслю, однако же, что самое сознание сей невозможности послужило бы им наконец и к облегчению, ибо, приняв любовь праведных с невозможностью воздать за нее, в покорности сей и в действии смирения сего, обрящут наконец как бы некий образ той деятельной любви, которой пренебрегли на земле, и как бы некое действие с нею сходное... Сожалею, братья и други мои, что не умею сказать сего ясно. Но горе самим истребившим себя на земле, горе самоубийцам! Мыслю, что уже несчастнее сих и не может быть никого. Грех, рекут нам, о сих Бога молить, и церковь наружно их как бы и отвергает, но мыслю в тайне души моей, что можно бы и за сих помолиться. За любовь не осердится ведь Христос. О таковых я внутренне во всю жизнь молился, исповедуюсь вам в том, отцы и учители, да и ныне на всяк день молюсь.

О, есть и во аде пребывшие гордыми и свирепыми, несмотря уже на знание бесспорное и на созерцание правды неотразимой; есть страшные, приобщившиеся сатане и гордому духу его всецело. Для тех ад уже добровольный и ненасытимый; те уже доброхотные мученики. Ибо сами прокляли себя, прокляв Бога и жизнь. Злобною гордостью своею питаются, как если бы голодный в пустыне кровь собственную свою сосать из своего же тела начал. Но ненасытимы во веки веков и прощение отвергают, Бога, зовущего их, проклинают. Бога живаго без ненависти созерцать не могут и требуют, чтобы не было Бога жизни, чтоб уничтожил себя бог и всё создание свое. И будут гореть в огне гнева своего вечно, жаждать смерти и небытия. Но не получат смерти...

———

Здесь оканчивается рукопись Алексея Федоровича Карамазова. Повторяю: она не полна и отрывочна. Биографические сведения, например, обнимают лишь первую молодость старца. Из поучений же его и мнений сведено вместе, как бы в единое целое, сказанное, очевидно, в разные сроки и вследствие побуждений различных. Всё же то, что изречено было старцем собственно в сии последние часы жизни его, не определено в точности, а дано лишь понятие о духе и характере сей беседы, если сопоставить с тем, что приведено в рукописи Алексея Федоровича из прежних поучений. Кончина же старца произошла воистину совсем неожиданно. Ибо хотя все собравшиеся к нему в тот последний вечер и понимали вполне, что смерть его близка, но всё же нельзя было представить, что наступит она столь внезапно; напротив, друзья его, как уже и заметил я выше, видя его в ту ночь столь, казалось бы, бодрым и словоохотливым, убеждены были даже, что в здоровье его произошло заметное улучшение, хотя бы и на малое лишь время. Даже за пять минут до кончины, как с удивлением передавали потом, нельзя было еще ничего предвидеть. Он вдруг почувствовал как бы сильнейшую боль в груди, побледнел и крепко прижал руки к сердцу. Все тогда встали с мест своих и устремились к нему; но он, хоть и страдающий, но всё еще с улыбкой взирая на них, тихо опустился с кресел на пол и стал на колени, затем склонился лицом ниц к земле, распростер свои руки и, как бы в радостном восторге, целуя землю и молясь (как сам учил), тихо и радостно отдал душу Богу. Известие о кончине его немедленно пронеслось в ските и достигло монастыря. Ближайшие к новопреставленному и кому следовало по чину стали убирать по древнему обряду тело его, а вся братия собралась в соборную церковь. И еще до рассвета, как передавалось потом по слухам, весть о новопреставленном достигла города. К утру чуть не весь город говорил о событии, и множество граждан потекло в монастырь. Но о сем скажем в следующей книге, а теперь лишь прибавим вперед, что не прошел еще и день, как совершилось нечто до того для всех неожиданное, а по впечатлению, произведенному в среде монастыря и в городе, до того как бы странное, тревожное и сбивчивое, что и до сих пор, после стольких лет, сохраняется в городе нашем самое живое воспоминание о том столь для многих тревожном дне...

Часть третья

Книга седьмая
АЛЕША

I
ТЛЕТВОРНЫЙ ДУХ

Тело усопшего иеросхимонаха отца Зосимы приготовили к погребению по установленному чину. Умерших монахов и схимников, как известно, не омывают. «Егда кто от монахов ко Господу отыдет (сказано в большом требнике), то учиненный монах (то есть для сего назначенный) отирает тело его теплою водой, творя прежде губою (то есть греческою губкой) крест на челе скончавшегося, на персех, на руках и на ногах и на коленах, вящше же ничто же». Всё это и исполнил над усопшим сам отец Паисий. После отирания одел его в монашеское одеяние и обвил мантиею; для чего, по правилу, несколько разрезал ее, чтоб обвить крестообразно. На голову надел ему куколь с осьмиконечным крестом. Куколь оставлен был открытым, лик же усопшего закрыли черным воздухом. В руки ему положили икону Спасителя. В таком виде к утру переложили его во гроб (уже прежде давно заготовленный). Гроб же вознамерились оставить в келье (в первой большой комнате, в той самой, в которой покойный старец принимал братию и мирских) на весь день. Так как усопший по чину был иеросхимонах, то над ним следовало иеромонахам же и иеродиаконам читать не Псалтирь, а Евангелие. Начал чтение, сейчас после панихиды, отец Иосиф; отец же Паисий, сам пожелавший читать потом весь день и всю ночь, пока еще был очень занят и озабочен, вместе с отцом настоятелем скита, ибо вдруг стало обнаруживаться, и чем далее, тем более, и в монастырской братии, и в прибывавших из монастырских гостиниц и из города толпами мирских нечто необычайное, какое-то неслыханное и «неподобающее» даже волнение и нетерпеливое ожидание. И настоятель, и отец Паисий прилагали все старания по возможности успокоить столь суетливо волнующихся. Когда уже достаточно ободняло, то из города начали прибывать некоторые даже такие, кои захватили с собою больных своих, особенно детей, — точно ждали для сего нарочно сей минуты, видимо уповая на немедленную силу исцеления, какая, по вере их, не могла замедлить обнаружиться. И вот тут только обнаружилось, до какой степени все у нас приобыкли считать усопшего старца еще при жизни его за несомненного и великого святого. И между прибывающими были далеко не из одного лишь простонародья. Это великое ожидание верующих, столь поспешно и обнаженно выказываемое и даже с нетерпением и чуть не с требованием, казалось отцу Паисию несомненным соблазном, и хотя еще и задолго им предчувствованным, но на самом деле превысившим его ожидания. Встречаясь со взволнованными из иноков, отец Паисий стал даже выговаривать им: «Таковое и столь немедленное ожидание чего-то великого, — говорил он, — есть легкомыслие, возможное лишь между светскими, нам же неподобающее». Но его мало слушали, и отец Паисий с беспокойством замечал это, несмотря на то, что даже и сам (если уж всё вспоминать правдиво), хотя и возмущался слишком нетерпеливыми ожиданиями и находил в них легкомыслие и суету, но потаенно, про себя, в глубине души своей, ждал почти того же, чего и сии взволнованные, в чем сам себе не мог не сознаться. Тем не менее ему особенно неприятны были иные встречи, возбуждавшие в нем, по некоему предчувствию, большие сомнения. В теснившейся в келье усопшего толпе заметил он с отвращением душевным (за которое сам себя тут же и попрекнул) присутствие, например, Ракитина, или далекого гостя — обдорского инока, всё еще пребывавшего в монастыре, и обоих их отец Паисий вдруг почему-то счел подозрительными — хотя и не их одних можно было заметить в этом же смысле. Инок обдорский изо всех волновавшихся выдавался наиболее суетящимся; заметить его можно было всюду, во всех местах: везде он расспрашивал, везде прислушивался, везде шептался с каким-то особенным таинственным видом. Выражение же лица самое нетерпеливое и как бы уже раздраженное тем, что ожидаемое столь долго не совершается. А что до Ракитина, то тот, как оказалось потом, очутился столь рано в ските по особливому поручению госпожи Хохлаковой. Сия добрая, но бесхарактерная женщина, которая сама не могла быть допущена в скит, чуть лишь проснулась и узнала о преставившемся, вдруг прониклась столь стремительным любопытством, что немедленно отрядила вместо себя в скит Ракитина, с тем чтобы тот всё наблюдал и немедленно доносил ей письменно, примерно в каждые полчаса, о *всем, что произойдет.* Ракитина же считала она за самого благочестивого и верующего молодого человека — до того он умл со всеми обойтись и каждому представиться сообразно с желанием того, если только усматривал в сем малейшую для себя выгоду. День был ясный и светлый, и из прибывших богомольцев многие толпились около скитских могил, наиболее скученных кругом храма, равно как и рассыпанных по всему скиту. Обходя скит, отец Паисий вдруг вспомянул об Алеше и о том, что давно он его не видел, с самой почти ночи. И только что вспомнил о нем, как тотчас же и приметил его в самом отдаленном углу скита, у ограды, сидящего на могильном камне одного древле почившего и знаменитого по подвигам своим инока. Он сидел спиной к скиту, лицом к ограде и как бы прятался за памятник. Подойдя вплоть, отец Паисий увидел, что он, закрыв обеими ладонями лицо, хотя и безгласно, но горько плачет, сотрясаясь всем телом своим от рыданий. Отец Паисий постоял над ним несколько.

— Полно, сыне милый, полно, друг, — прочувствованно произнес он наконец, — чего ты? Радуйся, а не плачь. Или не знаешь, что сей день есть величайший из дней *его?* Где он теперь, в минуту сию, вспомни-ка лишь о том!

Алеша взглянул было на него, открыв свое распухшее от слез, как у малого ребенка, лицо, но тотчас же, ни слова не вымолвив, отвернулся и снова закрылся обеими ладонями.

— А пожалуй что и так, — произнес отец Паисий вдумчиво, — пожалуй, и плачь, Христос тебе эти слезы послал. «Умилительные слезки твои лишь отдых душевный и к веселию сердца твоего милого послужат», — прибавил он уже про себя, отходя от Алеши и любовно о нем думая. Отошел он, впрочем, поскорее, ибо почувствовал, что и сам, пожалуй, глядя па него, заплачет. Время между тем шло, монастырские службы и панихиды по усопшем продолжались в порядке. Отец Паисий снова заменил отца Иосифа у гроба и снова принял от него чтение Евангелия. Но еще не минуло и трех часов пополудни, как совершилось нечто, о чем упомянул я еще в конце прошлой книги, нечто, до того никем у нас не ожиданное и до того вразрез всеобщему упованию, что, повторяю, подробная и суетная повесть о сем происшествии даже до сих пор с чрезвычайною живостию вспоминается в нашем городе и по всей нашей окрестности. Тут прибавлю еще раз от себя лично: мне почти противно вспоминать об этом суетном и соблазнительном событии, в сущности же самом пустом и естественном, и я, конечно, выпустил бы его в рассказе моем вовсе без упоминовения, если бы не повлияло оно сильнейшим и известным образом на душу и сердце главного, *хотя и будущего* героя рассказа моего, Алеши, составив в душе его как бы перелом и переворот, потрясший, но и укрепивший его разум уже окончательно, на всю жизнь и к известной цели.

Итак, к рассказу. Когда еще до свету положили уготованное к погребению тело старца во гроб и вынесли его в первую, бывшую приемную комнату, то возник было между находившимися у гроба вопрос: надо ли отворить в комнате окна? Но вопрос сей, высказанный кем-то мимоходом и мельком, остался без ответа и почти незамеченным — разве лишь заметили его, да и то про себя, некоторые из присутствующих лишь в том смысле, что ожидание тления и тлетворного духа от тела такого почившего есть сущая нелепость, достойная даже сожаления (если не усмешки) относительно малой веры и легкомыслия изрекшего вопрос сей. Ибо ждали совершенно противоположного. И вот вскорости после полудня началось нечто, сначала принимаемое входившими и выходившими лишь молча и про себя и даже с видимою боязнью каждого сообщить кому-либо начинающуюся мысль свою, но к трем часам пополудни обнаружившееся уже столь ясно и неопровержимо, что известие о сем мигом облетело весь скит и всех богомольцев — посетителей скита, тотчас же проникло и в монастырь и повергло в удивление всех монастырских, а наконец, чрез самый малый срок, достигло и города и взволновало в нем всех, и верующих и неверующих. Неверующие возрадовались, а что до верующих, то нашлись иные из них возрадовавшиеся даже более самих неверующих, ибо «любят люди падение праведного и позор его», как изрек сам покойный старец в одном из поучений своих. Дело в том, что от гроба стал исходить мало-помалу, но чем далее, тем более замечаемый тлетворный дух, к трем же часам пополудни уже слишком явственно обнаружившийся и всё постепенно усиливавшийся. И давно уже не бывало и даже припомнить невозможно было из всей прошлой жизни монастыря нашего такого соблазна, грубо разнузданного, а в другом каком случае так даже и невозможного, какой обнаружился тотчас же вслед за сим событием между самими даже иноками. Потом уже, и после многих даже лет, иные разумные иноки наши, припоминая весь тот день в подробности, удивлялись и ужасались тому, каким это образом соблазн мог достигнуть тогда такой степени. Ибо и прежде сего случалось, что умирали иноки весьма праведной жизни и праведность коих была у всех на виду, старцы богобоязненные, а между тем и от их смиренных гробов исходил дух тлетворный, естественно, как и у всех мертвецов, появившийся, но сие не производило же соблазна и даже малейшего какого-либо волнения. Конечно, были некие и у нас из древле преставившихся, воспоминание о коих сохранилось еще живо в монастыре, и останки коих, по преданию, не обнаружили тления, что умилительно и таинственно повлияло на братию и сохранилось в памяти ее как нечто благолепное и чудесное и как обетование в будущем еще большей славы от их гробниц, если только волею божией придет тому время. Из таковых особенно сохранялась память о дожившем до ста пяти лет старце Иове, знаменитом подвижнике, великом постнике и молчальнике, преставившемся уже давно, еще в десятых годах нынешнего столетия, и могилу которого с особым и чрезвычайным уважением показывали всем впервые прибывающим богомольцам, таинственно упоминая при сем о некиих великих надеждах. (Это та самая могила, на которой отец Паисий застал утром сидящим Алешу.) Кроме сего древле почившего старца, жива была таковая же память и о преставившемся сравнительно уже недавно великом отце иеросхимонахе, старце Варсонофии — том самом, от которого отец Зосима и принял старчество и которого, при жизни его, все приходившие в монастырь богомольцы считали прямо за юродивого. О сих обоих сохранилось в предании, что лежали они в гробах своих как живые и погребены были совсем нетленными и что даже лики их как бы просветлели в гробу. А некие так даже вспоминали настоятельно, что от телес их осязалось явственно благоухание. Но несмотря даже и на столь внушительные воспоминания сии, всё же трудно было бы объяснить ту прямую причину, по которой у гроба старца Зосимы могло произойти столь легкомысленное, нелепое и злобное явление. Что до меня лично, то полагаю, что тут одновременно сошлось и много другого, много разных причин, заодно повлиявших. Из таковых, например, была даже самая эта закоренелая вражда к старчеству, как к зловредному новшеству, глубоко таившаяся в монастыре в умах еще многих иноков. А потом, конечно, и главное, была зависть к святости усопшего, столь сильно установившейся при жизни его, что и возражать как будто было воспрещено. Ибо хотя покойный старец и привлек к себе многих, и не столько чудесами, сколько любовью, и воздвиг кругом себя как бы целый мир его любящих, тем не менее, и даже тем более, сим же самым породил к себе и завистников, а вслед за тем и ожесточенных врагов, и явных и тайных, и не только между монастырскими, но даже и между светскими. Никому-то, например, он не сделал вреда, но вот: «Зачем-де его считают столь святым?» И один лишь сей вопрос, повторяясь постепенно, породил наконец целую бездну самой ненасытимой злобы. Вот почему и думаю я, что многие, заслышав тлетворный дух от тела его, да еще в такой скорости — ибо не прошло еще и дня со смерти его, были безмерно обрадованы; равно как из преданных старцу и доселе чтивших его нашлись тотчас же таковые, что были сим событием чуть не оскорблены и обижены лично. Постепенность же дела происходила следующим образом.

Лишь только начало обнаруживаться тление, то уже по одному виду входивших в келью усопшего иноков можно было заключить, зачем они приходят. Войдет, постоит недолго и выходит подтвердить скорее весть другим, толпою ожидающим извне. Иные из сих ожидавших скорбно покивали главами, но другие даже и скрывать уже не хотели своей радости, явно сиявшей в озлобленных взорах их. И никто-то их не укорял более, никто-то доброго гласа не подымал, что было даже и чудно, ибо преданных усопшему старцу было в монастыре всё же большинство; но уж, видно, сам Господь допустил, чтобы на сей раз меньшинство временно одержало верх. Вскорости стали являться в келью такими же соглядатаями и светские, более из образованных посетителей. Простого же народу входило мало, хотя и столпилось много его у ворот скитских. Несомненно то, что именно после трех часов прилив посетителей светских весьма усилился, и именно вследствие соблазнительного известия. Те, кои бы, может, и не прибыли в сей день вовсе и не располагали прибыть, теперь нарочно приехали, между ними некоторые значительного чина особы. Впрочем, благочиние наружно еще не нарушалось, и отец Паисий твердо и раздельно, с лицом строгим, продолжал читать Евангелие в голос, как бы не замечая совершавшегося, хотя давно уже заметил нечто необычайное. Но вот и до него стали достигать голоса, сперва весьма тихие, но постепенно твердевшие и ободрявшиеся. «Знать, суд-то божий не то, что человеческий!» — заслышал вдруг отец Паисий. Вымолвил сие первее всех один светский, городской чиновник, человек уже пожилой и, сколь известно было о нем, весьма набожный, но, вымолвив вслух, повторил лишь то, что давно промеж себя повторяли иноки друг другу на ухо. Те давно уже вымолвили сие безнадежное слово, и хуже всего было то, что с каждою почти минутой обнаруживалось и возрастало при этом слове некое торжество. Вскоре, однако, и самое даже благочиние начало нарушаться, и вот точно все почувствовали себя в каком-то даже праве его нарушить. «И почему бы *сие* могло случиться, — говорили некоторые из иноков, сначала как бы и сожалея, — тело имел невеликое, сухое, к костям приросшее, откуда бы тут духу быть?» — «Значит, нарочно хотел Бог указать», — поспешно прибавляли другие, и мнение их принималось бесспорно и тотчас же, ибо опять-таки указывали, что если б и быть духу естественно, как от всякого усопшего грешного, то всё же изошел бы позднее, не с такою столь явною поспешностью, по крайности чрез сутки бы, а «этот естество предупредил», стало быть, тут никто как Бог и нарочитый перст его. Указать хотел. Суждение сие поражало неотразимо. Кроткий отец иеромонах Иосиф, библиотекарь, любимец покойного, стал было возражать некоторым из злословников, что «не везде ведь это и так» и что не догмат же какой в православии сия необходимость нетления телес праведников, а лишь мнение, и что в самых даже православных странах, на Афоне например, духом тлетворным не столь смущаются, и не нетление телесное считается там главным признаком прославления спасенных, а цвет костей их, когда телеса их полежат уже многие годы в земле и даже истлеют в ней, «и если обрящутся кости желты́, как воск, то вот и главнейший знак, что прославил Господь усопшего праведного; если же не желты́, а черны́ обрящутся, то значит не удостоил такого Господь славы, — вот как на Афоне, месте великом, где издревле нерушимо и в светлейшей чистоте сохраняется православие», — заключил отец Иосиф. Но речи смиренного отца пронеслись без внушения и даже вызвали отпор насмешливый: «Это всё ученость и новшества, нечего и слушать», — порешили про себя иноки. «У нас по-старому; мало ли новшеств теперь выходит, всем и подражать?» — прибавляли другие. «У нас не менее ихнего святых отцов было. Они там под туркой сидят и всё перезабыли. У них и православие давно замутилось, да и колоколов у них нет», — присоединяли самые насмешливые. Отец Иосиф отошел с горестию, тем более что и сам-то высказал свое мнение не весьма твердо, а как бы и сам ему мало веруя. Но со смущением провидел, что начинается нечто очень неблаговидное и что возвышает главу даже самое непослушание. Мало-помалу, вслед за отцом Иосифом, затихли и все голоса рассудительные. И как-то так сошлось, что все любившие покойного старца и с умиленным послушанием принимавшие установление старчества страшно чего-то вдруг испугались и, встречаясь друг с другом, робко лишь заглядывали один другому в лицо. Враги же старчества, яко новшества, гордо подняли голову. «От покойного старца Варсонофия не только духу не было, но точилось благоухание, — злорадно напоминали они, — но не старчеством заслужил, а тем, что и сам праведен был». А вслед за сим на новопреставившегося старца посыпались уже осуждения и самые даже обвинения: «Несправедливо учил; учил, что жизнь есть великая радость, а не смирение слезное», — говорили одни, из наиболее бестолковых. «По-модному веровал, огня материального во аде не признавал», — присоединяли другие еще тех бестолковее. «К посту был не строг, сладости себе разрешал, варение вишневое ел с чаем, очень любил, барыни ему присылали. Схимнику ли чаи распивать?» — слышалось от иных завиствующих. «Возгордясь сидел, — с жестокостью припоминали самые злорадные, — за святого себя почитал, на коленки пред ним повергались, яко должное ему принимал». — «Таинством исповеди злоупотреблял», — злобным шепотом прибавляли самые ярые противники старчества, и это даже из самых старейших и суровых в богомолье своем иноков, истинных постников и молчальников, замолчавших при жизни усопшего, но вдруг теперь отверзших уста свои, что было уже ужасно, ибо сильно влияли словеса их на молодых и еще не установившихся иноков. Весьма выслушивал сие и обдорский гость, монашек от святого Сильвестра, глубоко воздыхая и покивая главою: «Нет, видно, отец-то Ферапонт справедливо вчера судил», — подумывал он про себя, а тут как раз и показался отец Ферапонт; как бы именно чтоб усугубить потрясение вышел.

Упомянул уже я прежде, что выходил он из своей деревянной келейки на пасеке редко, даже в церковь подолгу не являлся, и что попущали ему это якобы юродивому, не связывая его правилом, общим для всех. Но если сказать по всей правде, то попущалось ему всё сие даже и по некоторой необходимости. Ибо столь великого постника и молчальника, дни и ночи молящегося (даже и засыпал, на коленках стоя), как-то даже и зазорно было настоятельно обременять общим уставом, если он сам не хотел подчиниться. «Он и всех-то нас святее и исполняет труднейшее, чем по уставу, — сказали бы тогда иноки, — а что в церковь не ходит, то, значит, сам знает, когда ему ходить, у него свой устав». Ради сего-то вероятного ропота и соблазна и оставляли отца Ферапонта в покое. Старца Зосиму, как уже и всем известно было сие, не любил отец Ферапонт чрезвычайно; и вот и к нему, в его келейку, донеслась вдруг весть о том, что «суд-то божий, значит, не тот, что у человеков, и что естество даже предупредил». Надо полагать, что из первых сбегал ему передать известие обдорский гость, вчера посещавший его и в ужасе от него вчера отшедший. Упомянул я тоже, что отец Паисий, твердо и незыблемо стоявший и читавший над гробом, хотя и не мог слышать и видеть, что происходило вне кельи, но в сердце своем всё главное безошибочно предугадал, ибо знал среду свою насквозь. Смущен же не был, а ожидал всего, что еще могло произойти, без страха, пронзающим взглядом следя за будущим исходом волнения, уже представлявшимся умственному взору его. Как вдруг необычайный и уже явно нарушавший благочиние шум в сенях поразил слух его. Дверь отворилась настежь, и на пороге показался отец Ферапонт. За ним, как примечалось, и даже ясно было видно из кельи, столпилось внизу у крылечка много монахов, сопровождавших его, а между ними и светских. Сопровождавшие, однако, не вошли и на крылечко не поднялись, но, остановясь, ждали, что скажет и сделает отец Ферапонт далее, ибо предчувствовали они, и даже с некоторым страхом, несмотря на всё дерзновение свое, что пришел он недаром. Остановясь на пороге, отец Ферапонт воздел руки, и из-под правой руки его выглянули острые и любопытные глазки обдорского гостя, единого не утерпевшего и взбежавшего вослед отцу Ферапонту по лесенке из-за превеликого своего любопытства. Прочие же, кроме него, только что с шумом отворилась настежь дверь, напротив, потеснились еще более назад от внезапного страха. Подняв руки горе, отец Ферапонт вдруг завопил:

— Извергая извергну! — и тотчас же начал, обращаясь во все четыре стороны попеременно, крестить стены и все четыре угла кельи рукой. Это действие отца Ферапонта тотчас же поняли сопровождавшие его; ибо знали, что и всегда так делал, куда ни входил, и что и не сядет и слова не скажет, прежде чем не изгонит нечистую силу.

— Сатана, изыди, сатана, изыди! — повторял он с каждым крестом. — Извергая извергну! — возопил он опять. Был он в своей грубой рясе, подпоясанной вервием. Из-под посконной рубахи выглядывала обнаженная грудь его, обросшая седыми волосами. Ноги же совсем были босы. Как только стал он махать руками, стали сотрясаться и звенеть жестокие вериги, которые носил он под рясой. Отец Паисий прервал чтение, выступил вперед и стал пред ним в ожидании.

— Почто пришел, честный отче? Почто благочиние нарушаешь? Почто стадо смиренное возмущаешь? — проговорил он наконец, строго смотря на него.

— Чесо ради пришел еси? Чесо просиши? Како веруеши? — прокричал отец Ферапонт, юродствуя. — Притек здешних ваших гостей изгонять, чертей поганых. Смотрю, много ль их без меня накопили. Веником их березовым выметать хочу.

— Нечистого изгоняешь, а может, сам ему же и служишь, — безбоязненно продолжал отец Паисий, — и кто про себя сказать может: «свят есть»? Не ты ли, отче?

— Поган есмь, а не свят. В кресла не сяду и не восхощу себе аки идолу поклонения! — загремел отец Ферапонт. — Ныне людие веру святую губят. Покойник, святой-то ваш, — обернулся он к толпе, указывая перстом на гроб, — чертей отвергал. Пурганцу от чертей давал. Вот они и развелись у вас, как пауки по углам. А днесь и сам провонял. В сем указание Господне великое видим.

А это и действительно однажды так случилось при жизни отца Зосимы. Единому от иноков стала сниться, а под конец и наяву представляться нечистая сила. Когда же он, в величайшем страхе, открыл сие старцу, тот посоветовал ему непрерывную молитву и усиленный пост. Но когда и это не помогло, посоветовал, не оставляя поста и молитвы, принять одного лекарства. О сем многие тогда соблазнялись и говорили меж собой, покивая главами, — пуще же всех отец Ферапонт, которому тотчас же тогда поспешили передать некоторые хулители о сем «необычайном» в таком особливом случае распоряжении старца.

— Изыди, отче! — повелительно произнес отец Паисий, — не человеки судят, а Бог. Может, здесь «указание» видим такое, коего не в силах понять ни ты, ни я и никто. Изыди, отче, и стадо не возмущай! — повторил он настойчиво.

— Постов не содержал по чину схимы своей, потому и указание вышло. Сие ясно есть, а скрывать грех! — не унимался расходившийся во рвении своем не по разуму изувер. — Конфетою прельщался, барыни ему в карманах привозили, чаем сладобился, чреву жертвовал, сладостями его наполняя, а ум помышлением надменным... Посему и срам потерпел...

— Легкомысленны словеса твои, отче! — возвысил голос и отец Паисий, — посту и подвижничеству твоему удивляюсь, но легкомысленны словеса твои, якобы изрек юноша в миру, непостоянный и младоумный. Изыди же, отче, повелеваю тебе, — прогремел в заключение отец Паисий.

— Я-то изыду! — проговорил отец Ферапонт, как бы несколько и смутившись, но не покидая озлобления своего, — ученые вы! От большого разума вознеслись над моим ничтожеством. Притек я сюда малограмотен, а здесь, что и знал, забыл, сам Господь Бог от премудрости вашей меня, маленького, защитил...

Отец Паисий стоял над ним и ждал с твердостью. Отец Ферапонт помолчал и вдруг, пригорюнившись и приложив правую ладонь к щеке, произнес нараспев, взирая на гроб усопшего старца:

— Над ним заутра «Помощника и покровителя» станут петь — канон преславный, а надо мною, когда подохну, всего-то лишь «Кая житейская сладость» — стихирчик малый[1], — проговорил он слезно и сожалительно. — Возгордились и вознеслись, пусто место сие! — завопил он вдруг как безумный и, махнув рукой, быстро повернулся и быстро сошел по ступенькам с крылечка вниз. Ожидавшая внизу толпа заколебалась; иные пошли за ним тотчас же, но иные замедлили, ибо келья всё еще была отперта, а отец Паисий, выйдя вслед за отцом Ферапонтом на крылечко, стоя наблюдал. Но расходившийся старик еще не окончил всего: отойдя шагов двадцать, он вдруг обратился в сторону заходящего солнца, воздел над собою обе руки и — как бы кто подкосил его — рухнулся на землю с превеликим криком:

— Мой Господь победил! Христос победил заходящу солнцу! — неистово прокричал он, воздевая к солнцу руки, и, пав лицом ниц на землю, зарыдал в голос как малое дитя, весь сотрясаясь от слез своих и распростирая по земле руки. Тут уж все бросились к нему, раздались восклицания, ответное рыдание... Исступление какое-то всех обуяло.

— Вот кто свят! вот кто праведен! — раздавались возгласы уже не боязненно, — вот кому в старцах сидеть, — прибавляли другие уже озлобленно.

— Не сядет он в старцах... Сам отвергнет... не послужит проклятому новшеству... не станет ихним дурачествам подражать, — тотчас же подхватили другие голоса, и до чего бы это дошло, трудно и представить себе, но как раз ударил в ту минуту колокол, призывая к службе. Все вдруг стали креститься. Поднялся и отец Ферапонт и, ограждая себя крестным знамением, пошел к своей келье, не оглядываясь, всё еще продолжая восклицать, но уже нечто со-

---

[1] При выносе тела (из келии в церковь и после отпевания из церкви на кладбище) монаха и схимонаха поются стихиры «Кая житейская сладость...». Если же почивший был иеросхимонахом, то поют канон «Помощник и покровитель...». (*Примеч. Ф. М. Достоевского.*)

всем несвязное. За ним потекли было некоторые, в малом числе, но большинство стало расходиться, поспешая к службе. Отец Паисий передал чтение отцу Иосифу и сошел вниз. Исступленными кликами изуверов он поколебаться не мог, но сердце его вдруг загрустило и затосковало о чем-то особливо, и он почувствовал это. Он остановился и вдруг спросил себя: «Отчего сия грусть моя даже до упадка духа?» — и с удивлением постиг тотчас же, что сия внезапная грусть его происходит, по-видимому, от самой малой и особливой причины: дело в том, что в толпе, теснившейся сейчас у входа в келью, заприметил он между прочими волнующимися и Алешу и вспомнил он, что, увидав его, тотчас же почувствовал тогда в сердце своем как бы некую боль. «Да неужто же сей младый столь много значит ныне в сердце моем?» — вдруг с удивлением вопросил он себя. В эту минуту Алеша как раз проходил мимо него, как бы поспешая куда-то, но не в сторону храма. Взоры их встретились. Алеша быстро отвел свои глаза и опустил их в землю, и уже по одному виду юноши отец Паисий догадался, какая в минуту сию происходит в нем сильная перемена.

— Или и ты соблазнился? — воскликнул вдруг отец Паисий, — да неужто же и ты с маловерными! — прибавил он горестно.

Алеша остановился и как-то неопределенно взглянул на отца Паисия, но снова быстро отвел глаза и снова опустил их к земле. Стоял же боком и не повернулся лицом к вопрошавшему. Отец Паисий наблюдал внимательно.

— Куда же поспешаешь? К службе благовестят, — вопросил он вновь, но Алеша опять ответа не дал.

— Али из скита уходишь? Как же не спросясь-то, не благословясь?

Алеша вдруг криво усмехнулся, странно, очень странно вскинул на вопрошавшего отца свои очи, на того, кому вверил его, умирая, бывший руководитель его, бывший владыка сердца и ума его, возлюбленный старец его, и вдруг, всё по-прежнему без ответа, махнул рукой, как бы не заботясь даже и о почтительности, и быстрыми шагами пошел к выходным вратам вон из скита.

— Возвратишься еще! — прошептал отец Паисий, смотря вослед ему с горестным удивлением.

II

ТАКАЯ МИНУТКА

Отец Паисий, конечно, не ошибся, решив, что его «милый мальчик» снова воротится, и даже, может быть (хотя и не вполне, но всё же прозорливо), проник в истинный смысл душевного настроения Алеши. Тем не менее признаюсь откровенно, что самому мне очень было бы трудно теперь передать ясно точный смысл этой странной и неопределенной минуты в жизни столь излюбленного мною и столь еще юного героя моего рассказа. На горестный вопрос отца Паисия, устремленный к Алеше: «Или и ты с маловерными?» — я, конечно, мог бы с твердостью ответить за Алешу: «Нет, он не с маловерными». Мало того, тут было даже совсем противоположное: всё смущение его произошло именно оттого, что он много веровал. Но смущение всё же было, всё же произошло и было столь мучительно, что даже и потом, уже долго спустя, Алеша считал этот горестный день одним из самых тягостных и роковых дней своей жизни. Если же спросят прямо: «Неужели же вся эта тоска и такая тревога могли в нем произойти лишь потому, что тело его старца, вместо того чтобы немедленно начать производить исцеления, подверглось, напротив того, раннему тлению», то отвечу на это не обинуясь: «Да, действительно было так». Попросил бы только читателя не спешить еще слишком смеяться над чистым сердцем моего юноши. Сам же я не только не намерен просить за него прощенья или извинять и оправдывать простодушную его веру его юным возрастом, например, или малыми успехами в пройденных им прежде науках и проч., и проч., но сделаю даже напротив и твердо заявлю, что чувствую искреннее уважение к природе сердца его. Без сомнения, иной юноша, принимающий впечатления сердечные осторожно, уже умеющий любить не горячо, а лишь тепло, с умом хотя и верным, но слишком уж, судя по возрасту, рассудительным (а потому дешевым), такой юноша, говорю я, избег бы того, что случилось с моим юношей, но в иных случаях, право, почтеннее поддаться иному увлечению, хотя бы и неразумному, но всё же от великой любви происшедшему, чем вовсе не поддаться ему. А в юности тем паче, ибо неблагонадежен слишком уж постоянно рассудительный юноша и дешева цена ему — вот мое мнение! «Но, — воскликнут тут, пожалуй, разумные люди, — нельзя же всякому юноше веровать в такой предрассудок, и ваш юноша не указ остальным». На это я отвечу опять-таки: да, мой юноша веровал, веровал свято и нерушимо, но я все-таки не прошу за него прощения.

Видите ли: хоть я и заявил выше (и, может быть, слишком поспешно), что объясняться, извиняться и оправдывать героя моего не стану, но вижу, что нечто всё же необходимо уяснить для дальнейшего понимания рассказа. Вот что скажу: тут не то чтобы чудеса. Не легкомысленное в своем нетерпении было тут ожидание чудес. И не для торжества убеждений каких-либо понадобились тогда чудеса Алеше (это-то уже вовсе нет), не для идеи какой-либо прежней, предвзятой, которая бы восторжествовала поскорей над другою, — о нет, совсем нет: тут во всем этом и прежде всего, на первом месте, стояло пред ним лицо, и только лицо, — лицо возлюбленного старца его, лицо того праведника, которого он до такого обожания чтил. То-то и есть, что вся любовь, таившаяся в молодом и чистом сердце его ко «всем и вся», в то время и во весь предшествовавший тому год, как бы вся временами сосредоточивалась, и может быть даже неправильно, лишь на одном существе преимущественно, по крайней мере в сильнейших порывах сердца его, — на возлюбленном старце его, теперь почившем. Правда, это существо столь долго стояло пред ним как идеал бесспорный, что все юные силы его и всё стремление их и не могли уже не направиться к этому идеалу исключительно, а минутами так даже и до забвения «всех и вся». (Он вспоминал потом сам, что в тяжелый день этот забыл совсем о брате Дмитрии, о котором так заботился и тосковал накануне; забыл тоже снести отцу Илюшечки двести рублей, что с таким жаром намеревался исполнить тоже накануне.) Но не чудес опять-таки ему нужно было, а лишь «высшей справедливости», которая была, по верованию его, нарушена и чем так жестоко и внезапно было поранено сердце его. И что в том, что «справедливость» эта, в ожиданиях Алеши, самим даже ходом дела, приняла форму чудес, немедленно ожидаемых от праха обожаемого им бывшего руководителя его? Но ведь так мыслили и ожидали и все в монастыре, те даже, пред умом которых преклонялся Алеша, сам отец Паисий например, и вот Алеша, не тревожа себя никакими сомнениями, облек и свои мечты в ту же форму, в какую и все облекли. Да и давно уже это так устроилось в сердце его, целым годом монастырской жизни его, и сердце его взяло уже привычку так ожидать. Но справедливости жаждал, справедливости, а не токмо лишь чудес! И вот тот, который должен бы был, по упованиям его, быть вознесен превыше всех в целом мире, — тот самый вместо славы, ему подобавшей, вдруг низвержен и опозорен! За что? Кто судил? Кто мог так рассудить? — вот вопросы, которые тотчас же измучили неопытное и девственное сердце его. Не мог он вынести без оскорбления, без озлобления даже сердечного, что праведнейший из праведных предан на такое насмешливое и злобное глумление столь легкомысленной и столь ниже его стоявшей толпе. Ну и пусть бы не было чудес вовсе, пусть бы ничего не объявилось чудного и не оправдалось немедленно ожидаемое, но зачем же объявилось бесславие, зачем попустился позор, зачем это поспешное тление, «предупредившее естество», как говорили злобные монахи? Зачем это «указание», которое они с таким торжеством выводят теперь вместе с отцом Ферапонтом, и зачем они верят, что получили даже право так выводить? Где же провидение и перст его? К чему сокрыло оно свой перст «в самую нужную минуту» (думал Алеша) и как бы само захотело подчинить себя слепым, немым, безжалостным законам естественным?

Вот отчего точилось кровью сердце Алеши, и уж конечно, как я сказал уже, прежде всего тут стояло лицо, возлюбленное им более всего в мире и оно же «опозоренное», оно же и «обесславленное»! Пусть этот ропот юноши моего был легкомыслен и безрассуден, но опять-таки, в третий раз повторяю (и согласен вперед, что, может быть, тоже с легкомыслием): я рад, что мой юноша оказался не столь рассудительным в такую минуту, ибо рассудку всегда придет время у человека неглупого, а если уж и в такую исключительную минуту не окажется любви в сердце юноши, то когда же придет она? Не захочу, однако же, умолчать при сем случае и о некотором странном явлении, хотя и мгновенно, но всё же обнаружившемся в эту роковую и сбивчивую для Алеши минуту в уме его. Это новое объявившееся и мелькнувшее *нечто* состояло в некотором мучительном впечатлении от неустанно припоминавшегося теперь Алешей вчерашнего его разговора с братом Иваном. Именно теперь. О, не то чтобы что-нибудь было поколеблено в душе его из основных, стихийных, так сказать, ее верований. Бога своего он любил и веровал в него незыблемо, хотя и возроптал было на него внезапно. Но всё же какое-то смутное, но мучительное и злое впечатление от припоминания вчерашнего разговора с братом Иваном вдруг теперь снова зашевелилось в душе его и всё более и более просилось выйти на верх ее. Когда уже стало сильно смеркаться, проходивший сосновою рощей из скита к монастырю Ракитин вдруг заметил Алешу, лежавшего под деревом лицом к земле, недвижимого и как бы спящего. Он подошел и окликнул его.

— Ты здесь, Алексей? Да неужто же ты... — произнес было он, удивленный, но, не докончив, остановился. Он хотел сказать: «Неужто же ты *до того дошел?*» Алеша не взглянул на него, но по некоторому движению его Ракитин сейчас догадался, что он его слышит и понимает.

— Да что с тобой? — продолжал он удивляться, но удивление уже начало сменяться в лице его улыбкой, принимавшею всё более и более насмешливое выражение.

— Послушай, да ведь я тебя ищу уже больше двух часов. Ты вдруг пропал оттудова. Да что ты тут делаешь? Какие это с тобой благоглупости? Да взгляни хоть на меня-то...

Алеша поднял голову, сел и прислонился спиной к дереву. Он не плакал, но лицо его выражало страдание, а во взоре виднелось раздражение. Смотрел он, впрочем, не на Ракитина, а куда-то в сторону.

— Знаешь, ты совсем переменился в лице. Никакой этой кротости прежней пресловутой твоей нет. Осердился на кого, что ли? Обидели?

— Отстань! — проговорил вдруг Алеша, всё по-прежнему не глядя на него и устало махнув рукой.

— Ого, вот мы как! Совсем как и прочие смертные стали покрикивать. Это из ангелов-то! Ну, Алешка, удивил ты меня, знаешь ты это, искренно говорю. Давно я ничему здесь не удивляюсь. Ведь я всё же тебя за образованного человека почитал...

Алеша наконец поглядел на него, но как-то рассеянно, точно всё еще мало его понимая.

— Да неужель ты только оттого, что твой старик провонял? Да неужели же ты верил серьезно, что он чудеса отмачивать начнет? — воскликнул Ракитин, опять переходя в самое искреннее изумление.

— Верил, верую, и хочу веровать, и буду веровать, ну чего тебе еще! — раздражительно прокричал Алеша.

— Да ничего ровно, голубчик. Фу черт, да этому тринадцатилетний школьник теперь не верит. А впрочем, черт... Так ты вот и рассердился теперь на Бога-то своего, взбунтовался: чином, дескать, обошли, к празднику ордена не дали! Эх вы!

Алеша длинно и как-то прищурив глаза посмотрел на Ракитина, и в глазах его что-то вдруг сверкнуло... но не озлобление на Ракитина.

— Я против бога моего не бунтуюсь, я только «мира его не принимаю», — криво усмехнулся вдруг Алеша.

— Как это мира не принимаешь? — капельку подумал над его ответом Ракитин, — что за белиберда?

Алеша не ответил.

— Ну, довольно о пустяках-то, теперь к делу: ел ты сегодня?

— Не помню... ел, кажется.

— Тебе надо подкрепиться, судя по лицу-то. Сострадание ведь на тебя глядя берет. Ведь ты и ночь не спал, я слышал, заседание у вас там было. А потом вся эта возня и мазня.... Всего-то антидорцу кусочек, надо быть, пожевал. Есть у меня с собой в кармане колбаса, давеча из города захватил на всякий случай, сюда направляясь, только ведь ты колбасы не станешь...

— Давай колбасы.

— Эге! Так ты вот как! Значит, совсем уж бунт, баррикады! Ну, брат, этим делом пренебрегать нечего. Зайдем ко мне... Я бы водочки сам теперь тяпнул, смерть устал. Водки-то небось не решишься... аль выпьешь?

— Давай и водки.

— Эвона! Чудно, брат! — дико посмотрел Ракитин. — Ну да так или этак, водка иль колбаса, а дело это лихое, хорошее и упускать невозможно, идем!

Алеша молча поднялся с земли и пошел за Ракитиным.

— Видел бы это брат Ванечка, так как бы изумился! Кстати, братец твой Иван Федорович сегодня утром в Москву укатил, знаешь ты это?

— Знаю, — безучастно произнес Алеша, и вдруг мелькнул у него в уме образ брата Дмитрия, но только мелькнул, и хоть напомнил что-то, какое-то дело спешное, которого уже нельзя более ни на минуту откладывать, какой-то долг, обязанность страшную, но и это воспоминание не произвело никакого на него впечатления, не достигло сердца его, в тот же миг вылетело из памяти и забылось. Но долго потом вспоминал об этом Алеша.

— Братец твой Ванечка изрек про меня единожды, что я «бездарный либеральный мешок». Ты же один разик тоже не утерпел и дал мне понять, что я «бесчестен»... Пусть! Посмотрю-ка я теперь на вашу даровитость и честность (окончил это Ракитин уже про себя, шепотом). Тьфу, слушай! — заговорил он снова громко, — минуем-ка монастырь, пойдем по тропинке прямо в город... Гм. Мне бы кстати надо к Хохлаковой зайти. Вообрази: я ей отписал о всем приключившемся, и, представь, она мне мигом отвечает запиской, карандашом (ужасно любит записки писать эта дама), что «никак она не ожидала от такого почтенного старца, как отец Зосима, — *такого поступка!*» Так ведь и написала: «поступка»! Тоже ведь озлилась; эх, вы все! Постой! — внезапно прокричал он опять, вдруг остановился и, придержав Алешу за плечо, остановил и его.

— Знаешь, Алешка, — пытливо глядел он ему в глаза, весь под впечатлением внезапной новой мысли, вдруг его осиявшей, и хоть сам и смеялся наружно, но, видимо, боясь выговорить вслух эту новую внезапную мысль свою, до того он всё еще не мог поверить чудному для него и никак неожиданному настроению, в котором видел теперь Алешу, — Алешка, знаешь, куда мы всего лучше бы теперь пошли? — выговорил он наконец робко и искательно.

— Всё равно... куда хочешь.

— Пойдем-ка к Грушеньке, а? Пойдешь? — весь даже дрожа от робкого ожидания, изрек наконец Ракитин.

— Пойдем к Грушеньке, — спокойно и тотчас же ответил Алеша, и уж это было до того неожиданно для Ракитина, то есть такое скорое и спокойное согласие, что он чуть было не отпрыгнул назад.

— Н-ну!.. Вот! — прокричал было он в изумлении, но вдруг, крепко подхватив Алешу под руку, быстро повлек его по тропинке, всё еще ужасно опасаясь, что в том исчезнет решимость. Шли молча, Ракитин даже заговорить боялся.

— А рада-то как она будет, рада-то... — пробормотал было он, но опять примолк. Да и вовсе не для радости Грушенькиной он влек к ней Алешу; был он человек серьезный и без выгодной для себя цели ничего не предпринимал. Цель же у него теперь была двоякая, во-первых, мстительная, то есть увидеть «позор праведного» и вероятное «падение» Алеши «из святых во грешники», чем он уже заранее упивался, а во-вторых, была у него тут в виду и некоторая материальная, весьма для него выгодная цель, о которой будет сказано ниже.

«Значит, такая минутка вышла, — думал он про себя весело и злобно, — вот мы, стало быть, и изловим ее за шиворот, минутку-то эту, ибо она нам весьма подобающая».

III

ЛУКОВКА

Грушенька жила в самом бойком месте города, близ Соборной площади, в доме купеческой вдовы Морозовой, у которой нанимала на дворе небольшой деревянный флигель. Дом же Морозовой был большой, каменный, двухэтажный, старый и очень неприглядный на вид; в нем проживала уединенно сама хозяйка, старая женщина, с двумя своими племянницами, тоже весьма пожилыми девицами. Отдавать внаем свой флигель на дворе она не нуждалась, но все знали, что пустила к себе жилицей Грушеньку (еще года четыре назад) единственно в угоду родственнику своему купцу Самсонову, Грушенькиному открытому покровителю. Говорили, что ревнивый старик, помещая к Морозовой свою «фаворитку», имел первоначально в виду зоркий глаз старухи, чтобы наблюдать за поведением новой жилицы. Но зоркий глаз весьма скоро оказался ненужным, и кончилось тем, что Морозова даже редко встречалась с Грушенькой и совсем уже не надоедала ей под конец никаким надзором. Правда, прошло уже четыре года с тех пор, как старик привез в этот дом из губернского города восемнадцатилетнюю девочку, робкую, застенчивую, тоненькую, худенькую, задумчивую и грустную, и с тех пор много утекло воды. Биографию этой девочки знали, впрочем, у нас в городе мало и сбивчиво; не узнали больше и в последнее время, и это даже тогда, когда уже очень многие стали интересоваться такою «раскрасавицей», в какую превратилась в четыре года Аграфена Александровна. Были только слухи, что семнадцатилетнею еще девочкой была она кем-то обманута, каким-то будто бы офицером, и затем тотчас же им брошена. Офицер-де уехал и где-то потом женился, а Грушенька осталась в позоре и нищете. Говорили, впрочем, что хотя Грушенька и действительно была взята своим стариком из нищеты, но что семейства была честного и происходила как-то из духовного звания, была дочь какого-то заштатного дьякона или что-то в этом роде. И вот в четыре года из чувствительной, обиженной и жалкой сироточки вышла румяная, полнотелая русская красавица, женщина с характером смелым и решительным, гордая и наглая, понимавшая толк в деньгах, приобретательница, скупая и осторожная, правдами иль неправдами, но уже успевшая, как говорили про нее, сколотить свой собственный капиталец. В одном только все были убеждены: что к Грушеньке доступ труден и что, кроме старика, ее покровителя, не было ни единого еще человека, во все четыре года, который бы мог похвалиться ее благосклонностью. Факт был твердый, потому что на приобретение этой благосклонности выскакивало немало охотников, особливо в последние два года. Но все попытки оказались втуне, а иные из искателей принуждены были отретироваться даже с комическою и зазорною развязкой благодаря твердому и насмешливому отпору со стороны характерной молодой особы. Знали еще, что молодая особа, особенно в последний год, пустилась в то, что называется «гешефтом», и что с этой стороны она оказалась с чрезвычайными способностями, так что под конец многие прозвали ее сущею жидовкой. Не то чтоб она давала деньги в рост, но известно было, например, что в компании с Федором Павловичем Карамазовым она некоторое время действительно занималась скупкою векселей за бесценок, по гривеннику за рубль, а потом приобрела на иных из этих векселей по рублю на гривенник. Больной Самсонов, в последний год лишившийся употребления своих распухших ног, вдовец, тиран своих взрослых сыновей, большой стотысячник, человек скаредный и неумолимый, подпал, однако же, под сильное влияние своей протеже, которую сначала было держал в ежовых рукавицах и в черном теле, «на постном масле», как говорили тогда зубоскалы. Но Грушенька успела эмансипироваться, внушив, однако же, ему безграничное доверие касательно своей ему верности. Этот старик, большой делец (теперь давно покойник), был тоже характера замечательного, главное скуп и тверд, как кремень, и хоть Грушенька поразила его, так что он и жить без нее не мог (в последние два года, например, это так и было), но капиталу большого, значительного, он все-таки ей не отделил, и даже если б она пригрозила ему совсем его бросить, то и тогда бы остался неумолим. Но отделил зато капитал малый, и когда узналось это, то и это стало всем на удивление. «Ты сама баба не промах, — сказал он ей, отделяя ей тысяч с восемь, — сама и орудуй, но знай, что, кроме ежегодного содержания по-прежнему, до самой смерти моей, больше ничего от меня не получишь, да и в завещании ничего больше тебе не отделю». Так и сдержал слово: умер и всё оставил сыновьям, которых всю жизнь держал при себе наравне как слуг, с их женами и детьми, а о Грушеньке даже и не упомянул в завещании вовсе. Всё это стало известно впоследствии. Советами же, как орудовать «своим собственным капиталом», он Грушеньке помогал немало и указывал ей «дела». Когда Федор Павлович Карамазов, связавшийся первоначально с Грушенькой по поводу одного случайного «гешефта», кончил совсем для себя неожиданно тем, что влюбился в нее без памяти и как бы даже ум потеряв, то старик Самсонов, уже дышавший в то время на ладан, сильно посмеивался. Замечательно, что Грушенька была со своим стариком за всё время их знакомства вполне и даже как бы сердечно откровенна, и это, кажется, с единственным человеком в мире. В самое последнее время, когда появился вдруг с своею любовью и Дмитрий Федорович, старик перестал смеяться. Напротив, однажды серьезно и строго посоветовал Грушеньке: «Если уж выбирать из обоих, отца аль сына, то выбирай старика, но с тем, однако же, чтобы старый подлец беспременно на тебе женился, а предварительно хоть некоторый капитал отписал. А с капитаном не якшайся, пути не будет». Вот были собственные слова Грушеньке старого сластолюбца, предчувствовавшего тогда уже близкую смерть свою и впрямь чрез пять месяцев после совета сего умершего. Замечу еще мельком, что хотя у нас в городе даже многие знали тогда про нелепое и уродливое соперничество Карамазовых, отца с сыном, предметом которого была Грушенька, но настоящего смысла ее отношений к обоим из них, к старику и к сыну, мало кто тогда понимал. Даже обе служанки Грушеньки (после уже разразившейся катастрофы, о которой еще речь впереди) показали потом на суде, что Дмитрия Федоровича принимала Аграфена Александровна из одного лишь страху, потому будто бы, что «убить грозился». Служанок у нее было две, одна очень старая кухарка, еще из родительского семейства ее, больная и почти оглохшая, и внучка ее, молоденькая, бойкая девушка лет двадцати, Грушенькина горничная. Жила же Грушенька очень скупо и в обстановке совсем небогатой. Было у ней во флигеле всего три комнаты, меблированные от хозяйки древнею, красного дерева мебелью, фасона двадцатых годов. Когда вошли к ней Ракитин и Алеша, были уже полные сумерки, но комнаты еще не были освещены. Сама Грушенька лежала у себя в гостиной, на своем большом неуклюжем диване со спинкой под красное дерево, жестком и обитом кожей, давно уже истершеюся и продырившеюся. Под головой у ней были две белые пуховые подушки с ее постели. Она лежала навзничь, неподвижно протянувшись, заложив обе руки за голову. Была она приодета, будто ждала кого, в шелковом черном платье и в легкой кружевной на голове наколке, которая очень к ней шла; на плечи была наброшена кружевная косынка, приколотая массивною золотою брошкой. Именно она кого-то ждала, лежала как бы в тоске и в нетерпении, с несколько побледневшим лицом, с горячими губами и глазами, кончиком правой ноги нетерпеливо постукивая по ручке дивана. Чуть только появились Ракитин и Алеша, как произошел было маленький переполох: слышно было из передней, как Грушенька быстро вскочила с дивана и вдруг испуганно прокричала: «Кто там?» Но гостей встретила девушка и тотчас же откликнулась барыне.

— Да не они-с, это другие, эти ничего.

«Что бы у ней такое?» — пробормотал Ракитин, вводя Алешу за руку в гостиную. Грушенька стояла у дивана как бы всё еще в испуге. Густая прядь темно-русой косы ее выбилась вдруг из-под наколки и упала на ее правое плечо, но она не заметила и не поправила, пока не вгляделась в гостей и не узнала их.

— Ах, это ты, Ракитка? Испугал было меня всю. С кем ты это? Кто это с тобой? Господи, вот кого привел! — воскликнула она, разглядев Алешу.

— Да вели подать свечей-то! — проговорил Ракитин с развязным видом самого короткого знакомого и близкого человека, имеющего даже право распоряжаться в доме.

— Свечей... конечно, свечей... Феня, принеси ему свечку... Ну, нашел время его привести! — воскликнула она опять, кивнув на Алешу, и, оборотясь к зеркалу, быстро начала обеими руками вправлять свою косу. Она как будто была недовольна.

— Аль не потрафил? — спросил Ракитин, мигом почти обидевшись.

— Испугал ты меня, Ракитка, вот что, — обернулась Грушенька с улыбкой к Алеше. — Не бойся ты меня, голубчик Алеша, страх как я тебе рада, гость ты мой неожиданный. А ты меня, Ракитка, испугал: я ведь думала, Митя ломится. Видишь, я его давеча надула и с него честное слово взяла, чтобы мне верил, а я налгала. Сказала ему, что к Кузьме Кузьмичу, к старику моему, на весь вечер уйду и буду с ним до ночи деньги считать. Я ведь каждую неделю к нему ухожу на весь вечер счеты сводить. На замок запремся: он на счетах постукивает, а я сижу — в книги записываю — одной мне доверяет. Митя-то и поверил, что я там, а я вот дома заперлась — сижу, одной вести жду. Как это вас Феня впустила! Феня, Феня! Беги к воротам, отвори и огляди кругом, нет ли где капитана-то? Может, спрятался и высматривает, смерть боюсь!

— Никого нет, Аграфена Александровна, сейчас кругом оглянула, я и в щелку подхожу гляжу поминутно, сама в страхе-трепете.

— Ставни заперты ли, Феня? да занавес бы опустить — вот так! — Она сама опустила тяжелые занавесы, — а то на огонь-то он как раз налетит. Мити, братца твоего, Алеша, сегодня боюсь. — Грушенька говорила громко, хотя и в тревоге, но и как будто в каком-то почти восторге.

— Почему так сегодня Митеньки боишься? — осведомился Ракитин, — кажется, с ним не пуглива, по твоей дудке пляшет.

— Говорю тебе, вести жду, золотой одной такой весточки, так что Митеньки-то и не надо бы теперь вовсе. Да и не поверил он мне, это чувствую, что я к Кузьме Кузьмичу пошла. Должно быть, сидит теперь там у себя, у Федора Павловича на задах в саду, меня сторожит. А коли там засел, значит, сюда не придет, тем и лучше! А ведь к Кузьме Кузьмичу я и впрямь сбегала, Митя же меня и проводил, сказала до полночи просижу и чтоб он же меня беспременно пришел в полночь домой проводить. Он ушел, а я минут десять у старика посидела да и опять сюда, ух боялась — бежала, чтоб его не повстречать.

— А разрядилась-то куда? Ишь ведь какой чепец на тебе любопытный?

— И уж какой же ты сам любопытный, Ракитин! Говорю тебе, такой одной весточки жду. Придет весточка, вскочу — полечу, только вы меня здесь и видели. Для того и разрядилась, чтоб готовой сидеть.

— А куда полетишь?

— Много знать будешь, скоро состаришься.

— Ишь ведь. Вся в радости... Никогда еще я тебя не видел такую. Разоделась как на бал, — оглядывал ее Ракитин.

— Много ты в балах-то понимаешь.

— А ты много?

— Я-то видала бал. Третьего года Кузьма Кузьмич сына женил, так я с хор смотрела. Что ж мне, Ракитка, с тобой, что ли, разговаривать, когда тут такой князь стоит. Вот так гость! Алеша, голубчик, гляжу я на тебя и не верю; господи, как это ты у меня появился! По правде тебе сказать, не ждала не гадала, да и прежде никогда тому не верила, чтобы ты мог прийти. Хоть и не та минутка теперь, а страх я тебе рада! Садись на диван, вот сюда, вот так, месяц ты мой молодой. Право, я еще как будто и не соображусь... Эх ты, Ракитка, если бы ты его вчера али третьего дня привел!.. Ну да рада и так. Может, и лучше, что теперь, под такую минуту, а не третьего дня...

Она резво подсела к Алеше на диван, с ним рядом, и глядела на него решительно с восхищением. И действительно была рада, не лгала, говоря это. Глаза ее горели, губы смеялись, но добродушно, весело смеялись. Алеша даже и не ожидал от нее такого доброго выражения в лице... Он встречал ее до вчерашнего дня мало, составил об ней устрашающее понятие, а вчера так страшно был потрясен ее злобною и коварною выходкой против Катерины Ивановны и был очень удивлен, что теперь вдруг увидал в ней совсем как бы иное и неожиданное существо. И как ни был он придавлен своим собственным горем, но глаза его невольно остановились на ней со вниманием. Все манеры ее как бы изменились тоже со вчерашнего дня совсем к лучшему: не было этой вчерашней слащавости в выговоре почти вовсе, этих изнеженных и манерных движений... всё было просто, простодушно, движения ее были скорые, прямые, доверчивые, но была она очень возбуждена.

— Господи, экие всё вещи сегодня сбываются, право, — залепетала она опять. — И чего я тебе так рада, Алеша, сама не знаю. Вот спроси, а я не знаю.

— Ну уж и не знаешь, чему рада? — усмехнулся Ракитин. — Прежде-то зачем-нибудь приставала же ко мне: приведи да приведи его, имела же цель.

— Прежде-то я другую цель имела, а теперь то прошло, не такая минута. Потчевать я вас стану, вот что. Я теперь подобрела, Ракитка. Да садись и ты, Ракитка, чего стоишь? Аль ты уж сел? Небось Ракитушка себя не забудет. Вот он теперь, Алеша, сидит там против нас, да и обижается: зачем это я его прежде тебя не пригласила садиться. Ух обидчив у меня Ракитка, обидчив! — засмеялась Грушенька. — Не злись, Ракитка, ныне я добрая. Да чего ты грустен сидишь, Алешечка, аль меня боишься? — с веселою насмешкой заглянула она ему в глаза.

— У него горе. Чину не дали, — пробасил Ракитин.

— Какого чину?

— Старец его пропах.

— Как пропах? Вздор ты какой-нибудь мелешь, скверность какую-нибудь хочешь сказать. Молчи, дурак. Пустишь меня, Алеша, на колени к себе посидеть, вот так! — И вдруг она мигом привскочила и прыгнула смеясь ему на колени, как ласкающаяся кошечка, нежно правою рукой охватив ему шею. — Развеселю я тебя, мальчик ты мой богомольный! Нет, в самом деле, неужто позволишь мне на коленках у тебя посидеть, не осердишься? Прикажешь — я соскочу.

Алеша молчал. Он сидел, боясь шевельнуться, он слышал ее слова: «Прикажешь — я соскочу», но не ответил, как будто замер. Но не то в нем было, чего мог бы ждать и что мог бы вообразить в нем теперь, например, хоть Ракитин, плотоядно наблюдавший со своего места. Великое горе души его поглощало все ощущения, какие только могли зародиться в сердце его, и если только мог бы он в сию минуту дать себе полный отчет, то и сам бы догадался, что он теперь в крепчайшей броне против всякого соблазна и искушения. Тем не менее, несмотря на всю смутную безотчетность его душевного состояния и на всё угнетавшее его горе, он всё же дивился невольно одному новому и странному ощущению, рождавшемуся в его сердце: эта женщина, эта «страшная» женщина не только не пугала его теперь прежним страхом, страхом, зарождавшимся в нем прежде при всякой мечте о женщине, если мелькала таковая в его душе, но, напротив, эта женщина, которую он боялся более всех, сидевшая у него на коленях и его обнимавшая, возбуждала в нем вдруг теперь совсем иное, неожиданное и особливое чувство, чувство какого-то необыкновенного, величайшего и чистосердечнейшего к ней любопытства, и всё это уже безо всякой боязни, без малейшего прежнего ужаса — вот что было главное и что невольно удивляло его.

— Да полно вздор-то вам болтать, — закричал Ракитин, — а лучше шампанского подавай, долг на тебе, сама знаешь!

— Вправду долг. Ведь я, Алеша, ему за тебя шампанского сверх всего обещала, коль тебя приведет. Катай шампанского, и я стану пить! Феня, Феня, неси нам шампанского, ту бутылку, которую Митя оставил, беги скорее. Я хоть и скупая, а бутылку подам, не тебе, Ракитка, ты гриб, а он князь! И хоть не тем душа моя теперь полна, а так и быть, выпью и я с вами, дебоширить хочется!

— Да что это у тебя за минута, и какая такая там «весть», можно спросить, аль секрет? — с любопытством ввернул опять Ракитин, изо всей силы делая вид, что и внимания не обращает на щелчки, которые в него летели беспрерывно.

— Эх, не секрет, да и сам ты знаешь, — озабоченно проговорила вдруг Грушенька, повернув голову к Ракитину и отклонясь немного от Алеши, хотя всё еще продолжая сидеть у него на коленях, рукой обняв его шею, — офицер едет, Ракитин, офицер мой едет!

— Слышал я, что едет, да разве уж так близко?

— В Мокром теперь, оттуда сюда эстафет пришлет, так сам написал, давеча письмо получила. Сижу и жду эстафета.

— Вона! Почему в Мокром?

— Долго рассказывать, да и довольно с тебя.

— То-то Митенька-то теперь, — уй, уй! Он-то знает аль не знает?

— Чего знает! Совсем не знает! Кабы узнал, так убил бы. Да я этого теперь совсем не боюсь, не боюсь я теперь его ножа. Молчи, Ракитка, не поминай мне о Дмитрии Федоровиче: сердце он мне всё размозжил. Да не хочу я ни о чем об этом в эту минуту и думать. Вот об Алешечке могу думать, я на Алешечку гляжу... Да усмехнись ты на меня, голубчик, развеселись, на глупость-то мою, на радость-то мою усмехнись... А ведь улыбнулся, улыбнулся! Ишь ласково как смотрит. Я, знаешь, Алеша, всё думала, что ты на меня сердишься за третьеводнишнее, за барышню-то. Собака я была, вот что... Только все-таки хорошо оно, что так произошло. И дурно оно было и хорошо оно было, — вдумчиво усмехнулась вдруг Грушенька, и какая-то жестокая черточка мелькнула вдруг в ее усмешке. — Митя сказывал, что кричала: «Плетьми ее надо!» Разобидела я тогда ее уж очень. Зазвала меня, победить хотела, шоколатом своим обольстить... Нет, оно хорошо, что так произошло, — усмехнулась она опять. — Да вот боюсь всё, что ты осердился...

— А ведь и впрямь, — с серьезным удивлением ввернул вдруг Ракитин. — Ведь она тебя, Алеша, в самом деле боится, цыпленка этако.

— Это для тебя, Ракитка, он цыпленок, вот что... потому что у тебя совести нет, вот что! Я, видишь, я люблю его душой, вот что! Веришь, Алеша, что я люблю тебя всею душой?

— Ах ты, бесстыдница! Это она в любви тебе, Алексей, объясняется!

— А что ж, и люблю.

— А офицер? А весточка золотая из Мокрого?

— То одно, а это другое.

— Вот как по-бабьему выходит!

— Не зли меня, Ракитка, — горячо подхватила Грушенька, — то одно, а это другое. Я Алешу по-иному люблю. Правда, Алеша, была у меня на тебя мысль хитрая прежде. Да ведь я низкая, я ведь неистовая, ну, а в другую минуту я, бывало, Алеша, на тебя как на совесть мою смотрю. Всё думаю: «Ведь уж как такой меня, скверную, презирать теперь должен». И третьего дня это думала, как от барышни сюда бежала. Давно я тебя заметила так, Алеша, и Митя знает, ему говорила. Вот Митя так понимает. Веришь ли, иной раз, право, Алеша, смотрю на тебя и стыжусь, всё себя стыжусь... И как это я об тебе думать стала и с которых пор, не знаю и не помню...

Вошла Феня и поставила на стол поднос, на нем откупоренную бутылку и три налитые бокала.

— Шампанское принесли! — прокричал Ракитин, — возбуждена ты, Аграфена Александровна, и вне себя. Бокал выпьешь, танцевать пойдешь. Э-эх; и того не сумели сделать, — прибавил он, разглядывая шампанское. — В кухне старуха разлила, и бутылку без пробки принесли, и теплое. Ну давай хоть так.

Он подошел к столу, взял бокал, выпил залпом и налил себе другой.

— На шампанское-то не часто нарвешься, — проговорил он, облизываясь, — ну-тка, Алеша, бери бокал, покажи себя. За что же нам пить? За райские двери? Бери, Груша, бокал, пей и ты за райские двери.

— За какие это райские двери?

Она взяла бокал. Алеша взял свой, отпил глоток и поставил бокал назад.

— Нет, уж лучше не надо! — улыбнулся он тихо.

— А хвалился! — крикнул Ракитин.

— Ну и я, коли так, не буду, — подхватила Грушенька, — да и не хочется. Пей, Ракитка, один всю бутылку. Выпьет Алеша, и я тогда выпью.

— Телячьи нежности пошли! — поддразнил Ракитин. — А сама на коленках у него сидит! У него, положим, горе, а у тебя что? Он против Бога своего взбунтовался, колбасу собирался жрать...

— Что так?

— Старец его помер сегодня, старец Зосима, святой.

— Так умер старец Зосима! — воскликнула Грушенька. — Господи, а я того и не знала! — Она набожно перекрестилась. — Господи, да что же я, а я-то у него на коленках теперь сижу! — вскинулась она вдруг как в испуге, мигом соскочила с колен и пересела на диван. Алеша длинно с удивлением поглядел на нее, и на лице его как будто что засветилось.

— Ракитин, — проговорил он вдруг громко и твердо, — не дразни ты меня, что я против Бога моего взбунтовался. Не хочу я злобы против тебя иметь, а потому будь и ты добрее. Я потерял такое сокровище, какого ты никогда не имел, и ты теперь не можешь судить меня. Посмотри лучше сюда на нее: видел, как она меня пощадила? Я шел сюда злую душу найти — так влекло меня самого к тому, потому что я был подл и зол, а нашел сестру искреннюю, нашел сокровище — душу любящую... Она сейчас пощадила меня... Аграфена Александровна, я про тебя говорю. Ты мою душу сейчас восстановила.

У Алеши затряслись губы и стеснилось дыхание. Он остановился.

— Будто уж так и спасла тебя! — засмеялся Ракитин злобно. — А она тебя проглотить хотела, знаешь ты это?

— Стой, Ракитка! — вскочила вдруг Грушенька, — молчите вы оба. Теперь я всё скажу: ты, Алеша, молчи, потому что от твоих таких слов меня стыд берет, потому что я злая, а не добрая, — вот я какая. А ты, Ракитка, молчи потому, что ты лжешь. Была такая подлая мысль, что хотела его проглотить, а теперь ты лжешь, теперь вовсе не то... и чтоб я тебя больше совсем не слыхала, Ракитка! — Всё это Грушенька проговорила с необыкновенным волнением.

— Ишь ведь оба бесятся! — прошипел Ракитин, с удивлением рассматривая их обоих, — как помешанные, точно я в сумасшедший дом попал. Расслабели обоюдно, плакать сейчас начнут!

— И начну плакать, и начну плакать! — приговаривала Грушенька. — Он меня сестрой своей назвал, и я никогда того впредь не забуду! Только вот что, Ракитка, я хоть и злая, а все-таки я луковку подала.

— Каку таку луковку? Фу, черт, да и впрямь помешались! Ракитин удивлялся на их восторженность и обидчиво злился, хотя и мог бы сообразить, что у обоих как раз сошлось всё, что могло потрясти их души так, как случается это нечасто в жизни. Но Ракитин, умевший весьма чувствительно понимать всё, что касалось его самого, был очень груб в понимании чувств и ощущений ближних своих — отчасти по молодой неопытности своей, а отчасти и по великому своему эгоизму.

— Видишь, Алешечка, — нервно рассмеялась вдруг Грушенька, обращаясь к нему, — это я Ракитке похвалилась, что луковку подала, а тебе не похвалюсь, я тебе с иной целью это скажу. Это только басня, но она хорошая басня, я ее, еще дитей была, от моей Матрены, что теперь у меня в кухарках служит, слышала. Видишь, как это: «Жила-была одна баба злющая-презлющая и померла. И не осталось после нее ни одной добродетели. Схватили ее черти и кинули в огненное озеро. А ангел-хранитель ее стоит да и думает: какую бы мне такую добродетель ее припомнить, чтобы Богу сказать. Вспомнил и говорит Богу: она, говорит, в огороде луковку выдернула и нищенке подала. И отвечает ему Бог: возьми ж ты, говорит, эту самую луковку, протяни ей в озеро, пусть ухватится и тянется, и коли вытянешь ее вон из озера, то пусть в рай идет, а оборвется луковка, то там и оставаться бабе, где теперь. Побежал ангел к бабе, протянул ей луковку: на, говорит, баба, схватись и тянись. И стал он ее осторожно тянуть и уж всю было вытянул, да грешники прочие в озере, как увидали, что ее тянут вон, и стали все за нее хвататься, чтоб и их вместе с нею вытянули. А баба-то была злющая-презлющая, и почала она их ногами брыкать: „Меня тянут, а не вас, моя луковка, а не ваша“. Только что она это выговорила, луковка-то и порвалась. И упала баба в озеро и горит по сей день. А ангел заплакал и отошел». Вот она эта басня, Алеша, наизусть запомнила, потому что сама я и есть эта самая баба злющая. Ракитке я похвалилась, что луковку подала, а тебе иначе скажу: *всего-то* я луковку какую-нибудь во всю жизнь мою подала, всего только на мне и есть добродетели. И не хвали ты меня после того, Алеша, не почитай меня доброю, злая я, злющая-презлющая, а будешь хвалить, в стыд введешь. Эх, да уж покаюсь совсем. Слушай, Алеша: я тебя столь желала к себе залучить и столь приставала к Ракитке, что ему двадцать пять рублей пообещала, если тебя ко мне приведет. Стой, Ракитка, жди! — Она быстрыми шагами подошла к столу, отворила ящик, вынула портмоне, а из него двадцатипятирублевую кредитку.

— Экой вздор! Экой вздор! — восклицал озадаченный Ракитин.

— Принимай, Ракитка, долг, небось не откажешься, сам просил. — И швырнула ему кредитку.

— Еще б отказаться, — пробасил Ракитин, видимо сконфузившись, но молодцевато прикрывая стыд, — это нам вельми на руку будет, дураки и существуют в профит умному человеку.

— А теперь молчи, Ракитка, теперь всё, что буду говорить, не для твоих ушей будет. Садись сюда в угол и молчи, не любишь ты нас, и молчи.

— Да за что мне любить-то вас? — не скрывая уже злобы, огрызнулся Ракитин. Двадцатипятирублевую кредитку он сунул в карман, и пред Алешей ему было решительно стыдно. Он рассчитывал получить плату после, так чтобы тот и не узнал, а теперь от стыда озлился. До сей минуты он находил весьма политичным не очень противоречить Грушеньке, несмотря на все ее щелчки, ибо видно было, что она имела над ним какую-то власть. Но теперь и он рассердился:

— Любят за что-нибудь, а вы что мне сделали оба?

— А ты ни за что люби, вот как Алеша любит.

— А чем он тебя любит, и что он тебе такого показал, что ты носишься?

Грушенька стояла среди комнаты, говорила с жаром, и в голосе ее послышались истерические нотки.

— Молчи, Ракитка, не понимаешь ты ничего у нас! И не смей ты мне впредь *ты* говорить, не хочу тебе позволять, и с чего ты такую смелость взял, вот что! Садись в угол и молчи, как мой лакей. А теперь, Алеша, всю правду чистую тебе одному скажу, чтобы ты видел, какая я тварь! Не Ракитке, а тебе говорю. Хотела я тебя погубить, Алеша, правда это великая, совсем положила; до того хотела, что Ракитку деньгами подкупила, чтобы тебя привел. И из чего такого я так захотела? Ты, Алеша, и не знал ничего, от меня отворачивался, пройдешь — глаза опустишь, а я на тебя сто раз до сего глядела, всех спрашивать об тебе начала. Лицо твое у меня в сердце осталось: «Презирает он меня, думаю, посмотреть даже на меня не захочет». И такое меня чувство взяло под конец, что сама себе удивляюсь: чего я такого мальчика боюсь? Проглочу его всего и смеяться буду. Обозлилась совсем. Веришь ли тому: никто-то здесь не смеет сказать и подумать, чтоб к Аграфене Александровне за худым этим делом прийти; старик один только тут у меня, связана я ему и продана, сатана нас венчал, зато из других — никто. Но на тебя глядя, положила: его проглочу. Проглочу и смеяться буду. Видишь, какая я злая собака, которую ты сестрой своею назвал! Вот теперь приехал этот обидчик мой, сижу теперь и жду вести. А знаешь, чем был мне этот обидчик? Пять лет тому как завез меня сюда Кузьма — так я сижу, бывало, от людей хоронюсь, чтоб меня не видали и не слыхали, тоненькая, глупенькая, сижу да рыдаю, ночей напролет не сплю — думаю: «И уж где ж он теперь, мой обидчик? Смеется, должно быть, с другою надо мной, и уж я ж его, думаю, только бы увидеть его, встретить когда: то уж я ж ему отплачу, уж я ж ему отплачу!» Ночью в темноте рыдаю в подушку и всё это передумаю, сердце мое раздираю нарочно, злобой его утоляю: «Уж я ж ему, уж я ж ему отплачу!» Так, бывало, и закричу в темноте. Да как вспомню вдруг, что ничего-то я ему не сделаю, а он-то надо мной смеется теперь, а может, и совсем забыл и не помнит, так кинусь с постели на пол, зальюсь бессильною слезой и трясусь-трясусь до рассвета. Поутру встану злее собаки, рада весь свет проглотить. Потом, что ж ты думаешь: стала я капитал копить, без жалости сделалась, растолстела — поумнела, ты думаешь, а? Так вот нет же, никто того не видит и не знает во всей вселенной, а как сойдет мрак ночной, всё так же, как и девчонкой, пять лет тому, лежу иной раз, скрежещу зубами и всю ночь плачу: «Уж я ж ему, да уж я ж ему, думаю!» Слышал ты это всё? Ну так как же ты теперь понимаешь меня: месяц тому приходит ко мне вдруг это самое письмо: едет он, овдовел, со мной повидаться хочет. Дух у меня тогда весь захватило, господи, да вдруг и подумала: а приедет да свистнет мне, позовет меня, так я как собачонка к нему поползу битая, виноватая! Думаю это я и сама себе не верю: «Подлая я аль не подлая, побегу я к нему аль не побегу?» И такая меня злость взяла теперь на самое себя во весь этот месяц, что хуже еще, чем пять лет тому. Видишь ли теперь, Алеша, какая я неистовая, какая я яростная, всю тебе правду выразила! Митей забавлялась, чтобы к тому не бежать. Молчи, Ракитка, не тебе меня судить, не тебе говорила. Я теперь до вашего прихода лежала здесь, ждала, думала, судьбу мою всю разрешала, и никогда вам не узнать, что у меня в сердце было. Нет, Алеша, скажи своей барышне, чтоб она за третьеводнишнее не сердилась!.. И не знает никто во всем свете, каково мне теперь, да и не может знать... Потому я, может быть, сегодня туда с собой нож возьму, я еще того не решила...

И вымолвив это «жалкое» слово, Грушенька вдруг не выдержала, не докончила, закрыла лицо руками, бросилась на диван в подушки и зарыдала как малое дитя. Алеша встал с места и подошел к Ракитину.

— Миша, — проговорил он, — не сердись. Ты обижен ею, но не сердись. Слышал ты ее сейчас? Нельзя с души человека столько спрашивать, надо быть милосерднее...

Алеша проговорил это в неудержимом порыве сердца. Ему надо было высказаться, и он обратился к Ракитину. Если б не было Ракитина, он стал бы восклицать один. Но Ракитин поглядел насмешливо, и Алеша вдруг остановился.

— Это тебя твоим старцем давеча зарядили, и теперь ты своим старцем в меня и выпалил, Алешенька, божий человечек, — с ненавистною улыбкой проговорил Ракитин.

— Не смейся, Ракитин, не усмехайся, не говори про покойника: он выше всех, кто был на земле! — с плачем в голосе прокричал Алеша. — Я не как судья тебе встал говорить, а сам как последний из подсудимых. Кто я пред нею? Я шел сюда, чтобы погибнуть, и говорил: «Пусть, пусть!» — и это из-за моего малодушия, а она через пять лет муки, только что кто-то первый пришел и ей искреннее слово сказал, — всё простила, всё забыла и плачет! Обидчик ее воротился, зовет ее, и она всё прощает ему, и спешит к нему в радости, и не возьмет ножа, не возьмет! Нет, я не таков. Я не знаю, таков ли ты, Миша, но я не таков! Я сегодня, сейчас этот урок получил... Она выше любовью, чем мы... Слышал ли ты от нее прежде то, что она рассказала теперь? Нет, не слышал; если бы слышал, то давно бы всё понял... и другая, обиженная третьего дня, и та пусть простит ее! И простит, коль узнает... и узнает... Эта душа еще не примиренная, надо щадить ее... в душе этой может быть сокровище...

Алеша замолк, потому что ему пересекло дыхание. Ракитин, несмотря на всю свою злость, глядел с удивлением. Никогда не ожидал он от тихого Алеши такой тирады.

— Вот адвокат проявился! Да ты влюбился в нее, что ли? Аграфена Александровна, ведь постник-то наш и впрямь в тебя влюбился, победила! — прокричал он с наглым смехом.

Грушенька подняла с подушки голову и поглядела на Алешу с умиленною улыбкой, засиявшею на ее как-то вдруг распухшем от сейчашних слез лице.

— Оставь ты его, Алеша, херувим ты мой, видишь он какой, нашел кому говорить. Я, Михаил Осипович, — обратилась она к Ракитину, — хотела было у тебя прощения попросить за то, что обругала тебя, да теперь опять не хочу. Алеша, поди ко мне, сядь сюда, — манила она его с радостною улыбкой, — вот так, вот садись сюда, скажи ты мне (она взяла его за руку и заглядывала ему, улыбаясь, в лицо), — скажи ты мне: люблю я того или нет? Обидчика-то моего, люблю или нет? Лежала я до вас здесь в темноте, всё допрашивала сердце: люблю я того или нет? Разреши ты меня, Алеша, время пришло; что положишь, так и будет. Простить мне его или нет?

— Да ведь уж простила, — улыбаясь проговорил Алеша.

— А и впрямь простила, — вдумчиво произнесла Грушенька. — Экое ведь подлое сердце! За подлое сердце мое! — схватила она вдруг со стола бокал, разом выпила, подняла его и с размаха бросила на пол. Бокал разбился и зазвенел. Какая-то жестокая черточка мелькнула в ее улыбке.

— А ведь, может, еще и не простила, — как-то грозно проговорила она, опустив глаза в землю, как будто одна сама с собой говорила. — Может, еще только собирается сердце простить. Поборюсь еще с сердцем-то. Я, видишь, Алеша, слезы мои пятилетние страх полюбила... Я, может, только обиду мою и полюбила, а не его вовсе!

— Ну не хотел бы я быть в его коже! — прошипел Ракитин.

— И не будешь, Ракитка, никогда в его коже не будешь. Ты мне башмаки будешь шить, Ракитка, вот я тебя на какое дело употреблю, а такой, как я, тебе никогда не видать... Да и ему, может, не увидать...

— Ему-то? А нарядилась-то зачем? — ехидно поддразнил Ракитин.

— Не кори меня нарядом, Ракитка, не знаешь еще ты всего моего сердца! Захочу, и сорву наряд, сейчас сорву, сию минуту, — звонко прокричала она. — Не знаешь ты, для чего этот наряд, Ракитка! Может, выйду к нему и скажу: «Видал ты меня такую аль нет еще?» Ведь он меня семнадцатилетнюю, тоненькую, чахоточную плаксу оставил. Да подсяду к нему, да обольщу, да разожгу его: «Видал ты, какова я теперь, скажу, ну так и оставайся при том, милостивый государь, по усам текло, а в рот не попало!» — вот ведь к чему, может, этот наряд, Ракитка, — закончила Грушенька со злобным смешком. — Неистовая я, Алеша, яростная. Сорву я мой наряд, изувечу я себя, мою красоту, обожгу себе лицо и разрежу ножом, пойду милостыню просить. Захочу, и не пойду я теперь никуда и ни к кому, захочу — завтра же отошлю Кузьме всё, что он мне подарил, и все деньги его, а сама на всю жизнь работницей поденной пойду!.. Думаешь, не сделаю я того, Ракитка, не посмею сделать? Сделаю, сделаю, сейчас могу сделать, не раздражайте только меня... а того прогоню, тому шиш покажу, тому меня не видать!

Последние слова она истерически прокричала, но не выдержала опять, закрыла руками лицо, бросилась в подушку и опять затряслась от рыданий. Ракитин встал с места.

— Пора, — сказал он, — поздно, в монастырь не пропустят.

Грушенька так и вскочила с места.

— Да неужто ж ты уходить, Алеша, хочешь! — воскликнула она в горестном изумлении, — да что ж ты надо мной теперь делаешь: всю воззвал, истерзал, и опять теперь эта ночь, опять мне одной оставаться!

— Не ночевать же ему у тебя? А коли хочет — пусть! Я и один уйду! — язвительно подшутил Ракитин.

— Молчи, злая душа, — яростно крикнула ему Грушенька, — никогда ты мне таких слов не говорил, какие он мне пришел сказать.

— Что он такое тебе сказал? — раздражительно проворчал Ракитин.

— Не знаю я, не ведаю, ничего не ведаю, что он мне такое сказал, сердцу сказалось, сердце он мне перевернул... Пожалел он меня первый, единый, вот что! Зачем ты, херувим, не приходил прежде, — упала вдруг она пред ним на колени, как бы в исступлении. — Я всю жизнь такого, как ты, ждала, знала, что кто-то такой придет и меня простит. Верила, что и меня кто-то полюбит, гадкую, не за один только срам!..

— Что я тебе такого сделал? — умиленно улыбаясь, ответил Алеша, нагнувшись к ней и нежно взяв ее за руки, — луковку я тебе подал, одну самую малую луковку, только, только!..

И, проговорив, сам заплакал. В эту минуту в сенях вдруг раздался шум, кто-то вошел в переднюю; Грушенька вскочила как бы в страшном испуге. В комнату с шумом и криком вбежала Феня.

— Барыня, голубушка, барыня, эстафет прискакал! — восклицала она весело и запыхавшись. — Тарантас из Мокрого за вами, Тимофей ямщик на тройке, сейчас новых лошадей переложат... Письмо, письмо, барыня, вот письмо!

Письмо было в ее руке, и она всё время, пока кричала, махала им по воздуху. Грушенька выхватила от нее письмо и поднесла к свечке. Это была только записочка, несколько строк, в один миг она прочла ее.

— Кликнул! — прокричала она, вся бледная, с перекосившимся от болезненной улыбки лицом, — свистнул! Ползи, собачонка!

Но только миг один простояла как бы в нерешимости; вдруг кровь бросилась в ее голову и залила ее щеки огнем.

— Еду! — воскликнула она вдруг. — Пять моих лет! Прощайте! Прощай, Алеша, решена судьба... Ступайте, ступайте, ступайте от меня теперь все, чтоб я уже вас не видала!.. Полетела Грушенька в новую жизнь... Не поминай меня лихом и ты, Ракитка. Может, на смерть иду! Ух! Словно пьяная!

Она вдруг бросила их и побежала в свою спальню.

— Ну, ей теперь не до нас! — проворчал Ракитин. — Идем, а то, пожалуй, опять этот бабий крик пойдет, надоели уж мне эти слезные крики...

Алеша дал себя машинально вывести. На дворе стоял тарантас, выпрягали лошадей, ходили с фонарем, суетились. В отворенные ворота вводили свежую тройку. Но только что сошли Алеша и Ракитин с крыльца, как вдруг отворилось окно из спальни Грушеньки, и она звонким голосом прокричала вслед Алеше:

— Алешечка, поклонись своему братцу Митеньке, да скажи ему, чтобы не поминал меня, злодейку свою, лихом. Да передай ему тоже моими словами: «Подлецу досталась Грушенька, а не тебе, благородному!» Да прибавь ему тоже, что любила его Грушенька один часок времени, только один часок всего и любила — так чтоб он этот часок всю жизнь свою отселева помнил, так, дескать, Грушенька на всю жизнь тебе заказала!..

Она закончила голосом, полным рыданий. Окно захлопнулось.

— Гм, гм! — промычал Ракитин, смеясь, — зарезала братца Митеньку, да еще велит на всю жизнь свою помнить. Экое плотоядие!

Алеша ничего не ответил, точно и не слыхал; он шел подле Ракитина скоро, как бы ужасно спеша; он был как бы в забытьи, шел машинально. Ракитина вдруг что-то укололо, точно ранку его свежую тронули пальцем. Совсем не того ждал он давеча, когда сводил Грушеньку с Алешей; совсем иное случилось, а не то, чего бы ему очень хотелось.

— Поляк он, ее офицер этот, — заговорил он опять, сдерживаясь, — да и не офицер он вовсе теперь, он в таможне чиновником в Сибири служил где-то там на китайской границе, должно быть, какой полячоночек мозглявенький. Место, говорят, потерял. Прослышал теперь, что у Грушеньки капитал завелся, вот и вернулся — в том и все чудеса.

Алеша опять точно не слыхал. Ракитин не выдержал:

— Что ж, обратил грешницу? — злобно засмеялся он Алеше. — Блудницу на путь истины обратил? Семь бесов изгнал, а? Вот они где, наши чудеса-то давешние, ожидаемые, совершились!

— Перестань, Ракитин, — со страданием в душе отозвался Алеша.

— Это ты теперь за двадцать пять рублей меня давешних «презираешь»? Продал, дескать, истинного друга. Да ведь ты не Христос, а я не Иуда.

— Ах, Ракитин, уверяю тебя, я и забыл об этом, — воскликнул Алеша, — сам ты сейчас напомнил...

Но Ракитин озлился уже окончательно.

— Да черт вас дери всех и каждого! — завопил он вдруг, — и зачем я, черт, с тобою связался! Знать я тебя не хочу больше отселева. Пошел один, вон твоя дорога!

И он круто повернул в другую улицу, оставив Алешу одного во мраке. Алеша вышел из города и пошел полем к монастырю.

IV
КАНА ГАЛИЛЕЙСКАЯ

Было уже очень поздно по-монастырскому, когда Алеша пришел в скит; его пропустил привратник особым путем. Пробило уже девять часов — час общего отдыха и покоя после столь тревожного для всех дня. Алеша робко отворил дверь и вступил в келью старца, в которой теперь стоял гроб его. Кроме отца Паисия, уединенно читавшего над гробом Евангелие, и юноши послушника Порфирия, утомленного вчерашнею ночною беседой и сегодняшнею суетой и спавшего в другой комнате на полу своим крепким молодым сном, в келье никого не было. Отец Паисий, хоть и слышал, что вошел Алеша, но даже и не посмотрел в его сторону. Алеша повернул вправо от двери в угол, стал на колени и начал молиться. Душа его была переполнена, но как-то смутно, и ни одно ощущение не выделялось, слишком сказываясь, напротив, одно вытесняло другое в каком-то тихом, ровном коловращении. Но сердцу было сладко, и, странно, Алеша не удивлялся тому. Опять видел он пред собою этот гроб, этого закрытого кругом драгоценного ему мертвеца, но плачущей, ноющей, мучительной жалости не было в душе его, как давеча утром. Пред гробом, сейчас войдя, он пал как пред святыней, но радость, радость сияла в уме его и в сердце его. Одно окно кельи было отперто, воздух стоял свежий и холодноватый — «значит, дух стал еще сильнее, коли решились отворить окно», — подумал Алеша. Но и эта мысль о тлетворном духе, казавшаяся ему еще только давеча столь ужасною и бесславною, не подняла теперь в нем давешней тоски и давешнего негодования. Он тихо начал молиться, но вскоре сам почувствовал, что молится почти машинально. Обрывки мыслей мелькали в душе его, загорались, как звездочки, и тут же гасли, сменяясь другими, но зато царило в душе что-то целое, твердое, утоляющее, и он сознавал это сам. Иногда он пламенно начинал молитву, ему так хотелось благодарить и любить... Но, начав молитву, переходил вдруг на что-нибудь другое, задумывался, забывал и молитву, и то, чем прервал ее. Стал было слушать, что читал отец Паисий, но, утомленный очень, мало-помалу начал дремать...

«*И в третий день брак бысть в Кане Галилейстей,*— читал отец Паисий, — *и бе мати Иисусова ту. Зван же бысть Иисус и ученицы его на брак*».

«Брак? Что это... брак... — неслось, как вихрь, в уме Алеши, — у ней тоже счастье... поехала на пир... Нет, она не взяла ножа, не взяла ножа... Это было только „жалкое“ слово... Ну... жалкие слова надо прощать, непременно. Жалкие слова тешат душу... без них горе было бы слишком тяжело у людей. Ракитин ушел в переулок. Пока Ракитин будет думать о своих обидах, он будет всегда уходить в переулок... А дорога... дорога-то большая, прямая, светлая, хрустальная, и солнце в конце ее... А?.. что читают?»

«*...И не доставшу вину, глагола мати Иисусова к нему: вина не имут...*» — слышалось Алеше.

«Ах, да, я тут пропустил, а не хотел пропускать, я это место люблю: это Кана Галилейская, первое чудо... Ах, это чудо, ах, это милое чудо! Не горе, а радость людскую посетил Христос, в первый раз сотворяя чудо, радости людской помог... „Кто любит людей, тот и радость их любит...“ Это повторял покойник поминутно, это одна из главнейших мыслей его была... Без радости жить нельзя, говорит Митя... Да, Митя... Всё, что истинно и прекрасно, всегда полно всепрощения — это опять-таки он говорил...»

«...*Глагола ей Иисус: что есть мне у тебе, жено; не у прииде час мой. Глагола мати его слугам: еже аще глаголет вам, сотворите*».

«Сотворите... Радость, радость каких-нибудь бедных, очень бедных людей... Уж конечно, бедных, коли даже на свадьбу вина недостало... Вон пишут историки, что около озера Генисаретского и во всех тех местах расселено было тогда самое беднейшее население, какое только можно вообразить... И знало же другое великое сердце другого великого существа, бывшего тут же, матернего, что не для одного лишь великого страшного подвига своего сошел он тогда, а что доступно сердцу его и простодушное немудрое веселие каких-нибудь темных, темных и нехитрых существ, ласково позвавших его на убогий брак их. „Не пришел еще час мой“, — он говорит с тихою улыбкой (непременно улыбнулся ей кротко)... В самом деле, неужто для того, чтоб умножать вино на бедных свадьбах, сошел он на землю? А вот пошел же и сделал же по ее просьбе... Ах, он опять читает».

«...*Глагола им Иисус: наполните водоносы воды, и наполниша их до верха.*

И глагола им: почерпите ныне и принесите архитриклинови, и принесоша.

Якоже вкуси архитриклин вина бывшего от воды, и не ведяше, откуду есть: слуги же ведяху почерпшии воду: пригласи жениха архитриклин.

И глагола ему: всяк человек прежде доброе вино полагает, и егда упиются, тогда хуждшее: ты же соблюл еси доброе вино доселе».

«Но что это, что это? Почему раздвигается комната... Ах да... ведь это брак, свадьба... да, конечно. Вот и гости, вот и молодые сидят, и веселая толпа и... где же премудрый архитриклин? Но кто это? Кто? Опять раздвинулась комната... Кто встает там из-за большого стола? Как... И он здесь? Да ведь он во гробе... Но он и здесь... встал, увидал меня, идет сюда... Господи!..

Да, к нему, к нему подошел он, сухенький старичок, с мелкими морщинками на лице, радостный и тихо смеющийся. Гроба уж нет, и он в той же одежде, как и вчера, сидел с ними, когда собрались к нему гости. Лицо всё открытое, глаза сияют. Как же это, он, стало быть, тоже на пире, тоже званный на брак в Кане Галилейской...

— Тоже, милый, тоже зван, зван и призван, — раздается над ним тихий голос. — Зачем сюда схоронился, что не видать тебя... пойдем и ты к нам.

Голос его, голос старца Зосимы... Да и как же не он, коль зовет? Старец приподнял Алешу рукой, тот поднялся с колен.

— Веселимся, — продолжает сухенький старичок, — пьем вино новое, вино радости новой, великой; видишь, сколько гостей? Вот и жених и невеста, вот и премудрый архитриклин, вино новое пробует. Чего дивишься на меня? Я луковку подал, вот и я здесь. И многие здесь только по луковке подали, по одной только маленькой луковке... Что наши дела? И ты, тихий, и ты, кроткий мой мальчик, и ты сегодня луковку сумел подать алчущей. Начинай, милый, начинай, кроткий, дело свое!.. А видишь ли солнце наше, видишь ли ты его?

— Боюсь... не смею глядеть... — прошептал Алеша.

— Не бойся его. Страшен величием пред нами, ужасен высотою своею, но милостив бесконечно, нам из любви уподобился и веселится с нами, воду в вино превращает, чтобы не пресекалась радость гостей, новых гостей ждет, новых беспрерывно зовет и уже на веки веков. Вон и вино несут новое, видишь, сосуды несут...»

Что-то горело в сердце Алеши, что-то наполнило его вдруг до боли, слезы восторга рвались из души его... Он простер руки, вскрикнул и проснулся...

Опять гроб, отворенное окно и тихое, важное, раздельное чтение Евангелия. Но Алеша уже не слушал, что читают. Странно, он заснул на коленях, а теперь стоял на ногах, и вдруг, точно сорвавшись с места, тремя твердыми скорыми шагами подошел вплоть ко гробу. Даже задел плечом отца Паисия и не заметил того. Тот на мгновение поднял было на него глаза от книги, но тотчас же отвел их опять, поняв, что с юношей что-то случилось странное. Алеша глядел с полминуты на гроб, на закрытого, недвижимого, протянутого в гробу мертвеца, с иконой на груди и с куколем с восьмиконечным крестом на голове. Сейчас только он слышал голос его, и голос этот еще раздавался в его ушах. Он еще прислушивался, он ждал еще звуков... но вдруг, круто повернувшись, вышел из кельи.

Он не остановился и на крылечке, но быстро сошел вниз. Полная восторгом душа его жаждала свободы, места, широты. Над ним широко, необозримо опрокинулся небесный купол, полный тихих сияющих звезд. С зенита до горизонта двоился еще неясный Млечный Путь. Свежая и тихая до неподвижности ночь облегла землю. Белые башни и золотые главы собора сверкали на яхонтовом небе. Осенние роскошные цветы в клумбах около дома заснули до утра. Тишина земная как бы сливалась с небесною, тайна земная соприкасалась со звездною... Алеша стоял, смотрел и вдруг как подкошенный повергся на землю.

Он не знал, для чего обнимал ее, он не давал себе отчета, почему ему так неудержимо хотелось целовать ее, целовать ее всю, но он целовал ее плача, рыдая и обливая своими слезами, и исступленно клялся любить ее, любить во веки веков. «Облей землю слезами радости твоея и люби сии слезы твои...» — прозвенело в душе его. О чем плакал он? О, он плакал в восторге своем даже и об этих звездах, которые сияли ему из бездны, и «не стыдился исступления сего». Как будто нити ото всех этих бесчисленных миров божиих сошлись разом в душе его, и она вся трепетала, «соприкасаясь мирам иным». Простить хотелось ему всех и за всё и просить прощения, о! не себе, а за всех, за всё и за вся, а «за меня и другие просят», — прозвенело опять в душе его. Но с каждым мгновением он чувствовал явно и как бы осязательно, как что-то твердое и незыблемое, как этот свод небесный, сходило в душу его. Какая-то как бы идея воцарялась в уме его — и уже на всю жизнь и на веки веков. Пал он на землю слабым юношей, а встал твердым на всю жизнь бойцом и сознал и почувствовал это вдруг, в ту же минуту своего восторга. И никогда, никогда не мог забыть Алеша во всю жизнь свою потом этой минуты. «Кто-то посетил мою душу в тот час», — говорил он потом с твердою верой в слова свои...

Через три дня он вышел из монастыря, что согласовалось и со словом покойного старца его, повелевшего ему «пребывать в миру».

Книга восьмая
МИТЯ

I
КУЗЬМА САМСОНОВ

А Дмитрий Федорович, которому Грушенька, улетая в новую жизнь, «велела» передать свой последний привет и заказала помнить навеки часок ее любви, был в эту минуту, ничего не ведая о происшедшем с нею, тоже в страшном смятении и хлопотах. В последние два дня он был в таком невообразимом состоянии, что действительно мог заболеть воспалением в мозгу, как сам потом говорил. Алеша накануне не мог разыскать его утром, а брат Иван в тот же день не мог устроить с ним свидания в трактире. Хозяева квартирки, в которой он квартировал, скрыли по его приказу следы его. Он же в эти два дня буквально метался во все стороны, «борясь с своею судьбой и спасая себя», как он сам потом выразился, и даже на несколько часов слетал по одному горячему делу вон из города, несмотря на то, что страшно было ему уезжать, оставляя Грушеньку хоть на минутку без глаза над нею. Всё это впоследствии выяснилось в самом подробном и документальном виде, но теперь мы наметим фактически лишь самое необходимое из истории этих ужасных двух дней в его жизни, предшествовавших страшной катастрофе, так внезапно разразившейся над судьбой его.

Грушенька хоть и любила его часочек истинно и искренно, это правда, но и мучила же его в то же время иной раз действительно жестоко и беспощадно. Главное в том, что ничего-то он не мог разгадать из ее намерений; выманить же лаской или силой не было тоже возможности: не далась бы ни за что, а только бы рассердилась и отвернулась от него вовсе, это он ясно тогда понимал. Он подозревал тогда весьма верно, что она и сама находится в какой-то борьбе, в какой-то необычайной нерешительности, на что-то решается и всё решиться не может, а потому и не без основания предполагал, замирая сердцем, что минутами она должна была просто ненавидеть его с его страстью. Так, может быть, и было, но об чем именно тосковала Грушенька, того он все-таки не понимал. Собственно для него весь вопрос, его мучивший, складывался лишь в два определения: «Или он, Митя, или Федор Павлович». Тут, кстати, нужно обозначить один твердый факт: он вполне был уверен, что Федор Павлович непременно предложит (если уж не предложил) Грушеньке законный брак, и не верил ни минуты, что старый сластолюбец надеется отделаться лишь тремя тысячами. Это вывел Митя, зная Грушеньку и ее характер. Вот почему ему и могло казаться временами, что вся мука Грушеньки и вся ее нерешимость происходит тоже лишь оттого, что она не знает, кого из них выбрать и кто из них будет ей выгоднее. О близком же возвращении «офицера», то есть того рокового человека в жизни Грушеньки, прибытия которого она ждала с таким волнением и страхом, он, странно это, в те дни даже и не думал думать. Правда, что Грушенька с ним об этом в самые последние дни очень молчала. Однако ему было вполне известно от нее же самой о письме, полученном тою месяц назад от этого бывшего ее обольстителя, было известно отчасти и содержание письма. Тогда, в одну злую минутку, Грушенька ему это письмо показала, но, к ее удивлению, письму этому он не придал почти никакой цены. И очень было бы трудно объяснить почему: может быть, просто потому, что сам, угнетенный всем безобразием и ужасом своей борьбы с родным отцом за эту женщину, он уже и предположить не мог для себя ничего страшнее и опаснее, по крайней мере в то время. Жениху же, вдруг выскочившему откуда-то после пятилетнего исчезновения, он просто даже не верил, и особенно тому, что тот скоро приедет. Да и в самом этом первом письме «офицера», которое показали Митеньке, говорилось о приезде этого нового соперника весьма неопределенно: письмо было очень туманное, очень высокопарное и наполнено лишь чувствительностью. Надо заметить, что Грушенька в тот раз скрыла от него последние строчки письма, в которых говорилось несколько определеннее о возвращении. К тому же Митенька вспоминал потом, что в ту минуту уловил как бы некоторое невольное и гордое презрение к этому посланию из Сибири в лице самой Грушеньки. Затем Грушенька о всех дальнейших сношениях с этим новым соперником Митеньке уже ничего не сообщала. Таким образом и мало-помалу он совсем даже забыл об офицере. Он думал только о том, что что бы там ни вышло и как бы дело ни обернулось, а надвигавшаяся окончательная сшибка его с Федором Павловичем слишком близка и должна разрешиться раньше всего другого. Замирая душой, он ежеминутно ждал решения Грушеньки и всё верил, что оно произойдет как бы внезапно, по вдохновению. Вдруг она скажет ему: «Возьми меня, я навеки твоя», — и всё кончится: он схватит ее и увезет на край света тотчас же. О, тотчас же увезет как можно, как можно дальше, если не на край света, то куда-нибудь на край России, женится там на ней и поселится с ней incognito[1], так чтоб уж никто не знал об них вовсе, ни здесь, ни там и нигде. Тогда, о, тогда начнется тотчас же совсем новая жизнь! Об этой другой, обновленной и уже «добродетельной» жизни («непременно, непременно добродетельной») он мечтал поминутно и исступленно. Он жаждал этого воскресения и обновления. Гнусный омут, в котором он завяз сам своей волей, слишком тяготил его, и он, как и очень многие в таких случаях, всего более верил в перемену места: только бы не эти люди, только бы не эти обстоятельства, только бы улететь из этого проклятого места и — всё возродится, пойдет по-новому! Вот во что он верил и по чем томился.

Но это было лишь в случае первого, *счастливого* решения вопроса. Было и другое решение, представлялся и другой, но ужасный уже исход. Вдруг она скажет ему: «Ступай, я порешила сейчас с Федором Павловичем и выхожу за него замуж, а тебя не надо», — и тогда... но тогда... Митя, впрочем, не знал, что будет тогда, до самого последнего часу не знал, в этом надо его оправдать. Намерений определенных у него не было, преступление обдумано не было. Он только следил, шпионил и мучился, но готовился все-таки лишь к первому, счастливому исходу судьбы своей. Даже отгонял всякую другую мысль. Но здесь

_____

[1] Тайно *(лат.)*.

уже начиналась совсем другая мука, вставало одно совсем новое и постороннее, но тоже роковое и неразрешимое обстоятельство.

Именно, в случае если она скажет ему: «Я твоя, увези меня», то как он ее увезет? Где у него на то средства, деньги? У него как раз к этому сроку иссякли все до сих пор не прерывавшиеся в продолжение стольких лет его доходы от подачек Федора Павловича. Конечно, у Грушеньки были деньги, но в Мите на этот счет вдруг оказалась страшная гордость: он хотел увезти ее сам и начать с ней новую жизнь на свои средства, а не на ее; он вообразить даже не мог, что возьмет у нее ее деньги, и страдал от этой мысли до мучительного отвращения. Не распространяюсь здесь об этом факте, не анализирую его, а лишь отмечаю: таков был склад души его в ту минуту. Могло всё это происходить косвенно и как бы бессознательно даже от тайных мук его совести за воровски присвоенные им деньги Катерины Ивановны: «Пред одной подлец и пред другой тотчас же выйду опять подлец, — думал он тогда, как сам потом признавался, — да Грушенька коли узнает, так и сама не захочет такого подлеца». Итак, где же взять средства, где взять эти роковые деньги? Иначе всё пропадет и ничего не состоится, «и единственно потому, что не хватило денег, о позор!»

Забегаю вперед: то-то и есть, что он, может быть, и знал, где достать эти деньги, знал, может быть, где и лежат они. Подробнее на этот раз ничего не скажу, ибо потом всё объяснится; но вот в чем состояла главная для него беда, и хотя неясно, но я это выскажу; чтобы взять эти лежащие где-то средства, чтобы *иметь право* взять их, надо было предварительно возвратить три тысячи Катерине Ивановне — иначе «я карманный вор, я подлец, а новую жизнь я не хочу начинать подлецом», — решил Митя, а потому решил перевернуть весь мир, если надо, но непременно эти три тысячи отдать Катерине Ивановне во что бы то ни стало и *прежде всего*. Окончательный процесс этого решения произошел с ним, так сказать, в самые последние часы его жизни, именно с последнего свидания с Алешей, два дня тому назад вечером, на дороге, после того как Грушенька оскорбила Катерину Ивановну, а Митя, выслушав рассказ о том от Алеши, сознался, что он подлец, и велел передать это Катерине Ивановне, «если это может сколько-нибудь ее облегчить». Тогда же, в ту ночь, расставшись с братом, почувствовал он в исступлении своем, что лучше даже «убить и ограбить кого-нибудь, но долг Кате возвратить». «Пусть уж лучше я пред тем, убитым и ограбленным, убийцей и вором выйду и пред всеми людьми, и в Сибирь пойду, чем если Катя вправе будет сказать, что я ей изменил, и у нее же деньги украл, и на ее же деньги с Грушенькой убежал добродетельную жизнь начинать! Этого не могу!» Так со скрежетом зубов изрек Митя и действительно мог представить себе временами, что кончит воспалением в мозгу. Но пока боролся...

Странное дело: казалось бы, что тут при таком решении, кроме отчаяния, ничего уже более для него не оставалось; ибо где взять вдруг такие деньги, да еще такому голышу, как он? А между тем он до конца всё то время надеялся, что достанет эти три тысячи, что они придут, слетят к нему как-нибудь сами, даже хоть с неба. Но так именно бывает с теми, которые, как и Дмитрий Федорович, всю жизнь свою умеют лишь тратить и мотать доставшиеся по наследству деньги даром, а о том, как добываются деньги, не имеют никакого понятия. Самый фантастический вихрь поднялся в голове его сейчас после того, как он третьего дня расстался с Алешей, и спутал все его мысли. Таким образом вышло, что начал он с самого дикого предприятия. Да, может быть, именно в этаких положениях у этаких людей самые невозможные и фантастические предприятия представляются первыми возможнейшими. Он вдруг порешил пойти к купцу Самсонову, покровителю Грушеньки, и предложить ему один «план», достать от него под этот «план» разом всю искомую сумму; в плане своем с коммерческой стороны он не сомневался нисколько, а сомневался лишь в том, как посмотрит на его выходку сам Самсонов, если захочет взглянуть не с одной только коммерческой стороны. Митя хоть и знал этого купца в лицо, но знаком с ним не был и даже ни разу не говорил с ним. Но почему-то в нем, и даже уже давно, основалось убеждение, что этот старый развратитель, дышащий теперь на ладан, может быть, вовсе не будет в настоящую минуту противиться, если Грушенька устроит как-нибудь свою жизнь честно и выйдет за «благонадежного человека» замуж. И что не только не будет противиться, но что и сам желает того и, наверинсь только случай, сам будет способствовать. По слухам ли каким или из каких-нибудь слов Грушеньки, но он заключил тоже, что старик, может быть, предпочел бы его для Грушеньки Федору Павловичу. Может быть, многим из читателей нашей повести покажется этот расчет на подобную помощь и намерение взять свою невесту, так сказать, из рук ее покровителя слишком уж грубым и небрезгливым со стороны Дмитрия Федоровича. Могу заметить лишь то, что прошлое Грушеньки представлялось Мите уже окончательно прошедшим. Он глядел на это прошлое с бесконечным состраданием и решил со всем пламенем своей страсти, что раз Грушенька выговорит ему, что его любит и за него идет, то тотчас же и начнется совсем новая Грушенька, а вместе с нею и совсем новый Дмитрий Федорович, безо всяких уже пороков, а лишь с одними добродетелями: оба они друг другу простят и начнут свою жизнь уже совсем по-новому. Что же до Кузьмы Самсонова, то считал он его, в этом прежнем провалившемся прошлом Грушеньки, за человека в жизни ее рокового, которого она, однако, никогда не любила и который, это главное, уже тоже «прошел», кончился, так что и его уже нет теперь вовсе. Да к тому же Митя его даже и за человека теперь считать не мог, ибо известно было всем и каждому в городе, что это лишь больная развалина, сохранившая отношения с Грушенькой, так сказать, лишь отеческие, а совсем не на тех основаниях, как прежде, и что это уже давно так, уже почти год как так. Во всяком случае тут было много и простодушия со стороны Мити, ибо при всех пороках своих это был очень простодушный человек. Вследствие этого-то простодушия своего он, между прочим, был серьезно убежден, что старый Кузьма, собираясь отходить в другой мир, чувствует искреннее раскаяние за свое прошлое с Грушенькой, и что нет теперь у нее покровителя и друга более преданного, как этот безвредный уже старик.

На другой же день после разговора своего с Алешей в поле, после которого Митя почти не спал всю ночь, он явился в дом Самсонова около десяти часов утра и велел о себе доложить. Дом этот был старый, мрачный, очень обширный, двухэтажный, с надворными строениями и с флигелем. В нижнем этаже проживали два женатые сына Самсонова со своими семействами, престарелая сестра его и одна незамужняя дочь. Во флигеле же помещались два его приказчика, из которых один был тоже многосемейный. И дети, и приказчики теснились в своих помещениях, но верх дома занимал старик один и не пускал к себе жить даже дочь, ухаживавшую за ним и которая в определенные часы и в неопределенные зовы его должна была каждый раз взбегать к нему наверх снизу, несмотря на давнишнюю одышку свою. Этот «верх» состоял из множества больших парадных комнат, меблированных по купеческой старине, с длинными скучными рядами неуклюжих кресел и стульев красного дерева по стенам, с хрустальными люстрами в чехлах, с угрюмыми зеркалами в простенках. Все эти комнаты стояли совсем пустыми и необитаемыми, потому что больной старик жался лишь в одной комнатке, в отдаленной маленькой своей спаленке, где прислуживала ему старуха служанка, с волосами в платочке, да «малый», пребывавший на залавке в передней. Ходить старик из-за распухших ног своих почти совсем уже не мог и только изредка поднимался со своих кожаных кресел, и старуха, придерживая его под руки, проводила его раз-другой по комнате. Был он строг и неразговорчив даже с этою старухой. Когда доложили ему о приходе «капитана», он тотчас же велел отказать. Но Митя настаивал и доложился еще раз. Кузьма Кузьмич опросил подробно малого: что, дескать, каков с виду, не пьян ли? Не буянит ли? И получил в ответ, что «тверез, но уходить не хочет». Старик опять велел отказать. Тогда Митя, всё это предвидевший и нарочно на сей случай захвативший с собой бумагу и карандаш, четко написал на клочке бумаги одну строчку: «По самонужнейшему делу, близко касающемуся Аграфены Александровны» — и послал это старику. Подумав несколько, старик велел малому ввести посетителя в залу, а старуху послал вниз с приказанием к младшему сыну сейчас же явиться к нему наверх. Этот младший сын, мужчина вершков двенадцати и силы непомерной, бривший лицо и одевавшийся по-немецки (сам Самсонов ходил в кафтане и с бородой), явился немедленно и безмолвно. Все они пред отцом трепетали. Пригласил отец этого молодца не то чтоб из страху пред капитаном, характера он был весьма неробкого, а так лишь, на всякий случай, более чтоб иметь свидетеля. В сопровождении сына, взявшего его под руку, и малого, он выплыл наконец в залу. Надо думать, что ощущал он некоторое довольно сильное любопытство. Зала эта, в которой ждал Митя, была огромная, угрюмая, убивавшая тоской душу комната, в два света, с хорами, со стенами «под мрамор» и с тремя огромными хрустальными люстрами в чехлах. Митя сидел на стульчике у входной двери и в нервном нетерпении ждал своей участи. Когда старик появился у противоположного входа, сажен за десять от стула Мити, то тот вдруг вскочил и обоими твердыми, фронтовыми, аршинными шагами пошел к нему навстречу. Одет был Митя прилично, в застегнутом сюртуке, с круглою шляпой в руках и в черных перчатках, точь-в-точь как был дня три тому назад в монастыре, у старца, на семейном свидании с Федором Павловичем и с братьями. Старик важно и строго ожидал его стоя, и Митя разом почувствовал, что, пока он подходил, тот его всего рассмотрел. Поразило тоже Митю чрезвычайно опухшее за последнее время лицо Кузьмы Кузьмича: нижняя и без того толстая губа его казалась теперь какою-то отвисшею лепешкой. Важно и молча поклонился он гостю, указал ему на кресло подле дивана, а сам медленно, опираясь на руку сына и болезненно кряхтя, стал усаживаться напротив Мити на диван, так что тот, видя болезненные усилия его, немедленно почувствовал в сердце своем раскаяние и деликатный стыд за свое теперешнее ничтожество пред столь важным им обеспокоенным лицом.

— Что вам, сударь, от меня угодно? — проговорил, усевшись наконец, старик, медленно, раздельно, строго, но вежливо.

Митя вздрогнул, вскочил было, но сел опять. Затем тотчас же стал говорить громко, быстро, нервно, с жестами и в решительном исступлении. Видно было, что человек дошел до черты, погиб и ищет последнего выхода, а не удастся, то хоть сейчас и в воду. Всё это в один миг, вероятно, понял старик Самсонов, хотя лицо его оставалось неизменным и холодным как у истукана.

«Благороднейший Кузьма Кузьмич, вероятно, слыхал уже не раз о моих контрах с отцом моим, Федором Павловичем Карамазовым, ограбившим меня по наследству после родной моей матери... так как весь город уже трещит об этом... потому что здесь все трещат об том, чего не надо... А кроме того, могло дойти и от Грушеньки... виноват: от Аграфены Александровны... от многоуважаемой и многочтимой мною Аграфены Александровны...» — так начал и оборвался с первого слова Митя. Но мы не будем приводить дословно всю его речь, а представим лишь изложение. Дело, дескать, заключается в том, что он, Митя, еще три месяца назад, нарочито советовался (он именно проговорил «нарочито», а не «нарочно») с адвокатом в губернском городе, «со знаменитым адвокатом, Кузьма Кузьмич, Павлом Павловичем Корнеплодовым, изволили, вероятно, слышать? Лоб обширный, почти государственный ум... вас тоже знает... отзывался в лучшем виде...» — оборвался в другой раз Митя. Но обрывы его не останавливали, он тотчас же чрез них перескакивал и устремлялся всё далее и далее. Этот-де самый Корнеплодов, опросив подробно и рассмотрев документы, какие Митя мог представить ему (о документах Митя выразился неясно и особенно спеша в этом месте), отнесся, что насчет деревни Чермашни, которая должна бы, дескать, была принадлежать ему, Мите, по матери, действительно можно бы было начать иск и тем старика-безобразника огорошить... «потому что не все же двери заперты, а юстиция уж знает, куда пролезть». Одним словом, можно бы было надеяться даже-де тысяч на шесть додачи от Федора Павловича, на семь даже, так как Чермашня всё же стоит не менее двадцати пяти тысяч, то есть наверно двадцати восьми, «тридцати, тридцати, Кузьма Кузьмич, а я, представьте себе, и семнадцати от этого жестокого человека не выбрал!..» Так вот я, дескать, Митя, тогда это дело бросил, ибо не умею с юстицией, а приехав сюда, поставлен был в столбняк встречным иском (здесь Митя опять запутался и опять круто перескочил): так вот, дескать, не пожелаете ли вы, благороднейший Кузьма Кузьмич, взять все права мои на этого изверга, а сами мне дайте три только тысячи... Вы ни в каком случае проиграть ведь не можете, в этом честью, честью клянусь, а совсем напротив, можете нажить тысяч шесть или семь вместо трех... А главное дело, чтоб это кончить «даже сегодня же». «Я там вам у нотариуса, что ли, или как там... Одним словом, я готов на всё, выдам все документы, какие потребуете, всё подпишу... и мы эту бумагу сейчас же и совершили бы, и если бы можно, если бы только можно, то сегодня же бы утром... Вы бы мне эти три тысячи выдали... так как кто же против вас капиталист в этом городишке... и тем спасли бы меня от... одним словом, спасли бы мою бедную голову для благороднейшего дела, для возвышеннейшего дела, можно сказать...

ибо питаю благороднейшие чувства к известной особе, которую слишком знаете и о которой печетесь отечески. Иначе бы и не пришел, если бы не отечески. И, если хотите, тут трое состукнулись лбами, ибо судьба — это страшилище, Кузьма Кузьмич! Реализм, Кузьма Кузьмич, реализм! А так как вас давно уже надо исключить, то останутся два лба, как я выразился, может быть неловко, но я не литератор. То есть один лоб мой, а другой — этого изверга. Итак выбирайте: или я, или изверг? Всё теперь в ваших руках — три судьбы и два жребия... Извините, я сбился, но вы понимаете... я вижу по вашим почтенным глазам, что вы поняли... А если не поняли, то сегодня же в воду, вот!»

Митя оборвал свою нелепую речь этим «вот» и, вскочив с места, ждал ответа на свое глупое предложение. С последнею фразой он вдруг и безнадежно почувствовал, что всё лопнуло, а главное, что он нагородил страшной ахинеи. «Странное дело, пока шел сюда, всё казалось хорошо, а теперь вот и ахинея!» — вдруг пронеслось в его безнадежной голове. Всё время, пока он говорил, старик сидел неподвижно и с ледяным выражением во взоре следил за ним. Выдержав его, однако, с минутку в ожидании, Кузьма Кузьмич изрек наконец самым решительным и безотрадным тоном:

— Извините-с, мы эдакими делами не занимаемся.

Митя вдруг почувствовал, что под ним слабеют ноги.

— Как же я теперь, Кузьма Кузьмич, — проборматал он, бледно улыбаясь. — Ведь я теперь пропал, как вы думаете?

— Извините-с...

Митя всё стоял и всё смотрел неподвижно в упор и вдруг заметил, что что-то двинулось в лице старика. Он вздрогнул.

— Видите, сударь, нам такие дела несподручны, — медленно промолвил старик, — суды пойдут, адвокаты, сущая беда! А если хотите, тут есть один человек, вот к нему обратитесь...

— Боже мой, кто же это!.. Вы воскрешаете меня, Кузьма Кузьмич, — залепетал вдруг Митя.

— Не здешний он, этот человек, да и здесь его теперь не находится. Он по крестьянству, лесом торгует, прозвищем Лягавый. У Федора Павловича вот уже год как торгует в Чермашне этой вашей рощу, да за ценой расходятся, может слышали. Теперь он как раз приехал опять и стоит теперь у батюшки Ильинского, от Воловьей станции верст двенадцать, что ли, будет, в селе Ильинском. Писал он сюда и ко мне по этому самому делу, то есть насчет этой рощи, совета просил. Федор Павлович к нему сам хочет ехать. Так если бы вы Федора Павловича предупредили да Лягавому предложили вот то самое, что мне говорили, то он, может статься...

— Гениальная мысль! — восторженно перебил Митя. — Именно он, именно ему в руку! Он торгует, с него дорого просят, а тут ему именно документ на самое владение, ха-ха-ха! — И Митя вдруг захохотал своим коротким деревянным смехом, совсем неожиданным, так что даже Самсонов дрогнул головой.

— Как благодарить мне вас, Кузьма Кузьмич, — кипел Митя.

— Ничего-с, — склонил голову Самсонов.

— Но вы не знаете, вы спасли меня, о, меня влекло к вам предчувствие... Итак, к этому попу!

— Не стоит благодарности-с.

— Спешу и лечу. Злоупотребил вашим здоровьем. Век не забуду, русский человек говорит вам это, Кузьма Кузьмич, р-русский человек!

— Тэ-экс.

Митя схватил было старика за руку, чтобы потрясть ее, но что-то злобное промелькнуло в глазах того. Митя отнял руку, но тотчас же упрекнул себя во мнительности. «Это он устал...» — мелькнуло в уме его.

— Для нее! Для нее, Кузьма Кузьмич! Вы понимаете, что это для нее! — рявкнул он вдруг на всю залу, поклонился, круто повернулся и теми же скорыми, аршинными шагами, не оборачиваясь, устремился к выходу. Он трепетал от восторга. «Всё ведь уж погибало, и вот ангел-хранитель спас, — неслось в уме его. — И уже если такой делец, как этот старик (благороднейший старик, и какая осанка!), указал этот путь, то... то уж, конечно, выигран путь. Сейчас и лететь. До ночи вернусь, ночью вернусь, но дело побеждено. Неужели же старик мог надо мной насмеяться?» Так восклицал Митя, шагая в свою квартиру, и уж, конечно, иначе и не могло представляться уму его, то есть: или дельный совет (от такого-то дельца) — со знанием дела, со знанием этого Лягавого (странная фамилия!), или — или старик над ним посмеялся! Увы! последняя-то мысль и была единственно верною. Потом, уже долго спустя, когда уже совершилась вся катастрофа, старик Самсонов сам сознавался смеясь, что тогда осмеял «капитана». Это был злобный, холодный и насмешливый человек, к тому же с болезненными антипатиями. Восторженный ли вид капитана, глупое ли убеждение этого «мота и расточителя», что он, Самсонов, может поддаться на такую дичь, как его «план», ревнивое ли чувство насчет Грушеньки, во имя которой «этот сорванец» пришел к нему с какою-то дичью за деньгами, — не знаю, что именно побудило тогда старика, но в ту минуту, когда Митя стоял пред ним, чувствуя, что слабеют его ноги, и бессмысленно восклицал, что он пропал, — в ту минуту старик посмотрел на него с бесконечною злобой и придумал над ним посмеяться. Когда Митя вышел, Кузьма Кузьмич, бледный от злобы, обратился к сыну и велел распорядиться, чтобы впредь этого оборванца и духу не было, и на двор не впускать, не то...

Он не договорил того, чем угрожал, но даже сын, часто видавший его во гневе, вздрогнул от страху. Целый час спустя старик даже весь трясся от злобы, а к вечеру заболел и послал за «лекарем».

II
ЛЯГАВЫЙ

Итак, надо было «скакать», а денег на лошадей все-таки не было ни копейки, то есть были два двугривенных, и это всё, — всё, что оставалось от стольких лет прежнего благосостояния! Но у него лежали дома старые серебряные часы, давно уже переставшие ходить. Он схватил их и снес к еврею-часовщику, помещавшемуся в своей лавчонке на базаре. Тот дал за них шесть рублей. «И того не ожидал!» — вскричал восхищенный Митя (он всё продолжал быть в восхищении), схватил свои шесть рублей и побежал домой. Дома он дополнил сумму, взяв взаймы три рубля от хозяев, которые дали ему с удовольствием, несмотря на то, что отдавали последние свои деньги, до того любили его. Митя в восторженном состоянии своем открыл им тут же, что решается судьба его, и рассказал им, ужасно спеша разумеется, почти весь свой «план», который только что представил Самсонову, затем решение Самсонова, будущие надежды свои и проч., и проч. Хозяева и допрежь сего были посвящены во многие его тайны, потому-то и смотрели на него как на *своего* человека, совсем не гордого барина. Совокупив таким образом девять рублей, Митя послал за почтовыми лошадьми до Воловьей станции. Но, таким образом, запомнился и обозначился факт, что «накануне некоторого события, в полдень, у Мити не было ни копейки и что он, чтобы достать денег, продал часы и занял три рубля у хозяев, и всё при свидетелях».

Отмечаю этот факт заранее, потом разъяснится, для чего так делаю.

Поскакав на Воловью станцию, Митя хоть и сиял от радостного предчувствия, что наконец-то кончит и развяжет «все эти дела», тем не менее трепетал и от страху: что станется теперь с Грушенькой в его отсутствие? Ну как раз сегодня-то и решится наконец пойти к Федору Павловичу? Вот почему он и уехал, ей не сказавшись и заказав хозяевам отнюдь не открывать, куда он делся, если откуда-нибудь придут его спрашивать. «Непременно, непременно сегодня к вечеру надо вернуться, — повторял он, трясясь в телеге, — а этого Лягавого, пожалуй, и сюда притащить... для совершения этого акта...» — так, замирая душою, мечтал Митя, но увы, мечтаниям его слишком не суждено было совершиться по его «плану».

Во-первых, он опоздал, отправившись с Воловьей станции проселком. Проселок оказался не в двенадцать, а в восемнадцать верст. Во-вторых, Ильинского батюшки он не застал дома, тот отлучился в соседнюю деревню. Пока разыскал там его Митя, отправившись в эту соседнюю деревню всё на тех же, уже измученных лошадях, наступила почти уже ночь. Батюшка, робкий и ласковый на вид человечек, разъяснил ему немедленно, что этот Лягавый, хоть и остановился было у него спервоначалу, но теперь находится в Сухом Поселке, там у лесного сторожа в избе сегодня ночует, потому что и там тоже лес торгует. На усиленные просьбы Мити сводить его к Лягавому сейчас же и «тем, так сказать, спасти его», батюшка хоть и заколебался вначале, но согласился, однако, проводить его в Сухой Поселок, видимо почувствовав любопытство; но, на грех, посоветовал дойти «пешечком», так как тут всего какая-нибудь верста «с небольшим излишком» будет. Митя, разумеется, согласился и зашагал своими аршинными шагами, так что бедный батюшка почти побежал за ним. Это был еще не старый и очень осторожный человечек. Митя и с ним тотчас же заговорил о своих планах, горячо, нервно требовал советов насчет Лягавого и проговорил всю дорогу. Батюшка слушал внимательно, но посоветовал мало. На вопросы Мити отвечал уклончиво: «Не знаю, ох не знаю, где же мне это знать», и т. д. Когда Митя заговорил о своих контрах с отцом насчет наследства, то батюшка даже испугался, потому что состоял с Федором Павловичем в каких-то зависимых к нему отношениях. С удивлением, впрочем, осведомился, почему он называет этого торгующего крестьянина Горсткина Лягавым, и разъяснил обязательно Мите, что хоть тот и впрямь Лягавый, но что он и не Лягавый, потому что именем этим жестоко обижается, и что называть его надо непременно Горсткиным, «иначе ничего с ним не совершите, да и слушать не станет», — заключил батюшка. Митя несколько и наскоро удивился и объяснил, что так называл его сам Самсонов. Услышав про это обстоятельство, батюшка тотчас же этот разговор замял, хотя и хорошо бы сделал, если бы разъяснил тогда же Дмитрию Федоровичу догадку свою: что если сам Самсонов послал его к этому мужичку как к Лягавому, то не сделал ли сего почему-либо на смех и что нет ли чего тут неладного? Но Мите некогда было останавливаться «на таких мелочах». Он спешил, шагал и, только придя в Сухой Поселок, догадался, что прошли они не версту и не полторы, а наверное три; это его раздосадовало, но он стерпел. Вошли в избу. Лесник, знакомый батюшки, помещался в одной половине избы, а в другой, чистой половине, через сени, расположился Горсткин. Вошли в эту чистую избу и засветили сальную свечку. Изба была сильно натоплена. На сосновом столе стоял потухший самовар, тут же поднос с чашками, допитая бутылка рому, не совсем допитый штоф водки и объедки пшеничного хлеба. Сам же приезжий лежал протянувшись на скамье, со скомканною верхнею одежонкой под головами вместо подушки, и грузно храпел. Митя стал в недоумении. «Конечно, надо будить: мое дело слишком важное, я так спешил, я спешу сегодня же воротиться», — затревожился Митя; но батюшка и сторож стояли молча, не высказывая своего мнения. Митя подошел и принялся будить сам, принялся энергически, но спящий не пробуждался. «Он пьян, — решил Митя, — но что же мне делать, господи, что же мне делать!» И вдруг в страшном нетерпении принялся дергать спящего за руки, за ноги, раскачивать его за голову, приподымать и садить на лавку и все-таки после весьма долгих усилий добился лишь того, что тот начал нелепо мычать и крепко, хотя и неясно выговаривая, ругаться.

— Нет, уж вы лучше повремените, — изрек наконец батюшка, — потому он видимо не в состоянии.

— Весь день пил, — отозвался сторож.

— Боже! — вскрикивал Митя, — если бы вы только знали, как мне необходимо и в каком я теперь отчаянии!

— Нет уж лучше бы вам повременить до утра, — повторил батюшка.

— До утра? Помилосердуйте, это невозможно! — И в отчаянии он чуть было опять не бросился будить пьяницу, но тотчас оставил, поняв всю бесполезность усилий. Батюшка молчал, заспанный сторож был мрачен.

— Какие страшные трагедии устраивает с людьми реализм! — проговорил Митя в совершенном отчаянии. Пот лился с его лица. Воспользовавшись минутой, батюшка весьма резонно изложил, что хотя бы и удалось разбудить спящего, но, будучи пьяным, он всё же не способен ни к какому разговору, «а у вас дело важное, так уж вернее бы оставить до утреца...». Митя развел руками и согласился.

— Я, батюшка, останусь здесь со свечой и буду ловить мгновение. Пробудится, и тогда я начну... За свечку я тебе заплачу, — обратился он к сторожу, — за постой тоже, будешь помнить Дмитрия Карамазова. Вот только с вами, батюшка, не знаю теперь как быть: где же вы ляжете?

— Нет, я уж к себе-с. Я вот на его кобылке и доеду, — показал он на сторожа. — Засим прощайте-с, желаю вам полное удовольствие получить.

Так и порешили. Батюшка отправился на кобылке, обрадованный, что наконец отвязался, но всё же смятенно покачивая головой и раздумывая: не надо ли будет завтра заблаговременно уведомить о сем любопытном случае благодетеля Федора Павловича, «а то, неровен час, узнает, осердится и милости прекратит». Сторож, почесавшись, молча отправился в свою избу, а Митя сел на лавку ловить, как он выразился, мгновение. Глубокая тоска облегла, как тяжелый туман, его душу. Глубокая, страшная тоска! Он сидел, думал, но обдумать ничего не мог. Свечка нагорала, затрещал сверчок, в натопленной комнате становилось нестерпимо душно. Ему вдруг представился сад, ход за садом, у отца в доме таинственно отворяется дверь, а в дверь пробегает Грушенька... Он вскочил с лавки.

— Трагедия! — проговорил он, скрежеща зубами, машинально подошел к спящему и стал смотреть на его лицо. Это был сухопарый, еще не старый мужик, с весьма продолговатым лицом, в русых кудрях и с длинною тоненькою рыжеватою бородкой, в ситцевой рубахе и в черном жилете, из кармана которого выглядывала цепочка от серебряных часов. Митя рассматривал эту физиономию со страшною ненавистью, и ему почему-то особенно ненавистно было, что он в кудрях. Главное то было нестерпимо обидно, что вот он, Митя, стоит над ним «со своим неотложным делом, столько пожертвовав, столько бросив, весь измученный, а этот тунеядец, «от которого зависит теперь вся судьба моя, храпит как ни в чем не бывало, точно с другой планеты». «О, ирония судьбы!» — воскликнул Митя и вдруг, совсем потеряв голову, бросился опять будить пьяного мужика. Он будил его с каким-то остервенением, рвал его, толкал, даже бил, но, провозившись минут пять и опять ничего не добившись, в бессильном отчаянии воротился на свою лавку и сел.

— Глупо, глупо! — восклицал Митя, — и... как это всё бесчестно! — прибавил он вдруг почему-то. У него страшно начала болеть голова: «Бросить разве? Уехать совсем, — мелькнуло в уме его. — Нет уж, до утра. Вот нарочно же останусь, нарочно! Зачем же я и приехал после того? Да и уехать не на чем, как теперь отсюда уедешь, о, бессмыслица!»

Голова его, однако, разбаливалась всё больше и больше. Неподвижно сидел он и уже не помнил, как задремал и вдруг сидя заснул. По-видимому, он спал часа два или больше. Очнулся же от нестерпимой головной боли, нестерпимой до крику. В висках его стучало, темя болело; очнувшись, он долго еще не мог войти в себя совершенно и осмыслить, что с ним такое произошло. Наконец-то догадался, что в натопленной комнате страшный угар и что он, может быть, мог умереть. А пьяный мужик всё лежал и храпел; свечка оплыла и готова была погаснуть. Митя закричал и бросился, шатаясь, через сени в избу сторожа. Тот скоро проснулся, но услыхав, что в другой избе угар, хотя и пошел распорядиться, но принял факт до странности равнодушно, что обидно удивило Митю.

— Но он умер, он умер, и тогда... что тогда? — восклицал пред ним в исступлении Митя.

Двери растворили, отворили окно, открыли трубу, Митя притащил из сеней ведро с водой, сперва намочил голову себе, а затем, найдя какую-то тряпку, окунул ее в воду и приложил к голове Лягавого. Сторож же продолжал относиться ко всему событию как-то даже презрительно и, отворив окно, произнес угрюмо: «Ладно и так» — и пошел опять спать, оставив Мите зажженный железный фонарь. Митя провозился с угоревшим пьяницей с полчаса, всё намачивая ему голову, и серьезно уже намеревался не спать всю ночь, но, измучившись, присел как-то на одну минутку, чтобы перевести дух, и мгновенно закрыл глаза, затем тотчас же бессознательно протянулся на лавке и заснул как убитый.

Проснулся он ужасно поздно. Было примерно уже часов девять утра. Солнце ярко сияло в два оконца избушки. Вчерашний кудрявый мужик сидел на лавке, уже одетый в поддевку. Пред ним стоял новый самовар и новый штоф. Старый вчерашний был уже допит, а новый опорожнен более чем наполовину. Митя вскочил и мигом догадался, что проклятый мужик пьян опять, пьян глубоко и невозвратимо. Он глядел на него с минуту, выпучив глаза. Мужик же поглядывал на него молча и лукаво, с каким-то обидным спокойствием, даже с презрительным каким-то высокомерием, как показалось Мите. Он бросился к нему.

— Позвольте, видите... я... вы, вероятно, слышали от здешнего сторожа в той избе: я поручик Дмитрий Карамазов, сын старика Карамазова, у которого вы изволите рощу торговать...

— Это ты врешь! — вдруг твердо и спокойно отчеканил мужик.

— Как вру? Федора Павловича изволите знать?

— Никакого твоего Федора Павловича не изволю знать, — как-то грузно ворочая языком, проговорил мужик.

— Рощу, рощу вы у него торгуете; да проснитесь, опомнитесь. Отец Павел Ильинский меня проводил сюда... Вы к Самсонову писали, и он меня к вам прислал... — задыхался Митя.

— В-врешь! — отчеканил опять Лягавый.

У Мити похолодели ноги.

— Помилосердуйте, ведь это не шутка! Вы, может быть, хмельны. Вы можете же, наконец, говорить, понимать... иначе... иначе я ничего не понимаю!

— Ты красильщик!

— Помилосердуйте, я Карамазов, Дмитрий Карамазов, имею к вам предложение... выгодное предложение... весьма выгодное... именно по поводу рощи.

Мужик важно поглаживал бороду.

— Нет, ты подряд снимал и подлец вышел. Ты подлец!

— Уверяю же вас, что вы ошибаетесь! — в отчаянии ломал руки Митя. Мужик всё гладил бороду и вдруг лукаво прищурил глаза.

— Нет, ты мне вот что укажи: укажи ты мне такой закон, чтобы позволено было пакости строить, слышишь ты! Ты подлец, понимаешь ты это?

Митя мрачно отступил, и вдруг его как бы «что-то ударило по лбу», как он сам потом выразился. В один миг произошло какое-то озарение в уме его, «загорелся светоч, и я всё постиг». В остолбенении стоял он, недоумевая, как мог он, человек всё же умный, поддаться на такую глупость, втюриться в этакое приключение и продолжать всё это почти целые сутки, возиться с этим Лягавым, мочить ему голову... «Ну, пьян человек, пьян до чертиков и будет пить запоем еще неделю — чего же тут ждать? А что, если Самсонов меня нарочно прислал сюда? А что, если она... О боже, что я наделал!..»

Мужик сидел, глядел на него и посмеивался. Будь другой случай, и Митя, может быть, убил бы этого дурака со злости, но теперь он весь сам ослабел как ребенок. Тихо подошел он к лавке, взял свое пальто, молча надел его и вышел из избы. В другой избе сторожа он не нашел, никого не было. Он вынул из кармана мелочью пятьдесят копеек и положил на стол, за ночлег, за свечку и за беспокойство. Выйдя из избы, он увидал, что кругом только лес и ничего больше. Он пошел наугад, даже не помня, куда поворотить из избы — направо или налево; вчера ночью, спеша сюда с батюшкой, он дороги не заметил. Никакой мести ни к кому не было в душе его, даже к Самсонову. Он шагал по узенькой лесной дорожке бессмысленно, потерянно, с «потерянною идеей» и совсем не заботясь о том, куда идет. Его мог побороть встречный ребенок, до того он вдруг обессилел душой и телом. Кое-как он, однако, из лесу выбрался: предстали вдруг сжатые обнаженные поля на необозримом пространстве. «Какое отчаяние, какая смерть кругом!» — повторял он, всё шагая вперед и вперед.

Его спасли проезжие: извозчик вез по проселку какого-то старичка купца. Когда поровнялись, Митя спросил про дорогу, и оказалось, что те тоже едут на Воловью. Вступили в переговоры и посадили Митю попутчиком. Часа через три доехали. На Воловьей станции Митя тотчас же заказал почтовых в город, а сам вдруг догадался, что до невозможности голоден. Пока впрягали лошадей, ему смастерили яичницу. Он мигом съел ее всю, съел весь большой ломоть хлеба, съел нашедшуюся колбасу и выпил три рюмки водки. Подкрепившись, он ободрился, и в душе его опять прояснело. Он летел по дороге, погонял ямщика и вдруг составил новый, и уже «непреложный», план, как достать еще сегодня же до вечера «эти проклятые деньги». «И подумать, только подумать, что из-за этих ничтожных трех тысяч пропадает судьба человеческая! — воскликнул он презрительно. — Сегодня же порешу!» И если бы только не беспрерывная мысль о Грушеньке и о том, не случилось ли с ней чего, то он стал бы, может быть, опять совсем весел. Но мысль о ней вонзалась в его душу поминутно как острый нож. Наконец приехали, и Митя тотчас же побежал к Грушеньке.

III
ЗОЛОТЫЕ ПРИИСКИ

Это было именно то посещение Мити, про которое Грушенька с таким страхом рассказывала Ракитину. Она тогда ожидала своей «эстафеты» и очень рада была, что Митя ни вчера, ни сегодня не приходил, надеялась, что авось бог даст не придет до ее отъезда, а он вдруг и нагрянул. Дальнейшее нам известно: чтобы сбыть его с рук, она мигом уговорила его проводить ее к Кузьме Самсонову, куда будто бы ей ужасно надо было идти «деньги считать», и когда

Митя ее тотчас же проводил, то, прощаясь с ним у ворот Кузьмы, взяла с него обещание прийти за нею в двенадцатом часу, чтобы проводить ее обратно домой. Митя этому распоряжению тоже был рад: «Просидит у Кузьмы, значит, не пойдет к Федору Павловичу... если только не лжет», — прибавил он тотчас же. Но на его глаз, кажется, не лгала. Он был именно такого свойства ревнивец, что в разлуке с любимою женщиной тотчас же навыдумывал бог знает каких ужасов о том, что с нею делается и как она ему там «изменяет», но, прибежав к ней опять, потрясенный, убитый, уверенный уже безвозвратно, что она успела-таки ему изменить, с первого же взгляда на ее лицо, на смеющееся, веселое и ласковое лицо этой женщины, — тотчас же возрождался духом, тотчас же терял всякое подозрение и с радостным стыдом бранил себя сам за ревность. Проводив Грушеньку, он бросился к себе домой. О, ему столько еще надо было успеть сегодня сделать! Но по крайней мере от сердца отлегло. «Вот только надо бы поскорее узнать от Смердякова, не было ли чего там вчера вечером, не приходила ли она, чего доброго, к Федору Павловичу, ух!» — пронеслось в его голове. Так что не успел он еще добежать к себе на квартиру, как ревность уже опять закопошилась в неугомонном сердце его.

Ревность! «Отелло не ревнив, он доверчив», — заметил Пушкин, и уже одно это замечание свидетельствует о необычайной глубине ума нашего великого поэта. У Отелло просто разможжена душа и помутилось всё мировоззрение его, потому что *погиб его идеал*. Но Отелло не станет прятаться, шпионить, подглядывать: он доверчив. Напротив, его надо было наводить, наталкивать, разжигать с чрезвычайными усилиями, чтоб он только догадался об измене. Не таков истинный ревнивец. Невозможно даже представить себе всего позора и нравственного падения, с которыми способен ужиться ревнивец безо всяких угрызений совести. И ведь не то чтоб это были всё пошлые и грязные души. Напротив, с сердцем высоким, с любовью чистою, полною самопожертвования, можно в то же время прятаться под столы, подкупать подлейших людей и уживаться с самою скверною грязью шпионства и подслушивания. Отелло не мог бы ни за что примириться с изменой, — не простить не мог бы, а примириться, — хотя душа его незлобива и невинна, как душа младенца. Не то с настоящим ревнивцем: трудно представить себе, с чем может ужиться и примириться и что может простить иной ревнивец! Ревнивцы-то скорее всех и прощают, и это знают все женщины. Ревнивец чрезвычайно скоро (разумеется, после страшной сцены вначале) может и способен простить, например, уже доказанную почти измену, уже виденные им самим объятия и поцелуи, если бы, например, он в то же время мог как-нибудь увериться, что это было «в последний раз» и что соперник его с этого часа уже исчезнет, уедет на край земли, или что сам он увезет ее куда-нибудь в такое место, куда уж больше не придет этот страшный соперник. Разумеется, примирение произойдет лишь на час, потому что если бы даже и в самом деле исчез соперник, то завтра же он изобретет другого, нового и приревнует к новому. И казалось бы, что в той любви, за которою надо так подсматривать, и чего стоит любовь, которую надобно столь усиленно сторожить? Но вот этого-то никогда и не поймет настоящий ревнивец, а между тем между ними, право, случаются люди даже с сердцами высокими. Замечательно еще то, что эти самые люди с высокими сердцами, стоя в какой-нибудь каморке, подслушивая и шпионя, хоть и понимают ясно «высокими сердцами своими» весь срам, в который они сами добровольно залезли, но, однако, в ту минуту по крайней мере, пока стоят в этой каморке, никогда не чувствуют угрызений совести. У Мити при виде Грушеньки пропадала ревность, и на мгновение он становился доверчив и благороден, даже сам презирал себя за дурные чувства. Но это значило только, что в любви его к этой женщине заключалось нечто гораздо высшее, чем он сам предполагал, а не одна лишь страстность, не один лишь «изгиб тела», о котором он толковал Алеше. Но зато, когда исчезала Грушенька, Митя тотчас же начинал опять подозревать в ней все низости и коварства измены. Угрызений же совести никаких при этом не чувствовал.

Итак, ревность закипела в нем снова. Во всяком случае, надо было спешить. Первым делом надо было достать хоть капельку денег на перехватку. Вчерашние девять рублей почти все ушли на проезд, а совсем без денег, известно, никуда шагу ступить нельзя. Но он вместе с новым планом своим обдумал, где достать и на перехватку, еще давеча на телеге. У него была пара хороших дуэльных пистолетов с патронами, и если до сих пор он ее не заложил, то потому, что любил эту вещь больше всего, что имел. В трактире «Столичный город» он уже давно слегка познакомился с одним молодым чиновником и как-то узнал в трактире же, что этот холостой и весьма достаточный чиновник до страсти любит оружие, покупает пистолеты, револьверы, кинжалы, развешивает у себя по стенам, показывает знакомым, хвалится, мастер растолковать систему револьвера, как его зарядить, как выстрелить, и проч. Долго не думая, Митя тотчас к нему отправился и предложил ему взять в заклад пистолеты за десять рублей. Чиновник с радостью стал уговаривать его совсем продать, но Митя не согласился, и тот выдал ему десять рублей, заявив, что процентов не возьмет ни за что. Расстались приятелями. Митя спешил, он устремился к Федору Павловичу на зады, в свою беседку, чтобы вызвать поскорее Смердякова. Но таким образом опять получился факт, что всего за три, за четыре часа до некоторого приключения, о котором будет мною говорено ниже, у Мити не было ни копейки денег, и он за десять рублей заложил любимую вещь, тогда как вдруг, через три часа, оказались в руках его тысячи... Но я забегаю вперед.

У Марьи Кондратьевны (соседки Федора Павловича) его ожидало чрезвычайно поразившее и смутившее его известие о болезни Смердякова. Он выслушал историю о падении в погреб, затем о падучей, приезде доктора, заботах Федора Павловича; с любопытством узнал и о том, что брат Иван Федорович уже укатил давеча утром в Москву. «Должно быть, раньше меня проехал через Воловью, — подумал Дмитрий Федорович, но Смердяков его беспокоил ужасно: — Как же теперь, кто сторожить будет, кто мне передаст?» С жадностью начал он расспрашивать этих женщин, не заметили ль они чего вчера вечером? Те очень хорошо понимали, о чем он разузнает, и разуверили его вполне: никого не было, ночевал Иван Федорович, «всё было в совершенном порядке». Митя задумался. Без сомнения, надо и сегодня караулить, но где: здесь или у ворот Самсонова? Он решил, что и здесь и там, всё по усмотрению, а пока, пока... Дело в том, что теперь стоял пред ним этот «план», давешний, новый и уже верный план, выдуманный им на телеге и откладывать исполнение которого было уже невозможно. Митя решил пожертвовать на это час: «в час всё порешу, всё узнаю и тогда,

тогда, во-первых, в дом к Самсонову, справлюсь, там ли Грушенька, и мигом обратно сюда, и до одиннадцати часов здесь, а потом опять за ней к Самсонову, чтобы проводить ее обратно домой». Вот как он решил.

Он полетел домой, умылся, причесался, вычистил платье, оделся и отправился к госпоже Хохлаковой. Увы, «план» его был тут. Он решился занять три тысячи у этой дамы. И главное, у него вдруг, как-то внезапно, явилась необыкновенная уверенность, что она ему не откажет. Может быть, подивятся тому, что если была такая уверенность, то почему же он заранее не пошел сюда, так сказать в свое общество, а направился к Самсонову, человеку склада чужого, с которым он даже и не знал, как говорить. Но дело в том, что с Хохлаковой он в последний месяц совсем почти раззнакомился, да и прежде знаком был мало и, сверх того, очень знал, что и сама она его терпеть не может. Эта дама возненавидела его с самого начала просто за то, что он жених Катерины Ивановны, тогда как ей почему-то вдруг захотелось, чтобы Катерина Ивановна его бросила и вышла замуж за «милого, рыцарски образованного Ивана Федоровича, у которого такие прекрасные манеры». Манеры же Мити она ненавидела. Митя даже смеялся над ней и раз как-то выразился про нее, что эта дама «настолько жива и развязна, насколько необразованна». И вот давеча утром, на телеге, его озарила самая яркая мысль: «Да если уж она так не хочет, чтоб я женился на Катерине Ивановне, и не хочет до такой степени (он знал, что почти до истерики), то почему бы ей отказать мне теперь в этих трех тысячах, именно для того, чтоб я на эти деньги мог, оставив Катю, укатить навеки отсюдова? Эти избалованные высшие дамы, если уж захотят чего до капризу, то уж ничего не щадят, чтобы вышло по-ихнему. Она же к тому так богата», — рассуждал Митя. Что́ же касается собственно до «плана», то было всё то же самое, что и прежде, то есть предложение прав своих на Чермашню, но уже не с коммерческою целью, как вчера Самсонову, не прельщая эту даму, как вчера Самсонова, возможностью стяпать вместо трех тысяч куш вдвое, тысяч в шесть или семь, а просто как благородную гарантию за долг. Развивая эту новую свою мысль, Митя доходил до восторга, но так с ним и всегда случалось при всех его начинаниях, при всех его внезапных решениях. Всякой новой мысли своей он отдавался до страсти. Тем не менее когда ступил на крыльцо дома госпожи Хохлаковой, вдруг почувствовал на спине своей озноб ужаса: в эту только секунду он сознал вполне и уже математически ясно, что тут ведь последняя уже надежда его, что дальше уже ничего не остается в мире, если тут оборвется, «разве зарезать и ограбить кого-нибудь из-за трех тысяч, а более ничего...». Было часов семь с половиною, когда он позвонил в колокольчик.

Сначала дело как бы улыбнулось: только что он доложился, его тотчас же приняли с необыкновенною быстротой. «Точно ведь ждала меня», — мелькнуло в уме Мити, а затем вдруг, только что ввели его в гостиную, почти вбежала хозяйка и прямо объявила ему, что ждала его...

— Ждала, ждала! Ведь я не могла даже и думать, что вы ко мне придете, согласитесь сами, и, однако, я вас ждала, подивитесь моему инстинкту, Дмитрий Федорович, я всё утро была уверена, что вы сегодня придете.

— Это действительно, сударыня, удивительно, — произнес Митя, мешковато усаживаясь, — но... я пришел по чрезвычайно важному делу... наиважнейшему из важнейших, для меня то есть, сударыня, для меня одного, и спешу...

— Знаю, что по наиважнейшему делу, Дмитрий Федорович, тут не предчувствия какие-нибудь, не ретроградные поползновения на чудеса (слышали про старца Зосиму?), тут, тут математика: вы не могли не прийти, после того как произошло всё это с Катериной Ивановной, вы не могли, не могли, это математика.

— Реализм действительной жизни, сударыня, вот что это такое! Но позвольте, однако ж, изложить...

— Именно реализм, Дмитрий Федорович. Я теперь вся за реализм, я слишком проучена насчет чудес. Вы слышали, что помер старец Зосима?

— Нет, сударыня, в первый раз слышу, — удивился немного Митя. В уме его мелькнул образ Алеши.

— Сегодня в ночь, и представьте себе...

— Сударыня, — прервал Митя, — я представляю себе только то, что я в отчаяннейшем положении и что если вы мне не поможете, то всё провалится, и я провалюсь первый. Простите за тривиальность выражения, но я в жару, я в горячке...

— Знаю, знаю, что вы в горячке, всё знаю, вы и не можете быть в другом состоянии духа, и что бы вы ни сказали, я всё знаю наперед. Я давно взяла вашу судьбу в соображение, Дмитрий Федорович, я слежу за нею и изучаю ее... О, поверьте, что я опытный душевный доктор, Дмитрий Федорович.

— Сударыня, если вы опытный доктор, то я зато опытный больной, — слюбезничал через силу Митя, — и предчувствую, что если вы уж так следите за судьбой моею, то и поможете ей в ее гибели, но для этого позвольте мне наконец изложить пред вами тот план, с которым я рискнул явиться... и то, чего от вас ожидаю... Я пришел, сударыня...

— Не излагайте, это второстепенность. А насчет помощи, я не первому вам помогаю, Дмитрий Федорович. Вы, вероятно, слышали о моей кузине Бельмесовой, ее муж погибал, провалился, как вы характерно выразились, Дмитрий Федорович, и что же, я указала ему на коннозаводство, и он теперь процветает. Вы имеете понятие о коннозаводстве, Дмитрий Федорович?

— Ни малейшего, сударыня, — ох, сударыня, ни малейшего! — вскричал в нервном нетерпении Митя и даже поднялся было с места. — Я только умоляю вас, сударыня, меня выслушать, дайте мне только две минуты свободного разговора, чтоб я мог сперва изложить вам всё, весь проект, с которым пришел. К тому же мне нужно время, я ужасно спешу!.. — прокричал истерически Митя, почувствовав, что она сейчас опять начнет говорить, и в надежде перекричать ее. — Я пришел в отчаянии... в последней степени отчаяния, чтобы просить у вас взаймы денег три тысячи, взаймы, но под верный, под вернейший залог, сударыня, под вернейшее обеспечение! Позвольте только изложить...

— Это вы всё потом, потом! — замахала на него рукой в свою очередь госпожа Хохлакова, — да и всё, что бы вы ни сказали, я знаю всё наперед, я уже говорила вам это. Вы просите какой-то суммы, вам нужны три тысячи, но я вам дам больше, безмерно больше, я вас спасу, Дмитрий Федорович, но надо, чтобы вы меня послушались!

Митя так и прянул опять с места.

— Сударыня, неужто вы так добры! — вскричал он с чрезвычайным чувством. — Господи, вы спасли меня. Вы спасаете человека, сударыня, от насильственной смерти, от пистолета... Вечная благодарность моя...

— Я вам дам бесконечно, бесконечно больше, чем три тысячи! — прокричала госпожа Хохлакова, с сияющею улыбкой смотря на восторг Мити.

— Бесконечно? Но столько и не надо. Необходимы только эти роковые для меня три тысячи, а я со своей стороны пришел гарантировать вам эту сумму с бесконечною благодарностью и предлагаю вам план, который...

— Довольно, Дмитрий Федорович, сказано и сделано, — отрезала госпожа Хохлакова с целомудренным торжеством благодетельницы. — Я обещала вас спасти и спасу. Я вас спасу, как и Бельмесова. Что думаете вы о золотых приисках, Дмитрий Федорович?

— О золотых приисках, сударыня! Я никогда ничего о них не думал.

— А зато я за вас думала! Думала и передумала! Я уже целый месяц слежу за вами с этою целью. Я сто раз смотрела на вас, когда вы проходили, и повторяла себе: вот энергический человек, которому надо на прииски. Я изучила даже походку вашу и решила: этот человек найдет много приисков.

— По походке, сударыня? — улыбнулся Митя.

— А что ж, и по походке. Что же, неужели вы отрицаете, что можно по походке узнавать характер, Дмитрий Федорович? Естественные науки подтверждают то же самое. О, я теперь реалистка, Дмитрий Федорович. Я с сегодняшнего дня, после всей этой истории в монастыре, которая меня так расстроила, совершенная реалистка и хочу броситься в практическую деятельность. Я излечена. Довольно! как сказал Тургенев.

— Но, сударыня, эти три тысячи, которыми вы так великодушно меня обещали ссудить...

— Вас не минуют, Дмитрий Федорович, — тотчас же перерезала госпожа Хохлакова, — эти три тысячи всё равно что у вас в кармане, и не три тысячи, а три миллиона, Дмитрий Федорович, в самое короткое время! Я вам скажу вашу идею: вы отыщете прииски, наживете миллионы, воротитесь и станете деятелем, будете и нас двигать, направляя к добру. Неужели же всё предоставить жидам? Вы будете строить здания и разные предприятия. Вы будете помогать бедным, а те вас благословлять. Нынче век железных дорог, Дмитрий Федорович. Вы станете известны и необходимы министерству финансов, которое теперь так нуждается. Падение нашего кредитного рубля не дает мне спать, Дмитрий Федорович, с этой стороны меня мало знают...

— Сударыня, сударыня! — в каком-то беспокойном предчувствии прервал опять Дмитрий Федорович, — я весьма и весьма, может быть, последую вашему совету, умному совету вашему, сударыня, и отправлюсь, может быть, туда... на эти прииски... и еще раз приду к вам говорить об этом... даже много раз... но теперь эти три тысячи, которые вы так великодушно... О, они бы развязали меня, и если можно сегодня... То есть, видите ли, у меня теперь ни часу, ни часу времени...

— Довольно, Дмитрий Федорович, довольно! — настойчиво прервала госпожа Хохлакова. — Вопрос: едете вы на прииски или нет, решились ли вы вполне, отвечайте математически.

— Еду, сударыня, потом... Я поеду, куда хотите, сударыня... но теперь...

— Подождите же! — крикнула госпожа Хохлакова, вскочила и бросилась к своему великолепному бюро с бесчисленными ящичками и начала выдвигать один ящик за другим, что-то отыскивая и ужасно торопясь.

«Три тысячи! — подумал, замирая, Митя, — и это сейчас, безо всяких бумаг, без акта... о, это по-джентльменски! Великолепная женщина, и если бы только не так разговорчива...»

— Вот! — воскликнула в радости госпожа Хохлакова, возвращаясь к Мите, — вот что я искала!

Это был крошечный серебряный образок на шнурке, из тех, какие носят иногда вместе с нательным крестом.

— Это из Киева, Дмитрий Федорович, — с благоговением продолжала она, — от мощей Варвары-великомученицы. Позвольте мне самой вам надеть на шею и тем благословить вас на новую жизнь и на новые подвиги.

И она действительно накинула ему образок на шею и стала было вправлять его. Митя в большом смущении принагнулся и стал ей помогать и наконец вправил себе образок чрез галстук и ворот рубашки на грудь.

— Вот теперь вы можете ехать! — произнесла госпожа Хохлакова, торжественно садясь опять на место.

— Сударыня, я так тронут... и не знаю, как даже благодарить... за такие чувства, но... если бы вы знали, как мне дорого теперь время!.. Эта сумма, которую я столь жду от вашего великодушия... О сударыня, если уж вы так добры, так трогательно великодушны ко мне, — воскликнул вдруг во вдохновении Митя, — то позвольте мне вам открыть... что, впрочем, вы давно уже знаете... что я люблю здесь одно существо... Я изменил Кате... Катерине Ивановне, я хочу сказать. О, я был бесчеловечен и бесчестен пред нею, но я здесь полюбил другую... одну женщину, сударыня, может быть презираемую вами, потому что вы всё уже знаете, но которую я никак не могу оставить, никак, а потому теперь, эти три тысячи...

— Оставьте всё, Дмитрий Федорович! — самым решительным тоном перебила госпожа Хохлакова. — Оставьте, и особенно женщин. Ваша цель — прииски, а женщин туда незачем везти. Потом, когда вы возвратитесь в богатстве и славе, вы найдете себе подругу сердца в самом высшем обществе. Это будет девушка современная, с познаниями и без предрассудков. К тому времени, как раз созреет теперь начавшийся женский вопрос, и явится новая женщина...

— Сударыня, это не то, не то... — сложил было, умоляя, руки Дмитрий Федорович.

— То самое, Дмитрий Федорович, именно то, что вам надо, чего вы жаждете, сами не зная того. Я вовсе не прочь от теперешнего женского вопроса, Дмитрий Федорович. Женское развитие и даже политическая роль женщины в самом ближайшем будущем — вот мой идеал. У меня у самой дочь, Дмитрий Федорович, и с этой стороны меня мало знают. Я написала по этому поводу писателю Щедрину. Этот писатель мне столько указал, столько указал в назначении женщины, что я отправила ему прошлого года анонимное письмо в две строки: «Обнимаю и целую вас, мой писатель, за современную женщину, продолжайте». И подписалась: «Мать». Я хотела было подписаться «современная мать» и колебалась, но остановилась просто на матери: больше красоты нравственной, Дмитрий Федорович, да и слово «современная» напомнило бы им «Современник» — воспоминание для них горькое ввиду нынешней цензуры... Ах, боже мой, что с вами?

— Сударыня, — вскочил наконец Митя, складывая пред ней руки ладонями в бессильной мольбе, — вы меня заставите заплакать, сударыня, если будете откладывать то, что так великодушно...

— И поплачьте, Дмитрий Федорович, поплачьте! Это прекрасные чувства... вам предстоит такой путь! Слезы облегчат вас, потом возвратитесь и будете радоваться. Нарочно прискачете ко мне из Сибири, чтобы со мной порадоваться...

— Но позвольте же и мне, — завопил вдруг Митя, — в последний раз умоляю вас, скажите, могу я получить от вас сегодня эту обещанную сумму? Если же нет, то когда именно мне явиться за ней?

— Какую сумму, Дмитрий Федорович?

— Обещанные вами три тысячи... которые вы так великодушно...

— Три тысячи? Это рублей? Ох нет, у меня нет трех тысяч, — с каким-то спокойным удивлением произнесла госпожа Хохлакова. Митя обомлел...

— Как же вы... сейчас... вы сказали... вы выразились даже, что они всё равно как у меня в кармане...

— Ох нет, вы меня не так поняли, Дмитрий Федорович. Если так, то вы не поняли меня. Я говорила про прииски... Правда, я вам обещала больше, бесконечно больше, чем три тысячи, я теперь всё припоминаю, но я имела в виду одни прииски.

— А деньги? А три тысячи? — нелепо воскликнул Дмитрий Федорович.

— О, если вы разумели деньги, то у меня их нет. У меня теперь совсем нет денег, Дмитрий Федорович, я как раз воюю теперь с моим управляющим и сама на днях заняла пятьсот рублей у Миусова. Нет, нет, денег у меня нет. И знаете, Дмитрий Федорович, если б у меня даже и были, я бы вам не дала. Во-первых, я никому не даю взаймы. Дать взаймы значит поссориться. Но вам, вам я особенно бы не дала, любя вас, не дала бы, чтобы спасти вас, не дала бы, потому что вам нужно только одно: прииски, прииски и прииски!..

— О, чтобы черт!.. — взревел вдруг Митя и изо всех сил ударил кулаком по столу.

— А-ай! — закричала Хохлакова в испуге и отлетела в другой конец гостиной.

Митя плюнул и быстрыми шагами вышел из комнаты, из дому, на улицу, в темноту! Он шел как помешанный, ударяя себя по груди, по тому самому месту груди, по которому ударял себя два дня тому назад пред Алешей, когда виделся с ним в последний раз вечером, в темноте, на дороге. Что означало это битье себя по груди *по этому месту* и на что он тем хотел указать — это была пока еще тайна, которую не знал никто в мире, которую он не открыл тогда даже Алеше, но в тайне этой заключался для него более чем позор, заключались гибель и самоубийство, он так уж решил, если не достанет тех трех тысяч, чтоб уплатить Катерине Ивановне и тем снять с своей груди, «с *того места груди*» позор, который он носил на ней и который так давил его совесть. Всё это вполне объяснится читателю впоследствии, но теперь, после того как исчезла последняя надежда его, этот, столь сильный физически человек, только что прошел несколько шагов от дому Хохлаковой, вдруг залился слезами, как малый ребенок. Он шел и в забытьи утирал кулаком слезы. Так вышел он на площадь и вдруг почувствовал, что наткнулся на что-то всем телом. Раздался писклявый вой какой-то старушонки, которую он чуть не опрокинул.

— Господи, чуть не убил! Чего зря шагаешь, сорванец!

— Как, это вы? — вскричал Митя, разглядев в темноте старушонку. Это была та самая старая служанка, которая прислуживала Кузьме Самсонову и которую слишком заметил вчера Митя.

— А вы сами кто таковы, батюшка? — совсем другим голосом проговорила старушка, — не признать мне вас в темноте-то.

— Вы у Кузьмы Кузьмича живете, ему прислуживаете?

— Точно так, батюшка, сейчас только к Прохорычу сбегала... Да чтой-то я вас всё признать не могу?

— Скажите, матушка, Аграфена Александровна у вас теперь? — вне себя от ожидания произнес Митя. — Давеча я ее сам проводил.

— Была, батюшка, приходила, посидела время и ушла.

— Как? Ушла? — вскричал Митя. — Когда ушла?

— Да в ту пору и ушла же, минутку только и побыла у нас. Кузьме Кузьмичу сказку одну рассказала, рассмешила его, да и убежала.

— Врешь, проклятая! — завопил Митя.

— А-ай! — закричала старушонка, но Мити и след простыл; он побежал что было силы в дом Морозовой. Это именно было то время, когда Грушенька укатила в Мокрое, прошло не более четверти часа после ее отъезда. Феня сидела со своею бабушкой, кухаркой Матреной, в кухне, когда вдруг вбежал «капитан». Увидав его, Феня закричала благим матом.

— Кричишь? — завопил Митя. — Где она? — Но не дав ответить еще слова обомлевшей от страху Фене, он вдруг повалился ей в ноги:

— Феня, ради Господа Христа нашего, скажи, где она?

— Батюшка, ничего не знаю, голубчик Дмитрий Федорович, ничего не знаю, хоть убейте, ничего не знаю, — заклялась-забожилась Феня, — сами вы давеча с ней пошли...

— Она назад пришла!..

— Голубчик, не приходила, Богом клянусь, не приходила!

— Врешь, — вскричал Митя, — уж по одному твоему испугу знаю, где она!...

Он бросился вон. Испуганная Феня рада была, что дешево отделалась, но очень хорошо поняла, что ему было только некогда, а то бы ей, может, несдобровать. Но убегая, он всё же удивил и Феню, и старуху Матрену одною самою неожиданною выходкой: на столе стояла медная ступка, а в ней пестик, небольшой медный пестик, в четверть аршина всего длиною. Митя, выбегая и уже отворив одною рукой дверь, другою вдруг на лету выхватил пестик из ступки и сунул себе в боковой карман, с ним и был таков.

— Ах господи, он убить кого хочет! — всплеснула руками Феня.

IV

В ТЕМНОТЕ

Куда побежал он? Известно: «Где же она могла быть, как не у Федора Павловича? От Самсонова прямо и побежала к нему, теперь-то уж это ясно. Вся интрига, весь обман теперь очевидны...» Всё это летело, как вихрь, в голове его. На двор к Марье Кондратьевне он не забежал: «Туда не надо, отнюдь не надо... чтобы ни малейшей тревоги... тотчас передадут и предадут... Марья Кондратьевна, очевидно, в заговоре, Смердяков тоже, тоже, все подкуплены!» У него создалось другое намерение: он обежал большим крюком, чрез переулок, дом Федора Павловича, пробежал Дмитровскую улицу, перебежал потом мостик и прямо попал в уединенный переулок на задах, пустой и необитаемый, огороженный с одной стороны плетнем соседского огорода, а с другой — крепким высоким забором, обходившим кругом сада Федора Павловича. Тут он выбрал место и, кажется, то самое, где, по преданию, ему известному, Лизавета Смердящая перелезла когда-то забор. «Если уж та смогла перелезть, — бог знает почему мелькнуло в его голове, — то как же бы я-то не перелез?» И действительно, он подскочил и мигом сноровил схватиться рукой за верх забора, затем энергически приподнялся, разом влез и сел на заборе верхом. Тут вблизи в саду стояла банька, но с забора видны были и освещенные окна дома. «Так и есть, у старика в спальне освещено, она там!» — и он спрыгнул с забора в сад. Хоть он и знал, что Григорий болен, а может быть, и Смердяков в самом деле болен и что услышать его некому, но инстинктивно притаился, замер на месте и стал прислушиваться. Но всюду было мертвое молчание и, как нарочно, полное затишье, ни малейшего ветерка.

«„И только шепчет тишина“, — мелькнул почему-то этот стишок в голове его, — вот только не услышал бы кто, как я перескочил; кажется, нет». Постояв минутку, он тихонько пошел по саду, по траве; обходя деревья и кусты, шел долго, скрадывая каждый шаг, к каждому шагу своему сам прислушиваясь. Минут с пять добирался он до освещенного окна. Он помнил, что там под самыми окнами есть несколько больших, высоких, густых кустов бузины и калины. Выходная дверь из дома в сад в левой стороне фасада была заперта, и он это нарочно и тщательно высмотрел проходя. Наконец достиг и кустов и притаился за ними. Он не дышал. «Переждать теперь надобно, — подумал он, — если они слышали мои шаги и теперь прислушиваются, то чтобы разуверились... как бы только не кашлянуть, не чихнуть...»

Он переждал минуты две, но сердце его билось ужасно, и мгновениями он почти задыхался. «Нет, не пройдет сердцебиение, — подумал он, — не могу дольше ждать». Он стоял за кустом в тени; передняя половина куста была освещена из окна. «Калина, ягоды, какие красные!» — прошептал он, не зная зачем. Тихо, раздельными неслышными шагами подошел он к окну и поднялся на цыпочки. Вся спаленка Федора Павловича предстала пред ним как на ладони. Это была небольшая комнатка, вся разделенная поперек красными ширмочками, «китайскими», как называл их Федор Павлович. «Китайские, — пронеслось в уме Мити, — а за ширмами Грушенька». Он стал разглядывать Федора Павловича. Тот был в своем новом полосатом шелковом халатике, которого никогда еще не видал у него Митя, подпоясанном шелковым же шнурком с кистями. Из-под ворота халата выглядывало чистое щегольское белье, тонкая голландская рубашка с золотыми запонками. На голове у Федора Павловича была та же красная повязка, которую видел на нем Алеша. «Разоделся», — подумал Митя. Федор Павлович стоял близ окна, по-видимому, в задумчивости, вдруг он вздернул голову, чуть-чуть прислушался и, ничего не услыхав, подошел к столу, налил из графина полрюмочки коньячку и выпил. Затем вздохнул всею грудью, опять постоял, рассеянно подошел к зеркалу в простенке, правою рукой приподнял немного красную повязку со лба и стал разглядывать свои синяки и болячки, которые еще не прошли. «Он один, — подумал Митя, — по всем вероятностям один». Федор Павлович отошел от зеркала, вдруг повернулся к окну и глянул в него. Митя мигом отскочил в тень.

«Она, может быть, у него за ширмами, может быть уже спит», — кольнуло его в сердце. Федор Павлович от окна отошел. «Это он в окошко ее высматривает, стало быть, ее нет: чего ему в темноту смотреть?.. нетерпение, значит, пожирает...» Митя тотчас подскочил и опять стал глядеть в окно. Старик уже сидел пред столиком, видимо пригорюнившись. Наконец облокотился и приложил правую ладонь к щеке. Митя жадно вглядывался.

«Один, один! — твердил он опять. — Если б она была тут, у него было бы другое лицо». Странное дело: в его сердце вдруг закипела какая-то бессмысленная и чудная досада на то, что ее тут нет. «Не на то, что ее тут нет, — осмыслил и сам ответил Митя себе тотчас же, — а на то, что никак наверно узнать не могу, тут она или нет». Митя припоминал потом сам, что ум его был в ту минуту ясен необыкновенно и соображал всё до последней подробности, схватывал каждую черточку. Но тоска, тоска неведения и нерешимости нарастала в сердце его с быстротой непомерною. «Здесь она, наконец, или не здесь?» — злобно закипело у него в сердце. И он вдруг решился, протянул руку и потихоньку постучал в раму окна. Он простучал условный знак старика со Смердяковым: два первые раза потише, а потом три раза поскорее: тук-тук-тук — знак, обозначавший, что «Грушенька пришла». Старик вздрогнул, вздернул голову, быстро вскочил и бросился к окну. Митя отскочил в тень. Федор Павлович отпер окно и высунул всю свою голову.

— Грушенька, ты? Ты, что ли? — проговорил он каким-то дрожащим полушепотом. — Где ты, маточка, ангелочек, где ты? — Он был в страшном волнении, он задыхался.

«Один!» — решил Митя.

— Где же ты? — крикнул опять старик и высунул еще больше голову, высунул ее с плечами, озираясь на все стороны, направо и налево, — иди сюда; я гостинчику приготовил, иди, покажу!..

«Это он про пакет с тремя тысячами», — мелькнуло у Мити.

— Да где же?.. Али у дверей? Сейчас отворю...

И старик чуть не вылез из окна, заглядывая направо, в сторону, где была дверь в сад, и стараясь разглядеть в темноте. Чрез секунду он непременно побежал бы отпирать двери, не дождавшись ответа Грушеньки. Митя смотрел сбоку и не шевелился. Весь столь противный ему профиль старика, весь отвисший кадык его, нос крючком, улыбающийся в сладостном ожидании, губы его, всё это ярко было освещено косым светом лампы слева из комнаты. Страшная, неистовая злоба закипела вдруг в сердце Мити: «Вот он, его соперник, его мучитель, мучитель его жизни!» Это был прилив той самой внезапной, мстительной и неистовой злобы, про которую, как бы предчувствуя ее, возвестил он Алеше в разговоре с ним в беседке четыре дня назад, когда ответил на вопрос Алеши: «Как можешь ты говорить, что убьешь отца?»

«Я ведь не знаю, не знаю, — сказал он тогда, — может, не убью, а может, убью. Боюсь, что ненавистен он вдруг мне станет *своим лицом в ту самую минуту*. Ненавижу я его кадык, его нос, его глаза, его бесстыжую насмешку. Личное омерзение чувствую. Вот этого боюсь, вот и не удержусь...»

Личное омерзение нарастало нестерпимо. Митя уже не помнил себя и вдруг выхватил медный пестик из кармана...

....

«Бог, — как сам Митя говорил потом, — сторожил меня тогда»: как раз в то самое время проснулся на одре своем больной Григорий Васильевич. К вечеру того же дня он совершил над собою известное лечение, о котором Смердяков рассказывал Ивану Федоровичу, то есть вытерся весь с помощию супруги водкой с каким-то секретным крепчайшим настоем, а остальное выпил с «некоторою молитвою», прошептанною над ним супругой, и залег спать. Марфа Игнатьевна вкусила тоже и, как непьющая, заснула подле супруга мертвым сном. Но вот совсем неожиданно Григорий вдруг проснулся в ночи, сообразил минутку и хоть тотчас же опять почувствовал жгучую боль в пояснице, но поднялся на постели. Затем опять что-то обдумал, встал и наскоро оделся. Может быть, угрызение совести кольнуло его за то, что он спит, а дом без сторожа «в такое опасное время». Разбитый падучею Смердяков лежал в другой каморке без движения. Марфа Игнатьевна не шевелилась. «Ослабела баба», — подумал, глянув на нее, Григорий Васильевич и кряхтя вышел на крылечко. Конечно, он хотел только глянуть с крылечка, потому что ходить был не в силах, боль в пояснице и в правой ноге была нестерпимая. Но как раз вдруг припомнил, что калитку в сад он с вечера на замок не запер. Это был человек аккуратнейший и точнейший, человек раз установившегося порядка и многолетних привычек. Хромая и корчась от боли, сошел он с крылечка и направился к саду. Так и есть, калитка совсем настежь. Машинально ступил он в сад: может быть, ему что помрещилось, может, услыхал какой-нибудь звук, но, глянув налево, увидал отворенное окно у барина, пустое уже окошко, никто уже из него не выглядывал. «Почему отворено, теперь не лето!» — подумал Григорий, и вдруг, как раз в то самое мгновение прямо пред ним в саду замелькало что-то необычайное. Шагах в сорока пред ним как бы пробегал в темноте человек, очень быстро двигалась какая-то тень. «Господи!» — проговорил Григорий и, не помня себя, забыв про свою боль в пояснице, пустился наперерез бегущему. Он взял короче, сад был ему, видимо, знакомее, чем бегущему; тот же направлялся к бане, пробежал за баню, бросился к стене... Григорий следил его, не теряя из виду, и бежал не помня себя. Он добежал до забора как раз в ту минуту, когда беглец уже перелезал забор. Вне себя завопил Григорий, кинулся и вцепился обеими руками в его ногу.

Так и есть, предчувствие не обмануло его; он узнал его, это был он, «изверг-отцеубивец»!

— Отцеубивец! — прокричал старик на всю окрестность, но только это и успел прокричать; он вдруг упал как пораженный громом. Митя соскочил опять в сад и нагнулся над поверженным. В руках Мити был медный пестик, и он машинально отбросил его в траву. Пестик упал в двух шагах от Григория, но не в траву, а на тропинку, на самое видное место. Несколько секунд рассматривал он лежащего пред ним. Голова старика была вся в крови; Митя протянул руку и стал ее ощупывать. Он припомнил потом ясно, что ему ужасно захотелось в ту минуту «вполне убедиться», проломил он череп старику или только «огорошил» его пестиком по темени? Но кровь лилась, лилась ужасно и мигом облила горячею струей дрожащие пальцы Мити. Он помнил, что выхватил из кармана свой белый новый платок, которым запасся, идя к Хохлаковой, и приложил к голове старика, бессмысленно стараясь оттереть кровь со лба и с лица. Но и платок мигом весь намок кровью. «Господи, да для чего это я? — очнулся вдруг Митя, — коли уж проломил, то как теперь узнать... Да и не всё ли теперь равно! — прибавил он вдруг безнадежно, — убил так убил... Попался старик и лежи!» — громко проговорил он и вдруг кинулся на забор, перепрыгнул в переулок и пустился бежать. Намокший кровью платок был скомкан у него в правом кулаке, и он на бегу сунул его в задний карман сюртука. Он бежал сломя голову, и несколько редких прохожих, повстречавшихся ему в темноте, на улицах города, запомнили потом, как встретили они в ту ночь неистово бегущего человека. Летел он опять в дом Морозовой. Давеча Феня, тотчас по уходе его, бросилась к старшему дворнику Назару Ивановичу и «Христом-богом» начала молить его, чтоб он «не впускал уж больше капитана ни сегодня, ни завтра». Назар Иванович, выслушав, согласился, но на грех отлучился наверх к барыне, куда его внезапно позвали, и на ходу, встретив своего племянника, парня лет двадцати, недавно только прибывшего из деревни, приказал ему побыть на дворе, но забыл приказать о капитане. Добежав до ворот, Митя постучался. Парень мигом узнал его: Митя не раз уже давал ему на чай. Тотчас же отворил ему калитку, впустил и, весело улыбаясь, предупредительно поспешил уведомить, что «ведь Аграфены Александровны теперь дома-то и нет-с».

— Где же она, Прохор? — вдруг остановился Митя.

— Давеча уехала, часа с два тому, с Тимофеем, в Мокрое.

— Зачем? — крикнул Митя.

— Этого знать не могу-с, к офицеру какому-то, кто-то их позвал оттудова и лошадей прислали...

Митя бросил его и как полоумный вбежал к Фене.

V

ВНЕЗАПНОЕ РЕШЕНИЕ

Та сидела в кухне с бабушкой, обе собирались ложиться спать. Надеясь на Назара Ивановича, они изнутри опять-таки не заперлись. Митя вбежал, кинулся на Феню и крепко схватил ее за горло.

— Говори сейчас, где она, с кем теперь в Мокром? — завопил он в исступлении.

Обе женщины взвизгнули.

— Ай, скажу, ай, голубчик Дмитрий Федорович, сейчас всё скажу, ничего не потаю, — прокричала скороговоркой насмерть испуганная Феня. — Она в Мокрое к офицеру поехала.

— К какому офицеру? — вопил Митя.

— К прежнему офицеру, к тому самому, к прежнему своему, пять лет тому который был, бросил и уехал, — тою же скороговоркой протрещала Феня.

Дмитрий Федорович отнял руки, которыми сжимал ей горло. Он стоял пред нею бледный как мертвец и безгласный, но по глазам его было видно, что он всё разом понял, всё, всё разом с полслова понял до последней черточки и обо всем догадался. Не бедной Фене, конечно, было наблюдать в ту секунду, понял он или нет. Она как была, сидя на сундуке, когда он вбежал, так и осталась теперь, вся трепещущая и, выставив пред собою руки, как бы желая защититься, так и замерла в этом положении. Испуганными, расширенными от страха зрачками глаз впилась она в него неподвижно. А у того как раз к тому обе руки были запачканы в крови. Дорогой, когда бежал, он, должно быть, дотрогивался ими до своего лба, вытирая с лица пот, так что и на лбу, и на правой щеке остались красные пятна размазанной крови. С Феней могла сейчас начаться истерика, старуха же кухарка вскочила и глядела как сумасшедшая, почти потеряв сознание. Дмитрий Федорович простоял с минуту и вдруг машинально опустился возле Фени на стул.

Он сидел и не то чтобы соображал, а был как бы в испуге, точно в каком-то столбняке. Но всё было ясно как день: этот офицер — он знал про него, знал ведь отлично всё, знал от самой же Грушеньки, знал, что месяц назад он письмо прислал. Значит, месяц, целый месяц это дело велось в глубокой от него тайне до самого теперешнего приезда этого нового человека, а он-то и не думал о нем! Но как мог, как мог он не думать о нем? Почему он так-таки и забыл тогда про этого офицера, забыл тотчас же, как узнал про него? Вот вопрос, который стоял пред ним, как какое-то чудище. И он созерцал это чудище действительно в испуге, похолодев от испуга.

Но вдруг он тихо и кротко, как тихий и ласковый ребенок, заговорил с Феней, совсем точно и забыв, что сейчас ее так перепугал, обидел и измучил. Он вдруг с чрезвычайною и даже удивительною в его положении точностью принялся расспрашивать Феню. А Феня хоть и дико смотрела на окровавленные руки его, но тоже с удивительною готовностью и поспешностью принялась отвечать ему на каждый вопрос, даже как бы спеша выложить ему всю «правду правдинскую». Мало-помалу, даже с какою-то радостью начала излагать все подробности, и вовсе не желая мучить, а как бы спеша изо всех сил от сердца услужить ему. До последней подробности рассказала она ему и весь сегодняшний день, посещение Ракитина и Алеши, как она, Феня, стояла на сторожах, как барыня поехала и что она прокричала в окошко Алеше поклон ему, Митеньке, и чтобы «вечно помнил, как любила она его часочек». Выслушав о поклоне, Митя вдруг усмехнулся, и на бледных щеках его вспыхнул румянец. Феня в ту же минуту сказала ему, уже ни крошечки не боясь за свое любопытство:

— Руки-то какие у вас, Дмитрий Федорович, все-то в крови!

— Да, — ответил машинально Митя, рассеянно посмотрел на свои руки и тотчас забыл про них и про вопрос Фени. Он опять погрузился в молчание. С тех пор как вбежал он, прошло уже минут двадцать. Давешний испуг его прошел, но, видимо, им уже овладела вполне какая-то новая непреклонная решимость. Он вдруг встал с места и задумчиво улыбнулся.

— Барин, что с вами это такое было? — проговорила Феня, опять показывая ему на его руки, — проговорила с сожалением, точно самое близкое теперь к нему в горе его существо.

Митя опять посмотрел себе на руки.

— Это кровь, Феня, — проговорил он, со странным выражением смотря на нее, — это кровь человеческая и, боже, зачем она пролилась! Но... Феня... тут один забор (он глядел на нее, как бы загадывая ей загадку), один высокий забор и страшный на вид, но... завтра на рассвете, когда «взлетит солнце», Митенька через этот забор перескочит... Не понимаешь, Феня, какой забор, ну да ничего... всё равно, завтра услышишь и всё поймешь... а теперь прощай! Не помешаю и устранюсь, сумею устраниться. Живи, моя радость... любила меня часок, так и помни навеки Митеньку Карамазова... Ведь она меня всё называла Митенькой, помнишь?

И с этими словами вдруг вышел из кухни. А Феня выхода этого испугалась чуть не больше еще, чем когда он давеча вбежал и бросился на нее.

Ровно десять минут спустя Дмитрий Федорович вошел к тому молодому чиновнику, Петру Ильичу Перхотину, которому давеча заложил пистолеты. Было уже половина девятого, и Петр Ильич, напившись дома чаю, только что оболокся снова в сюртук, чтоб отправиться в трактир «Столичный город» поиграть на биллиарде. Митя захватил его на выходе. Тот, увидев его и его запачканное кровью лицо, так и вскрикнул:

— Господи! Да что это с вами?

— А вот, — быстро проговорил Митя, — за пистолетами моими пришел и вам деньги принес. С благодарностию. Тороплюсь, Петр Ильич, пожалуйста поскорее.

Петр Ильич всё больше и больше удивлялся: в руках Мити он вдруг рассмотрел кучу денег, а главное, он держал эту кучу и вошел с нею, как никто деньги не держит и никто с ними не входит: все кредитки нес в правой руке, точно напоказ, прямо держа руку пред собою. Мальчик, слуга чиновника, встретивший Митю в передней, сказывал потом, что он так и в переднюю вошел с деньгами в руках, стало быть, и по улице всё так же нес их пред собою в правой руке. Бумажки были всё сторублевые, радужные, придерживал он их окровавленными пальцами. Петр Ильич потом на позднейшие вопросы интересовавшихся лиц: сколько было денег? — заявлял, что тогда сосчитать на глаз трудно было, может быть, две тысячи, может быть, три, но пачка была большая, «плотненькая». Сам же Дмитрий Федорович, как показывал он тоже потом, «был как бы тоже совсем не в себе, но не пьян, а точно в каком-то восторге, очень рассеян, а в то же время как будто и сосредоточен, точно об чем-то думал и добивался и решить не мог. Очень торопился, отвечал резко, очень странно, мгновениями же был как будто вовсе не в горе, а даже весел».

— Да с вами-то что, с вами-то что теперь? — прокричал опять Петр Ильич, дико рассматривая гостя. — Как это вы так раскровенились, упали, что ли, посмотрите!

Он схватил его за локоть и поставил к зеркалу. Митя, увидав свое запачканное кровью лицо, вздрогнул и гневно нахмурился.

— Э, черт! Этого недоставало, — пробормотал он со злобой, быстро переложил из правой руки кредитки в левую и судорожно выдернул из кармана платок. Но и платок оказался весь в крови (этим самым платком он вытирал голову и лицо Григорию): ни одного почти местечка не было белого, и не то что начал засыхать, а как-то заскоруз в комке и не хотел развернуться. Митя злобно шваркнул его об пол.

— Э, черт! Нет ли у вас какой тряпки... обтереться бы...

— Так вы только запачкались, а не ранены? Так уж лучше вымойтесь, — ответил Петр Ильич. — Вот рукомойник, я вам подам.

— Рукомойник? Это хорошо... только куда же я это дену? — в каком-то совсем уж странном недоумении указал он Петру Ильичу на свою пачку сторублевых, вопросительно глядя на него, точно тот должен был решить, куда ему девать свои собственные деньги.

— В карман суньте али на стол вот здесь положите, не пропадут.

— В карман? Да, в карман. Это хорошо... Нет, видите ли, это всё вздор! — вскричал он, как бы вдруг выходя из рассеянности. — Видите: мы сперва это дело кончим, пистолеты-то, вы мне их отдайте, а вот ваши деньги... потому что мне очень, очень нужно... и времени, времени ни капли...

И, сняв с пачки верхнюю сторублевую, он протянул ее чиновнику.

— Да у меня и сдачи не будет, — заметил тот, — у вас мельче нет?

— Нет, — сказал Митя, поглядев опять на пачку, и, как бы неуверенный в словах своих, попробовал пальцами две-три бумажки сверху, — нет, всё такие же, — прибавил он и опять вопросительно поглядел на Петра Ильича.

— Да откуда вы так разбогатели? — спросил тот. — Постойте, я мальчишку своего пошлю сбегать к Плотниковым. Они запирают поздно — вот не разменяют ли. Эй, Миша! — крикнул он в переднюю.

— В лавку к Плотниковым — великолепнейшее дело! — крикнул и Митя, как бы осененный какою-то мыслью. — Миша, — обернулся он к вошедшему мальчику, — видишь, беги к Плотниковым и скажи, что Дмитрий Федорович велел кланяться и сейчас сам будет... Да слушай, слушай: чтобы к его приходу приготовили шампанского, этак дюжинки три, да уложили как тогда, когда в Мокрое ездил... Я тогда четыре дюжины у них взял, — вдруг обратился он к Петру Ильичу, — они уж знают, не беспокойся, Миша, — повернулся он опять к мальчику. — Да слушай: чтобы сыру там, пирогов страсбургских, сигов копченых, ветчины, икры, ну и всего, всего, что только есть у них, рублей этак на сто или на сто двадцать, как прежде было... Да слушай: гостинцев чтобы не забыли, конфет, груш, арбуза два или три, аль четыре — ну нет, арбуза-то одного довольно, а шоколаду, леденцов, монпансье, тягушек — ну всего, что тогда со мной в Мокрое уложили, с шампанским рублей на триста чтобы было... Ну, вот и теперь чтобы так же точно. Да вспомни ты, Миша, если ты Миша... Ведь его Мишей зовут? — опять обратился он к Петру Ильичу.

— Да постойте, — перебил Петр Ильич, с беспокойством его слушая и рассматривая, — вы лучше сами пойдете, тогда и скажете, а он переврет.

— Переврет, вижу, что переврет! Эх, Миша, а я было тебя поцеловать хотел за комиссию... Коли не переврешь, десять рублей тебе, скачи скорей... Шампанское, главное шампанское чтобы выкатили, да и коньячку, и красного, и белого, и всего этого, как тогда... Они уж знают, как тогда было.

— Да слушайте вы! — с нетерпением уже перебил Петр Ильич. — Я говорю: пусть он только сбегает разменять да прикажет, чтобы не запирали, а вы пойдете и сами скажете... Давайте вашу кредитку. Марш, Миша, одна нога там, другая тут! — Петр Ильич, кажется, нарочно поскорей прогнал Мишу, потому что тот как стал пред гостем, выпуча глаза на его кровавое лицо и окровавленные руки с пучком денег в дрожавших пальцах, так и стоял, разиня рот от удивления и страха, и, вероятно, мало понял изо всего того, что ему наказывал Митя.

— Ну, теперь пойдемте мыться, — сурово сказал Петр Ильич. — Положите деньги на стол али суньте в карман... Вот так, идем. Да снимите сюртук.

И он стал ему помогать снять сюртук и вдруг опять вскрикнул:

— Смотрите, у вас и сюртук в крови!

— Это... это не сюртук. Только немного тут у рукава... А это вот только здесь, где платок лежал. Из кармана просочилось. Я на платок-то у Фени сел, кровь-то и просочилась, — с какою-то удивительною доверчивостью тотчас же объяснил Митя. Петр Ильич выслушал, нахмурившись.

— Угораздило же вас; подрались, должно быть, с кем, — пробормотал он.

Начали мыться. Петр Ильич держал кувшин и подливал воду. Митя торопился и плохо было намылил руки. (Руки у него дрожали, как припомнил потом Петр Ильич.) Петр Ильич тотчас же велел намылить больше и тереть больше. Он как будто брал какой-то верх над Митей в эту минуту, чем дальше, тем больше. Заметим кстати: молодой человек был характера неробкого.

— Смотрите, не отмыли под ногтями; ну, теперь трите лицо, вот тут: на висках, у уха... Вы в этой рубашке и поедете? Куда это вы едете? Смотрите, весь обшлаг правого рукава в крови.

— Да, в крови, — заметил Митя, рассматривая обшлаг рубашки.

— Так перемените белье.

— Некогда. А я вот, вот видите... — продолжал с тою же доверчивостью Митя, уже вытирая полотенцем лицо и руки и надевая сюртук, — я вот здесь край рукава загну, его и не видно будет под сюртуком... Видите!

— Говорите теперь, где это вас угораздило? Подрались, что ли, с кем? Не в трактире ли опять, как тогда? Не опять ли с капитаном, как тогда, били его и таскали? — как бы с укоризною припомнил Петр Ильич. — Кого еще прибили... али убили, пожалуй?

— Вздор! — проговорил Митя.

— Как вздор?

— Не надо, — сказал Митя и вдруг усмехнулся. — Это я старушонку одну на площади сейчас раздавил.

— Раздавили? Старушонку?

— Старика! — крикнул Митя, смотря Петру Ильичу прямо в лицо, смеясь и крича ему как глухому.

— Э, черт возьми, старика, старушонку... Убили, что ли, кого?

— Помирились. Сцепились — и помирились. В одном месте. Разошлись приятельски. Один дурак... он мне простил... теперь уж наверно простил... Если бы встал, так не простил бы, — подмигнул вдруг Митя, — только знаете, к черту его, слышите, Петр Ильич, к черту, не надо! В сию минуту не хочу! — решительно отрезал Митя.

— Я ведь к тому, что охота же вам со всяким связываться... как тогда из пустяков с этим штабс-капитаном... Подрались и кутить теперь мчитесь — весь ваш характер. Три дюжины шампанского — это куда же столько?

— Браво! Давайте теперь пистолеты. Ей-богу, нет времени. И хотел бы с тобой поговорить, голубчик, да времени нет. Да и не надо вовсе, поздно говорить. А! где же деньги, куда я их дел? — вскрикнул он и принялся совать по карманам руки.

— На стол положили... сами... вон они лежат. Забыли? Подлинно деньги у вас точно сор аль вода. Вот ваши пистолеты. Странно, в шестом часу давеча заложил их за десять рублей, а теперь эвона у вас, тысяч-то. Две или три небось?

— Три небось, — засмеялся Митя, суя деньги в боковой карман панталон.

— Потеряете этак-то. Золотые прииски у вас, что ли?

— Прииски? Золотые прииски! — изо всей силы закричал Митя и закатился смехом. — Хотите, Перхотин, на прииски? Тотчас вам одна дама здесь три тысячи отсыплет, чтобы только ехали. Мне отсыпала, уж так она прииски любит! Хохлакову знаете?

— Незнаком, а слыхал и видал. Неужто это она вам три тысячи дала? Так и отсыпала? — недоверчиво глядел Петр Ильич.

— А вы завтра, как солнце взлетит, вечно юный-то Феб как взлетит, хваля и славя Бога, вы завтра пойдите к ней, Хохлаковой-то, и спросите у ней сами: отсыпала она мне три тысячи али нет? Справьтесь-ка.

— Я не знаю ваших отношений... коли вы так утвердительно говорите, значит, дала... А вы денежки-то в лапки, да вместо Сибири-то, по всем по трем... Да куда вы в самом деле теперь, а?

— В Мокрое.

— В Мокрое? Да ведь ночь!

— Был Мастрюк во всем, стал Мастрюк ни в чем! — проговорил вдруг Митя.

— Как ни в чем? Это с такими-то тысячами, да ни в чем?

— Я не про тысячи. К черту тысячи! Я про женский нрав говорю:

> Легковерен женский нрав,
> И изменчив, и порочен.

Я с Улиссом согласен, это он говорит.

— Не понимаю я вас!

— Пьян, что ли?

— Не пьян, а хуже того.

— Я духом пьян, Петр Ильич, духом пьян, и довольно, довольно...

— Что это вы, пистолет заряжаете?

— Пистолет заряжаю.

Митя действительно, раскрыв ящик с пистолетами, отомкнул рожок с порохом и тщательно всыпал и забил заряд. Затем взял пулю и, пред тем как вкатить ее, поднял ее в двух пальцах пред собою над свечкой.

— Чего это вы на пулю смотрите? — с беспокойным любопытством следил Петр Ильич.

— Так. Воображение. Вот если бы ты вздумал эту пулю всадить себе в мозг, то, заряжая пистолет, посмотрел бы на нее или нет?

— Зачем на нее смотреть?

— В мой мозг войдет, так интересно на нее взглянуть, какова она есть... А впрочем, вздор, минутный вздор. Вот и кончено, — прибавил он, вкатив пулю и заколотив ее паклей. — Петр Ильич, милый, вздор, всё вздор, и если бы ты знал, до какой степени вздор! Дай-ка мне теперь бумажки кусочек.

— Вот бумажка.

— Нет, гладкой, чистой, на которой пишут. Вот так. — И Митя, схватив со стола перо, быстро написал на бумажке две строки, сложил вчетверо бумажку и сунул в жилетный карман. Пистолеты вложил в ящик, запер ключиком и взял ящик в руки. Затем посмотрел на Петра Ильича и длинно, вдумчиво улыбнулся.

— Теперь идем, — сказал он.

— Куда идем? Нет, постойте... Это вы, пожалуй, себе в мозг ее хотите послать, пулю-то... — с беспокойством произнес Петр Ильич.

— Пуля вздор! Я жить хочу, я жизнь люблю! Знай ты это. Я златокудрого Феба и свет его горячий люблю... Милый Петр Ильич, умеешь ты устраниться?

— Как это устраниться?

— Дорогу дать. Милому существу и ненавистному дать дорогу. И чтоб и ненавистное милым стало, — вот как дать дорогу! И сказать им: бог с вами, идите, проходите мимо, а я...

— А вы?

— Довольно, идем.

— Ей-богу, скажу кому-нибудь, — глядел на него Петр Ильич, — чтобы вас не пустить туда. Зачем вам теперь в Мокрое?

— Женщина там, женщина, и довольно с тебя, Петр Ильич, и шабаш!

— Послушайте, вы хоть и дики, но вы мне всегда как-то нравились... я вот и беспокоюсь.

— Спасибо тебе, брат. Я дикий, говоришь ты. Дикари, дикари! Я одно только и твержу: дикари! А да, вот Миша, а я-то его и забыл.

Вошел впопыхах Миша с пачкой размененных денег и отрапортовал, что у Плотниковых «все заходили» и бутылки волокут, и рыбу, и чай — сейчас всё готово будет. Митя схватил десятирублевую и подал Петру Ильичу, а другую десятирублевую кинул Мише.

— Не сметь! — вскричал Петр Ильич. — У меня дома нельзя, да и дурное баловство это. Спрячьте ваши деньги, вот сюда положите, чего их сорить-то? Завтра же пригодятся, ко мне же ведь и придете десять рублей просить. Что это вы в боковой карман всё суете? Ой, потеряете!

Слушай, милый человек, поедем в Мокрое вместе?

— Мне-то зачем туда?

— Слушай, хочешь сейчас бутылку откупорю, выпьем за жизнь! Мне хочется выпить, а пуще всего с тобою выпить. Никогда я с тобою не пил, а?

— Пожалуй, в трактире можно, пойдем, я туда сам сейчас отправляюсь.

— Некогда в трактир, а у Плотниковых в лавке, в задней комнате. Хочешь, я тебе одну загадку загадаю сейчас.

— Загадай.

Митя вынул из жилета свою бумажку, развернул ее и показал. Четким и крупным почерком было на ней написано:

«Казню себя за всю жизнь, всю жизнь мою наказую!»

— Право, скажу кому-нибудь, пойду сейчас и скажу, — проговорил, прочитав бумажку, Петр Ильич.

— Не успеешь, голубчик, идем и выпьем, марш!

Лавка Плотниковых приходилась почти через один только дом от Петра Ильича, на углу улицы. Это был самый главный бакалейный магазин в нашем городе, богатых торговцев, и сам по себе весьма недурной. Было всё, что и в любом магазине в столице, всякая бакалея: вина «разлива братьев Елисеевых», фрукты, сигары, чай, сахар, кофе и проч. Всегда сидели три приказчика и бегали два рассыльных мальчика. Хотя край наш и обеднел, помещики разъехались, торговля затихла, а бакалея процветала по-прежнему и даже всё лучше и лучше с каждым годом: на эти предметы не переводились покупатели. Митю ждали в лавке с нетерпением. Слишком помнили, как он недели три-четыре назад забрал точно так же разом всякого товару и вин на несколько сот рублей чистыми деньгами (в кредит-то бы ему ничего, конечно, не поверили), помнили, что так же, как и теперь, в руках его торчала целая пачка радужных и он разбрасывал их зря, не торгуясь, не соображая и не желая соображать, на что ему столько товару, вина и проч.? Во всем городе потом говорили, что он тогда, укатив с Грушенькой в Мокрое, «просадил в одну ночь и следующий за тем день три тысячи разом и воротился с кутежа без гроша, в чем мать родила». Поднял тогда цыган целый табор (в то время у нас закочевавший), которые в два дня вытащили-де у него у пьяного без счету денег и выпили без счету дорогого вина. Рассказывали, смеясь над Митей, что в Мокром он запоил шампанским сиволапых мужиков, деревенских девок и баб закормил конфетами и страсбургскими пирогами. Смеялись тоже у нас, в трактире особенно, над собственным откровенным и публичным тогдашним признанием Мити (не в глаза ему, конечно, смеялись, в глаза ему смеяться было несколько опасно), что от Грушеньки он за всю ту «эскападу» только и получил, что «позволила ему свою ножку поцеловать, а более ничего не позволила».

Когда Митя с Петром Ильичом подошли к лавке, то у входа нашли уже готовую тройку, в телеге, покрытой ковром, с колокольчиками и бубенчиками и с ямщиком Андреем, ожидавшим Митю. В лавке почти совсем успели «сладить» один ящик с товаром и ждали только появления Мити, чтобы заколотить и уложить его на телегу. Петр Ильич удивился.

— Да откуда поспела у тебя тройка? — спросил он Митю.

— К тебе бежал, вот его, Андрея, встретил и велел ему прямо сюда к лавке и подъезжать. Времени терять нечего! В прошлый раз с Тимофеем ездил, да Тимофей теперь тю-тю-тю, вперед меня с волшебницей одной укатил. Андрей, опоздаем очень?

— Часом только разве прежде нашего прибудут, да и того не будет, часом всего упредят! — поспешно отозвался Андрей. — Я Тимофея и снарядил, знаю, как поедут. Их езда не наша езда, Дмитрий Федорович, где им до нашего. Часом не потрафят раньше! — с жаром перебил Андрей, еще не старый ямщик, рыжеватый, сухощавый парень в поддевке и с армяком на левой руке.

— Пятьдесят рублей на водку, коли только часом отстанешь.

— За час времени ручаемся, Дмитрий Федорович, эх, получасом не упредят, не то что часом!

Митя хоть и засуетился, распоряжаясь, но говорил и приказывал как-то странно, вразбивку, а не по порядку. Начинал одно и забывал окончание. Петр Ильич нашел необходимым ввязаться и помочь делу.

— На четыреста рублей, не менее как на четыреста, чтобы точь-в-точь по-тогдашнему, — командовал Митя. — Четыре дюжины шампанского, ни одной бутылки меньше.

— Зачем тебе столько, к чему это? Стой! — завопил Петр Ильич. — Это что за ящик? С чем? Неужели тут на четыреста рублей?

Ему тотчас же объяснили суетившиеся приказчики со слащавою речью, что в этом первом ящике всего лишь полдюжины шампанского и «всякие необходимые на первый случай предметы» из закусок, конфет, монпансье и проч. Но что главное «потребление» уложится и отправится сей же час особо, как и в тогдашний раз, в особой телеге и тоже тройкой и потрафит к сроку, «разве всего только часом позже Дмитрия Федоровича к месту прибудет».

— Не более часу, чтоб не более часу, и как можно больше монпансье и тягушек положите; это там девки любят, — с жаром настаивал Митя.

— Тягушек — пусть. Да четыре-то дюжины к чему тебе? Одной довольно, — почти осердился уже Петр Ильич. Он стал торговаться, он потребовал счет, он не хотел успокоиться. Спас, однако, всего одну сотню рублей. Остановились на том, чтобы всего товару доставлено было не более как на триста рублей.

— А, черт вас подери! — вскричал Петр Ильич, как бы вдруг одумавшись, — да мне-то тут что? Бросай свои деньги, коли даром нажил!

— Сюда, эконом, сюда, не сердись, — потащил его Митя в заднюю комнату лавки. — Вот здесь нам бутылку сейчас подадут, мы и хлебнем. Эх, Петр Ильич, поедем вместе, потому что ты человек милый, таких люблю.

Митя уселся на плетеный стульчик пред крошечным столиком, накрытым грязнейшею салфеткой. Петр Ильич примостился напротив него, и мигом явилось шампанское. Предложили, не пожелают ли господа устриц, «первейших устриц, самого последнего получения».

— К черту устриц, я не ем, да и ничего не надо, — почти злобно огрызнулся Петр Ильич.

— Некогда устриц, — заметил Митя, — да и аппетита нет. Знаешь, друг, — проговорил он вдруг с чувством, — не любил я никогда всего этого беспорядка.

— Да кто ж его любит! Три дюжины, помилуй, на мужиков, это хоть кого взорвет.

— Я не про это. Я про высший порядок. Порядку во мне нет, высшего порядка... Но... всё это закончено, горевать нечего. Поздно, и к черту! Вся жизнь моя была беспорядок, и надо положить порядок. Каламбурю, а?

— Бредишь, а не каламбуришь.

>   — Слава Высшему на свете,
> Слава Высшему во мне!

Этот стишок у меня из души вырвался когда-то, не стих, а слеза... сам сочинил... не тогда, однако, когда штабс-капитана за бороденку тащил...

— Чего это ты вдруг о нем?

— Чего я вдруг о нем? Вздор! Всё кончается, всё равняется, черта — и итог.

— Право, мне всё твои пистолеты мерещатся.

— И пистолеты вздор! Пей и не фантазируй. Жизнь люблю, слишком уж жизнь полюбил, так слишком, что и мерзко. Довольно! За жизнь, голубчик, за жизнь выпьем, за жизнь предлагаю тост! Почему я доволен собой? Я подл, но доволен собой. И, однако ж, я мучусь тем, что я подл, но доволен собой. Благословляю творение, сейчас готов Бога благословить и его творение, но... надо истребить одно смрадное насекомое, чтобы не ползало, другим жизни не портило... Выпьем за жизнь, милый брат! Что может быть дороже жизни! Ничего, ничего! За жизнь и за одну царицу из цариц.

— Выпьем за жизнь, а пожалуй, и за твою царицу.

Выпили по стакану. Митя был хотя и восторжен, и раскидчив, но как-то грустен. Точно какая-то непреодолимая и тяжелая забота стояла за ним.

— Миша... это твой Миша вошел? Миша, голубчик, Миша, поди сюда, выпей ты мне этот стакан, за Феба златокудрого, завтрашнего...

— Да зачем ты ему! — крикнул Петр Ильич раздражительно.

— Ну позволь, ну так, ну я хочу.

— Э-эх!

Миша выпил стакан, поклонился и убежал.

— Запомнит дольше, — заметил Митя. — Женщину я люблю, женщину! Что есть женщина? Царица земли! Грустно мне, грустно, Петр Ильич. Помнишь Гамлета: «Мне так грустно, так грустно, Горацио... Ах, бедный Иорик!» Это я, может быть, Иорик и есть. Именно теперь я Иорик, а череп потом.

Петр Ильич слушал и молчал, помолчал и Митя.

— Это какая у вас собачка? — спросил он вдруг рассеянно приказчика, заметив в углу маленькую хорошенькую болоночку с черными глазками.

— Это Варвары Алексеевны, хозяйки нашей, болоночка, — ответил приказчик, — сами занесли давеча да и забыли у нас. Отнести надо будет обратно.

— Я одну такую же видел... в полку... — вдумчиво произнес Митя, — только у той задняя ножка была сломана... Петр Ильич, хотел я тебя спросить кстати: крал ты когда что в своей жизни аль нет?

— Это что за вопрос?

— Нет, я так. Видишь, из кармана у кого-нибудь, чужое? Я не про казну говорю, казну все дерут, и ты, конечно, тоже...

— Убирайся к черту.

— Я про чужое: прямо из кармана, из кошелька, а?

— Украл один раз у матери двугривенный, девяти лет был, со стола. Взял тихонько и зажал в руку.

— Ну и что же?

— Ну и ничего. Три дня хранил, стыдно стало, признался и отдал.

— Ну и что же?

— Натурально, высекли. Да ты чего уж, ты сам не украл ли?

— Украл, — хитро подмигнул Митя.

— Что украл? — залюбопытствовал Петр Ильич.

— У матери двугривенный, девяти лет был, через три дня отдал. — Сказав это, Митя вдруг встал с места.

— Дмитрий Федорович, не поспешить ли? — крикнул вдруг у дверей лавки Андрей.

— Готово? Идем! — всполохнулся Митя. — Еще последнее сказанье и... Андрею стакан водки на дорогу сейчас! Да коньяку ему, кроме водки, рюмку! Этот ящик (с пистолетами) мне под сиденье. Прощай, Петр Ильич, не поминай лихом.

— Да ведь завтра воротишься?

— Непременно.

— Расчетец теперь извольте покончить? — подскочил приказчик.

— А, да, расчет! Непременно!

Он опять выхватил из кармана свою пачку кредиток, снял три радужных, бросил на прилавок и спеша вышел из лавки. Все за ним последовали и, кланяясь, провожали с приветствиями и пожеланиями. Андрей крякнул от только что выпитого коньяку и вскочил на сиденье. Но едва только

Митя начал садиться, как вдруг пред ним совсем неожиданно очутилась Феня. Она прибежала вся запыхавшись, с криком сложила пред ним руки и бухнулась ему в ноги:

— Батюшка, Дмитрий Федорович, голубчик, не погубите барыню! А я-то вам всё рассказала!.. И его не погубите, прежний ведь он, ихний! Замуж теперь Аграфену Александровну возьмет, с тем и из Сибири вернулся... Батюшка, Дмитрий Федорович, не загубите чужой жизни!

— Те-те-те, вот оно что! Ну, наделаешь ты теперь там дел! — пробормотал про себя Петр Ильич. — Теперь всё понятно, теперь как не понять. Дмитрий Федорович, отдай-ка мне сейчас пистолеты, если хочешь быть человеком, — воскликнул он громко Мите, — слышишь, Дмитрий!

— Пистолеты? Подожди, голубчик, я их дорогой в лужу выброшу, — ответил Митя. — Феня, встань, не лежи ты предо мной. Не погубит Митя, впредь никого уж не погубит этот глупый человек. Да вот что, Феня, — крикнул он ей, уже усевшись, — обидел я тебя давеча, так прости меня и помилуй, прости подлеца... А не простишь, всё равно! Потому что теперь уже всё равно! Трогай, Андрей, живо улетай!

Андрей тронул; колокольчик зазвенел.

— Прощай, Петр Ильич! Тебе последняя слеза!..

«Не пьян ведь, а какую ахинею порет!» — подумал вслед ему Петр Ильич. Он расположился было остаться присмотреть за тем, как будут снаряжать воз (на тройке же) с остальными припасами и винами, предчувствуя, что надуют и обсчитают Митю, но вдруг, сам на себя рассердившись, плюнул и пошел в свой трактир играть на биллиарде.

— Дурак, хоть и хороший малый... — бормотал он про себя дорогой. — Про этого какого-то офицера «прежнего» Грушенькинова я слыхал. Ну, если прибыл, то... Эх, пистолеты эти! А, черт, что я, его дядька, что ли? Пусть их! Да и ничего не будет. Горланы, и больше ничего. Напьются и подерутся, подерутся и помирятся. Разве это люди дела? Что это за «устранюсь», «казню себя» — ничего не будет! Тысячу раз кричал этим слогом пьяный в трактире. Теперь-то не пьян. «Пьян духом» — слог любят подлецы. Дядька я ему, что ли? И не мог не подраться, вся харя в крови. С кем бы это? В трактире узнаю. И платок в крови... Фу, черт, у меня на полу остался... наплевать!

Пришел в трактир он в сквернейшем расположении духа и тотчас же начал партию. Партия развеселила его.

Сыграл другую и вдруг заговорил с одним из партнеров о том, что у Дмитрия Карамазова опять деньги появились, тысяч до трех, сам видел, и что он опять укатил кутить в Мокрое с Грушенькой. Это было принято почти с неожиданным любопытством слушателями. И все они заговорили не смеясь, а как-то странно серьезно. Даже игру прервали.

— Три тысячи? Да откуда у него быть трем тысячам?

Стали расспрашивать дальше. Известие о Хохлаковой приняли сомнительно.

— А не ограбил ли старика, вот что?

— Три тысячи! Что-то не ладно.

— Похвалялся же убить отца вслух, все здесь слышали. Именно про три тысячи говорил...

Петр Ильич слушал и вдруг стал отвечать на расспросы сухо и скупо. Про кровь, которая была на лице и на руках Мити, не упомянул ни слова, а когда шел сюда, хотел было рассказать. Начали третью партию, мало-помалу разговор о Мите затих; но, докончив третью партию, Петр Ильич больше играть не пожелал, положил кий и, не поужинав, как собирался, вышел из трактира. Выйдя на площадь, он стал в недоумении и даже дивясь на себя. Он вдруг сообразил, что ведь он хотел сейчас идти в дом Федора Павловича, узнать, не произошло ли чего. «Из-за вздора, который окажется, разбужу чужой дом и наделаю скандала. Фу, черт, дядька я им, что ли?»

В сквернейшем расположении духа направился он прямо к себе домой и вдруг вспомнил про Феню: «Э, черт, вот бы давеча расспросить ее, — подумал он в досаде, — всё бы и знал». И до того вдруг загорелось в нем самое нетерпеливое и упрямое желание поговорить с нею и разузнать, что с полдороги он круто повернул к дому Морозовой, в котором квартировала Грушенька. Подойдя к воротам, он постучался, и раздавшийся в тишине ночи стук опять как бы вдруг отрезвил и обозлил его. К тому же никто не откликнулся, все в доме спали. «И тут скандалу наделаю!» — подумал он с каким-то уже страданием в душе, но вместо того чтоб уйти окончательно, принялся вдруг стучать снова и изо всей уже силы. Поднялся гам на всю улицу. «Так вот нет же, достучусь, достучусь!» — бормотал он, с каждым звуком злясь на себя до остервенения, но с тем вместе и усугубляя удары в ворота.

САМ ЕДУ!

А Дмитрий Федорович летел по дороге. До Мокрого было двадцать верст с небольшим, но тройка Андреева скакала так, что могла поспеть в час с четвертью. Быстрая езда как бы вдруг освежила Митю. Воздух был свежий и холодноватый, на чистом небе сияли крупные звезды. Это была та самая ночь, а может, и тот самый час, когда Алеша, упав на землю, «исступленно клялся любить ее во веки веков». Но смутно, очень смутно было в душе Мити, и хоть многое терзало теперь его душу, но в этот момент всё существо его неотразимо устремилось лишь к ней, к его царице, к которой летел он, чтобы взглянуть на нее в последний раз. Скажу лишь одно: даже и не спорило сердце его ни минуты. Не поверят мне, может быть, если скажу, что этот ревнивец не ощущал к этому новому человеку, новому сопернику, выскочившему из-под земли, к этому «офицеру» ни малейшей ревности. Ко всякому другому, явись такой, приревновал бы тотчас же и, может, вновь бы намочил свои страшные руки кровью, а к этому, к этому «ее первому», не ощущал он теперь, летя на своей тройке, не только ревнивой ненависти, но даже враждебного чувства — правда, еще не видал его. «Тут уж бесспорно, тут право ее и его; тут ее первая любовь, которую она в пять лет не забыла: значит, только его и любила в эти пять лет, а я-то, я зачем тут подвернулся? Что я-то тут и при чем? Отстранись, Митя, и дай дорогу! Да и что я теперь? Теперь уж и без офицера всё кончено, хотя бы и не явился он вовсе, то всё равно всё было бы кончено...»

Вот в каких словах он бы мог приблизительно изложить свои ощущения, если бы только мог рассуждать. Но он уже не мог тогда рассуждать. Вся теперешняя решимость его родилась без рассуждений, в один миг, была сразу почувствована и принята целиком со всеми последствиями еще давеча, у Фени, с первых слов ее. И все-таки, несмотря на всю принятую решимость, было смутно в душе его, смутно до страдания: не дала и решимость спокойствия. Слишком многое стояло сзади его и мучило. И странно было ему это мгновениями: ведь уж написан был им самим себе приговор пером на бумаге: «казню себя и наказую»; и бумажка лежала тут, в кармане его, приготовленная; ведь уж заряжен пистолет, ведь уж решил же он, как встретит он завтра первый горячий луч «Феба златокудрого», а между тем с прежним, со всем стоявшим сзади и мучившим его, все-таки нельзя было рассчитаться, чувствовал он это до мучения, и мысль о том впивалась в его душу отчаянием. Было одно мгновение в пути, что ему вдруг захотелось остановить Андрея, выскочить из телеги, достать свой заряженный пистолет и покончить всё, не дождавшись и рассвета. Но мгновение это пролетело как искорка. Да и тройка летела, «пожирая пространство», и по мере приближения к цели опять-таки мысль о ней, о ней одной, всё сильнее и сильнее захватывала ему дух и отгоняла все остальные страшные призраки от его сердца. О, ему так хотелось поглядеть на нее, хоть мельком, хоть издали! «Она теперь с *ним,* ну вот и погляжу, как она теперь с ним, со своим прежним милым, и только этого мне и надо». И никогда еще не подымалось из груди его столько любви к этой роковой в судьбе его женщине, столько нового, не испытанного им еще никогда чувства, чувства неожиданного даже для него самого, чувства нежного до моления, до исчезновения пред ней. «И исчезну!» — проговорил он вдруг в припадке какого-то истерического восторга.

Скакали уже почти час. Митя молчал, а Андрей, хотя и словоохотливый был мужик, тоже не вымолвил еще ни слова, точно опасался заговорить, и только живо погонял своих «одров», свою гнедую, сухопарую, но резвую тройку. Как вдруг Митя в страшном беспокойстве воскликнул:

— Андрей! А что, если спят?

Ему это вдруг вспало на ум, а до сих пор он о том и не подумал.

— Надо думать, что уж легли, Дмитрий Федорович.

Митя болезненно нахмурился: что, в самом деле, он прилетит... с такими чувствами... а они спят... спит и она, может быть, тут же... Злое чувство закипело в его сердце.

— Погоняй, Андрей, катай, Андрей, живо! — закричал он в исступлении.

— А может, еще и не полегли, — рассудил, помолчав, Андрей. — Даве Тимофей сказывал, что там много их собралось...

— На станции?

— Нс в станции, а у Пластуновых, на постоялом дворе, вольная, значит, станция.

— Знаю; так как же ты говоришь, что много? Где же много? Кто такие? — вскинулся Митя в страшной тревоге при неожиданном известии.

— Да сказывал Тимофей, всё господа: из города двое, кто таковы — не знаю, только сказывал Тимофей, двое из здешних господ, да тех двое, будто бы приезжих, а может, и еще кто есть, не спросил я его толково. В карты, говорил, стали играть.

— В карты?

— Так вот, может, и не спят, коли в карты зачали. Думать надо, теперь всего одиннадцатый час в исходе, не более того.

— Погоняй, Андрей, погоняй! — нервно вскричал опять Митя.

— Что это, я вас спрошу, сударь, — помолчав начал снова Андрей, — вот только бы не осердить мне вас, боюсь, барин.

— Чего тебе?

— Давеча Федосья Марковна легла вам в ноги, молила, барыню чтобы вам не сгубить и еще кого... так вот, сударь, что везу-то я вас туда... Простите, сударь, меня, так, от совести, может, глупо что сказал.

Митя вдруг схватил его сзади за плечи.

— Ты ямщик? ямщик? — начал он исступленно.

— Ямщик...

— Знаешь ты, что надо дорогу давать. Что ямщик, так уж никому и дороги не дать, дави, дескать, я еду! Нет, ямщик, не дави! Нельзя давить человека, нельзя людям жизнь портить; а коли испортил жизнь — наказуй себя... если только испортил, если только загубил кому жизнь — казни себя и уйди.

Всё это вырвалось у Мити как бы в совершенной истерике. Андрей хоть и подивился на барина, но разговор поддержал.

— Правда это, батюшка Дмитрий Федорович, это вы правы, что не надо человека давить, тоже и мучить, равно как и всякую тварь, потому всякая тварь — она тварь созданная, вот хоть бы лошадь, потому другой ломит зря, хоша бы и наш ямщик... И удержу ему нет, так он и прет, прямо тебе так и прет.

— Во ад? — перебил вдруг Митя и захохотал своим неожиданным коротким смехом. — Андрей, простая душа, — схватил он опять его крепко за плечи, — говори: попадет Дмитрий Федорович Карамазов во ад али нет, как по-твоему?

— Не знаю, голубчик, от вас зависит, потому вы у нас... Видишь, сударь, когда сын божий на кресте был распят и помер, то сошел он со креста прямо во ад и освободил всех грешников, которые мучились. И застонал ад об том, что уж больше, думал, к нему никто теперь не придет, грешников-то. И сказал тогда аду Господь: «Не стони, аде, ибо приидут к тебе отселева всякие вельможи, управители, главные судьи и богачи, и будешь восполнен так же точно, как был во веки веков, до того времени, пока снова приду». Это точно, это было такое слово...

— Народная легенда, великолепно! Стегни левую, Андрей!

— Так вот, сударь, для кого ад назначен, — стегнул Андрей левую, — а вы у нас, сударь, всё одно как малый ребёнок... так мы вас почитаем... И хоть гневливы вы, сударь, это есть, но за простодушие ваше простит Господь.

— А ты, ты простишь меня, Андрей?

— Мне что же вас прощать, вы мне ничего не сделали.

— Нет, за всех, за всех ты один, вот теперь, сейчас, здесь, на дороге, простишь меня за всех? Говори, душа простолюдина!

— Ох, сударь! Боязно вас и везти-то, странный какой-то ваш разговор...

Но Митя не расслышал. Он исступленно молился и дико шептал про себя:

— Господи, прими меня во всем моем беззаконии, но не суди меня. Пропусти мимо без суда твоего... Не суди, потому что я сам осудил себя; не суди, потому что люблю тебя, Господи! Мерзок сам, а люблю тебя: во ад пошлешь, и там любить буду и оттуда буду кричать, что люблю тебя во веки веков... Но дай и мне долюбить... здесь, теперь долюбить, всего пять часов до горячего луча твоего... Ибо люблю царицу души моей. Люблю и не могу не любить. Сам видишь меня всего. Прискачу, паду пред нею: права ты, что мимо меня прошла... Прощай и забудь твою жертву, не тревожь себя никогда!

— Мокрое! — крикнул Андрей, указывая вперед кнутом.

Сквозь бледный мрак ночи зачернелась вдруг твердая масса строений, раскинутых на огромном пространстве. Село Мокрое было в две тысячи душ, но в этот час всё оно уже спало, и лишь кое-где из мрака мелькали еще редкие огоньки.

— Гони, гони, Андрей, еду! — воскликнул как бы в горячке Митя.

— Не спят! — проговорил опять Андрей, указывая кнутом на постоялый двор Пластуновых, стоявший сейчас же на въезде и в котором все шесть окон на улицу были ярко освещены.

— Не спят! — радостно подхватил Митя, — греми, Андрей, гони вскачь, звени, подкати с треском. Чтобы знали все, кто приехал! Я еду! Сам еду! — исступленно восклицал Митя.

Андрей пустил измученную тройку вскачь и действительно с треском подкатил к высокому крылечку и осадил своих запаренных полузадохшихся коней. Митя соскочил с телеги, и как раз хозяин двора, правда уходивший уже спать, полюбопытствовал заглянуть с крылечка, кто это таков так подкатил.

— Трифон Борисыч, ты?

Хозяин нагнулся, вгляделся, стремглав сбежал с крылечка и в подобострастном восторге кинулся к гостю.

— Батюшка, Дмитрий Федорыч! Вас ли вновь видим?

Этот Трифон Борисыч был плотный и здоровый мужик, среднего роста, с несколько толстоватым лицом, виду строгого и непримиримого, с мокринскими мужиками особенно, но имевший дар быстро изменять лицо свое на самое подобострастное выражение, когда чуял взять выгоду. Ходил по-русски, в рубахе с косым воротом и в поддевке, имел деньжонки значительные, но мечтал и о высшей роли неустанно. Половина с лишком мужиков была у него в когтях, все были ему должны кругом. Он арендовал у помещиков землю и сам покупал, а обработывали ему мужики эту землю за долг, из которого никогда не могли выйти. Был он вдов и имел четырех взрослых дочерей; одна была уже вдовой, жила у него с двумя малолетками, ему внучками, и работала на него как поденщица. Другая дочка-мужичка была замужем за чиновником, каким-то выслужившимся писаречком, и в одной из комнат постоялого двора на стенке можно было видеть в числе семейных фотографий, миниатюрнейшего размера, фотографию и этого чиновничка в мундире и в чиновных погонах. Две младшие дочери, в храмовой праздник али отправляясь куда в гости, надевали голубые или зеленые платья, сшитые по-модному, с обтяжкою сзади и с аршинным хвостом, но на другой же день утром, как и во всякий день, подымались чем свет и с березовыми вениками в руках выметали горницы, выносили помои и убирали сор после постояльцев. Несмотря на приобретенные уже тысячки, Трифон Борисыч очень любил сорвать с постояльца кутящего и, помня, что еще месяца не прошло, как он в одни сутки поживился от Дмитрия Федоровича, во время кутежа его с Грушенькой, двумя сотнями рубликов с лишком, если не всеми тремя, встретил его теперь радостно и стремительно, уже по тому одному, как подкатил ко крыльцу его Митя, почуяв снова добычу.

— Батюшка, Дмитрий Федорович, вас ли вновь обретаем?

— Стой, Трифон Борисыч, — начал Митя, — прежде всего самое главное: где она?

— Аграфена Александровна? — тотчас понял хозяин, зорко вглядываясь в лицо Мити, — да здесь и она... пребывает...

— С кем, с кем?

— Гости проезжие-с... Один-то чиновник, надоть быть из поляков, по разговору судя, он-то за ней и послал лошадей отсюдова; а другой с ним товарищ его али попутчик, кто разберет; по-штатски одеты...

— Что же, кутят? Богачи?

— Какое кутят! Небольшая величина, Дмитрий Федорович.

— Небольшая? Ну, а другие?

— Из города эти, двое господ... Из Черней возвращались, да и остались. Один-то, молодой, надоть быть родственник господину Миусову, вот только как звать забыл... а другого, надо полагать, вы тоже знаете: помещик Максимов, на богомолье, говорит, заехал в монастырь ваш там, да вот с родственником этим молодым господина Миусова и ездит...

— Только и всех?

— Только.

— Стой, молчи, Трифон Борисыч, говори теперь самое главное: что она, как она?

472

— Да вот давеча прибыла и сидит с ними.

— Весела? Смеется?

— Нет, кажись, не очень смеется... Даже скучная совсем сидит, молодому человеку волосы расчесывала.

— Это поляку, офицеру?

— Да какой же он молодой, да и не офицер он вовсе; нет, сударь, не ему, а миусовскому племяннику этому, молодому-то... вот только имя забыл.

— Калганов?

— Именно Калганов.

— Хорошо, сам решу. В карты играют?

— Играли, да перестали, чай отпили, наливки чиновник потребовал.

— Стой, Трифон Борисыч, стой, душа, сам решу. Теперь отвечай самое главное: нет цыган?

— Цыган теперь вовсе не слышно, Дмитрий Федорович, согнало начальство, а вот жиды здесь есть, на цимбалах играют и на скрипках, в Рождественской, так это можно бы за ними хоша и теперь послать. Прибудут.

— Послать, непременно послать! — вскричал Митя. — А девок можно поднять как тогда, Марью особенно, Степаниду тоже, Арину. Двести рублей за хор!

— Да за этакие деньги я всё село тебе подыму, хоть и полегли теперь дрыхнуть. Да и стоят ли, батюшка Дмитрий Федорович, здешние мужики такой ласки, али вот девки? Этакой подлости да грубости такую сумму определять! Ему ли, нашему мужику, цигарки курить, а ты им давал. Ведь от него смердит, от разбойника. А девки все, сколько их ни есть, вшивые. Да я своих дочерей тебе даром подыму, не то что за такую сумму, полегли только спать теперь, так я их ногой в спину напинаю да для тебя петь заставлю. Мужиков намедни шампанским поили, э-эх!

Трифон Борисыч напрасно сожалел Митю: он тогда у него сам с полдюжины бутылок шампанского утаил, а под столом сторублевую бумажку поднял и зажал себе в кулак. Так и осталась она у него в кулаке.

— Трифон Борисыч, растряс я тогда не одну здесь тысячку. Помнишь?

— Растрясли, голубчик, как вас не вспомнить, три тысячки у нас небось оставили.

— Ну, так и теперь с тем приехал, видишь?

И он вынул и поднес к самому носу хозяина свою пачку кредиток.

— Теперь слушай и понимай: через час вино придет, закуски, пироги и конфеты — всё тотчас же туда наверх. Этот ящик, что у Андрея, туда тоже сейчас наверх, раскрыть и тотчас же шампанское подавать... А главное — девок, девок, и Марью чтобы непременно...

Он повернулся к телеге и вытащил из-под сиденья свой ящик с пистолетами.

— Расчет, Андрей, принимай! Вот тебе пятнадцать рублей за тройку, а вот пятьдесят на водку... за готовность, за любовь твою... Помни барина Карамазова!

— Боюсь я, барин... — заколебался Андрей, — пять рублей на чай пожалуйте, а больше не приму. Трифон Борисыч свидетелем. Уж простите глупое слово мое...

— Чего боишься, — обмерил его взглядом Митя, — ну и черт с тобой, коли так! — крикнул он, бросая ему пять рублей. — Теперь, Трифон Борисыч, проводи меня тихо и дай мне на них на всех перво-наперво глазком глянуть, так чтоб они меня не заметили. Где они там, в голубой комнате?

Трифон Борисыч опасливо поглядел на Митю, но тотчас же послушно исполнил требуемое: осторожно провел его в сени, сам вошел в большую первую комнату, соседнюю с той, в которой сидели гости, и вынес из нее свечу. Затем потихоньку ввел Митю и поставил его в углу, в темноте, откуда бы он мог свободно разглядеть собеседников, ими не видимый. Но Митя недолго глядел, да и не мог разглядывать: он увидел ее, и сердце его застучало, в глазах помутилось. Она сидела за столом сбоку, в креслах, а рядом с нею, на диване, хорошенький собою и еще очень молодой Калганов; она держала его за руку и, кажется, смеялась, а тот, не глядя на нее, что-то громко говорил, как будто с досадой, сидевшему чрез стол напротив Грушеньки Максимову. Максимов же чему-то очень смеялся. На диване сидел *он,* а подле дивана, на стуле, у стены, какой-то другой незнакомец. Тот, который сидел на диване развалясь, курил трубку, и у Мити лишь промелькнуло, что это какой-то толстоватый и широколицый человечек, ростом, должно быть, невысокий и как будто на что-то сердитый. Товарищ же его, другой незнакомец, показался Мите что-то уж чрезвычайно высокого роста;

но более он ничего не мог разглядеть. Дух у него захватило. И минуты он не смог выстоять, поставил ящик на комод и прямо, холодея и замирая, направился в голубую комнату к собеседникам.

— Ай! — взвизгнула в испуге Грушенька, заметив его первая.

VII
ПРЕЖНИЙ И БЕССПОРНЫЙ

Митя скорыми и длинными своими шагами подступил вплоть к столу.

— Господа, — начал он громко, почти крича, но заикаясь на каждом слове, — я... я ничего! Не бойтесь, — воскликнул он, — я ведь ничего, ничего, — повернулся он вдруг к Грушеньке, которая отклонилась на кресле в сторону Калганова и крепко уцепилась за его руку. — Я... Я тоже еду. Я до утра. Господа, проезжему путешественнику... можно с вами до утра? Только до утра, в последний раз, в этой самой комнате?

Это уже он докончил, обращаясь к толстенькому человечку, сидевшему на диване с трубкой. Тот важно отнял от губ своих трубку и строго произнес:

— Пане, мы здесь приватно. Имеются иные покои.

— Да это вы, Дмитрий Федорович, да чего это вы? — отозвался вдруг Калганов, — да садитесь с нами, здравствуйте!

— Здравствуйте, дорогой человек... и бесценный! Я всегда уважал вас... — радостно и стремительно отозвался Митя, тотчас же протянув ему через стол свою руку.

— Ай, как вы крепко пожали! Совсем сломали пальцы, — засмеялся Калганов.

— Вот он так всегда жмет, всегда так! — весело отозвалась, еще робко улыбаясь, Грушенька, кажется вдруг убедившаяся по виду Мити, что тот не будет буянить, с ужасным любопытством и всё еще с беспокойством в него вглядываясь. Было что-то в нем чрезвычайно ее поразившее, да и вовсе не ожидала она от него, что в такую минуту он так войдет и так заговорит.

— Здравствуйте-с, — сладко отозвался слева и помещик Максимов. Митя бросился и к нему:

— Здравствуйте, и вы тут, как я рад, что и вы тут! Господа, господа, я... — Он снова обратился к пану с трубкой, видимо принимая его за главного здесь человека. — Я летел... Я хотел последний день и последний час мой провести в этой комнате, в этой самой комнате... где и я обожал... мою царицу!.. Прости, пане! — крикнул он исступленно, — я летел и дал клятву... О, не бойтесь, последняя ночь моя! Выпьем, пане, мировую! Сейчас подадут вино... Я привез вот это. — Он вдруг для чего-то вытащил свою пачку кредиток. — Позволь, пане! Я хочу музыки, грому, гаму, всего что прежде... Но червь, ненужный червь проползет по земле, и его не будет! День моей радости помяну в последнюю ночь мою!..

Он почти задохся; он многое, многое хотел сказать, но выскочили одни странные восклицания. Пан неподвижно смотрел на него, на пачку его кредиток, смотрел на Грушеньку и был в видимом недоумении.

— Ежели поволит моя крулева... — начал было он.

— Да что крулева, это королева, что ли? — перебила вдруг Грушенька. — И смешно мне на вас, как вы все говорите. Садись, Митя, и что это ты говоришь? Не пугай, пожалуйста. Не будешь пугать, не будешь? Коли не будешь, так я тебе рада...

— Мне, мне пугать? — вскричал вдруг Митя, вскинув вверх свои руки. — О, идите мимо, проходите, не помешаю!.. — И вдруг он совсем неожиданно для всех и, уж конечно, для себя самого бросился на стул и залился слезами, отвернув к противоположной стене свою голову, а руками крепко обхватив спинку стула, точно обнимая ее.

— Ну вот, ну вот, экой ты! — укоризненно воскликнула Грушенька. — Вот он такой точно ходил ко мне, — вдруг заговорит, а я ничего не понимаю. А один раз так же заплакал, а теперь вот в другой — экой стыд! С чего ты плачешь-то? *Было бы еще с чего?* — прибавила она вдруг загадочно и с каким-то раздражением напирая на свое словечко.

— Я... я не плачу... Ну, здравствуйте! — повернулся он в один миг на стуле и вдруг засмеялся, но не деревянным своим отрывистым смехом, а каким-то неслышным длинным, нервозным и сотрясающимся смехом.

— Ну вот, опять... Ну, развеселись, развеселись! — уговаривала его Грушенька. — Я очень рада, что ты приехал, очень рада, Митя, слышишь ты, что я очень рада? Я хочу, чтоб он сидел здесь с нами, — повелительно обратилась она как бы ко всем, хотя слова ее видимо относились к сидевшему на диване. — Хочу, хочу! А коли он уйдет, так и я уйду, вот что! — прибавила она с загоревшимися вдруг глазами.

— Что изволит моя царица — то закон! — произнес пан, галантно поцеловав ручку Грушеньки. — Прошу пана до нашей компаньи! — обратился он любезно к Мите. Митя опять привскочил было с видимым намерением снова разразиться тирадой, но вышло другое.

— Выпьем, пане! — оборвал он вдруг вместо речи. Все рассмеялись.

— Господи! А я думала, он опять говорить хочет, — нервозно воскликнула Грушенька. — Слышишь, Митя, — настойчиво прибавила она, — больше не вскакивай, а что шампанского привез, так это славно. Я сама пить буду, а наливки я терпеть не могу. А лучше всего, что сам прикатил, а то скучища... Да ты кутить, что ли, приехал опять? Да спрячь деньги-то в карман! Откуда столько достал?

Митя, у которого в руке всё еще скомканы были кредитки, очень всеми и особенно панами замеченные, быстро и конфузливо сунул их в карман. Он покраснел. В эту самую минуту хозяин принес откупоренную бутылку шампанского на подносе и стаканы. Митя схватил было бутылку, но так растерялся, что забыл, что с ней надо делать. Взял у него ее уже Калганов и разлил за него вино.

— Да еще, еще бутылку! — закричал Митя хозяину и, забыв чокнуться с паном, которого так торжественно приглашал выпить с ним мировую, вдруг выпил весь свой стакан один, никого не дождавшись. Всё лицо его вдруг изменилось. Вместо торжественного и трагического выражения, с которым он вошел, в нем явилось как бы что-то младенческое. Он вдруг как бы весь смирился и принизился. Он смотрел на всех робко и радостно, часто и нервно хихикая, с благодарным видом виноватой собачонки, которую опять приласкали и опять впустили. Он как будто всё забыл и оглядывал всех с восхищением, с детскою улыбкой. На Грушеньку смотрел беспрерывно смеясь и придвинул свой стул вплоть к самому ее креслу. Помаленьку разглядел и обоих панов, хотя еще мало осмыслив их. Пан на диване поражал его своею осанкой, польским акцентом, а главное — трубкой. «Ну что же такое, ну и хорошо, что он курит трубку», — созерцал Митя. Несколько обрюзглое, почти уже сорокалетнее лицо пана с очень маленьким носиком, под которым виднелись два претоненькие востренькие усика, нафабренные и нахальные, не возбудило в Мите тоже ни малейших пока вопросов. Даже очень дрянненький паричок пана, сделанный в Сибири, с преглупо зачесанными вперед височками, не поразил особенно Митю: «Значит, так и надо, коли парик», — блаженно продолжал он созерцать. Другой же пан, сидевший у стены, более молодой, чем пан на диване, смотревший на всю компанию дерзко и задорно и с молчаливым презрением слушавший общий разговор, опять-таки поразил Митю только очень высоким своим ростом, ужасно непропорциональным с паном, сидевшим на диване. «Коли встанет на ноги, будет вершков одиннадцати», — мелькнуло в голове Мити. Мелькнуло у него тоже, что этот высокий пан, вероятно, друг и приспешник пану на диване, как бы «телохранитель его», и что маленький пан с трубкой, конечно, командует паном высоким. Но и это всё казалось Мите ужасно как хорошо и бесспорно. В маленькой собачке замерло всякое соперничество. В Грушеньке и в загадочном тоне нескольких фраз ее он еще ничего не понял; а понимал лишь, сотрясаясь всем сердцем своим, что она к нему ласкова, что она его «простила» и подле себя посадила. Он был вне себя от восхищения, увидев, как она хлебнула из стакана вино. Молчание компании как бы вдруг, однако, поразило его, и он стал обводить всех ожидающими чего-то глазами: «Что же мы, однако, сидим, что же вы ничего не начинаете, господа?» — как бы говорил осклабленный взор его.

— Да вот он всё врет, и мы тут всё смеялись, — начал вдруг Калганов, точно угадав его мысль и показывая на Максимова.

Митя стремительно уставился на Калганова и потом тотчас же на Максимова.

— Врет? — рассмеялся он своим коротким деревянным смехом, тотчас же чему-то обрадовавшись, — ха-ха!

— Да. Представьте, он утверждает, что будто бы вся наша кавалерия в двадцатых годах переженилась на польках; но это ужасный вздор, не правда ли?

— На польках? — подхватил опять Митя и уже в решительном восхищении.

Калганов очень хорошо понимал отношения Мити к Грушеньке, догадывался и о пане, но его всё это не так занимало, даже, может быть, вовсе не занимало, а занимал его всего более Максимов. Попал он сюда с Максимовым случайно и панов встретил здесь на постоялом дворе в первый раз в жизни. Грушеньку же знал прежде и раз даже был у нее с кем-то; тогда он ей не понравился. Но здесь она очень ласково на него поглядывала; до приезда Мити даже ласкала его, но он как-то оставался бесчувственным. Это был молодой человек, лет не более двадцати, щегольски одетый, с очень милым беленьким личиком и с прекрасными густыми русыми волосами. Но на этом беленьком личике были прелестные светло-голубые глаза, с умным, а иногда и глубоким выражением, не по возрасту даже, несмотря на то что молодой человек иногда говорил и смотрел совсем как дитя и нисколько этим не стеснялся, даже сам это сознавая. Вообще он был очень своеобразен, даже капризен, хотя всегда ласков. Иногда в выражении лица его мелькало что-то неподвижное и упрямое: он глядел на вас, слушал, а сам как будто упорно мечтал о чем-то своем. То становился вял и ленив, то вдруг начинал волноваться, иногда, по-видимому, от самой пустой причины.

— Вообразите, я его уже четыре дня вожу с собою, — продолжал он, немного как бы растягивая лениво слова, но безо всякого фатовства, а совершенно натурально. — Помните, с тех пор, как ваш брат его тогда из коляски вытолкнул и он полетел. Тогда он меня очень этим заинтересовал, и я взял его в деревню, а он всё теперь врет, так что с ним стыдно. Я его назад везу...

— Пан польской пани не видзел и муви, что быть не мо́гло, — заметил пан с трубкой Максимову.

Пан с трубкой говорил по-русски порядочно, по крайней мере гораздо лучше, чем представлялся. Русские слова, если и употреблял их, коверкал на польский лад.

— Да ведь я и сам был женат на польской пани-с, — отхихикнулся в ответ Максимов.

— Ну, так вы разве служили в кавалерии? Ведь это вы про кавалерию говорили. Так разве вы кавалерист? — ввязался сейчас Калганов.

— Да, конечно, разве он кавалерист? ха-ха! — крикнул Митя, жадно слушавший и быстро переводивший свой вопросительный взгляд на каждого, кто заговорит, точно бог знает что ожидал от каждого услышать.

— Нет-с, видите-с, — повернулся к нему Максимов, — я про то-с, что эти там панéнки... хорошенькие-с... как оттанцуют с нашим уланом мазурку... как оттанцевала она с ним мазурку, так тотчас и вскочит ему на коленки, как кошечка-с... беленькая-с... а пан-ойц и пани-матка видят и позволяют... и позволяют-с... а улан-то назавтра пойдет и руку предложит... вот-с... и предложит руку, хи-хи! — хихикнул, закончив, Максимов.

— Пан — лайдак! — проворчал вдруг высокий пан на стуле и переложил ногу на ногу. Мите только бросился в глаза огромный смазной сапог его с толстою и грязною подошвой. Да и вообще оба пана были одеты довольно засаленно.

— Ну вот, и лайдак! Чего он бранится? — рассердилась вдруг Грушенька.

— Пани Агриппина, пан видзел в польском краю хлопок, а не шляхетных паней, — заметил пан с трубкой Грушеньке.

— Можешь нá то раховаць! — презрительно отрезал высокий пан на стуле.

— Вот еще! Дайте ему говорить-то! Люди говорят, чего мешать? С ними весело, — огрызнулась Грушенька.

— Я не мешаю, пани, — значительно заметил пан в паричке с продолжительным взглядом ко Грушеньке и, важно замолчав, снова начал сосать свою трубку.

— Да нет, нет, это пан теперь правду сказал, — загорячился опять Калганов, точно бог знает о чем шло дело. — Ведь он в Польше не был, как же он говорит про Польшу? Ведь вы же не в Польше женились, ведь нет?

— Нет-с, в Смоленской губернии-с. А только ее улан еще прежде того вывез-с, супругу-то мою-с, будущую-с, и с пани-маткой, и с тантой[1], и еще с одною родственницей со взрослым сыном, это уж из самой Польши, из самой... и мне уступил. Это один наш поручик, очень хороший молодой человек. Сначала он сам хотел жениться, да и не женился, потому что она оказалась хромая...

— Так вы на хромой женились? — воскликнул Калганов.

---

[1] Теткой (от *фр.* tante).

— На хромой-с. Это уж они меня оба тогда немножечко обманули и скрыли. Я думал, что она подпрыгивает... она всё подпрыгивала, я и думал, что она это от веселости...

— От радости, что за вас идет? — завопил каким-то детски звонким голосом Калганов.

— Да-с, от радости-с. А вышло, что совсем от иной причины-с. Потом, когда мы обвенчались, она мне после венца в тот же вечер и призналась и очень чувствительно извинения просила, чрез лужу, говорит, в молодых годах однажды перескочила и ножку тем повредила, хи-хи!

Калганов так и залился самым детским смехом и почти упал на диван. Рассмеялась и Грушенька. Митя же был на верху счастья.

— Знаете, знаете, это он теперь уже вправду, это он теперь не лжет! — восклицал, обращаясь к Мите, Калганов. — И знаете, он ведь два раза был женат — это он про первую жену говорит, — а вторая жена его, знаете, сбежала и жива до сих пор, знаете вы это?

— Неужто? — быстро повернулся к Максимову Митя, выразив необыкновенное изумление в лице.

— Да-с, сбежала-с, я имел эту неприятность, — скромно подтвердил Максимов. — С одним мусью-с. А главное, всю деревушку мою перво-наперво на одну себя предварительно отписала. Ты, говорит, человек образованный, ты и сам найдешь себе кусок. С тем и посадила. Мне раз один почтенный архиерей и заметил: у тебя одна супруга была хромая, а другая уж чресчур легконогая, хи-хи!

— Послушайте, послушайте! — так и кипел Калганов, — если он и лжет — а он часто лжет, — то он лжет, единственно чтобы доставить всем удовольствие: это ведь не подло, не подло? Знаете, я люблю его иногда. Он очень подл, но он натурально подл, а? Как вы думаете? Другой подличает из-за чего-нибудь, чтобы выгоду получить, а он просто, он от натуры... Вообразите, например, он претендует (вчера всю дорогу спорил), что Гоголь в «Мертвых душах» это про него сочинил. Помните, там есть помещик Максимов, которого высек Ноздрев и был предан суду: «за нанесение помещику Максимову личной обиды розгами в пьяном виде» — ну помните? Так что ж, представьте, он претендует, что это он и был и что это его высекли! Ну может ли это быть? Чичиков ездил, самое позднее, в двадцатых годах, в начале, так что совсем годы не сходятся. Не могли его тогда высечь. Ведь не могли, не могли?

Трудно было представить, из-за чего так горячился Калганов, но горячился он искренно. Митя беззаветно входил в его интересы.

— Ну, да ведь коли высекли! — крикнул он хохоча.

— Не то чтобы высекли-с, а так, — вставил вдруг Максимов.

— Как так? Или высекли, или нет?

— Ктура годзина, пане? (который час?) — обратился со скучающим видом пан с трубкой к высокому пану на стуле. Тот вскинул в ответ плечами: часов у них у обоих не было.

— Отчего не поговорить? Дайте и другим говорить. Коли вам скучно, так другие и не говори, — вскинулась опять Грушенька, видимо нарочно привязываясь. У Мити как бы в первый раз что-то промелькнуло в уме. На этот раз пан ответил уже с видимою раздражительностью:

— Пани, я ниц не мувен против, ниц не поведзялем. (Я не противоречу, я ничего не сказал.)

— Ну да хорошо, а ты рассказывай, — крикнула Грушенька Максимову. — Что ж вы все замолчали?

— Да тут и рассказывать-то нечего-с, потому всё это одни глупости, — подхватил тотчас Максимов с видимым удовольствием и капельку жеманясь, — да и у Гоголя всё это только в виде аллегорическом, потому что все фамилии поставил аллегорические: Ноздрев-то ведь был не Ноздрев, а Носов, а Кувшинников — это уже совсем даже и не похоже, потому что он был Шкворнев. А Фенарди действительно был Фенарди, только не итальянец, а русский, Петров-с, и мамзель Фенарди была хорошенькая-с, и ножки в трико хорошенькие-с, юпочка коротенькая в блестках, и это она вертелась, да только не четыре часа, а всего только четыре минутки-с... и всех обольстила...

— Да за что высекли-то, высекли-то тебя за что? — вопил Калганов.

— За Пирона-с, — ответил Максимов.

— За какого Пирона? — крикнул Митя.

— За французского известного писателя, Пирона-с. Мы тогда все вино пили в большом обществе, в трактире, на этой самой ярмарке. Они меня и пригласили, а я перво-на-перво стал эпиграммы говорить: «Ты ль это, Буало, какой смешной наряд». А Буало-то отвечает, что он в маскарад собирается, то есть в баню-с, хи-хи, они и приняли на свой счет. А я поскорее другую сказал, очень известную всем образованным людям, едкую-с:

> Ты Сафо, я Фаон, об этом я не спорю,
> Но, к моему ты горю,
> Пути не знаешь к морю.

Они еще пуще обиделись и начали меня неприлично за это ругать, а я как раз, на беду себе, чтобы поправить обстоятельства, тут и рассказал очень образованный анекдот про Пирона, как его не приняли во французскую академию, а он, чтоб отмстить, написал свою эпитафию для надгробного камня!

> Ci-gît Piron qui ne fut rien
> Pas même académicien[1].

Они взяли да меня и высекли.

— Да за что же, за что?

— За образование мое. Мало ли из-за чего люди могут человека высечь, — кротко и нравоучительно заключил Максимов.

— Э, полно, скверно всё это, не хочу слушать, я думала, что веселое будет, — оборвала вдруг Грушенька. Митя всполохнулся и тотчас же перестал смеяться. Высокий пан поднялся с места и с высокомерным видом скучающего не в своей компании человека начал шагать по комнате из угла в угол, заложив за спину руки.

— Ишь зашагал! — презрительно поглядела на него Грушенька. Митя забеспокоился, к тому же заметил, что пан на диване с раздражительным видом поглядывает на него.

— Пан, — крикнул Митя, — выпьем, пане! И с другим паном тоже: выпьем, панове! — Он мигом сдвинул три стакана и разлил в них шампанское.

— За Польшу, панове, пью за вашу Польшу, за польский край! — воскликнул Митя.

— Бардзо ми то мило, пане, выпием (это мне очень приятно, пане, выпьем), — важно и благосклонно проговорил пан на диване и взял свой стакан.

---

[1] Здесь покоится Пирон, который был никем, даже не академиком *(фр.)*.

— И другой пан, как его, эй, ясневельможный, бери стакан! — хлопотал Митя.

— Пан Врублевский, — подсказал пан на диване.

Пан Врублевский, раскачиваясь, подошел к столу и стоя принял свой стакан.

— За Польшу, панове, *ура!* — прокричал Митя, подняв стакан.

Все трое выпили. Митя схватил бутылку и тотчас же налил опять три стакана.

— Теперь за Россию, панове, и побратаемся!

— Налей и нам, — сказала Грушенька, — за Россию и я хочу пить.

— И я, — сказал Калганов.

— Да и я бы тоже-с... за Россеюшку, старую бабусеньку, — подхихикнул Максимов.

— Все, все! — восклицал Митя. — Хозяин, еще бутылок!

Принесли все три оставшиеся бутылки из привезенных Митей. Митя разлил.

— За Россию, *ура!* — провозгласил он снова. Все, кроме панов, выпили, а Грушенька выпила разом весь свой стакан. Панове же и не дотронулись до своих.

— Как же вы, панове? — воскликнул Митя. — Так вы так-то?

Пан Врублевский взял стакан, поднял его и зычным голосом проговорил:

— За Россию в пределах до семьсот семьдесят второго года!

— Ото бардзо пенкне! (Вот так хорошо!) — крикнул другой пан, и оба разом осушили свои стаканы.

— Дурачье же вы, панове! — сорвалось вдруг у Мити.

— Па-не!! — прокричали оба пана с угрозою, наставившись на Митю, как петухи. Особенно вскипел пан Врублевский.

— Але не можно не мець слабосьци до своего краю? — возгласил он. (Разве можно не любить своей стороны?)

— Молчать! Не ссориться! Чтобы не было ссор! — крикнула повелительно Грушенька и стукнула ножкой об пол. Лицо ее загорелось, глаза засверкали. Только что выпитый стакан сказался. Митя страшно испугался.

— Панове, простите! Это я виноват, я не буду. Врублевский, пан Врублевский, я не буду!..

— Да молчи хоть ты-то, садись, экой глупый! — со злобною досадой огрызнулась на него Грушенька.

Все уселись, все примолкли, все смотрели друг на друга.

— Господа, всему я причиной! — начал опять Митя, ничего не понявший в возгласе Грушеньки. — Ну чего же мы сидим? Ну чем же нам заняться... чтобы было весело, опять весело?

— Ах, в самом деле ужасно невесело, — лениво промямлил Калганов.

— В банчик бы-с сыграть-с, как давеча... — хихикнул вдруг Максимов.

— Банк? Великолепно! — подхватил Митя, — если только панове...

— Пузьно, пане! — как бы нехотя отозвался пан на диване...

— То правда, — поддакнул и пан Врублевский.

— Пузьно? Это что такое пузьно? — спросила Грушенька.

— То значи поздно, пани, поздно, час поздний, — разъяснил пан на диване.

— И всё-то им поздно, и всё-то им нельзя! — почти взвизгнула в досаде Грушенька. — Сами скучные сидят, так и другим чтобы скучно было. Пред тобой, Митя, они всё вот этак молчали и надо мной фуфырились...

— Богиня моя! — крикнул пан на диване, — цо мувишь, то сень стане. Видзен неласкен, и естем смутны. (Вижу нерасположение, оттого я и печальный.) Естем готув (я готов), пане, — докончил он, обращаясь к Мите.

— Начинай, пане! — подхватил Митя, выхватывая из кармана свои кредитки и выкладывая из них две сторублевых на стол.

— Я тебе много, пан, хочу проиграть. Бери карты, закладывай банк!

— Карты чтоб от хозяина, пане, — настойчиво и серьезно произнес маленький пан.

— То найлепши способ (самый лучший способ), — поддакнул пан Врублевский.

— От хозяина? Хорошо, понимаю, пусть от хозяина, это вы хорошо, панове! Карты! — скомандовал Митя хозяину.

Хозяин принес нераспечатанную игру карт и объявил Мите, что уж сбираются девки, жидки с цимбалами прибудут тоже, вероятно, скоро, а что тройка с припасами еще не успела прибыть. Митя выскочил из-за стола и побежал в соседнюю комнату сейчас же распорядиться. Но девок всего пришло только три, да и Марьи еще не было. Да и сам он не знал, как ему распорядиться и зачем он выбежал: велел только достать из ящика гостинцев, леденцов и тягушек и оделить девок. «Да Андрею водки, водки Андрею! — приказал он наскоро, — я обидел Андрея!» Тут его вдруг тронул за плечо прибежавший вслед за ним Максимов.

— Дайте мне пять рублей, — прошептал он Мите, — я бы тоже в банчик рискнул, хи-хи!

— Прекрасно, великолепно! Берите десять, вот! — Он вытащил опять все кредитки из кармана и отыскал десять рублей. — А проиграешь, еще приходи, еще приходи...

— Хорошо-с, — радостно прошептал Максимов и побежал в залу. Воротился тотчас и Митя и извинился, что заставил ждать себя. Паны уже уселись и распечатали игру. Смотрели же гораздо приветливее, почти ласково. Пан на диване закурил новую трубку и приготовился метать; в лице его изобразилась даже некая торжественность.

— На мейсца, панове! — провозгласил пан Врублевский.

— Нет, я не стану больше играть, — отозвался Калганов, — я давеча уж им проиграл пятьдесят рублей.

— Пан был нещенсливый, пан может быть опять щенсливым, — заметил в его сторону пан на диване.

— Сколько в банке? Ответный? — горячился Митя.

— Слухам, пане, может сто, може двесьце, сколько ставить будешь.

— Миллион! — захохотал Митя.

— Пан капитан, может, слышал про пана Подвысоцкего?

— Какого Подвысоцкого?

— В Варшаве банк ответный ставит, кто идет. Приходит Подвысоцкий, видит тысёнц злотых, ставит: ва-банк. Банкер муви: «Пане Подвысоцки, ставишь злото чи на гонор?» — «На гóнор, пане», — муви Подвысоцкий. «Тем лепей, пане». Бáнкер мечет талью, Подвысоцкий берет тысёнц злотых. «Почекай, пане, — муви бáнкер, вынул ящик и дает миллион, — бери, пане, ото есть твой рахунек» (вот твой счет)! Банк был миллионным. «Я не знал того», — муви

Подвысоцкий. «Пане Подвысоцки, — муви ба́нкер, — ты ставилэсь на го́нор, и мы на го́нор». Подвысоцкий взял миллион.

— Это неправда, — сказал Калганов.

— Пане Калганов, в шляхетной компании так мувиць не пржистои (в порядочном обществе так не говорят).

— Так и отдаст тебе польский игрок миллион! — воскликнул Митя, но тотчас спохватился. — Прости, пане, виновен, вновь виновен, отдаст, отдаст миллион, на го́нор, на польску честь! Видишь, как я говорю по-польски, ха-ха! Вот ставлю десять рублей, идет — валет.

— А я рублик на дамочку, на червонную, на хорошенькую, на паненочку, хи-хи! — прохихикал Максимов, выдвинув свою даму и как бы желая скрыть ото всех, придвинулся вплоть к столу и наскоро перекрестился под столом. Митя выиграл. Выиграл и рублик.

— Угол! — крикнул Митя.

— А я опять рублик, я семпелечком, я маленьким, маленьким семпелечком, — блаженно бормотал Максимов в страшной радости, что выиграл рублик.

— Бита! — крикнул Митя. — Семерку на *пе!*

Убили и на *пе.*

— Перестаньте, — сказал вдруг Калганов.

— На *пе*, на *пе*, — удваивал ставки Митя, и что ни ставил на *пе*, — всё убивалось. А рублики выигрывали.

— На *пе*, — рявкнул в ярости Митя.

— Двесьце проиграл, пане. Еще ставишь двесьце? — осведомился пан на диване.

— Как, двести уж проиграл? Так еще двести! Все двести на *пе!* — И, выхватив из кармана деньги, Митя бросил было двести рублей на даму, как вдруг Калганов накрыл ее рукой.

— Довольно! — крикнул он своим звонким голосом.

— Что вы это? — уставился на него Митя.

— Довольно, не хочу! Не будете больше играть.

— Почему?

— А потому. Плюньте и уйдите, вот почему. Не дам больше играть!

Митя глядел на него в изумлении.

— Брось, Митя, он, может, правду говорит; и без того много проиграл, — со странною ноткой в голосе произнесла и Грушенька. Оба пана вдруг поднялись с места со страшно обиженным видом.

— Жартуешь (шутишь), пане? — проговорил маленький пан, строго осматривая Калганова.

— Як сен поважашь то робиць, пане! (Как вы смеете это делать!) — рявкнул на Калганова и пан Врублевский.

— Не сметь, не сметь кричать! — крикнула Грушенька. — Ах, петухи индейские!

Митя смотрел на них на всех поочередно; но что-то вдруг поразило его в лице Грушеньки, и в тот же миг что-то совсем новое промелькнуло и в уме его — странная новая мысль!

— Пани Агриппина! — начал было маленький пан, весь красный от задора, как вдруг Митя, подойдя к нему, хлопнул его по плечу.

— Ясневельможный, на два слова.

— Чего хцешь, пане? (Что угодно?)

— В ту комнату, в тот покой, два словечка скажу тебе хороших, самых лучших, останешься доволен.

Маленький пан удивился и опасливо поглядел на Митю. Тотчас же, однако, согласился, но с непременным условием, чтобы шел с ним и пан Врублевский.

— Телохранитель-то? Пусть и он, и его надо! Его даже непременно! — воскликнул Митя. — Марш, панове!

— Куда это вы? — тревожно спросила Грушенька.

— В один миг вернемся, — ответил Митя. Какая-то смелость, какая-то неожиданная бодрость засверкала в лице его; совсем не с тем лицом вошел он час назад в эту комнату. Он провел панов в комнатку направо, не в ту, в большую, в которой собирался хор девок и накрывался стол, а в спальную, в которой помещались сундуки, укладки и две большие кровати с ситцевыми подушками горой на каждой. Тут на маленьком тесовом столике в самом углу горела свечка. Пан и Митя расположились у этого столика друг против друга, а огромный пан Врублевский сбоку их, заложив руки за спину. Паны смотрели строго, но с видимым любопытством.

— Чем моген служиць пану? — пролепетал маленький пан.

— А вот чем, пане, я много говорить не буду: вот тебе деньги, — он вытащил свои кредитки, — хочешь три тысячи, бери и уезжай куда знаешь.

Пан смотрел пытливо, во все глаза, так и впился взглядом в лицо Мити.

— Тржи тысенцы, пане? — Он переглянулся с Врублевским.

— Тржи, панове, тржи! Слушай, пане, вижу, что ты человек разумный. Бери три тысячи и убирайся ко всем чертям, да и Врублевского с собой захвати — слышишь это? Но сейчас же, сию же минуту, и это навеки, понимаешь, пане, навеки вот в эту самую дверь и выйдешь. У тебя что там: пальто, шуба? Я тебе вынесу. Сию же секунду тройку тебе заложат и — до видзенья, пане! А?

Митя уверенно ждал ответа. Он не сомневался. Нечто чрезвычайно решительное мелькнуло в лице пана.

— А рубли, пане?

— Рубли-то вот как, пане: пятьсот рублей сию минуту тебе на извозчика и в задаток, а две тысячи пятьсот завтра в городе — честью клянусь, будут, достану из-под земли! — крикнул Митя.

Поляки переглянулись опять. Лицо пана стало изменяться к худшему.

— Семьсот, семьсот, а не пятьсот, сейчас, сию минуту в руки! — надбавил Митя, почувствовав нечто нехорошее. — Чего ты, пан? Не веришь? Не все же три тысячи дать тебе сразу. Я дам, а ты и воротишься к ней завтра же... Да теперь и нет у меня всех трех тысяч, у меня в городе дома лежат, — лепетал Митя, труся и падая духом с каждым своим словом, — ей-богу, лежат, спрятаны...

В один миг чувство необыкновенного собственного достоинства засияло в лице маленького пана:

— Чи не потшебуешь еще чего? — спросил он иронически. — Пфе! А пфе! (стыд, срам!) — И он плюнул. Плюнул и пан Врублевский.

— Это ты оттого плюешься, пане, — проговорил Митя как отчаянный, поняв, что всё кончилось, — оттого, что от Грушеньки думаешь больше тяпнуть. Каплуны вы оба, вот что!

— Естем до живего доткнентным! (Я оскорблен до последней степени!) — раскраснелся вдруг маленький пан как рак и живо, в страшном негодовании, как бы не желая больше ничего слушать, вышел из комнаты. За ним, раскачиваясь, последовал и Врублевский, а за ними уж и Митя, сконфуженный и опешенный. Он боялся Грушеньки, он предчувствовал, что пан сейчас раскричится. Так и случилось. Пан вошел в залу и театрально встал пред Грушенькой.

— Пани Агриппина, естем до живего доткнентным! — воскликнул было он, но Грушенька как бы вдруг потеряла всякое терпение, точно тронули ее по самому больному месту.

— По-русски, говори по-русски, чтобы ни одного слова польского не было! — закричала она на него. — Говорил же прежде по-русски, неужели забыл в пять лет! — Она вся покраснела от гнева.

— Пани Агриппина...

— Я Аграфена, я Грушенька, говори по-русски, или слушать не хочу! — Пан запыхтел от гонора и, ломая русскую речь, быстро и напыщенно произнес:

— Пани Аграфена, я пшиехал забыть старое и простить его, забыть, что было допрежь сегодня...

— Как простить? Это меня-то ты приехал простить? — перебила Грушенька и вскочила с места.

— Так есть, пани (точно так, пани), я не малодушны, я великодушны. Но я былем здзивёны (был удивлен), когда видел твоих любовников. Пан Митя в том покое давал мне тржи тысёнцы, чтоб я отбыл. Я плюнул пану в физию.

— Как? Он тебе деньги за меня давал? — истерически вскричала Грушенька. — Правда, Митя? Да как ты смел! Разве я продажная?

— Пане, пане, — возопил Митя, — она чиста и сияет, и никогда я не был ее любовником! Это ты соврал...

— Как смеешь ты меня пред ним защищать, — вопила Грушенька, — не из добродетели я чиста была и не потому, что Кузьмы боялась, а чтобы пред ним гордой быть и чтобы право иметь ему подлеца сказать, когда встречу. Да неужто ж он с тебя денег не взял?

— Да брал же, брал! — воскликнул Митя, — да только все три тысячи разом захотел, а я всего семьсот задатку давал.

— Ну и понятно: прослышал, что у меня деньги есть, а потому и приехал венчаться!

— Пани Агриппина, — закричал пан, — я рыцарь, я шляхтич, а не лайдак! Я пшибыл взять тебя в супругу, а вижу нову пани, не ту, что прежде, а упарту и без встыду (своенравную и бесстыдную).

— А и убирайся откуда приехал! Велю тебя сейчас прогнать, и прогонят! — крикнула в исступлении Грушенька. — Дура, дура была я, что пять лет себя мучила! Да и не за него себя мучила вовсе, я со злобы себя мучила! Да и не он это вовсе! Разве он был такой? Это отец его какой-то! Это где ты парик-то себе заказал? Тот был сокол, а это селезень. Тот смеялся и мне песни пел... А я-то, я-то пять лет слезами заливалась, проклятая я дура, низкая я, бесстыжая!

Она упала на свое кресло и закрыла лицо ладонями. В эту минуту вдруг раздался в соседней комнате слева хор собравшихся наконец мокринских девок — залихватская плясовая песня.

— То есть со́дом! — взревел вдруг пан Врублевский. — Хозяин, прогони бесстыжих!

Хозяин, который давно уже с любопытством заглядывал в дверь, слыша крик и чуя, что гости перессорились, тотчас явился в комнату.

— Ты чего кричишь, глотку рвешь? — обратился он к Врублевскому с какою-то непонятною даже невежливостью.

— Скотина! — заорал было пан Врублевский.

— Скотина? А ты в какие карты сейчас играл? Я подал тебе колоду, а ты мои спрятал! Ты в поддельные карты играл! Я тебя за поддельные карты в Сибирь могу упрятать, знаешь ты это, потому оно всё одно что бумажки поддельные... — И, подойдя к дивану, он засунул пальцы между спинкой и подушкой дивана и вытащил оттуда нераспечатанную колоду карт.

— Вот она моя колода, не распечатана! — Он поднял ее и показал всем кругом. — Я ведь видел оттелева, как он мою колоду сунул в щель, а своей подменил — шильник ты этакой, а не пан!

— А я видел, как тот пан два раза передернул, — крикнул Калганов.

— Ах как стыдно, ах как стыдно! — воскликнула Грушенька, всплеснув руками, и воистину покраснела от стыда. — Господи, экой, экой стал человек!

— И я это думал, — крикнул Митя. Но не успел он это выговорить, как пан Врублевский, сконфуженный и взбешенный, обратясь ко Грушеньке и грозя ей кулаком, закричал:

— Публична шельма! — Но не успел он и воскликнуть, как Митя бросился на него, обхватил его обеими руками, поднял на воздух и в один миг вынес его из залы в комнату направо, в которую сейчас только водил их обоих.

— Я его там на пол положил! — возвестил он, тотчас же возвратившись и задыхаясь от волнения, — дерется, каналья, небось не придет оттуда!.. — Он запер одну половинку двери и, держа настежь другую, воскликнул к маленькому пану:

— Ясневельможный, не угодно ли туда же? Пшепрашам!

— Батюшка, Митрий Федорович, — возгласил Трифон Борисыч, — да отбери ты у них деньги-то, то, что им проиграл! Ведь всё равно что воровством с тебя взяли.

— Я свои пятьдесят рублей не хочу отбирать, — отозвался вдруг Калганов.

— И я свои двести, и я не хочу! — воскликнул Митя, — ни за что не отберу, пусть ему в утешенье останутся.

— Славно, Митя! Молодец, Митя! — крикнула Грушенька, и страшно злобная нотка прозвенела в ее восклицании. Маленький пан, багровый от ярости, но нисколько не потерявший своей сановитости, направился было к двери, но остановился и вдруг проговорил, обращаясь ко Грушеньке:

— Пани, ежели хцешь исьць за мною, идзьмы, если не — бывай здрова! (Пани, если хочешь идти за мной — пойдем, а если нет — то прощай!)

И важно, пыхтя от негодования и амбиции, прошел в дверь. Человек был с характером: он еще после всего происшедшего не терял надежды, что пани пойдет за ним, — до того ценил себя. Митя прихлопнул за ним дверь.

— Заприте их на ключ, — сказал Калганов. Но замок щелкнул с их стороны, они заперлись сами.

— Славно! — злобно и беспощадно крикнула опять Грушенька. — Славно! Туда и дорога!

VIII
БРЕД

Началась почти оргия, пир на весь мир. Грушенька закричала первая, чтоб ей дали вина: «Пить хочу, совсем пьяная хочу напиться, чтобы как прежде, помнишь, Митя, помнишь, как мы здесь тогда спознавались!» Сам же Митя был как в бреду и предчувствовал «свое счастье». Грушенька его, впрочем, от себя беспрерывно отгоняла: «Ступай, веселись, скажи им, чтобы плясали, чтобы все веселились, „ходи изба, ходи печь", как тогда, как тогда!» — продолжала она восклицать. Была она ужасно возбуждена. И Митя бросался распоряжаться. Хор собрался в соседней комнате. Та же комната, в которой до сих пор сидели, была к тому же и тесна, разгорожена надвое ситцевою занавескою, за которою опять-таки помещалась огромная кровать с пухлою периной и с такими же ситцевыми подушками горкой. Да и во всех четырех «чистых» комнатах этого дома везде были кровати. Грушенька расположилась в самых дверях, Митя ей принес сюда кресло: так же точно сидела она и «тогда», в день их первого здесь кутежа, и смотрела отсюда на хор и на пляску. Девки собрались все тогдашние же; жидки со скрипками и цитрами тоже прибыли, а наконец-то прибыл и столь ожидаемый воз на тройке с винами и припасами. Митя суетился. В комнату входили глядеть и посторонние, мужики и бабы, уже спавшие, но пробудившиеся и почуявшие небывалое угощение, как и месяц назад. Митя здоровался и обнимался со знакомыми, припоминал лица, откупоривал бутылки и наливал всем кому попало. На шампанское зарились очень только девки, мужикам же нравился больше ром и коньяк и особенно горячий пунш. Митя распорядился, чтобы был сварен шоколад на всех девок и чтобы не переводились всю ночь и кипели три самовара для чаю и пунша на всякого приходящего: кто хочет, пусть и угощается. Одним словом, началось нечто беспорядочное и нелепое, но Митя был как бы в своем родном элементе, и чем нелепее всё становилось, тем больше он оживлялся духом. Попроси у него какой-нибудь мужик в те минуты денег, он тотчас же вытащил бы всю свою пачку и стал бы раздавать направо и налево без счету. Вот почему, вероятно, чтоб уберечь Митю, сновал кругом его почти безотлучно хозяин, Трифон Борисыч, совсем уж, кажется, раздумавший ложиться спать в эту ночь, пивший, однако, мало (всего только выкушал один стаканчик пунша) и зорко наблюдавший по-своему за интересами Мити. В нужные минуты он ласково и подобострастно останавливал его и уговаривал, не давал ему оделять, как «тогда», мужиков «цигарками и ренским вином» и, боже сохрани, деньгами, и очень негодовал на то, что девки пьют ликер и едят конфеты: «Вшивость лишь одна, Митрий Федорович, — говорил он, — я их коленком всякую напинаю, да еще за честь почитать прикажу — вот они какие!» Митя еще раз вспомянул про Андрея и велел послать ему пуншу. «Я его давеча обидел», — повторял он ослабевшим и умиленным голосом. Калганов не хотел было пить, и хор девок ему сначала не понравился очень, но, выпив еще бокала два шампанского, страшно развеселился, шагал по комнатам, смеялся и всё и всех хвалил, и песни и музыку. Максимов, блаженный и пьяненький, не покидал его. Грушенька, тоже начинавшая хмелеть, указывала на Калганова Мите: «Какой он миленький, какой чудесный мальчик!» И Митя с восторгом бежал целоваться с Калгановым и Максимовым. О, он многое предчувствовал; ничего еще она ему не сказала такого и даже видимо нарочно задерживала сказать, изредка только поглядывая на него ласковым, но горячим глазком. Наконец она вдруг схватила его крепко за руку и с силой притянула к себе. Сама она сидела тогда в креслах у дверей.

— Как это ты давеча вошел-то, а? Как ты вошел-то!.. я так испугалась. Как же ты меня ему уступить-то хотел, а? Неужто хотел?

— Счастья твоего губить не хотел! — в блаженстве лепетал ей Митя. Но ей и не надо было его ответа.

— Ну, ступай... веселись, — отгоняла она его опять, — да не плачь, опять позову.

И он убегал, а она принималась опять слушать песни и глядеть на пляску, следя за ним взглядом, где бы он ни был, но через четверть часа опять подзывала его, и он опять прибегал.

— Ну, садись теперь подле, рассказывай, как ты вчера обо мне услышал, что я сюда поехала; от кого от первого узнал?

И Митя начинал всё рассказывать, бессвязно, беспорядочно, горячо, но странно, однако же, рассказывал, часто вдруг хмурил брови и обрывался.

— Чего ты хмуришься-то? — спрашивала она.

— Ничего... одного больного там оставил. Кабы выздоровел, кабы знал, что выздоровеет, десять бы лет сейчас моих отдал!

— Ну, бог с ним, коли больной. Так неужто ты хотел завтра застрелить себя, экой глупый, да из-за чего? Я вот этаких, как ты, безрассудных, люблю, — лепетала она ему немного отяжелевшим языком. — Так ты для меня на всё пойдешь? А? И неужто ж ты, дурачок, вправду хотел завтра застрелиться! Нет, погоди пока, завтра я тебе, можт, одно словечко скажу... не сегодня скажу, а завтра. А ты бы хотел сегодня? Нет, я сегодня не хочу... Ну ступай, ступай теперь, веселись.

Раз, однако, она подозвала его как бы в недоумении и озабоченно.

— Чего тебе грустно? Я вижу, тебе грустно... Нет, уж я вижу, — прибавила она, зорко вглядываясь в его глаза. — Хоть ты там и целуешься с мужиками и кричишь, а я что-то вижу. Нет, ты веселись, я весела, и ты веселись... Я кого-то здесь люблю, угадай кого?.. Ай, посмотри: мальчик-то мой заснул, охмелел, сердечный.

Она говорила про Калганова: тот действительно охмелел и заснул на мгновение, сидя на диване. И не от одного хмеля заснул, ему стало вдруг отчего-то грустно, или, как он говорил, «скучно». Сильно обескуражили его под конец и песни девок, начинавшие переходить, постепенно с попойкой, в нечто слишком уже скоромное и разнузданное. Да и пляски их тоже: две девки переоделись в медведей, а Степанида, бойкая девка с палкой в руке, представляя вожака, стала их «показывать». «Веселей, Марья, — кричала она, — не то палкой!» Медведи наконец повалились на пол как-то совсем уж неприлично, при громком хохоте набравшейся не в прорез всякой публики баб и мужиков. «Ну и пусть их, ну и пусть их, — говорила сентенциозно Грушенька с блаженным видом в лице, — кой-то денек выйдет им повеселиться, так и не радоваться людям?» Калганов же смотрел так, как будто чем запачкался. «Свинство это всё, эта вся народность, — заметил он, отходя, — это у них весенние игры, когда они солнце берегут во всю летнюю ночь». Но особенно не понравилась ему одна «новая» песенка с бойким плясовым напевом, пропетая о том, как ехал барин и девушек пытал:

> Барин девушек пытал,
> Девки любят али нет?

Но девкам показалось, что нельзя любить барина:

> Барин будет больно бить,
> А я его не любить.

Ехал потом цыган (произносилось цы́ган), и этот тоже:

> Цыган девушек пытал.
> Девки любят али нет?

Но и цыгана нельзя любить:

> Цыган будет воровать,
> А я буду горевать.

И много проехало так людей, которые пытали девушек, даже солдат:

> Солдат девушек пытал,
> Девки любят али нет?

Но солдата с презрением отвергли:

> Солдат будет ранец несть,
> А я за ним...

Тут следовал самый нецензурный стишок, пропетый совершенно откровенно и произведший фурор в слушавшей публике. Кончилось наконец дело на купце:

> Купчик девушек пытал,
> Девки любят али нет?

И оказалось, что очень любят, потому, дескать, что

> Купчик будет торговать,
> А я буду царевать.

Калганов даже озлился:

— Это совсем вчерашняя песня, — заметил он вслух, — и кто это им сочиняет! Недостает, чтобы железнодорожник аль жид проехали и девушек пытали: эти всех бы победили. — И, почти обидевшись, он тут же и объявил, что ему скучно, сел на диван и вдруг задремал. Хорошенькое личико его несколько побледнело и откинулось на подушку дивана.

— Посмотри, какой он хорошенький, — говорила Грушенька, подводя к нему Митю, — я ему давеча головку расчесывала, волоски точно лен и густые...

И, нагнувшись над ним в умилении, она поцеловала его лоб. Калганов в один миг открыл глаза, взглянул на нее, привстал и с самым озабоченным видом спросил: где Максимов?

— Вот ему кого надо, — засмеялась Грушенька, — да посиди со мной минутку. Митя, сбегай за его Максимовым.

Оказалось, что Максимов уж и не отходил от девок, изредка только отбегал налить себе ликерчику, шоколаду же выпил две чашки. Личико его раскраснелось, а нос побагровел, глаза стали влажные, сладостные. Он подбежал и объявил, что сейчас «под один мотивчик» хочет протанцевать танец саботьеру.

— Меня ведь маленького всем этим благовоспитанным светским танцам обучали-с...

— Ну ступай, ступай с ним, Митя, а я отсюда посмотрю, как он там танцевать будет.

— Нет, и я, и я пойду смотреть, — воскликнул Калганов, самым наивным образом отвергая предложение Грушеньки посидеть с ним. И все направились смотреть. Максимов действительно свой танец протанцевал, но, кроме Мити, почти ни в ком не произвел особенного восхищения. Весь танец состоял в каких-то подпрыгиваниях с вывертыванием в стороны ног, подошвами кверху, и с каждым прыжком Максимов ударял ладонью по подошве. Калганову совсем не понравилось, а Митя даже облобызал танцора.

— Ну, спасибо, устал, может, что глядишь сюда: конфетку хочешь, а? Цигарочку, может, хочешь?

— Папиросочку-с.

— Выпить не хочешь ли?

— Я тут ликерцу-с... А шоколатных конфеточек у вас нет-с?

— Да вот на столе целый воз, выбирай любую, голубиная ты душа!

— Нет-с, я такую-с, чтобы с ванилью... для старичков-с... Хи-хи!

— Нет, брат, таких особенных нет.

— Послушайте! — нагнулся вдруг старичок к самому уху Мити, — эта вот девочка-с, Марьюшка-с, хи-хи, как бы мне, если бы можно, с нею познакомиться, по доброте вашей...

— Ишь ты чего захотел! Нет, брат, врешь.

— Я никому ведь зла не делаю-с, — уныло прошептал Максимов.

— Ну хорошо, хорошо. Здесь, брат, только поют и пляшут, а впрочем, черт! подожди... Кушай пока, ешь, пей, веселись. Денег не надо ли?

— Потом бы разве-с, — улыбнулся Максимов.

— Хорошо, хорошо...

Голова горела у Мити. Он вышел в сени на деревянную верхнюю галерейку, обходившую изнутри, со двора, часть всего строения. Свежий воздух оживил его. Он стоял один, в темноте, в углу и вдруг схватил себя обеими руками за голову. Разбросанные мысли его вдруг соединились, ощущения слились воедино, и всё дало свет. Страшный, ужасный свет! «Вот если застрелиться, так когда же как не теперь? — пронеслось в уме его. — Сходить за пистолетом, принести его сюда и вот в этом самом, грязном и темном углу и покончить». Почти с минуту он стоял в нерешимости. Давеча, как летел сюда, сзади него стоял позор, совершенное, содеянное уже им воровство и эта кровь, кровь!.. Но тогда было легче, о, легче! Ведь уж всё тогда было покончено: ее он потерял, уступил, она погибла для него, исчезла — о, приговор тогда был легче ему, по крайней мере казался неминуемым, необходимым, ибо для чего же было оставаться на свете? А теперь! Теперь разве то, что тогда? Теперь с одним по крайней мере привидением, страшилищем, покончено: этот ее «прежний», ее бесспорный, фатальный человек этот исчез, не оставив следа. Страшное привидение обратилось вдруг во что-то такое маленькое, такое комическое; его снесли руками в спальню и заперли на ключ. Оно никогда не воротится. Ей стыдно, и из глаз ее он уже видит теперь ясно, кого она любит. Ну вот теперь бы только и жить и... и нельзя жить, нельзя, о, проклятие! «Боже, оживи поверженного у забора! Пронеси эту страшную чашу мимо меня! Ведь делал же ты чудеса, Господи, для таких же грешников, как и я! Ну что, ну что, если старик жив? О, тогда срам остального позора я уничтожу, я ворочу украденные деньги, я отдам их, достану из-под земли... Следов позора не останется, кроме как в сердце моем навеки! Но нет, нет, о, невозможные малодушные мечты! О, проклятие!»

Но всё же как бы луч какой-то светлой надежды блеснул ему во тьме. Он сорвался с места и бросился в комнаты — к ней, к ней опять, к царице его навеки! «Да неужели один час, одна минута ее любви не стоят всей остальной жизни, хотя бы и в муках позора?» Этот дикий вопрос захватил его сердце. «К ней, к ней одной, ее видеть, слушать и ни о чем не думать, обо всем забыть, хотя бы только на эту ночь, на час, на мгновение!» Пред самым входом в сени, еще на галерейке, он столкнулся с хозяином Трифоном Борисычем. Тот что-то показался ему мрачным и озабоченным и, кажется, шел его разыскивать.

— Что ты, Борисыч, не меня ли искал?

— Нет-с, не вас, — как бы опешил вдруг хозяин, — зачем мне вас разыскивать? А вы... где были-с?

— Что ты такой скучный? Не сердишься ли? Погоди, скоро спать пойдешь... Который час-то?

— Да уж три часа будет. Надо быть, даже четвертый.

— Кончим, кончим.

— Помилуйте, ничего-с. Даже сколько угодно-с...

«Что с ним?» — мельком подумал Митя и вбежал в комнату, где плясали девки. Но ее там не было. В голубой комнате тоже не было; один лишь Калганов дремал на диване. Митя глянул за занавесы — она была там. Она сидела в углу, на сундуке, и, склонившись с руками и с головой на подле стоявшую кровать, горько плакала, изо всех сил крепясь и скрадывая голос, чтобы не услышали. Увидав Митю, она поманила его к себе и, когда тот подбежал, крепко схватила его за руку.

— Митя, Митя, я ведь любила его! — начала она ему шепотом, — так любила его, все пять лет, всё, всё это время! Его ли любила али только злобу мою? Нет, его! Ох, его! Я ведь лгу, что любила только злобу мою, а не его! Митя, ведь я была всего семнадцати лет тогда, он тогда был такой со мной ласковый, такой развеселый, мне песни пел... Или уж показался тогда таким дуре мне, девчонке... А теперь, господи, да это не тот, совсем и не он. Да и лицом не он, не он вовсе. Я и с лица его не узнала. Ехала я сюда с Тимофеем и всё-то думала, всю дорогу думала: «Как встречу его, что-то скажу, как глядеть-то мы друг на друга будем?..» Вся душа замирала, и вот он меня тут точно из шайки помоями окатил. Точно учитель говорит: всё такое ученое, важное, встретил так важно, так я и стала в тупик. Слова некуда ввернуть. Я сначала думала, что он этого своего длинного поляка-то стыдится. Сижу смотрю на них и думаю: почему это я так ничего с ним говорить теперь не умею? Знаешь, это его жена испортила, вот на которой он бросил меня тогда да женился... Это она его там переделала. Митя, стыд-то какой! Ох, стыдно мне, Митя, стыдно, ох, за всю жизнь мою стыдно! Прокляты, прокляты пусть будут эти пять лет, прокляты! — И она опять залилась слезами, но Митину руку не выпускала, крепко держалась за нее.

— Митя, голубчик, постой, не уходи, я тебе одно словечко хочу сказать, — прошептала она и вдруг подняла к нему лицо. — Слушай, скажи ты мне, кого я люблю? Я здесь одного человека люблю. Который это человек? вот что скажи ты мне. — На распухшем от слез лице ее засветилась улыбка, глаза сияли в полутьме. — Вошел давеча один сокол, так сердце и упало во мне. «Дура ты, вот ведь кого ты любишь», — так сразу и шепнуло сердце. Вошел ты и всё осветил. «Да чего он боится?» — думаю. А ведь ты забоялся, совсем забоялся, говорить не умел. Не их же, думаю, он боится — разве ты кого испугаться можешь? Это меня он боится, думаю, только меня. Так ведь рассказала же тебе, дурачку, Феня, как я Алеше в окно прокричала, что любила часочек Митеньку, а теперь еду любить... другого. Митя, Митя, как это я могла, дура, подумать, что люблю другого после тебя! Прощаешь, Митя? Прощаешь меня или нет? Любишь? Любишь?

Она вскочила и схватила его обеими руками за плечи. Митя, немой от восторга, глядел ей в глаза, в лицо, на улыбку ее, и вдруг, крепко обняв ее, бросился ее целовать.

— А простишь, что мучила? Я ведь со злобы всех вас измучила. Я ведь старикашку того нарочно со злобы с ума свела... Помнишь, как ты раз у меня пил и бокал разбил? Запомнила я это и сегодня тоже разбила бокал, за «подлое сердце мое» пила. Митя, сокол, что ж ты меня не целуешь? Раз поцеловал и оторвался, глядит, слушает... Что меня слушать! Целуй меня, целуй крепче, вот так. Любить, так уж любить! Раба твоя теперь буду, раба на всю жизнь! Сладко рабой быть!.. Целуй! Прибей меня, мучай меня, сделай что надо мной... Ох, да и впрямь меня надо мучить... Стой! Подожди, потом, не хочу так... — оттолкнула она его вдруг. — Ступай прочь, Митька, пойду теперь вина напьюсь, пьяна хочу быть, сейчас пьяная плясать пойду, хочу, хочу!

Она вырвалась от него из-за занавесок. Митя вышел за ней как пьяный. «Да пусть же, пусть, что бы теперь ни случилось — за минуту одну весь мир отдам», — промелькнуло в его голове. Грушенька в самом деле выпила залпом еще стакан шампанского и очень вдруг охмелела. Она уселась в кресле, на прежнем месте, с блаженною улыбкой. Щеки ее запылали, губы разгорелись, сверкавшие глаза посоловели, страстный взгляд манил. Даже Калганова как будто укусило что-то за сердце, и он подошел к ней.

— А ты слышал, как я тебя давеча поцеловала, когда ты спал? — пролепетала она ему. — Опьянела я теперь, вот что... А ты не опьянел? А Митя чего не пьет? Что ж ты не пьешь, Митя, я выпила, а ты не пьешь...

— Пьян! И так пьян... от тебя пьян, а теперь и от вина хочу. — Он выпил еще стакан и — странно это ему показалось самому — только от этого последнего стакана и охмелел, вдруг охмелел, а до тех пор всё был трезв, сам помнил это. С этой минуты всё завертелось кругом него, как в бреду. Он ходил, смеялся, заговаривал со всеми, и всё это как бы уж не помня себя. Одно лишь неподвижное и жгучее чувство сказывалось в нем поминутно, «точно горячий уголь в душе», — вспоминал он потом. Он подходил к ней, садился подле нее, глядел на нее, слушал ее... Она же стала ужасно как словоохотлива, всех к себе подзывала, манила вдруг к себе какую-нибудь девку из хора, та подходила, а она или целовала ее и отпускала, или иногда крестила ее рукой. Еще минутку, и она могла заплакать. Развеселял ее очень и «старикашка», как называла она Максимова. Он поминутно подбегал целовать у нее ручки «и всякий пальчик», а под конец проплясал еще один танец под одну старую песенку, которую сам же и пропел. В особенности с жаром подплясывал за припевом:

Свинушка хрю-хрю, хрю-хрю,
Телочка му-му, му-му,
Уточка ква-ква, ква-ква,
Гусынька га-га, га-га.
Курочка по сенюшкам похаживала,
Тюрю-рю, рю-рю, выговаривала,
Ай, ай, выговаривала!

— Дай ему что-нибудь, Митя, — говорила Грушенька, — подари ему, ведь он бедный. Ах, бедные, обиженные!.. Знаешь, Митя, я в монастырь пойду. Нет, вправду, когда-нибудь пойду. Мне Алеша сегодня на всю жизнь слова сказал... Да... А сегодня уж пусть попляшем. Завтра в монастырь, а сегодня попляшем. Я шалить хочу, добрые люди, ну и что ж такое, Бог простит. Кабы Богом была, всех бы людей простила: «Милые мои грешнички, с этого дня прощаю всех». А я пойду прощения просить: «Простите, добрые люди, бабу глупую, вот что». Зверь я, вот что. А молиться хочу. Я луковку подала. Злодейке такой, как я, молиться хочется!

Митя, пусть пляшут, не мешай. Все люди на свете хороши, все до единого. Хорошо на свете. Хоть и скверные мы, а хорошо на свете. Скверные мы и хорошие, и скверные и хорошие... Нет, скажите, я вас спрошу, все подойдите, и я спрошу; скажите мне все вот что: почему я такая хорошая? Я ведь хорошая, я очень хорошая... Ну так вот: почему я такая хорошая? — Так лепетала Грушенька, хмелея всё больше и больше, и наконец прямо объявила, что сейчас сама хочет плясать. Встала с кресел и пошатнулась. — Митя, не давай мне больше вина, просить буду — не давай. Вино спокойствия не дает. И всё кружится, и печка, и всё кружится. Плясать хочу. Пусть все смотрят, как я пляшу... как я хорошо и прекрасно пляшу...

Намерение было серьезное: она вынула из кармана беленький батистовый платочек и взяла его за кончик, в правую ручку, чтобы махать им в пляске. Митя захлопотал, девки затихли, приготовясь грянуть хором плясовую по первому мановению. Максимов, узнав, что Грушенька хочет сама плясать, завизжал от восторга и пошел было пред ней подпрыгивать, припевая:

> Ножки тонки, бока звонки,
> Хвостик закорючкой.

Но Грушенька махнула на него платочком и отогнала его:

— Ш-ш! Митя, что ж нейдут? Пусть все придут... смотреть. Позови и тех, запертых... За что ты их запер? Скажи им, что я пляшу, пусть и они смотрят, как я пляшу...

Митя с пьяным размахом подошел к запертой двери и начал стучать к панам кулаком.

— Эй вы... Подвысоцкие! Выходите, она плясать хочет, вас зовет.

— Лайдак! — прокричал в ответ который-то из панов.

— А ты по́длайдак! Мелкий ты подлечоночек; вот ты кто.

— Перестали бы вы над Польшей-то насмехаться, — сентенциозно заметил Калганов, тоже не под силу себе охмелевший.

— Молчи, мальчик! Если я ему сказал подлеца, не значит, что я всей Польше сказал подлеца. Не составляет один лайдак Польши. Молчи, хорошенький мальчик, конфетку кушай.

— Ах какие! Точно они не люди. Чего они не хотят мириться? — сказала Грушенька и вышла плясать. Хор грянул: «Ах вы сени, мои сени». Грушенька закинула было головку, полуоткрыла губки, улыбнулась, махнула было платочком и вдруг, сильно покачнувшись на месте, стала посреди комнаты в недоумении.

— Слаба... — проговорила она измученным каким-то голосом, — простите, слаба, не могу... Виновата...

Она поклонилась хору, затем принялась кланяться на все четыре стороны поочередно:

— Виновата... Простите...

— Подпила, барынька, подпила, хорошенькая барынька, — раздавались голоса.

— Они напились-с, — разъяснил, хихикая, девушкам Максимов.

— Митя, отведи меня... возьми меня, Митя, — в бессилии проговорила Грушенька. Митя кинулся к ней, схватил ее на руки и побежал со своею драгоценною добычей за занавески. «Ну уж я теперь уйду», — подумал Калганов и, выйдя из голубой комнаты, притворил за собою обе половинки дверей. Но пир в зале гремел и продолжался, загремел еще пуще. Митя положил Грушеньку на кровать и впился в ее губы поцелуем.

— Не трогай меня... — молящим голосом пролепетала она ему, — не трогай, пока не твоя... Сказала, что твоя, а ты не трогай... пощади... При тех, подле тех нельзя. Он тут. Гнусно здесь...

— Послушен! Не мыслю... благоговею!.. — бормотал Митя. — Да, гнусно здесь, о, презренно. — И, не выпуская ее из объятий, он опустился подле кровати на пол, на колена.

— Я знаю, ты хоть и зверь, а ты благородный, — тяжело выговорила Грушенька, — надо, чтоб это честно... впредь будет честно... и чтоб и мы были честные, чтоб и мы были добрые, не звери, а добрые... Увези меня, увези далеко, слышишь... Я здесь не хочу, а чтобы далеко, далеко...

— О да, да, непременно! — сжимал ее в объятиях Митя, — увезу тебя, улетим... О, всю жизнь за один год отдам сейчас, чтобы только знать про эту кровь!

— Какая кровь? — в недоумении переговорила Грушенька.

— Ничего! — проскрежетал Митя. — Груша, ты хочешь, чтобы честно, а я вор. Я у Катьки деньги украл... Позор, позор!

— У Катьки? Это у барышни? Нет, ты не украл. Отдай ей, у меня возьми... Что кричишь? Теперь всё мое — твое. Что нам деньги? Мы их и без того прокутим... Таковские чтобы не прокутили. А мы пойдем с тобою лучше землю пахать. Я землю вот этими руками скрести хочу. Трудиться надо, слышишь? Алеша приказал. Я не любовница тебе буду, я тебе верная буду, раба твоя буду, работать на тебя буду. Мы к барышне сходим и поклонимся оба, чтобы простила, и уедем. А не простит, мы и так уедем. А ты деньги ей снеси, а меня люби... А ее не люби. Больше ее не люби. А полюбишь, я ее задушу... Я ей оба глаза иголкой выколю...

— Тебя люблю, тебя одну, в Сибири буду любить...

— Зачем в Сибирь? А что ж, и в Сибирь, коли хочешь, всё равно... работать будем... в Сибири снег... Я по снегу люблю ехать... и чтобы колокольчик был... Слышишь, звенит колокольчик... Где это звенит колокольчик? Едут какие-то... вот и перестал звенеть.

Она в бессилии закрыла глаза и вдруг как бы заснула на одну минуту. Колокольчик в самом деле звенел где-то в отдалении и вдруг перестал звенеть. Митя склонился головою к ней на грудь. Он не заметил, как перестал звенеть колокольчик, но не заметил и того, как вдруг перестали и песни, и на место песен и пьяного гама во всем доме воцарилась как бы внезапно мертвая тишина. Грушенька открыла глаза.

— Что это, я спала? Да... колокольчик... Я спала и сон видела: будто я еду, по снегу... колокольчик звенит, а я дремлю. С милым человеком, с тобою еду будто. И далеко-далеко... Обнимала-целовала тебя, прижималась к тебе, холодно будто мне, а снег-то блестит... Знаешь, коли ночью снег блестит, а месяц глядит, и точно я где не на земле... Проснулась, а милый-то подле, как хорошо...

— Подле,— бормотал Митя, целуя ее платье, грудь, руки. И вдруг ему показалось что-то странное: показалось ему, что она глядит прямо пред собой, но не на него, не в лицо ему, а поверх его головы, пристально и до странности неподвижно. Удивление вдруг выразилось в ее лице, почти испуг.

— Митя, кто это оттуда глядит сюда к нам? — прошептала она вдруг. Митя обернулся и увидел, что в самом деле кто-то раздвинул занавеску и их как бы высматривает. Да и не один как будто. Он вскочил и быстро ступил к смотревшему.

— Сюда, пожалуйте к нам сюда, — не громко, но твердо и настойчиво проговорил ему чей-то голос.

Митя выступил из-за занавески и стал неподвижно. Вся комната была полна людьми, но не давешними, а совсем новыми. Мгновенный озноб пробежал по спине его, и он вздрогнул. Всех этих людей он узнал в один миг. Вот этот высокий и дебелый старик, в пальто и с фуражкой с кокардой, — это исправник, Михаил Макарыч. А этот «чахоточный» опрятный щеголь, «всегда в таких вычищенных сапогах», — это товарищ прокурора. «У него хронометр в четыреста рублей есть, он показывал». А этот молоденький, маленький, в очках... Митя вот только фамилию его позабыл, но он знает и его, видел: это следователь, судебный следователь, «из Правоведения», недавно приехал. А этот вот — становой, Маврикий Маврикич, этого-то уж он знает, знакомый человек. Ну, а эти с бляхами, эти зачем же? И еще двое каких-то, мужики... А вот там в дверях Калганов и Трифон Борисыч...

— Господа... Что это вы, господа? — проговорил было Митя, но вдруг как бы вне себя, как бы не сам собой, воскликнул громко, во весь голос:

— По-ни-маю!

Молодой человек в очках вдруг выдвинулся вперед и, подступив к Мите, начал, хоть и осанисто, но немного как бы торопясь:

— Мы имеем к вам... одним словом, я вас попрошу сюда, вот сюда, к дивану... Существует настоятельная необходимость с вами объясниться.

— Старик! — вскричал Митя в исступлении, — старик и его кровь!.. По-ни-маю!

И как подкошенный сел, словно упал, на подле стоявший стул.

— Понимаешь? Понял! Отцеубийца и изверг, кровь старика отца твоего вопиет за тобою! — заревел внезапно, подступая к Мите, старик исправник. Он был вне себя, побагровел и весь так и трясся.

— Но это невозможно! — вскричал маленький молодой человечек. — Михаил Макарыч, Михаил Макарыч! Это не так, не так-с!.. Прошу позволить мне одному говорить... Я никак не мог предположить от вас подобного эпизода...

— Но ведь это же бред, господа, бред! — восклицал исправник, — посмотрите на него: ночью, пьяный, с беспутной девкой и в крови отца своего... Бред! Бред!

— Я вас изо всех сил попрошу, голубчик Михаил Макарыч, на сей раз удержать ваши чувства, — зашептал было скороговоркой старику товарищ прокурора, — иначе я принужден буду принять...

Но маленький следователь не дал докончить; он обратился к Мите и твердо, громко и важно произнес:

— Господин отставной поручик Карамазов, я должен вам объявить, что вы обвиняетесь в убийстве отца вашего, Федора Павловича Карамазова, происшедшем в эту ночь...

Он что-то и еще сказал, тоже и прокурор как будто что-то ввернул, но Митя хоть и слушал, но уже не понимал их. Он диким взглядом озирал их всех...

Книга девятая
ПРЕДВАРИТЕЛЬНОЕ СЛЕДСТВИЕ

I
НАЧАЛО КАРЬЕРЫ ЧИНОВНИКА ПЕРХОТИНА

Петр Ильич Перхотин, которого мы оставили стучащимся изо всей силы в крепкие запертые ворота дома купчихи Морозовой, кончил, разумеется, тем, что наконец достучался. Заслышав такой неистовый стук в ворота, Феня, столь напуганная часа два назад и всё еще от волнения и «думы» не решавшаяся лечь спать, была испугана теперь вновь почти до истерики: ей вообразилось, что стучится опять Дмитрий Федорович (несмотря на то, что сама же видела, как он уехал), потому что стучаться так «дерзко» никто не мог, кроме его. Она бросилась к проснувшемуся дворнику, уже шедшему на стук к воротам, и стала было молить его, чтобы не впускал. Но дворник опросил стучавшегося и, узнав, кто он и что хочет он видеть Федосью Марковну по весьма важному делу, отпереть ему наконец решился. Войдя к Федосье Марковне всё в ту же кухню, причем «для сумления» она упросила Петра Ильича, чтобы позволил войти и дворнику, Петр Ильич начал ее расспрашивать и вмиг попал на самое главное: то есть что Дмитрий Федорович, убегая искать Грушеньку, захватил из ступки пестик, а воротился уже без пестика, но с руками окровавленными: «И кровь еще капала, так и каплет с них, так и каплет!» — восклицала Феня, очевидно сама создавшая этот ужасный факт в своем расстроенном воображении. Но окровавленные руки видел и сам Петр Ильич, хотя с них и не капало, и сам их помогал отмывать, да и не в том был вопрос, скоро ль они высохли, а в том, куда именно бегал с пестиком Дмитрий Федорович, то есть наверно ли к Федору Павловичу, и из чего это можно столь решительно заключить? На этом пункте Петр Ильич настаивал обстоятельно и хотя в результате твердо ничего не узнал, но всё же вынес почти убеждение, что никуда Дмитрий Федорович и бегать не мог, как в дом родителя, и что, стало быть, там непременно должно было *нечто* произойти. «А когда он воротился, — с волнением прибавила Феня, — и я призналась ему во всем, то стала я его расспрашивать: отчего у вас, голубчик Дмитрий Федорович, в крови обе руки», то он будто бы ей так и ответил, что эта кровь — человеческая и что он только что сейчас человека убил, — «так и признался, так мне во всем тут и покаялся, да вдруг и выбежал как сумасшедший. Я села да и стала думать: куда это он теперь как сумасшедший побежал? Поедет в Мокрое, думаю, и убьет там барыню. Выбежала я этта его молить, чтобы барыню не убивал, к нему на квартиру, да у Плотниковых лавки смотрю и вижу, что он уже отъезжает и что руки уж у него не в крови» (Феня это заметила и запомнила). Старуха, бабушка Фени, сколько могла, подтвердила все показания своей внучки. Расспросив еще кой о чем, Петр Ильич вышел из дома еще в большем волнении и беспокойстве, чем как вошел в него.

Казалось бы, что всего прямее и ближе было бы ему теперь отправиться в дом Федора Павловича узнать, не случилось ли там чего, а если случилось, то что именно, и, уже убедившись неоспоримо, тогда только идти к исправнику, как твердо уже положил Петр Ильич. Но ночь была темная, ворота у Федора Павловича крепкие, надо опять стучать, с Федором же Павловичем знаком он был отдаленно — и вот он достучится, ему отворят, и вдруг там ничего не случилось, а насмешливый Федор Павлович пойдет завтра рассказывать по городу анекдот, как в полночь ломился к нему незнакомый чиновник Перхотин, чтоб узнать, не убил ли его кто-нибудь. Скандал! Скандала же Петр Ильич боялся пуще всего на свете. Тем не менее чувство, увлекавшее его, было столь сильно, что он, злобно топнув ногой в землю и опять себя выбранив, немедленно бросился в новый путь, но уже не к Федору Павловичу, а к госпоже Хохлаковой. Если та, думал он, ответит на вопрос: она ли дала три тысячи давеча, в таком-то часу, Дмитрию Федоровичу, то в случае отрицательного ответа он тут же и пойдет к исправнику, не заходя к Федору Павловичу; в противном же случае отложит всё до завтра и воротится к себе домой. Тут, конечно, прямо представляется, что в решении молодого человека идти ночью, почти в одиннадцать часов, в дом к совершенно незнакомой ему светской барыне, поднять ее, может быть, с постели, с тем чтобы задать ей удивительный по своей обстановке вопрос, заключалось, может быть, гораздо еще больше шансов произвести скандал, чем идти к Федору Павловичу. Но так случается иногда, особенно в подобных настоящему случаях, с решениями самых точнейших и флегматических людей. Петр же Ильич, в ту минуту, был уже совсем не флегматиком! Он всю жизнь потом вспоминал, как непреоборимое беспокойство, овладевшее им постепенно, дошло наконец в нем до муки и увлекало его даже против воли. Разумеется, он все-таки ругал себя всю дорогу за то, что идет к этой даме, но «доведу, доведу до конца!» — повторял он в десятый раз, скрежеща зубами, и исполнил свое намерение — довел.

Было ровно одиннадцать часов, когда он вступил в дом госпожи Хохлаковой. Впустили его во двор довольно скоро, но на вопрос: почивает ли уже барыня или еще не ложилась — дворник не мог ответить в точности, кроме того, что в эту пору обыкновенно ложатся. «Там, наверху, доложитесь; захотят вас принять, то примут, а не захотят — не примут». Петр Ильич поднялся наверх, но тут пошло потруднее. Лакей докладывать не захотел, вызвал наконец девушку. Петр Ильич вежливо, но настоятельно попросил ее доложить барыне, что вот, дескать, пришел здешний один чиновник, Перхотин, по особому делу, и если б не важное такое дело, то и не посмел бы прийти — «именно, именно в этих словах доложите», — попросил он девушку. Та ушла. Он остался ждать в передней. Сама госпожа Хохлакова хотя еще не започивала, но была уже в своей спальне. Была она расстроена с самого давешнего посещения Мити и уже предчувствовала, что в ночь ей не миновать обыкновенной в таких случаях с нею мигрени. Выслушав доклад девушки и удивившись, она, однако, раздражительно велела отказать, несмотря на то что неожиданное посещение в такой час незнакомого ей «здешнего чиновника» чрезвычайно заинтересовало ее дамское любопытство. Но Петр Ильич на этот раз уперся как мул: выслушав отказ, он чрезвычайно настойчиво попросил еще раз доложить и передать именно «в этих самых словах», что он «по чрезвычайно важному делу, и они, может быть, сами будут потом сожалеть, если теперь не примут его». «Я точно с горы тогда летел», — рассказывал он потом сам. Горничная, удивленно оглядев его, пошла другой раз докладывать. Госпожа Хохлакова была поражена, подумала, расспросила, каков он с виду, и узнала, что «очень прилично одеты-с, молодые и такие вежливые». Заметим в скобках и мельком, что Петр Ильич был довольно-таки красивый молодой человек, и сам это знал о себе. Госпожа Хохлакова решилась выйти. Была она уже в своем домашнем шлафроке и в туфлях, но на плечи она накинула черную шаль. «Чиновника» попросили войти в гостиную, в ту самую, в которой давеча принимали Митю. Хозяйка вышла к гостю с строго вопросительным видом и, не пригласив сесть, прямо начала с вопроса: «Что угодно?»

— Я решился обеспокоить вас, сударыня, по поводу общего знакомого нашего Дмитрия Федоровича Карамазова, — начал было Перхотин, но только что произнес это имя, как вдруг в лице хозяйки изобразилось сильнейшее раздражение. Она чуть не взвизгнула и с яростью прервала его.

— Долго ли, долго ли будут меня мучить этим ужасным человеком? — вскричала она исступленно. — Как вы смели, милостивый государь, как решились обеспокоить незнакомую вам даму в ее доме и в такой час... и явиться к ней говорить о человеке, который здесь же, в этой самой гостиной, всего три часа тому, приходил убить меня, стучал ногами и вышел как никто не выходит из порядочного дома. Знайте, милостивый государь, что я на вас буду жаловаться, что я не спущу вам, извольте сей же час оставить меня... Я мать, я сейчас же... я... я...

— Убить! Так он и вас хотел убить?

— А разве он кого-нибудь уже убил? — стремительно спросила госпожа Хохлакова.

— Соблаговолите выслушать, сударыня, только полминуты, и я в двух словах разъясню вам всё, — с твердостью ответил Перхотин. — Сегодня, в пять часов пополудни, господин Карамазов занял у меня, по-товарищески, десять рублей, и я положительно знаю, что у него денег не было, а сегодня же в девять часов он вошел ко мне, неся в руках на виду пачку сторублевых бумажек, примерно в две или даже в три тысячи рублей. Руки же у него и лицо были все окровавлены, сам же казался как бы помешанным. На вопрос мой, откуда взял столько денег, он с точностью ответил, что взял их сейчас пред тем от вас и что вы ссудили его суммою в три тысячи, чтоб ехать будто бы на золотые прииски...

В лице госпожи Хохлаковой вдруг выразилось необычайное и болезненное волнение.

— Боже! Это он старика отца своего убил! — вскричала она, всплеснув руками. — Никаких я ему денег не давала, никаких! О, бегите, бегите!.. Не говорите больше ни слова! Спасайте старика, бегите к отцу его, бегите!

— Позвольте, сударыня, итак, вы не давали ему денег? Вы твердо помните, что не давали ему никакой суммы?

— Не давала, не давала! Я ему отказала, потому что он не умел оценить. Он вышел в бешенстве и затопал ногами. Он на меня бросился, а я отскочила... И я вам скажу еще, как человеку, от которого теперь уж ничего скрывать не намерена, что он даже в меня плюнул, можете это себе представить? Но что же мы стоим? Ах, сядьте... Извините, я... Или лучше бегите, бегите, вам надо бежать и спасти несчастного старика от ужасной смерти!

— Но если уж он убил его?

— Ах, боже мой, в самом деле! Так что же мы теперь будем делать? Как вы думаете, что теперь надо делать?

Между тем она усадила Петра Ильича и села сама против него. Петр Ильич вкратце, но довольно ясно изложил ей историю дела, по крайней мере ту часть истории, которой сам сегодня был свидетелем, рассказал и о сейчашнем своем посещении Фени и сообщил известие о пестике. Все эти подробности донельзя потрясли возбужденную даму, которая вскрикивала и закрывала глаза руками...

— Представьте, я всё это предчувствовала! Я одарена этим свойством, всё, что я себе ни представлю, то и случится. И сколько, сколько раз я смотрела на этого ужасного человека и всегда думала: вот человек, который кончит тем, что убьет меня. И вот так и случилось... То есть, если он убил теперь не меня, а только отца своего, то, наверное, потому, что тут видимый перст божий, меня охранявший, да и сверх того, сам он постыдился убить, потому что я ему сама, здесь, на этом месте, надела на шею образок с мощей Варвары-великомученицы... И как же я была близка в ту минуту от смерти, я ведь совсем подошла к нему, вплоть, и он всю свою шею мне вытянул! Знаете, Петр Ильич (извините, вас, кажется, вы сказали, зовут Петром Ильичом)... знаете, я не верю в чудеса, но этот образок и это явное чудо со мною теперь — это меня потрясает, и я начинаю опять верить во всё что угодно. Слыхали вы о старце Зосиме?.. А впрочем, я не знаю, что говорю... И представьте, ведь он и с образком на шее в меня плюнул... Конечно, только плюнул, а не убил, и... и вон куда поскакал! Но куда ж мы-то, нам-то теперь куда, как вы думаете?

Петр Ильич встал и объявил, что пойдет теперь прямо к исправнику и всё ему расскажет, а там уж как тот сам знает.

— Ах, это прекрасный, прекрасный человек, я знакома с Михаилом Макаровичем. Непременно, именно к нему. Как вы находчивы, Петр Ильич, и как хорошо это вы всё придумали; знаете, я бы никак на вашем месте этого не придумала!

— Тем более что я и сам хороший знакомый исправнику, — заметил Петр Ильич, всё еще стоя и видимо желая как-нибудь поскорее вырваться от стремительной дамы, которая никак не давала ему проститься с ней и отправиться.

— И знаете, знаете, — лепетала она, — придите сказать мне, что там увидите и узнаете.... и что обнаружится... и как его решат и куда осудят. Скажите, ведь у нас нет смертной казни? Но непременно придите, хоть в три часа ночи, хоть в четыре, даже в половине пятого... Велите меня разбудить, растолкать, если вставать не буду... О боже, да я и не засну даже. Знаете, не поехать ли мне самой с вами?..

— Н-нет-с, а вот если бы вы написали вашею рукой сейчас три строки, на всякий случай, о том, что денег Дмитрию Федоровичу никаких не давали, то было бы, может быть, не лишнее... на всякий случай...

— Непременно! — восторженно прыгнула к своему бюро госпожа Хохлакова. — И знаете, вы меня поражаете, вы меня просто потрясаете вашею находчивостью и вашим умением в этих делах... Вы здесь служите? Как это приятно услышать, что вы здесь служите...

И еще говоря это, она быстро начертала на полулисте почтовой бумаги три крупные следующие строчки:

«Никогда в жизни моей я не давала взаймы несчастному Дмитрию Федоровичу Карамазову (так как он всё же теперь несчастен) трех тысяч рублей сегодня, да и никаких других денег никогда, никогда! В том клянусь всем, что есть святого в нашем мире.

Хохлакова».

— Вот эта записка! — быстро обернулась она к Петру Ильичу. — Идите же, спасайте. Это великий подвиг с вашей стороны.

И она три раза его перекрестила. Она выбежала провожать его даже до передней.

— Как я вам благодарна! Вы не поверите, как я вам теперь благодарна за то, что вы зашли ко мне к первой. Как это мы с вами не встречались? Мне очень лестно бы было вас принимать и впредь в моем доме. И как это приятно слышать, что вы здесь служите... и с такою точностью, с такою находчивостью... Но вас они должны ценить, вас должны наконец понять, и всё, что я бы могла для вас сделать, то поверьте... О, я так люблю молодежь! Я влюблена в молодежь. Молодые люди — это основание всей теперешней страждущей нашей России, вся надежда ее... О, идите, идите!..

Но Петр Ильич уже выбежал, а то бы она его так скоро не выпустила. Впрочем, госпожа Хохлакова произвела на него довольно приятное впечатление, даже несколько смягчившее тревогу его о том, что он втянулся в такое скверное дело. Вкусы бывают чрезвычайно многоразличны, это известно. «И вовсе она не такая пожилая, — подумал он с приятностью, — напротив, я бы принял ее за ее дочь».

Что же до самой госпожи Хохлаковой, то она была просто очарована молодым человеком. «Столько уменья, столько аккуратности и в таком молодом человеке в наше время, и всё это при таких манерах и наружности. Вот говорят про современных молодых людей, что они ничего не умеют, вот вам пример» и т. д., и т. д. Так что об «ужасном происшествии» она просто даже позабыла, и только уж ложась в постель и вдруг вновь вспомнив о том, «как близка была от смерти», она проговорила: «Ах, это ужасно,

ужасно!» Но тотчас же заснула самым крепким и сладким сном. Я бы, впрочем, и не стал распространяться о таких мелочных и эпизодных подробностях, если б эта сейчас лишь описанная мною эксцентрическая встреча молодого чиновника с вовсе не старою еще вдовицей не послужила впоследствии основанием всей жизненной карьеры этого точного и аккуратного молодого человека, о чем с изумлением вспоминают до сих пор в нашем городке и о чем, может быть, и мы скажем особое словечко, когда заключим наш длинный рассказ о братьях Карамазовых.

II
ТРЕВОГА

Исправник наш Михаил Макарович Макаров, отставной подполковник, переименованный в надворные советники, был человек вдовый и хороший. Пожаловал же к нам всего назад три года, но уже заслужил общее сочувствие тем, главное, что «умел соединить общество». Гости у него не переводились, и, казалось, без них он бы и сам прожить не мог. Непременно кто-нибудь ежедневно у него обедал, хоть два, хоть один только гость, но без гостей и за стол не садились. Бывали и званые обеды, под всякими, иногда даже неожиданными предлогами. Кушанье подавалось хоть и не изысканное, но обильное, кулебяки готовились превосходные, а вина хоть и не блистали качеством, зато брали количеством. Во входной комнате стоял биллиард с весьма приличною обстановкой, то есть даже с изображениями скаковых английских лошадей в черных рамках по стенам, что, как известно, составляет необходимое украшение всякой биллиардной у холостого человека. Каждый вечер играли в карты, хотя бы на одном только столике. Но весьма часто собиралось и всё лучшее общество нашего города, с маменьками и девицами, потанцевать. Михаил Макарович хотя и вдовствовал, но жил семейно, имея при себе свою давно уже овдовевшую дочь, в свою очередь мать двух девиц, внучек Михаилу Макаровичу. Девицы были уже взрослые и окончившие свое воспитание, наружности не неприятной, веселого нрава и, хотя все знали, что за ними ничего не дадут, все-таки привлекавшие в дом дедушки нашу светскую молодежь. В делах Михаил Макарович был не совсем далек, но должность свою исполнял не хуже многих других. Если прямо сказать, то был он человек довольно-таки необразованный и даже беспечный в ясном понимании пределов своей административной власти. Иных реформ современного царствования он не то что не мог вполне осмыслить, но понимал их с некоторыми, иногда весьма заметными, ошибками и вовсе не по особенной какой-нибудь своей неспособности, а просто по беспечности своего характера, потому что всё некогда было вникнуть. «Души я, господа, более военной, чем гражданской», — выражался он сам о себе. Даже о точных основаниях крестьянской реформы он всё еще как бы не приобрел окончательного и твердого понятия и узнавал о них, так сказать, из года в год, приумножая свои знания практически и невольно, а между тем сам был помещиком. Петр Ильич с точностию знал, что в этот вечер он непременно у Михаила Макаровича встретит кого-нибудь из гостей, но лишь не знал, кого именно. А между тем как раз у него сидели в эту минуту за ералашем прокурор и наш земский врач Варвинский, молодой человек, только что к нам прибывший из Петербурга, один из блистательно окончивших курс в Петербургской медицинской академии. Прокурор же, то есть товарищ прокурора, но которого у нас все звали прокурором, Ипполит Кириллович, был у нас человек особенный, нестарый, всего лишь лет тридцати пяти, но сильно наклонный к чахотке, присем женатый на весьма толстой и бездетной даме, самолюбивый и раздражительный, при весьма солидном, однако, уме и даже доброй душе. Кажется, вся беда его характера заключалась в том, что думал он о себе несколько выше, чем позволяли его истинные достоинства. И вот почему он постоянно казался беспокойным. Были в нем к тому же некоторые высшие и художественные даже поползновения, например на психологичность, на особенное знание души человеческой, на особенный дар познавания преступника и его преступления. В этом смысле он считал себя несколько обиженным и обойденным по службе и всегда уверен был, что там, в высших сферах, его не сумели оценить и что у него есть враги. В мрачные минуты грозился даже перебежать в адвокаты по делам уголовным. Неожиданное дело Карамазовых об отцеубийстве как бы встряхнуло его всего: «Дело такое, что всей России могло стать известно». Но это уж я говорю, забегая вперед.

В соседней комнате, с барышнями, сидел и наш молодой судебный следователь Николай Парфенович Нелюдов, всего два месяца тому прибывший к нам из Петербурга. Потом у нас говорили и даже дивились тому, что все эти лица как будто нарочно соединились в вечер «преступления» вместе в доме исполнительной власти. А между тем дело было гораздо проще и произошло крайне естественно: у супруги Ипполита Кирилловича другой день как болели зубы, и ему надо же было куда-нибудь убежать от ее стонов; врач же уже по существу своему не мог быть вечером нигде иначе как за картами. Николай же Парфенович Нелюдов даже еще за три дня рассчитывал прибыть в этот вечер к Михаилу Макаровичу, так сказать, нечаянно, чтобы вдруг и коварно поразить его старшую девицу Ольгу Михайловну тем, что ему известен ее секрет, что он знает, что сегодня день ее рождения и что она нарочно пожелала скрыть его от нашего общества, с тем чтобы не созывать город на танцы. Предстояло много смеху и намеков на ее лета, что она будто бы боится их обнаружить, что теперь так как он владетель ее секрета, то завтра же всем расскажет, и проч., и проч. Милый молоденький человечек был на этот счет большой шалун, его так и прозвали у нас дамы шалуном, и ему, кажется, это очень нравилось. Впрочем, он был весьма хорошего общества, хорошей фамилии, хорошего воспитания и хороших чувств и хотя жуир, но весьма невинный и всегда приличный. С виду он был маленького роста, слабого и нежного сложения. На тоненьких и бледненьких пальчиках его всегда сверкали несколько чрезвычайно крупных перстней. Когда же исполнял свою должность, то становился необыкновенно важен, как бы до святыни понимая свое значение и свои обязанности. Особенно умел он озадачивать при допросах убийц и прочих злодеев из простонародья и действительно возбуждал в них если не уважение к себе, то всё же некоторое удивление.

Петр Ильич, войдя к исправнику, был просто ошеломлен: он вдруг увидал, что там всё уже знают. Действительно, карты бросили, все стояли и рассуждали, и даже Николай Парфенович прибежал от барышень и имел самый боевой и стремительный вид. Петра Ильича встретило ошеломляющее известие, что старик Федор Павлович действительно и в самом деле убит в этот вечер в своем доме, убит и ограблен. Узналось же это только сейчас пред тем следующим образом.

Марфа Игнатьевна, супруга поверженного у забора Григория, хотя и спала крепким сном на своей постеле и могла бы так проспать еще до утра, вдруг, однако же, пробудилась. Способствовал тому страшный эпилептический вопль Смердякова, лежавшего в соседней комнатке без сознания, — тот вопль, которым всегда начинались его припадки падучей и которые всегда, во всю жизнь, страшно пугали Марфу Игнатьевну и действовали на нее болезненно. Не могла она к ним никогда привыкнуть. Спросонья она вскочила и почти без памяти бросилась в каморку к Смердякову. Но там было темно, слышно было только, что больной начал страшно храпеть и биться. Тут Марфа Игнатьевна закричала сама и начала было звать мужа, но вдруг сообразила, что ведь Григория-то на кровати, когда она вставала, как бы и не было. Она подбежала к кровати и ощупала ее вновь, но кровать была в самом деле пуста. Стало быть, он ушел, куда же? Она выбежала на крылечко и робко позвала его с крыльца. Ответа, конечно, не получила, но зато услышала среди ночной тишины откуда-то как бы далеко из сада какие-то стоны. Она прислушалась; стоны повторились опять, и ясно стало, что они в самом деле из саду. «Господи, словно как тогда Лизавета Смердящая!» — пронеслось в ее расстроенной голове. Робко сошла она со ступенек и разглядела, что калитка в сад отворена. «Верно, он, сердечный, там», — подумала она, подошла к калитке и вдруг явственно услышала, что ее зовет Григорий, кличет: «Марфа, Марфа!» — слабым, стенящим, страшным голосом. «Господи, сохрани нас от беды», — прошептала Марфа Игнатьевна и бросилась на зов и вот таким-то образом и нашла Григория. Но нашла не у забора, не на том месте, где он был повержен, а шагов уже за двадцать от забора. Потом оказалось, что, очнувшись, он пополз и, вероятно, полз долго, теряя по нескольку раз сознание и вновь впадая в беспамятство. Она тотчас заметила, что он весь в крови, и тут уж закричала благим матом. Григорий же лепетал тихо и бессвязно: «Убил... отца убил... чего кричишь, дура... беги, зови...» Но Марфа Игнатьевна не унималась и всё кричала и вдруг, завидев, что у барина отворено окно и в окне свет, побежала к нему и начала звать Федора Павловича. Но, взглянув в окно, увидала страшное зрелище: барин лежал навзничь на полу, без движения. Светлый халат и белая рубашка на груди были залиты кровью. Свечка на столе ярко освещала кровь и неподвижное мертвое лицо Федора Павловича. Тут уж в последней степени ужаса Марфа Игнатьевна бросилась от окна, выбежала из сада, отворила воротный запор и побежала сломя голову на зады к соседке Марье Кондратьевне. Обе соседки, мать и дочь, тогда уже започивали, но на усиленный и неистовый стук в ставни и крики Марфы Игнатьевны проснулись и подскочили к окну. Марфа Игнатьевна бессвязно, визжа и крича, передала, однако, главное и звала на помощь. Как раз в эту ночь заночевал у них скитающийся Фома. Мигом подняли его, и все трое побежали на место преступления. Дорогою Марья Кондратьевна успела припомнить, что давеча, в девятом часу, слышала страшный и пронзительный вопль на всю окрестность из их сада — и это именно был, конечно, тот самый крик Григория, когда он, вцепившись руками в ногу сидевшего уже на заборе Дмитрия Федоровича, прокричал: «Отцеубивец!» «Завопил кто-то один и вдруг перестал», — показывала, бежа, Марья Кондратьевна. Прибежав на место, где лежал Григорий, обе женщины с помощью Фомы перенесли его во флигель. Зажгли огонь и увидали, что Смердяков всё еще не унимается и бьется в своей каморке, скосил глаза, а с губ его текла пена. Голову Григория обмыли водой с уксусом, и от воды он совсем уже опамятовался и тотчас спросил: «Убит аль нет барин?» Обе женщины и Фома пошли тогда к барину и, войдя в сад, увидали на этот раз, что не только окно, но и дверь из дома в сад стояла настежь отпертою, тогда как барин накрепко запирался сам с вечера каждую ночь вот уже всю неделю и даже Григорию ни под каким видом не позволял стучать к себе. Увидав отворенную эту дверь, все они тотчас же, обе женщины и Фома, забоялись идти к барину, «чтобы не вышло чего потом». А Григорий, когда воротились они, велел тотчас же бежать к самому исправнику. Тут-то вот Марья Кондратьевна и побежала и всполошила всех у исправника. Прибытие же Петра Ильича упредила всего только пятью минутами, так что тот явился уже не с одними своими догадками и заключениями, а как очевидный свидетель, еще более рассказом своим подтвердивший общую догадку о том, кто преступник (чему, впрочем, он, в глубине души, до самой этой последней минуты, всё еще отказывался верить).

Решили действовать энергически. Помощнику городового пристава тотчас же поручили набрать штук до четырех понятых и по всем правилам, которых уже я здесь не описываю, проникли в дом Федора Павловича и следствие произвели на месте. Земский врач, человек горячий и новый, сам почти напросился сопровождать исправника, прокурора и следователя. Намечу лишь вкратце: Федор Павлович оказался убитым вполне, с проломленною головой, но чем? — вероятнее всего тем же самым оружием, которым поражен был потом и Григорий. И вот как раз отыскали и оружие, выслушав от Григория, которому подана была возможная медицинская помощь, довольно связный, хотя слабым и прерывающимся голосом переданный рассказ о том, как он был повержен. Стали искать с фонарем у забора и нашли брошенный прямо на садовую дорожку, на самом виду, медный пестик. В комнате, в которой лежал Федор Павлович, никакого особенного беспорядка не заметили, но за ширмами, у кровати его, подняли на полу большой, из толстой бумаги, канцелярских размеров конверт с надписью: «Гостинчик в три тысячи рублей ангелу моему Грушеньке, если захочет прийти», а внизу было приписано, вероятно уже потом, самим Федором Павловичем: «и цыпленочку». На конверте были три большие печати красного сургуча, но конверт был уже разорван и пуст: деньги были унесены. Нашли на полу и тоненькую розовую ленточку, которою был обвязан конверт. В показаниях Петра Ильича одно обстоятельство между прочими произвело чрезвычайное впечатление на прокурора и следователя, а именно: догадка о том, что Дмитрий Федорович непременно к рассвету застрелится, что он сам порешил это, сам говорил об этом Петру Ильичу, пистолет зарядил при нем, записочку написал, в карман положил и проч., и проч. Когда же де Петр Ильич, всё еще не хотевший верить ему, пригрозил, что он пойдет и кому-нибудь расскажет, чтобы пресечь самоубийство, то сам-де Митя, осклабляясь, ответил ему: «Не успеешь». Стало быть, надо было спешить на место, в Мокрое, чтобы накрыть преступника прежде, чем он, пожалуй, и в самом деле вздумал бы застрелиться. «Это ясно, это ясно! — повторял прокурор в чрезвычайном возбуждении, — это точь-в-точь у подобных сорванцов так и делается: завтра убью себя, а пред смертью кутеж». История, как он забрал в лавке вина и товару, только разгорячила еще больше прокурора. «Помните того парня, господа, что убил купца Олсуфьева, ограбил на полторы тысячи и тотчас же пошел, завился, а потом, не припрятав даже хорошенько денег, тоже почти в руках неся, отправился к девицам». Задерживало, однако, всех следствие, обыск в доме Федора Павловича, формы и проч. Всё это требовало времени, а потому и отправили часа за два прежде себя в Мокрое станового Маврикия Маврикиевича Шмерцова, как раз накануне поутру прибывшего в город за жалованьем. Маврикию Маврикиевичу дали инструкцию: прибыв в Мокрое и, не поднимая никакой тревоги, следить за «преступником» неустанно до прибытия надлежащих властей, равно как изготовить понятых, сотских и проч., и проч. Так Маврикий Маврикиевич и поступил, сохранил incognito и лишь одного только Трифона Борисовича, старого своего знакомого, отчасти лишь посвятил в тайну дела. Время это именно совпадало с тем, когда Митя встретил в темноте на галерейке разыскивавшего его хозяина, причем тут же заметил, что у Трифона Борисовича какая-то в лице и в речах вдруг перемена. Таким образом, ни Митя и никто не знали, что за ними наблюдают; ящик же его с пистолетами был давно уже похищен Трифоном Борисовичем и припрятан в укромное место. И только уже в пятом часу утра, почти на рассвете, прибыло всё начальство, исправник, прокурор и следователь, в двух экипажах и на двух тройках. Доктор же остался в доме Федора Павловича, имея в предмете сделать наутро вскрытие трупа убитого, но, главное, заинтересовался именно состоянием больного слуги Смердякова: «Такие ожесточенные и такие длинные припадки падучей, повторяющиеся беспрерывно в течение двух суток, редко встретишь, и это принадлежит науке», — проговорил он в возбуждении отъезжавшим своим партнерам, и те его поздравили, смеясь, с находкой. При сем прокурор и следователь очень хорошо запомнили, что доктор прибавил самым решительным тоном, что Смердяков до утра не доживет.

Теперь, после долгого, но, кажется, необходимого объяснения, мы возвратились именно к тому моменту нашего рассказа, на котором остановили его в предыдущей книге.

III

ХОЖДЕНИЕ ДУШИ ПО МЫТАРСТВАМ.
МЫТАРСТВО ПЕРВОЕ

Итак, Митя сидел и диким взглядом озирал присутствующих, не понимая, что ему говорят. Вдруг он поднялся, вскинул вверх руки и громко прокричал:

— Не повинен! В этой крови не повинен! В крови отца моего не повинен... Хотел убить, но не повинен! Не я!

Но только что он успел прокричать это, как из-за занавесок выскочила Грушенька и так и рухнулась исправнику прямо в ноги.

— Это я, я, окаянная, я виновата! — прокричала она раздирающим душу воплем, вся в слезах, простирая ко всем руки, — это из-за меня он убил!.. Это я его измучила и до того довела! Я и того старичка-покойничка бедного измучила, со злобы моей, и до того довела! Я виноватая, я первая, я главная, я виноватая!

— Да, ты виноватая! Ты главная преступница! Ты неистовая, ты развратная, ты главная виноватая, — завопил, грозя ей рукой, исправник, но тут уж его быстро и решительно уняли. Прокурор даже обхватил его руками.

— Это уж совсем беспорядок будет, Михаил Макарович, — вскричал он, — вы положительно мешаете следствию... дело портите... — почти задыхался он.

— Меры принять, меры принять, меры принять! — страшно закипятился и Николай Парфенович, — иначе положительно невозможно!..

— Вместе судите нас! — продолжала исступленно восклицать Грушенька, всё еще на коленях. — Вместе казните нас, пойду с ним теперь хоть на смертную казнь!

— Груша, жизнь моя, кровь моя, святыня моя! — бросился подле нее на колени и Митя и крепко сжал ее в объятиях. — Не верьте ей, — кричал он, — не виновата она ни в чем, ни в какой крови и ни в чем!

Он помнил потом, что его оттащили от нее силой несколько человек, а что ее вдруг увели, и что опамятовался он уже сидя за столом. Подле и сзади него стояли люди с бляхами. Напротив него через стол на диване сидел Николай Парфенович, судебный следователь, и всё уговаривал его отпить из стоявшего на столе стакана немного воды:

«Это освежит вас, это вас успокоит, не бойтесь, не беспокойтесь», — прибавлял он чрезвычайно вежливо. Мите же вдруг, он помнил это, ужасно любопытны стали его большие перстни, один аметистовый, а другой какой-то ярко-желтый, прозрачный и такого прекрасного блеска. И долго еще он потом с удивлением вспоминал, что эти перстни привлекали его взгляд неотразимо даже во всё время этих страшных часов допроса, так что он почему-то всё не мог от них оторваться и их забыть, как совершенно неподходящую к его положению вещь. Налево, сбоку от Мити, на месте, где сидел в начале вечера Максимов, уселся теперь прокурор, а по правую руку Мити, на месте, где была тогда Грушенька, расположился один румяный молодой человек, в каком-то охотничьем как бы пиджаке, и весьма поношенном, пред которым очутилась чернильница и бумага. Оказалось, что это был письмоводитель следователя, которого привез тот с собою. Исправник же стоял теперь у окна, в другом конце комнаты, подле Калганова, который тоже уселся на стуле у того же окна.

— Выпейте воды! — мягко повторил в десятый раз следователь.

— Выпил, господа, выпил... но... что ж, господа, давите, казните, решайте судьбу! — воскликнул Митя со страшно неподвижным выпучившимся взглядом на следователя.

— Итак, вы положительно утверждаете, что в смерти отца вашего, Федора Павловича, вы не виновны? — мягко, но настойчиво спросил следователь.

— Не виновен! Виновен в другой крови, в крови другого старика, но не отца моего. И оплакиваю! Убил, убил старика, убил и поверг... Но тяжело отвечать за эту кровь другою кровью, страшною кровью, в которой не повинен... Страшное обвинение, господа, точно по лбу огорошили! Но кто же убил отца, кто же убил? Кто же мог убить, если не я? Чудо, нелепость, невозможность!..

— Да, вот кто мог убить... — начал было следователь, но прокурор Ипполит Кириллович (товарищ прокурора, но и мы будем его называть для краткости прокурором), переглянувшись со следователем, произнес, обращаясь к Мите:

— Вы напрасно беспокоитесь за старика слугу Григория Васильева. Узнайте, что он жив, очнулся и, несмотря на тяжкие побои, причиненные ему вами, по его и вашему теперь показанию, кажется, останется жив несомненно, по крайней мере по отзыву доктора.

— Жив? Так он жив! — завопил вдруг Митя, всплеснув руками. Всё лицо его просияло. — Господи, благодарю тебя за величайшее чудо, содеянное тобою мне, грешному и злодею, по молитве моей!.. Да, да, это по молитве моей, я молился всю ночь!.. — и он три раза перекрестился. Он почти задыхался.

— Так вот от этого-то самого Григория мы и получили столь значительные показания на ваш счет, что... — стал было продолжать прокурор, но Митя вдруг вскочил со стула.

— Одну минуту, господа, ради бога одну лишь минутку; я сбегаю к ней...

— Позвольте! В эту минуту никак нельзя! — даже чуть не взвизгнул Николай Парфенович и тоже вскочил на ноги. Митю обхватили люди с бляхами на груди, впрочем он и сам сел на стул...

— Господа, как жаль! Я хотел к ней на одно лишь мгновение... хотел возвестить ей, что смыта, исчезла эта кровь, которая всю ночь сосала мне сердце, и что я уже не убийца! Господа, ведь она невеста моя! — восторженно и благоговейно проговорил он вдруг, обводя всех глазами. — О, благодарю вас, господа! О, как вы возродили, как вы воскресили меня в одно мгновение!.. Этот старик — ведь он носил меня на руках, господа, мыл меня в корыте, когда меня трехлетнего ребенка все покинули, был отцом родным!..

— Итак, вы... — начал было следователь.

— Позвольте, господа, позвольте еще одну минутку, — прервал Митя, поставив оба локтя на стол и закрыв лицо ладонями, — дайте же чуточку сообразиться, дайте вздохнуть, господа. Всё это ужасно потрясает, ужасно, не барабанная же шкура человек, господа!

— Вы бы опять водицы... — пролепетал Николай Парфенович.

Митя отнял от лица руки и рассмеялся. Взгляд его был бодр, он весь как бы изменился в одно мгновение. Изменился и весь тон его: это сидел уже опять равный всем этим людям человек, всем этим прежним знакомым его, вот точно так, как если бы все они сошлись вчера, когда еще ничего не случилось, где-нибудь в светском обществе. Заметим, однако, кстати, что у исправника Митя, в начале его прибытия к нам, был принят радушно, но потом, в последний месяц особенно, Митя почти не посещал его, а исправник, встречаясь с ним, на улице например, сильно хмурился и только лишь из вежливости отдавал поклон, что очень хорошо заприметил Митя. С прокурором был знаком еще отдаленнее, но к супруге прокурора, нервной и фантастической даме, иногда хаживал с самыми почтительными, однако, визитами, и даже сам не совсем понимая, зачем к ней ходит, и она всегда ласково его принимала, почему-то интересуясь им до самого последнего времени. Со следователем же познакомиться еще не успел, но, однако, встречал и его и даже говорил с ним раз или два, оба раза о женском поле.

— Вы, Николай Парфеныч, искуснейший, как я вижу, следователь, — весело рассмеялся вдруг Митя, — но я вам теперь сам помогу. О господа, я воскрешен... и не претендуйте на меня, что я так запросто и так прямо к вам обращаюсь. К тому же я немного пьян, я это вам скажу откровенно. Я, кажется, имел честь... честь и удовольствие встречать вас, Николай Парфеныч, у родственника моего Миусова... Господа, господа, я не претендую на равенство, я ведь понимаю же, кто я такой теперь пред вами сижу. На мне лежит... если только показания на меня дал Григорий... то лежит — о, конечно, уж лежит — страшное подозрение! Ужас, ужас — я ведь понимаю же это! Но к делу, господа, я готов, и мы это в один миг теперь и покончим, потому что, послушайте, послушайте, господа. Ведь если я знаю, что я не виновен, то уж, конечно, в один миг покончим! Так ли? Так ли?

Митя говорил скоро и много, нервно и экспансивно и как бы решительно принимая своих слушателей за лучших друзей своих.

— Итак, мы пока запишем, что вы отвергаете взводимое на вас обвинение радикально, — внушительно проговорил Николай Парфенович и, повернувшись к писарю, вполголоса продиктовал ему, что надо записать.

— Записывать? Вы хотите это записывать? Что ж, записывайте, я согласен, даю полное мое согласие, господа... Только видите... Стойте, стойте, запишите так: «В буйстве он виновен, в тяжких побоях, нанесенных бедному старику, виновен». Ну там еще про себя, внутри, в глубине сердца своего виновен — но это уж не надо писать, — повернулся он вдруг к писарю, — это уже моя частная жизнь, господа, это уже вас не касается, эти глубины-то сердца то есть... Но в убийстве старика отца — не виновен! Это дикая мысль! Это совершенно дикая мысль!.. Я вам докажу, и вы убедитесь мгновенно. Вы будете смеяться, господа, сами будете хохотать над вашим подозрением!..

— Успокойтесь, Дмитрий Федорович, — напомнил следователь, как бы, видимо, желая победить исступленного своим спокойствием. — Прежде чем будем продолжать допрос, я бы желал, если вы только согласитесь ответить, слышать от вас подтверждение того факта, что, кажется, вы не любили покойного Федора Павловича, были с ним в какой-то постоянной ссоре... Здесь, по крайней мере, четверть часа назад, вы, кажется, изволили произнести, что даже хотели убить его: «Не убил, — воскликнули вы, — но хотел убить!»

— Я это воскликнул? Ох, это может быть, господа! Да, к несчастию, я хотел убить его, много раз хотел... к несчастию, к несчастию!

— Хотели. Не согласитесь ли вы объяснить, какие, собственно, принципы руководствовали вас в такой ненависти к личности вашего родителя?

— Что ж объяснять, господа! — угрюмо вскинул плечами Митя, потупясь. — Я ведь не скрывал моих чувств, весь город об этом знает — знают все в трактире. Еще недавно в монастыре заявил в келье старца Зосимы... В тот же день, вечером, бил и чуть не убил отца и поклялся, что опять приду и убью, при свидетелях... О, тысяча свидетелей! Весь месяц кричал, все свидетели!.. Факт налицо, факт говорит, кричит, но — чувства, господа, чувства, это уж другое. Видите, господа, — нахмурился Митя, — мне кажется, что про чувства вы не имеете права меня спрашивать. Вы хоть и облечены, я понимаю это, но это дело мое, мое внутреннее дело, интимное, но... так как я уж не скрывал моих чувств прежде... в трактире, например, и говорил всем и каждому, то... то не сделаю и теперь из этого тайны. Видите, господа, я ведь понимаю, что в этом случае на меня улики страшные: всем говорил, что его убью, а вдруг его и убили: как же не я в таком случае? Ха-ха! Я вас извиняю, господа, вполне извиняю. Я ведь и сам поражен до эпидермы, потому что кто ж его убил, наконец, в таком случае, если не я? Ведь не правда ли? Если не я, так кто же, кто же? Господа, — вдруг воскликнул он, — я хочу знать, я даже требую от вас, господа: где он убит? Как он убит, чем и как? Скажите мне, — быстро спросил он, обводя прокурора и следователя глазами.

— Мы нашли его лежащим на полу, навзничь, в своем кабинете, с проломленною головой, — проговорил прокурор.

— Страшно это, господа! — вздрогнул вдруг Митя и, облокотившись на стол, закрыл лицо правою рукой.

— Мы будем продолжать, — прервал Николай Парфенович. — Итак, что же тогда руководило вас в ваших чувствах ненависти? Вы, кажется, заявляли публично, что чувство ревности?

— Ну да, ревность, и не одна только ревность.

— Споры из-за денег?

— Ну да, и из-за денег.

— Кажется, спор был в трех тысячах, будто бы недоданных вам по наследству.

— Какое трех! Больше, больше, — вскинулся Митя, — больше шести, больше десяти может быть. Я всем говорил, всем кричал! Но я решился, уж так и быть, помириться на трех тысячах. Мне до зарезу нужны были эти три тысячи... так что тот пакет с тремя тысячами, который, я знал, у него под подушкой, приготовленный для Грушеньки, я считал решительно как бы у меня украденным, вот что, господа, считал своим, всё равно как моею собственностью...

Прокурор значительно переглянулся со следователем и успел незаметно мигнуть ему.

— Мы к этому предмету еще возвратимся, — проговорил тотчас следователь, — вы же позволите нам теперь отметить и записать именно этот пунктик: что вы считали эти деньги, в том конверте, как бы за свою собственность.

— Пишите, господа, я ведь понимаю же, что это опять-таки на меня улика, но я не боюсь улик и сам говорю на себя. Слышите, сам! Видите, господа, вы, кажется, принимаете меня совсем за иного человека, чем я есть, — прибавил он вдруг мрачно и грустно. — С вами говорит благородный человек, благороднейшее лицо, главное, — этого не упускайте из виду — человек, наделавший бездну подлостей, но всегда бывший и остававшийся благороднейшим существом, как существо, внутри, в глубине, ну, одним словом, я не умею выразиться... Именно тем-то и мучился всю жизнь, что жаждал благородства, был, так сказать, страдальцем благородства и искателем его с фонарем, с Диогеновым фонарем, а между тем всю жизнь делал одни только пакости, как и все мы, господа... то есть, как я один, господа, не все, а я один, я ошибся, один, один!.. Господа, у меня голова болит, — страдальчески поморщился он, — видите, господа, мне не нравилась его наружность, что-то бесчестное, похвальба и попирание всякой святыни, насмешка и безверие, гадко, гадко! Но теперь, когда уж он умер, я думаю иначе.

— Как это иначе?

— Не иначе, но я жалею, что так его ненавидел.

— Чувствуете раскаяние?

— Нет, не то чтобы раскаяние, этого не записывайте. Сам-то я нехорош, господа, вот что, сам-то я не очень красив, а потому права не имел и его считать отвратительным, вот что! Это, пожалуй, запишите.

Проговорив это, Митя стал вдруг чрезвычайно грустен. Уже давно постепенно с ответами на вопросы следователя он становился всё мрачнее и мрачнее. И вдруг как раз в это мгновение разразилась опять неожиданная сцена. Дело в том, что Грушеньку хоть давеча и удалили, но увели не очень далеко, всего только в третью комнату от той голубой комнаты, в которой происходил теперь допрос. Это была маленькая комнатка в одно окно, сейчас за тою большою комнатой, в которой ночью танцевали и шел пир горой. Там сидела она, а с ней пока один только Максимов, ужасно пораженный, ужасно струсивший и к ней прилепившийся, как бы ища около нее спасения. У ихней двери стоял какой-то мужик с бляхой на груди. Грушенька плакала, и вот вдруг, когда горе уж слишком подступило к душе ее, она вскочила, всплеснула руками и, прокричав громким воплем: «Горе мое, горе!», бросилась вон из комнаты к нему, к своему Мите, и так неожиданно, что ее никто не успел остановить. Митя же, заслышав вопль ее, так и задрожал, вскочил, завопил и стремглав бросился к ней навстречу, как бы не помня себя. Но им опять сойтись не дали, хотя они уже увидели друг друга. Его крепко схватили за руки: он бился, рвался, понадобилось троих или четверых, чтобы удержать его. Схватили и ее, и он видел, как она с криком простирала к нему руки, когда ее увлекали. Когда кончилась сцена, он опомнился опять на прежнем месте, за столом, против следователя, и выкрикивал, обращаясь к ним:

— Что вам в ней? Зачем вы ее мучаете? Она невинна, невинна!..

Его уговаривали прокурор и следователь. Так прошло некоторое время, минут десять; наконец в комнату поспешно вошел отлучившийся было Михаил Макарович и громко, в возбуждении, проговорил прокурору:

— Она удалена, она внизу, не позволите ли мне сказать, господа, всего одно слово этому несчастному человеку? При вас, господа, при вас!

— Сделайте милость, Михаил Макарович, — ответил следователь, — в настоящем случае мы не имеем ничего сказать против.

— Дмитрий Федорович, слушай, батюшка, — начал, обращаясь к Мите, Михаил Макарович, и всё взволнованное лицо его выражало горячее отеческое почти сострадание к несчастному, — я твою Аграфену Александровну отвел вниз сам и передал хозяйским дочерям, и с ней там теперь безотлучно этот старичок Максимов, и я ее уговорил, слышь ты? — уговорил и успокоил, внушил, что тебе надо же оправдаться, так чтоб она не мешала, чтоб не нагоняла на тебя тоски, не то ты можешь смутиться и на себя неправильно показать, понимаешь? Ну, одним словом, говорил, и она поняла. Она, брат, умница, она добрая, она руки у меня, старого, полезла было целовать, за тебя просила. Сама послала меня сюда сказать тебе, чтоб ты за нее был спокоен, да и надо, голубчик, надо, чтоб я пошел и сказал ей, что ты спокоен и за нее утешен. Итак, успокойся, пойми ты это. Я пред ней виноват, она христианская душа, да, господа, это кроткая душа и ни в чем не повинная. Так как же ей сказать, Дмитрий Федорович, будешь сидеть спокоен аль нет?

Добряк наговорил много лишнего, но горе Грушеньки, горе человеческое, проникло в его добрую душу, и даже слезы стояли в глазах его. Митя вскочил и бросился к нему.

— Простите, господа, позвольте, о, позвольте! — вскричал он, — ангельская, ангельская вы душа, Михаил Макарович, благодарю за нее! Буду, буду спокоен, весел буду, передайте ей по безмерной доброте души вашей, что я весел, весел, смеяться даже начну сейчас, зная, что с ней такой ангел-хранитель, как вы. Сейчас всё покончу и только что освобожусь, сейчас и к ней, она увидит, пусть ждет! Господа, — оборотился он вдруг к прокурору и следователю, — теперь всю вам душу мою открою, всю изолью, мы это мигом покончим, весело покончим — под конец ведь будем же смеяться, будем? Но, господа, эта женщина — царица души моей! О, позвольте мне это сказать, это-то я уж вам открою... Я ведь вижу же, что я с благороднейшими людьми: это свет, это святыня моя, и если б вы только знали! Слышали ее крики: «С тобой хоть на казнь!» А что я ей дал, я, нищий, голяк, за что такая любовь ко мне, стою ли я, неуклюжая, позорная тварь и с позорным лицом, такой любви, чтоб со мной ей в каторгу идти? За меня в ногах у вас давеча валялась, она, гордая и ни в чем не повинная! Как же мне не обожать ее, не вопить, не стремиться к ней, как сейчас? О господа, простите! Но теперь, теперь я утешен!

И он упал на стул и, закрыв обеими ладонями лицо, навзрыд заплакал. Но это были уже счастливые слезы. Он мигом опомнился. Старик исправник был очень доволен, да, кажется, и юристы тоже: они почувствовали, что допрос вступит сейчас в новый фазис. Проводив исправника, Митя просто повеселел.

— Ну, господа, теперь ваш, ваш вполне... И... если б только не все эти мелочи, то мы бы сейчас же и сговорились. Я опять про мелочи. Я ваш, господа, но, клянусь, нужно взаимное доверие — ваше ко мне и мое к вам — иначе мы никогда не покончим. Для вас же говорю. К делу, господа, к делу, и, главное, не ройтесь вы так в душе моей, не терзайте ее пустяками, а спрашивайте одно только дело и факты, и я вас сейчас же удовлетворю. А мелочи к черту!

Так восклицал Митя. Допрос начался вновь.

IV

МЫТАРСТВО ВТОРОЕ

— Вы не поверите, как вы нас самих ободряете, Дмитрий Федорович, вашею этою готовностью... — заговорил Николай Парфенович с оживленным видом и с видимым удовольствием, засиявшим в больших светло-серых навыкате, очень близоруких впрочем, глазах его, с которых он за минуту пред тем снял очки. — И вы справедливо сейчас заметили насчет этой взаимной нашей доверенности, без которой иногда даже и невозможно в подобной важности делах, в том случае и смысле, если подозреваемое лицо действительно желает, надеется и может оправдать себя. С нашей стороны мы употребим всё, что от нас зависит, и вы сами могли видеть даже и теперь, как мы ведем это дело... Вы одобряете, Ипполит Кириллович? — обратился он вдруг к прокурору.

— О, без сомнения, — одобрил прокурор, хотя и несколько суховато сравнительно с порывом Николая Парфеновича.

Замечу раз навсегда: новоприбывший к нам Николай Парфенович, с самого начала своего у нас поприща, почувствовал к нашему Ипполиту Кирилловичу, прокурору, необыкновенное уважение и почти сердцем сошелся с ним. Это был почти единственный человек, который безусловно поверил в необычайный психологический и ораторский талант нашего «обиженного по службе» Ипполита Кирилловича и вполне верил и в то, что тот обижен. О нем слышал он еще в Петербурге. Зато в свою очередь молоденький Николай Парфенович оказался единственным тоже человеком в целом мире, которого искренно полюбил наш «обиженный» прокурор. Дорогой сюда они успели кое в чем сговориться и условиться насчет предстоящего дела и теперь, за столом, востренький ум Николая Парфеновича схватывал на лету и понимал всякое указание, всякое движение в лице своего старшего сотоварища, с полуслова, со взгляда, с подмига глазком.

— Господа, предоставьте мне только самому рассказать и не перебивайте пустяками, и я вам мигом всё изложу, — кипятился Митя.

— Прекрасно-с. Благодарю вас. Но прежде чем перейдем к выслушиванию вашего сообщения, вы бы позволили мне только констатировать еще один фактик, для нас очень любопытный, именно о тех десяти рублях, которые вы вчера, около пяти часов, взяли взаймы под заклад пистолетов ваших у приятеля вашего Петра Ильича Перхотина.

— Заложил, господа, заложил, за десять рублей, и что ж дальше? Вот и всё, как только воротился в город с дороги, так и заложил.

— А вы воротились с дороги? Вы ездили за город?

— Ездил, господа, за сорок верст ездил, а вы и не знали?

Прокурор и Николай Парфенович переглянулись.

— И вообще, если бы вы начали вашу повесть со систематического описания всего вашего вчерашнего дня с самого утра? Позвольте, например, узнать: зачем вы отлучались из города и когда именно поехали и приехали... и все эти факты...

— Так вы бы так и спросили с самого начала, — громко рассмеялся Митя, — и если хотите, то дело надо начать не со вчерашнего, а с третьеводнишнего дня, с самого утра, тогда и поймете, куда, как и почему я пошел и поехал. Пошел я, господа, третьего дня утром к здешнему купчине Самсонову занимать у него три тысячи денег под вернейшее обеспечение, — это вдруг приспичило, господа, вдруг приспичило...

— Позвольте прервать вас, — вежливо перебил прокурор, — почему вам так вдруг понадобилась, и именно такая сумма, то есть в три тысячи рублей?

— Э, господа, не надо бы мелочи: как, когда и почему, и почему именно денег столько, а не столько, и вся эта гамазня... ведь эдак в трех томах не упишешь, да еще эпилог потребуется!

Всё это проговорил Митя с добродушною, но нетерпеливою фамильярностью человека, желающего сказать всю истину и исполненного самыми добрыми намерениями.

— Господа, — как бы спохватился он вдруг, — вы на меня не ропщите за мою брыкливость, опять прошу: поверьте еще раз, что я чувствую полную почтительность и понимаю настоящее положение дела. Не думайте, что и пьян. Я уж теперь отрезвился. Да и что пьян, не мешало бы вовсе. У меня ведь как:

> Отрезвел, поумнел — стал глуп,
> Напился, оглупел — стал умен.

Ха-ха! А впрочем, я вижу, господа, что мне пока еще неприлично острить пред вами, пока то есть не объяснимся. Позвольте наблюсти и собственное достоинство. Понимаю же я теперешнюю разницу: ведь я все-таки пред вами преступник сижу, вам, стало быть, в высшей степени неровня, а вам поручено меня наблюдать: не погладите же вы меня по головке за Григория, нельзя же в самом деле безнаказанно головы ломать старикам, ведь упрячете же вы меня за него по суду, ну на полгода, ну на год в смирительный, не знаю, как там у вас присудят, хотя и без лишения прав, ведь без лишения прав, прокурор? Ну так вот, господа, понимаю же я это различие... Но согласитесь и в том, что ведь вы можете самого Бога сбить с толку такими вопросами: где ступил, как ступил, когда ступил и во что ступил? Ведь я собьюсь, если так, а вы сейчас лыко в строку и запишете, и что ж выйдет? Ничего не выйдет! Да наконец, если уж я начал теперь врать, то и докончу, а вы, господа, как высшего образования и благороднейшие люди, меня простите. Именно закончу просьбой: разучитесь вы, господа, этой казенщине допроса, то есть сперва-де, видите ли, начинай с чего-нибудь мизерного, с ничтожного: как, дескать, встал, что съел, как плюнул, и, «усыпив внимание преступника», вдруг накрывай его ошеломляющим вопросом: «Кого убил, кого обокрал?» Ха-ха! Ведь вот ваша казенщина, это ведь у вас правило, вот на чем вся ваша хитрость-то зиждется! Да ведь это вы мужиков усыпляйте подобными хитростями, а не меня. Я ведь понимаю дело, сам служил, ха-ха-ха! Не сердитесь, господа, прощаете дерзость? — крикнул он, смотря на них с удивительным почти добродушием. — Ведь Митька Карамазов сказал, стало быть, можно и извинить, потому умному человеку не извинительно, а Митьке извинительно! Ха-ха!

Николай Парфенович слушал и тоже смеялся. Прокурор хоть и не смеялся, но зорко, не спуская глаз, разглядывал Митю, как бы не желая упустить ни малейшего словечка, ни малейшего движения его, ни малейшего сотрясения малейшей черточки в лице его.

— Мы, однако, так и начали с вами первоначально, — отозвался, всё продолжая смеяться, Николай Парфенович, — что не стали сбивать вас вопросами: как вы встали поутру и что скушали, а начали даже со слишком существенного.

— Понимаю, понял и оценил, и еще более ценю настоящую вашу доброту со мной, беспримерную, достойную благороднейших душ. Мы тут трое сошлись люди благородные, и пусть всё у нас так и будет на взаимном доверии образованных и светских людей, связанных дворянством и честью. Во всяком случае, позвольте мне считать вас за лучших друзей моих в эту минуту жизни моей, в эту минуту унижения чести моей! Ведь не обидно это вам, господа, не обидно?

— Напротив, вы всё это так прекрасно выразили, Дмитрий Федорович, — важно и одобрительно согласился Николай Парфенович.

— А мелочи, господа, все эти крючкотворные мелочи прочь, — восторженно воскликнул Митя, — а то это просто выйдет черт знает что, ведь не правда ли?

— Вполне последую вашим благоразумным советам, — ввязался вдруг прокурор, обращаясь к Мите, — но от вопроса моего, однако, не откажусь. Нам слишком существенно необходимо узнать, для чего именно вам понадобилась такая сумма, то есть именно в три тысячи?

— Для чего понадобилась? Ну, для того, для сего... ну, долг отдать.

— Кому именно?

— Это положительно отказываюсь сказать, господа! Видите, не потому, чтоб не мог сказать, али не смел, али опасался, потому что всё это плевое дело и совершенные пустяки, а потому не скажу, что тут принцип: это моя частная жизнь, и я не позволю вторгаться в мою частную жизнь. Вот мой принцип. Ваш вопрос до дела не относится, а всё, что до дела не относится, есть моя частная жизнь! Долг хотел отдать, долг чести хотел отдать, а кому — не скажу.

— Позвольте нам записать это, — сказал прокурор.

— Сделайте одолжение. Так и записывайте: что не скажу и не скажу. Пишите, господа, что считаю даже бесчестным это сказать. Эк у вас времени-то много записывать!

— Позвольте вас, милостивый государь, предупредить и еще раз вам напомнить, если вы только не знали того, — с особенным и весьма строгим внушением проговорил прокурор, — что вы имеете полное право не отвечать на предлагаемые вам теперь вопросы, а мы, обратно, никакого не имеем права вымогать у вас ответы, если вы сами уклоняетесь отвечать по той или другой причине. Это дело личного соображения вашего. Но наше дело состоит опять-таки в том, чтобы вам в подобном теперешнему случае представить на вид и разъяснить всю ту степень вреда, который вы сами же себе производите, отказываясь дать то или другое показание. Затем прошу продолжать.

— Господа, я ведь не сержусь... я... — забормотал было Митя, несколько сконфуженный внушением, — вот-с видите, господа, этот самый Самсонов, к которому я тогда пошел...

Мы, конечно, не станем приводить рассказ его в подробности о том, что уже известно читателю. Рассказчик нетерпеливо хотел рассказать всё до малейшей черточки и в то же время чтобы вышло поскорей. Но по мере показаний их записывали, а стало быть, необходимо его останавливали. Дмитрий Федорович осуждал это, но подчинялся, сердился, но пока еще добродушно. Правда, вскрикивал иногда: «Господа, это самого Господа Бога взбесит», или: «Господа, знаете ли вы, что вы только напрасно меня раздражаете?», но всё еще, восклицая это, своего дружески экспансивного настроения пока не изменял. Таким образом он рассказал, как «надул» его третьего дня Самсонов. (Он уже догадывался теперь вполне, что его тогда надули.) Продажа часов за шесть рублей, чтобы добыть на дорогу денег, совсем еще не известная следователю и прокурору, возбудила тотчас же всё чрезвычайное их внимание, и уже к безмерному негодованию Мити: нашли нужным факт этот в подробности записать, ввиду вторичного подтверждения того обстоятельства, что у него и накануне не было уже ни гроша почти денег. Мало-помалу Митя начал становиться угрюмым. Затем, описав путешествие к Лягавому и проведенную в угарной избе ночь и проч., довел свой рассказ и до возвращения в город и тут начал сам, без особенной уже просьбы, подробно описывать ревнивые муки свои с Грушенькой. Его слушали молча и внимательно, особенно вникли в то обстоятельство, что у него давно уже завелся наблюдательный пункт за Грушенькой у Федора Павловича «на задах» в доме Марьи Кондратьевны, и о том, что ему сведения переносил Смердяков: это очень отметили и записали. О ревности своей говорил он горячо и обширно и хоть и внутренне стыдясь того, что выставляет свои интимнейшие чувства, так сказать, на «всеобщий позор», но видимо пересиливал стыд, чтобы быть правдивым. Безучастная строгость устремленных пристально на него, во время рассказа, взглядов следователя и особенно прокурора смутили его наконец довольно сильно: «Этот мальчик Николай Парфенович, с которым я еще всего только несколько дней тому говорил глупости про женщин, и этот больной прокурор не стоят того, чтоб я им это рассказывал, — грустно мелькнуло у него в уме, — позор! — „Терпи, смиряйся и молчи“», — заключил он свою думу стихом, но опять-таки скрепился вновь, чтобы продолжать далее. Перейдя к рассказу о Хохлаковой, даже вновь развеселился и даже хотел было рассказать об этой барыньке особый недавний анекдотик, не подходящий к делу, но следователь остановил его и вежливо предложил перейти «к более существенному». Наконец, описав свое отчаяние и рассказав о той минуте, когда, выйдя от Хохлаковой, он даже подумал «скорей зарезать кого-нибудь, а достать три тысячи», его вновь остановили и о том, что «зарезать хотел», записали. Митя безмолвно дал записать. Наконец дело дошло до той точки в рассказе, когда он вдруг узнал, что Грушенька его обманула и ушла от Самсонова тотчас же, как он привел ее, тогда как сама сказала, что просидит у старика до полуночи: «Если я тогда не убил, господа, эту Феню, то потому только, что мне было некогда», — вырвалось вдруг у него в этом месте рассказа. И это тщательно записали. Митя мрачно подождал и стал было повествовать о том, как он побежал к отцу в сад, как вдруг его остановил следователь и, раскрыв свой большой портфель, лежавший подле него на диване, вынул из него медный пестик.

— Знаком вам этот предмет? — показал он его Мите.

— Ах да! — мрачно усмехнулся он, — как не знаком! Дайте-ка посмотреть... А черт, не надо!

— Вы о нем упомянуть забыли, — заметил следователь.

— А черт! Не скрыл бы от вас, небось без него бы не обошлось, как вы думаете? Из памяти только вылетело.

— Благоволите же рассказать обстоятельно, как вы им вооружились.

— Извольте, благоволю, господа.

И Митя рассказал, как он взял пестик и побежал.

— Но какую же цель имели вы в предмете, вооружаясь таким орудием?

— Какую цель? Никакой цели! Захватил и побежал.

— Зачем же, если без цели?

В Мите кипела досада. Он пристально посмотрел на «мальчика» и мрачно и злобно усмехнулся. Дело в том, что ему всё стыднее и стыднее становилось за то, что он сейчас так искренно и с такими излияниями рассказал «таким людям» историю своей ревности.

— Наплевать на пестик! — вырвалось вдруг у него.

— Однако же-с.

— Ну, от собак схватил. Ну, темнота... Ну, на всякий случай.

— А прежде вы тоже брали, выходя ночью со двора, какое-нибудь оружие, если боялись так темноты?

— Э, черт, тьфу! Господа, с вами буквально нельзя говорить! — вскрикнул Митя в последней степени раздражения и, обернувшись к писарю, весь покраснев от злобы, с какою-то исступленною ноткой в голосе быстро проговорил ему:

— Запиши сейчас... сейчас... «что схватил с собой пестик, чтобы бежать убить отца моего... Федора Павловича... ударом по голове!». Ну, довольны ли вы теперь, господа? Отвели душу? — проговорил он, уставясь с вызовом на следователя и прокурора.

— Мы слишком понимаем, что подобное показание вы дали сейчас в раздражении на нас и в досаде на вопросы, которые мы вам представляем, которые вы считаете мелочными и которые, в сущности, весьма существенны, — сухо проговорил ему в ответ прокурор.

— Да помилуйте же, господа! Ну, взял пестик... Ну, для чего берут в таких случаях что-нибудь в руку? Я не знаю, для чего. Схватил и побежал. Вот и всё. Стыдно, господа, passons[1], а то, клянусь, я перестану рассказывать!

Он облокотился на стол и подпер рукой голову. Он сидел к ним боком и смотрел в стену, пересиливая в себе дурное чувство. В самом деле ему ужасно как хотелось встать и объявить, что более не скажет ни слова, «хоть ведите на смертную казнь».

— Видите, господа, — проговорил он вдруг, с трудом пересиливая себя, — видите. Слушаю я вас, и мне мерещится... я, видите, вижу иногда во сне один сон... один такой сон, и он мне часто снится, повторяется, что кто-то за мной гонится, кто-то такой, которого я ужасно боюсь, гонится в темноте, ночью, ищет меня, а я прячусь куда-нибудь от него за дверь или за шкап, прячусь унизительно, а главное, что ему отлично известно, куда я от него спрятался, но что он будто бы нарочно притворяется, что не знает, где я сижу, чтобы дольше промучить меня, чтобы страхом моим насладиться... Вот это и вы теперь делаете! На то похоже!

— Это вы такие видите сны? — осведомился прокурор.

— Да, такие вижу сны... А вы уж не хотите ли записать? — криво усмехнулся Митя.

---

[1] Довольно, право (*фр.*).

— Нет-с, не записать, но всё же любопытные у вас сны.

— Теперь уж не сон! Реализм, господа, реализм действительной жизни! Я волк, а вы охотники, ну и травите волка.

— Вы напрасно взяли такое сравнение... — начал было чрезвычайно мягко Николай Парфенович.

— Не напрасно, господа, не напрасно! — вскипел опять Митя, хотя и, видимо облегчив душу выходкой внезапного гнева, начал уже опять добреть, с каждым словом. — Вы можете не верить преступнику или подсудимому, истязуемому вашими вопросами, но благороднейшему человеку, господа, благороднейшим порывам души (смело это кричу!) — нет! этому вам нельзя не верить... права даже не имеете... но —

молчи, сердце,
Терпи, смиряйся и молчи!

Ну, что же, продолжать? — мрачно оборвал он.

— Как же, сделайте одолжение, — ответил Николай Парфенович.

V
ТРЕТЬЕ МЫТАРСТВО

Митя хоть и заговорил сурово, но видимо еще более стал стараться не забыть и не упустить ни одной черточки из передаваемого. Он рассказал, как он перескочил через забор в сад отца, как шел до окна и обо всем, наконец, что было под окном. Ясно, точно, как бы отчеканивая, передал он о чувствах, волновавших его в те мгновения в саду, когда ему так ужасно хотелось узнать: у отца ли Грушенька или нет? Но странно это: и прокурор, и следователь слушали на этот раз как-то ужасно сдержанно, смотрели сухо, вопросов делали гораздо меньше. Митя ничего не мог заключить по их лицам. «Рассердились и обиделись, — подумал он, — ну и черт!» Когда же рассказал, как он решился наконец дать отцу *знак,* что пришла Грушенька и чтобы тот отворил окно, то прокурор и следователь совсем не обратили внимание на слово «знак», как бы не поняв вовсе, какое значение имеет тут это слово, так что Митя это даже заметил. Дойдя наконец до того мгновения, когда, увидев высунувшегося из окна отца, он вскипел ненавистью и выхватил из кармана пестик, он вдруг как бы нарочно остановился. Он сидел и глядел в стену и знал, что те так и впились в него глазами.

— Ну-с, — сказал следователь, — вы выхватили оружие и... и что же произошло затем?

— Затем? А затем убил... хватил его в темя и раскроил ему череп... Ведь так, по-вашему, так! — засверкал он вдруг глазами. Весь потухший было гнев его вдруг поднялся в его душе с необычайною силой.

— По-нашему, — переговорил Николай Парфенович, — ну, а по-вашему?

Митя опустил глаза и долго молчал.

— По-моему, господа, по-моему, вот как было, — тихо заговорил он, — слезы ли чьи, мать ли моя умолила Бога, дух ли светлый облобызал меня в то мгновение — не знаю, но черт был побежден. Я бросился от окна и побежал к забору... Отец испугался и в первый раз тут меня рассмотрел, вскрикнул и отскочил от окна — я это очень помню. А я через сад к забору... вот тут-то и настиг меня Григорий, когда уже я сидел на заборе...

Тут он поднял наконец глаза на слушателей. Те, казалось, с совершенно безмятежным вниманием глядели на него. Какая-то судорога негодования прошла в душе Мити.

— А ведь вы, господа, в эту минуту надо мной насмехаетесь! — прервал он вдруг.

— Почему вы так заключаете? — заметил Николай Парфенович.

— Ни одному слову не верите, вот почему! Ведь понимаю же я, что до главной точки дошел: старик теперь там лежит с проломленною головой, а я — трагически описав, как хотел убить и как уже пестик выхватил, и вдруг от окна убегаю... Поэма! В стихах! Можно поверить на слово молодцу! Ха-ха! Насмешники вы, господа!

И он всем корпусом повернулся на стуле, так что стул затрещал.

— А не заметили ли вы, — начал вдруг прокурор, как будто и внимания не обратив на волнение Мити, — не заметили ли вы, когда отбегали от окна: была ли дверь в сад, находящаяся в другом конце флигеля, отперта или нет?

— Нет, не была отперта.

— Не была?

— Была заперта, напротив, и кто ж мог ее отворить? Ба, дверь, постойте! — как бы опомнился он вдруг и чуть не вздрогнул, — а разве вы нашли дверь отпертою?

— Отпертою.

— Так кто ж ее мог отворить, если не сами вы ее отворили? — страшно удивился вдруг Митя.

— Дверь стояла отпертою, и убийца вашего родителя несомненно вошел в эту дверь и, совершив убийство, этою же дверью и вышел, — как бы отчеканивая, медленно и раздельно произнес прокурор. — Это нам совершенно ясно. Убийство произошло, очевидно, в комнате, *а не через окно,* что положительно ясно из произведенного акта осмотра, из положения тела и по всему. Сомнений в этом обстоятельстве не может быть никаких.

Митя был страшно поражен.

— Да это же невозможно, господа! — вскричал он совершенно потерявшись, — я... я не входил... я положительно, я с точностью вам говорю, что дверь была заперта всё время, пока я был в саду и когда я убегал из сада. Я только под окном стоял и в окно его видел, и только, только... До последней минуты помню. Да хоть бы и не помнил, то всё равно знаю, потому что *знаки* только и известны были что мне да Смердякову, да ему, покойнику, а он, без знаков, никому бы в мире не отворил!

— Знаки? Какие же это знаки? — с жадным, почти истерическим любопытством проговорил прокурор и вмиг потерял всю сдержанную свою осанку. Он спросил, как бы робко подползая. Он почуял важный факт, ему еще не известный, и тотчас же почувствовал величайший страх, что Митя, может быть, не захочет открыть его в полноте.

— А вы и не знали! — подмигнул ему Митя, насмешливо и злобно улыбнувшись. — А что, коль не скажу? От кого тогда узнать? Знали ведь о знаках-то покойник, я да Смердяков, вот и все, да еще небо знало, да оно ведь вам не скажет. А фактик-то любопытный, черт знает что на нем можно соорудить, ха-ха! Утешьтесь, господа, открою, глупости у вас на уме. Не знаете вы, с кем имеете дело! Вы имеете дело с таким подсудимым, который сам на себя показывает, во вред себе показывает! Да-с, ибо я рыцарь чести, а вы — нет!

Прокурор скушал все пилюли, он лишь дрожал от нетерпения узнать про новый факт. Митя точно и пространно изложил им всё, что касалось знаков, изобретенных Фёдором Павловичем для Смердякова, рассказал, что именно означал каждый стук в окно, простучал даже эти знаки по столу и на вопрос Николая Парфеновича: что, стало быть, и он, Митя, когда стучал старику в окно, то простучал именно тот знак, который означал: «Грушенька пришла», — ответил с точностью, что именно точно так и простучал, что, дескать, «Грушенька пришла».

— Вот вам, теперь сооружайте башню! — оборвал Митя и с презрением опять от них отвернулся.

— И знали про эти знаки только покойный родитель ваш, вы и слуга Смердяков? И никто более? — еще раз осведомился Николай Парфенович.

— Да, слуга Смердяков и еще небо. Запишите и про небо; это будет не лишним записать. Да и вам самим Бог понадобится.

И уж конечно стали записывать, но когда записывали, то прокурор вдруг, как бы совсем внезапно наткнувшись на новую мысль, проговорил:

— А ведь если знал про эти знаки и Смердяков, а вы радикально отвергаете всякое на себя обвинение в смерти вашего родителя, то вот не он ли, простучав условленные знаки, заставил вашего отца отпереть себе, а затем и... совершил преступление?

Митя глубоко насмешливым, но в то же время и страшно ненавистным взглядом посмотрел на него. Он смотрел долго и молча, так что у прокурора глаза замигали.

— Опять поймали лисицу! — проговорил наконец Митя, — прищемили мерзавку за хвост, хе-хе! Я вижу вас насквозь, прокурор! Вы ведь так и думали, что я сейчас вскочу, уцеплюсь за то, что вы мне подсказываете, и закричу во всё горло: «Ай, это Смердяков, вот убийца!» Признайтесь, что вы это думали, признайтесь, тогда буду продолжать.

Но прокурор не признался. Он молчал и ждал.

— Ошиблись, не закричу на Смердякова! — сказал Митя.

— И даже не подозреваете его вовсе?

— А вы подозреваете?

— Подозревали и его.

Митя уткнулся глазами в пол.

— Шутки в сторону, — проговорил он мрачно, — слушайте: с самого начала, вот почти еще тогда, когда я выбежал к вам давеча из-за этой занавески, у меня мелькнула уж эта мысль: «Смердяков!» Здесь я сидел за столом и кричал, что не повинен в крови, а сам всё думаю: «Смердяков!» И не отставал Смердяков от души. Наконец теперь подумал вдруг то же: «Смердяков», но лишь на секунду: тотчас же рядом подумал: «Нет, не Смердяков!» Не его это дело, господа!

— Не подозреваете ли вы в таком случае и еще какое другое лицо? — осторожно спросил было Николай Парфенович.

— Не знаю, кто или какое лицо, рука небес или сатана, но... не Смердяков! — решительно отрезал Митя.

— Но почему же вы так твердо и с такою настойчивостью утверждаете, что не он?

— По убеждению. По впечатлению. Потому что Смердяков человек нижайшей натуры и трус. Это не трус, это совокупление всех трусостей в мире вместе взятых, ходящее на двух ногах. Он родился от курицы. Говоря со мной, он трепетал каждый раз, чтоб я не убил его, тогда как я и руки не подымал. Он падал мне в ноги и плакал, он целовал мне вот эти самые сапоги, буквально, умоляя, чтоб я его «не пугал». Слышите: «Не пугал» — что это за слово такое? А я его даже дарил. Это болезненная курица в падучей болезни, со слабым умом и которую прибьет восьмилетний мальчишка. Разве это натура? Не Смердяков, господа, да и денег не любит, подарков от меня вовсе не брал... Да и за что ему убивать старика? Ведь он, может быть, сын его, побочный сын, знаете вы это?

— Мы слышали эту легенду. Но ведь вот и вы же сын отца вашего, а ведь говорили же всем сами же вы, что хотели убить его.

— Камень в огород! И камень низкий, скверный! Не боюсь! О господа, может быть, вам слишком подло мне же в глаза говорить это! Потому подло, что я это сам говорил вам. Не только хотел, но и мог убить, да еще на себя добровольно натащил, что чуть не убил! Но ведь не убил же его, ведь спас же меня ангел-хранитель мой — вот этого-то вы и не взяли в соображение... А потому вам и подло, подло! Потому что я не убил, не убил, не убил! Слышите, прокурор: не убил!

Он чуть не задохся. Во всё время допроса он еще ни разу не был в таком волнении.

— А что он вам сказал, господа, Смердяков-то? — заключил он вдруг, помолчав.— Могу я про это спросить у вас?

— Вы обо всем нас можете спрашивать, — с холодным и строгим видом ответил прокурор, — обо всем, что касается фактической стороны дела, а мы, повторяю это, даже обязаны удовлетворять вас на каждый вопрос. Мы нашли слугу Смердякова, о котором вы спрашиваете, лежащим без памяти на своей постеле в чрезвычайно сильном, может быть, в десятый раз сряду повторявшемся припадке падучей болезни. Медик, бывший с нами, освидетельствовав больного, сказал даже нам, что он не доживет, может быть, и до утра.

— Ну, в таком случае отца черт убил! — сорвалось вдруг у Мити, как будто он даже до сей минуты спрашивал всё себя: «Смердяков или не Смердяков?»

— Мы еще к этому факту воротимся, — порешил Николай Парфенович, — теперь же не пожелаете ли вы продолжать ваше показание далее.

Митя попросил отдохнуть. Ему вежливо позволили. Отдохнув, он стал продолжать. Но было ему видимо тяжело. Он был измучен, оскорблен и потрясен нравственно. К тому же прокурор, теперь уже точно нарочно, стал поминутно раздражать его прицепкой к «мелочам». Едва только Митя описал, как он, сидя верхом на заборе, ударил по голове пестиком вцепившегося в его левую ногу Григория и затем тотчас же соскочил к поверженному, как прокурор остановил его и попросил описать подробнее, как он сидел на заборе. Митя удивился.

— Ну, вот так сидел, верхом сидел, одна нога там, другая тут...

— А пестик?

— Пестик в руках.

— Не в кармане? Вы это так подробно помните? Что ж, вы сильно размахнулись рукой?

— Должно быть, что сильно, а вам это зачем?

— Если б вы сели на стул точно так, как тогда на заборе, и представили бы нам наглядно, для уяснения, как и куда размахнулись, в какую сторону?

— Да уж вы не насмехаетесь ли надо мной? — спросил Митя, высокомерно глянув на допросчика, но тот не мигнул даже глазом. Митя судорожно повернулся, сел верхом на стул и размахнулся рукой:

— Вот как ударил! Вот как убил! Чего вам еще?

— Благодарю вас. Не потрудитесь ли вы теперь объяснить: для чего, собственно, соскочили вниз, с какою целью и что, собственно, имея в виду?

— Ну, черт... к поверженному соскочил... Не знаю для чего!

— Бывши в таком волнении? И убегая?

— Да, в волнении и убегая.

— Помочь ему хотели?

— Какое помочь... Да, может, и помочь, не помню.

— Не помнили себя? То есть были даже в некотором беспамятстве?

— О нет, совсем не в беспамятстве, всё помню. Всё до нитки. Соскочил поглядеть и платком кровь ему обтирал.

— Мы видели ваш платок. Надеялись возвратить поверженного вами к жизни?

— Не знаю, надеялся ли? Просто убедиться хотел, жив или нет.

— А, так хотели убедиться? Ну и что ж?

— Я не медик, решить не мог. Убежал, думая, что убил, а вот он очнулся.

— Прекрасно-с, — закончил прокурор. — Благодарю вас. Мне только и нужно было. Потрудитесь продолжать далее.

Увы, Мите и в голову не пришло рассказать, хотя он и помнил это, что соскочил он из жалости и, став над убитым, произнес даже несколько жалких слов: «Попался старик, нечего делать, ну и лежи». Прокурор же вывел лишь одно заключение, что соскакивал человек, «в такой момент и в таком волнении», лишь для того только, чтобы наверное убедиться: жив или нет единственный свидетель его преступления. И что, стало быть, какова же была сила, решимость, хладнокровие и расчетливость человека даже в такой момент... и проч., и проч. Прокурор был доволен: «Раздражил-де болезненного человека „мелочами“, он и проговорился».

Митя с мучением продолжал далее. Но тотчас же остановил его опять уже Николай Парфенович:

— Каким же образом могли вы вбежать к служанке Федосье Марковой, имея столь окровавленные руки и, как оказалось потом, лицо?

— Да я вовсе тогда и не заметил, что я в крови! — ответил Митя.

— Это они правдоподобно, это так и бывает, — переглянулся прокурор с Николаем Парфеновичем.

— Именно не наметил, это вы прекрасно, прокурор, — одобрил вдруг и Митя. Но далее пошла история внезапного решения Мити «устраниться» и «пропустить счастливых мимо себя». И он уже никак не мог, как давеча, решиться вновь разоблачать свое сердце и рассказывать про «царицу души своей». Ему претило пред этими холодными, «впивающимися в него, как клопы», людьми. А потому на повторенные вопросы заявил кратко и резко:

— Ну и решился убить себя. Зачем было оставаться жить: это само собой в вопрос вскакивало. Явился ее прежний, бесспорный, ее обидчик, но прискакавший с любовью после пяти лет завершить законным браком обиду. Ну и понял, что всё для меня пропало... А сзади позор, и вот эта кровь, кровь Григория... Зачем же жить? Ну и пошел выкупать заложенные пистолеты, чтобы зарядить и к рассвету себе пулю в башку всадить...

— А ночью пир горой?

— Ночью пир горой. Э, черт, господа, кончайте скорей. Застрелиться я хотел наверно, вот тут недалеко, за околицей, и распорядился бы с собою часов в пять утра, а в кармане бумажку приготовил, у Перхотина написал, когда пистолет зарядил. Вот она бумажка, читайте. Не для вас рассказываю! — прибавил он вдруг презрительно. Он выбросил им на стол бумажку из жилетного своего кармана; следователи прочли с любопытством и, как водится, приобщили к делу.

— А руки всё еще не подумали вымыть, даже и входя к господину Перхотину? Не опасались, стало быть, подозрений?

— Каких таких подозрений? Подозревай — хоть нет, всё равно, я бы сюда ускакал и в пять часов застрелился, и ничего бы не успели сделать. Ведь если бы не случай с отцом, ведь вы бы ничего не узнали и сюда не прибыли. О, это черт сделал, черт отца убил, через черта и вы так скоро узнали! Как сюда-то так скоро поспели? Диво, фантазия!

— Господин Перхотин передал нам, что вы, войдя к нему, держали в руках... в окровавленных руках... ваши деньги... большие деньги... пачку сторублевых бумажек, и что видел это и служивший ему мальчик!

— Так, господа, помнится, что так.

— Теперь встречается один вопросик. Не можете ли вы сообщить, — чрезвычайно мягко начал Николай Парфенович, — откуда вы взяли вдруг столько денег, тогда как из дела оказывается по расчету времени даже, что вы не заходили домой?

Прокурор немножко поморщился от вопроса, поставленного так ребром, но не прервал Николая Парфеновича.

— Нет, не заходил домой, — ответил Митя, по-видимому очень спокойно, но глядя в землю.

— Позвольте же повторить вопрос в таком случае, — как-то подползая, продолжал Николай Парфенович. — Откуда же вы могли разом достать такую сумму, когда, по собственному признанию вашему, еще в пять часов того дня...

— Нуждался в десяти рублях и заложил пистолеты у Перхотина, потом ходил к Хохлаковой за тремя тысячами, а та не дала, и проч., и всякая эта всячина, — резко прервал Митя, — да, вот, господа, нуждался, а тут вдруг тысячи появились, а? Знаете, господа, ведь вы оба теперь трусите: а что как не скажет, откуда взял? Так и есть: не скажу, господа, угадали, не узнаете, — отчеканил вдруг Митя с чрезвычайною решимостью. Следователи капельку помолчали.

— Поймите, господин Карамазов, что нам это знать существенно необходимо, — тихо и смиренно проговорил Николай Парфенович.

— Понимаю, а все-таки не скажу.

Ввязался и прокурор и опять напомнил, что допрашиваемый, конечно, может не отвечать на вопросы, если считает для себя это выгоднейшим и т. д., но в видах того, какой ущерб подозреваемый может сам нанести себе своим умолчанием и особенно ввиду вопросов такой важности, которая...

— И так далее, господа, и так далее! Довольно, слышал эту рацею и прежде! — опять оборвал Митя, — сам понимаю, какой важности дело и что тут самый существенный пункт, а все-таки не скажу.

— Ведь нам что-с, это ведь не наше дело, а ваше, сами себе повредите, — нервно заметил Николай Парфенович.

— Видите, господа, шутки в сторону, — вскинулся глазами Митя и твердо посмотрел на них обоих. — Я с самого начала уже предчувствовал, что мы на этом пункте сшибемся лбами. Но вначале, когда я давеча начал показывать, всё это было в дальнейшем тумане, всё плавало, и я даже был так прост, что начал с предложения «взаимного между нами доверия». Теперь сам вижу, что доверия этого и быть не могло, потому что всё же бы мы пришли к этому проклятому забору! Ну, вот и пришли! Нельзя, и кончено! Впрочем, я ведь вас не виню, нельзя же и вам мне верить на слово, я ведь это понимаю!

Он мрачно замолчал.

— А не могли ли бы вы, не нарушая нисколько вашей решимости умолчать о главнейшем, не могли ли бы вы в то же время дать нам хоть малейший намек на то: какие именно столь сильные мотивы могли бы привести вас к умолчанию в столь опасный для вас момент настоящих показаний?

Митя грустно и как-то задумчиво усмехнулся.

— Я гораздо добрее, чем вы думаете, господа, я вам сообщу почему и дам этот намек, хотя вы того и не стоите. Потому, господа, умалчиваю, что тут для меня позор. В ответе на вопрос: откуда взял эти деньги, заключен для меня такой позор, с которым не могло бы сравняться даже и убийство, и ограбление отца, если б я его убил и ограбил. Вот почему не могу говорить. От позора не могу. Что вы это, господа, записывать хотите?

— Да, мы запишем, — пролепетал Николай Парфенович.

— Вам бы не следовало это записывать, про «позор»-то. Это я вам по доброте только души показал, а мог и не показывать, я вам, так сказать, подарил, а вы сейчас лыко в строку. Ну пишите, пишите что хотите, — презрительно и брезгливо заключил он, — не боюсь я вас и... горжусь пред вами.

— А не скажете ли вы, какого бы рода этот позор? — пролепетал было Николай Парфенович.

Прокурор ужасно наморщился.

— Ни-ни, c'est fini[1], не трудитесь. Да и не стоит мараться. Уж и так об вас замарался. Не стоите вы, ни вы и никто... Довольно, господа, обрываю.

Проговорено было слишком решительно. Николай Парфенович перестал настаивать, но из взглядов Ипполита Кирилловича мигом успел усмотреть, что тот еще не теряет надежды.

— Не можете ли по крайней мере объявить: какой величины была сумма в руках ваших, когда вы вошли с ней к господину Перхотину, то есть сколько именно рублей?

---

[1] Кончено (фр.).

— Не могу и этого объявить.

— Господину Перхотину вы, кажется, заявляли о трех тысячах, будто бы полученных вами от госпожи Хохлаковой?

— Может быть, и заявил. Довольно, господа, не скажу сколько.

— Потрудитесь в таком случае описать, как вы сюда поехали и всё, что вы сделали, сюда приехав?

— Ох, об этом спросите всех здешних. А впрочем, пожалуй, и я расскажу.

Он рассказал, но мы уже приводить рассказа не будем. Рассказывал сухо, бегло. О восторгах любви своей не говорил вовсе. Рассказал, однако, как решимость застрелиться в нем прошла, «ввиду новых фактов». Он рассказывал, не мотивируя, не вдаваясь в подробности. Да и следователи не очень его на этот раз беспокоили: ясно было, что и для них не в том состоит теперь главный пункт.

— Мы это всё проверим, ко всему еще возвратимся при допросе свидетелей, который будет, конечно, происходить в вашем присутствии, — заключил допрос Николай Парфенович. — Теперь же позвольте обратиться к вам с просьбою выложить сюда на стол все ваши вещи, находящиеся при вас, а главное, все деньги, какие только теперь имеете.

— Деньги, господа? Извольте, понимаю, что надо. Удивляюсь даже, как раньше не полюбопытствовали. Правда, никуда бы не ушел, на виду сижу. Ну, вот они, мои деньги, вот считайте, берите, все, кажется.

Он вынул всё из карманов, даже мелочь, два двугривенных вытащил из бокового жилетного кармана. Сосчитали деньги, оказалось восемьсот тридцать шесть рублей сорок копеек.

— И это всё? — спросил следователь.

— Всё.

— Вы изволили сказать сейчас, делая показания ваши, что в лавке Плотниковых оставили триста рублей, Перхотину дали десять, ямщику двадцать, здесь проиграли двести, потом...

Николай Парфенович пересчитал всё. Митя помог охотно. Припомнили и включили в счет всякую копейку. Николай Парфенович бегло свел итог.

— С этими восьмьюстами было, стало быть, всего у вас первоначально около полутора тысяч?

— Стало быть, — отрезал Митя.

— Как же все утверждают, что было гораздо более?

— Пусть утверждают.

— Да и вы сами утверждали.

— И я сам утверждал.

— Мы еще проверим всё это свидетельствами еще не спрошенных других лиц; о деньгах ваших не беспокойтесь, они сохранятся где следует и окажутся к вашим услугам по окончании всего... начавшегося... если окажется или, так сказать, докажется, что вы имеете на них неоспоримое право. Ну-с, а теперь...

Николай Парфенович вдруг встал и твердо объявил Мите, что «принужден и должен» учинить самый подробный и точнейший осмотр «как платья вашего, так и всего...».

— Извольте, господа, все карманы выверну, если хотите.

И он действительно принялся было вывертывать карманы.

— Необходимо будет даже снять одежду.

— Как? Раздеться? Фу, черт! Да обыщите так! Нельзя ли так?

— Ни за что нельзя, Дмитрий Федорович. Надо одежду снять.

— Как хотите, — мрачно подчинился Митя, — только, пожалуйста, не здесь, а за занавесками. Кто будет осматривать?

— Конечно, за занавесками, — в знак согласия наклонил голову Николай Парфенович. Личико его изобразило особенную даже важность.

VI

ПРОКУРОР ПОЙМАЛ МИТЮ

Началось нечто совсем для Мити неожиданное и удивительное. Он ни за что бы не мог прежде, даже за минуту пред сим, предположить, чтобы так мог кто-нибудь обойтись с ним, с Митей Карамазовым! Главное, явилось нечто унизительное, а с их стороны «высокомерное и к нему презрительное». Еще ничего бы снять сюртук, но его попросили раздеться и далее. И не то что попросили, а, в сущности, приказали; он это отлично понял. Из гордости и презрения он подчинился вполне, без слов. За занавеску вошли, кроме Николая Парфеновича, и прокурор, присутствовали и несколько мужиков, «конечно, для силы, — подумал Митя, — а может, и еще для чего-нибудь».

— Что ж, неужели и рубашку снимать? — резко спросил было он, но Николай Парфенович ему не ответил: он вместе с прокурором был углублен в рассматривание сюртука, панталон, жилета и фуражки, и видно было, что оба они очень заинтересовались осмотром: «Совсем не церемонятся, — мелькнуло у Мити, — даже вежливости необходимой не наблюдают».

— Я вас спрашиваю во второй раз: надо или нет снимать рубашку? — проговорил он еще резче и раздражительнее.

— Не беспокойтесь, мы вас уведомим, — как-то начальственно даже ответил Николай Парфенович. По крайней мере Мите так показалось.

Между следователем и прокурором шло между тем заботливое совещание вполголоса. Оказались на сюртуке, особенно на левой поле, сзади, огромные пятна крови, засохшие, заскорузлые и не очень еще размятые. На панталонах тоже. Николай Парфенович, кроме того, собственноручно, в присутствии понятых, прошел пальцами по воротнику, по обшлагам и по всем швам сюртука и панталон, очевидно чего-то отыскивая, — конечно, денег. Главное, не скрывали от Мити подозрений, что он мог и способен был зашить деньги в платье. «Это уж прямо как с вором, а не как с офицером», — проворчал он про себя. Сообщали же друг другу мысли свои при нем до странности откровенно. Например, письмоводитель, очутившийся тоже за занавеской, суетившийся и прислуживавший, обратил внимание Николая Парфеновича на фуражку, которую тоже ощупали: «Помните Гриденку-писаря-с, — заметил письмоводитель, — летом жалованье ездил получать на всю канцелярию, а вернувшись, заявил, что потерял в пьяном виде, — так где же нашли? Вот в этих самых кантиках, в фуражке-с, сторублевые были свернуты трубочками-с и в кантики зашиты». Факт с Гриденкой очень помнили и следователь, и прокурор, а потому и Митину фуражку отложили и решили, что всё это надо будет потом пересмотреть серьезно, да и всё платье.

— Позвольте, — вскрикнул вдруг Николай Парфенович, заметив ввернутый внутрь правый обшлаг правого рукава рубашки Мити, весь залитый кровью, — позвольте-с, это как же, кровь?

— Кровь, — отрезал Митя.

— То есть это какая же-с... и почему ввернуто внутрь рукава?

Митя рассказал, как он запачкал обшлаг, возясь с Григорием, и ввернул его внутрь еще у Перхотина, когда мыл у него руки.

— Рубашку вашу тоже придется взять, это очень важно... для вещественных доказательств. — Митя покраснел и рассвирепел.

— Что ж, мне голым оставаться? — крикнул он.

— Не беспокойтесь... Мы как-нибудь поправим это, а пока потрудитесь снять и носки.

— Вы не шутите? Это действительно так необходимо? — сверкнул глазами Митя.

— Нам не до шуток, — строго отпарировал Николай Парфенович.

— Что ж, если надо... я... — забормотал Митя и, сев на кровать, начал снимать носки. Ему было нестерпимо конфузно: все одеты, а он раздет и, странно это, — раздетый, он как бы и сам почувствовал себя пред ними виноватым, и, главное, сам был почти согласен, что действительно вдруг стал всех их ниже и что теперь они уже имеют полное право его презирать. «Коли все раздеты, так не стыдно, а один раздет, а все смотрят — позор! — мелькало опять и опять у него в уме. — Точно во сне, я во сне иногда такие позоры над собою видывал». Но снять носки ему было даже мучительно: они были очень не чисты, да и нижнее белье тоже, и теперь это все увидали. А главное, он сам не любил свои ноги, почему-то всю жизнь находил свои большие пальцы на обеих ногах уродливыми, особенно один грубый, плоский, как-то загнувшийся вниз ноготь на правой ноге, и вот теперь все они увидят. От нестерпимого стыда он вдруг стал еще более и уже нарочно груб. Он сам сорвал с себя рубашку.

— Не хотите ли и еще где поискать, если вам не стыдно?

— Нет-с, пока не надо.

— Что ж, мне так и оставаться голым? — свирепо прибавил он.

— Да, это пока необходимо... Потрудитесь пока здесь присесть, можете взять с кровати одеяло и завернуться, а я... я это всё улажу.

Все вещи показали понятым, составили акт осмотра, и наконец Николай Парфенович вышел, а платье вынесли за ним. Ипполит Кириллович тоже вышел. Остались с Митей одни мужики и стояли молча, не спуская с него глаз. Митя завернулся в одеяло, ему стало холодно. Голые ноги его торчали наружу, и он всё никак не мог так напялить на них одеяло, чтоб их закрыть. Николай Парфенович что-то долго не возвращался, «истязательно долго», «за щенка меня почитает», скрежетал зубами Митя. «Эта дрянь прокурор тоже ушел, верно из презрения, гадко стало смотреть на голого». Митя все-таки полагал, что платье его там где-то осмотрят и принесут обратно. Но каково же было его негодование, когда Николай Парфенович вдруг воротился совсем с другим платьем, которое нес за ним мужик.

— Ну, вот вам и платье, — развязно проговорил он, по-видимому очень довольный успехом своего хождения. — Это господин Калганов жертвует на сей любопытный случай, равно как и чистую вам рубашку. С ним всё это, к счастию, как раз оказалось в чемодане. Нижнее белье и носки можете сохранить свои.

Митя страшно вскипел.

— Не хочу чужого платья! — грозно закричал он, — давайте мое!

— Невозможно.

— Давайте мое, к черту Калганова, и его платье, и его самого!

Его долго уговаривали. Кое-как, однако, успокоили. Ему внушили, что платье его, как запачканное кровью, должно «примкнуть к собранию вещественных доказательств», оставить же его на нем они теперь «не имеют даже и права... в видах того, чем может окончиться дело». Митя кое-как наконец это понял. Он мрачно замолчал и стал спеша одеваться. Заметил только, надевая платье, что оно богаче его старого платья и что он бы не хотел «пользоваться». Кроме того, «унизительно узко. Шута, что ли, я горохового должен в нем разыгрывать... к вашему наслаждению!»

Ему опять внушили, что он и тут преувеличивает, что господин Калганов, хоть и выше его ростом, но лишь немного, и разве только вот панталоны выйдут длинноваты. Но сюртук оказался действительно узок в плечах.

— Черт возьми, и застегнуться трудно, — заворчал снова Митя, — сделайте одолжение, извольте от меня сей же час передать господину Калганову, что не я просил у него его платья и что меня самого перерядили в шута.

— Он это очень хорошо понимает и сожалеет... то есть не о платье своем сожалеет, а, собственно, обо всем этом случае... — промямлил было Николай Парфенович.

— Наплевать на его сожаление! Ну, куда теперь? Или всё здесь сидеть?

Его попросили выйти опять в «ту комнату». Митя вышел хмурый от злобы и стараясь ни на кого не глядеть. В чужом платье он чувствовал себя совсем опозоренным, даже пред этими мужиками и Трифоном Борисовичем, лицо которого вдруг зачем-то мелькнуло в дверях и исчезло. «На ряженого заглянуть приходил», — подумал Митя. Он уселся на своем прежнем стуле. Мерещилось ему что-то кошмарное и нелепое, казалось ему, что он не в своем уме.

— Ну что ж теперь, пороть розгами, что ли, меня начнете, ведь больше-то ничего не осталось, — заскрежетал он, обращаясь к прокурору. К Николаю Парфеновичу он и повернуться уже не хотел, как бы и говорить с ним не удостоивая. «Слишком уж пристально мои носки осматривал, да еще велел, подлец, выворотить, это он нарочно, чтобы выставить всем, какое у меня грязное белье!»

— Да вот придется теперь перейти к допросу свидетелей, — произнес Николай Парфенович, как бы в ответ на вопрос Дмитрия Федоровича.

— Да-с, — вдумчиво проговорил прокурор, тоже как бы что-то соображая.

— Мы, Дмитрий Федорович, сделали что могли в ваших же интересах, — продолжал Николай Парфенович, — но, получив столь радикальный с вашей стороны отказ разъяснить нам насчет происхождения находившейся при вас суммы, мы в данную минуту...

— Это из чего у вас перстень? — перебил вдруг Митя, как бы выходя из какой-то задумчивости и указывая пальцем на один из трех больших перстней, украшавших правую ручку Николая Парфеновича.

— Перстень? — переспросил с удивлением Николай Парфенович.

— Да, вот этот... вот на среднем пальце, с жилочками, какой это камень? — как-то раздражительно, словно упрямый ребенок, настаивал Митя.

— Это дымчатый топаз, — улыбнулся Николай Парфенович, — хотите посмотреть, я сниму...

— Нет, нет, не снимайте! — свирепо крикнул Митя, вдруг опомнившись и озлившись на себя самого, — не снимайте, не надо... Черт... Господа, вы огадили мою душу! Неужели вы думаете, что я стал бы скрывать от вас, если бы в самом деле убил отца, вилять, лгать и прятаться? Нет, не таков Дмитрий Карамазов, он бы этого не вынес, и если б я был виновен, клянусь, не ждал бы вашего сюда прибытия и восхода солнца, как намеревался сначала, а истребил бы себя еще прежде, еще не дожидаясь рассвета! Я чувствую это теперь по себе. Я в двадцать лет жизни не научился бы стольку, сколько узнал в эту проклятую ночь!.. И таков ли, таков ли был бы я в эту ночь и в эту минуту теперь, сидя с вами, — так ли бы я говорил, так ли двигался, так ли бы смотрел на вас и на мир, если бы в самом деле был отцеубийцей, когда даже нечаянное это убийство Григория не давало мне покоя всю ночь, — не от страха, о! не от одного только страха вашего наказания! Позор! И вы хотите, чтоб я таким насмешникам, как вы, ничего не видящим и ничему не верящим, слепым кротам и насмешникам, стал открывать и рассказывать еще новую подлость мою, еще новый позор, хотя бы это и спасло меня от вашего обвинения? Да лучше в каторгу! Тот, который отпер к отцу дверь и вошел этою дверью, тот и убил его, тот и обокрал. Кто он — я теряюсь и мучаюсь, но это не Дмитрий Карамазов, знайте это, — и вот всё, что я могу вам сказать, и довольно, не приставайте... Ссылайте, казните, но не раздражайте меня больше. Я замолчал. Зовите ваших свидетелей!

Митя проговорил свой внезапный монолог, как бы совсем уже решившись впредь окончательно замолчать. Прокурор всё время следил за ним и, только что он замолчал, с самым холодным и с самым спокойным видом вдруг проговорил точно самую обыкновенную вещь:

— Вот именно по поводу этой отворенной двери, о которой вы сейчас упомянули, мы, и как раз кстати, можем сообщить вам, именно теперь, одно чрезвычайно любопытное и в высшей степени важное, для вас и для нас, показание раненного вами старика Григория Васильева. Он ясно и настойчиво передал нам, очнувшись, на расспросы наши, что в то еще время, когда, выйдя на крыльцо и заслышав в саду некоторый шум, он решился войти в сад чрез калитку, стоявшую отпертою, то, войдя в сад, еще прежде чем заметил вас в темноте убегающего, как вы сообщили уже нам, от отворенного окошка, в котором видели вашего родителя, он, Григорий, бросив взгляд налево и заметив действительно это отворенное окошко, заметил в то же время, гораздо ближе к себе, и настежь отворенную дверь, про которую вы заявили, что она всё время, как вы были в саду, оставалась запертою. Не скрою от вас, что сам Васильев твердо заключает и свидетельствует, что вы должны были выбежать из двери, хотя, конечно, он своими глазами и не видал, как вы выбегали, запримётив вас в первый момент уже в некотором от себя отдалении, среди сада, убегающего к стороне забора...

Митя еще с половины речи вскочил со стула.

— Вздор! — завопил он вдруг в исступлении, — наглый обман! Он не мог видеть отворенную дверь, потому что она была тогда заперта... Он лжет!..

— Долгом считаю вам повторить, что показание его твердое. Он не колеблется. Он стоит на нем. Мы несколько раз его переспрашивали.

— Именно, я несколько раз переспрашивал! — с жаром подтвердил и Николай Парфенович.

— Неправда, неправда! Это или клевета на меня, или галлюцинация сумасшедшего, — продолжал кричать Митя, — просто-запросто в бреду, в крови, от раны, ему померещилось, когда очнулся... Вот он и бредит.

— Да-с, но ведь заметил он отпертую дверь не когда очнулся от раны, а еще прежде того, когда только он входил в сад из флигеля.

— Да неправда же, неправда, это не может быть! Это он со злобы на меня клевещет... Он не мог видеть... Я не выбегал из двери, — задыхался Митя.

Прокурор повернулся к Николаю Парфеновичу и внушительно проговорил ему:

— Предъявите.

— Знаком вам этот предмет? — выложил вдруг Николай Парфенович на стол большой, из толстой бумаги, концелярского размера конверт, на котором виднелись еще три сохранившиеся печати. Самый же конверт был пуст и с одного бока разорван. Митя выпучил на него глаза.

— Это... это отцовский, стало быть, конверт, — пробормотал он, — тот самый, в котором лежали эти три тысячи... и, если надпись, позвольте: «цыпленочку»... вот: три тысячи, — вскричал он, — три тысячи, видите?

— Как же-с, видим, но мы денег уже в нем не нашли, он был пустой и валялся на полу, у кровати, за ширмами.

Несколько секунд Митя стоял как ошеломленный.

— Господа, это Смердяков! — закричал он вдруг изо всей силы, — это он убил, он ограбил! Только он один и знал, где спрятан у старика конверт... Это он, теперь ясно!

— Но ведь и вы же знали про конверт и о том, что он лежит под подушкой.

— Никогда не знал: я и не видел никогда его вовсе, в первый раз теперь вижу, а прежде только от Смердякова слышал... Он один знал, где у старика спрятано, а я не знал... — совсем задыхался Митя.

— И однако ж, вы сами показали нам давеча, что конверт лежал у покойного родителя под подушкой. Вы именно сказали, что под подушкой, стало быть, знали же, где лежал.

— Мы так и записали! — подтвердил Николай Парфенович.

— Вздор, нелепость! Я совсем не знал, что под подушкой. Да, может быть, вовсе и не под подушкой... Я наобум сказал, что под подушкой... Что Смердяков говорит? Вы его спрашивали, где лежал? Что Смердяков говорит? Это главное... А я нарочно налгал на себя... Я вам соврал не думавши, что лежал под подушкой, а вы теперь... Ну знаете, сорвется с языка, и соврешь. А знал один Смердяков, только один Смердяков, и никто больше!.. Он и мне не открыл, где лежит! Но это он, это он; это несомненно он убил, это мне теперь ясно как свет, — восклицал всё более и более в исступлении Митя, бессвязно повторяясь, горячась и ожесточаясь. — Поймите вы это и арестуйте его скорее, скорей... Он именно убил, когда я убежал и когда Григорий лежал без чувств, это теперь ясно... Он подал знаки, и отец ему отпер... Потому что только он один и знал знаки, а без знаков отец бы никому не отпер...

— Но опять вы забываете то обстоятельство, — всё так же сдержанно, но как бы уже торжествуя, заметил прокурор, — что знаков и подавать было не надо, если дверь уже стояла отпертою, еще при вас, еще когда вы находились в саду...

— Дверь, дверь, — бормотал Митя и безмолвно уставился на прокурора, он в бессилии опустился опять на стул. Все замолчали.

— Да, дверь!.. Это фантом! Бог против меня! — воскликнул он, совсем уже без мысли глядя пред собою.

— Вот видите, — важно проговорил прокурор, — и посудите теперь сами, Дмитрий Федорович: с одной стороны, это показание об отворенной двери, из которой вы выбежали, подавляющее вас и нас. С другой стороны — непонятное, упорное и почти ожесточенное умолчание ваше насчет происхождения денег, вдруг появившихся в ваших руках, тогда как еще за три часа до этой суммы вы, по собственному показанию, заложили пистолеты ваши, чтобы получить только десять рублей! Ввиду всего этого решите сами: чему же нам верить и на чем остановиться? И не претендуйте на нас, что мы «холодные циники и насмешливые люди», которые не в состоянии верить благородным порывам вашей души... Вникните, напротив, и в наше положение...

Митя был в невообразимом волнении, он побледнел.

— Хорошо! — воскликнул он вдруг, — я открою вам мою тайну, открою, откуда взял деньги!.. Открою позор, чтобы не винить потом ни вас, ни себя...

— И поверьте, Дмитрий Федорович, — каким-то умиленно радостным голоском подхватил Николай Парфенович, — что всякое искреннее и полное сознание ваше, сделанное именно в теперешнюю минуту, может впоследствии повлиять к безмерному облегчению участи вашей и даже, кроме того...

Но прокурор слегка толкнул его под столом, и тот успел вовремя остановиться. Митя, правда, его и не слушал.

VII

ВЕЛИКАЯ ТАЙНА МИТИ. ОСВИСТАЛИ

— Господа, — начал он всё в том же волнении, — эти деньги... я хочу признаться вполне... эти деньги были *мои*.

У прокурора и следователя даже лица вытянулись, не того совсем они ожидали.

— Как же ваши, — пролепетал Николай Парфенович, — тогда как еще в пять часов дня, по собственному признанию вашему...

— Э, к черту пять часов того дня и собственное признание мое, не в том теперь дело! Эти деньги были мои,

мои, то есть краденые мои... не мои то есть, а краденые, много украденные, и их было полторы тысячи, и они были со мной, всё время со мной...

— Да откуда же вы их взяли?

— С шеи, господа, взял, с шеи, вот с этой самой моей шеи... Здесь они были у меня на шее, зашиты в тряпку и висели на шее, уже давно, уже месяц, как я их на шее со стыдом и с позором носил!

— Но у кого же вы их... присвоили?

— Вы хотели сказать: «украли»? Говорите теперь слова прямо. Да, я считаю, что я их всё равно что украл, а если хотите, действительно «присвоил». Но по-моему, украл. А вчера вечером так уж совсем украл.

— Вчера вечером? Но вы сейчас сказали, что уж месяц, как их... достали!

— Да, но не у отца, не у отца, не беспокойтесь, не у отца украл, а у ней. Дайте рассказать и не перебивайте. Это ведь тяжело. Видите: месяц назад призывает меня Катерина Ивановна Верховцева, бывшая невеста моя... Знаете вы ее?

— Как же-с, помилуйте.

— Знаю, что знаете. Благороднейшая душа, благороднейшая из благородных, но меня ненавидевшая давно уже, о, давно, давно... и заслуженно, заслуженно ненавидевшая!

— Катерина Ивановна? — с удивлением переспросил следователь. Прокурор тоже ужасно уставился.

— О, не произносите имени ее всуе! Я подлец, что ее вывожу. Да, я видел, что она меня ненавидела... давно... с самого первого раза, с самого того у меня на квартире еще там... Но довольно, довольно, это вы даже и знать недостойны, это не надо вовсе... А надо лишь то, что она призвала меня месяц назад, выдала мне три тысячи, чтоб отослать своей сестре и еще одной родственнице в Москву (и как будто сама не могла послать!), а я... это было именно в тот роковой час моей жизни, когда я... ну, одним словом, когда я только что полюбил другую, ее, теперешнюю, вон она у вас теперь там внизу сидит, Грушеньку... я схватил ее тогда сюда в Мокрое и прокутил здесь в два дня половину этих проклятых трех тысяч, то есть полторы тысячи, а другую половину удержал на себе. Ну вот эти полторы тысячи, которые я удержал, я и носил с собой на шее, вместо ладонки, а вчера распечатал и прокутил. Сдача в восемьсот рублей у вас теперь в руках, Николай Парфенович, это сдача со вчерашних полутора тысяч.

— Позвольте, как же это, ведь вы прокутили тогда здесь месяц назад три тысячи, а не полторы, все это знают?

— Кто ж это знает? Кто считал? Кому я давал считать?

— Помилуйте, да вы сами говорили всем, что прокутили тогда ровно три тысячи.

— Правда, говорил, всему городу говорил, и весь город говорил, и все так считали, и здесь, в Мокром, так же все считали, что три тысячи. Только все-таки я прокутил не три, а полторы тысячи, а другие полторы зашил в ладонку; вот как дело было, господа, вот откуда эти вчерашние деньги...

— Это почти чудесно... — пролепетал Николай Парфенович.

— Позвольте спросить, — проговорил наконец прокурор, — не объявляли ли вы хоть кому-нибудь об этом обстоятельстве прежде... то есть что полторы эти тысячи оставили тогда же, месяц назад, при себе?

— Никому не говорил.

— Это странно. Неужели так-таки совсем никому?

— Совсем никому. Никому и никому.

— Но почему же такое умолчание? Что побудило вас сделать из этого такой секрет? Я объяснюсь точнее: вы объявили нам наконец вашу тайну, по словам вашим столь «позорную», хотя в сущности — то есть, конечно, лишь относительно говоря — этот поступок, то есть именно присвоение чужих трех тысяч рублей, и, без сомнения, лишь временное, — поступок этот, на мой взгляд по крайней мере, есть лишь в высшей степени поступок легкомысленный, но не столь позорный, принимая, кроме того, во внимание и ваш характер... Ну, положим, даже и зазорный в высшей степени поступок, я согласен, но зазорный, всё же не позорный... То есть я веду, собственно, к тому, что про растраченные вами эти три тысячи от госпожи Верховцевой уже многие догадывались в этот месяц и без вашего признания, я слышал эту легенду сам... Михаил Макарович, например, тоже слышал. Так что, наконец, это почти уже не легенда, а сплетня всего города. К тому же есть следы, что и вы сами, если не ошибаюсь, кому-то признавались в этом, то есть именно что деньги эти от госпожи

Верховцевой... А потому и удивляет меня слишком, что вы придавали до сих пор, то есть до самой настоящей минуты, такую необычайную тайну этим отложенным, по вашим словам, полутора тысячам, сопрягая с вашею тайной этою какой-то даже ужас... Невероятно, чтобы подобная тайна могла стоить вам стольких мучений к признанию... потому что вы кричали сейчас даже, что лучше на каторгу, чем признаться...

Прокурор замолк. Он разгорячился. Он не скрывал своей досады, почти злобы, и выложил всё накопившееся, даже не заботясь о красоте слога, то есть бессвязно и почти сбивчиво.

— Не в полутора тысячах заключался позор, а в том, что эти полторы тысячи я отделил от тех трех тысяч, — твердо произнес Митя.

— Но что же, — раздражительно усмехнулся прокурор, — что именно в том позорного, что уже от взятых зазорно, или, если сами желаете, то и позорно, трех тысяч вы отделили половину по своему усмотрению? Важнее то, что вы три тысячи присвоили, а не то, как с ними распорядились. Кстати, почему вы именно так распорядились, то есть отделили эту половину? Для чего, для какой цели так сделали, можете это нам объяснить?

— О господа, да в цели-то и вся сила! — воскликнул Митя. — Отделил по подлости, то есть по расчету, ибо расчет в этом случае и есть подлость... И целый месяц продолжалась эта подлость!

— Непонятно.

— Удивляюсь вам. А впрочем, объяснюсь еще, действительно, может быть, непонятно. Видите, следите за мной: я присвояю три тысячи, вверенные моей чести, кучу на них, прокутил все, наутро являюсь к ней и говорю: «Катя, виноват, я прокутил твои три тысячи», — ну что, хорошо? Нет, нехорошо — бесчестно и малодушно, зверь и до зверства не умеющий сдержать себя человек, так ли, так ли? Но всё же не вор? Не прямой же ведь вор, не прямой, согласитесь! Прокутил, но не украл! Теперь второй, еще выгоднейший случай, следите за мной, а то я, пожалуй, опять собьюсь — как-то голова кружится — итак, второй случай: прокучиваю я здесь только полторы тысячи из трех, то есть половину. На другой день прихожу к ней и приношу эту половину: «Катя, возьми от меня, мерзавца и легкомысленного подлеца, эту половину, потому что половину я прокутил, прокучу, стало быть, и эту, так чтобы от греха долой!» Ну как в таком случае? Всё что угодно, и зверь и подлец, но уже не вор, не вор окончательно, ибо, если б вор, то наверно бы не принес назад половину сдачи, а присвоил бы и ее. Тут же она видит, что коль скоро принес половину, то донесет и остальные, то есть прокученные, всю жизнь искать будет, работать будет, но найдет и отдаст. Таким образом, подлец, но не вор, не вор, как хотите, не вор!

— Положим, что есть некоторая разница, — холодно усмехнулся прокурор. — Но странно все-таки, что вы видите в этом такую роковую уже разницу.

— Да, вижу такую роковую разницу! Подлецом может быть всякий, да и есть, пожалуй, всякий, но вором может быть не всякий, а только архиподлец. Ну да я там этим тонкостям не умею... А только вор подлее подлеца, вот мое убеждение. Слушайте: я ношу деньги целый месяц на себе, завтра же я могу решиться их отдать, и я уже не подлец, но решиться-то я не могу, вот что, хотя и каждый день решаюсь, хотя и каждый день толкаю себя: «Решись, решись, подлец», и вот весь месяц не могу решиться, вот что! Что, хорошо, по-вашему, хорошо?

— Положим, не так хорошо, это я отлично могу понять и в этом я не спорю, — сдержанно ответил прокурор. — Да и вообще отложим всякое препирание об этих тонкостях и различиях, а вот опять-таки если бы вам угодно было перейти к делу. А дело именно в том, что вы еще не изволили нам объяснить, хотя мы и спрашивали: для чего первоначально сделали такое разделение в этих трех тысячах, то есть одну половину прокутили, а другую припрятали? Именно для чего, собственно, припрятали, на что хотели, собственно, эти отделенные полторы тысячи употребить? Я на этом вопросе настаиваю, Дмитрий Федорович.

— Ах да, и в самом деле! — вскричал Митя, ударив себя по лбу, — простите, я вас мучаю, а главного и не объясняю, а то бы вы вмиг поняли, ибо в цели-то, в цели-то этой и позор! Видите, тут всё этот старик, покойник, он всё Аграфену Александровну смущал, а я ревновал, думал тогда, что она колеблется между мною и им; вот и думаю каждый день: что, если вдруг с ее стороны решение, что, если она устанет меня мучить и вдруг скажет мне: «Тебя люблю, а не его, увози меня на край света». А у меня всего два двугривенных; с чем увезешь, что тогда делать, — вот и пропал. Я ведь ее тогда не знал и не понимал, я думал, что ей денег надо и что нищеты моей она мне не простит. И вот я ехидно отсчитываю половину от трех тысяч и зашиваю иглой хладнокровно, зашиваю с расчетом, еще до пьянства зашиваю, а потом, как уж зашил, на остальную половину еду пьянствовать! Нет-с, это подлость! Поняли теперь?

Прокурор громко рассмеялся, следователь тоже.

— По-моему, даже благоразумно и нравственно, что удержались и не все прокутили, — прохихикал Николай Парфенович, — потому что что же тут такого-с?

— Да то, что украл, вот что! О боже, вы меня ужасаете непониманием! Всё время, пока я носил эти полторы тысячи, зашитые на груди, я каждый день и каждый час говорил себе: «Ты вор, ты вор!» Да я оттого и свирепствовал в этот месяц, оттого и дрался в трактире, оттого и отца избил, что чувствовал себя вором! Я даже Алеше, брату моему, не решился и не посмел открыть про эти полторы тысячи: до того чувствовал, что подлец и мазурик! Но знайте, что пока я носил, я в то же время каждый день и каждый час мой говорил себе: «Нет, Дмитрий Федорович, ты, может быть, еще и не вор». Почему? А именно потому, что ты можешь завтра пойти и отдать эти полторы тысячи Кате. И вот вчера только я решился сорвать мою ладонку с шеи, идя от Фени к Перхотину, а до той минуты не решался, и только что сорвал, в ту же минуту стал уже окончательный и бесспорный вор, вор и бесчестный человек на всю жизнь. Почему? Потому что вместе с ладонкой и мечту мою пойти к Кате и сказать: «Я подлец, а не вор» — разорвал! Понимаете теперь, понимаете!

— Почему же вы именно вчера вечером на это решились? — прервал было Николай Парфенович.

— Почему? Смешно спрашивать: потому что осудил себя на смерть, в пять часов утра, здесь на рассвете: «Ведь всё равно, подумал, умирать, подлецом или благородным!» Так вот нет же, не всё равно оказалось! Верите ли, господа, не то, не то меня мучило больше всего в эту ночь, что я старика слугу убил и что грозила Сибирь, и еще когда? — когда увенчалась любовь моя и небо открылось мне снова! О, это мучило, но не так; всё же не так, как это проклятое сознание, что я сорвал наконец с груди эти проклятые деньги и их растратил, а стало быть, теперь уже вор окончательный! О господа, повторяю вам с кровью сердца: много я узнал в эту ночь! Узнал я, что не только жить подлецом невозможно, но и умирать подлецом невозможно... Нет, господа, умирать надо честно!..

Митя был бледен. Лицо его имело изможденный и измученный вид, несмотря на то, что он был до крайности разгорячен.

— Я начинаю вас понимать, Дмитрий Федорович, — мягко и даже как бы сострадательно протянул прокурор, — но всё это, воля ваша, по-моему, лишь нервы... болезненные нервы ваши, вот что-с. И почему бы, например, вам, чтоб избавить себя от стольких мук, почти целого месяца, не пойти и не отдать эти полторы тысячи той особе, которая вам их доверила, и, уже объяснившись с нею, почему бы вам, ввиду вашего тогдашнего положения, столь ужасного, как вы его рисуете, не испробовать комбинацию, столь естественно представляющуюся уму, то есть после благородного признания ей в ваших ошибках, почему бы вам у ней же и не попросить потребную на ваши расходы сумму, в которой она, при великодушном сердце своем и видя ваше расстройство, уж конечно бы вам не отказала, особенно если бы под документ, или, наконец, хотя бы под такое же обеспечение, которое вы предлагали купцу Самсонову и госпоже Хохлаковой? Ведь считаете же вы даже до сих пор это обеспечение ценным?

Митя вдруг покраснел:

— Неужто же вы меня считаете даже до такой уж степени подлецом? Не может быть, чтобы вы это серьезно!.. — проговорил он с негодованием, смотря в глаза прокурору и как бы не веря, что от него слышал.

— Уверяю вас, что серьезно... Почему вы думаете, что несерьезно? — удивился в свою очередь и прокурор.

— О, как это было бы подло! Господа, знаете ли вы, что вы меня мучаете! Извольте, я вам всё скажу, так и быть, я вам теперь уже во всей моей инфернальности признаюсь, но чтобы вас же устыдить, и вы сами удивитесь, до какой подлости может дойти комбинация чувств человеческих. Знайте же, что я уже имел эту комбинацию сам, вот эту самую, про которую вы сейчас говорили, прокурор! Да, господа, и у меня была эта мысль в этот проклятый месяц, так что почти уже решался идти к Кате, до того был подл! Но идти к ней, объявить ей мою измену и на эту же измену, для исполнения же этой измены, для предстоящих расходов на эту измену, у ней же, у Кати же, просить денег (просить, слышите, просить!) и тотчас от нее же убежать с другою, с ее соперницей, с ее ненавистницей и обидчицей, — помилуйте, да вы с ума сошли, прокурор!

— С ума не с ума, но, конечно, я сгоряча не сообразил... насчет этой самой вот женской ревности... если тут действительно могла быть ревность, как вы утверждаете... да, пожалуй, тут есть нечто в этом роде, — усмехнулся прокурор.

— Но это была бы уж такая мерзость, — свирепо ударил Митя кулаком по столу, — это так бы воняло, что уж я и не знаю! Да знаете ли вы, что она могла бы мне дать эти деньги, да и дала бы, наверно дала бы, из отмщения мне дала бы, из наслаждения мщением, из презрения ко мне дала бы, потому что это тоже инфернальная душа и великого гнева женщина! Я-то бы деньги взял, о, взял бы, взял, и тогда всю жизнь... о боже! Простите, господа, я потому так кричу, что у меня была эта мысль еще так недавно, еще всего только третьего дня, именно когда я ночью с Лягавым возился, и потом вчера, да, и вчера, весь день вчера, я помню это, до самого этого случая...

— До какого случая? — ввернул было Николай Парфенович с любопытством, но Митя не расслышал.

— Я сделал вам страшное признание, — мрачно заключил он. — Оцените же его, господа. Да мало того, мало оценить, не оцените, а цените его, а если нет, если и это пройдет мимо ваших душ, то тогда уже вы прямо не уважаете меня, господа, вот что я вам говорю, и я умру от стыда, что признался таким, как вы! О, я застрелюсь! Да я уже вижу, вижу, что вы мне не верите! Как, так вы и это хотите записывать? — вскричал он уже в испуге.

— Да вот что вы сейчас сказали, — в удивлении смотрел на него Николай Парфенович, — то есть что вы до самого последнего часа всё еще располагали идти к госпоже Верховцевой просить у нее эту сумму... Уверяю вас, что это очень важное для нас показание, Дмитрий Федорович, то есть про весь этот случай... и особенно для вас, особенно для вас важное.

— Помилосердуйте, господа, — всплеснул руками Митя, — хоть этого-то не пишите, постыдитесь! Ведь я, так сказать, душу мою разорвал пополам пред вами, а вы воспользовались и роетесь пальцами по разорванному месту в обеих половинах... О боже!

Он закрылся в отчаянии руками.

— Не беспокойтесь так, Дмитрий Федорович, — заключил прокурор, — всё теперь записанное вы потом прослушаете сами и с чем не согласитесь, мы по вашим словам изменим, а теперь я вам один вопросик еще в третий раз повторю: неужто в самом деле никто, так-таки вовсе никто, не слыхал от вас об этих зашитых вами в ладонку деньгах? Это, я вам скажу, почти невозможно представить.

— Никто, никто, я сказал, иначе вы ничего не поняли! Оставьте меня в покое.

— Извольте-с, это дело должно объясниться, и еще много к тому времени впереди, но пока рассудите: у нас, может быть, десятки свидетельств о том, что вы именно сами распространяли и даже кричали везде о трех тысячах, истраченных вами, о трех, а не о полутора, да и теперь, при появлении вчерашних денег, тоже многим успели дать знать, что денег опять привезли с собою три тысячи...

— Не десятки, а сотни свидетельств у вас в руках, две сотни свидетельств, две сотни человек слышали, тысяча слышала! — воскликнул Митя.

— Ну вот видите-с, все, все свидетельствуют. Так ведь значит же что-нибудь слово *все?*

— Ничего не значит, я соврал, а за мной и все стали врать.

— Да зачем же вам-то так надо было «врать», как вы изъясняетесь?

— А черт знает. Из похвальбы, может быть... так... что вот так много денег прокутил... Из того, может, чтоб об этих зашитых деньгах забыть... да, это именно оттого... черт... который раз вы задаете этот вопрос? Ну, соврал, и кончено, раз соврал и уж не хотел переправлять. Из-за чего иной раз врет человек?

— Это очень трудно решить, Дмитрий Федорович, из-за чего врет человек, — внушительно проговорил прокурор. — Скажите, однако, велика ли была эта, как вы называете ее, ладонка, на вашей шее?

— Нет, не велика.

— А какой, например, величины?

— Бумажку сторублевую пополам сложить — вот и величина.

— А лучше бы вы нам показали лоскутки? Ведь они где-нибудь при вас.

— Э, черт... какие глупости... я не знаю, где они.

— Но позвольте, однако: где же и когда вы ее сняли с шеи? Ведь вы, как сами показываете, домой не заходили?

— А вот как от Фени вышел и шел к Перхотину, дорогой и сорвал с шеи и вынул деньги.

— В темноте?

— Для чего тут свечка? Я это пальцем в один миг сделал.

— Без ножниц, на улице?

— На площади, кажется; зачем ножницы? Ветхая тряпка, сейчас разодралась.

— Куда же вы ее потом дели?

— Там же и бросил.

— Где именно?

— Да на площади же, вообще на площади! Черт ее знает где на площади. Да для чего вам это?

— Это чрезвычайно важно, Дмитрий Федорович: вещественные доказательства в вашу же пользу, и как это вы не хотите понять? Кто же вам помогал зашивать месяц назад?

— Никто не помогал, сам зашил.

— Вы умеете шить?

— Солдат должен уметь шить, а тут и уменья никакого не надо.

— Где же вы взяли материал, то есть эту тряпку, в которую зашили?

— Неужто вы не смеетесь?

— Отнюдь нет, и нам вовсе не до смеха, Дмитрий Федорович.

— Не помню, где взял тряпку, где-нибудь взял.

— Как бы, кажется, этого-то уж не запомнить?

— Да ей-богу же не помню, может, что-нибудь разодрал из белья.

— Это очень интересно: в вашей квартире могла бы завтра отыскаться эта вещь, рубашка, может быть, от которой вы оторвали кусок. Из чего эта тряпка была: из холста, из полотна?

— Черт ее знает из чего. Постойте... Я, кажется, ни от чего не отрывал. Она была коленкоровая... Я, кажется, в хозяйкин чепчик зашил.

— В хозяйкин чепчик?

— Да, я у ней утащил.

— Как это утащили?

— Видите, я действительно, помнится, как-то утащил один чепчик на тряпки, а может, перо обтирать. Взял тихонько, потому никуда не годная тряпка, лоскутки у меня валялись, а тут эти полторы тысячи, я взял и зашил... Кажется, именно в эти тряпки зашил. Старая коленкоровая дрянь, тысячу раз мытая.

— И вы это твердо уже помните?

— Не знаю, твердо ли. Кажется, в чепчик. Ну да наплевать!

— В таком случае ваша хозяйка могла бы по крайней мере припомнить, что у нее пропала эта вещь?

— Вовсе нет, она и не хватилась. Старая тряпка, говорю вам, старая тряпка, гроша не стоит.

— А иголку откуда взяли, нитки?

— Я прекращаю, больше не хочу. Довольно! — рассердился наконец Митя.

— И странно опять-таки, что вы так совсем уж забыли, в каком именно месте бросили на площади эту... ладонку.

— Да велите завтра площадь выместь, может, найдете, — усмехнулся Митя. — Довольно, господа, довольно, — измученным голосом порешил он. — Вижу ясно: вы мне не поверили! Ни в чем и ни на грош! Вина моя, а не ваша, не надо было соваться. Зачем, зачем я омерзил себя признанием в тайне моей! А вам это смех, я по глазам вашим вижу. Это вы меня, прокурор, довели! Пойте себе гимн, если можете... Будьте вы прокляты, истязатели!

Он склонился головой и закрыл лицо руками. Прокурор и следователь молчали. Через минуту он поднял голову и как-то без мысли поглядел на них. Лицо его выражало уже совершившееся, уже безвозвратное отчаяние, и он как-то тихо замолк, сидел и как будто себя не помнил. Между тем надо было оканчивать дело: следовало неотложно перейти к допросу свидетелей. Было уже часов восемь утра. Свечи давно уже как потушили. Михаил Макарович и Калганов, всё время допроса входившие и уходившие из комнаты, на этот раз оба опять вышли. Прокурор и следователь имели тоже чрезвычайно усталый вид. Наставшее утро было ненастное, всё небо затянулось облаками, и дождь лил как из ведра. Митя без мысли смотрел на окна.

— А можно мне в окно поглядеть? — спросил он вдруг Николая Парфеновича.

— О, сколько вам угодно, — ответил тот.

Митя встал и подошел к окну. Дождь так и сек в маленькие зеленоватые стекла окошек. Виднелась прямо под окном грязная дорога, а там дальше, в дождливой мгле, черные, бедные, неприглядные ряды изб, еще более, казалось, почерневших и победневших от дождя. Митя вспомнил про «Феба златокудрого» и как он хотел застрелиться с первым лучом его. «Пожалуй, в такое утро было бы и лучше», — усмехнулся он и вдруг, махнув сверху вниз рукой, повернулся к «истязателям»:

— Господа! — воскликнул он, — я ведь вижу, что я пропал. Но она? Скажите мне про нее, умоляю вас, неужели и она пропадет со мной? Ведь она невинна, ведь она вчера кричала не в уме, что «во всем виновата». Она ни в чем, ни в чем не виновата! Я всю ночь скорбел, с вами сидя... Нельзя ли, не можете ли мне сказать: что вы с нею теперь сделаете?

— Решительно успокойтесь на этот счет, Дмитрий Федорович, — тотчас же и с видимою поспешностью ответил прокурор, — мы не имеем пока никаких значительных мотивов хоть в чем-нибудь обеспокоить особу, которою вы так интересуетесь. В дальнейшем ходе дела, надеюсь, окажется то же... Напротив, сделаем в этом смысле всё, что только можно с нашей стороны. Будьте совершенно спокойны.

— Господа, благодарю вас, я ведь так и знал, что вы все-таки же честные и справедливые люди, несмотря ни на что. Вы сняли бремя с души... Ну, что же мы теперь будем делать? Я готов.

— Да вот-с, поспешить бы надо. Нужно неотложно перейти к допросу свидетелей. Всё это должно произойти непременно в вашем присутствии, а потому...

— А не выпить ли сперва чайку? — перебил Николай Парфенович, — ведь уж, кажется, заслужили!

Порешили, что если есть готовый чай внизу (ввиду того, что Михаил Макарович наверно ушел «почаевать»), то выпить по стаканчику и затем «продолжать и продолжать». Настоящий же чай и «закусочку» отложить до более свободного часа. Чай действительно нашелся внизу, и его вскорости доставили наверх. Митя сначала отказался от стакана, который ему любезно предложил Николай Парфенович, но потом сам попросил и выпил с жадностью. Вообще же имел какой-то даже удивительно измученный вид. Казалось бы, при его богатырских силах, что могла значить одна ночь кутежа и хотя бы самых сильных притом ощущений? Но он сам чувствовал, что едва сидит, а по временам так все предметы начинали как бы ходить и вертеться у него пред глазами. «Еще немного, и, пожалуй, бредить начну», — подумал он про себя.

VIII

ПОКАЗАНИЕ СВИДЕТЕЛЕЙ. ДИТЁ

Допрос свидетелей начался. Но мы уже не станем продолжать наш рассказ в такой подробности, в какой вели его до сих пор. А потому и опустим о том, как Николай Парфенович внушал каждому призываемому свидетелю, что тот должен показывать по правде и совести и что впоследствии должен будет повторить это показание свое под присягой. Как, наконец, от каждого свидетеля требовалось, чтоб он подписал протокол своих показаний, и проч., и проч. Отметим лишь одно, что главнейший пункт, на который обращалось всё внимание допрашивавших, преимущественно был всё тот же самый вопрос о трех тысячах, то есть было ли их три или полторы в первый раз, то есть в первый кутеж Дмитрия Федоровича здесь в Мокром, месяц назад, и было ли их три или полторы тысячи вчера, во второй кутеж Дмитрия Федоровича. Увы, все свидетельства, все до единого, оказались против Мити, и ни одного в его пользу, а иные из свидетельств так даже внесли новые, почти ошеломляющие факты в опровержение показаний его. Первым спрошенным был Трифон Борисыч. Он предстал пред допрашивающими без малейшего страха, напротив, с видом строгого и сурового негодования против обвиняемого и тем несомненно придал себе вид чрезвычайной правдивости и собственного достоинства. Говорил мало, сдержанно, ждал вопросов, отвечал точно и обдуманно. Твердо и не обинуясь показал, что месяц назад не могло быть истрачено менее трех тысяч, что здесь все мужики покажут, что слышали о трех тысячах от самого «Митрий Федорыча»: «Одним цыганкам сколько денег перебросали. Им одним небось за тысячу перевалило».

— И пятисот, может, не дал, — мрачно заметил на это Митя, — вот только не считал тогда, пьян был, а жаль...

Митя сидел на этот раз сбоку, спиной к занавескам, слушал мрачно, имел вид грустный и усталый, как бы говоривший: «Э, показывайте что хотите, теперь всё равно!»

— Больше тысячи пошло на них, Митрий Федорович, — твердо опроверг Трифон Борисович, — бросали зря, а они подымали. Народ-то ведь этот вор и мошенник, конокрады они, угнали их отселева, а то они сами, может, показали бы, скольким от вас поживились. Сам я в руках у вас тогда сумму видел — считать не считал, вы мне не давали, это справедливо, а на глаз, помню, многим больше было, чем полторы тысячи... Куды полторы! Видывали и мы деньги, могим судить...

Насчет вчерашней же суммы Трифон Борисович прямо показал, что Дмитрий Федорович сам ему, только что встал с лошадей, объявил, что привез три тысячи.

— Полно, так ли, Трифон Борисыч, — возразил было Митя, — неужто так-таки положительно объявил, что привез три тысячи?

— Говорили, Митрий Федорович. При Андрее говорили. Вот он тут сам Андрей, еще не уехал, призовите его. А там в зале, когда хор потчевали, так прямо закричали, что шестую тысячу здесь оставляете, — с прежними то есть, оно так понимать надо. Степан да Семен слышали, да Петр Фомич Калганов с вами тогда рядом стоял, может, и они тоже запомнили...

Показание о шестой тысяче принято было с необыкновенным впечатлением допрашивающими. Понравилась новая редакция: три да три, значит, шесть, стало быть, три тысячи тогда да три тысячи теперь, вот они и все шесть, выходило ясно.

Опросили всех указанных Трифоном Борисовичем мужиков, Степана и Семена, ямщика Андрея и Петра Фомича Калганова. Мужики и ямщик не обинуясь подтвердили показание Трифона Борисыча. Кроме того, особенно записали, со слов Андрея, о разговоре его с Митей дорогой насчет того, «куда, дескать, я, Дмитрий Федорович, попаду: на небо аль в ад, и простят ли мне на том свете аль нет?» «Психолог» Ипполит Кириллович выслушал всё это с тонкою улыбкой и кончил тем, что и это показание о том, куда Дмитрий Федорович попадет, порекомендовал «приобщить к делу»»

Спрошенный Калганов вошел нехотя, хмурый, капризный, и разговаривал с прокурором и с Николаем Парфеновичем так, как бы в первый раз увидел их в жизни, тогда как был давний и ежедневный их знакомый. Он начал с того, что «ничего этого не знает и знать не хочет». Но о шестой тысяче, оказалось, слышал и он, признался, что в ту минуту подле стоял. На его взгляд, денег было у Мити в руках «не знаю сколько». Насчет того, что поляки в картах передернули, показал утвердительно. Объяснил тоже, на повторенные расспросы, что по изгнании поляков действительно дела Мити у Аграфены Александровны поправились и что она сама сказала, что его любит. Об Аграфене Александровне изъяснялся сдержанно и почтительно, как будто она была самого лучшего общества барыня, и даже ни разу не позволил себе назвать ее «Грушенькой». Несмотря на видимое отвращение молодого человека показывать, Ипполит Кириллович расспрашивал его долго и лишь от него узнал все подробности того, что составляло, так сказать, «роман» Мити в эту ночь. Митя ни разу не остановил Калганова. Наконец юношу отпустили, и он удалился с нескрываемым негодованием.

Допросили и поляков. Они в своей комнатке хоть и легли было спать, но во всю ночь не заснули, а с прибытием властей поскорей оделись и прибрались, сами понимая, что их непременно потребуют. Явились они с достоинством, хотя и не без некоторого страху. Главный, то есть маленький пан, оказался чиновником двенадцатого класса в отставке, служил в Сибири ветеринаром, по фамилии же был пан Муссялович. Пан же Врублевский оказался вольнопрактикующим дантистом, по-русски зубным врачом. Оба они как вошли в комнату, так тотчас же, несмотря на вопросы Николая Парфеновича, стали обращаться с ответами к стоявшему в стороне Михаилу Макаровичу, принимая его, по неведению, за главный чин и начальствующее здесь лицо и называя его с каждым словом: «пане пулковнику». И только после нескольких разов и наставления самого Михаила Макаровича догадались, что надобно обращаться с ответами лишь к Николаю Парфеновичу. Оказалось, что по-русски они умели даже весьма и весьма правильно говорить, кроме разве выговора иных слов. Об отношениях своих к Грушеньке, прежних и теперешних, пан Муссялович стал было заявлять горячо и гордо, так что Митя сразу вышел из себя и закричал, что не позволит «подлецу» при себе так говорить. Пан Муссялович тотчас же обратил внимание на слово «подлец» и попросил внести в протокол. Митя закипел от ярости.

— И подлец, подлец! Внесите это и внесите тоже, что, несмотря на протокол, я все-таки кричу, что подлец! — прокричал он.

Николай Парфенович хоть и внес в протокол, но проявил при сем неприятном случае самую похвальную деловитость и умение распорядиться: после строгого внушения Мите он сам тотчас же прекратил все дальнейшие расспросы касательно романической стороны дела и поскорее перешел к существенному. В существенном же явилось одно показание панов, возбудившее необыкновенное любопытство следователей: это именно о том, как подкупал Митя, в той комнатке, пана Муссяловича и предлагал ему три тысячи отступного с тем, что семьсот рублей в руки, а остальные две тысячи триста «завтра же утром в городе», причем клялся честным словом, объявляя, что здесь, в Мокром, с ним и нет пока таких денег, а что деньги в городе. Митя заметил было сгоряча, что не говорил, что наверное отдаст завтра в городе, но пан Врублевский подтвердил показание, да и сам Митя, подумав с минуту, нахмуренно согласился, что, должно быть, так и было, как паны говорят, что он был тогда разгорячен, а потому действительно мог так сказать. Прокурор так и впился в показание: оказывалось для следствия ясным (как и впрямь потом вывели), что половина или часть трех тысяч, доставшихся в руки Мите, действительно могла оставаться где-нибудь припрятайною в городе, а пожалуй так даже где-нибудь и тут в Мокром, так что выяснялось таким образом и то щекотливое для следствия обстоятельство, что у Мити нашли в руках всего только восемьсот рублей — обстоятельство, бывшее до сих пор хотя единственным и довольно ничтожным, но всё же некоторым свидетельством в пользу Мити. Теперь же и это единственное свидетельство в его пользу разрушалось. На вопрос прокурора: где же бы он взял остальные две тысячи триста, чтоб отдать завтра пану, коли сам утверждает, что у него было всего только полторы тысячи, а между тем заверял пана своим честным словом, Митя твердо ответил, что хотел предложить «полячишке» назавтра не деньги, а формальный акт на права свои по имению Чермашне, те самые права, которые предлагал Самсонову и Хохлаковой. Прокурор даже усмехнулся «невинности выверта».

— И вы думаете, что он бы согласился взять эти «права» вместо наличных двух тысяч трехсот рублей?

— Непременно согласился бы, — горячо отрезал Митя. — Помилуйте, да тут не только две, тут четыре, тут шесть даже тысяч он мог бы на этом тяпнуть! Он бы тотчас набрал своих адвокатишек, полячков да жидков, и не то что три тысячи, а всю бы Чермашню от старика оттягали.

Разумеется, показание пана Муссяловича внесли в протокол в самой полной подробности. На том панов и отпустили. О факте же передержки в картах почти и не упомянули; Николай Парфенович им слишком был и без того благодарен и пустяками не хотел беспокоить, тем более что всё это пустая ссора в пьяном виде за картами и более ничего. Мало ли было кутежа и безобразий в ту ночь... Так что деньги, двести рублей, так и остались у панов в кармане.

Призвали затем старичка Максимова. Он явился робея, подошел мелкими шажками, вид имел растрепанный и очень грустный. Всё время он ютился там внизу подле Грушеньки, сидел с нею молча и «нет-нет да и начнет над нею хныкать, а глаза утирает синим клетчатым платочком», как рассказывал потом Михаил Макарович. Так что она сама уже унимала и утешала его. Старичок тотчас же и со слезами признался, что виноват, что взял у Дмитрия Федоровича взаймы «десять рублей-с, по моей бедности-с» и что готов возвратить... На прямой вопрос Николая Парфеновича: не заметил ли он, сколько же именно денег было в руках у Дмитрия Федоровича, так как он ближе всех мог видеть у него в руках деньги, когда получал от него взаймы, — Максимов самым решительным образом ответил, что денег было «двадцать тысяч-с».

— А вы видели когда-нибудь двадцать тысяч где-нибудь прежде? — спросил, улыбнувшись, Николай Парфенович.

— Как же-с, видел-с, только не двадцать-с, а семь-с, когда супруга моя деревеньку мою заложила. Дала мне только издали поглядеть, похвалилась предо мной. Очень крупная была пачка-с, всё радужные. И у Дмитрия Федоровича были всё радужные...

Его скоро отпустили. Наконец дошла очередь и до Грушеньки. Следователи, видимо, опасались того впечатления, которое могло произвести ее появление на Дмитрия Федоровича, и Николай Парфенович пробормотал даже несколько слов ему в увещание, но Митя, в ответ ему, молча склонил голову, давая тем знать, что «беспорядка не произойдет». Ввел Грушеньку сам Михаил Макарович. Она вошла со строгим и угрюмым лицом, с виду почти спокойным, и тихо села на указанный ей стул напротив Николая Парфеновича. Была она очень бледна, казалось, что ей холодно, и она плотно закутывалась в свою прекрасную черную шаль. Действительно, с ней начинался тогда легкий лихорадочный озноб — начало длинной болезни, которую она потом с этой ночи перенесла. Строгий вид ее, прямой и серьезный взгляд и спокойная манера произвели весьма благоприятное впечатление на всех. Николай Парфенович даже сразу несколько «увлекся». Он признавался сам, рассказывая кое-где потом, что только с этого разу постиг, как эта женщина «хороша собой», а прежде хоть и видывал ее, но всегда считал чем-то вроде «уездной гетеры». «У ней манеры как у самого высшего общества», — восторженно сболтнул он как-то в одном дамском кружке. Но его выслушали с самым полным негодованием и тотчас назвали за это «шалуном», чем он и остался очень доволен. Входя в комнату, Грушенька лишь как бы мельком глянула на Митю, в свою очередь с беспокойством на нее поглядевшего, но вид ее в ту же минуту и его успокоил. После первых необходимых вопросов и увещаний Николай Парфенович, хоть и несколько запинаясь, но сохраняя самый вежливый, однако же, вид, спросил ее: «В каких отношениях состояла она к отставному поручику Дмитрию Федоровичу Карамазову?» На что Грушенька тихо и твердо произнесла:

— Знакомый мой был, как знакомого его в последний месяц принимала.

На дальнейшие любопытствующие вопросы прямо и с полною откровенностью заявила, что хотя он ей «часами» и нравился, но что она не любила его, но завлекала из «гнусной злобы моей», равно как и того «старичка», видела, что Митя ее очень ревновал к Федору Павловичу и ко всем, но тем лишь тешилась. К Федору же Павловичу совсем никогда не хотела идти, а только смеялась над ним. «В тот весь месяц не до них мне обоих было; я ждала другого человека, предо мной виновного... Только, думаю, — заключила она, — что вам нечего об этом любопытствовать, а мне нечего вам отвечать, потому это особливое мое дело».

Так немедленно и поступил Николай Парфенович: на «романических» пунктах он опять перестал настаивать, а прямо перешел к серьезному, то есть всё к тому же и главнейшему вопросу о трех тысячах. Грушенька подтвердила, что в Мокром, месяц назад, действительно истрачены были три тысячи рублей, и хоть денег сама и не считала, но слышала от самого Дмитрия Федоровича, что три тысячи рублей.

— Наедине он вам это говорил или при ком-нибудь, или вы только слышали, как он с другими при вас говорил? — осведомился тотчас же прокурор.

На что Грушенька объявила, что слышала и при людях, слышала, как и с другими говорил, слышала и наедине от него самого.

— Однажды слышали от него наедине или неоднократно? — осведомился опять прокурор и узнал, что Грушенька слышала неоднократно.

Ипполит Кириллыч остался очень доволен этим показанием. Из дальнейших вопросов выяснилось тоже, что Грушеньке было известно, откуда эти деньги и что взял их-де Дмитрий Федорович от Катерины Ивановны.

— А не слыхали ли вы хоть однажды, что денег было промотано месяц назад не три тысячи, а меньше, и что Дмитрий Федорович уберег из них целую половину для себя?

— Нет, никогда этого не слыхала, — показала Грушенька.

Дальше выяснилось даже, что Митя, напротив, часто говорил ей во весь этот месяц, что денег у него нет ни копейки. «С родителя своего всё ждал получить», — заключила Грушенька.

— А не говорил ли когда при вас... или как-нибудь мельком, или в раздражении, — хватил вдруг Николай Парфенович, — что намерен посягнуть на жизнь своего отца?

— Ох, говорил! — вздохнула Грушенька.

— Однажды или несколько раз?

— Несколько раз поминал, всегда в сердцах.

— И вы верили, что он это исполнит?

— Нет, никогда не верила! — твердо ответила она, — на благородство его надеялась.

— Господа, позвольте, — вскричал вдруг Митя, — позвольте сказать при вас Аграфене Александровне лишь одно только слово.

— Скажите, — разрешил Николай Парфенович.

— Аграфена Александровна, — привстал со стула Митя, — верь Богу и мне: в крови убитого вчера отца моего я не повинен!

Произнеся это, Митя опять сел на стул. Грушенька привстала и набожно перекрестилась на икону.

— Слава тебе Господи! — проговорила она горячим, проникновенным голосом и, еще не садясь на место и обратившись к Николаю Парфеновичу, прибавила: — Как он теперь сказал, тому и верьте! Знаю его: сболтнуть что сболтнет, али для смеху, али с упрямства, но если против совести, то никогда не обманет. Прямо правду скажет, тому верьте!

— Спасибо, Аграфена Александровна, поддержала душу! — дрожащим голосом отозвался Митя.

На вопросы о вчерашних деньгах она заявила, что не знает, сколько их было, но слышала, как людям он много раз говорил вчера, что привез с собой три тысячи. А насчет того: откуда деньги взял, то сказал ей одной, что у Катерины Ивановны «украл», а что она ему на то ответила, что он не украл и что деньги надо завтра же отдать. На настойчивый вопрос прокурора: о каких деньгах говорил, что украл у Катерины Ивановны, — о вчерашних или о тех трех тысячах, которые были истрачены здесь месяц назад, — объявила, что говорил о тех, которые были месяц назад, и что она так его поняла.

Грушеньку наконец отпустили, причем Николай Парфенович стремительно заявил ей, что она может хоть сейчас же воротиться в город и что если он с своей стороны чем-нибудь может способствовать, например, насчет лошадей или, например, пожелает она провожатого, то он... с своей стороны...

— Покорно благодарю вас, — поклонилась ему Грушенька, — я с тем старичком отправлюсь, с помещиком, его довезу, а пока подожду внизу, коль позволите, как вы тут Дмитрия Федоровича порешите.

Она вышла. Митя был спокоен и даже имел совсем ободрившийся вид, но лишь на минуту. Всё какое-то странное физическое бессилие одолевало его чем дальше, тем больше. Глаза его закрывались от усталости. Допрос свидетелей наконец окончился. Приступили к окончательной редакции протокола. Митя встал и перешел с своего стула в угол, к занавеске, прилег на большой накрытый ковром хозяйский сундук и мигом заснул. Приснился ему какой-то странный сон, как-то совсем не к месту и не ко времени. Вот он будто бы где-то едет в степи, там, где служил давно, еще прежде, и везет его в слякоть на телеге, на паре, мужик. Только холодно будто бы Мите, в начале ноябрь, и снег валит крупными мокрыми хлопьями, а падая на землю, тотчас тает. И бойко везет его мужик, славно помахивает, русая, длинная такая у него борода, и не то что старик, а так лет будет пятидесяти, серый мужичий на нем зипунишко. И вот недалеко селение, виднеются избы черные-пречерные, а половина изб погорела, торчат только одни обгорелые бревна. А при выезде выстроились на дороге бабы, много баб, целый ряд, всё худые, испитые, какие-то коричневые у них лица. Вот особенно одна с краю, такая костлявая, высокого роста, кажется ей лет сорок, а может, и всего только двадцать, лицо длинное, худое, а на руках у нее плачет ребеночек, и груди-то, должно быть, у ней такие иссохшие, и ни капли в них молока. И плачет, плачет дитя и ручки протягивает, голенькие, с кулачонками, от холоду совсем какие-то сизые.

— Что они плачут? Чего они плачут? — спрашивает, лихо пролетая мимо них, Митя.

— Дитё, — отвечает ему ямщик, — дитё плачет. — И поражает Митю то, что он сказал по-своему, по-мужицки: «дитё», а не «дитя». И ему нравится, что мужик сказал «дитё»: жалости будто больше.

— Да отчего оно плачет? — домогается, как глупый, Митя. — Почему ручки голенькие, почему его не закутают?

— А иззябло дитё, промерзла одежонка, вот и не греет.

— Да почему это так? Почему? — всё не отстает глупый Митя.

— А бедные, погорелые, хлебушка нетути, на погорелое место просят.

— Нет, нет, — всё будто еще не понимает Митя, — ты скажи: почему это стоят погорслыс матери, почему бедны люди, почему бедно дитё, почему голая степь, почему они не обнимаются, не целуются, почему не поют песен радостных, почему они почернели так от черной беды, почему не кормят дитё?

И чувствует он про себя, что хоть он и безумно спрашивает и без толку, но непременно хочется ему именно так спросить и что именно так и надо спросить. И чувствует он еще, что подымается в сердце его какое-то никогда еще не бывалое в нем умиление, что плакать ему хочется, что хочет он всем сделать что-то такое, чтобы не плакало больше дитё, не плакала бы и черная иссохшая мать дити, чтоб не было вовсе слез от сей минуты ни у кого и чтобы сейчас же, сейчас же это сделать, не отлагая и несмотря ни на что, со всем безудержем карамазовским.

— А и я с тобой, я теперь тебя не оставлю, на всю жизнь с тобой иду, — раздаются подле него милые, проникновенные чувством слова Грушеньки. И вот загорелось всё сердце его и устремилось к какому-то свету, и хочется ему жить и жить, идти и идти в какой-то путь, к новому зовущему свету, и скорее, скорее, теперь же, сейчас!

— Что? Куда? — восклицает он, открывая глаза и садясь на свой сундук, совсем как бы очнувшись от обморока, а сам светло улыбаясь. Над ним стоит Николай Парфенович и приглашаст сго выслушать и подписать протокол. Догадался Митя, что спал он час или более, но он Николая Парфеновича не слушал. Его вдруг поразило, что под головой у него очутилась подушка, которой, однако, не было, когда он склонился в бессилии на сундук.

— Кто это мне под голову подушку принес? Кто был такой добрый человек! — воскликнул он с каким-то восторженным, благодарным чувством и плачущим каким-то голосом, будто и бог знает какое благодеяние оказали ему. Добрый человек так потом и остался в неизвестности, кто-нибудь из понятых, а может быть, и писарек Николая Парфеновича распорядились подложить ему подушку из сострадания, но вся душа его как бы сотряслась от слез. Он подошел к столу и объявил, что подпишет всё что угодно.

— Я хороший сон видел, господа, — странно как-то произнес он, с каким-то новым, словно радостью озаренным лицом.

IX

Когда подписан был протокол, Николай Парфенович торжественно обратился к обвиняемому и прочел ему «Постановление», гласившее, что такого-то года и такого-то дня, там-то, судебный следователь такого-то окружного суда, допросив такого-то (то есть Митю) в качестве обвиняемого в том-то и в том-то (все вины были тщательно прописаны) и принимая во внимание, что обвиняемый, не признавая себя виновным во взводимых на него преступлениях, ничего в оправдание свое не представил, а между тем свидетели (такие-то) и обстоятельства (такие-то) его вполне уличают, руководствуясь такими-то и такими-то статьями «Уложения о наказаниях» и т. д., постановил: для пресечения такому-то (Мите) способов уклониться от следствия и суда, заключить его в такой-то тюремный замок, о чем обвиняемому объявить, а копию сего постановления товарищу прокурора сообщить и т. д., и т. д. Словом, Мите объявили, что он от сей минуты арестант и что повезут его сейчас в город, где и заключат в одно очень неприятное место. Митя, внимательно выслушав, вскинул только плечами.

— Что ж, господа, я вас не виню, я готов... Понимаю, что вам ничего более не остается.

Николай Парфенович мягко изъяснил ему, что свезет его тотчас же становой пристав Маврикий Маврикиевич, который как раз теперь тут случился...

— Стойте, — перебил вдруг Митя и с каким-то неудержимым чувством произнес, обращаясь ко всем в комнате. — Господа, все мы жестоки, все мы изверги, все плакать заставляем людей, матерей и грудных детей, но из всех — пусть уж так будет решено теперь — из всех я самый подлый гад! Пусть! Каждый день моей жизни я, бия себя в грудь, обещал исправиться и каждый день творил всё те же пакости. Понимаю теперь, что на таких, как я, нужен удар, удар судьбы, чтоб захватить его как в аркан и скрутить внешнею силой. Никогда, никогда не поднялся бы я сам собой! Но гром грянул. Принимаю муку обвинения и всенародного позора моего, пострадать хочу и страданием очищусь! Ведь, может быть, и очищусь, господа, а? Но услышьте, однако, в последний раз: в крови отца моего не повинен! Принимаю казнь не за то, что убил его, а за то, что хотел убить и, может быть, в самом деле убил бы... Но все-таки я намерен с вами бороться и это вам возвещаю. Буду бороться с вами до последнего конца, а там решит Бог! Прощайте, господа, не сердитесь, что я за допросом кричал на вас, о, я был тогда еще так глуп... Чрез минуту я арестант, и теперь, в последний раз, Дмитрий Карамазов, как свободный еще человек, протягивает вам свою руку. Прощаясь с вами, с людьми прощусь!..

Голос его задрожал, и он действительно протянул было руку, но Николай Парфенович, всех ближе к нему находившийся, как-то вдруг, почти судорожным каким-то жестом, припрятал свои руки назад. Митя мигом заметил это и вздрогнул. Протянутую руку свою тотчас же опустил.

— Следствие еще не заключилось, — залепетал Николай Парфенович, несколько сконфузясь, — продолжать будем еще в городе, и я, конечно, с моей стороны готов вам пожелать всякой удачи... к вашему оправданию... Собственно же вас, Дмитрий Федорович, я всегда наклонен считать за человека, так сказать, более несчастного, чем виновного... Мы вас все здесь, если только осмелюсь выразиться от лица всех, все мы готовы признать вас за благородного в основе своей молодого человека, но увы! увлеченного некоторыми страстями в степени несколько излишней...

Маленькая фигурка Николая Парфеновича выразила под конец речи самую полную сановитость. У Мити мелькнуло было вдруг, что вот этот «мальчик» сейчас возьмет его под руку, уведет в другой угол и там возобновит с ним недавний еще разговор их о «девочках». Но мало ли мелькает совсем посторонних и не идущих к делу мыслей иной раз даже у преступника, ведомого на смертную казнь.

— Господа, вы добры, вы гуманны — могу я видеть *ее,* проститься в последний раз? — спросил Митя.

— Без сомнения, но в видах... одним словом, теперь уж нельзя не в присутствии...

— Пожалуй, присутствуйте!

Привели Грушеньку, но прощание состоялось короткое, малословное и Николая Парфеновича не удовлетворившее. Грушенька глубоко поклонилась Мите.

— Сказала тебе, что твоя, и буду твоя, пойду с тобой навек, куда бы тебя ни решили. Прощай, безвинно погубивший себя человек!

Губки ее вздрогнули, слезы потекли из глаз.

— Прости, Груша, меня за любовь мою, за то, что любовью моею и тебя сгубил!

Митя хотел и еще что-то сказать, но вдруг сам прервал и вышел. Кругом него тотчас же очутились люди, не спускавшие с него глаз. Внизу у крылечка, к которому он с таким громом подкатил вчера на Андреевой тройке, стояли уже готовые две телеги. Маврикий Маврикиевич, приземистый плотный человек, с обрюзглым лицом, был чем-то раздражен, каким-то внезапно случившимся беспорядком, сердился и кричал. Как-то слишком уже сурово пригласил он Митю взлезть на телегу. «Прежде, как я в трактире поил его, совсем было другое лицо у человека», — подумал Митя, влезая. С крылечка спустился вниз и Трифон Борисович. У ворот столпились люди, мужики, бабы, ямщики, все уставились на Митю.

— Прощайте, божьи люди! — крикнул им вдруг с телеги Митя.

— И нас прости, — раздались два-три голоса.

— Прощай и ты, Трифон Борисыч!

Но Трифон Борисыч даже не обернулся, может быть уж очень был занят. Он тоже чего-то кричал и суетился. Оказалось, что на второй телеге, на которой должны были сопровождать Маврикия Маврикиевича двое сотских, еще не всё было в исправности. Мужичонко, которого нарядили было на вторую тройку, натягивал зипунишко и крепко спорил, что ехать не ему, а Акиму. Но Акима не было; за ним побежали; мужичонко настаивал и молил обождать.

— Ведь это народ-то у нас, Маврикий Маврикиевич, совсем без стыда! — восклицал Трифон Борисыч. — Тебе Аким третьего дня дал четвертак денег, ты их пропил, а теперь кричишь. Доброте только вашей удивляюсь с нашим подлым народом, Маврикий Маврикиевич, только это одно скажу!

— Да зачем нам вторую тройку? — вступился было Митя, — поедем на одной, Маврикий Маврикич, небось не взбунтуюсь, не убегу от тебя, к чему конвой?

— А извольте, сударь, уметь со мной говорить, если еще не научены, я вам не *ты*, не извольте тыкать-с, да и советы на другой раз сберегите... — свирепо отрезал вдруг Мите Маврикий Маврикиевич, точно обрадовался сердце сорвать.

Митя примолк. Он весь покраснел. Чрез мгновение ему стало вдруг очень холодно. Дождь перестал, но мутное небо всё было обтянуто облаками, дул резкий ветер прямо в лицо. «Озноб, что ли, со мной», — подумал Митя, передернув плечами. Наконец влез в телегу и Маврикий Маврикиевич, уселся грузно, широко и, как бы не заметив, крепко потеснил собою Митю. Правда, он был не в духе, и ему сильно не нравилось возложенное на него поручение.

— Прощай, Трифон Борисыч! — крикнул опять Митя, и сам почувствовал, что не от добродушия теперь закричал, а со злости, против воли крикнул. Но Трифон Борисыч стоял гордо, заложив назад обе руки и прямо уставясь на Митю, глядел строго и сердито и Мите ничего не ответил.

— Прощайте, Дмитрий Федорович, прощайте! — раздался вдруг голос Калганова, вдруг откуда-то выскочившего. Подбежав к телеге, он протянул Мите руку. Был он без фуражки. Митя успел еще схватить и пожать его руку.

— Прощай, милый человек, не забуду великодушия! — горячо воскликнул он. Но телега тронулась, и руки их разнялись. Зазвенел колокольчик — увезли Митю.

А Калганов забежал в сени, сел в углу, нагнул голову, закрыл руками лицо и заплакал, долго так сидел и плакал, — плакал, точно был еще маленький мальчик, а не двадцатилетний уже молодой человек. О, он поверил в виновность Мити почти вполне! «Что же это за люди, какие же после того могут быть люди!» — бессвязно восклицал он в горьком унынии, почти в отчаянии. Не хотелось даже и жить ему в ту минуту на свете. «Стоит ли, стоит ли!» — восклицал огорченный юноша.

Часть четвертая

Книга десятая
МАЛЬЧИКИ

I
КОЛЯ КРАСОТКИН

Ноябрь в начале. У нас стал мороз градусов в одиннадцать, а с ним гололедица. На мерзлую землю упало в ночь немного сухого снегу, и ветер «сухой и острый» подымает его и метет по скучным улицам нашего городка и особенно по базарной площади. Утро мутное, но снежок перестал. Недалеко от площади, поблизости от лавки Плотниковых, стоит небольшой, очень чистенький и снаружи и снутри домик вдовы чиновника Красоткиной. Сам губернский секретарь Красоткин помер уже очень давно, тому назад почти четырнадцать лет, но вдова его, тридцатилетняя и до сих пор еще весьма смазливая собою дамочка, жива и живет в своем чистеньком домике «своим капиталом». Живет она честно и робко, характера нежного, но довольно веселого. Осталась она после мужа лет восемнадцати, прожив с ним всего лишь около году и только что родив ему сына. С тех пор, с самой его смерти, она посвятила всю себя воспитанию этого своего нещечка мальчика Коли, и хоть любила его все четырнадцать лет без памяти, но уж, конечно, перенесла с ним несравненно больше страданий, чем выжила радостей, трепеща и умирая от страха чуть не каждый день, что он заболеет, простудится, нашалит, полезет на стул и свалится, и проч., и проч. Когда же Коля стал ходить в школу и потом в нашу прогимназию, то мать бросилась изучать вместе с ним все науки, чтобы помогать ему и репетировать с ним уроки, бросилась знакомиться с учителями и с их женами, ласкала даже товарищей Коли, школьников, и лисила пред ними, чтобы не трогали Колю, не насмехались над ним, не прибили его. Довела до того, что мальчишки и в самом деле стали было чрез нее над ним насмехаться и начали дразнить его тем, что он маменькин сынок. Но мальчик сумел отстоять себя. Был он смелый мальчишка, «ужасно сильный», как пронеслась и скоро утвердилась молва о нем в классе, был ловок, характера упорного, духа дерзкого и предприимчивого. Учился он хорошо, и шла даже молва, что он и из арифметики, и из всемирной истории собьет самого учителя Дарданелова. Но мальчик хоть и смотрел на всех свысока, вздернув носик, но товарищем был хорошим и не превозносился. Уважение школьников принимал как должное, но держал себя дружелюбно. Главное, знал меру, умел при случае сдержать себя самого, а в отношениях к начальству никогда не переступал некоторой последней и заветной черты, за которою уже проступок не может быть терпим, обращаясь в беспорядок, бунт и в беззаконие. И однако, он очень, очень не прочь был пошалить при всяком удобном случае, пошалить как самый последний мальчишка, и не столько пошалить, сколько что-нибудь намудрить, начудесить, задать «экстрафеферу», шику, порисоваться. Главное, был очень самолюбив. Даже свою маму сумел поставить к себе в отношения подчиненные, действуя на нее почти деспотически. Она и подчинилась, о, давно уже подчинилась, и лишь не могла ни за что перенести одной только мысли, что мальчик ее «мало любит». Ей беспрерывно казалось, что Коля к ней «бесчувствен», и бывали случаи, что она, обливаясь истерическими слезами, начинала упрекать его в холодности. Мальчик этого не любил, и чем более требовали от него сердечных излияний, тем как бы нарочно становился неподатливее. Но происходило это у него не нарочно, а невольно — таков уж был характер. Мать ошибалась: маму свою он очень любил, а не любил только «телячьих нежностей», как выражался он на своем школьническом языке. После отца остался шкап, в котором хранилось несколько книг; Коля любил читать и про себя прочел уже некоторые из них. Мать этим не смущалась и только дивилась иногда, как это мальчик, вместо того чтоб идти играть, простаивает у шкапа по целым часам над какою-нибудь книжкой. И таким образом Коля прочел кое-что, чего бы ему нельзя еще было давать читать в его возрасте. Впрочем, в последнее время хоть мальчик и не любил переходить в своих шалостях известной черты, но начались шалости, испугавшие мать не на шутку, — правда, не безнравственные какие-нибудь, зато отчаянные, головорезные. Как раз в это лето, в июле месяце, во время вакаций, случилось так, что маменька с сынком отправились погостить на недельку в другой уезд, за семьдесят верст, к одной дальней родственнице, муж которой служил на станции железной дороги (той самой, ближайшей от нашего города станции, с которой Иван Федорович Карамазов месяц спустя отправился в Москву). Там Коля начал с того, что оглядел железную дорогу в подробности, изучил распорядки, понимая, что новыми знаниями своими может блеснуть, возвратясь домой, между школьниками своей прогимназии. Но нашлись там как раз в то время и еще несколько мальчиков, с которыми он и сошелся; одни из них проживали на станции, другие по соседству — всего молодого народа от двенадцати до пятнадцати лет сошлось человек шесть или семь, а из них двое случились и из нашего городка. Мальчики вместе играли, шалили, и вот на четвертый или на пятый день гощения на станции состоялось между глупою молодежью одно преневозможное пари в два рубля, именно: Коля, почти изо всех младший, а потому несколько презираемый старшими, из самолюбия или из беспардонной отваги, предложил, что он, ночью, когда придет одиннадцатичасовой поезд, ляжет между рельсами ничком и пролежит недвижимо, пока поезд пронесется над ним на всех парах. Правда, сделано было предварительное изучение, из которого оказалось, что действительно можно так протянуться и сплющиться вдоль между рельсами, что поезд, конечно, пронесется и не заденет лежащего, но, однако же, каково пролежать! Коля стоял твердо, что пролежит. Над ним сначала смеялись, звали лгунишкой, фанфароном, но тем пуще его подзадоривали. Главное, эти пятнадцатилетние слишком уж задирали пред ним нос и сперва даже не хотели считать его товарищем, как «маленького», что было уже нестерпимо обидно. И вот решено было отправиться с вечера за версту от станции, чтобы поезд, снявшись со станции, успел уже совсем разбежаться. Мальчишки собрались. Ночь настала безлунная, не то что темная, а почти черная. В надлежащий час Коля лег между рельсами. Пятеро остальных, державших пари, с замиранием сердца, а наконец в страхе и с раскаянием, ждали внизу насыпи подле дороги в кустах. Наконец загремел вдали поезд, снявшийся со станции. Засверкали из тьмы два красные фонаря, загрохотало приближающееся чудовище. «Беги, беги долой с рельсов!» — закричали Коле из кустов умиравшие от страха мальчишки, но было уже поздно: поезд наскакал и промчался мимо. Мальчишки бросились к Коле: он лежал недвижимо. Они стали его теребить, начали подымать. Он вдруг поднялся и молча сошел с насыпи. Сойдя вниз, он объявил, что нарочно лежал как без чувств, чтоб их испугать, но правда была в том, что он и в самом деле лишился чувств, как и признался потом сам, уже долго спустя, своей маме. Таким образом слава «отчаянного» за ним укрепилась навеки. Воротился он домой на станцию бледный как полотно. На другой день заболел слегка нервною лихорадкой, но духом был ужасно весел, рад и доволен. Происшествие огласилось не сейчас, а уже в нашем городе, проникло в прогимназию и достигло до ее начальства. Но тут маменька Коли бросилась молить начальство за своего мальчика и кончила тем, что его отстоял и упросил за него уважаемый и влиятельный учитель Дарданелов, и дело оставили втуне, как не бывшее вовсе. Этот Дарданелов, человек холостой и нестарый, был страстно и уже многолетне влюблен в госпожу Красоткину и уже раз, назад тому с год, почтительнейше и замирая от страха и деликатности, рискнул было предложить ей свою руку; но она наотрез отказала, считая согласие изменой своему мальчику, хотя Дарданелов, по некоторым таинственным признакам, даже, может быть, имел бы некоторое право мечтать, что он не совсем противен прелестной, но уже слишком целомудренной и нежной вдовице. Сумасшедшая шалость Коли, кажется, пробила лед, и Дарданелову за его заступничество сделан был намек о надежде, правда отдаленный, но и сам Дарданелов был феноменом чистоты и деликатности, а потому с него и того было покамест довольно для полноты его счастия. Мальчика он любил, хотя считал бы унизительным пред ним заискивать, и относился к нему в классах строго и требовательно. Но Коля и сам держал его на почтительном расстоянии, уроки готовил отлично, был в классе вторым учеником, обращался к Дарданелову сухо, и весь класс твердо верил, что во всемирной истории Коля так силен, что «собьет» самого Дарданелова. И действительно, Коля задал ему раз вопрос: «Кто основал Трою?» — на что Дарданелов отвечал лишь вообще про народы, их движения и переселения, про глубину времен, про баснословие, но на то, кто именно основал Трою, то есть какие именно лица, ответить не мог, и даже вопрос нашел почему-то праздным и несостоятельным. Но мальчики так и остались в уверенности, что Дарданелов не знает, кто основал Трою. Коля ж вычитал об основателях Трои у Смарагдова, хранившегося в шкапе с книгами, который остался после родителя. Кончилось тем, что всех даже мальчиков стало наконец интересовать: кто ж именно основал Трою, но Красоткин своего секрета не открывал, и слава знания оставалась за ним незыблемо.

После случая на железной дороге у Коли в отношениях к матери произошла некоторая перемена. Когда Анна Федоровна (вдова Красоткина) узнала о подвиге сынка, то чуть не сошла с ума от ужаса. С ней сделались такие страшные истерические припадки, продолжавшиеся с перемежками несколько дней, что испуганный уже серьезно Коля дал ей честное и благородное слово, что подобных шалостей уже никогда не повторится. Он поклялся на коленях пред образом и поклялся памятью отца, как потребовала сама госпожа Красоткина, причем «мужественный» Коля сам расплакался, как шестилетний мальчик, от «чувств», и мать и сын во весь тот день бросались друг другу в объятия и плакали сотрясаясь. На другой день Коля проснулся по-прежнему «бесчувственным», однако стал молчаливее, скромнее, строже, задумчивее. Правда, месяца чрез полтора он опять было попался в одной шалости, и имя его сделалось даже известным нашему мировому судье, но шалость была уже совсем в другом роде, даже смешная и глупенькая, да и не сам он, как оказалось, совершил ее, а только очутился в нее замешанным. Но об этом как-нибудь после. Мать продолжала трепетать и мучиться, а Дарданелов по мере тревог ее всё более и более воспринимал надежду. Надо заметить, что Коля понимал и разгадывал с этой стороны Дарданелова и, уж разумеется, глубоко презирал его за его «чувства»; прежде даже имел неделикатность высказывать это презрение свое пред матерью, отдаленно намекая ей, что понимает, чего добивается Дарданелов. Но после случая на железной дороге он и на этот счет изменил свое поведение: намеков себе уже более не позволял, даже самых отдаленных, а о Дарданелове при матери стал отзываться почтительнее, что тотчас же с беспредельною благодарностью в сердце своем поняла чуткая Анна Федоровна, но зато при малейшем, самом нечаянном слове даже от постороннего какого-нибудь гостя о Дарданелове, если при этом находился Коля, вдруг вся вспыхивала от стыда, как роза. Коля же в эти мгновения или смотрел нахмуренно в окно, или разглядывал, не просят ли у него сапоги каши, или свирепо звал Перезвона, лохматую, довольно большую и паршивую собаку, которую с месяц вдруг откуда-то приобрел, втащил в дом и держал почему-то в секрете в комнатах, никому ее не показывая из товарищей. Тиранил же ужасно, обучая ее всяким штукам и наукам, и довел бедную собаку до того, что та выла без него, когда он отлучался в классы, а когда приходил, визжала от восторга, скакала как полоумная, служила, валилась на землю и притворялась мертвою и проч., словом, показывала все штуки, которым ее обучили, уже не по требованию, а единственно от пылкости своих восторженных чувств и благодарного сердца.

Кстати: я и забыл упомянуть, что Коля Красоткин был тот самый мальчик, которого знакомый уже читателю мальчик Илюша, сын отставного штабс-капитана Снегирева, пырнул перочинным ножичком в бедро, заступаясь за отца, которого школьники задразнили «мочалкой».

II
ДЕТВОРА

Итак, в то морозное и сиверкое ноябрьское утро мальчик Коля Красоткин сидел дома. Было воскресенье, и классов не было. Но пробило уже одиннадцать часов, а ему непременно надо было идти со двора «по одному весьма важному делу», а между тем он во всем доме оставался один и решительно как хранитель его, потому что так случилось, что все его старшие обитатели, по некоторому экстренному и оригинальному обстоятельству, отлучились со двора. В доме вдовы Красоткиной, чрез сени от квартиры, которую занимала она сама, отдавалась еще одна и единственная в доме квартирка из двух маленьких комнат внаймы, и занимала ее докторша с двумя малолетними детьми. Эта докторша была одних лет с Анной Федоровной и большая ее приятельница, сам же доктор вот уже с год заехал куда-то сперва в Оренбург, а потом в Ташкент, и уже с полгода как от него не было ни слуху ни духу, так что если бы не дружба с госпожою Красоткиной, несколько смягчавшая горе оставленной докторши, то она решительно бы истекла от этого горя слезами. И вот надобно же было так случиться к довершению всех угнетений судьбы, что в эту же самую ночь, с субботы на воскресенье, Катерина, единственная служанка докторши, вдруг и совсем неожиданно для своей барыни объявила ей, что намерена родить к утру ребеночка. Как случилось, что никто этого не заметил заранее, было для всех почти чудом. Пораженная докторша рассудила, пока есть еще время, свезти Катерину в одно приспособленное к подобным случаям в нашем городке заведение у повивальной бабушки. Так как служанкою этой она очень дорожила, то немедленно и исполнила свой проект, отвезла ее и, сверх того, осталась там при ней. Затем уже утром понадобилось почему-то всё дружеское участие и помощь самой госпожи Красоткиной, которая при этом случае могла кого-то о чем-то попросить и оказать какое-то покровительство. Таким образом, обе дамы были в отлучке, служанка же самой госпожи Красоткиной, баба Агафья, ушла на базар, и Коля очутился таким образом на время хранителем и караульщиком «пузырей», то есть мальчика и девочки докторши, оставшихся одинешенькими. Караулить дом Коля не боялся, с ним к тому же был Перезвон, которому повелено было лежать ничком в передней под лавкой «без движений» и который именно поэтому каждый раз, как входил в переднюю расхаживавший по комнатам Коля, вздрагивал головой и давал два твердые и заискивающие удара хвостом по полу, но увы, призывного свиста не раздавалось. Коля грозно взглядывал на несчастного пса, и тот опять замирал в послушном оцепенении. Но если что смущало Колю, то единственно «пузыри». На нечаянное приключение с Катериной он, разумеется, смотрел с самым глубоким презрением, но осиротевших пузырей он очень любил и уже снес им какую-то детскую книжку. Настя, старшая девочка, восьми уже лет, умела читать, а младший пузырь, семилетний мальчик Костя, очень любил слушать, когда Настя ему читает. Разумеется, Красоткин мог бы их занять интереснее, то есть поставить обоих рядом и начать с ними играть в солдаты или прятаться по всему дому. Это он не раз уже делал прежде и не брезгал делать, так что даже в классе у них разнеслось было раз, что Красоткин у себя дома играет с маленькими жильцами своими в лошадки, прыгает за пристяжную и гнет голову, но Красоткин гордо отпарировал это обвинение, выставив на вид, что со сверстниками, с тринадцатилетними, действительно было бы позорно играть «в наш век» в лошадки, но что он делает это для «пузырей», потому что их любит, а в чувствах его никто не смеет у него спрашивать отчета. Зато и обожали же его оба «пузыря». Но на сей раз было не до игрушек. Ему предстояло одно очень важное собственное дело, и на вид какое-то почти даже таинственное, между тем время уходило, а Агафья, на которую можно бы было оставить детей, всё еще не хотела возвратиться с базара. Он несколько раз уже переходил чрез сени, отворял дверь к докторше и озабоченно оглядывал «пузырей», которые, по его приказанию, сидели за книжкой, и каждый раз, как он отворял дверь, молча улыбались ему во весь рот, ожидая, что вот он войдет и сделает что-нибудь прекрасное и забавное. Но Коля был в душевной тревоге и не входил. Наконец пробило одиннадцать, и он твердо и окончательно решил, что если чрез десять минут «проклятая» Агафья не воротится, то он уйдет со двора, ее не дождавшись, разумеется взяв с «пузырей» слово, что они без него не струсят, не нашалят и не будут от страха плакать. В этих мыслях он оделся в свое ватное зимнее пальтишко с меховым воротником из какого-то котика, навесил через плечо свою сумку и, несмотря на прежние неоднократные мольбы матери, чтоб он по «такому холоду», выходя со двора, всегда надевал калошки, только с презрением посмотрел на них, проходя чрез переднюю, и вышел в одних сапогах. Перезвон, завидя его одетым, начал было усиленно стучать хвостом по полу, нервно подергиваясь всем телом, и даже испустил было жалобный вой, но Коля, при виде такой страстной стремительности своего пса, заключил, что это вредит дисциплине, и хоть минуту, а выдержал его еще под лавкой и, уже отворив только дверь в сени, вдруг свистнул его. Пес вскочил как сумасшедший и бросился скакать пред ним от восторга. Перейдя сени, Коля отворил дверь к «пузырям». Оба по-прежнему сидели за столиком, но уже не читали, а жарко о чем-то спорили. Эти детки часто друг с другом спорили о разных вызывающих житейских предметах, причем Настя, как старшая, всегда одерживала верх; Костя же, если не соглашался с нею, то всегда почти шел апеллировать к Коле Красоткину, и уж как тот решал, так оно и оставалось в виде абсолютного приговора для всех сторон. На этот раз спор «пузырей» несколько заинтересовал Красоткина, и он остановился в дверях послушать. Детки видели, что он слушает, и тем еще с бо́льшим азартом продолжали свое препирание.

— Никогда, никогда я не поверю, — горячо лепетала Настя, — что маленьких деток повивальные бабушки находят в огороде, между грядками с капустой. Теперь уж зима, и никаких грядок нет, и бабушка не могла принести Катерине дочку.

— Фью! — присвистнул про себя Коля.

— Или вот как: они приносят откуда-нибудь, но только тем, которые замуж выходят.

Костя пристально смотрел на Настю, глубокомысленно слушал и соображал.

— Настя, какая ты дура, — произнес он наконец твёрдо и не горячась, — какой же может быть у Катерины ребеночек, когда она не замужем?

Настя ужасно загорячилась.

— Ты ничего не понимаешь, — раздражительно оборвала она, — может, у нее муж был, но только в тюрьме сидит, а она вот и родила.

— Да разве у нее муж в тюрьме сидит? — важно осведомился положительный Костя.

— Или вот что, — стремительно перебила Настя, совершенно бросив и забыв свою первую гипотезу, — у нее нет мужа, это ты прав, но она хочет выйти замуж, вот и стала думать, как выйдет замуж, и всё думала, всё думала и до тех пор думала, что вот он у ней и стал не муж, а ребеночек.

— Ну разве так, — согласился совершенно побежденный Костя, — а ты этого раньше не сказала, так как же я мог знать.

— Ну, детвора, — произнес Коля, шагнув к ним в комнату, — опасный вы, я вижу, народ!

— И Перезвон с вами? — осклабился Костя и начал прищелкивать пальцами и звать Перезвона.

— Пузыри, я в затруднении, — начал важно Красоткин, — и вы должны мне помочь: Агафья, конечно, ногу сломала, потому что до сих пор не является, это решено и подписано, мне же необходимо со двора. Отпустите вы меня али нет?

Дети озабоченно переглянулись друг с другом, осклабившиеся лица их стали выражать беспокойство. Они, впрочем, еще не понимали вполне, чего от них добиваются.

— Шалить без меня не будете? Не полезете на шкап, не сломаете ног? Не заплачете от страха одни?

На лицах детей выразилась страшная тоска.

— А я бы вам за то мог вещицу одну показать, пушечку медную, из которой можно стрелять настоящим порохом.

Лица деток мгновенно прояснились.

— Покажите пушечку, — весь просиявший, проговорил Костя.

Красоткин запустил руку в свою сумку и, вынув из нее маленькую бронзовую пушечку, поставил ее на стол.

— То-то покажите! Смотри, на колесах, — прокатил он игрушку по столу, — и стрелять можно. Дробью зарядить и стрелять.

— И убьет?

— Всех убьет, только стоит навести, — и Красоткин растолковал, куда положить порох, куда вкатить дробинку, показал на дырочку в виде затравки и рассказал, что бывает откат. Дети слушали со страшным любопытством. Особенно поразило их воображение, что бывает откат.

— А у вас есть порох? — осведомилась Настя.

— Есть.

— Покажите и порох, — протянула она с просящею улыбкой.

Красоткин опять слазил в сумку и вынул из нее маленький пузырек, в котором действительно было насыпано несколько настоящего пороха, а в свернутой бумажке оказалось несколько крупинок дроби. Он даже откупорил пузырек и высыпал немножко пороху на ладонь.

— Вот, только не было бы где огня, а то так и взорвет и нас всех перебьет, — предупредил для эффекта Красоткин.

Дети рассматривали порох с благоговейным страхом, еще усилившим наслаждение. Но Косте больше понравилась дробь.

— А дробь не горит? — осведомился он.

— Дробь не горит.

— Подарите мне немножко дроби, — проговорил он умоляющим голоском.

— Дроби немножко подарю, вот, бери, только маме своей до меня не показывай, пока я не приду обратно, а то подумает, что это порох, и так и умрет от страха, а вас выпорет.

— Мама нас никогда не сечет розгой, — тотчас же заметила Настя.

— Знаю, я только для красоты слога сказал. И маму вы никогда не обманывайте, но на этот раз — пока я приду. Итак, пузыри, можно мне идти или нет? Не заплачете без меня от страха?

— За-пла-чем, — протянул Костя, уж приготовляясь плакать.

— Заплачем, непременно заплачем! — подхватила пугливою скороговоркой и Настя.

— Ох, дети, дети, как опасны ваши лета. Нечего делать, птенцы, придется с вами просидеть не знаю сколько. А время-то, время-то, ух!

— А прикажите Перезвону мертвым притвориться, — попросил Костя.

— Да уж нечего делать, придется прибегнуть и к Перезвону. Иси, Перезвон! — И Коля начал повелевать собаке, а та представлять всё, что знала. Это была лохматая собака, величиной с обыкновенную дворняжку, какой-то серо-лиловой шерсти. Правый глаз ее был крив, а левое ухо почему-то с разрезом. Она взвизгивала и прыгала, служила, ходила на задних лапах, бросалась на спину всеми четырьмя лапами вверх и лежала без движения как мертвая. Во время этой последней штуки отворилась дверь, и Агафья, толстая служанка госпожи Красоткиной, рябая баба лет сорока, показалась на пороге, возвратясь с базара с кульком накупленной провизии в руке. Она стала и, держа в левой руке на отвесе кулек, принялась глядеть на собаку. Коля, как ни ждал Агафьи, представления не прервал и, выдержав Перезвона определенное время мертвым, наконец-то свистнул ему: собака вскочила и пустилась прыгать от радости, что исполнила свой долг.

— Вишь, пес! — проговорила назидательно Агафья.

— А ты чего, женский пол, опоздала? — спросил грозно Красоткин.

— Женский пол, ишь пупырь!

— Пупырь?

— И пупырь. Что тебе, что я опоздала, значит так надо, коли опоздала, — бормотала Агафья, принимаясь возиться около печки, но совсем не недовольным и не сердитым голосом, а, напротив, очень довольным, как будто радуясь случаю позубоскалить с веселым барчонком.

— Слушай, легкомысленная старуха, — начал, вставая с дивана, Красоткин, — можешь ты мне поклясться всем, что есть святого в этом мире, и сверх того чем-нибудь еще, что будешь наблюдать за пузырями в мое отсутствие неустанно? Я ухожу со двора.

— А зачем я тебе клястись стану? — засмеялась Агафья, — и так присмотрю.

— Нет, не иначе как поклявшись вечным спасением души твоей. Иначе не уйду.

— И не уходи. Мне како дело, на дворе мороз, сиди дома.

— Пузыри, — обратился Коля к деткам, — эта женщина останется с вами до моего прихода или до прихода вашей мамы, потому что и той давно бы воротиться надо. Сверх того, даст вам позавтракать. Дашь чего-нибудь им, Агафья?

— Это возможно.

— До свидания, птенцы, ухожу со спокойным сердцем. А ты, бабуся, — вполголоса и важно проговорил он, проходя мимо Агафьи, — надеюсь, не станешь им врать обычные ваши бабьи глупости про Катерину, пощадишь детский возраст. Иси, Перезвон!

— И ну тебя к богу, — огрызнулась уже с сердцем Агафья. — Смешной! Выпороть самого-то, вот что, за такие слова.

III

ШКОЛЬНИК

Но Коля уже не слушал. Наконец-то он мог уйти. Выйдя за ворота, он огляделся, передернул плечиками и, проговорив: «Мороз!», направился прямо по улице и потом направо по переулку к базарной площади. Не доходя одного дома до площади, он остановился у ворот, вынул из кармашка свистульку и свистнул изо всей силы, как бы подавая условный знак. Ему пришлось ждать не более минуты, из калитки вдруг выскочил к нему румяненький мальчик, лет одиннадцати, тоже одетый в теплое, чистенькое и даже щегольское пальтецо. Это был мальчик Смуров, состоявший в приготовительном классе (тогда как Коля Красоткин был уже двумя классами выше), сын зажиточного чиновника и которому, кажется, не позволяли родители водиться с Красоткиным, как с известнейшим отчаянным шалуном, так что Смуров, очевидно, выскочил теперь украдкой. Этот Смуров, если не забыл читатель, был один из той группы мальчиков, которые два месяца тому назад кидали камнями через канаву в Илюшу и который рассказывал тогда про Илюшу Алеше Карамазову.

— Я вас уже целый час жду, Красоткин, — с решительным видом проговорил Смуров, и мальчики зашагали к площади.

— Запоздал, — ответил Красоткин. — Есть обстоятельства. Тебя не выпорют, что ты со мной?

— Ну полноте, разве меня порют? И Перезвон с вами?

— И Перезвон!

— Вы и его туда?

— И его туда.

— Ах, кабы Жучка!

— Нельзя Жучку. Жучка не существует. Жучка исчезла во мраке неизвестности.

— Ах, нельзя ли бы так, — приостановился вдруг Смуров, — ведь Илюша говорит, что Жучка тоже была лохматая и тоже такая же седая, дымчатая, как и Перезвон, — нельзя ли сказать, что это та самая Жучка и есть, он, может быть, и поверит?

— Школьник, гнушайся лжи, это раз; даже для доброго дела, два. А главное, надеюсь, ты там не объявлял ничего о моем приходе.

— Боже сохрани, я ведь понимаю же. Но Перезвоном его не утешишь, — вздохнул Смуров. — Знаешь что: отец этот, капитан, мочалка-то, говорил нам, что сегодня щеночка ему принесет, настоящего меделянского, с черным носом; он думает, что этим утешит Илюшу, только вряд ли?

— А каков он сам, Илюша-то?

— Ах, плох, плох! Я думаю, у него чахотка. Он весь в памяти, только так дышит-дышит, нехорошо он дышит. Намедни попросил, чтоб его поводили, обули его в сапожки, пошел было, да и валится. «Ах, говорит, я говорил тебе, папа, что у меня дурные сапожки, прежние, в них и прежде было неловко ходить». Это он думал, что он от сапожек с ног валится, а он просто от слабости. Недели не проживет. Герценштубе ездит. Теперь они опять богаты, у них много денег.

— Шельмы.

— Кто шельмы?

— Доктора, и вся медицинская сволочь, говоря вообще, и, уж, разумеется, в частности. Я отрицаю медицину. Бесполезное учреждение. Я, впрочем, всё это исследую. Что это у вас там за сентиментальности, однако, завелись? Вы там всем классом, кажется, пребываете?

— Не всем, а так человек десять наших ходит туда, всегда, всякий день. Это ничего.

— Удивляет меня во всем этом роль Алексея Карамазова: брата его завтра или послезавтра судят за такое преступление, а у него столько времени на сентиментальничанье с мальчиками!

— Совсем тут никакого нет сентиментальничанья. Сам же вот идешь теперь с Илюшей мириться.

— Мириться? Смешное выражение. Я, впрочем, никому не позволяю анализировать мои поступки.

— А как Илюша будет тебе рад! Он и не воображает, что ты придешь. Почему, почему ты так долго не хотел идти? — воскликнул вдруг с жаром Смуров.

— Милый мальчик, это мое дело, а не твое. Я иду сам по себе, потому что такова моя воля, а вас всех притащил туда Алексей Карамазов, значит, разница. И почем ты знаешь, я, может, вовсе не мириться иду? Глупое выражение.

— Вовсе не Карамазов, совсем не он. Просто наши сами туда стали ходить, конечно сперва с Карамазовым. И ничего такого не было, никаких глупостей. Сначала один, потом другой. Отец был ужасно нам рад. Ты знаешь, он просто с ума сойдет, коль умрет Илюша. Он видит, что Илюша умрет. А нам-то как рад, что мы с Илюшей помирились. Илюша о тебе спрашивал, ничего больше не прибавил. Спросит и замолчит. А отец с ума сойдет или повесится. Он ведь и прежде держал себя как помешанный. Знаешь, он благородный человек, и тогда вышла ошибка. Всё этот отцеубийца виноват, что избил его тогда.

— А все-таки Карамазов для меня загадка. Я мог бы и давно с ним познакомиться, но я в иных случаях люблю быть гордым. Притом я составил о нем некоторое мнение, которое надо еще проверить и разъяснить.

Коля важно примолк; Смуров тоже. Смуров, разумеется, благоговел пред Колей Красоткиным и не смел и думать равняться с ним. Теперь же был ужасно заинтересован, потому что Коля объяснил, что идет «сам по себе», и была тут, стало быть, непременно какая-то загадка в том, что Коля вдруг вздумал теперь и именно сегодня идти. Они шли по базарной площади, на которой на этот раз стояло много приезжих возов и было много пригнанной птицы. Городские бабы торговали под своими навесами бубликами, нитками и проч. Такие воскресные съезды наивно называются у нас в городке ярмарками, и таких ярмарок бывает много в году. Перезвон бежал в веселейшем настроении духа, уклоняясь беспрестанно направо и налево где-нибудь что-нибудь понюхать. Встречаясь с другими собачонками, с необыкновенною охотой с ними обнюхивался по всем собачьим правилам.

— Я люблю наблюдать реализм, Смуров, — заговорил вдруг Коля. — Заметил ты, как собаки встречаются и обнюхиваются? Тут какой-то общий у них закон природы.

— Да, какой-то смешной.

— То есть не смешной, это ты неправильно. В природе ничего нет смешного, как бы там ни казалось человеку с его предрассудками. Если бы собаки могли рассуждать и критиковать, то наверно бы нашли столько же для себя смешного, если не гораздо больше, в социальных отношениях между собою людей, их повелителей, — если не гораздо больше; это я повторяю потому, что я твердо уверен, что глупостей у нас гораздо больше. Это мысль Ракитина, мысль замечательная. Я социалист, Смуров.

— А что такое социалист? — спросил Смуров.

— Это коли все равны, у всех одно общее имение, нет браков, а религия и все законы как кому угодно, ну и там всё остальное. Ты еще не дорос до этого, тебе рано. Холодно, однако.

— Да. Двенадцать градусов. Давеча отец смотрел на термометре.

— И заметил ты, Смуров, что в средине зимы, если градусов пятнадцать или даже восемнадцать, то кажется не так холодно, как например теперь, в начале зимы, когда вдруг нечаянно ударит мороз, как теперь, в двенадцать градусов, да еще когда снегу мало. Это значит, люди еще не привыкли. У людей всё привычка, во всем, даже в государственных и в политических отношениях. Привычка — главный двигатель. Какой смешной, однако, мужик.

Коля указал на рослого мужика в тулупе, с добродушною физиономией, который у своего воза похлопывал от холода ладонями в рукавицах. Длинная русая борода его вся заиндевела от мороза.

— У мужика борода замерзла! — громко и задирчиво крикнул Коля, проходя мимо него.

— У многих замерзла, — спокойно и сентенциозно промолвил в ответ мужик.

— Не задирай его, — заметил Смуров.

— Ничего, не осердится, он хороший. Прощай, Матвей.

— Прощай.

— А ты разве Матвей?

— Матвей. А ты не знал?

— Не знал; я наугад сказал.

— Ишь ведь. В школьниках небось?

— В школьниках.

— Что ж тебя, порют?

— Не то чтобы, а так.

— Больно?

— Не без того!

— Эх, жисть! — вздохнул мужик от всего сердца.

— Прощай, Матвей.

— Прощай. Парнишка ты милый, вот что.

Мальчики пошли дальше.

— Это хороший мужик, — заговорил Коля Смурову. — Я люблю поговорить с народом и всегда рад отдать ему справедливость.

— Зачем ты ему соврал, что у нас секут? — спросил Смуров.

— Надо же было его утешить?

— Чем это?

— Видишь, Смуров, не люблю я, когда переспрашивают, если не понимают с первого слова. Иного и растолковать нельзя. По идее мужика, школьника порют и должны пороть: что, дескать, за школьник, если его не порют? И вдруг я скажу ему: что у нас не порют, ведь он этим огорчится. А впрочем, ты этого не понимаешь. С народом надо умеючи говорить.

— Только не задирай, пожалуйста, а то опять выйдет история, как тогда с этим гусем.

— А ты боишься?

— Не смейся, Коля, ей-богу, боюсь. Отец ужасно рассердится. Мне строго запрещено ходить с тобой.

— Не беспокойся, нынешний раз ничего не произойдет. Здравствуй, Наташа, — крикнул он одной из торговок под навесом.

— Какая я тебе Наташа, я Марья, — крикливо ответила торговка, далеко еще не старая женщина.

— Это хорошо, что Марья, прощай.

— Ах ты постреленок, от земли не видать, а туда же!

— Некогда, некогда мне с тобой, в будущее воскресенье расскажешь, — замахал руками Коля, точно она к нему приставала, а не он к ней.

— А что мне тебе рассказывать в воскресенье? Сам привязался, а не я к тебе, озорник, — раскричалась Марья, — выпороть тебя, вот что, обидчик ты известный, вот что!

Между другими торговками, торговавшими на своих лотках рядом с Марьей, раздался смех, как вдруг из-под аркады городских лавок выскочил ни с того ни с сего один раздраженный человек вроде купеческого приказчика и не наш торговец, а из приезжих, в длиннополом синем кафтане, в фуражке с козырьком, еще молодой, в темно-русых кудрях и с длинным, бледным, рябоватым лицом. Он был в каком-то глупом волнении и тотчас принялся грозить Коле кулаком.

— Я тебя знаю, — восклицал он раздраженно, — я тебя знаю!

Коля пристально поглядел на него. Он что-то не мог припомнить, когда он с этим человеком мог иметь какую-нибудь схватку. Но мало ли у него было схваток на улицах, всех и припомнить было нельзя.

— Знаешь? — иронически спросил он его.

— Я тебя знаю! Я тебя знаю! — наладил как дурак мещанин.

— Тебе же лучше. Ну, некогда мне, прощай!

— Чего озорничаешь? — закричал мещанин. — Ты опять озорничать? Я тебя знаю! Ты опять озорничать?

— Это, брат, не твое теперь дело, что я озорничаю, — произнес Коля, остановясь и продолжая его разглядывать.

— Как не мое?

— Так, не твое.

— А чье же? Чье же? Ну, чье же?

— Это, брат, теперь Трифона Никитича дело, а не твое.

— Какого такого Трифона Никитича? — с дурацким удивлением, хотя всё так же горячась, уставился на Колю парень. Коля важно обмерил его взглядом.

— К Вознесенью ходил? — строго и настойчиво вдруг спросил он его.

— К какому Вознесенью? Зачем? Нет, не ходил, — опешил немного парень.

— Сабанеева знаешь? — еще настойчивее и еще строже продолжал Коля.

— Какого те Сабанеева? Нет, не знаю.

— Ну и черт с тобой после этого! — отрезал вдруг Коля и, круто повернув направо, быстро зашагал своею дорогой, как будто и говорить презирая с таким олухом, который Сабанеева даже не знает.

— Стой ты, эй! Какого те Сабанеева? — опомнился парень, весь опять заволновавшись. — Это он чего такого говорил? — повернулся он вдруг к торговкам, глупо смотря на них.

Бабы рассмеялись.

— Мудреный мальчишка, — проговорила одна.

— Какого, какого это он Сабанеева? — всё неистово повторял парень, махая правою рукой.

— А это, надоть быть, Сабанеева, который у Кузьмичевых служил, вот как, надоть быть, — догадалась вдруг одна баба.

Парень дико на нее уставился.

— Кузь-ми-чева? — переговорила другая баба, — да какой он Трифон? Тот Кузьма, а не Трифон, а парнишка Трифоном Никитычем называл, стало, не он.

— Это, вишь, не Трифон и не Сабанеев, это Чижов, — подхватила вдруг третья баба, доселе молчавшая и серьезно слушавшая, — Алексей Иванычем звать его. Чижов, Алексей Иванович.

— Это так и есть, что Чижов, — настойчиво подтвердила четвертая баба.

Ошеломленный парень глядел то на ту, то на другую.

— Да зачем он спрашивал, спрашивал-то он зачем, люди добрые? — восклицал он уже почти в отчаянии, — «Сабанеева знаешь?» А черт его знает, какой он есть таков Сабанеев!

— Бестолковый ты человек, говорят те — не Сабанеев, а Чижов, Алексей Иванович Чижов, вот кто! — внушительно крикнула ему одна торговка.

— Какой Чижов? Ну, какой? Говори, коли знаешь.

— А длинный, возгривый, летось на базаре сидел.

— А на кой ляд мне твово Чижова, люди добрые, а?

— А я почем знаю, на кой те ляд Чижова.

— А кто тебя знает, на что он тебе, — подхватила другая, — сам должен знать, на что его тебе надо, коли галдишь. Ведь он тебе говорил, а не нам, глупый ты человек. Аль правду не знаешь?

— Кого?

— Чижова.

— А черт его дери, Чижова, с тобой вместе! Отколочу его, вот что! Смеялся он надо мной!

— Чижова-то отколотишь? Либо он тебя! Дурак ты, вот что!

— Не Чижова, не Чижова, баба ты злая, вредная, мальчишку отколочу, вот что! Давайте его, давайте его сюда, смеялся он надо мной!

Бабы хохотали. А Коля шагал уже далеко с победоносным выражением в лице. Смуров шел подле, оглядываясь на кричащую вдали группу. Ему тоже было очень весело, хотя он всё еще опасался, как бы не попасть с Колей в историю.

— Про какого ты его спросил Сабанеева? — спросил он Колю, предчувствуя ответ.

— А почем я знаю, про какого? Теперь у них до вечера крику будет. Я люблю расшевелить дураков во всех слоях общества. Вот и еще стоит олух, вот этот мужик. Заметь себе, говорят: «Ничего нет глупее глупого француза», но и русская физиономия выдает себя. Ну не написано ль у этого на лице, что он дурак, вот у этого мужика, а?

— Оставь его, Коля, пройдем мимо.

— Ни за что не оставлю, я теперь поехал. Эй! здравствуй, мужик!

Дюжий мужик, медленно проходивший мимо и уже, должно быть, выпивший, с круглым простоватым лицом и с бородой с проседью, поднял голову и посмотрел на парнишку.

— Ну, здравствуй, коли не шутить, — неторопливо проговорил он в ответ.

— А коль шучу? — засмеялся Коля.

— А шутишь, так и шути, бог с тобой. Ничего, это можно. Это всегда возможно, чтоб пошутить.

— Виноват, брат, пошутил.

— Ну и бог те прости.

— Ты-то прощаешь ли?

— Оченно прощаю. Ступай.

— Вишь ведь ты, да ты, пожалуй, мужик умный.

— Умней тебя, — неожиданно и по-прежнему важно ответил мужик.

— Вряд ли, — опешил несколько Коля.

— Верно говорю.

— А пожалуй что и так.

— То-то, брат.

— Прощай, мужик.

— Прощай.

— Мужики бывают разные, — заметил Коля Смурову после некоторого молчания. — Почем же я знал, что нарвусь на умника. Я всегда готов признать ум в народе.

Вдали на соборных часах пробило половину двенадцатого. Мальчики заспешили и остальной довольно еще длинный путь до жилища штабс-капитана Снегирева прошли быстро и почти уже не разговаривая. За двадцать шагов до дома Коля остановился и велел Смурову пойти вперед и вызвать ему сюда Карамазова.

— Надо предварительно обнюхаться, — заметил он Смурову.

— Да зачем вызывать, — возразил было Смуров, — войди и так, тебе ужасно обрадуются. А то что же на морозе знакомиться?

— Это уж я знаю, зачем мне его надо сюда на мороз, — деспотически отрезал Коля (что ужасно любил делать с этими «маленькими»), и Смуров побежал исполнять приказание.

IV
ЖУЧКА

Коля с важною миной в лице прислонился к забору и стал ожидать появления Алеши. Да, с ним ему давно уже хотелось встретиться. Он много наслышался о нем от мальчиков, но до сих пор всегда наружно выказывал презрительно равнодушный вид, когда ему о нем говорили, даже «критиковал» Алешу, выслушивая то, что о нем ему передавали. Но про себя очень, очень хотел познакомиться: что-то было во всех выслушанных им рассказах об Алеше симпатическое и влекущее. Таким образом, теперешняя минута была важная; во-первых, надо было себя в грязь лицом не ударить, показать независимость: «А то подумает, что мне тринадцать лет, и примет меня за такого же мальчишку, как и эти. И что ему эти мальчишки? Спрошу его, когда сойдусь. Скверно, однако же, то, что я такого маленького роста. Тузиков моложе меня, а на полголовы выше. Лицо у меня, впрочем, умное; я не хорош, я знаю, что я мерзок лицом, но лицо умное. Тоже надо не очень высказываться, а то сразу-то с объятиями, он и подумает... Тьфу, какая будет мерзость, если подумает!..»

Так волновался Коля, изо всех сил стараясь принять самый независимый вид. Главное, его мучил маленький его рост, не столько «мерзкое» лицо, сколько рост. У него дома, в углу на стене, еще с прошлого года была сделана карандашом черточка, которою он отметил свой рост, и с тех пор каждые два месяца он с волнением подходил опять мериться: на сколько успел вырасти? Но увы! вырастал он ужасно мало, и это приводило его порой просто в отчаяние. Что же до лица, то было оно вовсе не «мерзкое», напротив, довольно миловидное, беленькое, бледненькое, с веснушками. Серые, небольшие, но живые глазки смотрели смело и часто загорались чувством. Скулы были несколько широки, губы маленькие, не очень толстые, не очень красные; нос маленький и решительно вздернутый: «Совсем курносый, совсем курносый!» — бормотал про себя Коля, когда смотрелся в зеркало, и всегда отходил от зеркала с негодованием. «Да вряд ли и лицо умное?» — подумывал он иногда, даже сомневаясь и в этом. Впрочем, не надо полагать, что забота о лице и о росте поглощала всю его душу. Напротив, как ни язвительны были минуты пред зеркалом, но он быстро забывал о них, и даже надолго, «весь отдаваясь идеям и действительной жизни», как определял он сам свою деятельность.

Алеша появился скоро и спеша подошел к Коле; за несколько шагов еще тот разглядел, что у Алеши было какое-то совсем радостное лицо. «Неужели так рад мне?» — с удовольствием подумал Коля. Здесь кстати заметим, что Алеша очень изменился с тех пор, как мы его оставили: он сбросил подрясник и носил теперь прекрасно сшитый сюртук, мягкую круглую шляпу и коротко обстриженные волосы. Всё это очень его скрасило, и смотрел он совсем красавчиком. Миловидное лицо его имело всегда веселый вид, но веселость эта была какая-то тихая и спокойная. К удивлению Коли, Алеша вышел к нему в том, в чем сидел в комнате, без пальто, видно, что поспешил. Он прямо протянул Коле руку.

— Вот и вы наконец, как мы вас все ждали.

— Были причины, о которых сейчас узнаете. Во всяком случае, рад познакомиться. Давно ждал случая и много слышал, — пробормотал, немного задыхаясь, Коля.

— Да мы с вами и без того бы познакомились, я сам о вас много слышал, но здесь-то, сюда-то вы запоздали.

— Скажите, как здесь?

— Илюша очень плох, он непременно умрет.

— Что вы! Согласитесь, что медицина подлость, Карамазов, — с жаром воскликнул Коля.

— Илюша часто, очень часто поминал об вас, даже, знаете, во сне, в бреду. Видно, что вы ему очень, очень были дороги прежде... до того случая... с ножиком. Тут есть и еще причина... Скажите, это ваша собака?

— Моя. Перезвон.

— А не Жучка? — жалостно поглядел Алеша в глаза Коле. — Та уже так и пропала?

— Знаю, что вам хотелось бы всем Жучку, слышал всё-с, — загадочно усмехнулся Коля. Слушайте, Карамазов, я вам объясню всё дело, я, главное, с тем и пришел, для этого вас и вызвал, чтобы вам предварительно объяснить весь пассаж, прежде чем мы войдем, — оживленно начал он. — Видите, Карамазов, весной Илюша поступает в приготовительный класс. Ну, известно, наш приготовительный класс: мальчишки, детвора. Илюшу тотчас же начали задирать. Я двумя классами выше и, разумеется, смотрю издали, со стороны. Вижу, мальчик маленький, слабенький, но не подчиняется, даже с ними дерется, гордый, глазенки горят. Я люблю этаких. А они его пуще. Главное, у него тогда было платьишко скверное, штанишки наверх лезут, а сапоги каши просят. Они его и за это. Унижают. Нет, это уж я не люблю, тотчас заступился и экстрафеферу задал. Я ведь их бью, а они меня обожают, вы знаете ли это, Карамазов? — экспансивно похвастался Коля. — Да и вообще люблю детвору. У меня и теперь на шее дома два птенца сидят, даже сегодня меня задержали. Таким образом, Илюшу перестали бить, и я взял его под мою протекцию. Вижу, мальчик гордый, это я вам говорю, что гордый, но кончил тем, что предался мне рабски, исполняет малейшие мои повеления, слушает меня как Бога, лезет мне подражать. В антрактах между классами сейчас ко мне, и мы вместе с ним ходим. По воскресеньям тоже. У нас в гимназии смеются, когда старший сходится на такую ногу с маленьким, но это предрассудок. Такова моя фантазия, и баста, не правда ли? Я его учу, развиваю — почему, скажите, я не могу его развивать, если он мне нравится? Ведь вот вы же, Карамазов, сошлись со всеми этими птенцами, значит, хотите действовать на молодое поколение, развивать, быть полезным? И признаюсь, эта черта в вашем характере, которую я узнал понаслышке, всего более заинтересовала меня. Впрочем, к делу: примечаю, что в мальчике развивается какая-то чувствительность, сентиментальность, а я, знаете, решительный враг всяких телячьих нежностей, с самого моего рождения. И к тому же противоречия: горд, а мне предан рабски, — предан рабски, а вдруг засверкают глазенки и не хочет даже соглашаться со мной, спорит, на стену лезет. Я проводил иногда разные идеи: он не то что с идеями не согласен, а просто вижу, что он лично против меня бунтует, потому что я на его нежности отвечаю хладнокровием. И вот, чтобы его выдержать, я, чем он нежнее, тем становлюсь еще хладнокровнее, нарочно так поступаю, таково мое убеждение. Я имел в виду вышколить характер, выровнять, создать человека... ну и там... вы, разумеется, меня с полслова понимаете. Вдруг замечаю, он день, другой, третий смущен, скорбит, но уж не о нежностях, а о чем-то другом, сильнейшем, высшем. Думаю, что за трагедия? Наступаю на него и узнаю штуку: каким-то он образом сошелся с лакеем покойного отца вашего (который тогда еще был в живых) Смердяковым, а тот и научи его, дурачка, глупой шутке, то есть зверской шутке, подлой шутке — взять кусок хлеба, мякишу, воткнуть в него булавку и бросить какой-нибудь дворовой собаке, из таких, которые с голодухи кусок, не жуя, глотают, и посмотреть, что из этого выйдет. Вот и смастерили они такой кусок и бросили вот этой самой лохматой Жучке, о которой теперь такая история, одной дворовой собаке из такого двора, где ее просто не кормили, а она-то весь день на ветер лает. (Любите вы этот глупый лай, Карамазов? Я терпеть не могу.) Так и бросилась, проглотила и завизжала, завертелась и пустилась бежать, бежит и всё визжит, и исчезла — так мне описывал сам Илюша. Признается мне, а сам плачет-плачет, обнимает меня, сотрясается: «Бежит и визжит, бежит и визжит» — только это и повторяет, поразила его эта картина. Ну, вижу, угрызения совести. Я принял серьезно. Мне, главное, и за прежнее хотелось его прошколить, так что, признаюсь, я тут схитрил, притворился, что в таком негодовании, какого, может, и не было у меня вовсе: «Ты, говорю, сделал низкий поступок, ты подлец, я, конечно, не разглашу, но пока прерываю с тобою сношения. Дело это обдумаю и дам тебе знать через Смурова (вот этого самого мальчика, который теперь со мной пришел и который всегда мне был предан): буду ли продолжать с тобою впредь отношения, или брошу тебя навеки, как подлеца». Это страшно его поразило. Я, признаюсь, тогда же почувствовал, что, может быть, слишком строго отнесся, но что делать, такова была моя тогдашняя мысль. День спустя посылаю к нему Смурова и чрез него передаю, что я с ним больше «не говорю», то есть это так у нас называется, когда два товарища прерывают между собой сношения. Тайна в том, что я хотел его выдержать на фербанте всего только несколько дней, а там, видя раскаяние, опять протянуть ему руку. Это было твердое мое намерение. Но что же вы думаете: выслушал от Смурова, и вдруг у него засверкали глаза. «Передай, — закричал он, — от меня Красоткину, что я всем собакам буду теперь куски с булавками кидать, всем, всем!» — «А, думаю, вольный душок завелся, его надо выкурить», — и стал ему выказывать полное презрение, при всякой встрече отвертываюсь или иронически улыбаюсь. И вдруг тут происходит этот случай с его отцом, помните, мочалка-то? Поймите, что он таким образом уже предварительно приготовлен был к страшному раздражению. Мальчики, видя, что я его оставил, накинулись на него, дразнят: «Мочалка, мочалка». Вот тут-то у них и начались баталии, о которых я страшно сожалею, потому что его, кажется, очень больно тогда раз избили. Вот раз он бросается на всех на дворе, когда выходили из классов, а я как раз стою в десяти шагах и смотрю на него. И клянусь, я не помню, чтоб я тогда смеялся, напротив, мне тогда очень, очень стало жалко его, и еще миг, и я бы бросился его защищать. Но он вдруг встретил мой взгляд: что ему показалось — не знаю, но он выхватил перочинный ножик, бросился на меня и ткнул мне его в бедро, вот тут, у правой ноги. Я не двинулся, я, признаюсь, иногда бываю храбр, Карамазов, я только посмотрел с презрением, как бы говоря взглядом: «Не хочешь ли, мол, еще, за всю мою дружбу, так я к твоим услугам». Но он другой раз не пырнул, он не выдержал, он сам испугался, бросил ножик, заплакал в голос и пустился бежать. Я, разумеется, не фискалил и приказал всем молчать, чтобы не дошло до начальства, даже матери сказал, только когда всё зажило, да и ранка была пустая, царапина. Потом слышу, в тот же день он бросался камнями и вам палец укусил, — но, понимаете, в каком он был состоянии! Ну что делать, я сделал глупо: когда он заболел, я не пошел его простить, то есть помириться, теперь раскаиваюсь. Но тут уж у меня явились особые цели. Ну вот и вся история... только, кажется, я сделал глупо...

— Ах, как это жаль, — воскликнул с волнением Алеша, — что я не знал ваших этих с ним отношений раньше, а то бы я сам давно уже пришел к вам вас просить пойти к нему со мной вместе. Верите ли, в жару, в болезни, он бредил вами. Я и не знал, как вы ему дороги! И неужели, неужели вы так и не отыскали эту Жучку? Отец и все мальчики по всему городу разыскивали. Верите ли, он, больной, в слезах, три раза при мне уж повторял отцу: «Это оттого я болен, папа, что я Жучку тогда убил, это меня Бог наказал», — не собьешь его с этой мысли! И если бы только достали теперь эту Жучку и показали, что она не умерла, а живая, то, кажется, он бы воскрес от радости. Все мы на вас надеялись.

— Скажите, с какой же стати надеялись, что я отыщу Жучку, то есть что именно я отыщу? — с чрезвычайным любопытством спросил Коля, — почему именно на меня рассчитывали, а не на другого?

— Какой-то слух был, что вы ее отыскиваете и что когда отыщете ее, то приведете. Смуров что-то говорил в этом роде. Мы, главное, всё стараемся уверить, что Жучка жива, что ее где-то видели. Мальчики ему живого зайчика откуда-то достали, только он посмотрел, чуть-чуть улыбнулся и попросил, чтобы выпустили его в поле. Так мы и сделали. Сию минуту отец воротился и ему щенка меделянского принес, тоже достал откуда-то, думал этим утешить, только хуже еще, кажется, вышло...

— Еще скажите, Карамазов: что такое этот отец? Я его знаю, но что он такое по вашему определению: шут, паяц?

— Ах нет, есть люди глубоко чувствующие, но как-то придавленные. Шутовство у них вроде злобной иронии на тех, которым в глаза они не смеют сказать правды от долговременной унизительной робости пред ними. Поверьте, Красоткин, что такое шутовство чрезвычайно иногда трагично. У него всё теперь, всё на земле совокупилось в Илюше, и умри Илюша, он или с ума сойдет с горя, или лишит себя жизни. Я почти убежден в этом, когда теперь на него смотрю!

— Я вас понимаю, Карамазов, я вижу, вы знаете человека, — прибавил проникновенно Коля.

— А я, как увидал вас с собакой, так и подумал, что вы это привели ту самую Жучку.

— Подождите, Карамазов, может быть, мы ее и отыщем, а эта — это Перезвон. Я впущу ее теперь в комнату и, может быть, развеселю Илюшу побольше, чем меделянским щенком. Подождите, Карамазов, вы кой-что сейчас узнаете. Ах, боже мой, что ж я вас держу! — вскричал вдруг стремительно Коля. — Вы в одном сюртучке на таком холоде, а я вас задерживаю; видите, видите, какой я эгоист! О, все мы эгоисты, Карамазов!

— Не беспокойтесь; правда, холодно, но я не простудлив. Пойдемте, однако же. Кстати: как ваше имя, я знаю, что Коля, а дальше?

— Николай, Николай Иванов Красоткин, или, как говорят по-казенному, сын Красоткин, — чему-то засмеялся Коля, но вдруг прибавил: — Я, разумеется, ненавижу мое имя Николай.

— Почему же?

— Тривиально, казенно...

— Вам тринадцатый год? — спросил Алеша.

— То есть четырнадцатый, через две недели четырнадцать, весьма скоро. Признаюсь пред вами заранее в одной слабости, Карамазов, это уж так пред вами, для первого знакомства, чтобы вы сразу увидели всю мою натуру: я ненавижу, когда меня спрашивают про мои года, более чем ненавижу... и наконец... про меня, например, есть клевета, что я на прошлой неделе с приготовительными в разбойники играл. То, что я играл, это действительность, но что я для себя играл, для доставления себе самому удовольствия, то это решительно клевета. Я имею основание думать, что до вас это дошло, но я не для себя играл, а для детворы играл, потому что они ничего без меня не умели выдумать. И вот у нас всегда вздор распустят. Это город сплетен, уверяю вас.

— А хоть бы и для своего удовольствия играли, что ж тут такого?

— Ну для себя... Не станете же вы в лошадки играть?

— А вы рассуждайте так, — улыбнулся Алеша, — в театр, например, ездят же взрослые, а в театре тоже представляют приключения всяких героев, иногда тоже с разбойниками и с войной — так разве это не то же самое, в своем, разумеется, роде? А игра в войну у молодых людей, в рекреационное время, или там в разбойники — это ведь тоже зарождающееся искусство, зарождающаяся потребность искусства в юной душе, и эти игры иногда даже сочиняются складнее, чем представления на театре, только в том разница, что в театр ездят смотреть актеров, а тут молодежь сами актеры. Но это только естественно.

— Вы так думаете? Таково ваше убеждение? — пристально смотрел на него Коля. — Знаете, вы довольно любопытную мысль сказали; я теперь приду домой и шевельну мозгами на этот счет. Признаюсь, я так и ждал, что от вас можно кой-чему поучиться. Я пришел у вас учиться, Карамазов, — проникновенным и экспансивным голосом заключил Коля.

— А я у вас, — улыбнулся Алеша, пожав ему руку.

Коля был чрезвычайно доволен Алешей. Его поразило то, что с ним он в высшей степени на ровной ноге и что тот говорит с ним как с «самым большим».

— Я вам сейчас один фортель покажу, Карамазов, тоже одно театральное представление, — нервно засмеялся он, — я с тем и пришел.

— Зайдем сначала налево к хозяевам, там все ваши свои пальто оставляют, потому что в комнате тесно и жарко.

— О, ведь я на мгновение, я войду и просижу в пальто. Перезвон останется здесь в сенях и умрет: «Иси, Перезвон, куш и умри!» — видите, он и умер. А я сначала войду, высмотрю обстановку и потом, когда надо будет, свистну: «Иси, Перезвон!» — и вы увидите, он тотчас же влетит как угорелый. Только надо, чтобы Смуров не забыл отворить в то мгновение дверь. Уж я распоряжусь, и вы увидите фортель...

V

У ИЛЮШИНОЙ ПОСТЕЛЬКИ

В знакомой уже нам комнате, в которой обитало семейство известного нам отставного штабс-капитана Снегирева, было в эту минуту и душно, и тесно от многочисленной набравшейся публики. Несколько мальчиков сидели в этот раз у Илюши, и хоть все они готовы были, как и Смуров, отрицать, что помирил и свел их с Илюшей Алеша, но это было так. Всё искусство его в этом случае состояло в том, что свел он их с Илюшей, одного за другим, без «телячьих нежностей», а совсем как бы не нарочно и нечаянно. Илюше же это принесло огромное облегчение в его страданиях. Увидев почти нежную дружбу и участие к себе всех этих мальчиков, прежних врагов своих, он был очень тронут. Одного только Красоткина недоставало, и это лежало на его сердце страшным гнетом. Если было в горьких воспоминаниях Илюшечки нечто самое горчайшее, то это именно весь этот эпизод с Красоткиным, бывшим единственным другом его и защитником, на которого он бросился тогда с ножиком. Так думал и умненький мальчик Смуров (первый пришедший помириться с Илюшей). Но сам Красоткин, когда Смуров отдаленно сообщил ему, что Алеша хочет к нему прийти «по одному делу», тотчас же оборвал и отрезал подход, поручив Смурову немедленно сообщить «Карамазову», что он сам знает, как поступать, что советов ни от кого не просит и что если пойдет к больному, то сам знает, когда пойти, потому что у него «свой расчет». Это было еще недели за две до этого воскресенья. Вот почему Алеша и не пошел к нему сам, как намеревался. Впрочем, он хоть и подождал, но, однако же, послал Смурова к Красоткину еще раз и еще раз. Но в оба эти раза Красоткин ответил уже самым нетерпеливым и резким отказом, передав Алеше, что если тот придет за ним сам, то он за это никогда не пойдет к Илюше, и чтоб ему больше не надоедали. Даже до самого этого последнего дня сам Смуров не знал, что Коля решил отправиться к Илюше в это утро, и только накануне вечером, прощаясь со Смуровым, Коля вдруг резко объявил ему, чтоб он ждал его завтра утром дома, потому что пойдет вместе с ним к Снегиревым, но чтобы не смел, однако же, никого уведомлять о его прибытии, так как он хочет прийти нечаянно. Смуров послушался. Мечта же о том, что он приведет пропавшую Жучку, явилась у Смурова на основании раз брошенных мельком слов Красоткиным, что «ослы они все, коли не могут отыскать собаку, если только она жива». Когда же Смуров робко, выждав время, намекнул о своей догадке насчет собаки Красоткину, тот вдруг ужасно озлился: «Что я за осел, чтоб искать чужих собак по всему городу, когда у меня свой Перезвон? И можно ли мечтать, чтобы собака, проглотившая булавку, осталась жива? Телячьи нежности, больше ничего!»

Между тем Илюша уже недели две как почти не сходил с своей постельки, в углу, у образов. В классы же не ходил с самого того случая, когда встретился с Алешей и укусил ему палец. Впрочем, он с того же дня и захворал, хотя еще с месяц мог кое-как ходить изредка по комнате и в сенях, изредка вставая с постельки. Наконец совсем обессилел, так что без помощи отца не мог двигаться. Отец трепетал над ним, перестал даже совсем пить, почти обезумел от страха, что умрет его мальчик, и часто, особенно после того, как проведет, бывало, его по комнате под руку и уложит опять в постельку, — вдруг выбегал в сени, в темный угол и, прислонившись лбом к стене, начинал рыдать каким-то заливчатым, сотрясающимся плачем, давя свой голос, чтобы рыданий его не было слышно у Илюшечки.

Возвращаясь же в комнату, начинал обыкновенно чем-нибудь развлекать и утешать своего дорогого мальчика, рассказывал ему сказки, смешные анекдоты или представлял из себя разных смешных людей, которых ему удавалось встречать, даже подражал животным, как они смешно воют или кричат. Но Илюша очень не любил, когда отец коверкался и представлял из себя шута. Мальчик хоть и старался не показывать, что ему это неприятно, но с болью сердца сознавал, что отец в обществе унижен, и всегда, неотвязно, вспоминал о «мочалке» и о том «страшном дне». Ниночка, безногая, тихая и кроткая сестра Илюшечки, тоже не любила, когда отец коверкался (что же до Варвары Николаевны, то она давно уже отправилась в Петербург слушать курсы), зато полоумная маменька очень забавлялась и от всего сердца смеялась, когда ее супруг начнет, бывало, что-нибудь представлять или выделывать какие-нибудь смешные жесты. Этим только ее и можно было утешить, во всё же остальное время она беспрерывно брюзжала и плакалась, что теперь все ее забыли, что ее никто не уважает, что ее обижают и проч., и проч. Но в самые последние дни и она вдруг как бы вся переменилась. Она часто начала смотреть в уголок на Илюшу и стала задумываться. Стала гораздо молчаливее, притихла, и если принималась плакать, то тихо, чтобы не слыхали. Штабс-капитан с горьким недоумением заметил эту в ней перемену. Посещения мальчиков ей сначала не понравились и только сердили ее, но потом веселые крики и рассказы детей стали развлекать и ее и до того под конец ей понравились, что, перестань ходить эти мальчики, она бы затосковала ужасно. Когда дети что рассказывали или начинали играть, она смеялась и хлопала в ладошки. Иных подзывала к себе и целовала. Мальчика Смурова полюбила особенно. Что же до штабс-капитана, то появление в его квартире детей, приходивших веселить Илюшу, наполнило душу его с самого начала восторженною радостью и даже надеждой, что Илюша перестанет теперь тосковать и, может быть, оттого скорее выздоровеет. Он ни одной минуты, до самого последнего времени, не сомневался, несмотря на весь свой страх за Илюшу, что его мальчик вдруг выздоровеет. Он встречал маленьких гостей с благоговением, ходил около них, услуживал, готов был их на себе возить, и даже впрямь начал было возить, но Илюше эти игры не понравились и были оставлены. Стал для них покупать гостинцев, пряничков, орешков, устраивал чай, намазывал бутерброды. Надо заметить, что во всё это время деньги у него не переводились. Тогдашние двести рублей от Катерины Ивановны он принял точь-в-точь по предсказанию Алеши. А потом Катерина Ивановна, разузнав подробнее об их обстоятельствах и о болезни Илюши, сама посетила их квартиру, познакомилась со всем семейством и даже сумела очаровать полоумную штабс-капитаншу. С тех пор рука ее не оскудевала, а сам штабс-капитан, подавленный ужасом при мысли, что умрет его мальчик, забыл свой прежний гонор и смиренно принимал подаяние. Всё это время доктор Герценштубе, по приглашению Катерины Ивановны, ездил постоянно и аккуратно через день к больному, но толку от его посещений выходило мало, а пичкал он его лекарствами ужасно. Но зато в этот день, то есть в это воскресенье утром, у штабс-капитана ждали одного нового доктора, приезжего из Москвы и считавшегося в Москве знаменитостью. Его нарочно выписала и пригласила из Москвы Катерина Ивановна за большие деньги — не для Илюшечки, а для другой одной цели, о которой будет сказано ниже и в своем месте, но уж так как он прибыл, то и попросила его навестить и Илюшечку, о чем штабс-капитан был заранее предуведомлен. О прибытии же Коли Красоткина он не имел никакого предчувствия, хотя уже давно желал, чтобы пришел наконец этот мальчик, по котором так мучился его Илюшечка. В то самое мгновение, когда Красоткин отворил дверь и появился в комнате, все, штабс-капитан и мальчики, столпились около постельки больного и рассматривали только что принесенного крошечного меделянского щенка, вчера только родившегося, но еще за неделю заказанного штабс-капитаном, чтобы развлечь и утешить Илюшечку, всё тосковавшего об исчезнувшей и, конечно, уже погибшей Жучке. Но Илюша, уже слышавший и знавший еще за три дня, что ему подарят маленькую собачку, и не простую, а настоящую меделянскую (что, конечно, было ужасно важно), хотя и показывал из тонкого и деликатного чувства, что рад подарку, но все, и отец и мальчики, ясно увидели, что новая собачка, может быть, только еще сильнее шевельнула в его сердечке воспоминание о несчастной, им замученной Жучке. Щеночек лежал и копошился подле него, и он, болезненно улыбаясь, гладил его своею тоненькою, бледненькою, высохшею ручкой; даже видно было, что собачка ему понравилась, но... Жучки всё же не было, всё же это не Жучка, а вот если бы Жучка и щеночек вместе, тогда бы было полное счастие!

— Красоткин! — крикнул вдруг один из мальчиков, первый завидевший вошедшего Колю. Произошло видимое волнение, мальчики расступились и стали по обе стороны постельки, так что вдруг открыли всего Илюшечку. Штабс-капитан стремительно бросился навстречу Коле.

— Пожалуйте, пожалуйте... дорогой гость! — залепетал он ему. — Илюшечка, господин Красоткин к тебе пожаловал...

Но Красоткин, наскоро подав ему руку, мигом выказал и чрезвычайное свое знание светских приличий. Он тотчас же и прежде всего обратился к сидевшей в своем кресле супруге штабс-капитана (которая как раз в ту минуту была ужасно как недовольна и брюзжала на то, что мальчики заслонили собою постельку Илюши и не дают ей поглядеть на новую собачку) и чрезвычайно вежливо шаркнул пред нею ножкой, а затем, повернувшись к Ниночке, отдал и ей, как даме, такой же поклон. Этот вежливый поступок произвел на больную даму необыкновенно приятное впечатление.

— Вот и видно сейчас хорошо воспитанного молодого человека, — громко произнесла она, разводя руками, — а то что прочие-то наши гости: один на другом приезжают.

— Как же, мамочка, один-то на другом, как это так? — хоть и ласково, но опасаясь немного за «мамочку», пролепетал штабс-капитан.

— А так и въезжают. Сядет в сенях один другому верхом на плечи да в благородное семейство и въедет, сидя верхом. Какой же это гость?

— Да кто же, кто же, мамочка, так въезжал, кто же?

— Да вот этот мальчик на этом мальчике сегодня въехал, а вот тот на том...

Но Коля уже стоял у постельки Илюши. Больной видимо побледнел. Он приподнялся на кроватке и пристально-пристально посмотрел на Колю. Тот не видал своего прежнего маленького друга уже месяца два и вдруг остановился пред ним совсем пораженный: он и вообразить не мог, что увидит такое похудевшее и пожелтевшее личико, такие горящие в лихорадочном жару и как будто ужасно увеличившиеся глаза, такие худенькие ручки. С горестным удивлением всматривался он, что Илюша так глубоко и часто дышит и что у него так ссохлись губы. Он шагнул к нему, подал руку и, почти совсем потерявшись, проговорил:

— Ну что, старик... как поживаешь?

Но голос его пресекся, развязности не хватило, лицо как-то вдруг передернулось, и что-то задрожало около его губ. Илюша болезненно ему улыбался, все еще не в силах сказать слова. Коля вдруг поднял руку и провел для чего-то своею ладонью по волосам Илюши.

— Ни-че-го! — пролепетал он ему тихо, не то ободряя его, не то сам не зная, зачем это сказал. С минутку опять помолчали.

— Что это у тебя, новый щенок? — вдруг самым бесчувственным голосом спросил Коля.

— Да-а-а! — ответил Илюша длинным шепотом, задыхаясь.

— Черный нос, значит, из злых, из цепных, — важно и твердо заметил Коля, как будто всё дело было именно в щенке и в его черном носе. Но главное было в том, что он всё еще изо всех сил старался побороть в себе чувство, чтобы не заплакать как «маленький», и всё еще не мог побороть. — Подрастет, придется посадить на цепь, уж я знаю.

— Он огромный будет! — воскликнул один мальчик из толпы.

— Известно, меделянский, огромный, вот этакий, с теленка, — раздалось вдруг несколько голосков.

— С теленка, с настоящего теленка-с, — подскочил штабс-капитан, — я нарочно отыскал такого, самого-самого злющего, и родители его тоже огромные и самые злющие, вот этакие от полу ростом... Присядьте-с, вот здесь на кроватке у Илюши, а не то здесь на лавку. Милости просим, гость дорогой, гость долгожданный... С Алексеем Федоровичем изволили прибыть-с?

Красоткин присел на постельке, в ногах у Илюши. Он хоть, может быть, и приготовил дорогой, с чего развязно начать разговор, но теперь решительно потерял нитку.

— Нет... я с Перезвоном... У меня такая собака теперь, Перезвон. Славянское имя. Там ждет... свистну, и влетит. Я тоже с собакой, — оборотился он вдруг к Илюше, — помнишь, старик, Жучку? — вдруг огрел он его вопросом.

Личико Илюшечки перекосилось. Он страдальчески посмотрел на Колю. Алеша, стоявший у дверей, нахмурился и кивнул было Коле украдкой, чтобы тот не заговаривал про Жучку, но тот не заметил или не захотел заметить.

— Где же... Жучка? — надорванным голоском спросил Илюша.

— Ну, брат, твоя Жучка — фью! Пропала твоя Жучка!

Илюша смолчал, но пристально-пристально посмотрел еще раз на Колю. Алеша, поймав взгляд Коли, изо всех сил опять закивал ему, но тот снова отвел глаза, сделав вид, что и теперь не заметил.

— Забежала куда-нибудь и пропала. Как не пропасть после такой закуски, — безжалостно резал Коля, а между тем сам как будто стал от чего-то задыхаться. — У меня зато Перезвон... Славянское имя... Я к тебе привел...

— Не на-до! — проговорил вдруг Илюшечка.

— Нет, нет, надо, непременно посмотри... Ты развлечешься. Я нарочно привел... такая же лохматая, как и та... Вы позволите, сударыня, позвать сюда мою собаку? — обратился он вдруг к госпоже Снегиревой в каком-то совсем уже непостижимом волнении.

— Не надо, не надо! — с горестным надрывом в голосе воскликнул Илюша. Укор загорелся в глазах его.

— Вы бы-с... — рванулся вдруг штабс-капитан с сундука у стенки, на котором было присел, — вы бы-с... в другое время-с... — пролепетал он, но Коля, неудержимо настаивая и спеша, вдруг крикнул Смурову: «Смуров, отвори дверь!» — и только что тот отворил, свистнул в свою свистульку. Перезвон стремительно влетел в комнату.

— Прыгай, Перезвон, служи! Служи! — завопил Коля, вскочив с места, и собака, став на задние лапы, вытянулась прямо пред постелькой Илюши. Произошло нечто никем не ожиданное: Илюша вздрогнул и вдруг с силой двинулся весь вперед, нагнулся к Перезвону и, как бы замирая, смотрел на него.

— Это... Жучка! — прокричал он вдруг надтреснутым от страдания и счастия голоском.

— А ты думал кто? — звонким, счастливым голосом изо всей силы завопил Красоткин и, нагнувшись к собаке, обхватил ее и приподнял к Илюше.

— Гляди, старик, видишь, глаз кривой и левое ухо надрезано, точь-в-точь те приметы, как ты мне рассказал. Я его по этим приметам и разыскал! Тогда же разыскал, вскорости. Она ведь ничья была, она ведь была ничья! — пояснял он, быстро оборачиваясь к штабс-капитану, к супруге его, к Алеше и потом опять к Илюше, — она была у Федотовых на задворках, прижилась было там, но те ее не кормили, а она беглая, она забеглая из деревни... Я ее и разыскал... Видишь, старик, она тогда твой кусок, значит, не проглотила. Если бы проглотила, так уж конечно бы померла; ведь уж конечно! Значит, успела выплюнуть, коли теперь жива. А ты и не заметил, что она выплюнула. Выплюнула, а язык себе все-таки уколола, вот отчего тогда и завизжала. Бежала и визжала, а ты и думал, что она совсем проглотила. Она должна была очень визжать, потому что у собаки очень нежная кожа во рту... нежнее, чем у человека, гораздо нежнее! — восклицал неистово Коля, с разгоревшимся и с сияющим от восторга лицом.

Илюша же и говорить не мог. Он смотрел на Колю своими большими и как-то ужасно выкатившимися глазами, с раскрытым ртом и побледнев как полотно. И если бы только знал не подозревавший ничего Красоткин, как мучительно и убийственно могла влиять такая минута на здоровье больного мальчика, то ни за что бы не решился выкинуть такую штуку, какую выкинул. Но в комнате понимал это, может быть, лишь один Алеша. Что же до штабс-капитана, то он весь как бы обратился в самого маленького мальчика.

— Жучка! Так это-то Жучка? — выкрикивал он блаженным голосом. — Илюшечка, ведь это Жучка, твоя Жучка! Маменька, ведь это Жучка! — Он чуть не плакал.

— А я-то и не догадался! — горестно воскликнул Смуров. — Ай да Красоткин, я говорил, что он найдет Жучку, вот и нашел!

— Вот и нашел! — радостно отозвался еще кто-то.

— Молодец Красоткин! — прозвенел третий голосок.

— Молодец, молодец! — закричали все мальчики и начали аплодировать.

— Да стойте, стойте, — силился всех перекричать Красоткин, — я вам расскажу, как это было, штука в том, как это было, а не в чем другом! Ведь я его разыскал, затащил к себе и тотчас же спрятал, и дом на замок, и никому не показывал до самого последнего дня. Только один Смуров узнал две недели назад, но я уверил его, что это Перезвон, и он не догадался, а я в антракте научил Жучку всем наукам, вы посмотрите, посмотрите только, какие он штуки знает! Для того и учил, чтоб уж привести к тебе, старик, обученного, гладкого: вот, дескать, старик, какая твоя Жучка теперь! Да нет ли у вас какого-нибудь кусочка говядинки, он вам сейчас одну такую штуку покажет, что вы со смеху упадете, — говядинки, кусочек, ну неужели же у вас нет?

Штабс-капитан стремительно кинулся через сени в избу к хозяевам, где варилось и штабс-капитанское кушанье. Коля же, чтобы не терять драгоценного времени, отчаянно спеша, крикнул Перезвону: «Умри!» И тот вдруг завертелся, лег на спину и замер неподвижно всеми четырьмя своими лапками вверх. Мальчики смеялись, Илюша смотрел с прежнею страдальческою своею улыбкой, но всех больше понравилось, что умер Перезон, «маменьке». Она расхохоталась на собаку и принялась щелкать пальцами и звать:

— Перезвон, Перезвон!

— Ни за что не подымется, ни за что, — победоносно и справедливо гордясь, прокричал Коля, — хоть весь свет кричи, а вот я крикну, и в один миг вскочит! Иси, Перезвон!

Собака вскочила и принялась прыгать, визжа от радости. Штабс-капитан вбежал с куском вареной говядины.

— Не горяча? — торопливо и деловито осведомился Коля, принимая кусок, — нет, не горяча, а то собаки не любят горячего. Смотрите же все, Илюшечка, смотри, да смотри же, смотри, старик, что же ты не смотришь? Я привел, а он не смотрит!

Новая штука состояла в том, чтобы неподвижно стоящей и протянувшей свой нос собаке положить на самый нос лакомый кусочек говядины. Несчастный пес, не шевелясь, должен был простоять с куском на носу сколько велит хозяин, не двинуться, не шевельнуться, хоть полчаса. Но Перезвона выдержали только самую маленькую минутку.

— Пиль! — крикнул Коля, и кусок в один миг перелетел с носу в рот Перезвона. Публика, разумеется, выразила восторженное удивление.

— И неужели, неужели вы из-за того только, чтоб обучить собаку, всё время не приходили! — воскликнул с невольным укором Алеша.

— Именно для того, — прокричал простодушнейшим образом Коля. — Я хотел показать его во всем блеске!

— Перезвон! Перезвон! — защелкал вдруг своими худенькими пальчиками Илюша, маня собаку.

— Да чего тебе! Пусть он к тебе на постель сам вскочит. Иси, Перезвон! — стукнул ладонью по постели Коля, и Перезвон как стрела влетел к Илюше. Тот стремительно обнял его голову обеими руками, а Перезвон мигом облизал ему за это щеку. Илюшечка прижался к нему, протянулся на постельке и спрятал от всех в его косматой шерсти свое лицо.

— Господи, господи! — восклицал штабс-капитан.

Коля присел опять на постель к Илюше.

— Илюша, я тебе могу еще одну штуку показать. Я тебе пушечку принес. Помнишь, я тебе еще тогда говорил про эту пушечку, а ты сказал: «Ах, как бы и мне ее посмотреть!» Ну вот, я теперь и принес.

И Коля, торопясь, вытащил из своей сумки свою бронзовую пушечку. Торопился он потому, что уж сам был очень счастлив: в другое время так выждал бы, когда пройдет эффект, произведенный Перезвоном, но теперь поспешил, презирая всякую выдержку: «уж и так счастливы, так вот вам и еще счастья!» Сам уж он был очень упоен.

— Я эту штучку давно уже у чиновника Морозова наглядел — для тебя, старик, для тебя. Она у него стояла даром, от брата ему досталась, я и выменял ему на книжку, из папина шкафа: «Родственник Магомета, или Целительное дурачество». Сто лет книжке, забубенная, в Москве вышла, когда еще цензуры не было, а Морозов до этих штучек охотник. Еще поблагодарил...

Пушечку Коля держал в руке пред всеми, так что все могли видеть и наслаждаться. Илюша приподнялся и, продолжая правою рукой обнимать Перезвона, с восхищением разглядывал игрушку. Эффект дошел до высокой степени, когда Коля объявил, что у него есть и порох и что можно сейчас же и выстрелить, «если это только не обеспокоит дам». «Маменька» немедленно попросила, чтоб ей дали поближе посмотреть на игрушку, что тотчас и было исполнено. Бронзовая пушечка на колесиках ей ужасно понравилась, и она принялась ее катать на своих коленях. На просьбу о позволении выстрелить отвечала самым полным согласием, не понимая, впрочем, о чем ее спрашивают. Коля показал порох и дробь. Штабс-капитан, как бывший военный человек, сам распорядился зарядом, всыпав самую маленькую порцию пороху, дробь же попросил отложить до другого раза. Пушку поставили на пол, дулом в пустое место, втиснули в затравку три порошинки и зажгли спичкой. Произошел самый блистательный выстрел. Маменька вздрогнула было, но тотчас же засмеялась от радости. Мальчики смотрели с молчаливым торжеством, но более всего блаженствовал, смотря на Илюшу, штабс-капитан. Коля поднял пушечку и немедленно подарил ее Илюше, вместе с дробью и с порохом.

— Это я для тебя, для тебя! Давно приготовил, — повторил он еще раз, в полноте счастья.

— Ах, подарите мне! Нет, подарите пушечку лучше мне! — вдруг, точно маленькая, начала просить маменька.

Лицо ее изобразило горестное беспокойство от боязни, что ей не подарят. Коля смутился. Штабс-капитан беспокойно заволновался.

— Мамочка, мамочка! — подскочил он к ней, — пушечка твоя, твоя, но пусть она будет у Илюши, потому что ему подарили, но она всё равно что твоя, Илюшечка всегда тебе даст поиграть, она у вас пусть будет общая, общая...

— Нет, не хочу, чтоб общая, нет, чтобы совсем моя была, а не Илюшина, — продолжала маменька, приготовляясь уже совсем заплакать.

— Мама, возьми себе, вот возьми себе! — крикнул вдруг Илюша. — Красоткин, можно мне ее маме подарить? — обратился он вдруг с молящим видом к Красоткину, как бы боясь, чтобы тот не обиделся, что он его подарок другому дарит.

— Совершенно возможно! — тотчас же согласился Красоткин и, взяв пушечку из рук Илюши, сам и передал ее с самым вежливым поклоном маменьке. Та даже расплакалась от умиления.

— Илюшечка, милый, вот кто мамочку свою любит! — умиленно воскликнула она и немедленно опять принялась катать пушку на своих коленях.

— Маменька, дай я тебе ручку поцелую, — подскочил к ней супруг и тотчас же исполнил намерение.

— И кто еще самый милый молодой человек, так вот этот добрый мальчик! — проговорила благодарная дама, указывая на Красоткина.

— А пороху я тебе, Илюша, теперь сколько угодно буду носить. Мы теперь сами порох делаем. Боровиков узнал состав: двадцать четыре части селитры, десять серы и шесть березового угля, всё вместе столочь, влить воды, смешать в мякоть и протереть через барабанную шкуру — вот и порох.

— Мне Смуров про ваш порох уже говорил, а только папа говорит, что это не настоящий порох, — отозвался Илюша.

— Как не настоящий? — покраснел Коля, — у нас горит. Я, впрочем, не знаю...

— Нет-с, я ничего-с, — подскочил вдруг с виноватым видом штабс-капитан. — Я, правда, говорил, что настоящий порох не так составляется, но это ничего-с, можно и так-с.

— Не знаю, вы лучше знаете. Мы в помадной каменной банке зажгли, славно горел, весь сгорел, самая маленькая сажа осталась. Но ведь это только мякоть, а если протереть через шкуру... А впрочем, вы лучше знаете, я не знаю... А Булкина отец выдрал за наш порох, ты слышал? — обратился он вдруг к Илюше.

— Слышал, — ответил Илюша. Он с бесконечным интересом и наслаждением слушал Колю.

— Мы целую бутылку пороху заготовили, он под кроватью и держал. Отец увидал. Взорвать, говорит, может. Да и высек сго тут же. Хотел в гимназию на меня жаловаться. Теперь со мной его не пускают, теперь со мной никого не пускают. Смурова тоже не пускают, у всех прославился; говорят, что я «отчаянный», — презрительно усмехнулся Коля. — Это всё с железной дороги здесь началось.

— Ах, мы слышали и про этот ваш пассаж! — воскликнул штабс-капитан, — как это вы там пролежали? И неужели вы так ничего совсем и не испугались, когда лежали под поездом. Страшно вам было-с?

Штабс-капитан ужасно лисил пред Колей.

— Н-не особенно! — небрежно отозвался Коля. — Репутацию мою пуще всего здесь этот проклятый гусь подкузьмил, — повернулся он опять к Илюше. Но хоть он и корчил, рассказывая, небрежный вид, а всё еще не мог совладать с собою и продолжал как бы сбиваться с тону.

— Ах, я и про гуся слышал! — засмеялся, весь сияя, Илюша, — мне рассказывали, да я не понял, неужто тебя у судьи судили?

— Самая безмозглая штука, самая ничтожная, из которой целого слона, по обыкновению, у нас сочинили, — начал развязно Коля. — Это я раз тут по площади шел, а как раз пригнали гусей. Я остановился и смотрю на гусей. Вдруг один здешний парень, Вишняков, он теперь у Плотниковых рассыльным служит, смотрит на меня да и говорит: «Ты чего на гусей глядишь?» Я смотрю на него: глупая, круглая харя, парню двадцать лет, я, знаете, никогда не отвергаю народа. Я люблю с народом... Мы отстали от народа — это аксиома — вы, кажется, изволите смеяться, Карамазов?

— Нет, боже сохрани, я вас очень слушаю, — с самым простодушнейшим видом отозвался Алеша, и мнительный Коля мигом ободрился.

— Моя теория, Карамазов, ясна и проста, — опять радостно заспешил он тотчас же. — Я верю в народ и всегда рад отдать ему справедливость, но отнюдь не балуя его, это sine qua...[1] Да, ведь я про гуся. Вот обращаюсь я к этому дураку и отвечаю ему: «А вот думаю, о чем гусь думает». Глядит он на меня совершенно глупо: «А об чем, говорит, гусь думает?» — «А вот видишь, говорю, телега с овсом стоит. Из мешка овес сыплется, а гусь шею протянул под самое колесо и зерно клюет — видишь?» — «Это я оченно вижу, говорит». — «Ну так вот, говорю, если эту самую телегу чуточку теперь тронуть вперед — перережет гусю шею колесом или нет?» — «Беспременно, говорит, перережет», — а сам уж ухмыляется во весь рот, так весь и растаял. «Ну так пойдем, говорю, парень, давай». — «Давай, говорит». И недолго нам пришлось мастерить: он этак неприметно около узды стал, а я сбоку, чтобы гуся направить. А мужик на ту пору зазевался, говорил с кем-то, так что совсем мне и не пришлось направлять: прямо гусь сам собой так и вытянул шею за овсом, под телегу, под самое колесо. Я мигнул парню, он дернул и — к-крак, так и переехало гусю шею пополам! И вот надо ж так, что в ту ж секунду все мужики увидали нас, ну и загалдели разом: «Это ты нарочно!» — «Нет, не нарочно». — «Нет, нарочно!» Ну, галдят: «К мировому!» Захватили и меня: «И ты тут, дескать, был, ты подсоблял, тебя весь базар знает!» А меня действительно почему-то весь базар знает, — прибавил самолюбиво Коля. — Потянулись мы все к мировому, несут и гуся. Смотрю, а парень мой струсил и заревел, право, ревет как баба. А гуртовщик кричит: «Этаким манером их, гусей, сколько угодно передавить можно!» Ну, разумеется, свидетели. Мировой мигом кончил: за гуся отдать гуртовщику рубль, а гуся пусть парень берет себе. Да впредь чтобы таких шуток отнюдь не позволять себе. А парень всё ревет как баба: «Это не я, говорит, это он меня наустил», — да на меня и показывает. Я отвечаю с полным хладнокровием, что я отнюдь не учил, что я только выразил основную мысль и говорил лишь в проекте. Мировой Нефедов усмехнулся, да и рассердился сейчас на себя за то, что усмехнулся: «Я вас, — говорит мне, — сейчас же вашему начальству аттестую, чтобы вы в такие проекты впредь не пускались, вместо того чтобы за книгами сидеть и уроки ваши учить». Начальству-то он меня не аттестовал, это шутки, но дело действительно разне-

---

[1] Непременное условие (*лат.*).

слось и достигло ушей начальства: уши-то ведь у нас длинные! Особенно поднялся классик Колбасников, да Дарданелов опять отстоял. А Колбасников зол теперь у нас на всех, как зеленый осел. Ты, Илюша, слышал, он ведь женился, взял у Михайловых приданого тысячу рублей, а невеста рыловорот первой руки и последней степени. Третьеклассники тотчас же эпиграмму сочинили:

> Поразила весть третьеклассников,
> Что женился неряха Колбасников.

Ну и там дальше, очень смешно, я тебе потом принесу. Я про Дарданелова ничего не говорю: человек с познаниями, с решительными познаниями. Этаких я уважаю и вовсе не из-за того, что меня отстоял...

— Однако ж ты сбил его на том, кто основал Трою! — ввернул вдруг Смуров, решительно гордясь в эту минуту Красоткиным. Очень уж ему понравился рассказ про гуся.

— Неужто так и сбили-с? — льстиво подхватил штабс-капитан. — Это про то, кто основал Трою-с? Это мы уже слышали, что сбили-с. Илюшечка мне тогда же и рассказал-с...

— Он, папа, всё знает, лучше всех у нас знает! — подхватил и Илюшечка, — он ведь только прикидывается, что он такой, а он первый у нас ученик по всем предметам...

Илюша с беспредельным счастием смотрел на Колю.

— Ну это о Трое вздор, пустяки. Я сам этот вопрос считаю пустым, — с горделивою скромностью отозвался Коля. Он уже успел вполне войти в тон, хотя, впрочем, был и в некотором беспокойстве: он чувствовал, что находится в большом возбуждении и что о гусе, например, рассказал слишком уж от всего сердца, а между тем Алеша молчал всё время рассказа и был серьезен, и вот самолюбивому мальчику мало-помалу начало уже скрести по сердцу: «Не оттого ли де он молчит, что меня презирает, думая, что я его похвалы ищу? В таком случае, если он осмеливается это думать, то я...»

— Я считаю этот вопрос решительно пустым, — отрезал он еще раз горделиво.

— А я знаю, кто основал Трою, — вдруг проговорил совсем неожиданно один доселе ничего почти еще не сказавший мальчик, молчаливый и видимо застенчивый, очень собою хорошенький, лет одиннадцати, по фамилии Карташов. Он сидел у самых дверей. Коля с удивлением и важностию поглядел на него. Дело в том, что вопрос: «Кто именно основал Трою?» — решительно обратился во всех классах в секрет, и чтобы проникнуть его, надо было прочесть у Смарагдова. Но Смарагдова ни у кого, кроме Коли, не было. И вот раз мальчик Карташов потихоньку, когда Коля отвернулся, поскорей развернул лежащего между его книгами Смарагдова и прямо попал на то место, где говорилось об основателях Трои. Случилось это довольно уже давно, но он всё как-то конфузился и не решался открыть публично, что и он знает, кто основал Трою, опасаясь, чтобы не вышло чего-нибудь и чтобы не сконфузил его как-нибудь за это Коля. А теперь вдруг почему-то не утерпел и сказал. Да и давно ему хотелось.

— Ну, кто же основал? — надменно и свысока повернулся к нему Коля, уже по лицу угадав, что тот действительно знает и, разумеется, тотчас же приготовившись ко всем последствиям. В общем настроении произошел, что называется, диссонанс.

— Трою основали Тевкр, Дардан, Иллюс и Трос, — разом отчеканил мальчик и в один миг весь покраснел, так покраснел, что на него жалко стало смотреть. Но мальчики все на него глядели в упор, глядели целую минуту, и потом вдруг все эти глядящие в упор глаза разом повернулись к Коле. Тот с презрительным хладнокровием всё еще продолжал обмеривать взглядом дерзкого мальчика.

— То есть как же это они основали? — удостоил он наконец проговорить, — да и что значит вообще основать город или государство? Что ж они: пришли и по кирпичу положили, что ли?

Раздался смех. Виноватый мальчик из розового стал пунцовым. Он молчал, он готов был заплакать. Коля выдержал его так еще с минутку.

— Чтобы толковать о таких исторических событиях, как основание национальности, надо прежде всего понимать, что это значит, — строго отчеканил он в назидание. — Я, впрочем, не придаю всем этим бабьим сказкам важности, да и вообще всемирную историю не весьма уважаю, — прибавил он вдруг небрежно, обращаясь уже ко всем вообще.

— Это всемирную-то историю-с? — с каким-то вдруг испугом осведомился штабс-капитан.

— Да, всемирную историю. Изучение ряда глупостей человеческих, и только. Я уважаю одну математику и естественные, — сфорсил Коля и мельком глянул на Алешу: его только одного мнения он здесь и боялся. Но Алешу всё молчал и был всё по-прежнему серьезен. Если бы сказал что-нибудь сейчас Алеша, на том бы оно и покончилось, но Алеша смолчал, а «молчание его могло быть презрительным», и Коля раздражился уже совсем.

— Опять эти классические теперь у нас языки: одно сумасшествие, и ничего больше... Вы опять, кажется, не согласны со мной, Карамазов?

— Не согласен, — сдержанно улыбнулся Алеша.

— Классические языки, если хотите всё мое о них мнение, — это полицейская мера, вот для чего единственно они заведены, — мало-помалу начал вдруг опять задыхаться Коля, — они заведены потому, что скучны, и потому, что отупляют способности. Было скучно, так вот как сделать, чтоб еще больше было скуки? Было бестолково, так как сделать, чтобы стало еще бестолковее? Вот и выдумали классические языки. Вот мое полное о них мнение, и надеюсь, что я никогда не изменю его, — резко закончил Коля. На обеих щеках его показалось по красной точке румянца.

— Это правда, — звонким и убежденным голоском согласился вдруг прилежно слушавший Смуров.

— А сам первый по латинскому языку! — вдруг крикнул из толпы один мальчик.

— Да, папа, он сам говорит, а сам у нас первый по латинскому в классе, — отозвался и Илюша.

— Что ж такое? — счел нужным оборониться Коля, хотя ему очень приятна была и похвала. — Латынь я зубрю, потому что надо, потому что я обещался матери кончить курс, а по-моему, за что взялся, то уж делать хорошо, но в душе глубоко презираю классицизм и всю эту подлость... Не соглашаетесь, Карамазов?

— Ну зачем же «подлость»? — усмехнулся опять Алеша.

— Да помилуйте, ведь классики все переведены на все языки, стало быть, вовсе не для изучения классиков понадобилась им латынь, а единственно для полицейских мер и для отупления способностей. Как же после того не подлость?

— Ну кто вас этому всему научил? — воскликнул удивленный наконец Алеша.

— Во-первых, я и сам могу понимать, без научения, а во-вторых, знайте, вот это же самое, что я вам сейчас толковал про переведенных классиков, говорил вслух всему третьему классу сам преподаватель Колбасников,..

— Доктор приехал! — воскликнула вдруг всё время молчавшая Ниночка.

Действительно, к воротам дома подъехала принадлежавшая госпоже Хохлаковой карета. Штабс-капитан, ждавший всё утро доктора, сломя голову бросился к воротам встречать его. Маменька подобралась и напустила на себя важности. Алеша подошел к Илюше и стал оправлять ему подушку. Ниночка, из своих кресел, с беспокойством следила за тем, как он оправляет постельку. Мальчики торопливо стали прощаться, некоторые из них пообещались зайти вечером. Коля крикнул Перезвона, и тот соскочил с постели.

— Я не уйду, не уйду! — проговорил впопыхах Коля Илюше, — я пережду в сенях и приду опять, когда уедет доктор, приду с Перезвоном.

Но уже доктор входил — важная фигура в медвежьей шубе, с длинными темными бакенбардами и с глянцевито выбритым подбородком. Ступив через порог, он вдруг остановился, как бы опешив: ему, верно, показалось, что он не туда зашел: «Что это? Где я?» — пробормотал он, не скидая с плеч шубы и не снимая котиковой фуражки с котиковым же козырьком с своей головы. Толпа, бедность комнаты, развешанное в углу на веревке белье сбили его с толку. Штабс-капитан согнулся перед ним в три погибели.

— Вы здесь-с, здесь-с, — бормотал он подобострастно, — вы здесь-с, у меня-с, вам ко мне-с...

— Сне-ги-рев? — произнес важно и громко доктор. — Господин Снегирев — это вы?

— Это я-с!

— А!

Доктор еще раз брезгливо оглядел комнату и сбросил с себя шубу. Всем в глаза блеснул важный орден на шее. Штабс-капитан подхватил на лету шубу, а доктор снял фуражку.

— Где же пациент? — спросил он громко и настоятельно.

РАННЕЕ РАЗВИТИЕ

— Как вы думаете, что ему скажет доктор? — скоро-говоркой проговорил Коля, — какая отвратительная, од-нако же, харя, не правда ли? Терпеть не могу медицину!

— Илюша умрет. Это, мне кажется, уж наверно, — грустно ответил Алеша.

— Шельмы! Медицина шельма! Я рад, однако, что узнал вас, Карамазов. Я давно хотел вас узнать. Жаль только, что мы так грустно встретились...

Коле очень бы хотелось что-то сказать еще горячее, еще экспансивнее, но как будто что-то его коробило. Алеша это заметил, улыбнулся и пожал ему руку.

— Я давно научился уважать в вас редкое существо, — пробормотал опять Коля, сбиваясь и путаясь. — Я слышал, вы мистик и были в монастыре. Я знаю, что вы мистик, но... это меня не остановило. Прикосновение к действительности вас излечит... С натурами, как вы, не бывает иначе.

— Что вы называете мистиком? От чего излечит? — удивился немного Алеша.

— Ну там Бог и прочее.

— Как, да разве вы в Бога не веруете?

— Напротив, я ничего не имею против Бога. Конечно, Бог есть только гипотеза... но... я признаю, что он нужен, для порядка... для мирового порядка и так далее... и если б его не было, то надо бы его выдумать, — прибавил Коля, начиная краснеть. Ему вдруг вообразилось, что Алеша сейчас подумает, что он хочет выставить свои познания и показать, какой он «большой». «А я вовсе не хочу выставлять пред ним мои познания», — с негодованием подумал Коля. И ему вдруг стало ужасно досадно.

— Я, признаюсь, терпеть не могу вступать во все эти препирания, — отрезал он, — можно ведь и не веруя в Бога любить человечество, как вы думаете? Вольтер же не веровал в Бога, а любил человечество? («Опять, опять!» — подумал он про себя.)

— Вольтер в Бога верил, но, кажется, мало и, кажется, мало любил и человечество, — тихо, сдержанно и совершенно натурально произнес Алеша, как бы разговаривая с себе равным по летам или даже со старшим летами человеком.

Коле именно поразила эта как бы неуверенность Алеши в свое мнение о Вольтере и что он как будто именно ему, маленькому Коле, отдает этот вопрос на решение.

— А вы разве читали Вольтера? — заключил Алеша.

— Нет, не то чтобы читал... Я, впрочем, «Кандида» читал, в русском переводе... в старом, уродливом переводе, смешном... (Опять, опять!)

— И поняли?

— О да, всё... то есть... почему же вы думаете, что я бы не понял? Там, конечно, много сальностей... Я, конечно, в состоянии понять, что это роман философский и написан, чтобы провести идею... — запутался уже совсем Коля. — Я социалист, Карамазов, я неисправимый социалист, — вдруг оборвал он ни с того ни с сего.

— Социалист? — засмеялся Алеша, — да когда это вы успели? Ведь вам еще только тринадцать лет, кажется?

Колю скрючило.

— Во-первых, не тринадцать, а четырнадцать, через две недели четырнадцать, — так и вспыхнул он, — а во-вторых, совершенно не понимаю, к чему тут мои лета? Дело в том, каковы мои убеждения, а не который мне год, не правда ли?

— Когда вам будет больше лет, то вы сами увидите, какое значение имеет на убеждение возраст. Мне показалось тоже, что вы не свои слова говорите, — скромно и спокойно ответил Алеша, но Коля горячо его прервал.

— Помилуйте, вы хотите послушания и мистицизма. Согласитесь в том, что, например, христианская вера послужила лишь богатым и знатным, чтобы держать в рабстве низший класс, не правда ли?

— Ах, я знаю, где вы это прочли, и вас непременно кто-нибудь научил! — воскликнул Алеша.

— Помилуйте, зачем же непременно прочел? И никто ровно не научил. Я и сам могу... И если хотите, я не против Христа. Это была вполне гуманная личность, и живи он в наше время, он бы прямо примкнул к революционерам и, может быть, играл бы видную роль... Это даже непременно.

— Ну где, ну где вы этого нахватались! С каким это дураком вы связались? — воскликнул Алеша.

— Помилуйте, правды не скроешь. Я, конечно, по одному случаю, часто говорю с господином Ракитиным, но... Это еще старик Белинский тоже, говорят, говорил.

— Белинский? Не помню. Он этого нигде не написал.

— Если не написал, то, говорят, говорил. Я это слышал от одного... впрочем, черт...

— А Белинского вы читали?

— Видите ли... нет... я не совсем читал, но... место о Татьяне, зачем она не пошла с Онегиным, я читал.

— Как не пошла с Онегиным? Да разве вы это уж... понимаете?

— Помилуйте, вы, кажется, принимаете меня за мальчика Смурова, — раздражительно осклабился Коля. — Впрочем, пожалуйста, не думайте, что я уж такой революционер. Я очень часто не согласен с господином Ракитиным. Если я о Татьяне, то я вовсе не за эмансипацию женщин. Я признаю, что женщина есть существо подчиненное и должна слушаться. Les femmes tricottent[1], как сказал Наполеон, — усмехнулся почему-то Коля, — и по крайней мере в этом я совершенно разделяю убеждение этого псевдовеликого человека. Я тоже, например, считаю, что бежать в Америку из отечества — низость, хуже низости — глупость. Зачем в Америку, когда и у нас можно много принести пользы для человечества? Именно теперь. Целая масса плодотворной деятельности. Так я и отвечал.

— Как отвечали? Кому? Разве вас кто-нибудь уже приглашал в Америку?

— Признаюсь, меня подбивали, но я отверг. Это, разумеется, между нами, Карамазов, слышите, никому ни слова. Это я вам только. Я совсем не желаю попасть в лапки Третьего отделения и брать уроки у Цепного моста,

> Будешь помнить здание
> У Цепного моста!

Помните? Великолепно! Чему вы смеетесь? Уж не думаете ли вы, что я вам всё наврал? («А что, если он узнает, что у меня в отцовском шкафу всего только и есть один этот нумер «Колокола», а больше я из этого ничего не читал?» — мельком, но с содроганием подумал Коля.)

— Ох нет, я не смеюсь и вовсе не думаю, что вы мне налгали. Вот то-то и есть, что этого не думаю, потому что всё это, увы, сущая правда! Ну скажите, а Пушкина-

---

[1] Дело женщины — вязанье *(фр.)*.

то вы читали, «Онегина»-то... Вот вы сейчас говорили о Татьяне?

— Нет, еще не читал, но хочу прочесть. Я без предрассудков, Карамазов. Я хочу выслушать и ту и другую сторону. Зачем вы спросили?

— Так.

— Скажите, Карамазов, вы ужасно меня презираете? — отрезал вдруг Коля и весь вытянулся пред Алешей, как бы став в позицию. — Сделайте одолжение, без обиняков.

— Презираю вас? — с удивлением посмотрел на него Алеша. — Да за что же? Мне только грустно, что прелестная натура, как ваша, еще и не начавшая жить, уже извращена всем этим грубым вздором.

— Об моей натуре не заботьтесь, — не без самодовольства перебил Коля, — а что я мнителен, то это так. Глупо мнителен, грубо мнителен. Вы сейчас усмехнулись, мне и показалось, что вы как будто...

— Ах, я усмехнулся совсем другому. Видите, чему я усмехнулся: я недавно прочел один отзыв одного заграничного немца, жившего в России, об нашей теперешней учащейся молодежи: «Покажите вы, — он пишет, — русскому школьнику карту звездного неба, о которой он до тех пор не имел никакого понятия, и он завтра же возвратит вам эту карту исправленною». Никаких знаний и беззаветное самомнение — вот что хотел сказать немец про русского школьника.

— Ах, да ведь это совершенно верно! — захохотал вдруг Коля, — верниссимо, точь-в-точь! Браво, немец! Однако ж чухна не рассмотрел и хорошей стороны, а, как вы думаете? Самомнение — это пусть, это от молодости, это исправится, если только надо, чтоб это исправилось, но зато и независимый дух, с самого чуть не детства, зато смелость мысли и убеждения, а не дух ихнего колбаснического раболепства пред авторитетами... Но все-таки немец хорошо сказал! Браво, немец! Хотя все-таки немцев надо душить. Пусть они там сильны в науках, а их все-таки надо душить...

— За что же душить-то? — улыбнулся Алеша.

— Ну я соврал, может быть, соглашаюсь. Я иногда ужасный ребенок, и когда рад чему, то не удерживаюсь и готов наврать вздору. Слушайте, мы с вами, однако же, здесь болтаем о пустяках, а этот доктор там что-то долго застрял. Впрочем, он, может, там и «мамашу» осмотрит и эту Ниночку безногую. Знаете, эта Ниночка мне понравилась. Она вдруг мне прошептала, когда я выходил: «Зачем вы не приходили раньше?» И таким голосом, с укором! Мне кажется, она ужасно добрая и жалкая.

— Да, да! Вот вы будете ходить, вы увидите, что это за существо. Вам очень полезно узнавать вот такие существа, чтоб уметь ценить и еще многое другое, что узнаете именно из знакомства с этими существами, — с жаром заметил Алеша. — Это лучше всего вас переделает.

— О, как я жалею и браню всего себя, что не приходил раньше! — с горьким чувством воскликнул Коля.

— Да, очень жаль. Вы видели сами, какое радостное вы произвели впечатление на бедного малютку! И как он убивался, вас ожидая!

— Не говорите мне! Вы меня растравляете. А впрочем, мне поделом: я не приходил из самолюбия, из эгоистического самолюбия и подлого самовластия, от которого всю жизнь не могу избавиться, хотя всю жизнь ломаю себя. Я теперь это вижу, я во многом подлец, Карамазов!

— Нет, вы прелестная натура, хотя и извращенная, и я слишком понимаю, почему вы могли иметь такое влияние на этого благородного и болезненно восприимчивого мальчика! — горячо ответил Алеша.

— И это вы говорите мне! — вскричал Коля, — а я, представьте, я думал — я уже несколько раз, вот теперь как я здесь, думал, что вы меня презираете! Если б вы только знали, как я дорожу вашим мнением!

— Но неужели вы вправду так мнительны? В таких летах! Ну представьте же себе, я именно подумал там в комнате, глядя на вас, когда вы рассказывали, что вы должны быть очень мнительны.

— Уж и подумали? Какой, однако же, у вас глаз, видите, видите! Бьюсь об заклад, что это было на том месте, когда я про гуся рассказывал. Мне именно в этом месте вообразилось, что вы меня глубоко презираете за то, что я спешу выставиться молодцом, и я даже вдруг возненавидел вас за это и начал нести ахинею. Потом мне вообразилось (это уже сейчас, здесь) на том месте, когда я говорил: «Если бы не было Бога, то его надо выдумать», что я слишком тороплюсь выставить мое образование, тем более что эту фразу я в книге прочел. Но клянусь вам, я торопился выставить не от тщеславия, а так, не знаю отчего, от радости, ей-богу как будто от радости... хотя это глубоко постыдная черта, когда человек всем лезет на шею от радости. Я это знаю. Но я зато убежден теперь, что вы меня не презираете, а всё это я сам выдумал. О Карамазов, я глубоко несчастен. Я воображаю иногда бог знает что, что надо мной все смеются, весь мир, и я тогда, я просто готов тогда уничтожить весь порядок вещей.

— И мучаете окружающих, — улыбнулся Алеша.

— И мучаю окружающих, особенно мать. Карамазов, скажите, я очень теперь смешон?

— Да не думайте же про это, не думайте об этом совсем! — воскликнул Алеша. — Да и что такое смешон? Мало ли сколько раз бывает или кажется смешным человек? Притом же нынче почти все люди со способностями ужасно боятся быть смешными и тем несчастны. Меня только удивляет, что вы так рано стали ощущать это, хотя, впрочем, я давно уже замечаю это и не на вас одних. Нынче даже почти дети начали уж этим страдать. Это почти сумасшествие. В это самолюбие воплотился черт и залез во всё поколение, именно черт, — прибавил Алеша, вовсе не усмехнувшись, как подумал было глядевший в упор на него Коля. — Вы, как и все, — заключил Алеша, — то есть как очень многие, только не надо быть таким, как все, вот что.

— Даже несмотря на то, что все такие?

— Да, несмотря на то, что все такие. Один вы и будьте не такой. Вы и в самом деле не такой, как все: вы вот теперь не постыдились же признаться в дурном и даже в смешном. А нынче кто в этом сознается? Никто, да и потребность даже перестали находить в самоосуждении. Будьте же не такой, как все; хотя бы только вы один оставались не такой, а все-таки будьте не такой.

— Великолепно! Я в вас не ошибся. Вы способны утешить. О, как я стремился к вам, Карамазов, как давно уже ищу встречи с вами! Неужели и вы обо мне тоже думали? Давеча вы говорили, что вы обо мне тоже думали?

— Да, я слышал об вас и об вас тоже думал... и если отчасти и самолюбие заставило вас теперь это спросить, то это ничего.

— Знаете, Карамазов, наше объяснение похоже на объяснение в любви, — каким-то расслабленным и стыдливым голосом проговорил Коля. — Это не смешно, не смешно?

— Совсем не смешно, да хоть бы и смешно, так это ничего, потому что хорошо, — светло улыбнулся Алеша.

— А знаете, Карамазов, согласитесь, что и вам самим теперь немного со мною стыдно... Я вижу по глазам, — как-то хитро, но и с каким-то почти счастьем усмехнулся Коля.

— Чего же это стыдно?

— А зачем вы покраснели?

— Да это вы так сделали, что я покраснел! — засмеялся Алеша и действительно весь покраснел. — Ну да, немного стыдно, бог знает отчего, не знаю отчего... — бормотал он, почти даже сконфузившись.

— О, как я вас люблю и ценю в эту минуту, именно за то, что и вам чего-то стыдно со мной! Потому что и вы точно я! — в решительном восторге воскликнул Коля. Щеки его пылали, глаза блестели.

— Послушайте, Коля, вы, между прочим, будете и очень несчастный человек в жизни, — сказал вдруг отчего-то Алеша.

— Знаю, знаю. Как вы это всё знаете наперед! — тотчас же подтвердил Коля.

— Но в целом все-таки благословите жизнь.

— Именно! Ура! Вы пророк! О, мы сойдемся, Карамазов. Знаете, меня всего более восхищает, что вы со мной совершенно как с ровней. А мы не ровня, нет, не ровня, вы выше! Но мы сойдемся. Знаете, я весь последний месяц говорил себе: «Или мы разом с ним сойдемся друзьями навеки, или с первого же разу разойдемся врагами до гроба!»

— И говоря так, уж, конечно, любили меня! — весело смеялся Алеша.

— Любил, ужасно любил, любил и мечтал об вас! И как это вы знаете всё наперед? Ба, вот и доктор. Господи, что-то скажет, посмотрите, какое у него лицо!

VII

ИЛЮША

Доктор выходил из избы опять уже закутанный в шубу и с фуражкой на голове. Лицо его было почти сердитое и брезгливое, как будто он всё боялся обо что-то запачкаться. Мельком окинул он глазами сени и при этом строго глянул на Алешу и Колю. Алеша махнул из дверей кучеру, и карета, привезшая доктора, подъехала к выходным дверям. Штабс-капитан стремительно выскочил вслед за доктором и, согнувшись, почти извиваясь пред ним, остановил его для последнего слова. Лицо бедняка было убитое, взгляд испуганный:

— Ваше превосходительство, ваше превосходительство... неужели?.. — начал было он и не договорил, а лишь всплеснул руками в отчаянии, хотя всё еще с последнею мольбой смотря на доктора, точно в самом деле от теперешнего слова доктора мог измениться приговор над бедным мальчиком.

— Что делать! Я не Бог, — небрежным, хотя и привычно внушительным голосом ответил доктор.

— Доктор... Ваше превосходительство... и скоро это, скоро?

— При-го-товь-тесь ко всему, — отчеканил, ударяя по каждому слогу, доктор и, склонив взор, сам приготовился было шагнуть за порог к карете.

— Ваше превосходительство, ради Христа! — испуганно остановил его еще раз штабс-капитан, — ваше превосходительство!.. так разве ничего, неужели ничего, совсем ничего теперь не спасет?..

— Не от меня теперь за-ви-сит, — нетерпеливо проговорил доктор, — и, однако же, гм, — приостановился он вдруг, — если б вы, например, могли на-пра-вить... вашего пациента... сейчас и нимало не медля (слова «сейчас и нимало не медля» доктор произнес не то что строго, а почти гневно, так что штабс-капитан даже вздрогнул) в Си-ра-ку-зы, то... вследствие новых благо-при-ятных кли-ма-тических условий... могло бы, может быть, произойти...

— В Сикарузы! — вскричал штабс-капитан, как бы ничего еще не понимая.

— Сиракузы — это в Сицилии, — отрезал вдруг громко Коля, для пояснения. Доктор поглядел на него.

— В Сицилию! Батюшка, ваше превосходительство, — потерялся штабс-капитан, — да ведь вы видели! — обвел он обеими руками кругом, указывая на свою обстановку, — а маменька-то, а семейство-то?

— Н-нет, семейство не в Сицилию, а семейство ваше на Кавказ, раннею весной... дочь вашу на Кавказ, а супругу... продержав курс вод тоже на Кав-ка-зе ввиду ее ревматизмов... немедленно после того на-пра-вить в Париж, в лечебницу доктора пси-хи-атра Ле-пель-летье, я бы мог вам дать к нему записку, и тогда... могло бы, может быть, произойти...

— Доктор, доктор! Да ведь вы видите! — размахнул вдруг опять руками штабс-капитан, указывая в отчаянии на голые бревенчатые стены сеней.

— А, это уж не мое дело, — усмехнулся доктор, — я лишь сказал то, что могла сказать на-у-ка на ваш вопрос о последних средствах, а остальное... к сожалению моему...

— Не беспокойтесь, лекарь, моя собака вас не укусит, — громко отрезал Коля, заметив несколько беспокойный взгляд доктора на Перезвона, ставшего на пороге. Гневная нотка прозвенела в голосе Коли. Слово же «лекарь», вместо доктор, он сказал *нарочно* и, как сам объявил потом, «для оскорбления сказал».

— Что та-ко-е? — вскинул головой доктор, удивленно уставившись на Колю. — Ка-кой это? — обратился он вдруг к Алеше, будто спрашивая у того отчета.

— Это хозяин Перезвона, лекарь, не беспокойтесь о моей личности, — отчеканил опять Коля.

— Звон? — переговорил доктор, не поняв, что такое Перезвон.

— Да не знает, где он. Прощайте, лекарь, увидимся в Сиракузах.

— Кто эт-то? Кто, кто? — вдруг закипятился ужасно доктор.

— Это здешний школьник, доктор, он шалун, не обращайте внимания, — нахмурившись и скороговоркой проговорил Алеша. — Коля, молчите! — крикнул он Красоткину. — Не надо обращать внимания, доктор, — повторил он уже несколько нетерпеливее.

— Выс-сечь, выс-сечь надо, выс-сечь! — затопал было ногами слишком уже почему-то взбесившийся доктор.

— А знаете, лекарь, ведь Перезвон-то у меня пожалуй что и кусается! — проговорил Коля задрожавшим голоском, побледнев и сверкнув глазами. — Иси, Перезвон!

— Коля, если вы скажете еще одно только слово, то я с вами разорву навеки! — властно крикнул Алеша.

— Лекарь, есть только одно существо в целом мире, которое может приказывать Николаю Красоткину, это вот этот человек, — Коля указал на Алешу, — ему повинуюсь, прощайте!

Он сорвался с места и, отворив дверь, быстро прошел в комнату. Перезвон бросился за ним. Доктор постоял было еще секунд пять как бы в столбняке, смотря на Алешу, потом вдруг плюнул и быстро пошел к карете, громко повторяя: «Этта, этта, этта, я не знаю, что этта!» Штабс-капитан бросился его подсаживать. Алеша прошел в комнату вслед за Колей. Тот стоял уже у постельки Илюши. Илюша держал его за руку и звал папу. Чрез минуту воротился и штабс-капитан.

— Папа, папа, поди сюда... мы... — пролепетал было Илюша в чрезвычайном возбуждении, но, видимо не в силах продолжать, вдруг бросил свои обе исхудалые ручки вперед и крепко, как только мог, обнял их обоих разом, и Колю и папу, соединив их в одно объятие и сам к ним прижавшись. Штабс-капитан вдруг весь так и затрясся от безмолвных рыданий, а у Коли задрожали губы и подбородок.

— Папа, папа! Как мне жалко тебя, папа! — горько простонал Илюша.

— Илюшечка... голубчик... доктор сказал... будешь здоров... будем счастливы... доктор... — заговорил было штабс-капитан.

— Ах, папа! Я ведь знаю, что тебе новый доктор про меня сказал... Я ведь видел! — воскликнул Илюша и опять крепко, изо всей силы прижал их обоих к себе, спрятав на плече у папы свое лицо.

— Папа, не плачь... а как я умру, то возьми ты хорошего мальчика, другого... сам выбери из них всех, хорошего, назови его Илюшей и люби его вместо меня...

— Молчи, старик, выздоровеешь! — точно осердившись, крикнул вдруг Красоткин.

— А меня, папа, меня не забывай никогда, — продолжал Илюша, — ходи ко мне на могилку... да вот что, папа, похорони ты меня у нашего большого камня, к которому мы с тобой гулять ходили, и ходи ко мне туда с Красоткиным, вечером... И Перезвон... А я буду вас ждать... Папа, папа!

Его голос пресекся, все трое стояли обнявшись и уже молчали. Плакала тихо на своем кресле и Ниночка, и вдруг, увидав всех плачущими, залилась слезами и мамаша.

— Илюшечка! Илюшечка! — восклицала она.

Красоткин вдруг высвободился из объятий Илюши.

— Прощай, старик, меня ждет мать к обеду, — проговорил он скороговоркой. — Как жаль, что я ее не предуведомил! Очень будет беспокоиться... Но после обеда я тотчас к тебе, на весь день, на весь вечер, и столько тебе расскажу, столько расскажу! И Перезвона приведу, а теперь с собой уведу, потому что он без меня выть начнет и тебе мешать будет; до свиданья!

И он выбежал в сени. Ему не хотелось расплакаться, но в сенях он таки заплакал. В этом состоянии нашел его Алеша.

— Коля, вы должны непременно сдержать слово и прийти, а то он будет в страшном горе, — настойчиво проговорил Алеша.

— Непременно! О, как я кляну себя, что не приходил раньше, — плача и уже не конфузясь, что плачет, пробормотал Коля. В эту минуту вдруг словно выскочил из комнаты штабс-капитан и тотчас затворил за собою дверь. Лицо его было исступленное, губы дрожали. Он стал пред обоими молодыми людьми и вскинул вверх обе руки.

— Не хочу хорошего мальчика! Не хочу другого мальчика! — прошептал он диким шепотом, скрежеща зубами. — Аще забуду тебе, Иерусалиме, да прильпнет...

Он не договорил, как бы захлебнувшись, и опустился в бессилии пред деревянною лавкой на колени. Стиснув обоими кулаками свою голову, он начал рыдать, как-то нелепо взвизгивая, изо всей силы крепясь, однако, чтобы не услышали его взвизгов в избе. Коля выскочил на улицу.

— Прощайте, Карамазов! Сами-то придете? — резко и сердито крикнул он Алеше.

— Вечером непременно буду.

— Что он это такое про Иерусалим... Это что еще такое?

— Это из Библии: «Аще забуду тебе, Иерусалиме», то есть если забуду всё, что есть самого у меня драгоценного, если променяю на что, то да поразит...

— Понимаю, довольно! Сами-то приходите! Иси, Перезвон! — совсем уже свирепо прокричал он собаке и большими, скорыми шагами зашагал домой.

Книга одиннадцатая
БРАТ ИВАН ФЕДОРОВИЧ

I
У ГРУШЕНЬКИ

Алеша направился к Соборной площади, в дом купчихи Морозовой, к Грушеньке. Та еще рано утром присылала к нему Феню с настоятельною просьбой зайти к ней. Опросив Феню, Алеша узнал, что барыня в какой-то большой и особливой тревоге еще со вчерашнего дня. Во все эти два месяца после ареста Мити Алеша часто захаживал в дом Морозовой и по собственному побуждению, и по поручениям Мити. Дня три после ареста Мити Грушенька сильно заболела и хворала чуть не пять недель. Одну неделю из этих пяти пролежала без памяти. Она сильно изменилась в лице, похудела и пожелтела, хотя вот уже почти две недели как могла выходить со двора. Но, на взгляд Алеши, лицо ее стало как бы еще привлекательнее, и он любил, входя к ней, встречать ее взгляд. Что-то как бы укрепилось в ее взгляде твердое и осмысленное. Сказывался некоторый переворот духовный, являлась какая-то неизменная, смиренная, но благая и бесповоротная решимость. Между бровями на лбу появилась небольшая вертикальная морщинка, придававшая милому лицу ее вид сосредоточенной в себе задумчивости, почти даже суровой на первый взгляд. Прежней, например, ветрености не осталось и следа. Странно было для Алеши и то, что, несмотря на всё несчастие, постигшее бедную женщину, невесту жениха, арестованного по страшному преступлению, почти в тот самый миг, когда она стала его невестой, несмотря потом на болезнь и на угрожающее впереди почти неминуемое решение суда, Грушенька все-таки не потеряла прежней своей молодой веселости. В гордых прежде глазах ее засияла теперь какая-то тихость, хотя... хотя, впрочем, глаза эти изредка опять-таки пламенели некоторым зловещим огоньком, когда ее посещала одна прежняя забота, не только не заглохнувшая, но даже и увеличившаяся в ее сердце. Предмет этой заботы был всё тот же: Катерина Ивановна, о которой Грушенька, когда еще лежала больная, поминала даже в бреду. Алеша понимал, что она страшно ревнует к ней Митю, арестанта Митю, несмотря на то, что Катерина Ивановна ни разу не посетила того в заключении, хотя бы и могла это сделать когда угодно. Всё это обратилось для Алеши в некоторую трудную задачу, ибо Грушенька только одному ему доверяла свое сердце и беспрерывно просила у него советов; он же иногда совсем ничего не в силах был ей сказать.

Озабоченно вступил он в ее квартиру. Она была уже дома; с полчаса как воротилась от Мити, и уже по тому быстрому движению, с которым она вскочила с кресел из-за стола к нему навстречу, он заключил, что ждала она его с большим нетерпением. На столе лежали карты и была сдана игра в дурачки. На кожаном диване с другой стороны стола была постлана постель, и на ней полулежал, в халате и в бумажном колпаке, Максимов, видимо больной и ослабевший, хотя и сладко улыбавшийся. Этот бездомный старичок, как воротился тогда, еще месяца два тому, с Грушенькой из Мокрого, так и остался у ней и при ней с тех пор неотлучно. Приехав тогда с ней в дождь и слякоть, он, промокший и испуганный, сел на диван и уставился на нее молча, с робкою просящею улыбкой. Грушенька, бывшая в страшном горе и уже в начинавшейся лихорадке, почти забывшая о нем в первые полчаса по приезде за разными хлопотами, — вдруг как-то пристально посмотрела на него: он жалко и потерянно хихикнул ей в глаза. Она кликнула Феню и велела дать ему покушать. Весь этот день он просидел на своем месте, почти не шелохнувшись; когда же стемнело и заперли ставни, Феня спросила барыню:

— Что ж, барыня, разве они ночевать останутся?

— Да, постели ему на диване, — ответила Грушенька.

Опросив его подробнее, Грушенька узнала от него, что действительно ему как раз теперь некуда деться совсем и что «господин Калганов, благодетель мой, прямо мне заявили-с, что более меня уж не примут, и пять рублей подарили». «Ну, бог с тобой, оставайся уж», — решила в тоске Грушенька, сострадательно ему улыбнувшись. Старика передернуло от ее улыбки, и губы его задрожали от благодарного плача. Так с тех пор и остался у ней скитающийся приживальщик. Даже в болезни ее он не ушел из дома. Феня и ее мать, кухарка Грушеньки, его не прогнали, а продолжали его кормить и стлать ему постель на диване. Впоследствии Грушенька даже привыкла к нему и, приходя от Мити (к которому, чуть оправившись, тотчас же стала ходить, не успев даже хорошенько выздороветь), чтоб убить тоску, садилась и начинала разговаривать с «Максимушкой» о всяких пустяках, только чтобы не думать о своем горе. Оказалось, что старичок умел иногда кое-что и порассказать, так что стал ей наконец даже и необходимым. Кроме Алеши, заходившего, однако, не каждый день, и всегда ненадолго, Грушенька никого почти и не принимала. Старик же ее, купец, лежал в это время уже страшно больной, «отходил», как говорили в городе, и действительно умер всего неделю спустя после суда над Митей. За три недели до смерти, почувствовав близкий финал, он кликнул к себе наконец наверх сыновей своих, с их женами и детьми, и повелел им уже более не отходить от себя. Грушеньку же с этой самой минуты строго заказал слугам не принимать вовсе, а коли придет, то говорить ей: «Приказывает, дескать, вам долго в веселии жить, а их совсем позабыть». Грушенька, однако ж, посылала почти каждый день справляться об его здоровье.

— Наконец-то пришел! — крикнула она, бросив карты и радостно здороваясь с Алешей, — а Максимушка так пугал, что, пожалуй, уж и не придешь. Ах, как тебя нужно! Садись к столу; ну что тебе, кофею?

— А пожалуй, — сказал Алеша, подсаживаясь к столу, — очень проголодался.

— То-то; Феня, Феня, кофею! — крикнула Грушенька. — Он у меня уж давно кипит, тебя ждет, да пирожков принеси, да чтобы горячих. Нет, постой, Алеша, у меня с этими пирогами сегодня гром вышел. Понесла я их к нему в острог, а он, веришь ли, назад мне их бросил, так и не ел. Один пирог так совсем на пол кинул и растоптал. Я и сказала: «Сторожу оставлю; коли не съешь до вечера, значит тебя злость ехидная кормит!» — с тем и ушла. Опять ведь поссорились, веришь тому. Что ни приду, так и поссоримся.

Грушенька проговорила всё это залпом, в волнении. Максимов, тотчас же оробев, улыбался, потупив глазки.

— Этот-то раз за что же поссорились? — спросил Алеша.

— Да уж совсем и не ожидала! Представь себе, к «прежнему» приревновал: «Зачем, дескать, ты его содержишь. Ты его, значит, содержать начала?» Всё ревнует, всё меня ревнует! И спит и ест — ревнует. К Кузьме даже раз на прошлой неделе приревновал.

— Да ведь он же знал про «прежнего»-то?

— Ну вот поди. С самого начала до самого сегодня знал, а сегодня вдруг встал и начал ругать. Срамно только сказать, что говорил. Дурак! Ракитка к нему пришел, как я вышла. Может, Ракитка-то его и уськает, а? Как ты думаешь? — прибавила она как бы рассеянно.

— Любит он тебя, вот что, очень любит. А теперь как раз и раздражен.

— Еще бы не раздражен, завтра судят. И шла с тем, чтоб об завтрашнем ему мое слово сказать, потому, Алеша, страшно мне даже и подумать, что завтра будет! Ты вот говоришь, что он раздражен, да я-то как раздражена! А он об поляке! Экой дурак! Вот к Максимушке небось не ревнует.

— Меня супруга моя очень тоже ревновала-с, — вставил свое словцо Максимов.

— Ну уж тебя-то, — рассмеялась нехотя Грушенька, — к кому тебя и ревновать-то?

— К горничным девушкам-с.

— Э, молчи, Максимушка, не до смеху мне теперь, даже злость берет. На пирожки-то глаз не пяль, не дам, тебе вредно, и бальзамчику тоже не дам. Вот с ним тоже возись; точно у меня дом богадельный, право, — рассмеялась она.

— Я ваших благодеяний не стою-с, я ничтожен-с, — проговорил слезящимся голоском Максимов. — Лучше бы вы расточали благодеяния ваши тем, которые нужнее меня-с.

— Эх, всякий нужен, Максимушка, и по чему узнать, кто кого нужней. Хоть бы и не было этого поляка вовсе, Алеша, тоже ведь разболеться сегодня вздумал. Была и у него. Так вот нарочно же и ему пошлю пирогов, я не посылала, а Митя обвинил, что посылаю, так вот нарочно же теперь пошлю, нарочно! Ах, вот и Феня с письмом! Ну, так и есть, опять от поляков, опять денег просят!

Пан Муссялович действительно прислал чрезвычайно длинное и витиеватое, по своему обыкновению, письмо, в котором просил ссудить его тремя рублями. К письму была приложена расписка в получении с обязательством уплатить в течение трех месяцев; под распиской подписался и пан Врублевский. Таких писем и всё с такими же расписками Грушенька уже много получила от своего «прежнего». Началось это с самого выздоровления Грушеньки, недели две назад. Она знала, однако, что оба пана и во время болезни ее приходили наведываться о ее здоровье. Первое письмо, полученное Грушенькой, было длинное, на почтовом листе большого формата, запечатанное большою фамильною печатью и страшно темное и витиеватое, так что Грушенька прочла только половину и бросила, ровно ничего не поняв. Да и не до писем ей тогда было. За этим первым письмом последовало на другой день второе, в котором пан Муссялович просил ссудить его двумя тысячами рублей на самый короткий срок. Грушенька и это письмо оставила без ответа. Затем последовал уже целый ряд писем, по письму в день, всё так же важных и витиеватых, но в которых сумма, просимая взаймы, постепенно спускаясь, дошла до ста рублей, до двадцати пяти, до десяти рублей, и наконец вдруг Грушенька получила письмо, в котором оба пана просили у ней один только рубль и приложили расписку, на которой оба и подписались. Тогда Грушеньке стало вдруг жалко, и она, в сумерки, сбегала сама к пану. Нашла она обоих поляков в страшной бедности, почти в нищете, без кушанья, без дров, без папирос, задолжавших хозяйке. Двести рублей, выигранные в Мокром у Мити, куда-то быстро исчезли. Удивило, однако же, Грушеньку, что встретили ее оба пана с заносчивою важностью и независимостью, с величайшим этикетом, с раздутыми речами. Грушенька только рассмеялась и дала своему «прежнему» десять рублей. Тогда же, смеясь, рассказала об этом Мите, и тот вовсе не приревновал. Но с тех пор паны ухватились за Грушеньку и каждый день ее бомбардировали письмами с просьбой о деньгах, а та каждый раз посылала понемножку. И вот вдруг сегодня Митя вздумал жестоко приревновать.

— Я, дура, к нему тоже забежала, всего только на минутку, когда к Мите шла, потому разболелся тоже и он, пан-то мой прежний, — начала опять Грушенька, суетливо и торопясь, — смеюсь я это и рассказываю Мите-то: представь, говорю, поляк-то мой на гитаре прежние песни мне вздумал петь, думает, что я расчувствуюсь и за него пойду. А Митя-то как вскочит с ругательствами... Так вот нет же, пошлю панам пирогов! Феня, что они там девчонку эту прислали? Вот, отдай ей три рубля да с десяток пирожков в бумагу им уверни и вели снести, а ты, Алеша, непременно расскажи Мите, что им пирогов послала.

— Ни за что не расскажу, — проговорил, улыбнувшись, Алеша.

— Эх, ты думаешь, что он мучается; ведь он это нарочно приревновал, а ему самому всё равно, — горько проговорила Грушенька.

— Как так нарочно? — спросил Алеша.

— Глупый ты, Алешенька, вот что, ничего ты тут не понимаешь при всем уме, вот что. Мне не то обидно, что он меня, такую, приревновал, а то стало бы мне обидно, коли бы вовсе не ревновал. Я такова. Я за ревность не обижусь, у меня у самой сердце жестокое, я сама приревную. Только мне то обидно, что он меня вовсе не любит и теперь *нарочно* приревновал, вот что. Слепая я, что ли, не вижу? Он мне об той, об Катьке, вдруг сейчас и говорит: такая-де она и сякая, доктора из Москвы на суд для меня выписала, чтобы спасти меня выписала, адвоката самого первого, самого ученого тоже выписала. Значит, ее любит, коли мне в глаза начал хвалить, бесстыжие его глаза! Предо мной сам виноват, так вот ко мне и привязался, чтобы меня прежде себя виноватой сделать да на меня на одну и свалить: «ты, дескать, прежде меня с поляком была, так вот мне с Катькой и позволительно это стало». Вот оно что! На меня на одну всю вину свалить хочет. Нарочно он привязался, нарочно, говорю тебе, только я...

Грушенька не договорила, что она сделает, закрыла глаза платком и ужасно разрыдалась.

— Он Катерину Ивановну не любит, — сказал твердо Алеша.

— Ну, любит не любит, это я сама скоро узнаю, — с грозною ноткой в голосе проговорила Грушенька, отнимая от глаз платок. Лицо ее исказилось. Алеша с горестью увидел, как вдруг из кроткого и тихо-веселого лицо ее стало угрюмым и злым.

— Об этих глупостях полно! — отрезала она вдруг, — не затем вовсе я и звала тебя. Алеша, голубчик, завтра-то, завтра-то что будет? Вот ведь что меня мучит! Одну только меня и мучит! Смотрю на всех, никто-то об том не думает, никому-то до этого и дела нет никакого. Думаешь ли хоть ты об этом? Завтра ведь судят! Расскажи ты мне, как его там будут судить? Ведь это лакей, лакей убил, лакей! Господи! Неужели ж его за лакея осудят, и никто-то за него не заступится? Ведь и не потревожили лакея-то вовсе, а?

— Его строго опрашивали, — заметил Алеша задумчиво, — но все заключили, что не он. Теперь он очень больной лежит. С тех пор болен, с той падучей. В самом деле болен, — прибавил Алеша.

— Господи, да сходил бы ты к этому адвокату сам и рассказал бы дело с глазу на глаз. Ведь из Петербурга за три тысячи, говорят, выписали.

— Это мы втроем дали три тысячи, я, брат Иван и Катерина Ивановна, а доктора из Москвы выписала за две тысячи уж она сама. Адвокат Фетюкович больше бы взял, да дело это получило огласку по всей России, во всех газетах и журналах о нем говорят, Фетюкович и согласился больше для славы приехать, потому что слишком уж знаменитое дело стало. Я его вчера видел.

— Ну и что ж? Говорил ему? — вскинулась торопливо Грушенька.

— Он выслушал и ничего не сказал. Сказал, что у него уже составилось определенное мнение. Но обещал мои слова взять в соображение.

— Как это в соображение! Ах они мошенники! Погубят они его! Ну, а доктора-то, доктора зачем та выписала?

— Как эксперта. Хотят вывести, что брат сумасшедший и убил в помешательстве, себя не помня, — тихо улыбнулся Алеша, — только брат не согласится на это.

— Ах, да ведь это правда, если б он убил! — воскликнула Грушенька. — Помешанный он был тогда, совсем помешанный, и это я, я, подлая, в том виновата! Только ведь он же не убил, не убил! И все-то на него, что он убил, весь город. Даже Феня и та так показала, что выходит, будто он убил. А в лавке-то, а этот чиновник, а прежде в трактире слышали! Все, все против него, так и галдят.

— Да, показания ужасно умножились, — угрюмо заметил Алеша.

— А Григорий-то, Григорий-то Васильич, ведь стоит на своем, что дверь была отперта, ломит на своем, что видел, не собьешь его, я к нему бегала, сама с ним говорила. Ругается еще!

— Да, это, может быть, самое сильное показание против брата, — проговорил Алеша.

— А про то, что Митя помешанный, так он и теперь точно таков, — с каким-то особенно озабоченным и таинственным видом начала вдруг Грушенька. — Знаешь, Алешенька, давно я хотела тебе про это сказать: хожу к нему каждый день и просто дивлюсь. Скажи ты мне, как ты думаешь: об чем это он теперь начал всё говорить? Заговорит, заговорит — ничего понимать не могу, думаю, это он об чем умном, ну я глупая, не понять мне, думаю; только стал он мне вдруг говорить про дитё, то есть про дитятю какого-то, «зачем, дескать, бедно дитё?» «За дитё-то это я теперь и в Сибирь пойду, я не убил, но мне надо в Сибирь пойти!» Что это такое, какое такое дитё — ничегошеньки не поняла. Только расплакалась, как он говорил, потому очень уж он хорошо это говорил, сам плачет, и я заплакала, он меня вдруг и поцеловал и рукой перекрестил. Что это такое, Алеша, расскажи ты мне, какое это «дитё»?

— Это к нему Ракитин почему-то повадился ходить, — улыбнулся Алеша, — впрочем... это не от Ракитина. Я у него вчера не был, сегодня буду.

— Нет, это не Ракитка, это его брат Иван Федорович смущает, это он к нему ходит, вот что... — проговорила Грушенька и вдруг как бы осеклась. Алеша уставился на нее как пораженный.

— Как ходит? Да разве он ходил к нему? Митя мне сам говорил, что Иван ни разу не приходил.

— Ну... ну, вот я какая! Проболталась! — воскликнула Грушенька в смущении, вся вдруг зарумянившись. — Стой, Алеша, молчи, так и быть, коль уж проболталась, всю правду скажу: он у него два раза был, первый раз только что он тогда приехал — тогда же ведь он сейчас из Москвы и прискакал, я еще и слечь не успела, а другой раз приходил неделю назад. Мите-то он не велел об том тебе сказывать, отнюдь не велел, да и никому не велел сказывать, потаенно приходил.

Алеша сидел в глубокой задумчивости и что-то соображал. Известие видимо его поразило.

— Брат Иван об Митином деле со мной не говорит, — проговорил от медленно, — да и вообще со мною он во все эти два месяца очень мало говорил, а когда я приходил к нему, то всегда бывал недоволен, что я пришел, так что я три недели к нему уже не хожу. Гм... Если он был неделю назад, то... за эту неделю в Мите действительно произошла какая-то перемена...

— Перемена, перемена! — быстро подхватила Грушенька. — У них секрет, у них был секрет! Митя мне сам сказал, что секрет, и, знаешь, такой секрет, что Митя и успокоиться не может. А ведь прежде был веселый, да он и теперь веселый, только, знаешь, когда начнет этак головой мотать, да по комнате шагать, а вот этим правым пальцем себе тут на виске волосы теребить, то уж я и знаю, что у него что-то беспокойное на душе... я уж знаю!.. А то был веселый; да и сегодня веселый!

— А ты сказала: раздражен?

— Да он и раздражен, да веселый. Он и всё раздражен, да на минутку, а там веселый, а потом вдруг опять раздражен. И знаешь, Алеша, всё я на него дивлюсь: впереди такой страх, а он даже иной раз таким пустякам хохочет, точно сам-то дитя.

— И это правда, что он мне не велел говорить про Ивана? Так и сказал: не говори?

— Так и сказал: не говори. Тебя-то он, главное, и боится, Митя-то. Потому тут секрет, сам сказал, что секрет... Алеша, голубчик, сходи выведай: какой это такой у них секрет, да и приди мне сказать, — вскинулась и взмолилась вдруг Грушенька, — пореши ты меня, бедную, чтобы уж знала я мою участь проклятую! С тем и звала тебя.

— Ты думаешь, что это про тебя что-нибудь? Так ведь тогда бы он не сказал при тебе про секрет.

— Не знаю. Может, мне-то он и хочет сказать, да не смеет. Предупреждает. Секрет, дескать, есть, а какой секрет — не сказал.

— Ты сама-то что же думаешь?

— А что думаю? Конец мне пришел, вот что думаю. Конец мне они все трое приготовили, потому что тут Катька. Всё это Катька, от нее и идет. «Такая она и сякая», значит, это я не такая. Это он вперед говорит, вперед меня предупреждает. Бросить он меня замыслил, вот и весь тут секрет! Втроем это и придумали — Митька, Катька да Иван

Федорович. Алеша, хотела я тебя спросить давно: неделю назад он мне вдруг и открывает, что Иван влюблен в Катьку, потому что часто к той ходит. Правду он это мне сказал или нет? Говори по совести, режь меня.

— Я тебе не солгу. Иван в Катерину Ивановну не влюблен, так я думаю.

— Ну, так и я тогда же подумала! Лжет он мне, бесстыжий, вот что! И приревновал он теперь меня, чтобы потом на меня свалить. Ведь он дурак, ведь он не умеет концов хоронить, откровенный он ведь такой... Только я ж ему, я ж ему! «Ты, говорит, веришь, что я убил», — это мне-то он говорит, мне-то, это меня-то он тем попрекнул! Бог с ним! Ну постой, плохо этой Катьке будет от меня на суде! Я там одно такое словечко скажу... Я там уж всё скажу!

И опять она горько заплакала.

— Вот что я тебе могу твердо объявить, Грушенька, — сказал, вставая с места, Алеша, — первое то, что он тебя любит, любит более всех на свете, и одну тебя, в этом ты мне верь. Я знаю. Уж я знаю. Второе то скажу тебе, что я секрета выпытывать от него не хочу, а если сам мне скажет сегодня, то прямо скажу ему, что тебе обещался сказать. Тогда приду к тебе сегодня же и скажу. Только... кажется мне... нет тут Катерины Ивановны и в помине, а это про другое про что-нибудь этот секрет. И это наверно так. И не похоже совсем, чтобы про Катерину Ивановну, так мне сдается. А пока прощай!

Алеша пожал ей руку. Грушенька всё еще плакала. Он видел, что она его утешениям очень мало поверила, но и то уж было ей хорошо, что хоть горе сорвала, высказалась. Жалко ему было оставлять ее в таком состоянии, но он спешил. Предстояло ему еще много дела.

II

БОЛЬНАЯ НОЖКА

Первое из этих дел было в доме госпожи Хохлаковой, и он поспешил туда, чтобы покончить там поскорее и не опоздать к Мите. Госпожа Хохлакова уже три недели как прихварывала: у ней отчего-то вспухла нога, и она хоть не лежала в постели, но всё равно, днем, в привлекательном, но пристойном дезабилье полулежала у себя в будуаре на кушетке. Алеша как-то раз заметил про себя с невинною усмешкой, что госпожа Хохлакова, несмотря на болезнь свою, стала почти щеголять: явились какие-то наколочки, бантики, распашоночки, и он смекал, почему это так, хотя и гнал эти мысли как праздные. В последние два месяца госпожу Хохлакову стал посещать, между прочими ее гостями, молодой человек Перхотин. Алеша не заходил уже дня четыре и, войдя в дом, поспешил было прямо пройти к Лизе, ибо у ней и было его дело, так как Лиза еще вчера прислала к нему девушку с настоятельною просьбой немедленно к ней прийти «по очень важному обстоятельству», что, по некоторым причинам, заинтересовало Алешу. Но пока девушка ходила к Лизе докладывать, госпожа Хохлакова уже узнала от кого-то о его прибытии и немедленно прислала попросить его к себе «на одну только минутку». Алеша рассудил, что лучше уж удовлетворить сперва просьбу мамаши, ибо та будет поминутно посылать к Лизе, пока он будет у той сидеть. Госпожа Хохлакова лежала на кушетке, как-то особенно празднично одетая и видимо в чрезвычайном нервическом возбуждении. Алешу встретила криками восторга.

— Века, века, целые века не видала вас! Целую неделю, помилуйте, ах, впрочем вы были всего четыре дня назад, в среду. Вы к Lise, я уверена, что вы хотели пройти к ней прямо на цыпочках, чтоб я не слыхала. Милый, милый Алексей Федорович, если б вы знали, как она меня беспокоит! Но это потом. Это хоть и самое главное, но это потом. Милый Алексей Федорович, я вам доверяю мою Лизу вполне. После смерти старца Зосимы — упокой Господи его душу! (Она перекрестилась.) — после него я смотрю на вас как на схимника, хотя вы и премило носите ваш новый костюм. Где это вы достали здесь такого портного? Но нет, нет, это не главное, это потом. Простите, что я вас называю иногда Алешей, я старуха, мне всё позволено, — кокетливо улыбнулась она, — но это тоже потом. Главное, мне бы не забыть про главное. Пожалуйста, напомните мне сами, чуть я заговорюсь, а вы скажите: «А главное?» Ах, почему я знаю, что теперь главное! С тех пор как Lise взяла у вас назад свое обещание, — свое детское обещание, Алексей Федорович, — выйти за вас замуж, то вы, конечно, поняли, что всё это была лишь детская игривая фантазия больной девочки, долго просидевшей в креслах, — слава богу, она теперь уже ходит. Этот новый доктор, которого Катя выписала из Москвы для этого несчастного вашего брата, которого завтра... Ну что об завтрашнем! Я умираю от одной мысли об завтрашнем! Главное же, от любопытства... Одним словом, этот доктор вчера был у нас и видел Lise... Я ему пятьдесят рублей за визит заплатила. Но это всё не то, опять не то... Видите, я уж совсем теперь сбилась. Я тороплюсь. Почему я тороплюсь? Я не знаю. Я ужасно перестаю теперь знать. Для меня всё смешалось в какой-то комок. Я боюсь, что вы возьмете и выпрыгнете от меня от скуки, и я вас только и видела. Ах, боже мой! Что же мы сидим, и во-первых — кофе, Юлия, Глафира, кофе!

Алеша поспешно поблагодарил и объявил, что он сейчас только пил кофе.

— У кого?

— У Аграфены Александровны.

— Это... это у этой женщины! Ах, это она всех погубила, а впрочем, я не знаю, говорят, она стала святая, хотя и поздно. Лучше бы прежде, когда надо было, а теперь что ж, какая же польза? Молчите, молчите, Алексей Федорович, потому что я столько хочу сказать, что, кажется, так ничего и не скажу. Этот ужасный процесс... я непременно поеду, я готовлюсь, меня внесут в креслах, и притом я могу сидеть, со мной будут люди, и вы знаете ведь, я в свидетелях. Как я буду говорить, как я буду говорить! Я не знаю, что я буду говорить. Надо ведь присягу принять, ведь так, так?

— Так, но не думаю, чтобы вам можно было явиться.

— Я могу сидеть; ах, вы меня сбиваете! Этот процесс, этот дикий поступок, и потом все идут в Сибирь, другие женятся, и всё это быстро, быстро, и всё меняется, и, наконец, ничего, все старики и в гроб смотрят. Ну и пусть, я устала. Эта Катя — cette charmante personne[1], она разбила все мои надежды: теперь она пойдет за одним вашим братом в Сибирь, а другой ваш брат поедет за ней и будет жить в соседнем городе, и все будут мучить друг друга. Меня это с ума сводит, а главное, эта огласка: во всех газетах в Петербурге и в Москве миллион раз писали. Ах

---

[1] Эта очаровательная особа (*фр.*).

да, представьте себе, и про меня написали, что я была «милым другом» вашего брата, я не хочу проговорить гадкое слово, представьте себе, ну представьте себе!

— Этого быть не может! Где же и как написали?

— Сейчас покажу. Вчера получила — вчера и прочла. Вот здесь в газете «Слухи», в петербургской. Эти «Слухи» стали издаваться с нынешнего года, я ужасно люблю слухи, и подписалась, и вот себе на голову: вот они какие оказались слухи. Вот здесь, вот в этом месте, читайте.

И она протянула Алеше газетный листок, лежавший у ней под подушкой.

Она не то что была расстроена, она была как-то вся разбита, и действительно, может быть, у ней всё в голове свернулось в комок. Газетное известие было весьма характерное и, конечно, должно было на нее очень щекотливо подействовать, но она, к своему счастью может быть, неспособна была в сию минуту сосредоточиться на одном пункте, а потому чрез минуту могла забыть даже и о газете и перескочить совсем на другое. Про то же, что повсеместно по всей России уже прошла слава об ужасном процессе, Алеша знал давно, и, боже, какие дикие известия и корреспонденции успел он прочесть за эти два месяца среди других, верных, известий о своем брате, о Карамазовых вообще и даже о себе самом. В одной газете даже сказано было, что он от страху после преступления брата посхимился и затворился; в другой это опровергали и писали, напротив, что он вместе со старцем своим Зосимой взломали монастырский ящик и «утекли из монастыря». Теперешнее же известие в газете «Слухи» озаглавлено было: «Из Скотопригоньевска (увы, так называется наш городок, я долго скрывал его имя), к процессу Карамазова». Оно было коротенькое, и о госпоже Хохлаковой прямо ничего не упоминалось, да и вообще все имена были скрыты. Извещалось лишь, что преступник, которого с таким треском собираются теперь судить, отставной армейский капитан, нахального пошиба, лентяй и крепостник, то и дело занимался амурами и особенно влиял на некоторых «скучающих в одиночестве дам». Одна-де такая дама из «скучающих вдовиц», молодящаяся, хотя уже имеющая взрослую дочь, до того им прельстилась, что всего только за два часа до преступления предлагала ему три тысячи рублей с тем, чтоб он тотчас же бежал с нею на золотые прииски. Но злодей предпочел-де лучше убить отца и ограбить его именно на три же тысячи, рассчитывая сделать это безнаказанно, чем тащиться в Сибирь с сорокалетними прелестями своей скучающей дамы. Игривая корреспонденция эта, как и следует, заканчивалась благородным негодованием насчет безнравственности отцеубийства и бывшего крепостного права. Прочтя с любопытством, Алеша свернул листок и передал его обратно госпоже Хохлаковой.

— Ну как же не я? — залепетала она опять, — ведь это я, я почти за час предлагала ему золотые прииски, и вдруг «сорокалетние прелести»! Да разве я затем? Это он нарочно! Прости ему вечный судья за сорокалетние прелести, как и я прощаю, но ведь это... ведь это знаете кто? Это ваш друг Ракитин.

— Может быть, — сказал Алеша, — хотя я ничего не слыхал.

— Он, он, а не «может быть»! Ведь я его выгнала... Ведь вы знаете всю эту историю?

— Я знаю, что вы его пригласили не посещать вас впредь, но за что именно — этого я... от вас, по крайней мере, не слыхал.

— А стало быть, от него слышали! Что ж он, бранит меня, очень бранит?

— Да, он бранит, но ведь он всех бранит. Но за что вы ему отказали — я и от него не слыхал. Да и вообще я очень редко с ним встречаюсь. Мы не друзья.

— Ну, так я вам это всё открою и, нечего делать, покаюсь, потому что тут есть одна черта, в которой я, может быть, сама виновата. Только маленькая, маленькая черточка, самая маленькая, так что, может быть, ее и нет вовсе. Видите, голубчик мой, — госпожа Хохлакова вдруг приняла какой-то игривый вид, и на устах ее замелькала милая, хотя и загадочная улыбочка, — видите, я подозреваю... вы меня простите, Алеша, я вам как мать... о нет, нет, напротив, я к вам теперь как к моему отцу... потому что мать тут совсем не идет... Ну, всё равно как к старцу Зосиме на исповеди, и это самое верное, это очень подходит: назвала же я вас давеча схимником, — ну так вот этот бедный молодой человек, ваш друг Ракитин (о боже, я просто на него не могу сердиться! Я сержусь и злюсь, но не очень), одним словом, этот легкомысленный молодой человек вдруг, представьте себе, кажется, вздумал в меня влюбиться. Я это потом, потом только вдруг приметила, но вначале, то есть с месяц назад, он стал бывать у меня чаще, почти каждый день, хотя и прежде мы были знакомы. Я ничего не знаю... и вот вдруг меня как бы озарило, и я начинаю, к удивлению, примечать. Вы знаете, я уже два месяца тому назад начала принимать этого скромного, милого и достойного молодого человека, Петра Ильича Перхотина, который здесь служит. Вы столько раз его встречали сами. И не правда ли, он достойный, серьезный. Приходит он в три дня раз, а не каждый день (хотя пусть бы и каждый день), и всегда так хорошо одет, и вообще я люблю молодежь, Алеша, талантливую, скромную, вот как вы, а у него почти государственный ум, он так мило говорит, и я непременно, непременно буду просить за него. Это будущий дипломат. Он в тот ужасный день меня почти от смерти спас, придя ко мне ночью. Ну, а ваш друг Ракитин приходит всегда в таких сапогах и протянет их по ковру... одним словом, он начал мне даже что-то намекать, а вдруг один раз, уходя, пожал мне ужасно крепко руку. Только что он мне пожал руку, как вдруг у меня разболелась нога. Он и прежде встречал у меня Петра Ильича и, верите ли, всё шпыняет его, всё шпыняет, так и мычит на него за что-то. Я только смотрю на них обоих, как они сойдутся, а внутри смеюсь. Вот вдруг я сижу одна, то есть нет, я тогда уж лежала, вдруг я лежу одна, Михаил Иванович и приходит и, представьте, приносит свои стишки, самые коротенькие, на мою больную ногу, то есть описал в стихах мою больную ногу. Постойте, как это:

> Эта ножка, эта ножка
> Разболелася немножко... —

или как там, — вот никак не могу стихов запомнить, — у меня тут лежат, — ну я вам потом покажу, только прелесть, прелесть, и, знаете, не об одной только ножке, а и нравоучительное, с прелестною идеей, только я ее забыла, одним словом, прямо в альбом. Ну, я, разумеется, поблагодарила, и он был видимо польщен. Не успела поблагодарить, как вдруг входит и Петр Ильич, а Михаил Иванович вдруг насупился как ночь. Я уж вижу, что Петр Ильич ему в чем-то помешал, потому что Михаил Иванович непременно что-то хотел сказать сейчас после стихов, я уж предчувствовала, а Петр Ильич и вошел. Я вдруг Петру

Ильичу стихи и показываю, да и не говорю, кто сочинил. Но я уверена, я уверена, что он сейчас догадался, хотя и до сих пор не признается, а говорит, что не догадался; но это он нарочно. Петр Ильич тотчас захохотал и начал критиковать: дрянные, говорит, стишонки, какой-нибудь семинарист написал, — да, знаете, с таким азартом, с таким азартом! Тут ваш друг, вместо того чтобы рассмеяться, вдруг совсем и взбесился... Господи, я думала, они подерутся: «Это я, говорит, написал. Я, говорит, написал в шутку, потому что считаю за низость писать стихи... Только стихи мои хороши. Вашему Пушкину за женские ножки монумент хотят ставить, а у меня с направлением, а вы сами, говорит, крепостник; вы, говорит, никакой гуманности не имеете, вы никаких теперешних просвещенных чувств не чувствуете, вас не коснулось развитие, вы, говорит, чиновник и взятки берете!» Тут уж я начала кричать и молить их. А Петр Ильич, вы знаете, такой не робкий, и вдруг принял самый благородный тон: смотрит на него насмешливо, слушает и извиняется: «Я, говорит, не знал. Если б я знал, я бы не сказал, я бы, говорит, похвалил... Поэты, говорит, все так раздражительны...» Одним словом, такие насмешки под видом самого благородного тона. Это он мне сам потом объяснил, что это всё были насмешки, а я думала, он и в самом деле. Только вдруг я лежу, как вот теперь пред вами, и думаю: будет или не будет благородно, если я Михаила Ивановича вдруг прогоню за то, что неприлично кричит у меня в доме на моего гостя? И вот верите ли: лежу, закрыла глаза и думаю: будет или не будет благородно, и не могу решить, и мучаюсь, мучаюсь, и сердце бьется: крикнуть аль не крикнуть? Один голос говорит: кричи, а другой говорит: нет, не кричи! Только что этот другой голос сказал, я вдруг и закричала и вдруг упала в обморок. Ну, тут, разумеется, шум. Я вдруг встаю и говорю Михаилу Ивановичу: мне горько вам объявить, но я не желаю вас более принимать в моем доме. Так и выгнала. Ах, Алексей Федорович! Я сама знаю, что скверно сделала, я всё лгала, я вовсе на него не сердилась, но мне вдруг, главное вдруг, показалось, что это будет так хорошо, эта сцена... Только верите ли, эта сцена все-таки была натуральна, потому что я даже расплакалась и несколько дней потом плакала, а потом вдруг после обеда всё и позабыла. Вот он и перестал ходить уже две недели, я и думаю: да неужто ж он совсем не придет? Это еще вчера, а вдруг к вечеру приходят эти «Слухи». Прочла и ахнула, ну кто же написал, это он написал, пришел тогда домой, сел — и написал; послал — и напечатали. Ведь это две недели как было. Только, Алеша, ужас я что говорю, а вовсе не говорю, об чем надо? Ах, само говорится!

— Мне сегодня ужасно как нужно поспеть вовремя к брату, — пролепетал было Алеша.

— Именно, именно! Вы мне всё напомнили! Послушайте, что такое аффект?

— Какой аффект? — удивился Алеша.

— Судебный аффект. Такой аффект, за который всё прощают. Что бы вы ни сделали — вас сейчас простят.

— Да вы про что это?

— А вот про что: эта Катя... Ах, это милое, милое существо, только я никак не знаю, в кого она влюблена. Недавно сидела у меня, и я ничего не могла выпытать. Тем более что сама начинает со мною теперь так поверхностно, одним словом, всё об моем здоровье и ничего больше, и даже такой тон принимает, а я и сказала себе: ну и пусть, ну и бог с вами... Ах да, ну так вот этот аффект: этот доктор и приехал. Вы знаете, что приехал доктор? Ну как вам не знать, который узнает сумасшедших, вы же и выписали, то есть не вы, а Катя. Всё Катя! Ну так видите: сидит человек совсем не сумасшедший, только вдруг у него аффект. Он и помнит себя и знает, что делает, а между тем он в аффекте. Ну так вот и с Дмитрием Федоровичем, наверно, был аффект. Это как новые суды открыли, так сейчас и узнали про аффект. Это благодеяние новых судов. Доктор этот был и расспрашивает меня про тот вечер, ну про золотые прииски: каков, дескать, он тогда был? Как же не в аффекте — пришел и кричит: денег, денег, три тысячи, давайте три тысячи, а потом пошел и вдруг убил. Не хочу, говорит, не хочу убивать, и вдруг убил. Вот за это-то самое его и простят, что противился, а убил.

— Да ведь он же не убил, — немного резко прервал Алеша. Беспокойство и нетерпение одолевали его всё больше и больше.

— Знаю, это убил тот старик Григорий...

— Как Григорий? — вскричал Алеша.

— Он, он, это Григорий. Дмитрий Федорович как ударил его, так он лежал, а потом встал, видит, дверь отворена, пошел и убил Федора Павловича.

— Да зачем, зачем?

— А получил аффект. Как Дмитрий Федорович ударил его по голове, он очнулся и получил аффект, пошел и убил. А что он говорит сам, что не убил, так этого он, может, и не помнит. Только видите ли: лучше, гораздо лучше будет, если Дмитрий Федорович убил. Да это так и было, хоть я и говорю, что Григорий, но это наверно Дмитрий Федорович, и это гораздо, гораздо лучше! Ах, не потому лучше, что сын отца убил, я не хвалю, дети, напротив, должны почитать родителей, а только все-таки лучше, если это он, потому что вам тогда и плакать нечего, так как он убил, себя не помня или, лучше сказать, всё помня, но не зная, как это с ним сделалось. Нет, пусть они его простят; это так гуманно, и чтобы видели благодеяние новых судов, а я-то и не знала, а говорят, это уже давно, и как я вчера узнала, то меня это так поразило, что я тотчас же хотела за вами послать; и потом, коли его простят, то прямо его из суда ко мне обедать, а я созову знакомых, и мы выпьем за новые суды. Я не думаю, чтоб он был опасен, притом я позову очень много гостей, так что его можно всегда вывести, если он что-нибудь, а потом он может где-нибудь в другом городе быть мировым судьей или чем-нибудь, потому что те, которые сами перенесли несчастие, всех лучше судят. А главное, кто ж теперь не в аффекте, вы, я — все в аффекте, и сколько примеров: сидит человек, поет романс, вдруг ему что-нибудь не понравилось, взял пистолет и убил кого попало, а затем ему все прощают. Я это недавно читала, и все доктора подтвердили. Доктора теперь подтверждают, всё подтверждают. Помилуйте, у меня Lise в аффекте, я еще вчера от нее плакала, третьего дня плакала, а сегодня и догадалась, что это у ней просто аффект. Ох, Lise меня так огорчает! Я думаю, она совсем помешалась. Зачем она вас позвала? Она вас позвала, или вы сами к ней пришли?

— Да, она звала, и я пойду сейчас к ней, — встал было решительно Алеша.

— Ах, милый, милый Алексей Федорович, тут-то, может быть, и самое главное, — вскрикнула госпожа Хохлакова, вдруг заплакав. — Бог видит, что я вам искренно доверяю Lise, и это ничего, что она вас тайком от матери позвала. Но Ивану Федоровичу, вашему брату, простите меня, я не могу доверить дочь мою с такою легкостью, хотя и продолжаю считать его за самого рыцарского молодого человека. А представьте, он вдруг и был у Lise, а я этого ничего и не знала.

— Как? Что? Когда? — ужасно удивился Алеша. Он уж не садился и слушал стоя.

— Я вам расскажу, я для этого-то, может быть, вас и позвала, потому что я уж и не знаю, для чего вас позвала. Вот что: Иван Федорович был у меня всего два раза по возвращении своем из Москвы, первый раз пришел как знакомый сделать визит, а в другой раз, это уже недавно, Катя у меня сидела, он и зашел, узнав, что она у меня. Я, разумеется, и не претендовала на его частые визиты, зная, сколько у него теперь и без того хлопот, — vous comprenez, cette affaire et la mort terrible de votre papa[1], — только вдруг узнаю, что он был опять, только не у меня, а у Lise, это уже дней шесть тому, пришел, просидел пять минут и ушел. А узнала я про это целых три дня спустя от Глафиры, так что это меня вдруг фрапировало[2]. Тотчас призываю Lise, а она смеется: он, дескать, думал, что вы спите, и зашел ко мне спросить о вашем здоровье. Конечно, оно так и было. Только Lise, Lise, о боже, как она меня огорчает! Вообразите, вдруг с ней в одну ночь — это четыре дня тому, сейчас после того, как вы в последний раз были и ушли, — вдруг с ней ночью припадок, крик, визг, истерика! Отчего у меня никогда не бывает истерики? Затем на другой день припадок, а потом и на третий день, и вчера, и вот вчера этот аффект. А она мне вдруг кричит: «Я ненавижу Ивана Федоровича, я требую, чтобы вы его не принимали, чтобы вы ему отказали от дома!» Я обомлела при такой неожиданности и возражаю ей: с какой же стати буду я отказывать такому достойному молодому человеку и притом с такими познаниями и с таким несчастьем, потому что все-таки все эти истории — ведь это несчастье, а не счастие, не правда ли? Она вдруг расхохоталась над моими словами и так, знаете, оскорбительно. Ну я рада, думаю, что рассмешила ее, и припадки теперь пройдут, тем более что я сама хотела отказать Ивану Федоровичу за странные

---

[1] Вы понимаете, это дело и ужасная смерть вашего отца *(фр.)*.

[2] Поразило (от *фр.* frapper).

визиты без моего согласия и потребовать объяснения. Только вдруг сегодня утром Лиза проснулась и рассердилась на Юлию и, представьте, ударила ее рукой по лицу. Но ведь это монструозно[1], я с моими девушками на *вы*. И вдруг чрез час она обнимает и целует у Юлии ноги. Ко мне же прислала сказать, что не придет ко мне вовсе и впредь никогда не хочет ходить, а когда я сама к ней потащилась, то бросилась меня целовать и плакать и, целуя, так и вытихнула вон, ни слова не говоря, так что я так ничего и не узнала. Теперь, милый Алексей Федорович, на вас все мои надежды, и, конечно, судьба всей моей жизни в ваших руках. Я вас просто прошу пойти к Lise, разузнать у ней всё, как вы только один умеете это сделать, и прийти рассказать мне, — мне, матери, потому что, вы понимаете, я умру, я просто умру, если всё это будет продолжаться, или убегу из дома. Я больше не могу, у меня есть терпение, но я могу его лишиться, и тогда... и тогда будут ужасы. Ах, боже мой, наконец-то Петр Ильич! — вскрикнула, вся вдруг просияв, госпожа Хохлакова, завидя входящего Петра Ильича Перхотина. — Опоздали, опоздали! Ну что, садитесь, говорите, решайте судьбу, ну что ж этот адвокат? Куда же вы, Алексей Федорович?

— Я к Lise.

— Ах, да! Так вы не забудете, не забудете, о чем я вас просила? Тут судьба, судьба!

— Конечно, не забуду, если только можно... но я так опоздал, — пробормотал, поскорее ретируясь, Алеша.

— Нет, наверно, наверно заходите, а не «если можно», иначе я умру! — прокричала вслед ему госпожа Хохлакова, но Алеша уже вышел из комнаты.

III
БЕСЕНОК

Войдя к Лизе, он застал ее полулежащею в ее прежнем кресле, в котором ее возили, когда она еще не могла ходить. Она не тронулась к нему навстречу, но зоркий, острый ее взгляд так и впился в него. Взгляд был несколько

---

[1] Чудовищно (от *фр.* monistrueux).

воспаленный, лицо бледно-желтое. Алеша изумился тому, как она изменилась в три дня, даже похудела. Она не протянула ему руки. Он сам притронулся к ее тонким, длинным пальчикам, неподвижно лежавшим на ее платье, затем молча сел против нее.

— Я знаю, что вы спешите в острог, — резко проговорила Лиза, — а вас два часа задержала мама, сейчас вам про меня и про Юлию рассказала.

— Почему вы узнали? — спросил Алеша.

— Я подслушивала. Чего вы на меня уставились? Хочу подслушивать и подслушиваю, ничего тут нет дурного. Прощенья не прошу.

— Вы чем-то расстроены?

— Напротив, очень рада. Только что сейчас рассуждала опять, в тридцатый раз: как хорошо, что я вам отказала и не буду вашей женой. Вы в мужья не годитесь: я за вас выйду, и вдруг дам вам записку, чтобы снести тому, которого полюблю после вас, вы возьмете и непременно отнесете, да еще ответ принесете. И сорок лет вам придет, и вы всё так же будете мои такие записки носить.

Она вдруг засмеялась.

— В вас что-то злобное и в то же время что-то простодушное, — улыбнулся ей Алеша.

— Простодушное это то, что я вас не стыжусь. Мало того, что не стыжусь, да и не хочу стыдиться, именно пред вами, именно вас. Алеша, почему я вас не уважаю? Я вас очень люблю, но я вас не уважаю. Если б уважала, ведь не говорила бы не стыдясь, ведь так?

— Так.

— А верите вы, что я вас не стыжусь?

— Нет, не верю.

Лиза опять нервно засмеялась; говорила она скоро, быстро.

— Я вашему брату Дмитрию Федоровичу конфет в острог послала. Алеша, знаете, какой вы хорошенький! Я вас ужасно буду любить за то, что вы так скоро позволили мне вас не любить.

— Вы для чего меня сегодня звали, Lise?

— Мне хотелось вам сообщить одно мое желание. Я хочу, чтобы меня кто-нибудь истерзал, женился на мне, а потом истерзал, обманул, ушел и уехал. Я не хочу быть счастливою!

— Полюбили беспорядок?

— Ах, я хочу беспорядка. Я всё хочу зажечь дом. Я воображаю, как это я подойду и зажгу потихоньку, непременно чтобы потихоньку. Они-то тушат, а он-то горит. А я знаю, да молчу. Ах, глупости! И как скучно!

Она с отвращением махнула ручкой.

— Богато живёте, — тихо проговорил Алёша.

— Лучше, что ль, бедной-то быть?

— Лучше.

— Это вам ваш монах покойный наговорил. Это неправда. Пусть я богата, а все бедные, я буду конфеты есть и сливки пить, а тем никому не дам. Ах, не говорите, не говорите ничего, — замахала она ручкой, хотя Алёша и рта не открывал, — вы мне уж прежде всё это говорили, я всё наизусть знаю. Скучно. Если я буду бедная, я кого-нибудь убью, — да и богата если буду, может быть, убью, — что сидеть-то! А знаете, я хочу жать, рожь жать. Я за вас выйду, а вы станьте мужиком, настоящим мужиком, у нас жеребеночек, хотите? Вы Калганова знаете?

— Знаю.

— Он всё ходит и мечтает. Он говорит: зачем взаправду жить, лучше мечтать. Намечтать можно самое веселое, а жить скука. А ведь сам скоро женится, он уж и мне объяснялся в любви. Вы умеете кубари спускать?

— Умею.

— Вот это он, как кубарь: завертеть его и спустить и стегать, стегать, стегать кнутиком: выйду за него замуж, всю жизнь буду спускать. Вам не стыдно со мной сидеть?

— Нет.

— Вы ужасно сердитесь, что я не про святое говорю. Я не хочу быть святою. Что сделают на том свете за самый большой грех? Вам это должно быть в точности известно.

— Бог осудит, — пристально вглядывался в нее Алёша.

— Вот так я и хочу. Я бы пришла, а меня бы и осудили, а я бы вдруг всем им и засмеялась в глаза. Я ужасно хочу зажечь дом, Алёша, наш дом, вы мне всё не верите?

— Почему же? Есть даже дети, лет по двенадцати, которым очень хочется зажечь что-нибудь, и они зажигают. Это вроде болезни.

— Неправда, неправда, пусть есть дети, но я не про то.

— Вы злое принимаете за доброе: это минутный кризис, в этом ваша прежняя болезнь, может быть, виновата.

— А вы таки меня презираете! Я просто не хочу делать доброе, я хочу делать злое, а никакой тут болезни нет.

— Зачем делать злое?

— А чтобы нигде ничего не осталось. Ах, как бы хорошо, кабы ничего не осталось! Знаете, Алеша, я иногда думаю наделать ужасно много зла и всего скверного, и долго буду тихонько делать, и вдруг все узнают. Все меня обступят и будут показывать на меня пальцами, а я буду на всех смотреть. Это очень приятно. Почему это так приятно, Алеша?

— Так. Потребность раздавить что-нибудь хорошее али вот, как вы говорили, зажечь. Это тоже бывает.

— Я ведь не то что говорила, я ведь и сделаю.

— Верю.

— Ах, как я вас люблю за то, что вы говорите: верю. И ведь вы вовсе, вовсе не лжете. А может быть, вы думаете, что я вам всё это нарочно, чтобы вас дразнить?

— Нет, не думаю... хотя, может быть, и есть немного этой потребности.

— Немного есть. Никогда пред вами не солгу, — проговорила она со сверкнувшими каким-то огоньком глазами.

Алешу всего более поражала ее серьезность: ни тени смешливости и шутливости не было теперь в ее лице, хотя прежде веселость и шутливость не покидали ее в самые «серьезные» ее минуты.

— Есть минуты, когда люди любят преступление, — задумчиво проговорил Алеша.

— Да, да! Вы мою мысль сказали, любят, все любят и всегда любят, а не то что «минуты». Знаете, в этом все как будто когда-то условились лгать и все с тех пор лгут. Все говорят, что ненавидят дурное, а про себя все его любят.

— А вы всё по-прежнему дурные книги читаете?

— Читаю. Мама читает и под подушку прячет, а я краду.

— Как вам не совестно разрушать себя?

— Я хочу себя разрушать. Тут есть один мальчик, он под рельсами пролежал, когда над ним вагоны ехали. Счастливец! Послушайте, теперь вашего брата судят за то, что он отца убил, и все любят, что он отца убил.

— Любят, что отца убил?

— Любят, все любят! Все говорят, что это ужасно, но про себя ужасно любят. Я первая люблю.

— В ваших словах про всех есть несколько правды, — проговорил тихо Алеша.

— Ах, какие у вас мысли! — взвизгнула в восторге Лиза, — это у монаха-то! Вы не поверите, как я вас уважаю, Алеша, за то, что вы никогда не лжете. Ах, я вам один мой смешной сон расскажу: мне иногда во сне снятся черти, будто ночь, я в моей комнате со свечкой, и вдруг везде черти, во всех углах, и под столом, и двери отворяют, а их там за дверями толпа, и им хочется войти и меня схватить. И уж подходят, уж хватают. А я вдруг перекрещусь, и они все назад, боятся, только не уходят совсем, а у дверей стоят и по углам, ждут. И вдруг мне ужасно захочется вслух начать Бога бранить, вот и начну бранить, а они-то вдруг опять толпой ко мне, так и обрадуются, вот уж и хватают меня опять, а я вдруг опять перекрещусь — а они все назад. Ужасно весело, дух замирает.

— И у меня бывал этот самый сон, — вдруг сказал Алеша.

— Неужто? — вскрикнула Лиза в удивлении. — Послушайте, Алеша, не смейтесь, это ужасно важно: разве можно, чтоб у двух разных был один и тот же сон?

— Верно, можно.

— Алеша, говорю вам, это ужасно важно, — в каком-то чрезмерном уже удивлении продолжала Лиза. — Не сон важен, а то, что вы могли видеть этот же самый сон, как и я. Вы никогда мне не лжете, не лгите и теперь: это правда? Вы не смеетесь?

— Правда.

Лиза была чем-то ужасно поражена и на полминутку примолкла.

— Алеша, ходите ко мне, ходите ко мне чаще, — проговорила она вдруг молящим голосом.

— Я всегда, всю жизнь буду к вам приходить, — твердо ответил Алеша.

— Я ведь одному вам говорю, — начала опять Лиза. — Я себе одной говорю, да еще вам. Вам одному в целом мире. И вам охотнее, чем самой себе говорю. И вас совсем не стыжусь. Алеша, почему я вас совсем не стыжусь, совсем? Алеша, правда ли, что жиды на Пасху детей крадут и режут?

— Не знаю.

— Вот у меня одна книга, я читала про какой-то где-то суд, и что жид четырехлетнему мальчику сначала все пальчики обрезал на обеих ручках, а потом распял на стене, прибил гвоздями и распял, а потом на суде сказал, что мальчик умер скоро, чрез четыре часа. Эка скоро! Говорит: стонал, всё стонал, а тот стоял и на него любовался. Это хорошо!

— Хорошо?

— Хорошо. Я иногда думаю, что это я сама распяла. Он висит и стонет, а я сяду против него и буду ананасный компот есть. Я очень люблю ананасный компот. Вы любите?

Алеша молчал и смотрел на нее. Бледно-желтое лицо ее вдруг исказилось, глаза загорелись.

— Знаете, я про жида этого как прочла, то всю ночь так и тряслась в слезах. Воображаю, как ребеночек кричит и стонет (ведь четырехлетние мальчики понимают), а у меня всё эта мысль про компот не отстает. Утром я послала письмо к одному человеку, чтобы *непременно* пришел ко мне. Он пришел, а я ему вдруг рассказала про мальчика и про компот, *всё* рассказала, *всё,* и сказала, что «это хорошо». Он вдруг засмеялся и сказал, что это в самом деле хорошо. Затем встал и ушел. Всего пять минут сидел. Презирал он меня, презирал? Говорите, говорите, Алеша, презирал он меня или нет? — выпрямилась она на кушетке, засверкав глазами.

— Скажите, — проговорил в волнении Алеша, — вы сами его позвали, этого человека?

— Сама.

— Письмо ему послали?

— Письмо.

— Собственно про это спросить, про ребенка?

— Нет, совсем не про это, совсем. А как он вошел, я сейчас про это и спросила. Он ответил, засмеялся, встал и ушел.

— Этот человек честно с вами поступил, — тихо проговорил Алеша.

— А меня презирал? Смеялся?

— Нет, потому что он сам, может, верит ананасному компоту. Он тоже очень теперь болен, Lise.

— Да, верит! — засверкала глазами Лиза.

— Он никого не презирает, — продолжал Алеша. — Он только никому не верит. Коль не верит, то, конечно, и презирает.

— Стало быть, и меня? Меня?

— И вас.

— Это хорошо, — как-то проскрежетала Лиза. — Когда он вышел и засмеялся, я почувствовала, что в презрении быть хорошо. И мальчик с отрезанными пальчиками хорошо, и в презрении быть хорошо...

И она как-то злобно и воспаленно засмеялась Алеше в глаза.

— Знаете, Алеша, знаете, я бы хотела... Алеша, спасите меня! — вскочила она вдруг с кушетки, бросилась к нему и крепко обхватила его руками. — Спасите меня, — почти простонала она. — Разве я кому-нибудь в мире скажу, что вам говорила? А ведь я правду, правду, правду говорила! Я убью себя, потому что мне всё гадко! Я не хочу жить, потому что мне всё гадко! Мне всё гадко, всё гадко! Алеша, зачем вы меня совсем, совсем не любите! — закончила она в исступлении.

— Нет, люблю! — горячо ответил Алеша.

— А будете обо мне плакать, будете?

— Буду.

— Не за то, что я вашею женой не захотела быть, а просто обо мне плакать, просто?

— Буду.

— Спасибо! Мне только ваших слез надо. А все остальные пусть казнят меня и раздавят ногой, все, все, не исключая *никого!* Потому что я не люблю никого. Слышите, ни-ко-го! Напротив, ненавижу! Ступайте, Алеша, вам пора к брату! — оторвалась она от него вдруг.

— Как же вы останетесь? — почти в испуге проговорил Алеша.

— Ступайте к брату, острог запрут, ступайте, вот ваша шляпа! Поцелуйте Митю, ступайте, ступайте!

И она с силой почти выпихнула Алешу в двери. Тот смотрел с горестным недоумением, как вдруг почувствовал в своей правой руке письмо, маленькое письмецо, твердо сложенное и запечатанное. Он взглянул и мгновенно прочел адрес: Ивану Федоровичу Карамазову. Он быстро поглядел на Лизу. Лицо ее сделалось почти грозно.

— Передайте, непременно передайте! — исступленно, вся сотрясаясь, приказывала она, — сегодня, сейчас! Иначе я отравлюсь! Я вас затем и звала!

И быстро захлопнула дверь. Щелкнула щеколда. Алеша положил письмо в карман и пошел прямо на лестницу, не заходя к госпоже Хохлаковой, даже забыв о ней. А Лиза, только что удалился Алеша, тотчас же отвернула щеколду, приотворила капельку дверь, вложила в щель свой палец и, захлопнув дверь, изо всей силы придавила его. Секунд через десять, высвободив руку, она тихо, медленно прошла на свое кресло, села, вся выпрямившись, и стала пристально смотреть на свой почерневший пальчик и на выдавившуюся из-под ногтя кровь. Губы ее дрожали, и она быстро, быстро шептала про себя:

— Подлая, подлая, подлая, подлая!

IV
ГИМН И СЕКРЕТ

Было уже совсем поздно (да и велик ли ноябрьский день), когда Алеша позвонил у ворот острога. Начинало даже смеркаться. Но Алеша знал, что его пропустят к Мите беспрепятственно. Всё это у нас, в нашем городке, как и везде. Сначала, конечно, по заключении всего предварительного следствия, доступ к Мите для свидания с родственниками и с некоторыми другими лицами всё же был обставлен некоторыми необходимыми формальностями, но впоследствии формальности не то что ослабели, но для иных лиц, по крайней мере приходивших к Мите, как-то сами собой установились некоторые исключения. До того что иной раз даже и свидания с заключенным в назначенной для того комнате происходили почти между четырех глаз. Впрочем, таких лиц было очень немного: всего только Грушенька, Алеша и Ракитин. Но к Грушеньке очень благоволил сам исправник Михаил Макарович. У старика лежал на сердце его окрик на нее в Мокром. Потом, узнав всю суть, он изменил совсем о ней свои мысли. И странное дело: хотя был твердо убежден в преступлении Мити, но со времени заключения его всё как-то более и более смотрел на него мягче: «С хорошею, может быть, душой был человек, а вот пропал, как швед, от пьянства и беспорядка!» Прежний ужас сменился в сердце его какою-то жалостью. Что же до Алеши, то исправник очень любил его и давно уже был с ним знаком, а Ракитин, повадившийся впоследствии приходить очень часто к заключенному, был одним из самых близких знакомых «исправничьих барышень», как он называл их, и ежедневно терся в их доме. У смотрителя же острога, благодушного старика, хотя и крепкого служаки, он давал в доме уроки. Алеша же опять-таки был особенный и стародавний знакомый и смотрителя, любившего говорить с ним вообще о «премудрости». Ивана Федоровича, например, смотритель не то что уважал, а даже боялся, главное, его суждений, хотя сам был большим философом, разумеется «своим умом дойдя». Но к Алеше в нем была какая-то непобедимая симпатия. В последний год старик как раз засел за апокрифические Евангелия и поминутно сообщал о своих впечатлениях своему молодому другу. Прежде даже заходил к нему в монастырь и толковал с ним и с иеромонахами по целым часам. Словом, Алеше, если бы даже он и запоздал в острог, стоило пройти к смотрителю, и дело всегда улаживалось. К тому же к Алеше все до последнего сторожа в остроге привыкли. Караул же, конечно, не стеснял, было бы лишь дозволение начальства. Митя из своей каморки, когда вызывали его, сходил всегда вниз в место, назначенное для свиданий. Войдя в комнату, Алеша как раз столкнулся с Ракитиным, уже уходившим от Мити. Оба они громко говорили. Митя, провожая его, чему-то очень смеялся, а Ракитин как будто ворчал. Ракитин, особенно в последнее время, не любил встречаться с Алешей, почти не говорил с ним, даже и раскланивался с натугой. Завидя теперь входящего Алешу, он особенно нахмурил брови и отвел глаза в сторону, как бы весь занятый застегиванием своего большого теплого с меховым воротником пальто. Потом тотчас же принялся искать свой зонтик.

— Своего бы не забыть чего, — пробормотал он, единственно чтобы что-нибудь сказать.

— Ты чужого-то чего не забудь! — сострил Митя и тотчас же сам расхохотался своей остроте. Ракитин мигом вспылил.

— Ты это своим Карамазовым рекомендуй, крепостничье ваше отродье, а не Ракитину! — крикнул он вдруг, так и затрясшись от злости.

— Чего ты? Я пошутил! — вскрикнул Митя, — фу, черт! Вот они все таковы, — обратился он к Алеше, кивая на быстро уходившего Ракитина, — то всё сидел, смеялся и весел был, а тут вдруг и вскипел! Тебе даже и головой не кивнул, совсем, что ли, вы рассорились? Что ты так поздно? Я тебя не то что ждал, а жаждал всё утро. Ну да ничего! Наверстаем.

— Что он к тебе так часто повадился? Подружился ты с ним, что ли? — спросил Алеша, кивая тоже на дверь, в которую убрался Ракитин.

— С Михаилом-то подружился? Нет, не то чтоб. Да и чего, свинья! Считает, что я... подлец. Шутки тоже не понимают — вот что в них главное. Никогда не поймут шутки. Да и сухо у них в душе, плоско и сухо, точно как я тогда к острогу подъезжал и на острожные стены смотрел. Но умный человек, умный. Ну, Алексей, пропала теперь моя голова!

Он сел на скамейку и посадил с собою рядом Алешу.

— Да, завтра суд. Что ж, неужели же ты так совсем не надеешься, брат? — с робким чувством проговорил Алеша.

— Ты это про что? — как-то неопределенно глянул на него Митя, — ах, ты про суд! Ну, черт! Мы до сих пор всё с тобой о пустяках говорили, вот всё про этот суд, а я об самом главном с тобою молчал. Да, завтра суд, только я не про суд сказал, что пропала моя голова. Голова не пропала, а то, что в голове сидело, то пропало. Что ты на меня с такою критикой в лице смотришь?

— Про что ты это, Митя?

— Идеи, идеи, вот что! Эфика. Это что такое эфика?

— Эфика? — удивился Алеша.

— Да, наука, что ли, какая?

— Да, есть такая наука... только... я, признаюсь, не могу тебе объяснить, какая наука.

— Ракитин знает. Много знает Ракитин, черт его дери! В монахи не пойдет. В Петербург собирается. Там, говорит, в отделение критики, но с благородством направления. Что ж, может пользу принесть и карьеру устроить. Ух, карьеру они мастера! Черт с эфикой! Я-то пропал, Алексей, я-то, божий ты человек! Я тебя больше всех люблю. Сотрясается у меня сердце на тебя, вот что. Какой там был Карл Бернар?

— Карл Бернар? — удивился опять Алеша.

— Нет, не Карл, постой, соврал: Клод Бернар. Это что такое? Химия, что ли?

— Это, должно быть, ученый один, — ответил Алеша, — только, признаюсь тебе, и о нем много не сумею сказать. Слышал только, ученый, а какой, не знаю.

— Ну и черт его дери, и я не знаю, — обругался Митя. — Подлец какой-нибудь, всего вероятнее, да и все подлецы. А Ракитин пролезет, Ракитин в щелку пролезет, тоже Бернар. Ух, Бернары! Много их расплодилось!

— Да что с тобою? — настойчиво спросил Алеша.

— Хочет он обо мне, об моем деле статью написать, и тем в литературе свою роль начать, с тем и ходит, сам объяснял. С направлением что-то хочет: «дескать, нельзя было ему не убить, заеден средой», и проч., объяснял мне. С оттенком социализма, говорит, будет. Ну и черт его дери, с оттенком так с оттенком, мне всё равно. Брата Ивана не любит, ненавидит, тебя тоже не жалует. Ну, а я его не гоню, потому что человек умный. Возносится очень, однако. Я ему сейчас вот говорил: «Карамазовы не подлецы, а философы, потому что все настоящие русские люди философы, а ты хоть и учился, а не философ, ты смерд». Смеется, злобно так. А я ему: де мыслибус[1] non est disputandum[2], хороша острота? По крайней мере и я в классицизм вступил, — захохотал вдруг Митя.

— Отчего ты пропал-то? Вот ты сейчас сказал? — перебил Алеша.

— Отчего пропал? Гм! В сущности... если всё целое взять — Бога жалко, вот отчего!

— Как Бога жалко?

— Вообрази себе: это там в нервах, в голове, то есть там в мозгу эти нервы (ну черт их возьми!)... есть такие этакие хвостики, у нервов этих хвостики, ну, и как только они там задрожат... то есть видишь, я посмотрю на что-нибудь глазами, вот так, и они задрожат, хвостики-то... а как задрожат, то и является образ, и не сейчас является, а там какое-то мгновение, секунда такая пройдет, и является такой будто бы момент, то есть не момент, — черт его дери момент, — а образ, то есть предмет али происшествие, ну там черт дери — вот почему я и созерцаю, а потом мыслю... потому что хвостики, а вовсе не потому, что у меня душа и что я там какой-то образ и подобие, всё это глупости. Это, брат, мне Михаил еще вчера объяснял, и меня точно обожгло. Великолепна, Алеша, эта наука! Новый человек пойдет, это-то я понимаю... А все-таки Бога жалко!

---

[1] О мыслях. — *Ред.*

[2] Не спорят (*лат.*).

— Ну и то хорошо, — сказал Алеша.

— Что Бога-то жалко? Химия, брат, химия! Нечего делать, ваше преподобие, подвиньтесь немножко, химия идет! А не любит Бога Ракитин, ух не любит! Это у них самое больное место у всех! Но скрывают. Лгут. Представляются. «Что же, будешь это проводить в отделении критики?» — спрашиваю. «Ну, явно-то не дадут», — говорит, смеется. «Только как же, спрашиваю, после того человек-то? Без Бога-то и без будущей жизни? Ведь это, стало быть, теперь всё позволено, всё можно делать?» — «А ты и не знал?» — говорит. Смеется. «Умному, говорит, человеку всё можно, умный человек умеет раков ловить, ну а вот ты, говорит, убил и влопался и в тюрьме гниешь!» Это он мне-то говорит. Свинья естественная! Я этаких прежде вон вышвыривал, ну а теперь слушаю. Много ведь и дельного говорит. Умно тоже пишет. Он мне с неделю назад статью одну начал читать, я там три строки тогда нарочно выписал, вот постой, вот здесь.

Митя, спеша, вынул из жилетного кармана бумажку и прочел:

— «Чтоб разрешить этот вопрос, необходимо прежде всего поставить свою личность в разрез со своею действительностью». Понимаешь иль нет?

— Нет, не понимаю, — сказал Алеша.

Он с любопытством приглядывался к Мите и слушал его.

— И я не понимаю. Темно и неясно, зато умно. «Все, говорит, так теперь пишут, потому что такая уж среда...» Среды боятся. Стихи тоже пишет, подлец, Хохлаковой ножку воспел, ха-ха-ха!

— Я слышал, — сказал Алеша.

— Слышал? А стишонки слышал?

— Нет.

— У меня они есть, вот, я прочту. Ты не знаешь, я тебе не рассказывал, тут целая история. Шельма! Три недели назад меня дразнить вздумал: «Ты вот, говорит, влопался как дурак из-за трех тысяч, а я полтораста их тяпну, на вдовице одной женюсь и каменный дом в Петербурге куплю». И рассказал мне, что строит куры Хохлаковой, а та и смолоду умна не была, а в сорок-то лет и совсем ума решилась. «Да чувствительна, говорит, уж очень, вот я ее на том и добью. Женюсь, в Петербург ее отвезу, а там газету издавать начну». И такая у него скверная сладострастная слюна на губах, — не на Хохлакову слюна, а на полтораста эти тысяч. И уверил меня, уверил; всё ко мне ходит, каждый день: поддается, говорит. Радостью сиял. А тут вдруг его и выгнали: Перхотин Петр Ильич взял верх, молодец! То есть так бы и расцеловал эту дурищу за то, что его прогнала! Вот он как ходил-то ко мне, тогда и сочинил эти стишонки. «В первый раз, говорит, руки мараю, стихи пишу, для обольщения, значит, для полезного дела. Забрав капитал у дурищи, гражданскую пользу потом принести могу». У них ведь всякой мерзости гражданское оправдание есть! «А все-таки, говорит, лучше твоего Пушкина написал, потому что и в шутовской стишок сумел гражданскую скорбь всучить». Это что про Пушкина-то — я понимаю. Что же, если в самом деле способный был человек, а только ножки описывал! Да ведь гордился-то стишонками как! Самолюбие-то у них, самолюбие! «На выздоровление больной ножки моего предмета» — это он такое заглавие придумал — резвый человек!

> Уж какая ж эта ножка,
> Ножка, вспухшая немножко!
> Доктора к ней ездят, лечат,
> И бинтуют, и калечат.
>
> Не по ножкам я тоскую, —
> Пусть их Пушкин воспевает:
> По головке я тоскую,
> Что идей не понимает.
>
> Понимала уж немножко,
> Да вот ножка помешала!
> Пусть же вылечится ножка,
> Чтоб головка понимала.

Свинья, чистая свинья, а игриво у мерзавца вышло! И действительно «гражданскую»-то всучил. А как рассердился, когда его выгнали. Скрежетал!

— Он уже отмстил, — сказал Алеша. — Он про Хохлакову корреспонденцию написал.

И Алеша рассказал ему наскоро о корреспонденции в газете «Слухи».

— Это он, он! — подтвердил Митя, нахмурившись, — это он! Эти корреспонденции... я ведь знаю... то есть сколько низостей было уже написано, про Грушу, например!.. И про ту тоже, про Катю... Гм!

Он озабоченно прошелся по комнате.

— Брат, мне нельзя долго оставаться, — сказал, помолчав, Алеша. — Завтра ужасный, великий день для тебя: божий суд над тобой совершится... и вот я удивляюсь, ходишь ты и вместо дела говоришь бог знает о чем...

— Нет, не удивляйся, — горячо перебил Митя. — Что же мне о смердящем этом псе говорить, что ли? Об убийце? Довольно мы с тобой об этом переговорили. Не хочу больше о смердящем, сыне Смердящей! Его Бог убьет, вот увидишь, молчи!

Он в волнении подошел к Алеше и вдруг поцеловал его. Глаза его загорелись.

— Ракитин этого не поймет, — начал он весь как бы в каком-то восторге, — а ты, ты всё поймешь. Оттого и жаждал тебя. Видишь, я давно хотел тебе многое здесь, в этих облезлых стенах выразить, но молчал о главнейшем: время как будто всё еще не приходило. Дождался теперь последнего срока, чтобы тебе душу вылить. Брат, я в себе в эти два последние месяца нового человека ощутил, воскрес во мне новый человек! Был заключен во мне, но никогда бы не явился, если бы не этот гром. Страшно! И что мне в том, что в рудниках буду двадцать лет молотком руду выколачивать, не боюсь я этого вовсе, а другое мне страшно теперь: чтобы не отошел от меня воскресший человек! Можно найти и там, в рудниках, под землею, рядом с собой, в таком же каторжном и убийце человеческое сердце и сойтись с ним, потому что и там можно жить, и любить, и страдать! Можно возродить и воскресить в этом каторжном человеке замершее сердце, можно ухаживать за ним годы и выбить наконец из вертепа на свет уже душу высокую, страдальческое сознание, возродить ангела, воскресить героя! А их ведь много, их сотни, и все мы за них виноваты! Зачем мне тогда приснилось «дитё» в такую минуту? «Отчего бедно дитё?» Это пророчество мне было в ту минуту! За «дитё» и пойду. Потому что все за всех виноваты. За всех «дитё», потому что есть малые дети и большие дети. Все — «дитё». За всех и пойду, потому что надобно же кому-нибудь и за всех пойти. Я не убил отца, но мне надо пойти. Принимаю! Мне это здесь всё пришло... вот в этих облезлых стенах. А их ведь много, их там сотни, подземных-то, с молотками в руках. О да, мы будем в цепях, и не будет воли, но тогда, в великом горе нашем, мы вновь воскреснем в радость, без которой человеку жить невозможно, а Богу быть, ибо Бог дает радость, это его привилегия, великая... Господи, истай человек в молитве! Как я буду там под землей без Бога? Врет Ракитин: если Бога с земли изгонят, мы под землей его сретим! Каторжному без Бога быть невозможно, невозможнее даже, чем некаторжному! И тогда мы, подземные человеки, запоем из недр земли трагический гимн Богу, у которого радость! Да здравствует Бог и его радость! Люблю его!

Митя, произнося свою дикую речь, почти задыхался. Он побледнел, губы его вздрагивали, из глаз катились слезы.

— Нет, жизнь полна, жизнь есть и под землею! — начал он опять. — Ты не поверишь, Алексей, как я теперь жить хочу, какая жажда существовать и сознавать именно в этих облезлых стенах во мне зародилась! Ракитин этого не понимает, ему бы только дом выстроить да жильцов пустить, но я ждал тебя. Да и что такое страдание? Не боюсь его, хотя бы оно было бесчисленно. Теперь не боюсь, прежде боялся. Знаешь, я, может быть, не буду и отвечать на суде... И, кажется, столько во мне этой силы теперь, что я всё поборю, все страдания, только чтобы сказать и говорить себе поминутно: я есмь! В тысяче мук — я есмь, в пытке корчусь — но есмь! В столпе сижу, но и я существую, солнце вижу, а не вижу солнца, то знаю, что оно есть. А знать, что есть солнце, — это уже вся жизнь. Алеша, херувим ты мой, меня убивают разные философии, черт их дери! Брат Иван...

— Что брат Иван? — перебил было Алеша, но Митя не расслышал.

— Видишь, я прежде этих всех сомнений никаких не имел, но всё во мне это таилось. Именно, может, оттого, что идеи бушевали во мне неизвестные, я и пьянствовал, и дрался, и бесился. Чтоб утолить в себе их, дрался, чтоб их усмирить, сдавить. Брат Иван не Ракитин, он таит идею. Брат Иван сфинкс и молчит, всё молчит. А меня Бог мучит. Одно только это и мучит. А что, как его нет? Что, если прав Ракитин, что это идея искусственная в человечестве? Тогда, если его нет, то человек шеф земли, мироздания. Великолепно! Только как он будет добродетелен без Бога-то? Вопрос! Я всё про это. Ибо кого же он будет тогда любить, человек-то? Кому благодарен-то будет, кому гимн-то воспоет? Ракитин смеется. Ракитин говорит, что можно любить человечество и без Бога. Ну это сморчок сопливый может только так утверждать, а я понять не могу. Легко жить Ракитину: «Ты, — говорит он мне сегодня, — о расширении гражданских прав человека хлопочи лучше али хоть о том, чтобы цена на говядину не возвысилась; этим проще и ближе человечеству любовь окажешь, чем философиями». Я ему на это и отмочил: «А ты, говорю, без Бога-то, сам еще на говядину цену набьешь, коль под руку попадет, и наколотишь рубль на копейку». Рассердился. Ибо что такое добродетель? — отвечай ты мне, Алексей. У меня одна добродетель, а у китайца другая — вещь, значит, относительная. Или нет? Или не относительная? Вопрос коварный! Ты не засмеешься, если скажу, что я две ночи не спал от этого. Я удивляюсь теперь только тому, как люди там живут и об этом ничего не думают. Суета! У Ивана Бога нет. У него идея. Не в моих размерах. Но он молчит. Я думаю, он масон. Я его спрашивал — молчит. В роднике у него хотел водицы испить — молчит. Один только раз одно словечко сказал.

— Что сказал? — поспешно поднял Алеша.

— Я ему говорю: стало быть, всё позволено, коли так? Он нахмурился: «Федор Павлович, говорит, папенька наш, был поросенок, но мыслил он правильно». Вот ведь что отмочил. Только всего и сказал. Это уже почище Ракитина.

— Да, — горько подтвердил Алеша. — Когда он у тебя был?

— Об этом после, теперь другое. Я об Иване не говорил тебе до сих пор почти ничего. Откладывал до конца. Когда эта штука моя здесь кончится и скажут приговор, тогда тебе кое-что расскажу, всё расскажу. Страшное тут дело одно... А ты будешь мне судья в этом деле. А теперь и не начинай об этом, теперь молчок. Вот ты говоришь об завтрашнем, о суде, а веришь ли, я ничего не знаю.

— Ты с этим адвокатом говорил?

— Что адвокат! Я ему про всё говорил. Мягкая шельма, столичная. Бернар! Только не верит мне ни на сломанный грош. Верит, что я убил, вообрази себе, — уж я вижу. «Зачем же, спрашиваю, в таком случае вы меня защищать приехали?» Наплевать на них. Тоже доктора выписали, сумасшедшим хотят меня показать. Не позволю! Катерина Ивановна «свой долг» до конца исполнить хочет. С натуги! — Митя горько усмехнулся. — Кошка! Жестокое сердце! А ведь она знает, что я про нее сказал тогда в Мокром, что она «великого гнева» женщина! Передали. Да, показания умножились, как песок морской! Григорий стоит на своем. Григорий честен, но дурак. Много людей честных благодаря тому, что дураки. Это — мысль Ракитина. Григорий мне враг. Иного выгоднее иметь в числе врагов, чем друзей. Говорю это про Катерину Ивановну. Боюсь, ох боюсь, что она на суде расскажет про земной поклон после четырех-то тысяч пятисот! До конца отплатит, последний кодрант. Не хочу ее жертвы! Устыдят они меня на суде! Как-то вытерплю. Сходи к ней, Алеша, попроси ее, чтобы не говорила этого на суде. Аль нельзя? Да черт, всё равно, вытерплю! А ее не жаль. Сама желает. Поделом вору мука. Я, Алексей, свою речь скажу. — Он опять горько усмехнулся. — Только... только Груша-то, Груша-то, господи! Она-то за что такую муку на себя теперь примет! — воскликнул он вдруг со слезами. — Убивает меня Груша, мысль о ней убивает меня, убивает! Она давеча была у меня...

— Она мне рассказывала. Она очень была сегодня тобою огорчена.

— Знаю. Черт меня дери за характер. Приревновал! Отпуская раскаялся, целовал ее. Прощенья не попросил.

— Почему не попросил? — воскликнул Алеша.

Митя вдруг почти весело рассмеялся.

— Боже тебя сохрани, милого мальчика, когда-нибудь у любимой женщины за вину свою прощения просить! У любимой особенно, особенно, как бы ни был ты пред ней виноват! Потому женщина — это, брат, черт знает что такое, уж в них-то я по крайней мере знаю толк! Ну попробуй пред ней сознаться в вине, «виноват, дескать, прости, извини»: тут-то и пойдет град попреков! Ни за что не простит прямо и просто, а унизит тебя до тряпки, вычитает, чего даже не было, всё возьмет, ничего не забудет, своего прибавит, и тогда уж только простит. И это еще лучшая, лучшая из них! Последние поскребки выскребет и всё тебе на голову сложит — такая, я тебе скажу, живодерность в них сидит, во всех до единой, в этих ангелах-то, без которых жить-то нам невозможно! Видишь, голубчик, я откровенно и просто скажу: всякий порядочный человек должен быть под башмаком хоть у какой-нибудь женщины. Таково мое убеждение; не убеждение, а чувство. Мужчина должен быть великодушен, и мужчину это не замарает. Героя даже не замарает, Цезаря не замарает! Ну, а прощения все-таки не проси, никогда и ни за что. Помни правило: преподал тебе его брат твой Митя, от женщин погибший. Нет, уж я лучше без прощения Груше чем-нибудь заслужу. Благоговею я пред ней, Алексей, благоговею! Не видит только она этого, нет, всё ей мало любви. И томит она меня, любовью томит. Что прежде! Прежде меня только изгибы инфернальные томили, а теперь я всю ее душу в свою душу принял и через нее сам человеком стал! Повенчают ли нас? А без того я умру от ревности. Так и снится что-нибудь каждый день... Что она тебе обо мне говорила?

Алеша повторил все давешние речи Грушеньки. Митя выслушал подробно, многое переспросил и остался доволен.

— Так не сердится, что ревную, — воскликнул он. — Прямо женщина! «У меня у самой жестокое сердце». Ух, люблю таких, жестоких-то, хотя и не терплю, когда меня ревнуют, не терплю! Драться будем. Но любить, — любить ее буду бесконечно. Повенчают ли нас? Каторжных разве венчают? Вопрос. А без нее я жить не могу...

Митя нахмуренно прошелся по комнате. В комнате становилось почти темно. Он вдруг стал страшно озабочен.

— Так секрет, говорит, секрет? У меня, дескать, втроем против нее заговор, и «Катька», дескать, замешана? Нет, брат Грушенька, это нс то. Ты тут маху дала, своего глупенького женского маху! Алеша, голубчик, эх, куда ни шло! Открою я тебе наш секрет!

Он оглянулся во все стороны, быстро вплоть подошел к стоявшему пред ним Алеше и зашептал ему с таинственным видом, хотя по-настоящему их никто не мог слышать: старик сторож дремал в углу на лавке, а до караульных солдат ни слова не долетало.

— Я тебе всю нашу тайну открою! — зашептал спеша Митя. — Хотел потом открыть, потому что без тебя разве могу на что решиться? Ты у меня всё. Я хоть и говорю, что Иван над нами высший, но ты у меня херувим. Только твое решение решит. Может, ты-то и есть высший человек, а не Иван. Видишь, тут дело совести, дело высшей совести — тайна столь важная, что я справиться сам не смогу и всё отложил до тебя. А все-таки теперь рано решать, потому надо ждать приговора: приговор выйдет, тогда ты и решишь судьбу. Теперь не решай; я тебе сейчас скажу, ты услышишь, но не решай. Стой и молчи. Я тебе не всё открою. Я тебе только идею скажу, без подробностей, а ты молчи. Ни вопроса, ни движения, согласен? А впрочем, господи, куда я дену глаза твои? Боюсь, глаза твои скажут решение, хотя бы ты и молчал. Ух, боюсь! Алеша, слушай: брат Иван мне предлагает *бежать*. Подробностей не говорю: всё предупреждено, всё может устроиться. Молчи, не решай. В Америку с Грушей. Ведь я без Груши жить не могу! Ну как ее ко мне там не пустят? Каторжных разве венчают? Брат Иван говорит, что нет. А без Груши что я там под землей с молотком-то? Я себе только голову раздроблю этим молотком! А с другой стороны, совесть-то? От страдания ведь убежал! Было указание — отверг указание, был путь очищения — поворотил налево кругом. Иван говорит, что в Америке «при добрых наклонностях» можно больше пользы принести, чем под землей. Ну, а гимн-то наш подземный где состоится? Америка что, Америка опять суета! Да и мошенничества тоже, я думаю, много в Америке-то. От распятья убежал! Потому ведь говорю тебе, Алексей, что ты один понять это можешь, а больше никто, для других это глупости, бред, вот всё то, что я тебе про гимн говорил. Скажут, с ума сошел аль дурак. А я не сошел с ума, да и не дурак. Понимает про гимн и Иван, ух понимает, только на это не отвечает, молчит. Гимну не верит. Не говори, не говори: я ведь вижу, как ты смотришь: ты уж решил! Не решай, пощади меня, я без Груши жить не могу, подожди суда!

Митя кончил как исступленный. Он держал Алешу обеими руками за плечи и так и впился в его глаза своим жаждущим, воспаленным взглядом.

— Каторжных разве венчают? — повторил он в третий раз, молящим голосом.

Алеша слушал с чрезвычайным удивлением и глубоко был потрясен.

— Скажи мне одно, — проговорил он, — Иван очень настаивает, и кто это выдумал первый?

— Он, он выдумал, он настаивает! Он ко мне всё не ходил и вдруг пришел неделю назад и прямо с этого начал. Страшно настаивает. Не просит, а велит. В послушании не сомневается, хотя я ему всё мое сердце, как тебе, вывернул и про гимн говорил. Он мне рассказал, как и устроит, все сведения собрал, но это потом. До истерики хочет. Главное деньги: десять тысяч, говорит, тебе на побег, а двадцать тысяч на Америку, а на десять тысяч, говорит, мы великолепный побег устроим.

— И мне отнюдь не велел передавать? — переспросил снова Алеша.

— Отнюдь, никому, а главное, тебе: тебе ни за что! Боится, верно, что ты как совесть предо мной станешь. Не говори ему, что я тебе передал. Ух, не говори!

— Ты прав, — решил Алеша, — решить невозможно раньше приговора суда. После суда сам и решишь; тогда сам в себе нового человека найдешь, он и решит.

— Нового человека аль Бернара, тот и решит по-бернаровски! Потому, кажется, я и сам Бернар презренный! — горько осклабился Митя.

— Но неужели, неужели, брат, ты так уж совсем не надеешься оправдаться?

Митя судорожно вскинул вверх плечами и отрицательно покачал головой.

— Алеша, голубчик, тебе пора! — вдруг заспешил он. — Смотритель закричал на дворе, сейчас сюда будет. Нам поздно, беспорядок. Обними меня поскорей, поцелуй, перекрести меня, голубчик, перекрести на завтрашний крест...

Они обнялись и поцеловались.

— А Иван-то, — проговорил вдруг Митя, — бежать-то предложил, а сам ведь верит, что я убил!

Грустная усмешка выдавилась на его губах.

— Ты спрашивал его: верит он или нет? — спросил Алеша.

— Нет, не спрашивал. Хотел спросить, да не смог, силы не хватило. Да всё равно, я ведь по глазам вижу. Ну, прощай!

Еще раз поцеловались наскоро, и Алеша уже было вышел, как вдруг Митя кликнул его опять:

— Становись предо мной, вот так.

И он опять крепко схватил Алешу обеими руками за плечи. Лицо его стало вдруг совсем бледно, так что почти в темноте это было страшно заметно. Губы перекосились, взгляд впился в Алешу.

— Алеша, говори мне полную правду, как пред Господом Богом: веришь ты, что я убил, или не веришь?

Ты-то, сам-то ты, веришь или нет? Полную правду, не лги! — крикнул он ему исступленно.

Алешу как бы всего покачнуло, а в сердце его, он слышал это, как бы прошло что-то острое.

— Полно, что ты... — пролепетал было он как потерянный.

— Всю правду, всю, не лги! — повторил Митя.

— Ни единой минуты не верил, что ты убийца, — вдруг вырвалось дрожащим голосом из груди Алеши, и он поднял правую руку вверх, как бы призывая Бога в свидетели своих слов. Блаженство озарило мгновенно всё лицо Мити.

— Спасибо тебе! — выговорил он протяжно, точно испуская вздох после обморока. — Теперь ты меня возродил... Веришь ли: до сих пор боялся спросить тебя, это тебя-то, тебя! Ну иди, иди! Укрепил ты меня назавтра, благослови тебя Бог! Ну, ступай, люби Ивана! — вырвалось последним словом у Мити.

Алеша вышел весь в слезах. Такая степень мнительности Мити, такая степень недоверия его даже к нему, к Алеше, — всё это вдруг раскрыло пред Алешей такую бездну безвыходного горя и отчаяния в душе его несчастного брата, какой он и не подозревал прежде. Глубокое, бесконечное сострадание вдруг охватило и измучило его мгновенно. Пронзенное сердце его страшно болело. «Люби Ивана!» — вспомнились ему вдруг сейчашние слова Мити. Да он и шел к Ивану. Ему еще утром страшно надо было видеть Ивана. Не менее, как Митя, его мучил Иван, а теперь, после свидания с братом, более чем когда-нибудь.

V

НЕ ТЫ, НЕ ТЫ!

По дороге к Ивану пришлось ему проходить мимо дома, в котором квартировала Катерина Ивановна. В окнах был свет. Он вдруг остановился и решил войти. Катерину Ивановну он не видал уже более недели. Но ему теперь пришло на ум, что Иван может быть сейчас у ней, особенно накануне такого дня. Позвонив и войдя на лестницу, тускло освещенную китайским фонарем, он увидел спускавшегося сверху человека, в котором, поравнявшись, узнал брата. Тот, стало быть, выходил уже от Катерины Ивановны.

— Ах, это только ты, — сказал сухо Иван Федорович. — Ну, прощай. Ты к ней?

— Да.

— Не советую, она «в волнении», и ты еще пуще ее расстроишь.

— Нет, нет! — прокричал вдруг голос сверху из отворившейся мигом двери. — Алексей Федорович, вы от него?

— Да, я был у него.

— Мне что-нибудь прислал сказать? Войдите, Алеша, и вы, Иван Федорович, непременно, непременно воротитесь. Слы-ши-те!

В голосе Кати зазвучала такая повелительная нотка, что Иван Федорович, помедлив одно мгновение, решился, однако же, подняться опять вместе с Алешей.

— Подслушивала! — раздражительно прошептал он про себя, но Алеша расслышал.

— Позвольте мне остаться в пальто, — проговорил Иван Федорович, вступая в залу. — Я и не сяду. Я более одной минуты не останусь.

— Садитесь, Алексей Федорович, — проговорила Катерина Ивановна, сама оставаясь стоя. Она изменилась мало за это время, но темные глаза ее сверкали зловещим огнем. Алеша помнил потом, что она показалась ему чрезвычайно хороша собой в ту минуту.

— Что ж он велел передать?

— Только одно, — сказал Алеша, прямо смотря ей в лицо, — чтобы вы щадили себя и не показывали ничего на суде о том... — он несколько замялся, — что было между вами... во время самого первого вашего знакомства... в том городе...

— А, это про земной поклон за те деньги! — подхватила она, горько рассмеявшись. — Что ж, он за себя или за меня боится — а? Он сказал, чтоб я щадила — кого ж? Его иль себя? Говорите, Алексей Федорович.

Алеша всматривался пристально, стараясь понять ее.

— И себя, и его, — проговорил он тихо.

— То-то, — как-то злобно отчеканила она и вдруг покраснела. — Вы не знаете еще меня, Алексей Федорович, — грозно сказала она, — да и я еще не знаю себя. Может быть, вы захотите меня растоптать ногами после завтрашнего допроса.

— Вы покажете честно, — сказал Алеша, — только этого и надо.

— Женщина часто бесчестна, — проскрежетала она. — Я еще час тому думала, что мне страшно дотронуться до этого изверга... как до гада... и вот нет, он всё еще для меня человек! Да убил ли он? Он ли убил? — воскликнула она вдруг истерически, быстро обращаясь к Ивану Федоровичу. Алеша мигом понял, что этот самый вопрос она уж задавала Ивану Федоровичу, может, всего за минуту пред его приходом, и не в первый раз, а в сотый, и что кончили они ссорой.

— Я была у Смердякова... Это ты, ты убедил меня, что он отцеубийца. Я только тебе и поверила! — продолжала она, всё обращаясь к Ивану Федоровичу. Тот как бы с натуги усмехнулся. Алеша вздрогнул, услышав это *ты*. Он и подозревать не мог таких отношений.

— Ну, однако, довольно, — отрезал Иван. — Я пойду. Приду завтра. — И тотчас же повернувшись, вышел из комнаты и прошел прямо на лестницу. Катерина Ивановна вдруг с каким-то повелительным жестом схватила Алешу за обе руки.

— Ступайте за ним! Догоните его! Не оставляйте его одного ни минуты, — быстро зашептала она. — Он помешанный. Вы не знаете, что он помешался? У него горячка, нервная горячка! Мне доктор говорил, идите, бегите за ним...

Алеша вскочил и бросился за Иваном Федоровичем. Тот не успел отойти и пятидесяти шагов.

— Чего тебе? — вдруг обернулся он к Алеше, видя, что тот его догоняет, — велела тебе бежать за мной, потому что я сумасшедший. Знаю наизусть, — раздражительно прибавил он.

— Она, разумеется, ошибается, но она права, что ты болен, — сказал Алеша. — Я сейчас смотрел у ней на твое лицо; у тебя очень больное лицо, очень, Иван!

Иван шел не останавливаясь. Алеша за ним.

— А ты знаешь, Алексей Федорович, как сходят с ума? — спросил Иван совсем вдруг тихим, совсем уже не раздражительным голосом, в котором внезапно послышалось самое простодушное любопытство.

— Нет, не знаю; полагаю, что много разных видов сумасшествия.

— А над самим собой можно наблюдать, что сходишь с ума?

— Я думаю, нельзя ясно следить за собой в таком случае, — с удивлением отвечал Алеша. Иван на полминутки примолк.

— Если ты хочешь со мной о чем говорить, то перемени, пожалуйста, тему, — сказал он вдруг.

— А вот, чтобы не забыть, к тебе письмо, — робко проговорил Алеша и, вынув из кармана, протянул к нему письмо Лизы. Они как раз подошли к фонарю. Иван тотчас же узнал руку.

— А, это от того бесенка! — рассмеялся он злобно и, не распечатав конверта, вдруг разорвал его на несколько кусков и бросил на ветер. Клочья разлетелись.

— Шестнадцати лет еще нет, кажется, и уж предлагается! — презрительно проговорил он, опять зашагав по улице.

— Как предлагается? — воскликнул Алеша.

— Известно, как развратные женщины предлагаются.

— Что ты, Иван, что ты? — горестно и горячо заступился Алеша. — Это ребенок, ты обижаешь ребенка! Она больна, она сама очень больна, она тоже, может быть, с ума сходит... Я не мог тебе не передать ее письма... Я, напротив, от тебя хотел что услышать... чтобы спасти ее.

— Нечего тебе от меня слышать. Коль она ребенок, то я ей не нянька. Молчи, Алексей. Не продолжай. Я об этом даже не думаю.

Помолчали опять с минуту.

— Она теперь всю ночь молить Божию Матерь будет, чтоб указала ей, как завтра на суде поступить, — резко и злобно заговорил он вдруг опять.

— Ты... ты об Катерине Ивановне?

— Да. Спасительницей или губительницей Митеньки ей явиться? О том молить будет, чтоб озарило ее душу. Сама еще, видите ли, не знает, приготовиться не успела. Тоже меня за няньку принимает, хочет, чтоб я ее убаюкал!

— Катерина Ивановна любит тебя, брат, — с грустным чувством проговорил Алеша.

— Может быть. Только я до нее не охотник.

— Она страдает. Зачем же ты ей говоришь... иногда... такие слова, что она надеется? — с робким упреком продолжал Алеша, — ведь я знаю, что ты ей подавал надежду, прости, что я так говорю, — прибавил он.

— Не могу я тут поступить как надо, разорвать и ей прямо сказать! — раздражительно произнес Иван. — Надо подождать, пока скажут приговор убийце. Если я разорву с ней теперь, она из мщения ко мне завтра же погубит этого негодяя на суде, потому что его ненавидит и знает, что ненавидит. Тут всё ложь, ложь на лжи! Теперь же, пока я с ней не разорвал, она всё еще надеется и не станет губить этого изверга, зная, как я хочу вытащить его из беды. И когда только придет этот проклятый приговор!

Слова «убийца» и «изверг» больно отозвались в сердце Алеши.

— Да чем таким она может погубить брата? — спросил он, вдумываясь в слова Ивана. — Что она может показать такого, что прямо могло бы сгубить Митю?

— Ты этого еще не знаешь. У нее в руках один документ есть, собственноручный, Митенькин, математически доказывающий, что он убил Федора Павловича.

— Этого быть не может! — воскликнул Алеша.

— Как не может? Я сам читал.

— Такого документа быть не может! — с жаром повторил Алеша. — Не может быть, потому что убийца не он. Не он убил отца, не он!

Иван Федорович вдруг остановился.

— Кто же убийца, по-вашему, — как-то холодно по-видимому спросил он, и какая-то даже высокомерная нотка прозвучала в тоне вопроса.

— Ты сам знаешь кто, — тихо и проникновенно проговорил Алеша.

— Кто? Эта басня-то об этом помешанном идиоте эпилептике? Об Смердякове?

Алеша вдруг почувствовал, что весь дрожит.

— Ты сам знаешь кто, — бессильно вырвалось у него. Он задыхался.

— Да кто, кто? — уже почти свирепо вскричал Иван. Вся сдержанность вдруг исчезла.

— Я одно только знаю, — всё так же почти шепотом проговорил Алеша. — Убил отца *не ты*.

— «Не ты»! Что такое не ты? — остолбенел Иван.

— Не ты убил отца, не ты! — твердо повторил Алеша. С полминуты длилось молчание.

— Да я и сам знаю, что не я, ты бредишь? — бледно и искривленно усмехнувшись, проговорил Иван. Он как бы впился глазами в Алешу. Оба опять стояли у фонаря.

— Нет, Иван, ты сам себе несколько раз говорил, что убийца ты.

— Когда я говорил?.. Я в Москве был... Когда я говорил? — совсем потерянно пролепетал Иван.

— Ты говорил это себе много раз, когда оставался один в эти страшные два месяца, — по-прежнему тихо и раздельно продолжал Алеша. Но говорил он уже как бы вне себя, как бы не своею волей, повинуясь какому-то непреодолимому велению. — Ты обвинял себя и признавался себе, что убийца никто как ты. Но убил не ты, ты ошибаешься, не ты убийца, слышишь меня, не ты! Меня Бог послал тебе это сказать.

Оба замолчали. Целую длинную минуту протянулось это молчание. Оба стояли и всё смотрели друг другу в глаза. Оба были бледны. Вдруг Иван весь затрясся и крепко схватил Алешу за плечо.

— Ты был у меня! — скрежущим шепотом проговорил он. — Ты был у меня ночью, когда он приходил... Признавайся... ты его видел, видел?

— Про кого ты говоришь... про Митю? — в недоумении спросил Алеша.

— Не про него, к черту изверга! — исступленно завопил Иван. — Разве ты знаешь, что он ко мне ходит? Как ты узнал, говори!

— Кто *он?* Я не знаю, про кого ты говоришь, — пролепетал Алеша уже в испуге.

— Нет, ты знаешь... иначе как же бы ты... не можт быть, чтобы ты не знал...

Но вдруг он как бы сдержал себя. Он стоял и как бы что-то обдумывал. Странная усмешка кривила его губы.

— Брат, — дрожащим голосом начал опять Алеша, — я сказал тебе это потому, что ты моему слову поверишь, я знаю это. Я тебе на всю жизнь это слово сказал: *не ты!* Слышишь, на всю жизнь. И это Бог положил мне на душу тебе это сказать, хотя бы ты с сего часа навсегда возненавидел меня...

Но Иван Федорович, по-видимому, совсем уже успел овладеть собой.

— Алексей Федорович, — проговорил он с холодною усмешкой, — я пророков и эпилептиков не терплю; посланников божиих особенно, вы это слишком знаете. С сей минуты я с вами разрываю и, кажется, навсегда. Прошу сей же час, на этом же перекрестке, меня оставить. Да вам и в квартиру по этому проулку дорога. Особенно поберегитесь заходить ко мне сегодня! Слышите?

Он повернулся и, твердо шагая, пошел прямо, не оборачиваясь.

— Брат, — крикнул ему вслед Алеша, — если что-нибудь сегодня с тобой случится, подумай прежде всего обо мне!..

Но Иван не ответил. Алеша стоял на перекрестке у фонаря, пока Иван не скрылся совсем во мраке. Тогда он повернул и медленно направился к себе по переулку. И он, и Иван Федорович квартировали особо, на разных квартирах: ни один из них не захотел жить в опустевшем доме Федора Павловича. Алеша нанимал меблированную комнату в семействе одних мещан; Иван же Федорович жил довольно от него далеко и занимал просторное и довольно комфортное помещение во флигеле одного хорошего дома, принадлежавшего одной небедной вдове-чиновнице. Но прислуживала ему в целом флигеле всего только одна древняя, совсем глухая старушонка, вся в ревматизмах, ложившаяся в шесть часов вечера и встававшая в шесть часов утра. Иван Федорович стал до странности в эти два месяца нетребователен и очень любил оставаться совсем один. Даже комнату, которую занимал, он сам убирал, а в остальные комнаты своего помещения даже и заходил редко. Дойдя до ворот своего дома и уже взявшись за ручку звонка, он остановился. Он почувствовал, что весь еще дрожит злобною дрожью. Вдруг он бросил звонок, плюнул, повернул назад и быстро пошел опять совсем на другой, противоположный конец города, версты за две от своей квартиры, в один крошечный, скосившийся бревенчатый домик, в котором квартировала Марья Кондратьевна, бывшая соседка Федора Павловича, приходившая к Федору Павловичу на кухню за супом и которой Смердяков пел тогда свои песни и играл на гитаре. Прежний домик свой она продала и теперь проживала с матерью почти в избе, а больной, почти умирающий Смердяков, с самой смерти Федора Павловича поселился у них. Вот к нему-то и направился теперь Иван Федорович, влекомый одним внезапным и непобедимым соображением.

VI
ПЕРВОЕ СВИДАНИЕ СО СМЕРДЯКОВЫМ

Это уже в третий раз шел Иван Федорович говорить со Смердяковым по возвращении своем из Москвы. В первый раз после катастрофы он видел его и говорил с ним сейчас же в первый день своего приезда, затем посетил его еще раз две недели спустя. Но после этого второго раза свидания свои со Смердяковым прекратил, так что теперь с лишком месяц, как он уже не видал его и почти ничего не слыхал о нем. Воротился же тогда Иван Федорович из Москвы уже на пятый только день после смерти родителя, так что не застал и гроба его: погребение совершилось как раз накануне его приезда. Причина замедления Ивана Федоровича заключалась в том, что Алеша, не зная в точности его московского адреса, прибегнул, для посылки телеграммы, к Катерине Ивановне, а та, тоже в неведении настоящего адреса, телеграфировала к своей сестре и тетке, рассчитывая, что Иван Федорович сейчас же по прибытии в Москву к ним зайдет. Но он к ним зашел лишь на четвертый день по приезде и, прочтя телеграмму, тотчас же, конечно, сломя голову полетел к нам. У нас первого встретил Алешу, но, переговорив с ним, был очень изумлен, что тот даже и подозревать не хочет Митю, а прямо указывает на Смердякова как на убийцу, что было вразрез всем другим мнениям в нашем городе. Повидав затем исправника, прокурора, узнав подробности обвинения и ареста, он еще более удивился на Алешу и приписал его мнение лишь возбужденному до последней степени братскому чувству и состраданию его к Мите, которого Алеша, как и знал это Иван, очень любил. Кстати, промолвим лишь два слова раз навсегда о чувствах Ивана к брату Дмитрию Федоровичу: он его решительно не любил и много-много что чувствовал к нему иногда сострадание, но и то смешанное с большим презрением, доходившим до гадливости. Митя весь, даже всею своею фигурой, был ему крайне несимпатичен. На любовь к нему Катерины Ивановны Иван смотрел с негодованием. С подсудимым Митей он, однако же, увиделся тоже в первый день своего прибытия, и это свидание не только не ослабило в нем убеждения в его виновности, а даже усилило его. Брата он нашел тогда в беспокойстве, в болезненном волнении. Митя был многоречив, но рассеян и раскидчив, говорил очень резко, обвинял Смердякова и страшно путался. Более всего говорил всё про те же три тысячи, которые «украл» у него покойник. «Деньги мои, они были мои, — твердил Митя, — если б я даже украл их, то был бы прав». Все улики, стоявшие против него, почти не оспаривал и если толковал факты в свою пользу, то опять-таки очень сбивчиво и нелепо — вообще как будто дажс и не желая оправдываться вовсе пред Иваном или кем-нибудь, напротив, сердился, гордо пренебрегал обвинениями, бранился и кипятился. Над свидетельством Григория об отворенной двери лишь презрительно смеялся и уверял, что это «черт отворил». Но никаких связных объяснений этому факту не мог представить. Он даже успел оскорбить в это первое свидание Ивана Федоровича, резко сказав ему, что не тем его подозревать и допрашивать, которые сами утверждают, что «всё позволено». Вообще на этот раз с Иваном Федоровичем был очень недружелюбен. Сейчас после этого свидания с Митей Иван Федорович и направился тогда к Смердякову.

Еще в вагоне, летя из Москвы, он всё думал про Смердякова и про последний свой разговор с ним вечером накануне отъезда. Многое смущало его, многое казалось подозрительным. Но, давая свои показания судебному следователю, Иван Федорович до времени умолчал о том разговоре. Всё отложил до свидания со Смердяковым. Тот находился тогда в городской больнице. Доктор Герценштубе и встретившийся Ивану Федоровичу в больнице врач Варвинский на настойчивые вопросы Ивана Федоровича твердо отвечали, что падучая болезнь Смердякова несомненна, и даже удивились вопросу: «Не притворялся ли он в день катастрофы?» Они дали ему понять, что припадок этот был даже необыкновенный, продолжался и повторялся несколько дней, так что жизнь пациента была в решительной опасности, и что только теперь, после принятых мер, можно уже сказать утвердительно, что больной останется в живых, хотя очень возможно (прибавил доктор Герценштубе), что рассудок его останется отчасти расстроен «если не на всю жизнь, то на довольно продолжительное время». На нетерпеливый спрос Ивана Федоровича, что, «стало быть, он теперь сумасшедший?», ему ответили, что «этого в полном смысле еще нет, но что замечаются некоторые ненормальности». Иван Федорович положил сам узнать, какие это ненормальности. В больнице его тотчас же допустили к свиданию. Смердяков находился в отдельном помещении и лежал на койке. Тут же подле него была еще койка, которую занимал один расслабленный городской мещанин, весь распухший от водяной, видимо готовый завтра или послезавтра умереть; разговору он помешать не мог. Смердяков осклабился недоверчиво, завидев Ивана Федоровича, и в первое мгновение как будто даже сробел. Так по крайней мере мелькнуло у Ивана Федоровича. Но это было лишь мгновение, напротив, во всё остальное время Смердяков почти поразил его своим спокойствием. С самого первого взгляда на него Иван Федорович несомненно убедился в полном и чрезвычайном болезненном его состоянии: он был очень слаб, говорил медленно и как бы с трудом ворочая языком; очень похудел и пожелтел. Во все минут двадцать свидания жаловался на головную боль и на лом во всех членах. Скопческое, сухое лицо его стало как будто таким маленьким, височки были всклочены, вместо хохолка торчала вверх одна только тоненькая прядка волосиков. Но прищуренный и как бы на что-то намекающий левый глазок выдавал прежнего Смердякова. «С умным человеком и поговорить любопытно», — тотчас же вспомнилось Ивану Федоровичу. Он уселся у него в ногах на табурете. Смердяков со страданием пошевельнулся всем телом на постели, но не заговорил первый, молчал, да и глядел уже как бы не очень любопытно.

— Можешь со мной говорить? — спросил Иван Федорович. — очень не утомлю.

— Очень могу-с, — промямлил Смердяков слабым голосом. — Давно приехать изволили? — прибавил он снисходительно, как бы поощряя сконфузившегося посетителя.

— Да вот только сегодня... Кашу вашу здешнюю расхлебывать.

Смердяков вздохнул.

— Чего вздыхаешь, ведь ты знал? — прямо брякнул Иван Федорович.

Смердяков солидно помолчал.

— Как же это было не знать-с? Наперед ясно было. Только как же было и знать-с, что так поведут?

685

— Что поведут? Ты не виляй! Ведь вот ты же предсказал, что с тобой падучая будет тотчас, как в погреб полезешь? Прямо так на погреб и указал.

— Вы это уже в допросе показали? — спокойно полюбопытствовал Смердяков.

Иван Федорович вдруг рассердился.

— Нет, еще не показал, но покажу непременно. Ты мне, брат, многое разъяснить сейчас должен, и знай, голубчик, что я с собою играть не позволю!

— А зачем бы мне такая игра-с, когда на вас всё мое упование, единственно как на Господа Бога-с! — проговорил Смердяков, всё так же совсем спокойно и только на минутку закрыв глазки.

— Во-первых, — приступил Иван Федорович, — я знаю, что падучую нельзя наперед предсказать. Я справлялся, ты не виляй. День и час нельзя предсказать. Как же ты мне тогда предсказал и день и час, да еще с погребом? Как ты мог наперед узнать, что провалишься именно в этот погреб в припадке, если не притворился в падучей нарочно?

— В погреб надлежало и без того идти-с, в день по нескольку даже раз-с, — не спеша протянул Смердяков. — Так точно год тому назад я с чердака полетел-с. Беспременно так, что падучую нельзя предсказать вперед днем и часом, но предчувствие всегда можно иметь.

— А ты предсказал день и час!

— Насчет моей болезни падучей-с осведомьтесь всего лучше, сударь, у докторов здешних: истинная ли была со мной али не истинная, а мне и говорить вам больше на сей предмет нечего.

— А погреб? Погреб-то как ты предузнал?

— Дался вам этот самый погреб! Я тогда, как в этот погреб полез, то в страхе был и в сумлении; потому больше в страхе, что был вас лишимшись и ни от кого уже защиты не ждал в целом мире. Лезу я тогда в этот самый погреб и думаю: «Вот сейчас придет, вот она ударит, провалюсь али нет?», и от самого этого сумления вдруг схватила меня в горле эта самая неминучая спазма-с... ну и полетел. Всё это самое и весь разговор наш предыдущий с вами-с накануне того дня вечером у ворот-с, как я вам тогда мой страх сообщил и про погреб-с, — всё это я в подробности открыл господину доктору Герценштубе и следователю Николаю Парфеновичу, и всё они в протокол записали-с. А здешний доктор господин Варвинский так пред всеми ими особо настаивали, что так именно от думы оно и произошло, от самой то есть той мнительности, «что вот, дескать, упаду аль не упаду?» А она тут и подхватила. Так и записали-с, что беспременно этому так и надо было произойти, от единого то есть моего страху-с.

Проговорив это, Смердяков, как бы измученный утомлением, глубоко перевел дыхание.

— Так ты уж это объявлял в показании? — спросил несколько опешенный Иван Федорович. Он именно хотел было пугнуть его тем, что объявит про их тогдашний разговор, а оказалось, что тот уж и сам всё объявил.

— Чего мне бояться? Пускай всю правду истинную запишут, — твердо произнес Смердяков.

— И про наш разговор с тобой у ворот всё до слова рассказал?

— Нет, не то чтобы всё до слова-с.

— А что представляться в падучей умеешь, как хвастался мне тогда, тоже сказал?

— Нет, этого тоже не сказал-с.

— Скажи ты мне теперь, для чего ты меня тогда в Чермашню посылал?

— Боялся, что в Москву уедете, в Чермашню всё же ближе-с.

— Врешь, ты сам приглашал меня уехать: уезжайте, говорил, от греха долой!

— Это я тогда по единому к вам дружеству и по сердечной моей преданности, предчувствуя в доме беду-с, вас жалеючи. Только себя больше вашего сожалел-с. Потому и говорил: уезжайте от греха, чтобы вы поняли, что дома худо будет, и остались бы родителя защитить.

— Так ты бы прямее сказал, дурак! — вспыхнул вдруг Иван Федорович.

— Как же бы я мог тогда прямее сказать-с? Один лишь страх во мне говорил-с, да и вы могли осердиться. Я, конечно, опасаться мог, чтобы Дмитрий Федорович не сделали какого скандалу и самые эти деньги не унесли, так как их всё равно что за свои почитали, а вот кто же знал, что таким убивством кончится? Думал, они просто только похитят эти три тысячи рублей, что у барина под тюфяком лежали-с, в пакете-с, а они вот убили-с. Где же и вам угадать было, сударь?

— Так если сам говоришь, что нельзя было угадать, как же я мог догадаться и остаться? Что ты путаешь? — вдумываясь, проговорил Иван Федорович.

— А потому и могли догадаться, что я вас в Чермашню направляю вместо этой Москвы-с.

— Да как тут догадаться!

Смердяков казался очень утомленным и опять помолчал с минуту.

— Тем самым-с догадаться могли-с, что коли я вас от Москвы в Чермашню отклоняю, то, значит, присутствия вашего здесь желаю ближайшего, потому что Москва далеко, а Дмитрий Федорович, знамши, что вы недалеко, не столь ободрены будут. Да и меня могли в большей скорости, в случае чего, приехать и защитить, ибо сам я вам на болезнь Григория Васильича к тому же указывал, да и то, что падучей боюсь. А объяснив вам про эти стуки, по которым к покойному можно было войти, и что они Дмитрию Федоровичу через меня все известны, думал, что вы уже сами тогда догадаетесь, что они что-нибудь непременно совершат, и не то что в Чермашню, а и вовсе останетесь.

«Он очень связно говорит, — подумал Иван Федорович, — хоть и мямлит; про какое же Герценштубе говорил расстройство способностей?»

— Хитришь ты со мной, черт тебя дери! — воскликнул он, осердившись.

— А я, признаться, тогда подумал, что вы уж совсем догадались, — с самым простодушным видом отпарировал Смердяков.

— Кабы догадался, так остался бы! — вскричал Иван Федорович, опять вспыхнув.

— Ну-с, а я-то думал, что вы, обо всем догадамшись, скорее как можно уезжаете лишь от греха одного, чтобы только убежать куда-нибудь, себя спасая от страху-с.

— Ты думал, что все такие же трусы, как ты?

— Простите-с, подумал, что и вы, как и я.

— Конечно, надо было догадаться, — волновался Иван, — да я и догадывался об чем-нибудь мерзком с твоей стороны... Только ты врешь, опять врешь, — вскричал он, вдруг припомнив. — Помнишь, как ты к тарантасу тогда подошел и мне сказал: «С умным человеком и поговорить любопытно». Значит, рад был, что я уезжаю, коль похвалил?

Смердяков еще и еще раз вздохнул. В лице его как бы показалась краска.

— Если был рад, — произнес он, несколько задыхаясь, — то тому единственно, что не в Москву, а в Чермашню согласились. Потому всё же ближе; а только я вам те самые слова не в похвалу тогда произнес, а в попрек-с. Не разобрали вы этого-с.

— В какой попрек?

— А то, что, предчувствуя такую беду, собственного родителя оставляете-с и нас защитить не хотите, потому что меня за эти три тысячи всегда могли притянуть, что я их украл-с.

— Черт тебя дери! — опять обругался Иван. — Стой: ты про знаки, про стуки эти, следователю и прокурору объявил?

— Всё как есть объявил-с.

Иван Федорович опять про себя удивился.

— Если я подумал тогда об чем, — начал он опять, — то это про мерзость какую-нибудь единственно с твоей стороны. Дмитрий мог убить, но что он украдет — я тогда не верил... А с твоей стороны всякой мерзости ждал. Сам же ты мне сказал, что притворяться в падучей умеешь, для чего ты это сказал?

— По единому моему простодушию. Да и никогда я в жизни не представлялся в падучей нарочно, а так только, чтоб похвалиться пред вами, сказал. Одна глупость-с. Полюбил я вас тогда очень и был с вами по всей простоте.

— Брат прямо тебя обвиняет, что ты убил и что ты украл.

— Да им что же больше остается? — горько осклабился Смердяков, — и кто же им поверит после всех тех улик? Дверь-то Григорий Васильевич отпертую видели-с, после этого как же-с. Да что уж, бог с ними! Себя спасая, дрожат...

Он тихо помолчал и вдруг, как бы сообразив, прибавил:

— Ведь вот-с, опять это самое: они на меня свалить желают, что это моих рук дело-с, — это я уже слышал-с, — а вот хоть бы это самое, что я в падучей представляться мастер: ну сказал ли бы я вам наперед, что представляться умею, если б у меня в самом деле какой замысел тогда был на родителя вашего? Коль такое убивство уж я замыслил, то можно ли быть столь дураком, чтобы вперед на себя такую улику сказать, да еще сыну родному, помилуйте-с?! Похоже это на вероятие? Это, чтоб это могло быть-с, так, напротив, совсем никогда-с. Вот теперь этого нашего с вами разговору никто не слышит, кроме самого этого провидения-с, а если бы вы сообщили прокурору и Николаю Парфеновичу, так тем самым могли бы меня вконец защитить-с: ибо что за злодей за такой, коли заранее столь простодушен? Все это рассудить очень могут.

— Слушай, — встал с места Иван Федорович, пораженный последним доводом Смердякова и прерывая разговор, — я тебя вовсе не подозреваю и даже считаю смешным обвинять... напротив, благодарен тебе, что ты меня успокоил. Теперь иду, но опять зайду. Пока прощай, выздоравливай. Не нуждаешься ли в чем?

— Во всем благодарен-с. Марфа Игнатьевна не забывает меня-с и во всем способствует, коли что мне надо, по прежней своей доброте. Ежедневно навещают добрые люди.

— До свидания. Я, впрочем, про то, что ты притвориться умеешь, не скажу... да и тебе советую не показывать, — проговорил вдруг почему-то Иван.

— Оченно понимаю-с. А коли вы этого не покажете, то и я-с всего нашего с вами разговору тогда у ворот не объявлю...

Тут случилось так, что Иван Федорович вдруг вышел и, только пройдя уже шагов десять по коридору, вдруг почувствовал, что в последней фразе Смердякова заключался какой-то обидный смысл. Он хотел было уже вернуться, но это только мелькнуло, и, проговорив: «Глупости!» — он поскорее пошел из больницы. Главное, он чувствовал, что действительно был успокоен, и именно тем обстоятельством, что виновен не Смердяков, а брат его Митя, хотя, казалось бы, должно было выйти напротив. Почему так было — он не хотел тогда разбирать, даже чувствовал отвращение копаться в своих ощущениях. Ему поскорее хотелось как бы что-то забыть. Затем в следующие несколько дней он уже совсем убедился в виновности Мити, когда ближе и основательнее ознакомился со всеми удручавшими того уликами. Были показания самых ничтожных людей, но почти потрясающие, например Фени и ее матери. Про Перхотина, про трактир, про лавку Плотниковых, про свидетелей в Мокром и говорить было нечего. Главное, удручали подробности. Известие о тайных «стуках» поразило следователя и прокурора почти в той же степени, как и показание Григория об отворенной двери. Жена Григория, Марфа Игнатьевна, на спрос Ивана Федоровича, прямо заявила ему, что Смердяков всю ночь лежал у них за перегородкой, «трех шагов от нашей постели не было», и что хоть и спала она сама крепко, но много раз пробуждалась, слыша, как он тут стонет: «Всё время стонал, беспрерывно стонал». Поговорив с Герценштубе и сообщив ему свое сомнение о том, что Смердяков вовсе не кажется ему помешанным, а только слабым, он только вызвал у старика тоненькую улыбочку. «А вы знаете, чем он теперь особенно занимается? — спросил он Ивана Федоровича, — французские вокабулы наизусть учит; у него под подушкой тетрадка лежит и французские слова русскими буквами кем-то записаны, хе-хе-хе!» Иван Федорович оставил наконец все сомнения. О брате Дмитрии он уже и подумать не мог без омерзения. Одно было все-таки странно: что Алеша упорно продолжал стоять на том, что убил не Дмитрий, а «по всей вероятности» Смердяков. Иван всегда чувствовал, что мнение Алеши для него высоко, а потому теперь очень недоумевал на него. Странно было и то, что Алеша не искал с ним разговоров о Мите и сам не начинал никогда, а лишь отвечал на вопросы Ивана. Это тоже сильно заметил Иван Федорович. Впрочем, в то время он очень был развлечен одним совсем посторонним обстоятельством: приехав из Москвы, он в первые же дни весь и бесповоротно отдался пламенной и безумной страсти своей к Катерине Ивановне. Здесь не место начинать об этой новой страсти Ивана Федоровича, отразившейся потом на всей его жизни: это всё могло бы послужить канвой уже иного рассказа, другого романа, который и не знаю, предприму ли еще когда-нибудь. Но всё же не могу умолчать и теперь о том, что когда Иван Федорович, идя, как уже описал я, ночью с Алешей от Катерины Ивановны, сказал ему: «Я-то до нее не охотник», — то страшно лгал в ту минуту: он безумно любил ее, хотя правда и то, что временами ненавидел ее до того, что мог даже убить. Тут сходилось много причин: вся потрясенная событием с Митей, она бросилась к возвратившемуся к ней опять Ивану Федоровичу как бы к какому своему спасителю. Она была обижена, оскорблена, унижена в своих чувствах. И вот явился опять человек, который ее и прежде так любил, — о, она слишком это знала, — и которого ум и сердце она всегда ставила столь высоко над собой. Но строгая девушка не отдала себя в жертву всю, несмотря на весь карамазовский безудерж желаний своего влюбленного и на всё обаяние его на нее. В то же время мучилась беспрерывно раскаянием, что изменила Мите, и в грозные, ссорные минуты с Иваном (а их было много) прямо высказывала это ему. Это-то и назвал он, говоря с Алешей, «ложью на лжи». Тут, конечно, было и в самом деле много лжи, и это всего более раздражало Ивана Федоровича... но всё это потом. Словом, он на время почти забыл о Смердякове. И, однако, две недели спустя после первого к нему посещения начали его опять мучить всё те же странные мысли, как и прежде. Довольно сказать, что он беспрерывно стал себя спрашивать: для чего он тогда, в последнюю свою ночь, в доме Федора Павловича, пред отъездом своим, сходил тихонько, как вор, на лестницу и прислушивался, что делает внизу отец? Почему с отвращением вспоминал это потом, почему на другой день утром в дороге так вдруг затосковал, а въезжая в Москву, сказал себе: «Я подлец!» И вот теперь ему однажды подумалось, что из-за всех этих мучительных мыслей он, пожалуй, готов забыть даже и Катерину Ивановну, до того они сильно им вдруг опять овладели! Как раз, подумав это, он встретил Алешу на улице. Он тотчас остановил его и вдруг задал ему вопрос:

— Помнишь ты, когда после обеда Дмитрий ворвался в дом и избил отца, и я потом сказал тебе на дворе, что «право желаний» оставляю за собой, — скажи, подумал ты тогда, что я желаю смерти отца, или нет?

— Подумал, — тихо ответил Алеша,

— Оно, впрочем, так и было, тут и угадывать было нечего. Но не подумалось ли тебе тогда и то, что я именно желаю, чтоб «один гад съел другую гадину», то есть чтоб именно Дмитрий отца убил, да еще поскорее... и что и сам я поспособствовать даже не прочь?

Алеша слегка побледнел и молча смотрел в глаза брату.

— Говори же! — воскликнул Иван. — Я изо всей силы хочу знать, что ты тогда подумал. Мне надо; правду, правду! — Он тяжело перевел дух, уже заранее с какою-то злобой смотря на Алешу.

— Прости меня, я и это тогда подумал, — прошептал Алеша и замолчал, не прибавив ни одного «облегчающего обстоятельства».

— Спасибо! — отрезал Иван и, бросив Алешу, быстро пошел своею дорогой. С тех пор Алеша заметил, что брат Иван как-то резко начал от него отдаляться и даже как бы невзлюбил его, так что потом и сам он уже перестал ходить к нему. Но в ту минуту, сейчас после той с ним встречи, Иван Федорович, не заходя домой, вдруг направился опять к Смердякову.

VII
ВТОРОЙ ВИЗИТ К СМЕРДЯКОВУ

Смердяков к тому времени уже выписался из больницы. Иван Федорович знал его новую квартиру: именно в этом перекосившемся бревенчатом маленьком домишке в две избы, разделенные сенями. В одной избе поместилась Марья Кондратьевна с матерью, а в другой Смердяков, особливо. Бог знает на каких основаниях он у них поселился: даром ли проживал или за деньги? Впоследствии полагали, что поселился он у них в качестве жениха Марьи Кондратьевны и проживал пока даром. И мать и дочь его очень уважали и смотрели на него как на высшего пред ними человека. Достучавшись, Иван Федорович вступил в сени и, по указанию Марьи Кондратьевны, прошел прямо налево в «белую избу», занимаемую Смердяковым. В этой избе печь стояла изразцовая и была сильно натоплена. По стенам красовались голубые обои, правда все изодранные, а под ними в трещинах копошились тараканы-прусаки в страшном количестве, так что стоял неумолкаемый шорох. Мебель была ничтожная: две скамьи по обеим стенам и два стула подле стола. Стол же, хоть и просто деревянный, был накрыт, однако, скатертью с розовыми разводами. На двух маленьких окошках помещалось на каждом по горшку с геранями. В углу киот с образами. На столе стоял небольшой, сильно помятый медный самоварчик и поднос с двумя чашками. Но чай Смердяков уже отпил, и самовар погас... Сам он сидел за столом на лавке и, смотря в тетрадь, что-то чертил пером. Пузырек с чернилами находился подле, равно как и чугунный низенький подсвечник со стеариновою, впрочем, свечкой. Иван Федорович тотчас заключил по лицу Смердякова, что оправился он от болезни вполне. Лицо его было свежее, полнее, хохолок взбит, височки примазаны. Сидел он в пестром ватном халате, очень, однако, затасканном и порядочно истрепанном. На носу его были очки, которых Иван Федорович не видывал у него прежде. Это пустейшее обстоятельство вдруг как бы вдвое даже озлило Ивана Федоровича: «Этакая тварь, да еще в очках!» Смердяков медленно поднял голову и пристально посмотрел в очки на вошедшего; затем тихо их снял и сам приподнялся на лавке, но как-то совсем не столь почтительно, как-то даже лениво, единственно чтобы соблюсти только лишь самую необходимейшую учтивость, без которой уже нельзя почти обойтись. Всё это мигом мелькнуло Ивану, и всё это он сразу обхватил и заметил, а главное — взгляд Смердякова, решительно злобный, неприветливый и даже надменный: «чего, дескать, шляешься, обо всем ведь тогда сговорились, зачем же опять пришел?» Иван Федорович едва сдержал себя:

— Жарко у тебя, — сказал он, еще стоя, и расстегнул пальто.

— Снимите-с, — позволил Смердяков.

Иван Федорович снял пальто и бросил его на лавку, дрожащими руками взял стул, быстро придвинул его к столу и сел. Смердяков успел опуститься на свою лавку раньше его.

— Во-первых, одни ли мы? — строго и стремительно спросил Иван Федорович. — Не услышат нас оттуда?

— Никто ничего не услышит-с. Сами видели: сени.

— Слушай, голубчик: что ты такое тогда сморозил, когда я уходил от тебя из больницы, что если я промолчу о том, что ты мастер представляться в падучей, то и ты-де не объявишь всего следователю о нашем разговоре с тобой у ворот? Что это такое *всего?* Что ты мог тогда разуметь? Угрожал ты мне, что ли? Что я в союз, что ли, в какой с тобою вступал, боюсь тебя, что ли?

Иван Федорович проговорил это совсем в ярости, видимо и нарочно давая знать, что презирает всякий обиняк и всякий подход и играет в открытую. Глаза Смердякова злобно сверкнули, левый глазок замигал, и он тотчас же, хотя по обычаю своему сдержанно и мерно, дал и свой ответ: «Хочешь, дескать, начистоту, так вот тебе и эта самая чистота».

— А то самое я тогда разумел и для того я тогда это произносил, что вы, знамши наперед про это убивство родного родителя вашего, в жертву его тогда оставили, и чтобы не заключили после сего люди чего дурного об ваших чувствах, а может, и об чем ином прочем, — вот что тогда обещался я начальству не объявлять.

Проговорил Смердяков хоть и не спеша и обладая собою по-видимому, но уж в голосе его даже послышалось нечто твердое и настойчивое, злобное и нагло-вызывающее. Дерзко уставился он в Ивана Федоровича, а у того в первую минуту даже в глазах зарябило:

— Как? Что? Да ты в уме али нет?

— Совершенно в полном своем уме-с.

— Да разве я *знал* тогда про убийство? — вскричал наконец Иван Федорович и крепко стукнул кулаком по столу. — Что значит: «об чем ином прочем»? — говори, подлец!

Смердяков молчал и всё тем же наглым взглядом продолжал осматривать Ивана Федоровича.

— Говори, смердящая шельма, об чем «ином прочем»? — завопил тот.

— А об том «ином прочем» я сею минутой разумел, что вы, пожалуй, и сами очень желали тогда смерти родителя вашего.

Иван Федорович вскочил и изо всей силы ударил его кулаком в плечо, так что тот откачнулся к стене. В один миг всё лицо его облилось слезами, и, проговорив: «Стыдно, сударь, слабого человека бить!», он вдруг закрыл глаза своим бумажным с синими клеточками и совершенно засморканным носовым платком и погрузился в тихий слезный плач. Прошло с минуту.

— Довольно! Перестань! — повелительно сказал наконец Иван Федорович, садясь опять на стул. — Не выводи меня из последнего терпения.

Смердяков отнял от глаз свою тряпочку. Всякая черточка его сморщенного лица выражала только что перенесенную обиду.

— Так ты, подлец, подумал тогда, что я заодно с Дмитрием хочу отца убить?

— Мыслей ваших тогдашних не знал-с, — обиженно проговорил Смердяков, — а потому и остановил вас тогда, как вы входили в ворота, чтобы вас на этом самом пункте испытать-с.

— Что испытать? Что?

— А вот именно это самое обстоятельство: хочется иль не хочется вам, чтобы ваш родитель был поскорее убит?

Всего более возмущал Ивана Федоровича этот настойчивый наглый тон, от которого упорно не хотел отступить Смердяков.

— Это ты его убил! — воскликнул он вдруг.

Смердяков презрительно усмехнулся.

— Что не я убил, это вы знаете сами доподлинно. И думал я, что умному человеку и говорить о сем больше нечего.

— Но почему, почему у тебя явилось тогда такое на меня подозрение?

— Как уж известно вам, от единого страху-с. Ибо в таком был тогда положении, что, в страхе сотрясаясь, всех подозревал. Вас тоже положил испытать-с, ибо если и вы, думаю, того же самого желаете, что и братец ваш, то и конец тогда всякому этому делу, а сам пропаду заодно, как муха.

— Слушай, ты две недели назад не то говорил.

— То же самое и в больнице, говоря с вами, разумел, а только полагал, что вы и без лишних слов поймете и прямого разговора не желаете сами, как самый умный человек-с.

— Ишь ведь! Но отвечай, отвечай, я настаиваю: с чего именно, чем именно я мог вселить тогда в твою подлую душу такое низкое для меня подозрение?

— Чтоб убить — это вы сами ни за что не могли-с, да и не хотели, а чтобы хотеть, чтобы другой кто убил, это вы хотели.

— И как спокойно, как спокойно ведь говорит! Да с чего мне хотеть, на кой ляд мне было хотеть?

— Как это так на кой ляд-с? А наследство-то-с? — ядовито и как-то даже отмстительно подхватил Смердяков. — Ведь вам тогда после родителя вашего на каждого из трех братцев без малого по сорока тысяч могло прийтись, а может, и того больше-с, а женись тогда Федор Павлович на этой самой госпоже-с, Аграфене Александровне, так уж та весь бы капитал тотчас же после венца на себя перевела, ибо они очень не глупые-с, так что вам всем троим братцам и двух рублей не досталось бы после родителя. А много ль тогда до венца-то оставалось? Один волосок-с: стоило этой барыне вот так только мизинчиком пред ними сделать, и они бы тотчас в церковь за ними высуня язык побежали.

Иван Федорович со страданием сдержал себя.

— Хорошо, — проговорил он наконец, — ты видишь, я не вскочил, не избил тебя, не убил тебя. Говори дальше: стало быть, я, по-твоему, брата Дмитрия к тому и предназначал, на него и рассчитывал?

— Как же вам на них не рассчитывать было-с; ведь убей они, то тогда всех прав дворянства лишатся, чинов и имущества, и в ссылку пойдут-с. Так ведь тогда ихняя часть-с после родителя вам с братцем Алексеем Федоровичем останется, поровну-с, значит, уже не по сороку, а по шестидесяти тысяч вам пришлось бы каждому-с. Это вы на Дмитрия Федоровича беспременно тогда рассчитывали!

— Ну терплю же я от тебя! Слушай, негодяй: если б я и рассчитывал тогда на кого-нибудь, так уж конечно бы на тебя, а не на Дмитрия, и, клянусь, предчувствовал даже от тебя какой-нибудь мерзости... тогда... я помню мое впечатление!

— И я тоже подумал тогда, минутку одну, что и на меня тоже рассчитываете, — насмешливо осклабился Смердяков, — так что тем самым еще более тогда себя предо мной обличили, ибо если предчувствовали на меня и в то же самое время уезжали, значит, мне тем самым точно как бы сказали: это ты можешь убить родителя, а я не препятствую.

— Подлец! Ты так понял!

— А всё чрез эту самую Чермашню-с. Помилосердуйте! Собираетесь в Москву и на все просьбы родителя ехать в Чермашню отказались-с! И по одному только глупому моему слову вдруг согласились-с! И на что вам было тогда соглашаться на эту Чермашню? Коли не в Москву, а поехали в Чермашню без причины, по единому моему слову, то, стало быть, чего-либо от меня ожидали.

— Нет, клянусь, нет! — завопил, скрежеща зубами, Иван.

— Как же это нет-с? Следовало, напротив, за такие мои тогдашние слова вам, сыну родителя вашего, меня первым делом в часть представить и выдрать-с... по крайности по мордасам тут же на месте отколотить, а вы, помилуйте-с, напротив, нимало не рассердимшись, тотчас дружелюбно исполняете в точности по моему весьма глупому слову-с и едете, что было вовсе нелепо-с, ибо вам следовало оставаться, чтобы хранить жизнь родителя... Как же мне было не заключить?

Иван сидел насупившись, конвульсивно опершись обоими кулаками в свои колена.

— Да, жаль, что не отколотил тебя по мордасам, — горько усмехнулся он. — В часть тогда тебя тащить нельзя было: кто ж бы мне поверил и на что я мог указать, ну а по мордасам... ух, жаль не догадался; хоть и запрещены мордасы, а сделал бы я из твоей хари кашу.

Смердяков почти с наслаждением смотрел на него.

— В обыкновенных случаях жизни, — проговорил он тем самодовольно-доктринерским тоном, с которым спорил некогда с Григорием Васильевичем о вере и дразнил его, стоя за столом Федора Павловича, — в обыкновенных случаях жизни мордасы ноне действительно запрещены по закону, и все перестали бить-с, ну, а в отличительных случаях жизни, так не то что у нас, а и на всем свете, будь хоша бы самая полная французская республика, всё одно продолжают бить, как и при Адаме и Еве-с, да и никогда того не перестанут-с, а вы и в отличительном случае тогда не посмели-с.

— Что это ты французские вокабулы учишь? — кивнул Иван на тетрадку, лежавшую на столе.

— А почему же бы мне их не учить-с, чтобы тем образованию моему способствовать, думая, что и самому мне когда в тех счастливых местах Европы, может, придется быть.

— Слушай, изверг, — засверкал глазами Иван и весь затрясся, — я не боюсь твоих обвинений, показывай на меня что хочешь, и если не избил тебя сейчас до смерти, то единственно потому, что подозреваю тебя в этом преступлении и притяну к суду. Я еще тебя обнаружу!

— А по-моему, лучше молчите-с. Ибо что можете вы на меня объявить в моей совершенной невинности и кто вам поверит? А только если начнете, то и я всё расскажу-с, ибо как же бы мне не защитить себя?

— Ты думаешь, я тебя теперь боюсь?

— Пусть этим всем моим словам, что вам теперь говорил, в суде не поверят-с, зато в публике поверят-с, и вам стыдно станет-с.

— Это значит опять-таки что: «с умным человеком и поговорить любопытно» — а? — проскрежетал Иван.

— В самую точку изволили-с. Умным и будьте-с.

Иван Федорович встал, весь дрожа от негодования, надел пальто и, не отвечая более Смердякову, даже не глядя на него, быстро вышел из избы. Свежий вечерний воздух освежил его. На небе ярко светила луна. Страшный кошмар мыслей и ощущений кипел в его душе. «Идти объявить сейчас на Смердякова? Но что же объявить: он все-таки невинен. Он, напротив, меня же обвинит. В самом деле, для чего я тогда поехал в Чермашню? Для чего, для чего? — спрашивал Иван Федорович. — Да, конечно, я чего-то ожидал, и он прав...» И ему опять в сотый раз припомнилось, как он в последнюю ночь у отца подслушивал к нему с лестницы, но с таким уже страданием теперь припомнилось, что он даже остановился на месте как пронзенный: «Да, я этого тогда ждал, это правда! Я хотел, я именно хотел убийства! Хотел ли я убийства, хотел ли?.. Надо убить Смердякова!.. Если я не смею теперь убить Смердякова, то не стоит и жить!..» Иван Федорович, не заходя домой, прошел тогда прямо к Катерине Ивановне и испугал ее своим появлением: он был как безумный. Он передал ей весь свой разговор со Смердяковым, весь до черточки. Он не мог успокоиться, сколько та ни уговаривала его, всё ходил по комнате и говорил отрывисто, странно. Наконец сел, облокотился на стол, упер голову в обе руки и вымолвил странный афоризм:

— Если б убил не Дмитрий, а Смердяков, то, конечно, я тогда с ним солидарен, ибо я подбивал его. Подбивал ли я его — еще не знаю. Но если только он убил, а не Дмитрий, то, конечно, убийца и я.

Выслушав это, Катерина Ивановна молча встала с места, пошла к своему письменному столу, отперла стоявшую на нем шкатулку, вынула какую-то бумажку и положила ее пред Иваном. Эта бумажка была тот самый документ, о котором Иван Федорович потом объявил Алеше как о «математическом доказательстве», что убил отца брат Дмитрий. Это было письмо, написанное Митей в пьяном виде к Катерине Ивановне, в тот самый вечер, когда он встретился в поле с Алешей, уходившим в монастырь, после сцены в доме Катерины Ивановны, когда ее оскорбила Грушенька. Тогда, расставшись с Алешей, Митя бросился было к Грушеньке; неизвестно, видел ли ее, но к ночи очутился в трактире «Столичный город», где как следует и напился. Пьяный, он потребовал перо и бумагу и начертал важный на себя документ. Это было исступленное, многоречивое и бессвязное письмо, именно «пьяное». Похоже было на то, когда пьяный человек, воротясь домой, начинает с необычайным жаром рассказывать жене или кому из домашних, как его сейчас оскорбили, какой подлец его оскорбитель, какой он сам, напротив, прекрасный человек и как он тому подлецу задаст, — и всё это длинно-длинно, бессвязно и возбужденно, со стуком кулаками по столу, с пьяными слезами. Бумага для письма, которую ему подали в трактире, была грязненький клочок обыкновенной письменной бумаги, плохого сорта и на обратной стороне которого был написан какой-то счет. Пьяному многоречию, очевидно, недостало места, и Митя уписал не только все поля, но даже последние строчки были написаны накрест уже по написанному. Письмо было следующего содержания: «Роковая Катя! Завтра достану деньги и отдам тебе твои три тысячи, и прощай — великого гнева женщина, но прощай и любовь моя! Кончим! Завтра буду доставать у всех людей, а не достану у людей, то даю тебе честное слово, пойду к отцу и проломлю ему голову и возьму у него под подушкой, только бы уехал Иван. В каторгу пойду, а три тысячи отдам. А сама прощай. Кланяюсь до земли, ибо пред тобой подлец. Прости меня. Нет, лучше не прощай: легче и мне и тебе! Лучше в каторгу, чем твоя любовь, ибо другую люблю, а ее слишком сегодня узнала, как же ты можешь простить? Убью вора моего! От всех вас уйду на Восток, чтоб никого не знать. *Ее* тоже, ибо не ты одна мучительница, а и она. Прощай!

P. S. Проклятие пишу, а тебя обожаю! Слышу в груди моей. Осталась струна и звенит. Лучше сердце пополам! Убью себя, а сначала все-таки пса. Вырву у него три и брошу тебе. Хоть подлец пред тобой, а не вор! Жди трех тысяч. У пса под тюфяком, розовая ленточка. Не я вор, а вора моего убью. Катя, не гляди презрительно: Димитрий не вор, а убийца! Отца убил и себя погубил, чтобы стоять и гордости твоей не выносить. И тебя не любить.

PP. S. Ноги твои целую, прощай!

PP. SS. Катя, моли Бога, чтобы дали люди деньги. Тогда не буду в крови, а не дадут — в крови! Убей меня!

Раб и враг
Д. Карамазов».

Когда Иван прочел «документ», то встал убежденный. Значит, убил брат, а не Смердяков. Не Смердяков, то, стало быть, и не он, Иван. Письмо это вдруг получило в глазах его смысл математический. Никаких сомнений в виновности Мити быть для него не могло уже более. Кстати, подозрения о том, что Митя мог убить вместе со Смердяковым, у Ивана никогда не было, да это не вязалось и с фактами. Иван был вполне успокоен. На другое утро он лишь с презрением вспоминал о Смердякове и о насмешках его. Чрез несколько дней даже удивлялся, как мог он так мучительно обидеться его подозрениями. Он решился презреть его и забыть. Так прошел месяц. О Смердякове он не расспрашивал больше ни у кого, но слышал мельком, раза два, что тот очень болен и не в своем рассудке. «Кончит сумасшествием», — сказал раз про него молодой врач Варвинский, и Иван это запомнил. В последнюю неделю этого месяца Иван сам начал чувствовать себя очень худо. С приехавшим пред самым судом доктором из Москвы, которого выписала Катерина Ивановна, он уже ходил советоваться. И именно в это же время отношения его к Катерине Ивановне обострились до крайней степени. Это были какие-то два влюбленные друг в друга врага. Возвраты Катерины Ивановны к Мите, мгновенные, но сильные, уже приводили Ивана в совершенное исступление. Странно, что до самой последней сцены, описанной нами у Катерины Ивановны, когда пришел к ней от Мити Алеша, он, Иван, не слыхал от нее ни разу во весь месяц сомнений в виновности Мити, несмотря на все ее «возвраты» к нему, которые он так ненавидел. Замечательно еще и то, что он, чувствуя, что ненавидит Митю с каждым днем всё больше и больше, понимал в то же время, что не за «возвраты» к нему Кати ненавидел его, а именно *за то, что он убил отца!* Он чувствовал и сознавал это сам вполне. Тем не менее дней за десять пред судом он ходил к Мите и предложил ему план бегства, — план, очевидно, еще задолго задуманный. Тут, кроме главной причины, побудившей его к такому шагу, виновата была и некоторая незаживавшая в сердце его царапина от одного словечка Смердякова, что будто бы ему, Ивану, выгодно, чтоб обвинили брата, ибо сумма по наследству от отца возвысится тогда для него с Алешей с сорока на шестьдесят тысяч. Он решился пожертвовать тридцатью тысячами с одной своей стороны, чтоб устроить побег Мити. Возвращаясь тогда от него, он был страшно грустен и смущен: ему вдруг начало чувствоваться, что он хочет побега не для того только, чтобы пожертвовать на это тридцать тысяч и заживить царапину, а и почему-то другому. «Потому ли, что в душе и я такой же убийца?» — спросил было он себя. Что-то отдаленное, но жгучее язвило его душу. Главное же, во весь этот месяц страшно страдала его гордость, но об этом потом... Взявшись за звонок своей квартиры после разговора с Алешей и порешив вдруг идти к Смердякову, Иван Федорович повиновался одному особливому, внезапно вскипевшему в груди его негодованию. Он вдруг вспомнил, как Катерина Ивановна сейчас только воскликнула ему при Алеше: «Это ты, только ты один уверил меня, что он (то есть Митя) убийца!» Вспомнив это, Иван даже остолбенел: никогда в жизни не уверял он ее, что убийца Митя, напротив, еще себя подозревал тогда пред нею, когда воротился от Смердякова. Напротив, это *она,* она ему выложила тогда «документ» и доказала виновность брата! И вдруг она же теперь восклицает: «Я сама была у Смердякова!» Когда была? Иван ничего не знал об этом. Значит, она совсем не так уверена в виновности Мити! И что мог ей сказать Смердяков? Что, что именно он ей сказал? Страшный гнев загорелся в его сердце. Он не понимал, как мог он полчаса назад пропустить ей эти слова и не закричать тогда же. Он бросил звонок и пустился к Смердякову. «Я убью его, может быть, в этот раз», — подумал он дорогой.

VIII

ТРЕТЬЕ, И ПОСЛЕДНЕЕ, СВИДАНИЕ
СО СМЕРДЯКОВЫМ

Еще на полпути поднялся острый, сухой ветер, такой же, как был в этот день рано утром, и посыпал мелкий, густой, сухой снег. Он падал на землю, не прилипая к ней, ветер крутил его, и вскоре поднялась совершенная метель. В той части города, где жил Смердяков, у нас почти и нет фонарей. Иван Федорович шагал во мраке, не замечая метели, инстинктивно разбирая дорогу. У него болела голова и мучительно стучало в висках. В кистях рук, он чувствовал это, были судороги. Несколько не доходя до домишка Марьи Кондратьевны, Иван Федорович вдруг повстречал одинокого пьяного, маленького ростом мужичонка, в заплатанном зипунишке, шагавшего зигзагами, ворчавшего и бранившегося и вдруг бросавшего браниться и начинавшего сиплым пьяным голосом песню:

Ах, поехал Ванька в Питер,
Я не буду его ждать!

Но он всё прерывал на этой второй строчке и опять начинал кого-то бранить, затем опять вдруг затягивал ту же песню. Иван Федорович давно уже чувствовал страшную к нему ненависть, об нем еще совсем не думая, и вдруг его осмыслил. Тотчас же ему неотразимо захотелось пришибить сверху кулаком мужичонку. Как раз в это мгновение они поверстались рядом, и мужичонко, сильно качнувшись, вдруг ударился изо всей силы об Ивана. Тот бешено оттолкнул его. Мужичонко отлетел и шлепнулся, как колода, об мерзлую землю, болезненно простонав только один раз: о-о! и замолк. Иван шагнул к нему. Тот лежал навзничь, совсем неподвижно, без чувств. «Замерзнет!» — подумал Иван и зашагал опять к Смердякову.

Еще в сенях Марья Кондратьевна, выбежавшая отворить со свечкой в руках, зашептала ему, что Павел Федорович (то есть Смердяков) оченно больны-с, не то что лежат-с, а почти как не в своем уме-с и даже чай велели убрать, пить не захотели.

— Что ж он, буянит, что ли? — грубо спросил Иван Федорович.

— Какое, напротив, совсем тихие-с, только вы с ними не очень долго разговаривайте... — попросила Марья Кондратьевна.

Иван Федорович отворил дверь и шагнул в избу.

Натоплено было так же, как и в прежний раз, но в комнате заметны были некоторые перемены: одна из боковых лавок была вынесена, и на место ее явился большой старый кожаный диван под красное дерево. На нем была постлана постель с довольно чистыми белыми подушками. На постели сидел Смердяков всё в том же своем халате. Стол перенесен был пред диван, так что в комнате стало очень тесно. На столе лежала какая-то толстая в желтой обертке книга, но Смердяков не читал ее, он, кажется, сидел и ничего не делал. Длинным, молчаливым взглядом встретил он Ивана Федоровича и, по-видимому, нисколько не удивился его прибытию. Он очень изменился в лице, очень похудел и пожелтел. Глаза впали, нижние веки посинели.

— Да ты и впрямь болен? — остановился Иван Федорович. — Я тебя долго не задержу и пальто даже не сниму. Где у тебя сесть-то?

Он зашел с другого конца стола, придвинул к столу стул и сел.

— Что смотришь и молчишь? Я с одним только вопросом, и клянусь, не уйду от тебя без ответа: была у тебя барыня, Катерина Ивановна?

Смердяков длинно помолчал, по-прежнему всё тихо смотря на Ивана, но вдруг махнул рукой и отвернул от него лицо.

— Чего ты? — воскликнул Иван.

— Ничего.

— Что ничего?

— Ну, была, ну и всё вам равно. Отстаньте-с.

— Нет, не отстану! Говори, когда была?

— Да я и помнить об ней забыл, — презрительно усмехнулся Смердяков и вдруг опять, оборотя лицо к Ивану, уставился на него с каким-то исступленно-ненавистным взглядом, тем самым взглядом, каким глядел на него в то свидание, месяц назад.

— Сами, кажись, больны, ишь осунулись, лица на вас нет, — проговорил он Ивану.

— Оставь мое здоровье, говори, об чем спрашивают.

— А чего у вас глаза пожелтели, совсем белки желтые. Мучаетесь, что ли, очень?

Он презрительно усмехнулся и вдруг совсем уж рассмеялся.

— Слушай, я сказал, что не уйду от тебя без ответа! — в страшном раздражении крикнул Иван.

— Чего вы ко мне пристаете-с? Чего меня мучите? — со страданием проговорил Смердяков.

— Э, черт! Мне до тебя нет и дела. Ответь на вопрос, и я тотчас уйду.

— Нечего мне вам отвечать! — опять потупился Смердяков.

— Уверяю тебя, что я заставлю тебя отвечать!

— Чего вы всё беспокоитесь? — вдруг уставился на него Смердяков, но не то что с презрением, а почти с какою-то уже гадливостью, — это что суд-то завтра начнется? Так ведь ничего вам не будет, уверьтесь же наконец! Ступайте домой, ложитесь спокойно спать, ничего не опасайтесь.

— Не понимаю я тебя... чего мне бояться завтра? — удивленно выговорил Иван, и вдруг в самом деле какой-то испуг холодом пахнул на его душу. Смердяков обмерил его глазами.

— Не по-ни-маете? — протянул он укоризненно. — Охота же умному человеку этакую комедь из себя представлять!

Иван молча глядел на него. Один уж этот неожиданный тон, совсем какой-то небывало высокомерный, с которым этот бывший его лакей обращался теперь к нему, был необычен. Такого тона все-таки не было даже и в прошлый раз.

— Говорю вам, нечего вам бояться. Ничего на вас не покажу, нет улик. Ишь руки трясутся. С чего у вас пальцы-то ходят? Идите домой, *не вы убили*.

Иван вздрогнул, ему вспомнился Алеша.

— Я знаю, что не я... — пролепетал было он.

— Зна-е-те? — опять подхватил Смердяков.

Иван вскочил и схватил его за плечо:

— Говори всё, гадина! Говори всё!

Смердяков нисколько не испугался. Он только с безумною ненавистью приковался к нему глазами.

— Ан вот вы-то и убили, коль так, — яростно прошептал он ему.

Иван опустился на стул, как бы что рассудив. Он злобно усмехнулся.

— Это ты всё про тогдашнее? Про то, что и в прошлый раз?

— Да и в прошлый раз стояли предо мной и всё понимали, понимаете и теперь.

— Понимаю только, что ты сумасшедший.

— Не надоест же человеку! С глазу на глаз сидим, чего бы, кажется, друг-то друга морочить, комедь играть? Али всё еще свалить на одного меня хотите, мне же в глаза? Вы убили, вы главный убивец и есть, а я только вашим приспешником был, слугой Личардой верным, и по слову вашему дело это и совершил.

— Совершил? Да разве ты убил? — похолодел Иван.

Что-то как бы сотряслось в его мозгу, и весь он задрожал мелкою холодною дрожью. Тут уж Смердяков сам удивленно посмотрел на него: вероятно, его, наконец, поразил своею искренностью испуг Ивана.

— Да неужто ж вы вправду ничего не знали? — пролепетал он недоверчиво, криво усмехаясь ему в глаза.

Иван всё глядел на него, у него как бы отнялся язык.

Ах, поехал Ванька в Питер,
Я не буду его ждать, —

прозвенело вдруг в его голове.

— Знаешь что: я боюсь, что ты сон, что ты призрак предо мной сидишь? — пролепетал он.

— Никакого тут призрака нет-с, кроме нас обоих-с, да еще некоторого третьего. Без сумления, тут он теперь, третий этот, находится, между нами двумя.

— Кто он? Кто находится? Кто третий? — испуганно проговорил Иван Федорович, озираясь кругом и поспешно ища глазами кого-то по всем углам.

— Третий этот — Бог-с, самое это провидение-с, тут оно теперь подле нас-с, только вы не ищите его, не найдете.

— Ты солгал, что ты убил! — бешено завопил Иван. — Ты или сумасшедший, или дразнишь меня, как и в прошлый раз!

Смердяков, как и давеча, совсем не пугаясь, всё пытливо следил за ним. Всё еще он никак не мог победить своей недоверчивости, всё еще казалось ему, что Иван «всё знает», а только так представляется, чтоб «ему же в глаза на него одного свалить».

— Подождите-с, — проговорил он наконец слабым голосом и вдруг, вытащив из-под стола свою левую ногу, начал завертывать на ней наверх панталоны: нога оказалась в длинном белом чулке и обута в туфлю. Не торопясь, Смердяков снял подвязку и запустил в чулок глубоко свои пальцы. Иван Федорович глядел на него и вдруг затрясся в конвульсивном испуге.

— Сумасшедший! — завопил он и, быстро вскочив с места, откачнулся назад, так что стукнулся спиной об стену и как будто прилип к стене, весь вытянувшись в нитку. Он в безумном ужасе смотрел на Смердякова. Тот, нимало не смутившись его испугом, всё еще копался в чулке, как будто все силясь пальцами что-то в нем ухватить и вытащить. Наконец ухватил и стал тащить. Иван Федорович видел, что это были какие-то бумаги или какая-то пачка бумаг. Смердяков вытащил ее и положил на стол.

— Вот-с! — сказал он тихо.

— Что? — ответил трясясь Иван.

— Извольте взглянуть-с, — так же тихо произнес Смердяков.

Иван шагнул к столу, взялся было за пачку и стал ее развертывать, но вдруг отдернул пальцы как будто от прикосновения какого-то отвратительного, страшного гада.

— Пальцы-то у вас всё дрожат-с, в судороге, — заметил Смердяков и сам не спеша развернул бумагу. Под оберткой оказались три пачки сторублевых радужных кредиток.

— Все здесь-с, все три тысячи, хоть не считайте. Примите-с, — пригласил он Ивана, кивая на деньги. Иван опустился на стул. Он был бледен как платок.

— Ты меня испугал... с этим чулком... — проговорил он, как-то странно ухмыляясь.

— Неужто же, неужто вы до сих пор не знали? — спросил еще раз Смердяков.

— Нет, не знал. Я всё на Дмитрия думал. Брат! Брат! Ах! — Он вдруг схватил себя за голову обеими руками. — Слушай: ты один убил? Без брата или с братом?

— Всего только вместе с вами-с; с вами вместе убил-с, а Дмитрий Федорович как есть безвинны-с.

— Хорошо, хорошо... Обо мне потом. Чего это я всё дрожу... Слова не могу выговорить.

— Всё тогда смелы были-с, «всё, дескать, позволено», говорили-с, а теперь вот так испугались! — пролепетал, дивясь, Смердяков. — Лимонаду не хотите ли, сейчас прикажу-с. Очень освежить может. Только вот это бы прежде накрыть-с.

И он опять кивнул на пачки. Он двинулся было встать кликнуть в дверь Марью Кондратьевну, чтобы та сделала и принесла лимонаду, но, отыскивая чем бы накрыть деньги, чтобы та не увидела их, вынул было сперва платок, но так как тот опять оказался совсем засморканным, то взял со стола ту единственную лежавшую на нем толстую желтую книгу, которую заметил, войдя, Иван, и придавил ею деньги. Название книги было: «Святого отца нашего Иса-ака Сирина слова». Иван Федорович успел машинально прочесть заглавие.

— Не хочу лимонаду, — сказал он. — Обо мне потом. Садись и говори: как ты это сделал? Всё говори...

— Вы бы пальто хоть сняли-с, а то весь взопреете.

Иван Федорович, будто теперь только догадавшись, сорвал пальто и бросил его, не сходя со стула, на лавку.

— Говори же, пожалуйста, говори!

Он как бы утих. Он уверенно ждал, что Смердяков *всё* теперь скажет.

— Об том, как это было сделано-с? — вздохнул Смердяков. — Самым естественным манером сделано было-с, с ваших тех самых слов...

— Об моих словах потом, — прервал опять Иван, но уже не крича, как прежде, твердо выговаривая слова и как бы совсем овладев собою. — Расскажи только в подробности, как ты это сделал. Всё по порядку. Ничего не забудь. Подробности, главное подробности. Прошу.

— Вы уехали, я упал тогда в погреб-с...

— В падучей или притворился?

— Понятно, что притворился-с. Во всем притворился. С лестницы спокойно сошел-с, в самый низ-с, и спокойно лег-с, а как лег, тут и завопил. И бился, пока вынесли.

— Стой! И всё время, и потом, и в больнице всё притворялся?

— Никак нет-с. На другой же день, наутро, до больницы еще, ударила настоящая, и столь сильная, что уже много лет таковой не бывало. Два дня был в совершенном беспамятстве.

— Хорошо, хорошо. Продолжай дальше.

— Положили меня на эту койку-с, я так и знал, что за перегородку-с, потому Марфа Игнатьевна во все разы, как я болен, всегда меня на ночь за эту самую перегородку у себя в помещении клали-с. Нежные они всегда ко мне были с самого моего рождения-с. Ночью стонал-с, только тихо. Всё ожидал Дмитрия Федоровича.

— Как ждал, к себе?

— Зачем ко мне. В дом их ждал, потому сумления для меня уже не было никакого в том, что они в эту самую ночь прибудут, ибо им, меня лишимшись и никаких сведений не имемши, беспременно приходилось самим в дом влезть через забор-с, как они умели-с, и что ни есть совершить.

— А если бы не пришел?

— Тогда ничего бы и не было-с. Без них не решился бы.

— Хорошо, хорошо... говори понятнее, не торопись, главное — ничего не пропускай!

— Я ждал, что они Федора Павловича убьют-с... это наверно-с. Потому я их уже так приготовил... в последние дни-с... а главное — те знаки им стали известны. При ихней мнительности и ярости, что в них за эти дни накопилась, беспременно через знаки в самый дом должны были проникнуть-с. Это беспременно. Я так их и ожидал-с.

— Стой, — прервал Иван, — ведь если б он убил, то взял бы деньги и унес; ведь ты именно так должен был рассуждать? Что ж тебе-то досталось бы после него? Я не вижу.

— Так ведь деньги-то бы они никогда и не нашли-с. Это ведь их только я научил, что деньги под тюфяком. Только это была неправда-с. Прежде в шкатунке лежали, вот как было-с. А потом я Федора Павловича, так как они мне единственно во всем человечестве одному доверяли, научил пакет этот самый с деньгами в угол за образа перенесть, потому что там совсем никто не догадается, особенно коли спеша придет. Так он там, пакет этот, у них в углу за образами и лежал-с. А под тюфяком так и смешно бы их было держать вовсе, в шкатунке по крайней мере под ключом. А здесь все теперь поверили, что будто бы под тюфяком лежали. Глупое рассуждение-с. Так вот если бы Дмитрий Федорович совершили это самое убивство, то, ничего не найдя, или бы убежали-с поспешно, всякого шороху боясь, как и всегда бывает с убивцами, или бы арестованы были-с. Так я тогда всегда мог-с, на другой день али даже в ту же самую ночь-с за образа слазить и деньги эти самые унести-с, всё бы на Дмитрия Федоровича и свалилось. Это я всегда мог надеяться.

— Ну, а если б он не убил, а только избил?

— Если бы не убил, то я бы денег, конечно, взять не посмел и осталось бы втуне. Но был и такой расчет, что изобьют до бесчувствия, а я в то время и поспею взять, а там потом Федору-то Павловичу отлепартую, что это никто как Дмитрий Федорович, их избимши, деньги похитили.

— Стой... я путаюсь. Стало быть, всё же Дмитрий убил, а ты только деньги взял?

— Нет, это не они убили-с. Что ж, я бы мог вам и теперь сказать, что убивцы они... да не хочу я теперь пред вами лгать, потому... потому что если вы действительно, как сам вижу, не понимали ничего доселева и не притворялись предо мной, чтоб явную вину свою на меня же в глаза свалить, то всё же вы виновны во всем-с, ибо про убивство вы знали-с и мне убить поручили-с, а сами, всё знамши, уехали. Потому и хочу вам в сей вечер это в глаза доказать, что главный убивец во всем здесь единый вы-с, а я только самый не главный, хоть это и я убил. А вы самый законный убивец и есть!

— Почему, почему я убийца? О боже! — не выдержал наконец Иван, забыв, что всё о себе отложил под конец разговора. — Это всё та же Чермашня-то? Стой, говори, зачем тебе было надо мое согласие, если уж ты принял Чермашню за согласие? Как ты теперь-то растолкуешь?

— Уверенный в вашем согласии, я уж знал бы, что вы за потерянные эти три тысячи, возвратясь, вопля не подымете, если бы почему-нибудь меня вместо Дмитрия Федоровича начальство заподозрило али с Дмитрием Федоровичем в товарищах; напротив, от других защитили бы... А наследство получив, так и потом когда могли меня наградить, во всю следующую жизнь, потому что всё же вы через меня наследство это получить изволили, а то, женимшись на Аграфене Александровне, вышел бы вам один только шиш.

— А! Так ты намеревался меня и потом мучить, всю жизнь! — проскрежетал Иван. — А что, если б я тогда не уехал, а на тебя заявил?

— А что же бы вы могли тогда заявить? Что я вас в Чермашню-то подговаривал? Так ведь это глупости-с. К тому же вы после разговора нашего поехали бы али остались. Если б остались, то тогда бы ничего и не произошло, я бы так и знал-с, что вы дела этого не хотите, и ничего бы не предпринимал. А если уж поехали, то уж меня, значит, заверили в том, что на меня в суд заявить не посмеете и три эти тысячи мне простите. Да и не могли вы меня потом преследовать вовсе, потому что я тогда всё и рассказал бы на суде-с, то есть не то, что я украл аль убил, — этого бы я не сказал-с, — а то, что вы меня сами подбивали к тому, чтоб украсть и убить, а я только не согласился. Потому-то мне и надо было тогда ваше согласие, чтобы вы меня ничем не могли припереть-с, потому что где же у вас к тому доказательство, я же вас всегда мог припереть-с, обнаружив, какую вы жажду имели к смерти родителя, и вот вам слово — в публике все бы тому поверили и вам было бы стыдно на всю вашу жизнь.

— Так имел, так имел я эту жажду, имел? — проскрежетал опять Иван.

— Несомненно имели-с и согласием своим мне это дело молча тогда разрешили-с, — твердо поглядел Смердяков на Ивана. Он был очень слаб и говорил тихо и устало, но что-то внутреннее и затаенное поджигало его, у него, очевидно, было какое-то намерение. Иван это предчувствовал.

— Продолжай дальше, — сказал он ему, — продолжай про ту ночь.

— Дальше что же-с! Вот я лежу и слышу, как будто вскрикнул барин. А Григорий Васильич пред тем вдруг поднялись и вышли и вдруг завопили, а потом всё тихо, мрак. Лежу это я, жду, сердце бьется, вытерпеть не могу. Встал наконец и пошел-с — вижу налево окно в сад у них отперто, я и еще шагнул налево-то-с, чтобы прислушаться, живы ли они там сидят или нет, и слышу, что барин мечется и охает, стало быть, жив-с. Эх, думаю! Подошел к окну, крикнул барину: «Это я, дескать». А он мне: «Был, был, убежал!» То есть Дмитрий Федорович, значит, были-с. «Григория убил!» — «Где?» — шепчу ему. «Там, в углу», — указывает, сам тоже шепчет. «Подождите», — говорю. Пошел я в угол искать и у стены на Григория Васильевича лежащего и наткнулся, весь в крови лежит, в бесчувствии. Стало быть, верно, что был Дмитрий Федорович, вскочило мне тотчас в голову, и тотчас тут же порешил всё это покончить внезапно-с, так как Григорий Васильевич если и живы еще, то, лежа в бесчувствии, пока ничего не увидят. Один только риск и был-с, что вдруг проснется Марфа Игнатьевна. Почувствовал я это в ту минуту, только уж жажда эта меня всего захватила, ажно дух занялся. Пришел опять под окно к барину и говорю: «Она здесь, пришла, Аграфена Александровна пришла, просится». Так ведь и вздрогнул весь, как младенец: «Где здесь? Где?» — так и охает, а сам еще не верит. «Там, говорю, стоит, отоприте!» Глядит на меня в окно-то и верит и не верит, а отпереть боится, это уж меня-то боится, думаю. И смешно же: вдруг я эти самые знаки вздумал им тогда по раме простучать, что Грушенька, дескать, пришла, при них же в глазах: словам-то как бы не верил, а как знаки я простучал, так тотчас же и побежали дверь отворить. Отворили. Я вошел было, а он стоит, телом-то меня и не пускает всего. «Где она, где она?» — смотрит на меня и трепещет. Ну, думаю: уж коль меня так боится — плохо! и тут у меня даже ноги ослабели от страху у самого, что не пустит он меня в комнаты-то, или крикнет, али Марфа Игнатьевна прибежит, али что ни есть выйдет, я уж не помню тогда, сам, должно быть, бледен пред ним стоял. Шепчу ему: «Да там, там она под окном, как же вы, говорю, не видели?» — «А ты ее приведи, а ты ее приведи!» — «Да боится, говорю, крику испугалась, в куст спряталась, подите крикните, говорю, сами из кабинета». Побежал он, подошел к окну, свечку на окно поставил. «Грушенька, кричит, Грушенька, здесь ты?» Сам-то это кричит, а в окно-то нагнуться не хочет, от меня отойти не хочет, от самого этого страху, потому забоялся меня уж очень, а потому отойти от меня не смеет. «Да вон она, говорю (подошел я к окну, сам весь высунулся), вон она в кусте-то, смеется вам, видите?» Поверил вдруг он, так и затрясся, больно уж они влюблены в нее были-с, да весь и высунулся в окно. Я тут схватил это самое пресс-папье чугунное, на столе у них, помните-с, фунта три ведь в нем будет, размахнулся, да сзади его в самое темя углом. Не крикнул даже. Только вниз вдруг осел, а я в другой раз и в третий. На третьем-то почувствовал, что проломил. Они вдруг навзничь и повалились, лицом кверху, все-то в крови. Осмотрел я: нет на мне крови, не брызнуло, пресс-папье обтер, положил, за образа сходил, из пакета деньги вынул, а пакет бросил на пол и ленточку эту самую розовую подле. Сошел в сад, весь трясусь. Прямо к той яблоньке, что с дуплом, — вы дупло-то это знаете, а я его уж давно наглядел, в нем уж лежала тряпочка и бумага, давно заготовил; обернул всю сумму в бумагу, а потом в тряпку и заткнул глубоко. Так она там с лишком две недели оставалась, сумма-то эта самая-с, потом уж после больницы вынул. Воротился к себе на кровать, лег да и думаю в страхе: «Вот коли убит Григорий Васильевич совсем, так тем самым очень худо может произойти, а коли не убит и очнется, то оченно хорошо это произойдет, потому они будут тогда свидетелем, что Дмитрий Федорович приходили, а стало быть, они и убили, и деньги унесли-с». Начал я тогда от сумления и нетерпения стонать, чтобы Марфу Игнатьевну разбудить поскорей. Встала она наконец, бросилась было ко мне, да как увидала вдруг, что нет Григория Васильевича, выбежала и, слышу, завопила в саду. Ну, тут-с всё это и пошло на всю ночь, я уж во всем успокоен был.

Рассказчик остановился. Иван всё время слушал его в мертвенном молчании, не шевелясь, не спуская с него глаз. Смердяков же, рассказывая, лишь изредка на него поглядывал, но больше косился в сторону. Кончив рассказ, он видимо сам взволновался и тяжело переводил дух. На лице его показался пот. Нельзя было, однако, угадать, чувствует ли он раскаяние или что.

— Стой, — подхватил, соображая, Иван. — А дверь-то? Если отворил он дверь только тебе, то как же мог видеть ее прежде тебя Григорий отворенною? Потому ведь Григорий видел прежде тебя?

Замечательно, что Иван спрашивал самым мирным голосом, даже совсем как будто другим тоном, совсем не злобным, так что если бы кто-нибудь отворил к ним теперь дверь и с порога взглянул на них, то непременно заключил бы, что они сидят и миролюбиво разговаривают о каком-нибудь обыкновенном, хотя и интересном предмете.

— Насчет этой двери и что Григорий Васильевич будто бы видел, что она отперта, то это ему только так почудилось, — искривленно усмехнулся Смердяков. — Ведь это, я вам скажу, не человек-с, а всё равно что упрямый мерин: и не видал, а почудилось ему, что видел, — вот его уж и не собьете-с. Это уж нам с вами счастье такое выпало, что он это придумал, потому что Дмитрия Федоровича несомненно после того вконец уличат.

— Слушай, — проговорил Иван Федорович, словно опять начиная теряться и что-то усиливаясь сообразить, — слушай... Я много хотел спросить тебя еще, но забыл... Я всё забываю и путаюсь... Да! Скажи ты мне хоть это одно: зачем ты пакет распечатал и тут же на полу оставил? Зачем не просто в пакете унес... Ты когда рассказывал, то мне показалось, что будто ты так говорил про этот пакет, что так и надо было поступить... а почему так надо — не могу понять...

— А это я так сделал по некоторой причине-с. Ибо будь человек знающий и привычный, вот как я, например, который эти деньги сам видел зараньше и, может, их сам же в тот пакет ввертывал и собственными глазами смотрел, как его запечатывали и надписывали, то такой человек-с с какой же бы стати, если примерно это он убил, стал бы тогда, после убивства, этот пакет распечатывать, да еще в таких попыхах, зная и без того совсем уж наверно, что деньги эти в том пакете беспременно лежат-с? Напротив, будь это похититель, как бы я, например, то он бы просто сунул этот пакет в карман, нисколько не распечатывая, и с ним поскорее утек-с. Совсем другое тут Дмитрий Федорович: они об пакете только понаслышке знали, его самого не видели, и вот как достали его примерно будто из-под тюфяка, то поскорее распечатали его тут же, чтобы справиться: есть ли в нем в самом деле эти самые деньги? А пакет тут же бросили, уже не успев рассудить, что он уликой им после них останется, потому что они вор непривычный-с и прежде никогда ничего явно не крали, ибо родовые дворяне-с, а если теперь украсть и решились, то именно как бы не украсть, а свое собственное только взять обратно пришли, так как всему городу об этом предварительно повестили и даже похвалялись заранье вслух пред всеми, что пойдут и собственность свою от Федора Павловича отберут. Я эту самую мысль прокурору в опросе моем не то что ясно сказал, а, напротив, как будто намеком подвел-с, точно как бы сам не понимаючи, и точно как бы это они сами выдумали, а не я им подсказал-с, — так у господина прокурора от этого самого намека моего даже слюнки потекли-с...

— Так неужели, неужели ты всё это тогда же так на месте и обдумал? — воскликнул Иван Федорович вне себя от удивления. Он опять глядел на Смердякова в испуге.

— Помилосердуйте, да можно ли это всё выдумать в таких попыхах-с? Заранее всё обдумано было.

— Ну... ну, тебе, значит, сам черт помогал! — воскликнул опять Иван Федорович. — Нет, ты не глуп, ты гораздо умней, чем я думал...

Он встал с очевидным намерением пройтись по комнате. Он был в страшной тоске. Но так как стол загораживал дорогу и мимо стола и стены почти приходилось пролезать, то он только повернулся на месте и сел опять. То, что он не успел пройтись, может быть, вдруг и раздражило его, так что он почти в прежнем исступлении вдруг завопил:

— Слушай, несчастный, презренный ты человек! Неужели ты не понимаешь, что если я еще не убил тебя до сих пор, то потому только, что берегу тебя на завтрашний ответ на суде. Бог видит, — поднял Иван руку кверху, — может быть, и я был виновен, может быть, действительно я имел тайное желание, чтоб... умер отец, но, клянусь тебе, я не столь был виновен, как ты думаешь, и, может быть, не подбивал тебя вовсе. Нет, нет, не подбивал! Но всё равно, я покажу на себя сам, завтра же, на суде, я решил! Я всё скажу, всё. Но мы явимся вместе с тобою! И что бы ты ни говорил на меня на суде, что бы ты ни свидетельствовал — принимаю и не боюсь тебя; сам всё подтвержу! Но и ты должен пред судом сознаться! Должен, должен, вместе пойдем! Так и будет!

Иван проговорил это торжественно и энергично, и видно было уже по одному сверкающему взгляду его, что так и будет.

— Больны вы, я вижу-с, совсем больны-с. Желтые у вас совсем глаза-с, — произнес Смердяков, но совсем без насмешки, даже как будто соболезнуя.

— Вместе пойдем! — повторил Иван, — а не пойдешь — всё равно я один сознаюсь.

Смердяков помолчал, как бы вдумываясь.

— Ничего этого не будет-с, и вы не пойдете-с, — решил он наконец безапелляционно.

— Не понимаешь ты меня! — укоризненно воскликнул Иван.

— Слишком стыдно вам будет-с, если на себя во всем признаетесь. А пуще того бесполезно будет, совсем-с, потому я прямо ведь скажу, что ничего такого я вам не говорил-с никогда, а что вы или в болезни какой (а на то и похоже-с), али уж братца так своего пожалели, что собой пожертвовали, а на меня выдумали, так как всё равно меня как за мошку считали всю вашу жизнь, а не за человека. Ну и кто ж вам поверит, ну и какое у вас есть хоть одно доказательство?

— Слушай, эти деньги ты показал мне теперь, конечно, чтобы меня убедить.

Смердяков снял с пачек Исаака Сирина и отложил в сторону.

— Эти деньги с собою возьмите-с и унесите, — вздохнул Смердяков.

— Конечно, унесу! Но почему же ты мне отдаешь, если из-за них убил? — с большим удивлением посмотрел на него Иван.

— Не надо мне их вовсе-с, — дрожащим голосом проговорил Смердяков, махнув рукой. — Была такая прежняя мысль-с, что с такими деньгами жизнь начну, в Москве али пуще того за границей, такая мечта была-с, а пуще всё потому, что «всё позволено». Это вы вправду меня учили-с, ибо много вы мне тогда этого говорили: ибо коли Бога бесконечного нет, то и нет никакой добродетели, да и не надобно ее тогда вовсе. Это вы вправду. Так я и рассудил.

— Своим умом дошел? — криво усмехнулся Иван.

— Вашим руководством-с.

— А теперь, стало быть, в Бога уверовал, коли деньги назад отдаешь?

— Нет-с, не уверовал-с, — прошептал Смердяков.

— Так зачем отдаешь?

— Полноте... нечего-с! — махнул опять Смердяков рукой. — Вы вот сами тогда всё говорили, что всё позволено, а теперь-то почему так встревожены, сами-то-с? Показывать на себя даже хотите идти... Только ничего того не будет! Не пойдете показывать! — твердо и убежденно решил опять Смердяков.

— Увидишь! — проговорил Иван.

— Не может того быть. Умны вы очень-с. Деньги любите, это я знаю-с, почет тоже любите, потому что очень горды, прелесть женскую чрезмерно любите, а пуще всего в покойном довольстве жить и чтобы никому не кланяться — это пуще всего-с. Не захотите вы жизнь навеки испортить, такой стыд на суде приняв. Вы как Федор Павлович, наиболее-с, изо всех детей наиболее на него похожи вышли, с одною с ними душой-с.

— Ты не глуп, — проговорил Иван, как бы пораженный; кровь ударила ему в лицо, — я прежде думал, что ты глуп. Ты теперь серьезен! — заметил он, как-то вдруг по-новому глядя на Смердякова.

— От гордости вашей думали, что я глуп. Примите деньги-то-с.

Иван взял все три пачки кредиток и сунул в карман, не обертывая их ничем.

— Завтра их на суде покажу, — сказал он.

— Никто вам там не поверит-с, благо денег-то у вас и своих теперь довольно, взяли из шкатунки да и принесли-с.

Иван встал с места.

— Повторяю тебе, если не убил тебя, то единственно потому, что ты мне на завтра нужен, помни это, не забывай!

— А что ж, убейте-с. Убейте теперь, — вдруг странно проговорил Смердяков, странно смотря на Ивана. — Не посмеете и этого-с, — прибавил он, горько усмехнувшись, — ничего не посмеете, прежний смелый человек-с!

— До завтра! — крикнул Иван и двинулся идти.

— Постойте... покажите мне их еще раз.

Иван вынул кредитки и показал ему. Смердяков поглядел на них секунд десять.

— Ну, ступайте, — проговорил он, махнув рукой. — Иван Федорович! — крикнул он вдруг ему вслед опять.

— Чего тебе? — обернулся Иван уже на ходу.

— Прощайте-с!

— До завтра! — крикнул опять Иван и вышел из избы.

Метель всё еще продолжалась. Первые шаги прошел он бодро, но вдруг как бы стал шататься. «Это что-то физическое», — подумал он, усмехнувшись. Какая-то словно радость сошла теперь в его душу. Он почувствовал в себе какую-то бесконечную твердость: конец колебаниям его, столь ужасно его мучившим всё последнее время! Решение было взято, «и уже не изменится», — со счастьем подумал он. В это мгновение он вдруг на что-то споткнулся и чуть не упал. Остановясь, он различил в ногах своих поверженного им мужичонку, всё так же лежавшего на том же самом месте, без чувств и без движения. Метель уже засыпала ему почти всё лицо. Иван вдруг схватил его и потащил на себе. Увидав направо в домишке свет, подошел, постучался в ставни и откликнувшегося мещанина, которому принадлежал домишко, попросил помочь ему дотащить мужика в частный дом, обещая тут же дать за то три рубля. Мещанин собрался и вышел. Не стану в подробности описывать, как удалось тогда Ивану Федоровичу достигнуть цели и пристроить мужика в части, с тем чтобы сейчас же учинить и осмотр его доктором, причем он опять выдал и тут щедрою рукой «на расходы». Скажу только, что дело взяло почти целый час времени. Но Иван Федорович остался очень доволен. Мысли его раскидывались и работали. «Если бы не было взято так твердо решение мое на завтра, — подумал он вдруг с наслаждением, — то не остановился бы я на целый час пристраивать мужичонку, а прошел бы мимо его и только плюнул бы на то, что он замерзнет... Однако как я в силах наблюдать за собой, — подумал он в ту же минуту еще с бо́льшим наслаждением, — а они-то решили там, что я с ума схожу!» Дойдя до своего дома, он вдруг остановился под внезапным вопросом: «А не надо ль сейчас, теперь же пойти к прокурору и всё объявить?» Вопрос он решил, поворотив опять к дому: «Завтра всё вместе!» — прошептал он про себя, и, странно, почти вся радость, всё довольство его собою прошли в один миг. Когда же он вступил в свою комнату, что-то ледяное прикоснулось вдруг к его сердцу, как будто воспоминание, вернее, напоминание о чем-то мучительном и отвратительном, находящемся именно в этой комнате теперь, сейчас, да и прежде бывшем. Он устало опустился на свой диван. Старуха принесла ему самовар, он заварил чай, но не прикоснулся к нему; старуху отослал до завтра. Он сидел на диване и чувствовал головокружение. Он чувствовал, что болен и бессилен. Стал было засыпать, но в беспокойстве встал и прошелся по комнате, чтобы прогнать сон. Минутами мерещилось ему, что как будто он бредит. Но не болезнь занимала его всего более; усевшись опять, он начал изредка оглядываться кругом, как будто что-то высматривая. Так было несколько раз. Наконец взгляд его пристально направился в одну точку. Иван усмехнулся, но краска гнева залила его лицо. Он долго сидел на своем месте, крепко подперев обеими руками голову и все-таки кося глазами на прежнюю точку, на стоявший у противоположной стены диван. Его видимо что-то там раздражало, какой-то предмет, беспокоило, мучило.

IX

ЧЕРТ. КОШМАР ИВАНА ФЕДОРОВИЧА

Я не доктор, а между тем чувствую, что пришла минута, когда мне решительно необходимо объяснить хоть что-нибудь в свойстве болезни Ивана Федоровича читателю. Забегая вперед, скажу лишь одно: он был теперь, в этот вечер, именно как раз накануне белой горячки, которая наконец уже вполне овладела его издавна расстроенным, но упорно сопротивлявшимся болезни организмом. Не зная ничего в медицине, рискну высказать предположение, что действительно, может быть, ужасным напряжением воли своей он успел на время отдалить болезнь, мечтая, разумеется, совсем преодолеть ее. Он знал, что нездоров, но ему с отвращением не хотелось быть больным в это время, в эти наступающие роковые минуты его жизни, когда надо было быть налицо, высказать свое слово смело и решительно и самому «оправдать себя пред собою». Он, впрочем, сходил однажды к новому, прибывшему из Москвы доктору, выписанному Катериной Ивановной вследствие одной ее фантазии, о которой я уже упоминал выше. Доктор, выслушав и осмотрев его, заключил, что у него вроде даже как бы расстройства в мозгу, и нисколько не удивился некоторому признанию, которое тот с отвращением, однако, сделал ему. «Галлюцинации в вашем состоянии очень возможны, — решил доктор, — хотя надо бы их и проверить... вообще же необходимо начать лечение серьезно, не теряя ни минуты, не то будет плохо». Но Иван Федорович, выйдя от него, благоразумного совета не исполнил и лечь лечиться пренебрег: «Хожу ведь, силы есть пока, свалюсь — дело другое, тогда пусть лечит кто хочет», — решил он, махнув рукой. Итак, он сидел теперь, почти сознавая сам, что в бреду, и, как уже и сказал я, упорно приглядывался к какому-то предмету у противоположной стены на диване. Там вдруг оказался сидящим некто, бог знает как вошедший, потому что его еще не было в комнате, когда Иван Федорович, возвратясь от Смердякова, вступил в нее. Это был какой-то господин или, лучше сказать, известного сорта русский джентльмен, лет уже не молодых, «qui frisait la cinquantaine»,[1] как говорят французы, с не очень сильною проседью в темных, довольно длинных и густых еще волосах и в стриженой бородке клином. Одет он был в какой-то коричневый пиджак, очевидно от лучшего портного, но уже поношенный, сшитый примерно еще третьего года и совершенно уже вышедший из моды, так что из светских достаточных людей таких уже два года никто не носил. Белье, длинный

---

[1] «Под пятьдесят» *(фр.)*.

галстук в виде шарфа, всё было так, как и у всех шиковатых джентльменов, но бельё, если вглядеться ближе, было грязновато, а широкий шарф очень потерт. Клетчатые панталоны гостя сидели превосходно, но были опять-таки слишком светлы и как-то слишком узки, как теперь уже перестали носить, равно как и мягкая белая пуховая шляпа, которую уже слишком не по сезону притащил с собою гость. Словом, был вид порядочности при весьма слабых карманных средствах. Похоже было на то, что джентльмен принадлежит к разряду бывших белоручек-помещиков, процветавших еще при крепостном праве; очевидно, видавший свет и порядочное общество, имевший когда-то связи и сохранивший их, пожалуй, и до сих пор, но мало-помалу с обеднением после веселой жизни в молодости и недавней отмены крепостного права обратившийся вроде как бы в приживальщика хорошего тона, скитающегося по добрым старым знакомым, которые принимают его за уживчивый складный характер, да еще и ввиду того, что всё же порядочный человек, которого даже и при ком угодно можно посадить у себя за стол, хотя, конечно, на скромное место. Такие приживальщики, складного характера джентльмены, умеющие порассказать, составить партию в карты и решительно не любящие никаких поручений, если их им навязывают, — обыкновенно одиноки, или холостяки, или вдовцы, может быть и имеющие детей, но дети их воспитываются всегда где-то далеко, у каких-нибудь теток, о которых джентльмен никогда почти не упоминает в порядочном обществе, как бы несколько стыдясь такого родства. От детей же отвыкает мало-помалу совсем, изредка получая от них к своим именинам и к Рождеству поздравительные письма и иногда даже отвечая на них. Физиономия неожиданного гостя была не то чтобы добродушная, а опять-таки складная и готовая, судя по обстоятельствам, на всякое любезное выражение. Часов на нем не было, но был черепаховый лорнет на черной ленте. На среднем пальце правой руки красовался массивный золотой перстень с недорогим опалом. Иван Федорович злобно молчал и не хотел заговаривать. Гость ждал и именно сидел как приживальщик, только что сошедший сверху из отведенной ему комнаты вниз к чаю составить хозяину компанию, но смирно молчавший ввиду того, что хозяин занят и об чем-то нахмуренно думает; готовый, однако, ко всякому любезному разговору, только лишь хозяин начнет его. Вдруг лицо его выразило как бы некоторую внезапную озабоченность.

— Послушай, — начал он Ивану Федоровичу, — ты извини, я только чтобы напомнить: ты ведь к Смердякову пошел с тем, чтоб узнать про Катерину Ивановну, а ушел, ничего об ней не узнав, верно забыл...

— Ах да! — вырвалось вдруг у Ивана, и лицо его омрачилось заботой, — да, я забыл... Впрочем, теперь всё равно, всё до завтра, — пробормотал он про себя. — А ты, — раздражительно обратился он к гостю, — это я сам сейчас должен был вспомнить, потому что именно об этом томило тоской! Что ты выскочил, так я тебе и поверю, что это ты подсказал, а не я сам вспомнил?

— А не верь, — ласково усмехнулся джентльмен. — Что за вера насилием? Притом же в вере никакие доказательства не помогают, особенно материальные. Фома поверил не потому, что увидел воскресшего Христа, а потому, что еще прежде желал поверить. Вот, например, спириты... я их очень люблю... вообрази, они полагают, что полезны для веры, потому что им черти с того света рожки показывают. «Это, дескать, доказательство уже, так сказать, материальное, что есть тот свет». Тот свет и материальные доказательства, ай-люли! И наконец, если доказан черт, то еще неизвестно, доказан ли Бог? Я хочу в идеалистическое общество записаться, оппозицию у них буду делать: «дескать реалист, а не материалист, хе-хе!»

— Слушай, — встал вдруг из-за стола Иван Федорович. — Я теперь точно в бреду... и, уж конечно, в бреду... ври что хочешь, мне всё равно! Ты меня не приведешь в исступление, как в прошлый раз. Мне только чего-то стыдно... Я хочу ходить по комнате... Я тебя иногда не вижу и голоса твоего даже не слышу, как в прошлый раз, но всегда угадываю то, что ты мелешь, потому что *это я, я сам говорю, а не ты!* Не знаю только, спал ли я в прошлый раз или видел тебя наяву? Вот я обмочу полотенце холодною водой и приложу к голове, и авось ты испаришься.

Иван Федорович прошел в угол, взял полотенце, исполнил, как сказал, и с мокрым полотенцем на голове стал ходить взад и вперед по комнате.

— Мне нравится, что мы с тобой прямо стали на *ты,*— начал было гость.

— Дурак, — засмеялся Иван, — что ж я *вы,* что ли, стану тебе говорить. Я теперь весел, только в виске болит... и темя... только, пожалуйста, не философствуй, как в прошлый раз. Если не можешь убраться, то ври что-нибудь веселое. Сплетничай, ведь ты приживальщик, так сплетничай. Навяжется же такой кошмар! Но я не боюсь тебя. Я тебя преодолею. Не свезут в сумасшедший дом!

— C'est charmant[1], приживальщик. Да я именно в своем виде. Кто ж я на земле, как не приживальщик? Кстати, я ведь слушаю тебя и немножко дивлюсь: ей-богу, ты меня как будто уже начинаешь помаленьку принимать за нечто и в самом деле, а не за твою только фантазию, как стоял на том в прошлый раз...

— Ни одной минуты не принимаю тебя за реальную правду, — как-то яростно даже вскричал Иван. — Ты ложь, ты болезнь моя, ты призрак. Я только не знаю, чем тебя истребить, и вижу, что некоторое время надобно прострадать. Ты моя галлюцинация. Ты воплощение меня самого, только одной, впрочем, моей стороны... моих мыслей и чувств, только самых гадких и глупых. С этой стороны ты мог бы быть даже мне любопытен, если бы только мне было время с тобой возиться...

— Позволь, позволь, я тебя уличу: давеча у фонаря, когда ты вскинулся на Алешу и закричал ему: «Ты от *него* узнал! Почему ты узнал, что *он* ко мне ходит?» Это ведь ты про меня вспоминал. Стало быть, одно маленькое мгновеньице ведь верил же, верил, что я действительно есмь, — мягко засмеялся джентльмен.

— Да, это была слабость природы... но я не мог тебе верить. Я не знаю, спал ли я или ходил прошлый раз. Я, может быть, тогда тебя только во сне видел, а вовсе не наяву...

— А зачем ты давеча с ним так сурово, с Алешей-то? Он милый; я пред ним за старца Зосиму виноват.

— Молчи про Алешу! Как ты смеешь, лакей! — опять засмеялся Иван.

— Бранишься, а сам смеешься — хороший знак. Ты, впрочем, сегодня гораздо со мной любезнее, чем в прошлый раз, и я понимаю отчего: это великое решение...

— Молчи про решение! — свирепо вскричал Иван.

_____

[1] Это восхитительно *(фр.).*

— Понимаю, понимаю, c'est noble, c'est charmant[1], ты идешь защищать завтра брата и приносишь себя в жертву... c'est chevaleresque[2].

— Молчи, я тебе пинков надаю!

— Отчасти буду рад, ибо тогда моя цель достигнута: коли пинки, значит, веришь в мой реализм, потому что призраку не дают пинков. Шутки в сторону: мне ведь всё равно, бранись, коли хочешь, но всё же лучше быть хоть каплю повежливее, хотя бы даже со мной. А то дурак да лакей, ну что за слова!

— Браня тебя, себя браню! — опять засмеялся Иван, — ты — я, сам я, только с другою рожей. Ты именно говоришь то, что я уже мыслю... и ничего не в силах сказать мне нового!

— Если я схожусь с тобою в мыслях, то это делает мне только честь, — с деликатностью и достоинством проговорил джентльмен.

— Только всё скверные мои мысли берешь, а главное — глупые. Ты глуп и пошл. Ты ужасно глуп. Нет, я тебя не вынесу! Что мне делать, что мне делать! — проскрежетал Иван.

— Друг мой, я все-таки хочу быть джентльменом и чтобы меня так и принимали, — в припадке некоторой чисто приживальщицкой и уже вперед уступчивой и добродушной амбиции начал гость. — Я беден, но... не скажу, что очень честен, но... обыкновенно в обществе принято за аксиому, что я падший ангел. Ей-богу, не могу представить, каким образом я мог быть когда-нибудь ангелом. Если и был когда, то так давно, что не грешно и забыть. Теперь я дорожу лишь репутацией порядочного человека и живу как придется, стараясь быть приятным. Я людей люблю искренно — о, меня во многом оклеветали! Здесь, когда временами я к вам переселяюсь, моя жизнь протекает вроде чего-то как бы и в самом деле, и это мне более всего нравится. Ведь я и сам, как и ты же, страдаю от фантастического, а потому и люблю ваш земной реализм. Тут у вас всё очерчено, тут формула, тут геометрия, а у нас всё какие-то неопределенные уравнения! Я здесь хожу и мечтаю. Я люблю мечтать. К тому же на земле я становлюсь суеверен — не смейся,

---

[1] Это благородно, это прекрасно *(фр.)*.
[2] Это по-рыцарски *(фр.)*.

пожалуйста: мне именно это-то и нравится, что я становлюсь суеверен. Я здесь все ваши привычки принимаю: я в баню торговую полюбил ходить, можешь ты это представить, и люблю с купцами и попами париться. Моя мечта — это воплотиться, но чтоб уж окончательно, безвозвратно, в какую-нибудь толстую семипудовую купчиху и всему поверить, во что она верит. Мой идеал — войти в церковь и поставить свечку от чистого сердца, ей-богу так. Тогда предел моим страданиям. Вот тоже лечиться у вас полюбил: весной оспа пошла, я пошел и в воспитательном доме себе оспу привил — если б ты знал, как я был в тот день доволен: на братьев славян десять рублей пожертвовал!.. Да ты не слушаешь. Знаешь, ты что-то очень сегодня не по себе, — помолчал немного джентльмен. — Я знаю, ты ходил вчера к тому доктору... ну, как твое здоровье? Что тебе доктор сказал?

— Дурак! — отрезал Иван.

— Зато ты-то как умен. Ты опять бранишься? Я ведь не то чтоб из участия, а так. Пожалуй, не отвечай. Теперь вот ревматизмы опять пошли...

— Дурак, — повторил опять Иван.

— Ты всё свое, а я вот такой ревматизм прошлого года схватил, что до сих пор вспоминаю.

— У черта ревматизм?

— Почему же и нет, если я иногда воплощаюсь. Воплощаюсь, так и принимаю последствия. Сатана sum et nihil humanum a me alienum puto[1].

— Как, как? Сатана sum et nihil humanum... это неглупо для черта!

— Рад, что наконец угодил.

— А ведь это ты взял не у меня, — остановился вдруг Иван как бы пораженный, — это мне никогда в голову не приходило, это странно...

— C'est du nouveau n'est ce pas?[2] На этот раз я поступлю честно и объясню тебе. Слушай: в снах, и особенно в кошмарах, ну, там от расстройства желудка или чего-нибудь, иногда видит человек такие художественные сны, такую сложную и реальную действительность, такие события или даже целый мир событий, связанный такою ин-

---

[1] Я сатана, и ничто человеческое мне не чуждо *(лат.)*.

[2] Это ново, не правда ли? *(фр.)*

тригой, с такими неожиданными подробностями, начиная с высших ваших проявлений до последней пуговицы на манишке, что, клянусь тебе, Лев Толстой не сочинит, а между тем видят такие сны иной раз вовсе не сочинители, совсем самые заурядные люди, чиновники, фельетонисты, попы... Насчет этого даже целая задача: один министр так даже мне сам признавался, что все лучшие идеи его приходят к нему, когда он спит. Ну вот так и теперь. Я хоть и твоя галлюцинация, но, как и в кошмаре, я говорю вещи оригинальные, какие тебе до сих пор в голову не приходили, так что уже вовсе не повторяю твоих мыслей, а между тем я только твой кошмар, и больше ничего.

— Лжешь. Твоя цель именно уверить, что ты сам по себе, а не мой кошмар, и вот ты теперь подтверждаешь сам, что ты сон.

— Друг мой, сегодня я взял особую методу, я потом тебе растолкую. Постой, где же я остановился? Да, вот я тогда простудился, только не у вас, а еще там...

— Где там? Скажи, долго ли ты у меня пробудешь, не можешь уйти? — почти в отчаянии воскликнул Иван. Он оставил ходить, сел на диван, опять облокотился на стол и стиснул обеими руками голову. Он сорвал с себя мокрое полотенце и с досадой отбросил его: очевидно, не помогало.

— У тебя расстроены нервы, — заметил джентльмен с развязно-небрежным, но совершенно дружелюбным, однако, видом, — ты сердишься на меня даже за то, что я мог простудиться, а между тем произошло оно самым естественным образом. Я тогда поспешал на один дипломатический вечер к одной высшей петербургской даме, которая метила в министры. Ну, фрак, белый галстук, перчатки, и, однако, я был еще бог знает где, и, чтобы попасть к вам на землю, предстояло еще перелететь пространство... конечно, это один только миг, но ведь и луч света от солнца идет целых восемь минут, а тут, представь, во фраке и в открытом жилете. Дýхи не замерзают, но уж когда воплотился, то... словом, светренничал, и пустился, а ведь в пространствах-то этих, в эфире-то, в воде-то этой, яже бе над твердию, — ведь это такой мороз... то есть какое мороз — это уж и морозом назвать нельзя, можешь представить: сто пятьдесят градусов ниже нуля! Известна забава деревенских девок: на тридцатиградусном морозе предлагают новичку лизнуть топор; язык мгновенно примерзает, и олух в кровь сдирает с него кожу; так ведь это только на тридцати градусах, а на ста́-то пятидесяти, да тут только палец, я думаю, приложить к топору, и его как не бывало, если бы... только там мог случиться топор...

— А там может случиться топор? — рассеянно и гадливо перебил вдруг Иван Федорович. Он сопротивлялся изо всех сил, чтобы не поверить своему бреду и не впасть в безумие окончательно.

— Топор? — переспросил гость в удивлении.

— Ну да, что станется там с топором? — с каким-то свирепым и настойчивым упорством вдруг вскричал Иван Федорович.

— Что станется в пространстве с топором? Quelle idée![1] Если куда попадет подальше, то примется, я думаю, летать вокруг Земли, сам не зная зачем, в виде спутника. Астрономы вычислят восхождение и захождение топора, Гатцук внесет в календарь, вот и всё.

— Ты глуп, ты ужасно глуп! — строптиво сказал Иван, — ври умнее, а то я не буду слушать. Ты хочешь побороть меня реализмом, уверить меня, что ты есь, но я не хочу верить, что ты есь! Не поверю!!

— Да я и не вру, всё правда; к сожалению, правда почти всегда бывает неостроумна. Ты, я вижу, решительно ждешь от меня чего-то великого, а может быть, и прекрасного. Это очень жаль, потому что я даю лишь то, что могу...

— Не философствуй, осел!

— Какая тут философия, когда вся правая сторона отнялась, кряхчу и мычу. Был у всей медицины: распознать умеют отлично, всю болезнь расскажут тебе как по пальцам, ну а вылечить не умеют. Студентик тут один случился восторженный: если вы, говорит, и умрете, то зато будете вполне знать, от какой болезни умерли! Опять-таки эта их манера отсылать к специалистам: мы, дескать, только распознаем, а вот поезжайте к такому-то специалисту, он уже вылечит. Совсем, совсем, я тебе скажу, исчез прежний доктор, который ото всех болезней лечил, теперь только одни специалисты и всё в газетах публикуются. Заболи у тебя нос, тебя шлют в Париж: там, дескать, европейский

---

[1] Какая идея! *(фр.)*

специалист носы лечит. Приедешь в Париж, он осмотрит нос: я вам, скажет, только правую ноздрю могу вылечить, потому что левых ноздрей не лечу, это не моя специальность, а поезжайте после меня в Вену, там вам особый специалист левую ноздрю долечит. Что будешь делать? Прибегнул к народным средствам, один немец-доктор посоветовал в бане на полке медом с солью вытереться. Я, единственно чтобы только в баню лишний раз сходить, пошел: выпачкался весь, и никакой пользы. С отчаяния графу Маттеи в Милан написал; прислал книгу и капли, бог с ним. И вообрази: мальц-экстракт Гоффа помог! Купил нечаянно, выпил полторы стклянки, и хоть танцевать, всё как рукой сняло. Непременно положил ему «спасибо» в газетах напечатать, чувство благодарности заговорило, и вот вообрази, тут уже другая история пошла: ни в одной-то редакции не принимают! «Ретроградно очень будет, говорят, никто не поверит, le diable n'existe point[1]. Вы, советуют, напечатайте анонимно». Ну какое же «спасибо», если анонимно. Смеюсь с конторщиками: «Это в Бога, говорю, в наш век ретроградно верить, а ведь я черт, в меня можно». — «Понимаем, говорят, кто же в черта не верит, а все-таки нельзя, направлению повредить может. Разве в виде шутки?» Ну в шутку-то, подумал, будет неостроумно. Так и не напечатали. И веришь ли, у меня даже на сердце это осталось. Самые лучшие чувства мои, как например благодарность, мне формально запрещены единственно социальным моим положением.

— Опять в философию въехал! — ненавистно проскрежетал Иван.

— Боже меня убереги, но ведь нельзя же иногда не пожаловаться. Я человек оклеветанный. Вот ты поминутно мне, что я глуп. Так и видно молодого человека. Друг мой, не в одном уме дело! У меня от природы сердце доброе и веселое, «я ведь тоже разные водевильчики». Ты, кажется, решительно принимаешь меня за поседелого Хлестакова, и, однако, судьба моя гораздо серьезнее. Каким-то там довременным назначением, которого я никогда разобрать не мог, я определен «отрицать», между тем я искренно добр и к отрицанию совсем не способен. Нет, ступай отрицать, без отрицания-де не будет критики, а какой же журнал,

---

[1] Дьявола-то больше не существует (*фр.*).

если нет «отделения критики»? Без критики будет одна «осанна». Но для жизни мало одной «осанны», надо, чтоб «осанна»-то эта переходила через горнило сомнений, ну и так далее, в этом роде. Я, впрочем, во всё это не ввязываюсь, не я сотворял, не я и в ответе. Ну и выбрали козла отпущения, заставили писать в отделении критики, и получилась жизнь. Мы эту комедию понимаем: я, например, прямо и просто требую себе уничтожения. Нет, живи, говорят, потому что без тебя ничего не будет. Если бы на земле было всё благоразумно, то ничего бы и не произошло. Без тебя не будет никаких происшествий, а надо, чтобы были происшествия. Вот и служу скрепя сердце, чтобы были происшествия, и творю неразумное по приказу. Люди принимают всю эту комедию за нечто серьезное, даже при всем своем бесспорном уме. В этом их и трагедия. Ну и страдают, конечно, но... всё же зато живут, живут реально, не фантастически; ибо страдание-то и есть жизнь. Без страдания какое было бы в ней удовольствие — всё обратилось бы в один бесконечный молебен: оно свято, но скучновато. Ну а я? Я страдаю, а всё же не живу. Я икс в неопределенном уравнении. Я какой-то призрак жизни, который потерял все концы и начала, и даже сам позабыл наконец, как и назвать себя. Ты смеешься... нет, ты не смеешься, ты опять сердишься. Ты вечно сердишься, тебе бы всё только ума, а я опять-таки повторю тебе, что я отдал бы всю эту надзвездную жизнь, все чины и почести за то только, чтобы воплотиться в душу семипудовой купчихи и Богу свечки ставить.

— Уж и ты в Бога не веришь? — ненавистно усмехнулся Иван.

— То есть как тебе это сказать, если ты только серьезно...

— Есть Бог или нет? — опять со свирепою настойчивостью крикнул Иван.

— А, так ты серьезно? Голубчик мой, ей-богу, не знаю, вот великое слово сказал.

— Не знаешь, а Бога видишь? Нет, ты не сам по себе, ты — *я*, ты есть *я* и более ничего! Ты дрянь, ты моя фантазия!

— То есть, если хочешь, я одной с тобой философии, вот это будет справедливо. Je pense donc je suis[1], это я знаю

---

[1] Я мыслю, следовательно, я существую *(фр.)*.

наверно, остальное же всё, что кругом меня, все эти миры, Бог и даже сам сатана — всё это для меня не доказано, существует ли оно само по себе или есть только одна моя эманация, последовательное развитие моего *я,* существующего довременно и единолично... словом, я быстро прерываю, потому что ты, кажется, сейчас драться вскочишь.

— Лучше бы ты какой анекдот! — болезненно проговорил Иван.

— Анекдот есть и именно на нашу тему, то есть это не анекдот, а так, легенда. Ты вот укоряешь меня в неверии: «видишь-де, а не веришь». Но, друг мой, ведь не я же один таков, у нас там все теперь помутились, и всё от ваших наук. Еще пока были атомы, пять чувств, четыре стихии, ну тогда всё кое-как клеилось. Атомы-то и в древнем мире были. А вот как узнали у нас, что вы там открыли у себя «химическую молекулу», да «протоплазму», да черт знает что еще — так у нас и поджали хвосты. Просто сумбур начался; главное — суеверие, сплетни; сплетен ведь и у нас столько же, сколько у вас, даже капельку больше, а, наконец, и доносы, у нас ведь тоже есть такое одно отделение, где принимают известные «сведения». Так вот эта дикая легенда, еще средних наших веков — не ваших, а наших — и никто-то ей не верит даже и у нас, кроме семипудовых купчих, то есть опять-таки не ваших, а наших купчих. Всё, что у вас есть, — есть и у нас, это я уж тебе по дружбе одну тайну нашу открываю, хоть и запрещено. Легенда-то эта об рае. Был, дескать, здесь у вас на земле один такой мыслитель и философ, «всё отвергал, законы, совесть, веру», а главное — будущую жизнь. Помер, думал, что прямо во мрак и смерть, ан перед ним — будущая жизнь. Изумился и вознегодовал: «Это, говорит, противоречит моим убеждениям». Вот его за это и присудили... то есть, видишь, ты меня извини, я ведь передаю сам, что слышал, это только легенда... присудили, видишь, его, чтобы прошел во мраке квадриллион километров (у нас ведь теперь на километры), и когда кончит этот квадриллион, то тогда ему отворят райские двери и всё простят...

— А какие муки у вас на том свете, кроме-то квадриллиона? — с каким-то странным оживлением прервал Иван.

— Какие муки? Ах, и не спрашивай: прежде было и так и сяк, а ныне всё больше нравственные пошли, «угрызения совести» и весь этот вздор. Это тоже от вас завелось, от «смягчения ваших нравов». Ну и кто же выиграл, выиграли одни бессовестные, потому что ж ему за угрызения совести, когда и совести-то нет вовсе. Зато пострадали люди порядочные, у которых еще оставалась совесть и честь... То-то вот реформы-то на неприготовленную-то почву, да еще списанные с чужих учреждений, — один только вред! Древний огонек-то лучше бы. Ну, так вот этот осужденный на квадриллион постоял, посмотрел и лег поперек дороги: «Не хочу идти, из принципа не пойду!» Возьми душу русского просвещенного атеиста и смешай с душой пророка Ионы, будировавшего во чреве китове три дня и три ночи, — вот тебе характер этого улегшегося на дороге мыслителя.

— На чем же он там улегся?

— Ну, там, верно, было на чем. Ты не смеешься?

— Молодец! — крикнул Иван, всё в том же странном оживлении. Теперь он слушал с каким-то неожиданным любопытством. — Ну что ж, и теперь лежит?

— То-то и есть, что нет. Он пролежал почти тысячу лет, а потом встал и пошел.

— Вот осел-то! — воскликнул Иван, нервно захохотав, всё как бы что-то усиленно соображая. — Не всё ли равно, лежать ли вечно или идти квадриллион верст? Ведь это биллион лет ходу?

— Даже гораздо больше, вот только нет карандашика и бумажки, а то бы рассчитать можно. Да ведь он давно уже дошел, и тут-то и начинается анекдот.

— Как дошел! Да где ж он биллион лет взял?

— Да ведь ты думаешь всё про нашу теперешнюю землю! Да ведь теперешняя земля, может, сама-то биллион раз повторялась; ну, отживала, леденела, трескалась, рассыпалась, разлагалась на составные начала, опять вода, яже бе над твердию, потом опять комета, опять солнце, опять из солнца земля — ведь это развитие, может, уже бесконечно раз повторяется, и всё в одном и том же виде, до черточки. Скучища неприличнейшая...

— Ну-ну, что же вышло, когда дошел?

— А только что ему отворили в рай, и он вступил, то, не пробыв еще двух секунд — и это по часам, по часам (хотя часы его, по-моему, давно должны были бы разложиться на составные элементы у него в кармане дорогой), — не пробыв двух секунд, воскликнул, что за эти две секунды не только квадриллион, но квадриллион квадриллионов пройти можно, да еще возвысив в квадриллионную степень! Словом, пропел «осанну», да и пересолил, так что иные там, с образом мыслей поблагороднее, так даже руки ему не хотели подать на первых порах: слишком-де уж стремительно в консерваторы перескочил. Русская натура. Повторяю: легенда. За что купил, за то и продал. Так вот еще какие там у нас обо всех этих предметах понятия ходят.

— Я тебя поймал! — вскричал Иван с какою-то почти детскою радостью, как бы уже окончательно что-то припомнив, — этот анекдот о квадриллионе лет — это я сам сочинил! Мне было тогда семнадцать лет, я был в гимназии... я этот анекдот тогда сочинил и рассказал одному товарищу, фамилия его Коровкин, это было в Москве... Анекдот этот так характерен, что я не мог его ниоткуда взять. Я его было забыл... но он мне припомнился теперь бессознательно — мне самому, а не ты рассказал! Как тысячи вещей припоминаются иногда бессознательно, даже когда казнить везут... во сне припомнился. Вот ты и есть этот сон! Ты сон и не существуешь!

— По азарту, с каким ты отвергаешь меня, — засмеялся джентльмен, — я убеждаюсь, что ты все-таки в меня веришь.

— Нимало! На сотую долю не верю!

— Но на тысячную веришь. Гомеопатические-то доли ведь самые, может быть, сильные. Признайся, что веришь, ну на десятитысячную...

— Ни одной минуты! — яростно вскричал Иван. — Я, впрочем, желал бы в тебя поверить! — странно вдруг прибавил он.

— Эге! Вот, однако, признание! Но я добр, я тебе и тут помогу. Слушай: это я тебя поймал, а не ты меня! Я нарочно тебе твой же анекдот рассказал, который ты уже забыл, чтобы ты окончательно во мне разуверился.

— Лжешь! Цель твоего появления — уверить меня, что ты есь.

— Именно. Но колебания, но беспокойство, но борьба веры и неверия — это ведь такая иногда мука для совестливого человека, вот как ты, что лучше повеситься. Я именно, зная, что ты капельку веришь в меня, подпустил тебе неверия уже окончательно, рассказав этот анекдот. Я тебя вожу между верой и безверием попеременно, и тут у меня своя цель. Новая метода-с: ведь когда ты во мне совсем разуверишься, то тотчас меня же в глаза начнешь уверять, что я не сон, а есмь в самом деле, я тебя уж знаю; вот я тогда и достигну цели. А цель моя благородная. Я в тебя только крохотное семечко веры брошу, а из него вырастет дуб — да еще такой дуб, что ты, сидя на дубе-то, в «отцы пустынники и в жены непорочны» пожелаешь вступить; ибо тебе оченно, оченно того втайне хочется, акриды кушать будешь, спасаться в пустыню потащишься!

— Так ты, негодяй, для спасения моей души стараешься?

— Надо же хоть когда-нибудь доброе дело сделать. Злишься-то ты, злишься, как я погляжу!

— Шут! А искушал ты когда-нибудь вот этаких-то, вот что акриды-то едят, да по семнадцати лет в голой пустыне молятся, мохом обросли?

— Голубчик мой, только это и делал. Весь мир и миры забудешь, а к одному этакому прилепишься, потому что бриллиант-то уж очень драгоценен; одна ведь такая душа стоит иной раз целого созвездия — у нас ведь своя арифметика. Победа-то драгоценна! А ведь иные из них, ей-богу, не ниже тебя по развитию, хоть ты этому и не поверишь: такие бездны веры и неверия могут созерцать в один и тот же момент, что, право, иной раз кажется, только бы еще один волосок — и полетит человек «вверх тормашки», как говорит актер Горбунов.

— Ну и что ж, отходил с носом?

— Друг мой, — заметил сентенциозно гость, — с носом всё же лучше отойти, чем иногда совсем без носа, как недавно еще изрек один болящий маркиз (должно быть, специалист лечил) на исповеди своему духовному отцу-иезуиту. Я присутствовал — просто прелесть. «Возвратите мне, говорит, мой нос!» И бьет себя в грудь. «Сын мой, — виляет патер, — по неисповедимым судьбам провидения всё восполняется и видимая беда влечет иногда за собою чрезвычайную, хотя и невидимую выгоду. Если строгая судьба лишила вас носа, то выгода ваша в том, что уже никто во всю вашу жизнь не осмелится вам сказать, что вы остались с носом». — «Отец святой, это не утешение! — восклицает отчаянный, — я был бы, напротив, в восторге всю жизнь каждый день оставаться с носом, только бы он был у меня на надлежащем месте!» — «Сын мой, — вздыхает патер, — всех благ нельзя требовать разом, и это уже ропот на провидение, которое даже и тут не забыло вас; ибо если вы вопиете, как возопили сейчас, что с радостью готовы бы всю жизнь оставаться с носом, то и тут уже косвенно исполнено желание ваше: ибо, потеряв нос, вы тем самым всё же как бы остались с носом...»

— Фу, как глупо! — крикнул Иван.

— Друг мой, я хотел только тебя рассмешить, но, клянусь, это настоящая иезуитская казуистика, и, клянусь, всё это случилось буква в букву, как я изложил тебе. Случай этот недавний и доставил мне много хлопот. Несчастный молодой человек, возвратясь домой, в ту же ночь застрелился; я был при нем неотлучно до последнего момента... Что же до исповедальных этих иезуитских будочек, то это воистину самое милое мое развлечение в грустные минуты жизни. Вот тебе еще один случай, совсем уж на днях. Приходит к старику патеру блондиночка, норманочка, лет двадцати, девушка. Красота, телеса, натура — слюнки текут. Нагнулась, шепчет патеру в дырочку свой грех. «Что вы, дочь моя, неужели вы опять уже пали?.. — восклицает патер. — O Sancta Maria [1], что я слышу: уже не с тем. Но доколе же это продолжится, и как вам это не стыдно!» — «Ah mon père [2], — отвечает грешница, вся в покаянных слезах. — Ça lui fait tant de plaisir et à moi si peu de peine!» [3] Ну, представь себе такой ответ! Тут уж и я отступился: это крик самой природы, это, если хочешь, лучше самой невинности! Я тут же отпустил ей грех и повернулся было идти, но тотчас же принужден был и воротиться: слышу, патер в дырочку ей назначает вечером свидание, а ведь старик — кремень, и вот пал в одно мгновение! Природа-то, правда-то природы взяла свое! Что, опять воротишь нос, опять сердишься? Не знаю уж, чем и угодить тебе...

— Оставь меня, ты стучишь в моем мозгу как неотвязный кошмар, — болезненно простонал Иван, в бессилии пред своим видением, — мне скучно с тобою, невыносимо и мучительно! Я бы много дал, если бы мог прогнать тебя!

---

[1] О святая Мария (лат.).

[2] Ах, мой отец (фр.).

[3] Это доставляет ему такое удовольствие, а мне так мало труда! (фр.)

— Повторяю, умерь свои требования, не требуй от меня «всего великого и прекрасного» и увидишь, как мы дружно с тобой уживемся, — внушительно проговорил джентльмен. — Воистину ты злишься на меня за то, что я не явился тебе как-нибудь в красном сиянии, «гремя и блистая», с опаленными крыльями, а предстал в таком скромном виде. Ты оскорблен, во-первых, в эстетических чувствах твоих, а во-вторых, в гордости: как, дескать, к такому великому человеку мог войти такой пошлый черт? Нет, в тебе таки есть эта романтическая струйка, столь осмеянная еще Белинским. Что делать, молодой человек. Я вот думал давеча, собираясь к тебе, для шутки предстать в виде отставного действительного статского советника, служившего на Кавказе, со звездой Льва и Солнца на фраке, но решительно побоялся, потому ты избил бы меня только за то, как я смел прицепить на фрак Льва и Солнце, а не прицепил по крайней мере Полярную звезду али Сириуса. И всё ты о том, что я глуп. Но бог мой, я и претензий не имею равняться с тобой умом. Мефистофель, явившись к Фаусту, засвидетельствовал о себе, что он хочет зла, а делает лишь добро. Ну, это как ему угодно, я же совершенно напротив. Я, может быть, единственный человек во всей природе, который любит истину и искренно желает добра. Я был при том, когда умершее на кресте Слово восходило в небо, неся на персях своих душу распятого одесную разбойника, я слышал радостные взвизги херувимов, поющих и вопиющих: «Осанна», и громовый вопль восторга серафимов, от которого потряслось небо и всё мироздание. И вот, клянусь же всем, что есть свято, я хотел примкнуть к хору и крикнуть со всеми: «Осанна!» Уже слетало, уже рвалось из груди... я ведь, ты знаешь, очень чувствителен и художественно восприимчив. Но здравый смысл — о, самое несчастное свойство моей природы — удержал меня и тут в должных границах, и я пропустил мгновение! Ибо что же, — подумал я в ту же минуту, — что же бы вышло после моей-то «осанны»? Тотчас бы всё угасло на свете и не стало бы случаться никаких происшествий. И вот единственно по долгу службы и по социальному моему положению я принужден был задавить в себе хороший момент и остаться при пакостях. Честь добра кто-то берет всю себе, а мне оставлены в удел только пакости. Но я не завидую чести жить на шаромыжку, я не честолюбив. Почему изо всех существ в мире только я лишь один обречен на проклятия ото всех порядочных людей и даже на пинки сапогами, ибо, воплощаясь, должен принимать иной раз и такие последствия? Я ведь знаю, тут есть секрет, но секрет мне ни за что не хотят открыть, потому что я, пожалуй, тогда, догадавшись, в чем дело, рявкну «осанну», и тотчас исчезнет необходимый минус и начнется во всем мире благоразумие, а с ним, разумеется, и конец всему, даже газетам и журналам, потому что кто ж на них тогда станет подписываться. Я ведь знаю, в конце концов я помирюсь, дойду и я мой квадриллион и узнаю секрет. Но пока это произойдет, будирую и скрепя сердце исполняю мое назначение: губить тысячи, чтобы спасся один. Сколько, например, надо было погубить душ и опозорить честных репутаций, чтобы получить одного только праведного Иова, на котором меня так зло поддели во время óно! Нет, пока не открыт секрет, для меня существуют две правды: одна тамошняя, ихняя, мне пока совсем неизвестная, а другая моя. И еще неизвестно, которая будет почище... Ты заснул?

— Еще бы, — злобно простонал Иван, — всё, что ни есть глупого в природе моей, давно уже пережитого, перемолотого в уме моем, отброшенного, как падаль, — ты мне же подносишь как какую-то новость!

— Не потрафил и тут! А я-то думал тебя даже литературным изложением прельстить: эта «осанна»-то в небе, право, недурно ведь у меня вышло? Затем ссйчас этот саркастический тон à la Гейне, а, не правда ли?

— Нет, я никогда не был таким лакеем! Почему же душа моя могла породить такого лакея, как ты?

— Друг мой, я знаю одного прелестнейшего и милейшего русского барчонка: молодого мыслителя и большого любителя литературы и изящных вещей, автора поэмы, которая обещает, под названием: «Великий инквизитор»... Я его только и имел в виду!

— Я тебе запрещаю говорить о «Великом инквизиторе», — воскликнул Иван, весь покраснев от стыда.

— Ну, а «Геологический-то переворот»? Помнишь? Вот это так уж поэмка!

— Молчи, или я убью тебя!

— Это меня-то убьешь? Нет, уж извини, выскажу. Я и пришел, чтоб угостить себя этим удовольствием. О, я люблю мечты пылких, молодых, трепещущих жаждой жизни друзей моих! «Там новые люди, — решил ты еще прошлою весной, сюда собираясь, — они полагают разрушить всё и начать с антропофагии. Глупцы, меня не спросились! По-моему, и разрушать ничего не надо, а надо всего только разрушить в человечестве идею о Боге, вот с чего надо приняться за дело! С этого, с этого надобно начинать — о слепцы, ничего не понимающие! Раз человечество отречется поголовно от Бога (а я верю, что этот период — параллель геологическим периодам — совершится), то само собою, без антропофагии, падет всё прежнее мировоззрение и, главное, вся прежняя нравственность, и наступит всё новое. Люди совокупятся, чтобы взять от жизни всё, что она может дать, но непременно для счастия и радости в одном только здешнем мире. Человек возвеличится духом божеской, титанической гордости и явится человеко-бог. Ежечасно побеждая уже без границ природу, волею своею и наукой, человек тем самым ежечасно будет ощущать наслаждение столь высокое, что оно заменит ему все прежние упования наслаждений небесных. Всякий узнает, что он смертен весь, без воскресения, и примет смерть гордо и спокойно, как Бог. Он из гордости поймет, что ему нечего роптать за то, что жизнь есть мгновение, и возлюбит брата своего уже безо всякой мзды. Любовь будет удовлетворять лишь мгновению жизни, но одно уже сознание ее мгновенности усилит огонь ее настолько, насколько прежде расплывалась она в упованиях на любовь загробную и бесконечную»... ну и прочее, и прочее в том же роде. Премило!

Иван сидел, зажав себе уши руками и смотря в землю, но начал дрожать всем телом. Голос продолжал:

— Вопрос теперь в том, думал мой юный мыслитель: возможно ли, чтобы такой период наступил когда-нибудь или нет? Если наступит, то всё решено, и человечество устроится окончательно. Но так как, ввиду закоренелой глупости человеческой, это, пожалуй, еще и в тысячу лет не устроится, то всякому, сознающему уже и теперь истину, позволительно устроиться совершенно как ему угодно, на новых началах. В этом смысле ему «всё позволено». Мало того: если даже период этот и никогда не наступит, но так как Бога и бессмертия все-таки нет, то новому человеку позволительно стать человеко-богом, даже хотя бы одному в целом мире, и, уж конечно, в новом чине, с легким сердцем перескочить всякую прежнюю нравственную преграду прежнего раба-человека, если оно понадобится. Для Бога не существует закона! Где станет Бог — там уже место Божие! Где стану я, там сейчас же будет первое место... «всё дозволено», и шабаш! Всё это очень мило; только если захотел мошенничать, зачем бы еще, кажется, санкция истины? Но уж таков наш русский современный человечек: без санкции и смошенничать не решится, до того уж истину возлюбил...

Гость говорил, очевидно увлекаясь своим красноречием, всё более и более возвышая голос и насмешливо поглядывая на хозяина; но ему не удалось докончить: Иван вдруг схватил со стола стакан и с размаху пустил в оратора.

— Ah, mais c'est bête enfin![1] — воскликнул тот, вскакивая с дивана и смахивая пальцами с себя брызги чаю, — вспомнил Лютерову чернильницу! Сам же меня считает за сон и кидается стаканами в сон! Это по-женски! А ведь я так и подозревал, что ты делал только вид, что заткнул свои уши, а ты слушал...

В раму окна вдруг раздался со двора твердый и настойчивый стук. Иван Федорович вскочил с дивана.

— Слышишь, лучше отвори, — вскричал гость, — это брат твой Алеша с самым неожиданным и любопытным известием, уж я тебе отвечаю!

— Молчи, обманщик, я прежде тебя знал, что это Алеша, я его предчувствовал, и, уж конечно, он недаром, конечно с «известием»!.. — воскликнул исступленно Иван.

— Отопри же, отопри ему. На дворе метель, а он брат твой. Monsieur, sait-il le temps qu'il fait? C'est à ne pas mettre un chien dehors...[2]

Стук продолжался. Иван хотел было кинуться к окну; но что-то как бы вдруг связало ему ноги и руки. Изо всех сил он напрягался как бы порвать свои путы, но тщетно. Стук в окно усиливался всё больше и громче. Наконец вдруг порвались путы, и Иван Федорович вскочил на диване. Он дико осмотрелся. Обе свечки почти догорели, стакан, который он только что бросил в своего гостя, стоял пред ним на столе, а на противоположном диване ни-

---

[1] Ах, но это же глупо, наконец! *(фр.)*

[2] Известно ли мсье, какая стоит погода? В такую погоду и собаку на двор не выгоняют... *(фр.)*

кого не было. Стук в оконную раму хотя и продолжался настойчиво, но совсем не так громко, как сейчас только мерещилось ему во сне, напротив, очень сдержанно.

— Это не сон! Нет, клянусь, это был не сон, это всё сейчас было! — вскричал Иван Федорович, бросился к окну и отворил форточку.

— Алеша, я ведь не велел приходить! — свирепо крикнул он брату. — В двух словах: чего тебе надо? В двух словах, слышишь?

— Час тому назад повесился Смердяков, — ответил со двора Алеша.

— Пройди на крыльцо, сейчас отворю тебе, — сказал Иван и пошел отворять Алеше.

X
«ЭТО ОН ГОВОРИЛ!»

Алеша, войдя, сообщил Ивану Федоровичу, что час с небольшим назад прибежала к нему на квартиру Марья Кондратьевна и объявила, что Смердяков лишил себя жизни. «Вхожу этта к нему самовар прибрать, а он у стенки на гвоздочке висит». На вопрос Алеши: «Заявила ль она кому следует?» — ответила, что никому не заявляла, а «прямо бросилась к вам к первому и всю дорогу бежала бегом». Она была как помешанная, передавал Алеша, и вся дрожала как лист. Когда же Алеша прибежал вместе с ней в их избу, то застал Смердякова всё еще висевшим. На столе лежала записка: «Истребляю свою жизнь своею собственною волей и охотой, чтобы никого не винить». Алеша так и оставил эту записку на столе и пошел прямо к исправнику, у него обо всем заявил, «а оттуда прямо к тебе», — заключил Алеша, пристально вглядываясь в лицо Ивана. И всё время, пока он рассказывал, он не отводил от него глаз, как бы чем-то очень пораженный в выражении его лица.

— Брат, — вскричал он вдруг, — ты, верно, ужасно болен! Ты смотришь и как будто не понимаешь, что я говорю.

— Это хорошо, что ты пришел, — проговорил как бы задумчиво Иван и как бы вовсе не слыхав восклицания Алеши. — А ведь я знал, что он повесился.

— От кого же?

— Не знаю, от кого. Но я знал. Знал ли я? Да, он мне сказал. Он сейчас еще мне говорил...

Иван стоял среди комнаты и говорил всё так же задумчиво и смотря в землю.

— Кто *он?* — спросил Алеша, невольно оглядевшись кругом.

— Он улизнул.

Иван поднял голову и тихо улыбнулся:

— Он тебя испугался, тебя, голубя. Ты «чистый херувим». Тебя Дмитрий херувимом зовет. Херувим... Громовый вопль восторга серафимов! Что такое серафим? Может быть, целое созвездие. А может быть, всё-то созвездие есть всего только какая-нибудь химическая молекула... Есть созвездие Льва и Солнца, не знаешь ли?

— Брат, сядь! — проговорил Алеша в испуге, — сядь, ради бога, на диван. Ты в бреду, приляг на подушку, вот так. Хочешь полотенце мокрое к голове? Может, лучше станет?

— Дай полотенце, вот тут на стуле, я давеча сюда бросил.

— Тут нет его. Не беспокойся, я знаю, где лежит; вот оно, — сказал Алеша, сыскав в другом углу комнаты, у туалетного столика Ивана, чистое, еще сложенное и не употребленное полотенце. Иван странно посмотрел на полотенце; память как бы вмиг воротилась к нему.

— Постой, — привстал он с дивана, — я давеча, час назад, то самое полотенце взял оттуда же и смочил водой. Я прикладывал к голове и бросил сюда... как же оно сухое? Другого не было.

— Ты прикладывал это полотенце к голове? — спросил Алеша.

— Да, и ходил по комнате, час назад... Почему так свечки сгорели? Который час?

— Скоро двенадцать.

— Нет, нет, нет! — вскричал вдруг Иван, — это был не сон! Он был, он тут сидел, вон на том диване. Когда ты стучал в окно, я бросил в него стакан... вот этот... Постой, я и прежде спал, но этот сон не сон. И прежде было. У меня, Алеша, теперь бывают сны... но они не сны, а наяву: я хожу, говорю и вижу... а сплю. Но он тут сидел, он был, вот на этом диване... Он ужасно глуп, Алеша, ужасно глуп, — засмеялся вдруг Иван и принялся шагать по комнате.

— Кто глуп? Про кого ты говоришь, брат? — опять тоскливо спросил Алеша.

— Черт! Он ко мне повадился. Два раза был, даже почти три. Он дразнил меня тем, будто я сержусь, что он просто черт, а не сатана с опаленными крыльями, в громе и блеске. Но он не сатана, это он лжет. Он самозванец. Он просто черт, дрянной, мелкий черт. Он в баню ходит. Раздень его и наверно отыщешь хвост, длинный, гладкий, как у датской собаки, в аршин длиной, бурый... Алеша, ты озяб, ты в снегу был, хочешь чаю? Что? холодный? Хочешь, велю поставить? C'est à ne pas mettre un chien dehors...

Алеша быстро сбегал к рукомойнику, намочил полотенце, уговорил Ивана опять сесть и обложил ему мокрым полотенцем голову. Сам сел подле него.

— Что ты мне давеча говорил про Лизу? — начал опять Иван. (Он становился очень словоохотлив.) — Мне нравится Лиза. Я сказал про нее тебе что-то скверное. Я солгал, мне она нравится... Я боюсь завтра за Катю, больше всего боюсь. За будущее. Она завтра бросит меня и растопчет ногами. Она думает, что я из ревности к ней гублю Митю! Да, она это думает! Так вот нет же! Завтра крест, но не виселица. Нет, я не повешусь. Знаешь ли ты, что я никогда не могу лишить себя жизни, Алеша! От подлости, что ли? Я не трус. От жажды жить! Почему это я знал, что Смердяков повесился? Да, это *он* мне сказал...

— И ты твердо уверен, что кто-то тут сидел? — спросил Алеша.

— Вон на том диване, в углу. Ты бы его прогнал. Да ты же его и прогнал: он исчез, как ты явился. Я люблю твое лицо, Алеша. Знал ли ты, что я люблю твое лицо? А *он* — это я, Алеша, я сам. Всё мое низкое, всё мое подлое и презренное! Да, я «романтик», он это подметил... хоть это и клевета. Он ужасно глуп, но он этим берет. Он хитер, животно хитер, он знал, чем взбесить меня. Он всё дразнил меня, что я в него верю, и тем заставил меня его слушать. Он надул меня, как мальчишку. Он мне, впрочем, сказал про меня много правды. Я бы никогда этого не сказал себе. Знаешь, Алеша, знаешь, — ужасно серьезно и как бы конфиденциально прибавил Иван, — я бы очень желал, чтоб он в самом деле был *он,* а не я!

— Он тебя измучил, — сказал Алеша, с состраданием смотря на брата.

— Дразнил меня! И знаешь, ловко, ловко: «Совесть! Что совесть? Я сам ее делаю. Зачем же я мучаюсь? По привычке. По всемирной человеческой привычке за семь тысяч лет. Так отвыкнем и будем боги». Это он говорил, это он говорил!

— А не ты, не ты? — ясно смотря на брата, неудержимо вскричал Алеша. — Ну и пусть его, брось его и забудь о нем! Пусть он унесет с собою всё, что ты теперь проклинаешь, и никогда не приходит!

— Да, но он зол. Он надо мной смеялся. Он был дерзок, Алеша, — с содроганием обиды проговорил Иван. — Но он клеветал на меня, он во многом клеветал. Лгал мне же на меня же в глаза. «О, ты идешь совершить подвиг добродетели, объявишь, что убил отца, что лакей по твоему наущению убил отца...»

— Брат, — прервал Алеша, — удержись: не ты убил. Это неправда!

— Это он говорит, он, а он это знает: «Ты идешь совершить подвиг добродетели, а в добродетель-то и не веришь — вот что тебя злит и мучит, вот отчего ты такой мстительный». Это он мне про меня говорил, а он знает, что говорит...

— Это ты говоришь, а не он! — горестно воскликнул Алеша, — и говоришь в болезни, в бреду, себя мучая!

— Нет, он знает, что говорит. Ты, говорит, из гордости идешь, ты станешь и скажешь: «Это я убил, и чего вы корчитесь от ужаса, вы лжете! Мнение ваше презираю, ужас ваш презираю». Это он про меня говорит, и вдруг говорит: «А знаешь, тебе хочется, чтоб они тебя похвалили: преступник, дескать, убийца, но какие у него великодушные чувства, брата спасти захотел и признался!» Вот это так уж ложь, Алеша! — вскричал вдруг Иван, засверкав глазами. — Я не хочу, чтобы меня смерды хвалили! Это он солгал, Алеша, солгал, клянусь тебе! Я бросил в него за это стаканом, и он расшибся об его морду.

— Брат, успокойся, перестань! — упрашивал Алеша.

— Нет, он умеет мучить, он жесток, — продолжал, не слушая, Иван. — Я всегда предчувствовал, зачем он приходит. «Пусть, говорит, ты шел из гордости, но ведь всё же была и надежда, что уличат Смердякова и сошлют в каторгу, что Митю оправдают, а тебя осудят лишь *нравственно* (слышишь, он тут смеялся!), а другие так и похвалят. Но вот умер Смердяков, повесился — ну и кто ж тебе там на суде теперь-то одному поверит? А ведь ты идешь, идешь, ты все-таки пойдешь, ты решил, что пойдешь. Для чего же ты идешь после этого?» Это страшно, Алеша, я не могу выносить таких вопросов. Кто смеет мне задавать такие вопросы!

— Брат, — прервал Алеша, замирая от страха, но всё еще как бы надеясь образумить Ивана, — как же мог он говорить тебе про смерть Смердякова до моего прихода, когда еще никто и не знал о ней, да и времени не было никому узнать?

— Он говорил, — твердо произнес Иван, не допуская и сомнения. — Он только про это и говорил, если хочешь. «И добро бы ты, говорит, в добродетель верил: пусть не поверят мне, для принципа иду. Но ведь ты поросенок, как Федор Павлович, и что тебе добродетель? Для чего же ты туда потащишься, если жертва твоя ни к чему не послужит? А потому что ты сам не знаешь, для чего идешь! О, ты бы много дал, чтоб узнать самому, для чего идешь! И будто ты решился? Ты еще не решился. Ты всю ночь будешь сидеть и решать: идти или нет? Но ты все-таки пойдешь и знаешь, что пойдешь, сам знаешь, что как бы ты ни решался, а решение уж не от тебя зависит. Пойдешь, потому что не смеешь не пойти. Почему не смеешь, — это уж сам угадай, вот тебе загадка!» Встал и ушел. Ты пришел, а он ушел. Он меня трусом назвал, Алеша! Le mot de l'énigme[1], что я трус! «Не таким орлам воспарять над землей!» Это он прибавил, это он прибавил! И Смердяков это же говорил. Его надо убить! Катя меня презирает, я уже месяц это вижу, да и Лиза презирать начнет! «Идешь, чтоб тебя похвалили» — это зверская ложь! И ты тоже презираешь меня, Алеша. Теперь я тебя опять возненавижу. И изверга ненавижу, и изверга ненавижу! Не хочу спасать изверга, пусть сгниет в каторге! Гимн запел! О, завтра я пойду, стану пред ними и плюну им всем в глаза!

Он вскочил в исступлении, сбросил с себя полотенце и принялся снова шагать по комнате. Алеша вспомнил давешние слова его: «Как будто я сплю наяву... Хожу, говорю и вижу, а сплю». Именно как будто это соверша-

---

[1] Отгадка в том *(фр.)*.

лось теперь. Алеша не отходил от него. Мелькнула было у него мысль бежать к доктору и привесть того, но он побоялся оставить брата одного: поручить его совсем некому было. Наконец Иван мало-помалу стал совсем лишаться памяти. Он всё продолжал говорить, говорил не умолкая, но уже совсем нескладно. Даже плохо выговаривал слова и вдруг сильно покачнулся на месте. Но Алеша успел поддержать его. Иван дал себя довести до постели, Алеша кое-как раздел его и уложил. Сам просидел над ним еще часа два. Больной спал крепко, без движения, тихо и ровно дыша. Алеша взял подушку и лег на диване не раздеваясь. Засыпая, помолился о Мите и об Иване. Ему становилась понятною болезнь Ивана: «Муки гордого решения, глубокая совесть!» Бог, которому он не верил, и правда его одолевали сердце, всё еще не хотевшее подчиниться. «Да, — неслось в голове Алеши, уже лежавшей на подушке, — да, коль Смердяков умер, то показанию Ивана никто уже не поверит; но он пойдет и покажет! — Алеша тихо улыбнулся: — Бог победит! — подумал он. — Или восстанет в свете правды, или... погибнет в ненависти, мстя себе и всем за то, что послужил тому, во что не верит», — горько прибавил Алеша и опять помолился за Ивана.

Книга двенадцатая
СУДЕБНАЯ ОШИБКА

I
РОКОВОЙ ДЕНЬ

На другой день после описанных мною событий, в десять часов утра, открылось заседание нашего окружного суда и начался суд над Дмитрием Карамазовым.

Скажу вперед, и скажу с настойчивостью: я далеко не считаю себя в силах передать всё то, что произошло на суде, и не только в надлежащей полноте, но даже и в надлежащем порядке. Мне всё кажется, что если бы всё припомнить и всё как следует разъяснить, то потребуется целая книга, и даже пребольшая. А потому пусть не посетуют на меня, что я передам лишь то, что меня лично поразило и что я особенно запомнил. Я мог принять второстепенное за главнейшее, даже совсем упустить самые резкие необходимейшие черты... А впрочем, вижу, что лучше не извиняться. Сделаю как умею, и читатели сами поймут, что я сделал лишь как умел.

И во-первых, прежде чем мы войдем в залу суда, упомяну о том, что меня в этот день особенно удивило. Впрочем, удивило не одного меня, а, как оказалось впоследствии, и всех. Именно: все знали, что дело это заинтересовало слишком многих, что все сгорали от нетерпения, когда начнется суд, что в обществе нашем много говорили, предполагали, восклицали, мечтали уже целые два месяца. Все знали тоже, что дело это получило всероссийскую огласку, но все-таки не представляли себе, что оно до такой уже жгучей, до такой раздражительной степени потрясло всех и каждого, да и не у нас только, а повсеместно, как оказалось это на самом суде в этот день. К этому дню к нам съехались гости не только из нашего губернского города, но и из некоторых других городов России, а наконец, из Москвы и из Петербурга. Приехали юристы, приехало даже несколько знатных лиц, а также и дамы. Все билеты были расхватаны. Для особенно почетных и знатных посетителей из мужчин отведены были даже совсем уже необыкновенные места сзади стола, за которым помещался суд: там появился целый ряд занятых разными особами кресел, чего никогда у нас прежде не допускалось. Особенно много оказалось дам — наших и приезжих, я думаю, даже не менее половины всей публики. Одних только съехавшихся отовсюду юристов оказалось так много, что даже не знали уж, где их и поместить, так как все билеты давно уже были розданы, выпрошены и вымолены. Я видел сам, как в конце залы, за эстрадой, была временно и наскоро устроена особая загородка, в которую впустили всех этих съехавшихся юристов, и они почли себя даже счастливыми, что могли тут хоть стоять, потому что стулья, чтобы выгадать место, были из этой загородки совсем вынесены, и вся набравшаяся толпа простояла всё «дело» густо сомкнувшеюся кучей, плечом к плечу. Некоторые из дам, особенно из приезжих, явились на хорах залы чрезвычайно разряженные, но большинство дам даже и о нарядах забыло. На их лицах читалось истерическое, жадное, болезненное почти любопытство. Одна из характернейших особенностей всего этого собравшегося в зале общества и которую необходимо отметить, состояла в том, что, как и оправдалось потом по многим наблюдениям, почти все дамы, по крайней мере огромнейшее большинство их, стояли за Митю и за оправдание его. Может быть, главное, потому, что о нем составилось представление как о покорителе женских сердец. Знали, что явятся две женщины-соперницы. Одна из них, то есть Катерина Ивановна, особенно всех интересовала; про нее рассказывалось чрезвычайно много необыкновенного, про ее страсть к Мите, несмотря даже на его преступление, рассказывались удивительные анекдоты. Особенно упоминалось об ее гордости (она почти никому в нашем городе не сделала визитов), об «аристократических связях». Говорили, что она намерена просить правительство, чтоб ей позволили сопровождать преступника на каторгу и обвенчаться с ним где-нибудь в рудниках под землей. С не меньшим волнением ожидали появления на суде и Грушеньки, как соперницы Катерины Ивановны. С мучительным любопытством ожидали встречи пред судом двух соперниц — аристократической гордой девушки и «гетеры»; Грушенька, впрочем, была известнее нашим дамам, чем Катерина Ивановна. Ее, «погубительницу Федора Павловича и несчастного сына его», видали наши дамы и прежде, и все, почти до единой, удивлялись, как в такую «самую обыкновенную, совсем даже некрасивую собой русскую мещанку» могли до такой степени влюбиться отец и сын. Словом, толков было много. Мне положительно известно, что собственно в нашем городе произошло даже несколько серьезных семейных ссор из-за Мити. Многие дамы горячо поссорились со своими супругами за разность взглядов на всё это ужасное дело, и естественно после того, что все мужья этих дам явились в залу суда уже не только нерасположенными к подсудимому, но даже озлобленными против него. И вообще положительно можно было сказать, что, в противоположность дамскому, весь мужской элемент был настроен против подсудимого. Виднелись строгие, нахмуренные лица, другие даже совсем злобные, и это во множестве. Правда и то, что Митя многих из них сумел оскорбить лично во время своего у нас пребывания. Конечно, иные из посетителей были почти даже веселы и весьма безучастны собственно к судьбе Мити, но всё же опять-таки не к рассматривающемуся делу; все были заняты исходом его, и большинство мужчин решительно желало кары преступнику, кроме разве юристов, которым дорога была не нравственная сторона дела, а лишь, так сказать, современно-юридическая. Всех волновал приезд знаменитого Фетюковича. Талант его был известен повсеместно, и это уже не в первый раз, что он являлся в провинции защищать громкие уголовные дела. И после его защиты таковые дела всегда становились знаменитыми на всю Россию и надолго памятными. Ходило несколько анекдотов и о нашем прокуроре и о председателе суда. Рассказывалось, что наш прокурор трепетал встречи с Фетюковичем, что это были старинные враги еще с Петербурга, еще с начала их карьеры, что самолюбивый наш Ипполит Кириллович, считавший себя постоянно кем-то обиженным еще с Петербурга, за то что не были надлежаще оценены его таланты, воскрес было духом над делом Карамазовых и мечтал даже воскресить этим делом свое увядшее поприще, но что пугал его лишь Фетюкович. Но насчет трепета пред Фетюковичем суждения были не совсем справедливы. Прокурор наш был не из таких характеров, которые падают духом пред опасностью, а, напротив, из тех, чье самолюбие вырастает и окрыляется именно по мере возрастания опасности. Вообще же надо заметить, что прокурор наш был слишком горяч и болезненно восприимчив. В иное дело он клал всю свою душу и вел его так, как бы от решения его зависела вся его судьба и всё его достояние. В юридическом мире над этим несколько смеялись, ибо наш прокурор именно этим качеством своим заслужил даже некоторую известность, если далеко не повсеместно, то гораздо большую, чем можно было предположить ввиду его скромного места в нашем суде. Особенно смеялись над его страстью к психологии. По-моему, все ошибались: наш прокурор, как человек и характер, кажется мне, был гораздо серьезнее, чем многие о нем думали. Но уж так не умел поставить себя этот болезненный человек с самых первых своих шагов еще в начале поприща, а затем и во всю свою жизнь.

Что же до председателя нашего суда, то о нем можно сказать лишь то, что это был человек образованный, гуманный, практически знающий дело и самых современных идей. Был он довольно самолюбив, но о карьере своей не очень заботился. Главная цель его жизни заключалась в том, чтобы быть передовым человеком. Притом имел связи и состояние. На дело Карамазовых, как оказалось потом, он смотрел довольно горячо, но лишь в общем смысле. Его занимало явление, классификация его, взгляд на него как на продукт наших социальных основ, как на характеристику русского элемента, и проч. и проч. К личному же характеру дела, к трагедии его, равно как и к личностям участвующих лиц, начиная с подсудимого, он относился довольно безразлично и отвлеченно, как, впрочем, может быть, и следовало.

Задолго до появления суда зала была уже набита битком. У нас зала суда лучшая в городе, обширная, высокая, звучная. Направо от членов суда, помещавшихся на некотором возвышении, был приготовлен стол и два ряда кресел для присяжных заседателей. Налево было место подсудимого и его защитника. На средине залы, близ помещения суда стоял стол с «вещественными доказательствами». На нем лежали окровавленный шелковый белый халат Федора Павловича, роковой медный пестик, коим было совершено предполагаемое убийство, рубашка Мити с запачканным кровью рукавом, его сюртук весь в кровавых пятнах сзади на месте кармана, в который он сунул тогда свой весь мокрый от крови платок, самый платок, весь заскорузлый от крови, теперь уже совсем пожелтевший, пистолет, заряженный для самоубийства Митей у Перхотина и отобранный у него тихонько в Мокром Трифоном Борисовичем, конверт с надписью, в котором были приготовлены для Грушеньки три тысячи, и розовая тоненькая ленточка, которою он был обвязан, и прочие многие предметы, которых и не упомню. На некотором расстоянии дальше, в глубь залы, начинались места для публики, но еще пред балюстрадой стояло несколько кресел для тех свидетелей, уже давших свое показание, которые будут оставлены в зале. В десять часов появился суд в составе председателя, одного члена и одного почетного мирового судьи. Разумеется, тотчас же появился и прокурор. Председатель был плотный, коренастый человек, ниже среднего роста, с геморроидальным лицом, лет пятидесяти, с темными с проседью волосами, коротко обстриженными, и в красной ленте — не помню уж какого ордена. Прокурор же показался мне, да и не мне, а всем, очень уж как-то бледным, почти с зеленым лицом, почему-то как бы внезапно похудевшим в одну, может быть, ночь, потому что я всего только третьего дня видел его совсем еще в своем виде. Председатель начал с вопроса судебному приставу: все ли явились присяжные заседатели?.. Вижу, однако, что так более продолжать не могу, уже потому даже, что многого не расслышал, в другое пропустил вникнуть, третье забыл упомнить, а главное, потому, что, как уже и сказал я выше, если всё припоминать, что было сказано и что произошло, то буквально недостанет у меня ни времени, ни места. Знаю только, что присяжных заседателей, тою и другою стороной, то есть защитником и прокурором, отведено было не очень много. Состав же двенадцати присяжных запомнил: четыре наших чиновника, два купца и шесть крестьян и мещан нашего города. У нас в обществе, я помню, еще задолго до суда, с некоторым удивлением спрашивали, особенно дамы: «Неужели такое тонкое, сложное и психологическое дело будет отдано на роковое решение какимто чиновникам и, наконец, мужикам, и что-де поймет тут какой-нибудь такой чиновник, тем более мужик?» В самом деле, все эти четыре чиновника, попавшие в состав присяжных, были люди мелкие, малочиновные, седые — один только из них был несколько помоложе, — в обществе нашем малоизвестные, прозябавшие на мелком жалованье, имевшие, должно быть, старых жен, которых никуда нельзя показать, и по куче детей, может быть даже босоногих, много-много что развлекавшие свой досуг где-нибудь картишками и уж, разумеется, никогда не прочитавшие ни одной книги. Два же купца имели хоть и степенный вид, но были как-то странно молчаливы и неподвижны; один из них брил бороду и был одет по-немецки; другой, с седенькою бородкой, имел на шее, на красной ленте, какую-то медаль. Про мещан и крестьян и говорить нечего. Наши скотопригоньевские мещане почти те же крестьяне, даже пашут. Двое из них были тоже в немецком платье и оттого-то, может быть, грязнее и непригляднее на вид, чем остальные четверо. Так что действительно могла зайти мысль, как зашла и мне, например, только что я их рассмотрел: «Что могут такие постичь в таком деле?» Тем не менее лица их производили какое-то странно внушительное и почти грозящее впечатление, были строги и нахмурены.

Наконец председатель объявил к слушанию дело об убийстве отставного титулярного советника Федора Павловича Карамазова — не помню вполне, как он тогда выразился. Судебному приставу велено было ввести подсудимого, и вот появился Митя. Всё затихло в зале, муху можно было услышать. Не знаю, как на других, но вид Мити произвел на меня самое неприятное впечатление. Главное, он явился ужасным франтом, в новом с иголочки сюртуке. Я узнал потом, что он нарочно заказал к этому дню себе сюртук в Москве, прежнему портному, у которого сохранилась его мерка. Был он в новешеньких черных лайковых перчатках и в щегольском белье. Он прошел своими длинными аршинными шагами, прямо до неподвижности смотря пред собою, и сел на свое место с самым бестрепетным видом. Тут же сейчас же явился и защитник, знаменитый Фетюкович, и как бы какой-то подавленный гул пронесся в зале. Это был длинный, сухой человек, с длинными, тонкими ногами, с чрезвычайно длинными, бледными, тонкими пальцами, с обритым лицом, со скромно причесанными, довольно короткими волосами, с тонкими, изредка кривившимися не то насмешкой, не то улыбкой губами. На вид ему было лет сорок. Лицо его было бы и приятным, если бы не глаза его, сами по себе небольшие и невыразительные, но до редкости близко один от другого поставленные, так что их разделяла всего только одна тонкая косточка его продолговатого тонкого носа. Словом, физиономия эта имела в себе что-то резко птичье, что поражало. Он был во фраке и в белом галстуке. Помню первый опрос Мити председателем, то есть об имени, звании и проч. Митя ответил резко, но как-то неожиданно громко, так что председатель встряхнул даже головой и почти с удивлением посмотрел на него. Затем был прочитан список лиц, вызванных к судебному следствию, то есть свидетелей и экспертов. Список был длинный: четверо из свидетелей не явились: Миусов, бывший в настоящее время уже в Париже, но показание которого имелось еще в предварительном следствии, госпожа Хохлакова и помещик Максимов по болезни и Смердяков за внезапною смертью, причем было представлено свидетельство от полиции. Известие о Смердякове вызвало сильное шевеление и шепот в зале. Конечно, в публике многие еще вовсе не знали об этом внезапном эпизоде самоубийства. Но что особенно поразило, это — внезапная выходка Мити: только что донесли о Смердякове, как вдруг он со своего места воскликнул на всю залу:

— Собаке собачья смерть!

Помню, как бросился к нему его защитник и как председатель обратился к нему с угрозой принять строгие меры, если еще раз повторится подобная этой выходка. Митя отрывисто и кивая головой, но как будто совсем не раскаиваясь, несколько раз повторил вполголоса защитнику:

— Не буду, не буду! Сорвалось! Больше не буду!

И уж, конечно, этот коротенький эпизод послужил не в его пользу во мнении присяжных и публики. Объявлялся характер и рекомендовал себя сам. Под этим-то впечатлением был прочитан секретарем суда обвинительный акт.

Он был довольно краток, но обстоятелен. Излагались лишь главнейшие причины, почему привлечен такой-то, почему его должно было предать суду, и так далее. Тем не менее он произвел на меня сильное впечатление. Секретарь прочел четко, звучно, отчетливо. Вся эта трагедия как бы вновь появилась пред всеми выпукло, концентрично, освещенная роковым, неумолимым светом. Помню, как сейчас же по прочтении председатель громко и внушительно спросил Митю:

— Подсудимый, признаете ли вы себя виновным?

Митя вдруг встал с места:

— Признаю себя виновным в пьянстве и разврате, — воскликнул он каким-то опять-таки неожиданным, почти исступленным голосом, — в лени и в дебоширстве. Хотел стать навеки честным человеком именно в ту секунду, когда подсекла судьба! Но в смерти старика, врага моего и отца, — не виновен! Но в ограблении его — нет, нет, не виновен, да и не могу быть виновным: Дмитрий Карамазов подлец, но не вор!

Прокричав это, он сел на место, видимо весь дрожа. Председатель снова обратился к нему с кратким, но назидательным увещанием отвечать лишь на вопросы, а не вдаваться в посторонние и исступленные восклицания. Затем велел приступить к судебному следствию. Ввели всех свидетелей для присяги. Тут я увидел их всех разом. Впрочем, братья подсудимого были допущены к свидетельству без присяги. После увещания священника и председателя свидетелей увели и рассадили, по возможности, порознь. Затем стали вызывать их по одному.

II
ОПАСНЫЕ СВИДЕТЕЛИ

Не знаю, были ли свидетели прокурорские и от защиты разделены председателем как-нибудь на группы и в каком именно порядке предположено было вызывать их. Должно быть, всё это было. Знаю только, что первыми стали вызывать свидетелей прокурорских. Повторяю, я не намерен описывать все допросы и шаг за шагом. К тому же мое описание вышло бы отчасти и лишним, потому что в речах прокурора и защитника, когда приступили к прениям, весь ход и смысл всех данных и выслушанных показаний были сведены как бы в одну точку с ярким и характерным освещением, а эти две замечательные речи я, по крайней мере местами, записал в полноте и передам в свое время, равно как и один чрезвычайный и совсем неожиданный эпизод процесса, разыгравшийся внезапно еще до судебных прений и несомненно повлиявший на грозный и роковой исход его. Замечу только, что с самых первых минут суда выступила ярко некоторая особая характерность этого «дела», всеми замеченная, именно: необыкновенная сила обвинения сравнительно со средствами, какие имела защита. Это все поняли в первый миг, когда в этой грозной зале суда начали, концентрируясь, группироваться факты и стали постепенно выступать весь этот ужас и вся эта кровь наружу. Всем, может быть, стало понятно еще с самых первых шагов, что это совсем даже и не спорное дело, что тут нет сомнений, что, в сущности, никаких бы и прений не надо, что прения будут лишь только для формы, а что преступник виновен, виновен явно, виновен окончательно. Я думаю даже, что и все дамы, все до единой, с таким нетерпением жаждавшие оправдания интересного подсудимого, были в то же время совершенно уверены в полной его виновности. Мало того, мне кажется, они бы даже огорчились, если бы виновность его не столь подтвердилась, ибо тогда не было бы такого эффекта в развязке, когда оправдают преступника. А что его оправдают — в этом, странное дело, все дамы были окончательно убеждены почти до самой последней минуты: «виновен, но оправдают из гуманности, из новых идей, из новых чувств, которые теперь пошли», и проч., и проч. Для того-то они и сбежались сюда с таким нетерпением. Мужчины же наиболее интересовались борьбой прокурора и славного Фетюковича. Все удивлялись и спрашивали себя: что может сделать из такого потерянного дела, из такого выеденного яйца даже и такой талант, как Фетюкович? — а потому с напряженным вниманием следили шаг за шагом за его подвигами. Но Фетюкович до самого конца, до самой речи своей остался для всех загадкой. Опытные люди предчувствовали, что у него есть система, что у него уже нечто составилось, что впереди у него есть цель, но какая она — угадать было почти невозможно. Его уверенность и самонадеянность бросались, однако же, в глаза. Кроме того, все с удовольствием сейчас же заметили, что он, в такое краткое пребывание у нас, всего в какие-нибудь три дня может быть, сумел удивительно ознакомиться с делом и «до тонкости изучил его». С наслаждением рассказывали, например, потом, как он всех прокурорских свидетелей сумел вовремя «подвести» и, по возможности, сбить, а главное, подмарать их нравственную репутацию, а стало быть, само собой подмарать и их показания. Полагали, впрочем, что он делает это много-много что для игры, так сказать для некоторого юридического блеска, чтоб уж ничего не было забыто из принятых адвокатских приемов: ибо все были убеждены, что какой-нибудь большой и окончательной пользы он всеми этими «подмарываниями» не мог достичь и, вероятно, это сам лучше всех понимает, имея какую-то свою идею в запасе, какое-то еще пока припрятанное оружие защиты, которое вдруг и обнаружит, когда придет срок. Но пока все-таки, сознавая свою силу, он как бы играл и резвился. Так, например, когда опрашивали Григория Васильева, бывшего камердинера Федора Павловича, дававшего самое капитальное показание об «отворенной в сад двери», защитник так и вцепился в него, когда ему в свою очередь пришлось предлагать вопросы. Надо заметить, что Григорий Васильевич предстал в залу, не смутившись нимало ни величием суда, ни присутствием огромной слушавшей его публики, с видом спокойным и чуть не величавым. Он давал свои показания с такою уверенностью, как если бы беседовал наедине со своею Марфой Игнатьевной, только разве почтительнее. Сбить его было невозможно. Его сначала долго расспрашивал прокурор о всех подробностях семейства Карамазовых. Семейная картина ярко выставилась наружу. Слышалось, виделось, что свидетель был простодушен и беспристрастен. При всей глубочайшей почтительности к памяти своего бывшего барина, он все-таки, например, заявил, что тот был к Мите несправедлив и «не так воспитал детей. Его, малого мальчика, без меня вши бы заели, — прибавил он, повествуя о детских годах Мити. — Тоже не годилось отцу сына в имении его материнском, родовом, обижать». На вопрос же прокурора о том, какие у него основания утверждать, что Федор Павлович обидел в расчете сына, Григорий Васильевич, к удивлению всех, основательных данных совсем никаких не представил, но все-таки стоял на том, что расчет с сыном был «неправильный» и что это точно ему «несколько тысяч следовало доплатить». Замечу кстати, что этот вопрос — действительно ли Федор Павлович недоплатил чего Мите? — прокурор с особенною настойчивостью предлагал потом и всем тем свидетелям, которым мог его предложить, не исключая ни Алеши, ни

Ивана Федоровича, но ни от кого из свидетелей не получил никакого точного сведения; все утверждали факт, и никто не мог представить хоть сколько-нибудь ясного доказательства. После того как Григорий описал сцену за столом, когда ворвался Дмитрий Федорович и избил отца, угрожая воротиться убить его, — мрачное впечатление пронеслось по зале, тем более что старый слуга рассказывал спокойно, без лишних слов, своеобразным языком, а вышло страшно красноречиво. За обиду свою Митей, ударившим его тогда по лицу и сбившим его с ног, он заметил, что не сердится и давно простил. О покойном Смердякове выразился, перекрестясь, что малый был со способностью, да глуп и болезнью угнетен, а пуще безбожник, и что его безбожеству Федор Павлович и старший сын учили. Но о честности Смердякова подтвердил почти с жаром и тут же передал, как Смердяков, во время óно, найдя оброненные барские деньги, не утаил их, а принес барину, и тот ему за это «золотой подарил» и впредь во всем доверять начал. Отворенную же дверь в сад подтвердил с упорною настойчивостью. Впрочем, его так много расспрашивали, что я всего и припомнить не могу. Наконец опросы перешли к защитнику, и тот первым делом начал узнавать о пакете, в котором «будто бы» спрятаны были Федором Павловичем три тысячи рублей для «известной особы». «Видели ли вы его сами — вы, столь многолетне приближенный к вашему барину человек?» Григорий ответил, что не видел, да и не слыхал о таких деньгах вовсе ни от кого, «до самых тех пор, как вот зачали теперь все говорить». Этот вопрос о пакете Фетюкович со своей стороны тоже предлагал всем, кого мог об этом спросить из свидетелей, с такою же настойчивостью, как и прокурор свой вопрос о разделе имения, и ото всех тоже получал лишь один ответ, что пакета никто не видал, хотя очень многие о нем слышали. Эту настойчивость защитника на этом вопросе все с самого начала заметили.

— Теперь могу ли обратиться к вам с вопросом, если только позволите, — вдруг и совсем неожиданно спросил Фетюкович, — из чего состоял тот бальзам, или, так сказать, та настойка, посредством которой вы в тот вечер, перед сном, как известно из предварительного следствия, вытерли вашу страдающую поясницу, надеясь тем излечиться?

Григорий тупо посмотрел на опросчика и, помолчав несколько, пробормотал:

— Был шалфей положен.

— Только шалфей? Не припомните ли еще чего-нибудь?

— Подорожник был тоже.

— И перец, может быть? — любопытствовал Фетюкович.

— И перец был.

— И так далее. И всё это на водочке?

— На спирту.

В зале чуть-чуть пронесся смешок.

— Видите, даже и на спирту. Вытерши спину, вы ведь остальное содержание бутылки, с некоею благочестивою молитвою, известной лишь вашей супруге, изволили выпить, ведь так?

— Выпил.

— Много ли примерно выпили? Примерно? Рюмочку, другую?

— Со стакан будет.

— Даже и со стакан. Может быть, и полтора стаканчика?

Григорий замолк. Он как бы что-то понял.

— Стаканчика полтора чистенького спиртику — оно ведь очень недурно, как вы думаете? Можно и «райские двери отверсты» увидеть, не то что дверь в сад?

Григорий всё молчал. Опять прошел смешок в зале. Председатель пошевелился.

— Не знаете ли вы наверно, — впивался всё более и более Фетюкович, — почивали вы или нет в ту минуту, когда увидели отворенную в сад дверь?

— На ногах стоял.

— Это еще не доказательство, что не почивали (еще и еще смешок в зале). Могли ли, например, ответить в ту минуту, если бы вас кто спросил о чем — ну, например, о том, который у нас теперь год?

— Этого не знаю.

— А который у нас теперь год, нашей эры, от Рождества Христова, не знаете ли?

Григорий стоял со сбитым видом, в упор смотря на своего мучителя. Странно это, казалось, по-видимому, что он действительно не знает, какой теперь год.

— Может быть, знаете, однако, сколько у вас на руке пальцев?

— Я человек подневольный, — вдруг громко и раздельно проговорил Григорий, — коли начальству угодно надо мною надсмехаться, так я снести должен.

Фетюковича как бы немножко осадило, но ввязался и председатель и назидательно напомнил защитнику, что следует задавать более подходящие вопросы. Фетюкович, выслушав, с достоинством поклонился и объявил, что расспросы свои кончил. Конечно, и в публике, и у присяжных мог остаться маленький червячок сомнения в показании человека, имевшего возможность «видеть райские двери» в известном состоянии лечения и, кроме того, даже не ведающего, какой нынче год от Рождества Христова; так что защитник своей цели все-таки достиг. Но пред уходом Григория произошел еще эпизод. Председатель, обратившись к подсудимому, спросил: не имеет ли он чего заметить по поводу данных показаний?

— Кроме двери, во всем правду сказал, — громко крикнул Митя. — Что вшей мне вычесывал — благодарю, что побои мне простил — благодарю; старик был честен всю жизнь и верен отцу как семьсот пуделей.

— Подсудимый, выбирайте ваши слова, — строго проговорил председатель.

— Я не пудель, — проворчал и Григорий.

— Ну так это я пудель, я! — крикнул Митя. — Коли обидно, то на себя принимаю, а у него прощения прошу: был зверь и с ним жесток! С Езопом тоже был жесток.

— С каким Езопом? — строго поднял опять председатель.

— Ну с Пьеро... с отцом, с Федором Павловичем.

Председатель опять и опять внушительно и строжайше уже подтвердил Мите, чтоб он осторожнее выбирал свои выражения.

— Вы сами вредите себе тем во мнении судей ваших.

Точно так же весьма ловко распорядился защитник и при спросе свидетеля Ракитина. Замечу, что Ракитин был из самых важных свидетелей и которым несомненно дорожил прокурор. Оказалось, что он всё знал, удивительно много знал, у всех-то он был, всё-то видел, со всеми-то говорил, подробнейшим образом знал биографию Федора Павловича и всех Карамазовых. Правда, про пакет с тремя тысячами тоже слышал лишь от самого Мити. Зато подробно описал подвиги Мити в трактире «Столичный город», все компрометирующие того слова и жесты и передал историю о «мочалке» штабс-капитана Снегирева. Насчет же того особого пункта, остался ли что-нибудь должен Федор Павлович Мите при расчете по имению — даже сам Ракитин не мог ничего указать и отделался лишь общими местами презрительного характера: «кто, дескать, мог бы разобрать из них виноватого и сосчитать, кто кому остался должен при бестолковой карамазовщине, в которой никто себя не мог ни понять, ни определить?» Всю трагедию судимого преступления он изобразил как продукт застарелых нравов крепостного права и погруженной в беспорядок России, страдающей без соответственных учреждений. Словом, ему дали кое-что высказать. С этого процесса господин Ракитин в первый раз заявил себя и стал заметен; прокурор знал, что свидетель готовит в журнал статью о настоящем преступлении и потом уже в речи своей (что увидим ниже) цитовал несколько мыслей из этой статьи, значит, уже был с нею знаком. Картина, изображенная свидетелем, вышла мрачною и роковою и сильно подкрепила «обвинение». Вообще же изложение Ракитина пленило публику независимостию мысли и необыкновенным благородством ее полета. Послышались даже два-три внезапно сорвавшиеся рукоплескания, именно в тех местах, где говорилось о крепостном праве и о страдающей от безурядицы России. Но Ракитин, всё же как молодой человек, сделал маленький промах, которым тотчас же отменно успел воспользоваться защитник. Отвечая на известные вопросы насчет Грушеньки, он, увлеченный своим успехом, который, конечно, уже сам сознавал, и тою высотой благородства, на которую воспарил, позволил себе выразиться об Аграфене Александровне несколько презрительно, как о «содержанке купца Самсонова». Дорого дал бы он потом, чтобы воротить свое словечко, ибо на нем-то и поймал его тотчас же Фетюкович. И всё потому, что Ракитин совсем не рассчитывал, что тот в такой короткий срок мог до таких интимных подробностей ознакомиться с делом.

— Позвольте узнать, — начал защитник с самою любезною и даже почтительною улыбкой, когда пришлось ему в свою очередь задавать вопросы, — вы, конечно, тот самый и есть господин Ракитин, которого брошюру, изданную епархиальным начальством, «Житие в бозе почившего старца отца Зосимы», полную глубоких и религиозных мыслей, с превосходным и благочестивым посвящением преосвященному, я недавно прочел с таким удовольствием?

— Я написал не для печати... это потом напечатали, — пробормотал Ракитин, как бы вдруг чем-то опешенный и почти со стыдом.

— О, это прекрасно! Мыслитель, как вы, может и даже должен относиться весьма широко ко всякому общественному явлению. Покровительством преосвященного ваша полезнейшая брошюра разошлась и доставила относительную пользу... Но я вот о чем, главное, желал бы у вас полюбопытствовать: вы только что заявили, что были весьма близко знакомы с госпожой Светловой? (Nota bene[1]. Фамилия Грушеньки оказалась «Светлова». Это я узнал в первый раз только в этот день, во время хода процесса.)

— Я не могу отвечать за все мои знакомства... Я молодой человек... и кто же может отвечать за всех тех, кого встречает, — так и вспыхнул весь Ракитин.

— Понимаю, слишком понимаю! — воскликнул Фетюкович, как бы сам сконфуженный и как бы стремительно спеша извиниться, — вы, как и всякий другой, могли быть в свою очередь заинтересованы знакомством молодой и красивой женщины, охотно принимавшей к себе цвет здешней молодежи, но... я хотел лишь осведомиться: нам известно, что Светлова месяца два назад чрезвычайно желала познакомиться с младшим Карамазовым, Алексеем Федоровичем, и только за то, чтобы вы привели его к ней, и именно в его тогдашнем монастырском костюме, она пообещала вам выдать двадцать пять рублей, только что вы его к ней приведете. Это, как и известно, состоялось именно в вечер того дня, который закончился трагическою катастрофой, послужившею основанием настоящему делу. Вы привели Алексея Карамазова к госпоже Светловой и — получили вы тогда эти двадцать пять рублей наградных от Светловой, вот что я желал бы от вас услышать?

— Это была шутка... Я не вижу, почему вас это может интересовать. Я взял для шутки... и чтобы потом отдать...

---

[1] Заметь особо *(лат.)*.

— Стало быть, взяли. Но ведь не отдали же и до сих пор... или отдали?

— Это пустое... — бормотал Ракитин, — я не могу на этакие вопросы отвечать... Я, конечно, отдам.

Вступился председатель, но защитник возвестил, что он свои вопросы господину Ракитину кончил. Господин Ракитин сошел со сцены несколько подсаленный. Впечатление от высшего благородства его речи было-таки испорчено, и Фетюкович, провожая его глазами, как бы говорил, указывая публике: «вот, дескать, каковы ваши благородные обвинители!» Помню, не прошло и тут без эпизода со стороны Мити: взбешенный тоном, с каким Ракитин выразился о Грушеньке, он вдруг закричал со своего места: «Бернар!» Когда же председатель, по окончании всего опроса Ракитина, обратился к подсудимому: не желает ли он чего заметить со своей стороны, то Митя зычно крикнул:

— Он у меня, уже у подсудимого, деньги таскал взаймы! Бернар презренный и карьерист, и в Бога не верует, преосвященного надул!

Митю, конечно, опять образумили за неистовство выражений, но господин Ракитин был докончен. Не повезло и свидетельству штабс-капитана Снегирева, но уже совсем от другой причины. Он предстал весь изорванный, в грязной одежде, в грязных сапогах, и, несмотря на все предосторожности и предварительную «экспертизу», вдруг оказался совсем пьянсеньким. На вопросы об обиде, нанесенной ему Митей, вдруг отказался отвечать.

— Бог с ними-с. Илюшечка не велел. Мне Бог там заплатит-с.

— Кто вам не велел говорить? Про кого вы упоминаете?

— Илюшечка, сыночек мой: «Папочка, папочка, как он тебя унизил!» У камушка произнес. Теперь помирает-с...

Штабс-капитан вдруг зарыдал и с размаху бухнулся в ноги председателю. Его поскорее вывели, при смехе публики. Подготовленное прокурором впечатление не состоялось вовсе.

Защитник же продолжал пользоваться всеми средствами и всё более и более удивлял своим ознакомлением с делом до мельчайших подробностей. Так, например, показание Трифона Борисовича произвело было весьма сильное впечатление и уж, конечно, было чрезвычайно неблагоприятно для Мити. Он именно, чуть не по пальцам, высчитал, что Митя, в первый приезд свой в Мокрое, за месяц почти пред катастрофой, не мог истратить менее трех тысяч или «разве без самого только малого. На одних этих цыганок сколько раскидано! Нашим-то вшивым мужикам не то что „полтиною по улице шибали“, а по меньшей мере двадцатипятирублевыми бумажками дарили, меньше не давали. А сколько у них тогда просто украли-с! Ведь кто украл, тот руки своей не оставил, где же его поймать, вора-то-с, когда сами зря разбрасывали! Ведь у нас народ разбойник, душу свою не хранят. А девкам-то, девкам-то нашим деревенским что пошло! Разбогатели у нас с той поры, вот что-с, прежде бедность была». Словом, он припомнил всякую издержку и вывел всё точно на счетах. Таким образом, предположение о том, что истрачены были лишь полторы тысячи, а другие отложены в ладонку, становилось немыслимым. «Сам видел, в руках у них видел три тысячи как одну копеечку, глазами созерцал, уж нам ли счету не понимать-с!» — восклицал Трифон Борисович, изо всех сил желая угодить «начальству». Но когда опрос перешел к защитнику, тот, почти и не пробуя опровергать показание, вдруг завел речь о том, что ямщик Тимофей и другой мужик Аким подняли в Мокром, в этот первый кутеж, еще за месяц до ареста, сто рублей в сенях на полу, оброненные Митей в хмельном виде, и представили их Трифону Борисовичу, а тот дал им за это по рублю. «Ну так возвратили вы тогда эти сто рублей господину Карамазову или нет?» Трифон Борисович как ни вилял, но после допроса мужиков в найденной сторублевой сознался, прибавив только, что Дмитрию Федоровичу тогда же свято всё возвратил и вручил «по самой честности, и что вот только оне сами, будучи в то время совсем пьяными-с, вряд ли это могут припомнить». Но так как он все-таки до призыва свидетелей-мужиков в находке ста рублей отрицался, то и показание его о возврате суммы хмельному Мите, естественно, подверглось большому сомнению. Таким образом, один из опаснейших свидетелей, выставленных прокуратурой, ушел опять-таки заподозренным и в репутации своей сильно осаленным. То же приключилось и с поляками: те явились гордо и независимо. Громко засвидетельствовали, что, во-первых, оба «служили короне» и что «пан Митя» предлагал им три тысячи, чтобы купить их честь, и что они сами видели большие деньги в руках его. Пан Муссялович вставлял страшно много польских слов в свои фразы, и, видя, что это только возвышает его в глазах председателя и прокурора, возвысил наконец свой дух окончательно и стал уже совсем говорить по-польски. Но Фетюкович поймал и их в свои тенета: как ни вилял позванный опять Трифон Борисович, а все-таки должен был сознаться, что его колода карт была подменена паном Врублевским своею, а что пан Муссялович, меча банк, передернул карту. Это уже подтвердил Калганов, давая в свою очередь показание, и оба пана удалились с некоторым срамом, даже при смехе публики.

Затем точно так произошло почти со всеми наиболее опаснейшими свидетелями. Каждого-то из них сумел Фетюкович нравственно размарать и отпустить с некоторым носом. Любители и юристы только любовались и лишь недоумевали опять-таки, к чему такому большому и окончательному всё это могло бы послужить, ибо, повторяю, все чувствовали неотразимость обвинения, всё более и трагичнее нараставшего. Но по уверенности «великого мага» видели, что он был спокоен, и ждали: недаром же приехал из Петербурга «таков человек», не таков и человек, чтобы ни с чем назад воротиться.

III
МЕДИЦИНСКАЯ ЭКСПЕРТИЗА И ОДИН ФУНТ ОРЕХОВ

Медицинская экспертиза тоже не очень помогла подсудимому. Да и сам Фетюкович, кажется, не очень на нее рассчитывал, что и оказалось впоследствии. В основании своем она произошла единственно по настоянию Катерины Ивановны, вызвавшей нарочно знаменитого доктора из Москвы. Защита, конечно, ничего не могла через нее проиграть, а в лучшем случае могла что-нибудь и выиграть. Впрочем, отчасти вышло даже как бы нечто комическое, именно по некоторому разногласию докторов. Экспертами явились: приехавший знаменитый доктор, затем наш доктор Герценштубе и, наконец, молодой врач Варвинский. Оба последние фигурировали тоже и как просто свидетели, вызванные прокурором. Первым спрошен был в качестве эксперта доктор Герценштубе. Это был семидесятилетний старик, седой и плешивый, среднего роста, крепкого сложения. Его все у нас в городе очень ценили и уважали. Был он врач добросовестный, человек прекрасный и благочестивый, какой-то гернгутер или «моравский брат» — уж не знаю наверно. Жил у нас уже очень давно и держал себя с чрезвычайным достоинством. Он был добр и человеколюбив, лечил бедных больных и крестьян даром, сам ходил в их конуры и избы и оставлял деньги на лекарство, но притом был и упрям, как мул. Сбить его с его идеи, если она засела у него в голове, было невозможно. Кстати, уже всем почти было известно в городе, что приезжий знаменитый врач в какие-нибудь два-три дня своего у нас пребывания позволил себе несколько чрезвычайно обидных отзывов насчет дарований доктора Герценштубе. Дело в том, что хоть московский врач и брал за визиты не менее двадцати пяти рублей, но всё же некоторые в нашем городе обрадовались случаю его приезда, не пожалели денег и кинулись к нему за советами. Всех этих больных лечил до него, конечно, доктор Герценштубе, и вот знаменитый врач с чрезвычайною резкостью окритиковал везде его лечение. Под конец даже, являясь к больному, прямо спрашивал: «Ну, кто вас здесь пачкал, Герценштубе? Хе-хе!» Доктор Герценштубе, конечно, всё это узнал. И вот все три врача появились один за другим для опроса. Доктор Герценштубе прямо заявил, что «ненормальность умственных способностей подсудимого усматривается сама собой». Затем, представив свои соображения, которые я здесь опускаю, он прибавил, что ненормальность эта усматривается, главное, не только из прежних многих поступков подсудимого, но и теперь, в сию даже минуту, и когда его попросили объяснить, в чем же усматривается теперь, в сию-то минуту, то старик доктор со всею прямотой своего простодушия указал на то, что подсудимый, войдя в залу, «имел необыкновенный и чудный по обстоятельствам вид, шагал вперед как солдат и держал глаза впереди себя, упираясь, тогда как вернее было ему смотреть налево, где в публике сидят дамы, ибо он был большой любитель прекрасного пола и должен был очень много думать о том, что теперь о нем скажут дамы», — заключил старичок своим своеобразным языком. Надо прибавить, что он говорил по-русски много и охотно, но как-то у него каждая фраза выходила на немецкий манер, что, впрочем, никогда не смущало его, ибо он всю жизнь имел слабость считать свою русскую речь за образцовую, «за лучшую, чем даже у русских», и даже очень любил прибегать к русским пословицам, уверяя каждый раз, что русские пословицы лучшие и выразительнейшие изо всех пословиц в мире. Замечу еще, что он, в разговоре, от рассеянности ли какой, часто забывал слова самые обычные, которые отлично знал, но которые вдруг почему-то у него из ума выскакивали. То же самое, впрочем, бывало, когда он говорил по-немецки, и при этом всегда махал рукой пред лицом своим, как бы ища ухватить потерянное словечко, и уж никто не мог бы принудить его продолжать начатую речь, прежде чем он не отыщет пропавшего слова. Замечание его насчет того, что подсудимый, войдя, должен был бы посмотреть на дам, вызвало игривый шепот в публике. Старичка нашего очень у нас любили все дамы, знали тоже, что он, холостой всю жизнь человек, благочестивый и целомудренный, на женщин смотрел как на высшие и идеальные существа. А потому неожиданное замечание его всем показалось ужасно странным.

Московский доктор, спрошенный в свою очередь, резко и настойчиво подтвердил, что считает умственное состояние подсудимого за ненормальное, «даже в высшей степени». Он много и умно говорил про «аффект» и «манию» и выводил, что по всем собранным данным подсудимый пред своим арестом за несколько еще дней находился в несомненном болезненном аффекте и если совершил преступление, то хотя и сознавая его, но почти невольно, совсем не имея сил бороться с болезненным нравственным влечением, им овладевшим. Но кроме аффекта доктор усматривал и манию, что уже пророчило впереди, по его словам, прямую дорогу к совершенному уже помешательству. (NB. Я передаю своими словами, доктор же изъяснялся очень ученым и специальным языком.) «Все действия его наоборот здравому смыслу и логике, — продолжал он. — Уже не говорю о том, чего не видал, то есть о самом преступлении и всей этой катастрофе, но даже третьего дня, во время разговора со мной, у него был необъяснимый неподвижный взгляд. Неожиданный смех, когда вовсе его не надо. Непонятное постоянное раздражение, странные слова: „Бернар, эфика“ и другие, которых не надо». Но особенно усматривал доктор эту манию в том, что подсудимый даже не может и говорить о тех трех тысячах рублей, в которых считает себя обманутым, без какого-то необычайного раздражения, тогда как обо всех других неудачах и обидах своих говорит и вспоминает довольно легко. Наконец, по справкам, он точно так же и прежде, всякий раз, когда касалось этих трех тысяч, приходил в какое-то почти исступление, а между тем свидетельствуют о нем, что он бескорыстен и нестяжателен. «Насчет же мнения ученого собрата моего, — иронически присовокупил московский доктор, заканчивая свою речь, — что подсудимый, входя в залу, должен был смотреть на дам, а не прямо пред собою, скажу лишь то, что, кроме игривости подобного заключения, оно, сверх того, и радикально ошибочно; ибо хотя я вполне соглашаюсь, что подсудимый, входя в залу суда, в которой решается его участь, не должен был так неподвижно смотреть пред собой и что это действительно могло бы считаться признаком его ненормального душевного состояния в данную минуту, но в то же время я утверждаю, что он должен был смотреть не налево на дам, а, напротив, именно направо, ища глазами своего защитника, в помощи которого вся его надежда и от защиты которого зависит теперь вся его участь». Мнение свое доктор выразил решительно и настоятельно. Но особенный комизм разногласию обоих ученых экспертов придал неожиданный вывод врача Варвинского, спрошенного после всех. На его взгляд, подсудимый как теперь, так и прежде, находится в совершенно нормальном состоянии, и хотя действительно он должен был пред арестом находиться в положении нервном и чрезвычайно возбужденном, но это могло происходить от многих самых очевидных причин: от ревности, гнева, беспрерывно пьяного состояния и проч. Но это нервное состояние не могло заключать в себе никакого особенного «аффекта», о котором сейчас говорилось. Что же до того, налево или направо должен был смотреть подсудимый, входя в залу, то, «по его скромному мнению», подсудимый именно должен был, входя в залу, смотреть прямо пред собой, как и смотрел в самом деле, ибо прямо пред ним сидели председатель и члены суда, от которых зависит теперь вся его участь, «так что, смотря прямо пред собой, он именно тем самым и доказал совершенно нормальное состояние своего ума в данную минуту», — с некоторым жаром заключил молодой врач свое «скромное» показание.

— Браво, лекарь! — крикнул Митя со своего места, — именно так!

Митю, конечно, остановили, но мнение молодого врача имело самое решающее действие как на суд, так и на публику, ибо, как оказалось потом, все с ним согласились. Впрочем, доктор Герценштубе, спрошенный уже как свидетель, совершенно неожиданно вдруг послужил в пользу Мити. Как старожил города, издавна знающий семейство Карамазовых, он дал несколько показаний, весьма интересных для «обвинения», и вдруг, как бы что-то сообразив, присовокупил:

— И, однако, бедный молодой человек мог получить без сравнения лучшую участь, ибо был хорошего сердца и в детстве, и после детства, ибо я знаю это. Но русская пословица говорит: «Если есть у кого один ум, то это хорошо, а если придет в гости еще умный человек, то будет еще лучше, ибо тогда будет два ума, а не один только...»

— Ум хорошо, а два — лучше, — в нетерпении подсказал прокурор, давно уже знавший обычай старичка говорить медленно, растянуто, не смущаясь производимым впечатлением и тем, что заставляет себя ждать, а, напротив, еще весьма ценя свое тугое, картофельное и всегда радостно-самодовольное немецкое остроумие. Старичок же любил острить.

— О, д-да, и я то же говорю, — упрямо подхватил он, — один ум хорошо, а два гораздо лучше. Но к нему другой с умом не пришел, а он и свой пустил... Как это, куда он его пустил? Это слово — куда он пустил свой ум, я забыл, — продолжал он, вертя рукой пред своими глазами, — ах да, шпацирен.

— Гулять?

— Ну да, гулять, и я то же говорю. Вот ум его и пошел прогуливаться и пришел в такое глубокое место, в котором и потерял себя. А между тем это был благодарный и чувствительный юноша, о, я очень помню его еще вот таким малюткой, брошенным у отца в задний двор, когда он бегал по земле без сапожек и с панталончиками на одной пуговке.

Какая-то чувствительная и проникновенная нотка послышалась вдруг в голосе честного старичка. Фетюкович так и вздрогнул, как бы что-то предчувствуя, и мигом привязался.

— О да, я сам был тогда еще молодой человек... Мне... ну да, мне было тогда сорок пять лет, а я только что сюда приехал. И мне стало тогда жаль мальчика, и я спросил себя: почему я не могу купить ему один фунт... Ну да, чего фунт? Я забыл, как это называется... фунт того, что дети очень любят, как это — ну, как это... — замахал опять доктор руками, — это на дереве растет, и его собирают и всем дарят...

— Яблоки?

— О н-не-е-ет! Фунт, фунт, яблоки десяток, а не фунт... нет, их много и всё маленькие, кладут в рот и кр-р-рах!..

— Орехи?

— Ну да, орехи, и я то же говорю, — самым спокойным образом, как бы вовсе и не искал слова, подтвердил доктор, — и я принес ему один фунт орехов, ибо мальчику никогда и никто еще не приносил фунт орехов, и я поднял мой палец и сказал ему: «Мальчик! Gott der Vater»[1], — он засмеялся и говорит: «Gott der Vater. — Gott der Sohn»[2]. Он еще засмеялся и лепетал: «Gott der Sohn. — Gott der heilige Geist»[3]. Тогда он еще засмеялся и проговорил сколько мог: «Gott der heilige Geist». А я ушел. На третий день иду мимо, а он кричит мне сам: «Дядя, Gott der Vater, Gott der Sohn», и только забыл «Gott der heilige Geist», но я ему вспомнил, и мне опять стало очень жаль его. Но его увезли, и я более не видал его. И вот прошло двадцать три года, я сижу в одно утро в моем кабинете, уже с белою головой, и вдруг входит цветущий молодой человек, которого я никак не могу узнать, но он поднял палец и, смеясь, говорит: «Gott der Vater, Gott der Sohn und Gott der heilige Geist! Я сейчас приехал и пришел вас благодарить за фунт орехов; ибо мне никто никогда не покупал тогда фунт орехов, а вы один купили мне фунт орехов». И тогда я вспомнил мою счастливую молодость и бедного мальчика на дворе без сапожек, и у меня повернулось сердце, и я сказал: «Ты благодарный молодой человек, ибо всю жизнь помнил тот фунт орехов, который я тебе принес в твоем детстве». И я обнял его и благословил. И я заплакал. Он смеялся, но он и плакал... ибо русский весь-

[1] Бог Отец (нем.).

[2] Бог Отец. — Бог Сын (нем.).

[3] Бог Сын. — Бог Дух Святой (нем.).

ма часто смеется там, где надо плакать. Но он и плакал, я видел это. А теперь, увы!..

— И теперь плачу, немец, и теперь плачу, божий ты человек! — крикнул вдруг Митя со своего места.

Как бы там ни было, а анекдотик произвел в публике некоторое благоприятное впечатление. Но главный эффект в пользу Мити произведен был показанием Катерины Ивановны, о котором сейчас скажу. Да и вообще, когда начались свидетели à décharge[1], то есть вызванные защитником, то судьба как бы вдруг и даже серьезно улыбнулась Мите и — что всего замечательнее — неожиданно даже для самой защиты. Но еще прежде Катерины Ивановны спрошен был Алеша, который вдруг припомнил один факт, имевший вид даже как будто положительного уже свидетельства против одного важнейшего пункта обвинения.

IV
СЧАСТЬЕ УЛЫБАЕТСЯ МИТЕ

Случилось это вовсе нечаянно даже для самого Алеши. Он вызван был без присяги, и я помню, что к нему все стороны отнеслись с самых первых слов допроса чрезвычайно мягко и симпатично. Видно было, что ему предшествовала добрая слава. Алеша показывал скромно и сдержанно, но в показаниях его явно прорывалась горячая симпатия к несчастному брату. Отвечая по одному вопросу, он очертил характер брата как человека, может быть и неистового, и увлеченного страстями, но тоже и благородного, гордого и великодушного, готового даже на жертву, если б от него потребовали. Сознавался, впрочем, что брат был в последние дни, из-за страсти к Грушеньке, из-за соперничества с отцом, в положении невыносимом. Но он с негодованием отверг даже предположение о том, что брат мог убить с целью грабежа, хотя и сознался, что эти три тысячи обратились в уме Мити в какую-то почти манию, что он считал их за недоданное ему, обманом отца, наследство и что, будучи вовсе некорыстолюбивым, даже не мог заговорить об этих трех тысячах без исступления и бешенства.

---

[1] Защиты (*фр.*).

Про соперничество же двух «особ», как выразился прокурор, то есть Грушеньки и Кати, отвечал уклончиво и даже на один или два вопроса совсем не пожелал отвечать.

— Говорил ли вам по крайней мере брат ваш, что намерен убить своего отца? — спросил прокурор. — Вы можете не отвечать, если найдете это нужным, — прибавил он.

— Прямо не говорил, — ответил Алеша.

— Как же? Косвенно?

— Он говорил мне раз о своей личной ненависти к отцу и что боится, что... в крайнюю минуту... в минуту омерзения... может быть, и мог бы убить его.

— И вы, услышав, поверили тому?

— Боюсь сказать, что поверил. Но я всегда был убежден, что некоторое высшее чувство всегда спасет его в роковую минуту, как и спасло в самом деле, потому что *не он* убил отца моего, — твердо закончил Алеша громким голосом и на всю залу. Прокурор вздрогнул, как боевой конь, заслышавший трубный сигнал.

— Будьте уверены, что я совершенно верю самой полной искренности убеждения вашего, не обусловливая и не ассимилируя его нисколько с любовью к вашему несчастному брату. Своеобразный взгляд ваш на весь трагический эпизод, разыгравшийся в вашем семействе, уже известен нам по предварительному следствию. Не скрою от вас, что он в высшей степени особлив и противоречит всем прочим показаниям, полученным прокуратурою. А потому и нахожу нужным спросить вас уже с настойчивостью: какие именно данные руководили мысль вашу и направили ее на окончательное убеждение в невинности брата вашего и, напротив, в виновности другого лица, на которого вы уже указали прямо на предварительном следствии?

— На предварительном следствии я отвечал лишь на вопросы, — тихо и спокойно проговорил Алеша, — а не шел сам с обвинением на Смердякова.

— И всё же на него указали?

— Я указал со слов брата Дмитрия. Мне еще до допроса рассказали о том, что произошло при аресте его и как он сам показал тогда на Смердякова. Я верю вполне, что брат невиновен. А если убил не он, то...

— То Смердяков? Почему же именно Смердяков? И почему именно вы так окончательно убедились в невиновности вашего брата?

— Я не мог не поверить брату. Я знаю, что он мне не солжет. Я по лицу его видел, что он мне не лжет.

— Только по лицу? В этом все ваши доказательства?

— Более не имею доказательств.

— И о виновности Смердякова тоже не основываетесь ни на малейшем ином доказательстве, кроме лишь слов вашего брата и выражения лица его?

— Да, не имею иного доказательства.

На этом прокурор прекратил расспросы. Ответы Алеши произвели было на публику самое разочаровывающее впечатление. О Смердякове у нас уже поговаривали еще до суда, кто-то что-то слышал, кто-то на что-то указывал, говорили про Алешу, что он накопил какие-то чрезвычайные доказательства в пользу брата и в виновности лакея, и вот — ничего, никаких доказательств, кроме каких-то нравственных убеждений, столь естественных в его качестве родного брата подсудимого.

Но начал спрашивать и Фетюкович. На вопрос о том: когда именно подсудимый говорил ему, Алеше, о своей ненависти к отцу и о том, что он мог бы убить его, и что слышал ли он это от него, например, при последнем свидании пред катастрофой, Алеша, отвечая, вдруг как бы вздрогнул, как бы нечто только теперь припомнив и сообразив:

— Я припоминаю теперь одно обстоятельство, о котором я было совсем и сам позабыл, но тогда оно было мне так неясно, а теперь...

И Алеша с увлечением, видимо сам только что теперь внезапно попав на идею, припомнил, как в последнем свидании с Митей, вечером, у дерева, по дороге к монастырю, Митя, ударяя себя в грудь, «в верхнюю часть груди», несколько раз повторил ему, что у него есть средство восстановить свою честь, что средство это здесь, вот тут, на его груди... «Я подумал тогда, что он, ударяя себя в грудь, говорил о своем сердце, — продолжал Алеша, — о том, что в сердце своем мог бы отыскать силы, чтобы выйти из одного какого-то ужасного позора, который предстоял ему и о котором он даже мне не смел признаться. Признаюсь, я именно подумал тогда, что он говорит об отце и что он содрогается, как от позора, при мысли пойти к отцу и совершить с ним какое-нибудь насилие, а между тем он именно тогда как бы на что-то указывал на своей груди, так что, помню, у меня мелькнула именно тогда же какая-то мысль, что сердце совсем не в той стороне груди, а ниже, а он ударяет себя гораздо выше, вот тут, сейчас ниже шеи, и всё указывает в это место. Моя мысль мне показалась тогда глупою, а он именно, может быть, тогда указывал на эту ладонку, в которой зашиты были эти полторы тысячи!..»

— Именно! — крикнул вдруг Митя с места. — Это так, Алеша, так, я тогда об нее стучал кулаком!

Фетюкович бросился к нему впопыхах, умоляя успокоиться, и в тот же миг так и вцепился в Алешу. Алеша, сам увлеченный своим воспоминанием, горячо высказал свое предположение, что позор этот, вероятнее всего, состоял именно в том, что, имея на себе эти тысячу пятьсот рублей, которые бы мог возвратить Катерине Ивановне, как половину своего ей долга, он все-таки решил не отдать ей этой половины и употребить на другое, то есть на увоз Грушеньки, если б она согласилась...

— Это так, это именно так, — восклицал во внезапном возбуждении Алеша, — брат именно восклицал мне тогда, что половину, половину позора (он несколько раз выговорил: *половину!*) он мог бы сейчас снять с себя, но что до того несчастен слабостью своего характера, что этого не сделает... знает заранее, что этого не может и не в силах сделать!

— И вы твердо, ясно помните, что он ударял себя именно в это место груди? — жадно допрашивал Фетюкович.

— Ясно и твердо, потому что именно мне подумалось тогда: зачем это он ударяет так высоко, когда сердце ниже, и мне тогда же показалась моя мысль глупою... я это помню, что показалась глупою... это мелькнуло. Вот потому-то я сейчас теперь и вспомнил. И как я мог позабыть это до самых этих пор! Именно он на эту ладонку указывал как на то, что у него есть средства, но что он не отдаст эти полторы тысячи! А при аресте, в Мокром, он именно кричал, — я это знаю, мне передавали, — что считает самым позорным делом всей своей жизни, что, имея средства отдать половину (именно половину!) долга Катерине Ивановне и стать пред ней не вором, он все-таки не решился отдать и лучше захотел остаться в ее глазах вором, чем расстаться с деньгами! А как он мучился, как он мучился этим долгом! — закончил, восклицая, Алеша.

Разумеется, ввязался и прокурор. Он попросил Алешу еще раз описать, как это всё было, и несколько раз настаивал, спрашивая: точно ли подсудимый, бия себя в грудь, как бы на что-то указывал? Может быть, просто бил себя кулаком по груди?

— Да и не кулаком! — восклицал Алеша, — а именно указывал пальцами, и указывал сюда, очень высоко... Но как я мог это так совсем забыть до самой этой минуты!

Председатель обратился к Мите с вопросом, что может он сказать насчет данного показания. Митя подтвердил, что именно всё так и было, что он именно указывал на свои полторы тысячи, бывшие у него на груди, сейчас пониже шеи, и что, конечно, это был позор, «позор, от которого не отрекаюсь, позорнейший акт во всей моей жизни! — вскричал Митя. — Я мог отдать и не отдал. Захотел лучше остаться в ее глазах вором, но не отдал, а самый главный позор был в том, что и вперед знал, что не отдам! Прав Алеша! Спасибо, Алеша!»

Тем кончился допрос Алеши. Важно и характерно было именно то обстоятельство, что отыскался хоть один лишь факт, хоть одно лишь, положим самое мелкое, доказательство, почти только намек на доказательство, но которое всё же хоть капельку свидетельствовало, что действительно существовала эта ладонка, что были в ней полторы тысячи и что подсудимый не лгал на предварительном следствии, когда в Мокром объявил, что эти полторы тысячи «были мои». Алеша был рад; весь раскрасневшись, он проследовал на указанное ему место. Он долго еще повторял про себя: «Как это я забыл! Как мог я это забыть! И как это так вдруг только теперь припомнилось!»

Начался допрос Катерины Ивановны. Только что она появилась, в зале пронеслось нечто необыкновенное. Дамы схватились за лорнеты и бинокли, мужчины зашевелились, иные вставали с мест, чтобы лучше видеть. Все утверждали потом, что Митя вдруг побледнел «как платок», только что она вошла. Вся в черном, скромно и почти робко приблизилась она к указанному ей месту. Нельзя было угадать по лицу ее, что она была взволнована, но решимость сверкала в ее темном, сумрачном взгляде. Надо заметить, потом весьма многие утверждали, что она была удивительно хороша собой в ту минуту. Заговорила она тихо, но ясно, на всю залу. Выражалась чрезвычайно спокойно или по крайней мере усиливаясь быть спокойною. Председатель начал вопросы свои осторожно, чрезвычайно почтительно, как бы боясь коснуться «иных струн» и уважая великое несчастие. Но Катерина Ивановна сама, с самых первых слов, твердо объявила на один из предложенных вопросов, что она была помолвленною невестой подсудимого «до тех пор, пока он сам меня не оставил...» — тихо прибавила она. Когда ее спросили о трех тысячах, вверенных Мите для отсылки на почту ее родственникам, она твердо проговорила: «Я дала ему не прямо на почту; я тогда предчувствовала, что ему очень нужны деньги... в ту минуту... Я дала ему эти три тысячи под условием, чтоб он отослал их, если хочет, в течение месяца. Напрасно он так потом себя мучил из-за этого долга...»

Я не передаю всех вопросов и в точности всех ее ответов, я только передаю существенный смысл ее показаний.

— Я твердо была уверена, что он всегда успеет переслать эти три тысячи, только что получит от отца, — продолжала она, отвечая на вопросы. — Я всегда была уверена в его бескорыстии и в его честности... высокой честности... в денежных делах. Он твердо был уверен, что получит от отца три тысячи рублей, и несколько раз мне говорил про это. Я знала, что у него с отцом распря, и всегда была и до сих пор тоже уверена, что он был обижен отцом. Я не помню никаких угроз отцу с его стороны. При мне по крайней мере он ничего не говорил, никаких угроз. Если б он пришел тогда ко мне, я тотчас успокоила бы его тревогу из-за должных мне им этих несчастных трех тысяч, но он не приходил ко мне более... а я сама... я была поставлена в такое положение... что не могла его звать к себе... Да я и никакого права не имела быть к нему требовательною за этот долг, — прибавила она вдруг, и что-то решительное зазвенело в ее голосе, — я сама однажды получила от него денежное одолжение еще большее, чем в три тысячи, и приняла его, несмотря на то, что и предвидеть еще тогда не могла, что хоть когда-нибудь в состоянии буду заплатить ему долг мой...

В тоне голоса ее как бы почувствовался какой-то вызов. Именно в эту минуту вопросы перешли к Фетюковичу.

— Это было еще не здесь, а в начале вашего знакомства? — осторожно подходя, подхватил Фетюкович, вмиг запредчувствовав нечто благоприятное. (Замечу в скобках, что он, несмотря на то, что был вызван из Петербурга отчасти и самою Катериною Ивановной, — все-таки не знал ничего об эпизоде о пяти тысячах, данных ей Митей еще в том городе и о «земном поклоне». Она этого не сказала ему и скрыла! И это было удивительно. Можно с уверенностью предположить, что она сама, до самой последней минуты, не знала: расскажет она этот эпизод на суде или нет и ждала какого-то вдохновения.)

Нет, никогда я не могу забыть этих минут! Она начала рассказывать, она *всё* рассказала, весь этот эпизод, поведанный Митей Алеше, и «земной поклон», и причины, и про отца своего, и появление свое у Мити, и ни словом, ни единым намеком не упомянула о том, что Митя, чрез сестру ее, сам предложил «прислать к нему Катерину Ивановну за деньгами». Это она великодушно утаила и не устыдилась выставить наружу, что это она, она сама, прибежала тогда к молодому офицеру, своим собственным порывом, надеясь на что-то... чтобы выпросить у него денег. Это было нечто потрясающее. Я холодел и дрожал слушая, зала замерла, ловя каждое слово. Тут было что-то беспримерное, так что даже и от такой самовластной и презрительно-гордой девушки, как она, почти невозможно было ожидать такого высокооткровенного показания, такой жертвы, такого самозаклания. И для чего, для кого? Чтобы спасти своего изменника и обидчика, чтобы послужить хоть чем-нибудь, хоть малым, к спасению его, произведя в его пользу хорошее впечатление! И в самом деле: образ офицера, отдающего свои последние пять тысяч рублей — всё, что у него оставалось в жизни, — и почтительно преклонившегося пред невинною девушкой, выставился весьма симпатично и привлекательно, но... у меня больно сжалось сердце! Я почувствовал, что может выйти потом (да и вышла потом, вышла!) клевета! Со злобным смешком говорили потом во всем городе, что рассказ, может быть, не совсем был точен, именно в том месте, где офицер отпустил от себя девицу «будто бы только с почтительным поклоном». Намекали, что тут нечто «пропущено». «Да если б и не было пропущено, если б и всё правда была, — говорили даже самые почтенные наши дамы, — то и тогда еще неизвестно: очень ли благородно так поступить было девушке, даже хоть бы спасая отца?» И неужели Катерина Ивановна, с ее умом, с ее болезненною проницательностью, не предчувствовала заранее, что так заговорят? Непременно предчувствовала, и вот решилась же сказать всё! Разумеется, все эти грязненькие сомнения в правде рассказа начались лишь потом, а в первую минуту всё и все были потрясены. Что же до членов суда, то Катерину Ивановну выслушали в благоговейном, так сказать, даже стыдливом молчании. Прокурор не позволил себе ни единого дальнейшего вопроса на эту тему. Фетюкович глубоко поклонился ей. О, он почти торжествовал! Многое было приобретено: человек, отдающий, в благородном порыве, последние пять тысяч, и потом тот же человек, убивающий отца ночью с целью ограбить его на три тысячи, — это было нечто отчасти и несвязуемое. По крайней мере хоть грабеж-то мог теперь устранить Фетюкович. «Дело» вдруг облилось каким-то новым светом. Что-то симпатичное пронеслось в пользу Мити. Он же... про него рассказывали, что он раз или два во время показания Катерины Ивановны вскочил было с места, потом упал опять на скамью и закрыл обеими ладонями лицо. Но когда она кончила, он вдруг рыдающим голосом воскликнул, простирая к ней руки:

— Катя, зачем меня погубила!

И громко зарыдал было на всю залу. Впрочем, мигом сдержал себя и опять прокричал:

— Теперь я приговорен!

А затем как бы закоченел на месте, стиснув зубы и сжав крестом на груди руки. Катерина Ивановна осталась в зале и села на указанный ей стул. Она была бледна и сидела потупившись. Рассказывали бывшие близ нее, что она долго вся дрожала как в лихорадке. К допросу явилась Грушенька.

Я подхожу близко к той катастрофе, которая, разразившись внезапно, действительно, может быть, погубила Митю. Ибо я уверен, да и все тоже, все юристы после так говорили, что не явись этого эпизода, преступнику по крайней мере дали бы снисхождение. Но об этом сейчас. Два слова лишь прежде о Грушеньке.

Она явилась в залу тоже вся одетая в черное, в своей прекрасной черной шали на плечах. Плавно, своею неслышною походкой, с маленькою раскачкой, как ходят иногда полные женщины, приблизилась она к балюстраде, пристально смотря на председателя и ни разу не взглянув ни направо, ни налево. По-моему, она была очень хороша собой в ту минуту и вовсе не бледна, как уверяли потом дамы. Уверяли тоже, что у ней было какое-то сосредоточенное и злое лицо. Я думаю только, что она была раздражена и тяжело чувствовала на себе презрительно-любопытные взгляды жадной к скандалу нашей публики. Это был характер гордый, не выносящий презрения, один из таких, которые, чуть лишь заподозрят от кого презрение, — тотчас воспламеняются гневом и жаждой отпора. При этом была, конечно, и робость, и внутренний стыд за эту робость, так что немудрено, что разговор ее был неровен — то гневлив, то презрителен и усиленно груб, то вдруг звучала искренняя сердечная нотка самоосуждения, самообвинения. Иногда же говорила так, как будто летела в какую-то пропасть: «всё-де равно, что бы ни вышло, а я все-таки скажу...» Насчет знакомства своего с Федором Павловичем она резко заметила: «Всё пустяки, разве я виновата, что он ко мне привязался?» А потом через минуту прибавила: «Я во всем виновата, я смеялась над тем и другим — и над стариком, и над этим — и их обоих до того довела. Из-за меня всё произошло». Как-то коснулось дело до Самсонова: «Какое кому дело, — с каким-то наглым вызовом тотчас же огрызнулась она, — он был мой благодетель, он меня босоногую взял, когда меня родные из избы вышвырнули». Председатель, впрочем весьма вежливо, напомнил ей, что надо отвечать прямо на вопросы, не вдаваясь в излишние подробности. Грушенька покраснела, и глаза ее сверкнули.

Пакета с деньгами она не видала, а только слыхала от «злодея», что есть у Федора Павловича какой-то пакет с тремя тысячами. «Только это всё глупости, я смеялась, и ни за что бы туда не пошла...»

— Про кого вы сейчас упомянули как о «злодее»? — осведомился прокурор.

— А про лакея, про Смердякова, что барина своего убил, а вчера повесился.

Конечно, ее мигом спросили: какие же у ней основания для такого решительного обвинения, но оснований не оказалось тоже и у ней никаких.

— Так Дмитрий Федорович мне сам говорил, ему и верьте. Разлучница его погубила, вот что, всему одна она причиной, вот что, — вся как будто содрогаясь от ненависти, прибавила Грушенька, и злобная нотка зазвенела в ее голосе.

Осведомились, на кого она опять намекает.

— А на барышню, на эту вот Катерину Ивановну. К себе меня тогда зазвала, шоколатом потчевала, прельстить хотела. Стыда в ней мало истинного, вот что...

Тут председатель уже строго остановил ее, прося умерить свои выражения. Но сердце ревнивой женщины уже разгорелось, она готова была полететь хоть в бездну...

— При аресте в селе Мокром, — припоминая, спросил прокурор, — все видели и слышали, как вы, выбежав из другой комнаты, закричали: «Я во всем виновата, вместе в каторгу пойдем!» Стало быть, была уже и у вас в ту минуту уверенность, что он отцеубийца?

— Я чувств моих тогдашних не помню, — ответила Грушенька, — все тогда закричали, что он отца убил, я и почувствовала, что это я виновата и что из-за меня он убил. А как он сказал, что неповинен, я ему тотчас поверила, и теперь верю, и всегда буду верить: не таков человек, чтобы солгал.

Вопросы перешли к Фетюковичу. Между прочим, я помню, он спросил про Ракитина и про двадцать пять рублей «за то, что привел к вам Алексея Федоровича Карамазова».

— А что ж удивительного, что он деньги взял, — с презрительною злобой усмехнулась Грушенька, — он и всё ко мне приходил деньги канючить, рублей по тридцати, бывало, в месяц выберет, всё больше на баловство: пить-есть ему было на что и без моего.

— На каком же основании вы были так щедры к господину Ракитину? — подхватил Фетюкович, несмотря на то, что председатель сильно шевелился.

— Да ведь он же мне двоюродный брат. Моя мать с его матерью родные сестры. Он только всё молил меня никому про то здесь не сказывать, стыдился меня уж очень.

Этот новый факт оказался совершенною неожиданностью для всех, никто про него до сих пор не знал во всем городе, даже в монастыре, даже не знал Митя. Рассказывали, что Ракитин побагровел от стыда на своем стуле. Грушенька еще до входа в залу как-то узнала, что он показал против Мити, а потому и озлилась. Вся давешняя речь господина Ракитина, всё благородство ее, все выходки на кре-

постное право, на гражданское неустройство России — всё
это уже окончательно на этот раз было похерсно и уничто-
жено в общем мнении. Фетюкович был доволен: опять бог
на шапку послал. Вообще же Грушеньку допрашивали не
очень долго, да и не могла она, конечно, сообщить ничего
особенно нового. Оставила она в публике весьма неприятное впечатление. Сотни презрительных взглядов устремились на нее, когда она, кончив показание, уселась в зале
довольно далеко от Катерины Ивановны. Всё время, пока
ее спрашивали, Митя молчал, как бы окаменев, опустив
глаза в землю.

Появился свидетель Иван Федорович.

V
ВНЕЗАПНАЯ КАТАСТРОФА

Замечу, что его вызвали было еще до Алеши. Но судебный пристав доложил тогда председателю, что, по внезапному нездоровью или какому-то припадку, свидетель
не может явиться сейчас, но только что оправится, то когда угодно готов будет дать свое показание. Этого, впрочем, как-то никто не слыхал, и узнали уже впоследствии.
Появление его в первую минуту было почти не замечено:
главные свидетели, особенно две соперницы, были уже
допрошены; любопытство было пока удовлетворено.
В публике чувствовалось даже утомление. Предстояло еще
выслушать несколько свидетелей, которые, всроятно, ничего особенного не могли сообщить ввиду всего, что было
уже сообщено. Время же уходило. Иван Федорович приблизился как-то удивительно медленно, ни на кого не глядя и опустив даже голову, точно о чем-то нахмуренно
соображая. Одет он был безукоризненно, но лицо его, на
меня по крайней мере, произвело болезненное впечатление: было в этом лице что-то как бы тронутое землей,
что-то похожее на лицо помирающего человека. Глаза были мутны; он поднял их и медленно обвел ими залу. Алеша вдруг вскочил было со своего стула и простонал: ах!
Я помню это. Но и это мало кто уловил.

Председатель начал было с того, что он свидетель без
присяги, что он может показывать или умолчать, но что,

конечно, всё показанное должно быть по совести, и т. д., и т. д. Иван Федорович слушал и мутно глядел на него; но вдруг лицо его стало медленно раздвигаться в улыбке, и только что председатель, с удивлением на него смотревший, кончил говорить, он вдруг рассмеялся.

— Ну и что же еще? — громко спросил он.

Всё затихло в зале, что-то как бы почувствовалось. Председатель забеспокоился.

— Вы... может быть, еще не так здоровы? — проговорил он было, ища глазами судебного пристава.

— Не беспокойтесь, ваше превосходительство, я достаточно здоров и могу вам кое-что рассказать любопытное, — ответил вдруг совсем спокойно и почтительно Иван Федорович.

— Вы имеете предъявить какое-нибудь особое сообщение? — всё еще с недоверчивостью продолжал председатель.

Иван Федорович потупился, помедлил несколько секунд и, подняв снова голову, ответил как бы заикаясь:

— Нет... не имею. Не имею ничего особенного.

Ему стали предлагать вопросы. Он отвечал совсем как-то нехотя, как-то усиленно кратко, с каким-то даже отвращением, всё более и более нараставшим, хотя, впрочем, отвечал все-таки толково. На многое отговорился незнанием. Про счеты отца с Дмитрием Федоровичем ничего не знал. «И не занимался этим», — произнес он. Об угрозах убить отца слышал от подсудимого. Про деньги в пакете слышал от Смердякова...

— Всё одно и то же, — прервал он вдруг с утомленным видом, — я ничего не могу сообщить суду особенного.

— Я вижу, вы нездоровы, и понимаю ваши чувства... — начал было председатель.

Он обратился было к сторонам, к прокурору и защитнику, приглашая их, если найдут нужным, предложить вопросы, как вдруг Иван Федорович изнеможенным голосом попросил:

— Отпустите меня, ваше превосходительство, я чувствую себя очень нездоровым.

И с этим словом, не дожидаясь позволения, вдруг сам повернулся и пошел было из залы. Но, пройдя шага четыре, остановился, как бы что-то вдруг обдумав, тихо усмехнулся и воротился опять на прежнее место.

— Я, ваше превосходительство, как та крестьянская девка... знаете, как это: «Захоцу — вскоцу, захоцу — не вскоцу». За ней ходят с сарафаном али с паневой, что ли, чтоб она вскочила, чтобы завязать и венчать везти, а она говорит: «Захоцу — вскоцу, захоцу — не вскоцу»... Это в какой-то нашей народности...

— Что вы этим хотите сказать? — строго спросил председатель.

— А вот, — вынул вдруг Иван Федорович пачку денег, — вот деньги... те самые, которые лежали вот в том пакете, — он кивнул на стол с вещественными доказательствами, — и из-за которых убили отца. Куда положить? Господин судебный пристав, передайте.

Судебный пристав взял всю пачку и передал председателю.

— Каким образом могли эти деньги очутиться у вас... если это те самые деньги? — в удивлении проговорил председатель.

— Получил от Смердякова, от убийцы, вчера. Был у него пред тем, как он повесился. Убил отца он, а не брат. Он убил, а я его научил убить... Кто не желает смерти отца?..

— Вы в уме или нет? — вырвалось невольно у председателя.

— То-то и есть, что в уме... и в подлом уме, в таком же, как и вы, как и все эти... р-рожи! — обернулся он вдруг на публику. — Убили отца, а притворяются, что испугались, — проскрежетал он с яростным презрением. — Друг пред другом кривляются. Лгуны! Все желают смерти отца. Один гад съедает другую гадину... Не будь отцеубийства — все бы они рассердились и разошлись злые... Зрелищ! «Хлеба и зрелищ!» Впрочем, ведь и я хорош! Есть у вас вода или нет, дайте напиться, Христа ради! — схватил он вдруг себя за голову.

Судебный пристав тотчас к нему приблизился. Алеша вдруг вскочил и закричал: «Он болен, не верьте ему, он в белой горячке!» Катерина Ивановна стремительно встала со своего стула и, неподвижная от ужаса, смотрела на Ивана Федоровича. Митя поднялся и с какою-то дикою искривленною улыбкой жадно смотрел и слушал брата.

— Успокойтесь, не помешанный, я только убийца! — начал опять Иван. — С убийцы нельзя же спрашивать красноречия... — прибавил он вдруг для чего-то и искривленно засмеялся.

Прокурор в видимом смятении нагнулся к председателю. Члены суда суетливо шептались между собой. Фетюкович весь навострил уши, прислушиваясь. Зала замерла в ожидании. Председатель вдруг как бы опомнился.

— Свидетель, ваши слова непонятны и здесь невозможны. Успокойтесь, если можете, и расскажите... если вправду имеете что сказать. Чем вы можете подтвердить такое признание... если вы только не бредите?

— То-то и есть, что не имею свидетелей. Собака Смердяков не пришлет с того света вам показание... в пакете. Вам бы всё пакетов, довольно и одного. Нет у меня свидетелей... Кроме только разве одного, — задумчиво усмехнулся он.

— Кто ваш свидетель?

— С хвостом, ваше превосходительство, не по форме будет! Le diable n'existe point![1] Не обращайте внимания, дрянной, мелкий черт, — прибавил он, вдруг перестав смеяться и как бы конфиденциально, — он, наверно, здесь где-нибудь, вот под этим столом с вещественными доказательствами, где ж ему сидеть, как не там? Видите, слушайте меня: я ему сказал: не хочу молчать, а он про геологический переворот... глупости! Ну, освободите же изверга... он гимн запел, это потому, что ему легко! Всё равно что пьяная каналья загорланит, как «поехал Ванька в Питер», а я за две секунды радости отдал бы квадриллион квадриллионов. Не знаете вы меня! О, как это всё у вас глупо! Ну, берите же меня вместо него! Для чего же нибудь я пришел... Отчего, отчего это всё, что ни есть, так глупо!..

И он опять стал медленно и как бы в задумчивости оглядывать залу. Но уже всё заволновалось. Алеша кинулся было к нему со своего места, но судебный пристав уже схватил Ивана Федоровича за руку.

— Это что еще такое? — вскричал тот, вглядываясь в упор в лицо пристава, и вдруг, схватив его за плечи, яростно ударил об пол. Но стража уже подоспела, его схватили, и тут он завопил неистовым воплем. И всё время, пока его уносили, он вопил и выкрикивал что-то несвязное.

Поднялась суматоха. Я не упомню всего в порядке, сам был взволнован и не мог уследить. Знаю только, что

---

[1] Дьявола-то больше не существует! *(фр.)*

потом, когда уже всё успокоилось и все поняли, в чем дело, судебному приставу таки досталось, хотя он и основательно объяснил начальству, что свидетель был всё время здоров, что его видел доктор, когда час пред тем с ним сделалась легкая дурнота, но что до входа в залу он всё говорил связно, так что предвидеть было ничего невозможно; что он сам, напротив, настаивал и непременно хотел дать показание. Но прежде чем хоть сколько-нибудь успокоились и пришли в себя, сейчас же вслед за этою сценой разразилась и другая: с Катериной Ивановной сделалась истерика. Она, громко взвизгивая, зарыдала, но не хотела уйти, рвалась, молила, чтоб ее не уводили, и вдруг закричала председателю:

— Я должна сообщить еще одно показание, немедленно... немедленно!.. Вот бумага, письмо... возьмите, прочтите скорее, скорее! Это письмо этого изверга, вот этого, этого! — она указывала на Митю. — Это он убил отца, вы увидите сейчас, он мне пишет, как он убьет отца! А тот больной, больной, тот в белой горячке! Я уже три дня вижу, что он в горячке!

Так вскрикивала она вне себя. Судебный пристав взял бумагу, которую она протягивала председателю, а она, упав на свой стул и закрыв лицо, начала конвульсивно и беззвучно рыдать, вся сотрясаясь и подавляя малейший стон в боязни, что ее вышлют из залы. Бумага, поданная ею, была то самое письмо Мити из трактира «Столичный город», которое Иван Федорович называл «математической» важности документом. Увы! за ним именно признали эту математичность, и, не будь этого письма, может быть и не погиб бы Митя, или по крайней мере не погиб бы так ужасно! Повторяю, трудно было уследить за подробностями. Мне и теперь всё это представляется в такой суматохе. Должно быть, председатель тут же сообщил новый документ суду, прокурору, защитнику, присяжным. Я помню только, как свидетельницу начали спрашивать. На вопрос: успокоилась ли она? мягко обращенный к ней председателем, Катерина Ивановна стремительно воскликнула:

— Я готова, готова! Я совершенно в состоянии вам отвечать, — прибавила она, видимо всё еще ужасно боясь, что ее почему-нибудь не выслушают. Ее попросили объяснить подробнее: какое это письмо и при каких обстоятельствах она его получила?

— Я получила его накануне самого преступления, а писал он его еще за день из трактира, стало быть, за два дня до своего преступления — посмотрите, оно написано на каком-то счете! — прокричала она, задыхаясь. — Он меня тогда ненавидел, потому что сам сделал подлый поступок и пошел за этою тварью... и потому еще, что должен был мне эти три тысячи... О, ему было обидно за эти три тысячи из-за своей же низости! Эти три тысячи вот как были — я вас прошу, я вас умоляю меня выслушать: еще за три недели до того, как убил отца, он пришел ко мне утром. Я знала, что ему надо деньги, и знала на что — вот, вот именно на то, чтобы соблазнить эту тварь и увезти с собой. Я знала тогда, что уж он мне изменил и хочет бросить меня, и я, я сама протянула тогда ему эти деньги, сама предложила будто бы для того, чтоб отослать моей сестре в Москве, — и когда отдавала, то посмотрела ему в лицо и сказала, что он может, когда хочет, послать, «хоть еще через месяц». Ну как же, как же бы он не понял, что я в глаза ему прямо говорила: «Тебе надо денег для измены мне с твоею тварью, так вот тебе эти деньги, я сама тебе их даю, возьми, если ты так бесчестен, что возьмешь!..» Я уличить его хотела, и что же? Он взял, он их взял, и унес, и истратил их с этою тварью там, в одну ночь... Но он понял, он понял, что я всё знаю, уверяю вас, что он тогда понял и то, что я, отдавая ему деньги, только пытаю его: будет ли он так бесчестен, что возьмет от меня, или нет? В глаза ему глядела, и он мне глядел в глаза и всё понимал, всё понимал, и взял, и взял, и унес мои деньги!

— Правда, Катя! — завопил вдруг Митя, — в глаза смотрел и понимал, что бесчестишь меня и все-таки взял твои деньги! Презирайте подлеца, презирайте все, заслужил!

— Подсудимый, — вскричал председатель, — еще слово — я вас велю вывесть.

— Эти деньги его мучили, — продолжала, судорожно торопясь, Катя, — он хотел мне их отдать, он хотел, это правда, но ему деньги нужны были и для этой твари. Вот он и убил отца, а денег все-таки мне не отдал, а уехал с ней в ту деревню, где его схватили. Там он опять прокутил эти деньги, которые украл у убитого им отца. А за день до того, как убил отца, и написал мне это письмо, написал пьяный, я сейчас тогда увидела, написал из злобы и зная, наверно зная, что я никому не покажу этого письма, даже если б он и убил. А то бы он не написал. Он знал, что я не захочу ему мстить и его погубить! Но прочтите, прочтите внимательно, пожалуйста внимательнее, и вы увидите, что он в письме всё описал, всё заранее: как убьет отца и где у того деньги лежат. Посмотрите, пожалуйста не пропустите, там есть одна фраза: «Убью, только бы уехал Иван». Значит, он заранее уж обдумал, как он убьет, — злорадно и ехидно подсказывала суду Катерина Ивановна. О, видно было, что она до тонкости вчиталась в это роковое письмо и изучила в нем каждую черточку. — Не пьяный он бы мне не написал, но посмотрите, там всё описано вперед, всё точь-в-точь, как он потом убил, вся программа!

Так восклицала она вне себя и уж, конечно, презирая все для себя последствия, хотя, разумеется, их предвидела еще, может, за месяц тому, потому что и тогда еще, может быть, содрогаясь от злобы, мечтала: «Не прочесть ли это суду?» Теперь же как бы полетела с горы. Помню, кажется, именно тут же письмо было прочитано вслух секретарем и произвело потрясающее впечатление. Обратились к Мите с вопросом: «Признает ли он это письмо?»

— Мое, мое! — воскликнул Митя. — Не пьяный бы не написал!.. За многое мы друг друга ненавидели, Катя, но клянусь, клянусь, я тебя и ненавидя любил, а ты меня — нет!

Он упал на свое место, ломая руки в отчаянии. Прокурор и защитник стали предлагать перекрестные вопросы, главное в том смысле: «что, дескать, побудило вас давеча утаить такой документ и показывать прежде совершенно в другом духе и тоне?»

— Да, да, я давеча солгала, всё лгала, против чести и совести, но я хотела давеча спасти его, потому что он меня так ненавидел и так презирал, — как безумная воскликнула Катя. — О, он презирал меня ужасно, презирал всегда, и знаете, знаете — он презирал меня с самой той минуты, когда я ему тогда в ноги за эти деньги поклонилась. Я увидала это... Я сейчас тогда же это почувствовала, но я долго себе не верила. Сколько раз я читала в глазах его: «Все-таки ты сама тогда ко мне пришла». О, он не понял, он не понял ничего, зачем я тогда прибежала, он способен подозревать только низость! Он мерил на себя, он думал, что и все такие, как он, — яростно проскрежетала Катя, совсем уже в исступлении. — А жениться он на мне захотел потому только, что я получила наследство, потому, потому! Я всегда подозревала, что потому! О, это зверь! Он всю жизнь был уверен, что я всю жизнь буду пред ним трепетать от стыда за то, что тогда приходила, и что он может вечно за это презирать меня, а потому первенствовать, — вот почему он на мне захотел жениться! Это так, это всё так! Я пробовала победить его моею любовью, любовью без конца, даже измену его хотела снести, но он ничего, ничего не понял. Да разве он может что-нибудь понять! Это изверг! Это письмо я получила только на другой день вечером, мне из трактира принесли, а еще утром, еще утром в тот день, я хотела было всё простить ему, всё, даже его измену!

Конечно, председатель и прокурор ее успокоивали. Я уверен, что им всем было даже, может быть, самим стыдно так пользоваться ее исступлением и выслушивать такие признания. Я помню, я слышал, как они говорили ей: «Мы понимаем, как вам тяжело, поверьте, мы способны чувствовать», и проч., и проч., — а показания-то все-таки вытянули от обезумевшей женщины в истерике. Она, наконец, описала с чрезвычайною ясностью, которая так часто, хотя и мгновенно, мелькает даже в минуты такого напряженного состояния, как Иван Федорович почти сходил с ума во все эти два месяца на том, чтобы спасти «изверга и убийцу», своего брата.

— Он себя мучил, — восклицала она, — он всё хотел уменьшить его вину, признаваясь мне, что он и сам не любил отца и, может быть, сам желал его смерти. О, это глубокая, глубокая совесть! Он замучил себя совестью! Он всё мне открывал, всё, он приходил ко мне и говорил со мной каждый день как с единственным другом своим. Я имею честь быть его единственным другом! — воскликнула она вдруг, точно как бы с каким-то вызовом, засверкав глазами. — Он ходил к Смердякову два раза. Однажды он пришел ко мне и говорит: если убил не брат, а Смердяков (потому что эту басню пустили здесь все, что убил Смердяков), то, может быть, виновен и я, потому что Смердяков знал, что я не люблю отца и, может быть, думал, что я желаю смерти отца. Тогда я вынула это письмо и показала ему, и он уж совсем убедился, что убил брат, и это уже совсем сразило его. Он не мог снести, что его родной брат — отцеубийца! Еще неделю назад я видела, что он от этого болен. В последние дни он, сидя у меня, бредил. Я видела, что он мешается в уме. Он ходил и бредил, его видели так по улицам. Приезжий доктор, по моей просьбе, его осматривал третьего дня и сказал мне, что он близок к горячке, — всё чрез него, всё чрез изверга! А вчера он узнал, что Смердяков умер — это его так поразило, что он сошел с ума... и всё от изверга, всё на том, чтобы спасти изверга!

О, разумеется, так говорить и так признаваться можно только какой-нибудь раз в жизни — в предсмертную минуту, например, всходя на эшафот. Но Катя именно была в своем характере и в своей минуте. Это была та же самая стремительная Катя, которая кинулась тогда к молодому развратнику, чтобы спасти отца; та же самая Катя, которая давеча, пред всею этою публикой, гордая и целомудренная, принесла себя и девичий стыд свой в жертву, рассказав про «благородный поступок Мити», чтобы только лишь сколько-нибудь смягчить ожидавшую его участь. И вот теперь точно так же она тоже принесла себя в жертву, но уже за другого, и, может быть, только лишь теперь, только в эту минуту, впервые почувствовав и осмыслив вполне, как дорог ей этот другой человек! Она пожертвовала собою в испуге за него, вдруг вообразив, что он погубил себя своим показанием, что это он убил, а не брат, пожертвовала, чтобы спасти его, его славу, его репутацию! И, однако, промелькнула страшная вещь: лгала ли она на Митю, описывая бывшие свои к нему отношения, — вот вопрос. Нет, нет, она не клеветала намеренно, крича, что Митя презирал ее за земной поклон! Она сама верила в это, она была глубоко убеждена, с самого, может быть, этого поклона, что простодушный, обожавший ее еще тогда Митя смеется над ней и презирает ее. И только из гордости она сама привязалась к нему тогда любовью, истерическою и надорванною, из уязвленной гордости, и эта любовь походила не на любовь, а на мщение. О, может быть, эта надорванная любовь и выродилась бы в настоящую, может, Катя ничего и не желала, как этого, но Митя оскорбил ее изменой до глубины души, и душа не простила. Минута же мщения слетела неожиданно, и всё так долго и больно скоплявшееся в груди обиженной женщины разом, и опять-таки неожиданно, вырвалось наружу. Она предала Митю, но предала и себя! И, разумеется, только что успела высказаться, напряжение порвалось, и стыд подавил ее. Опять началась истерика, она упала, рыдая и выкрикивая. Ее унесли. В ту минуту, когда ее выносили, с воплем бросилась к Мите Грушенька со своего места, так что ее и удержать не успели.

— Митя! — завопила она, — погубила тебя твоя змея! Вон она вам себя показала! — прокричала она, сотрясаясь от злобы, суду. По мановению председателя ее схватили и стали выводить из залы. Она не давалась, билась и рвалась назад к Мите. Митя завопил и тоже рванулся к ней. Им овладели.

Да, полагаю, что наши зрительницы дамы остались довольны: зрелище было богатое. Затем помню, как появился приезжий московский доктор. Кажется, председатель еще и прежде того посылал пристава, чтобы распорядиться оказать Ивану Федоровичу пособие. Доктор доложил суду, что больной в опаснейшем припадке горячки и что следовало бы немедленно его увезти. На вопросы прокурора и защитника подтвердил, что пациент сам приходил к нему третьего дня и что он предрек ему тогда же скорую горячку, но что лечиться он не захотел. «Был же он положительно не в здравом состоянии ума, сам мне признавался, что наяву видит видения, встречает на улице разных лиц, которые уже померли, и что к нему каждый вечер ходит в гости сатана», — заключил доктор. Дав свое показание, знаменитый врач удалился. Представленное Катериной Ивановной письмо было присоединено к вещественным доказательствам. По совещании суд постановил: продолжать судебное следствие, а оба неожиданные показания (Катерины Ивановны и Ивана Федоровича) занести в протокол.

Но уже не буду описывать дальнейшего судебного следствия. Да и показания остальных свидетелей были лишь повторением и подтверждением прежних, хотя все со своими характерными особенностями. Но повторяю, всё сведется в одну точку в речи прокурора, к которой и перейду сейчас. Все были в возбуждении, все были наэлектризованы последнею катастрофой и со жгучим нетерпением ждали поскорее лишь развязки, речей сторон и приговора. Фетюкович был видимо потрясен показаниями Катерины Ивановны. Зато торжествовал прокурор. Когда кончилось судебное следствие, был объявлен перерыв заседания, продолжавшийся почти час. Наконец председатель открыл судебные прения. Кажется, было ровно восемь часов вечера, когда наш прокурор, Ипполит Кириллович, начал свою обвинительную речь.

VI
РЕЧЬ ПРОКУРОРА. ХАРАКТЕРИСТИКА

Начал Ипполит Кириллович свою обвинительную речь, весь сотрясаясь нервною дрожью, с холодным, болезненным потом на лбу и висках, чувствуя озноб и жар во всем теле попеременно. Он сам так потом рассказывал. Он считал эту речь за свой chef d'oeuvre[1], за chef d'oeuvre всей своей жизни, за лебединую песнь свою. Правда, девять месяцев спустя он и помер от злой чахотки, так что действительно, как оказалось, имел бы право сравнить себя с лебедем, поющим свою последнюю песнь, если бы предчувствовал свой конец заранее. В эту речь он вложил всё свое сердце и всё сколько было у него ума и неожиданно доказал, что в нем таились и гражданское чувство, и «проклятые» вопросы, по крайней мере поскольку наш бедный Ипполит Кириллович мог их вместить в себе. Главное, тем взяло его слово, что было искренно: он искренно верил в виновность подсудимого; не на заказ, не по должности только обвинял его и, взывая к «отмщению», действительно сотрясался желанием «спасти общество». Даже дамская наша публика, в конце концов враждебная Ипполиту Кирилловичу, сознавалась, однако, в чрезвычайном вынесенном впечатлении. Начал он надтреснутым, срывающимся голосом, но потом очень скоро голос его окреп и зазвенел на всю залу, и так до конца речи. Но только что кончил ее, то чуть не упал в обморок.

«Господа присяжные заседатели, — начал обвинитель, — настоящее дело прогремело по всей России. Но чему бы, кажется, удивляться, чего так особенно ужасаться? Нам-то, нам-то особенно? Ведь мы такие привычные ко всему этому люди! В том и ужас наш, что такие мрачные дела почти

---

[1] Шедевр, образцовое произведение *(фр.)*.

перестали для нас быть ужасными! Вот чему надо ужасаться, привычке нашей, а не единичному злодеянию того или другого индивидуума. Где же причины нашего равнодушия, нашего чуть тепленького отношения к таким делам, к таким знамениям времени, пророчествующим нам незавидную будущность? В цинизме ли нашем, в раннем ли истощении ума и воображения столь молодого еще нашего общества, но столь безвременно одряхлевшего? В расшатанных ли до основания нравственных началах наших или в том, наконец, что этих нравственных начал, может быть, у нас совсем даже и не имеется? Не разрешаю эти вопросы, тем не менее они мучительны, и всякий гражданин не то что должен, а обязан страдать ими. Наша начинающаяся, робкая еще наша пресса оказала уже, однако, обществу некоторые услуги, ибо никогда бы мы без нее не узнали, сколько-нибудь в полноте, про те ужасы разнузданной воли и нравственного падения, которые беспрерывно передает она на своих страницах уже всем, не одним только посещающим залы нового гласного суда, дарованного нам в настоящее царствование. И что же мы читаем почти повседневно? О, про такие вещи поминутно, пред которыми даже теперешнее дело бледнеет и представляется почти чем-то уже обыкновенным. Но важнее всего то, что множество наших русских, национальных наших уголовных дел, свидетельствуют именно о чем-то всеобщем, о какой-то общей беде, прижившейся с нами и с которой, как со всеобщим злом, уже трудно бороться. Вот там молодой блестящий офицер высшего общества, едва начинающий свою жизнь и карьеру, подло, в тиши, безо всякого угрызения совести, зарезывает мелкого чиновника, отчасти бывшего своего благодетеля, и служанку его, чтобы похитить свой долговой документ, а вместе и остальные денежки чиновника: „пригодятся-де для великосветских моих удовольствий и для карьеры моей впереди“. Зарезав обоих, уходит, подложив обоим мертвецам под головы подушки. Там молодой герой, обвешанный крестами за храбрость, разбойнически умерщвляет на большой дороге мать своего вождя и благодетеля и, подговаривая своих товарищей, уверяет, что „она любит его как родного сына, и потому последует всем его советам и не примет предосторожностей“. Пусть это изверг, но я теперь, в наше время, не смею уже сказать, что это только единичный изверг. Другой и не зарежет, но подумает и почувствует точно так же, как он, в душе своей бесчестен точно так же, как он. В тиши, наедине со своею совестью, может быть, спрашивает себя: „Да что такое честь, и не предрассудок ли кровь?" Может быть, крикнут против меня и скажут, что я человек болезненный, истерический, клевещу чудовищно, брежу, преувеличиваю. Пусть, пусть, — и боже, как бы я был рад тому первый! О, не верьте мне, считайте меня за больного, но все-таки запомните слова мои: ведь если только хоть десятая, хоть двадцатая доля в словах моих правда, то ведь и тогда ужасно! Посмотрите, господа, посмотрите, как у нас застреливаются молодые люди: о, без малейших гамлетовских вопросов о том: „Что будет *там?*", без признаков этих вопросов, как будто эта статья о духе нашем и о всем, что ждет нас за гробом, давно похерена в их природе, похоронена и песком засыпана. Посмотрите, наконец, на наш разврат, на наших сладострастников. Федор Павлович, несчастная жертва текущего процесса, есть пред иными из них почти невинный младенец. А ведь мы все его знали, „он между нами жил"... Да, психологией русского преступления займутся, может быть, когда-нибудь первенствующие умы, и наши и европейские, ибо тема стоит того. Но это изучение произойдет когда-нибудь после, уже на досуге, и когда вся трагическая безалаберщина нашей настоящей минуты отойдет на более отдаленный план, так что ее уже можно будет рассмотреть и умнее, и беспристрастнее, чем, например, люди, как я, могут сделать. Теперь же мы или ужасаемся, или притворяемся, что ужасаемся, а сами, напротив, смакуем зрелище как любители ощущений сильных, эксцентрических, шевелящих нашу цинически-ленивую праздность, или, наконец, как малые дети, отмахиваем от себя руками страшные призраки и прячем голову в подушку, пока пройдет страшное видение, с тем чтобы потом тотчас же забыть его в веселии и играх. Но когда-нибудь надо же и нам начать нашу жизнь трезво и вдумчиво, надо же и нам бросить взгляд на себя как на общество, надо же и нам хоть что-нибудь в нашем общественном деле осмыслить или только хоть начать осмысление наше. Великий писатель предшествовавшей эпохи, в финале величайшего из произведений своих, олицетворяя всю Россию в виде скачущей к неведомой цели удалой русской тройки, восклицает: „Ах, тройка, птица тройка, кто тебя выдумал!" — и в гордом восторге прибавляет, что пред скачущею сломя голову тройкой почтительно сторонятся все народы. Так, господа, это пусть, пусть сторонятся, почтительно или нет, но, на мой грешный взгляд, гениальный художник закончил так или в припадке младенчески невинного прекрасномыслия, или просто боясь тогдашней цензуры. Ибо если в его тройку впрячь только его же героев, Собакевичей, Ноздревых и Чичиковых, то кого бы ни посадить ямщиком, ни до чего путного на таких конях не доедешь! А это только еще прежние кони, которым далеко до теперешних, у нас почище...»

Здесь речь Ипполита Кирилловича была прервана рукоплесканиями. Либерализм изображения русской тройки понравился. Правда, сорвалось лишь два-три клака, так что председатель не нашел даже нужным обратиться к публике с угрозою «очистить залу» и лишь строго поглядел в сторону клакеров. Но Ипполит Кириллович был ободрен: никогда-то ему до сих пор не аплодировали! Человека столько лет не хотели слушать, и вдруг возможность на всю Россию высказаться!

«В самом деле, — продолжал он, — что такое это семейство Карамазовых, заслужившее вдруг такую печальную известность по всей даже России? Может быть, я слишком преувеличиваю, но мне кажется, что в картине этой семейки как бы мелькают некоторые общие основные элементы нашего современного интеллигентного общества — о, не все элементы, да и мелькнуло лишь в микроскопическом виде, „как солнце в малой капле вод“, но всё же нечто отразилось, всё же нечто сказалось. Посмотрите на этого несчастного, разнузданного и развратного старика, этого „отца семейства“, столь печально покончившего свое существование. Родовой дворянин, начавший карьеру бедненьким приживальщиком, чрез нечаянную и неожиданную женитьбу схвативший в приданое небольшой капитальчик, вначале мелкий плут и льстивый шут, с зародышем умственных способностей, довольно, впрочем, неслабых, и прежде всего ростовщик. С годами, то есть с нарастанием капитальчика, он ободряется. Приниженность и заискивание исчезают, остается лишь насмешливый и злой циник и сладострастник. Духовная сторона вся похерена, а жажда жизни чрезвычайная. Свелось на то, что, кроме сладострастных наслаждений, он ничего в жизни и не видит, так учит и детей своих. Отеческих духовных каких-нибудь обязанностей — никаких. Он над ними смеется, он воспитывает своих маленьких детей на заднем дворе и рад, что их от него увозят. Забывает об них даже вовсе. Все нравственные правила старика — après moi le déluge[1]. Всё, что есть обратного понятию о гражданине, полнейшее, даже враждебное отъединение от общества: „Гори хоть весь свет огнем, было бы одному мне хорошо“. И ему хорошо, он вполне доволен, он жаждет прожить так еще двадцать—тридцать лет. Он обсчитывает родного сына и на его же деньги, на наследство матери его, которые не хочет отдать ему, отбивает у него, у сына же своего, любовницу. Нет, я не хочу уступать защиту подсудимого высокоталантливому защитнику, прибывшему из Петербурга. Я и сам скажу правду, я и сам понимаю ту сумму негодования, которую он накопил в сердце своего сына. Но довольно, довольно об этом несчастном старике, он получил свою мзду. Вспомним, однако, что это отец, и один из современных отцов. Обижу ли я общество, сказав, что это один даже из многих современных отцов? Увы, столь многие из современных отцов лишь не высказываются столь цинически, как этот, ибо лучше воспитаны, лучше образованны, а в сущности — почти такой же, как и он, философии. Но пусть я пессимист, пусть. Мы уж условились, что вы меня прощаете. Уговоримся заранее: вы мне не верьте, не верьте, я буду говорить, а вы не верьте. Но все-таки дайте мне высказаться, все-таки кое-что из моих слов не забудьте. Но вот, однако, дети этого старика, этого отца семейства: один пред нами на скамье подсудимых, об нем вся речь впереди; про других скажу лишь вскользь. Из этих других, старший — есть один из современных молодых людей с блестящим образованием, с умом довольно сильным, уже ни во что, однако, не верующим, многое, слишком уже многое в жизни отвергшим и похерившим, точь-в-точь как и родитель его. Мы все его слышали, он в нашем обществе был принят дружелюбно. Мнений своих он не скрывал, даже напротив, совсем напротив, что и дает мне смелость говорить теперь о нем несколько откровенно, конечно не как о частном лице, а лишь как о члене семьи Карамазовых. Здесь умер вчера, самоубийством, на краю города, один болезненный идиот, сильно привлеченный к настоящему делу, бывший слуга и, может быть, побочный сын Федора Павловича, Смердяков. Он с истерическими

---

[1] После меня хоть потоп (*фр.*).

слезами рассказывал мне на предварительном следствии, как этот молодой Карамазов, Иван Федорович, ужаснул его своим духовным безудержем. „Всё, дескать, по-ихнему, позволено, что ни есть в мире, и ничего впредь не должно быть запрещено, — вот они чему меня всё учили“. Кажется, идиот на этом тезисе, которому обучили его, и сошел с ума окончательно, хотя, конечно, повлияли на умственное расстройство его и падучая болезнь, и вся эта страшная, разразившаяся в их доме катастрофа. Но у этого идиота промелькнуло одно весьма и весьма любопытное замечание, сделавшее бы честь и поумнее его наблюдателю, вот почему даже я об этом и заговорил: „Если есть, — сказал он мне, — который из сыновей, более похожий на Федора Павловича по характеру, так это он, Иван Федорович!“ На этом замечании я прерываю начатую характеристику, не считая деликатным продолжать далее. О, я не хочу выводить дальнейших заключений и, как ворон, каркать молодой судьбе одну только гибель. Мы видели еще сегодня здесь, в этой зале, что непосредственная сила правды еще живет в его молодом сердце, что еще чувства семейной привязанности не заглушены в нем безверием и нравственным цинизмом, приобретенным больше по наследству, чем истинным страданием мысли. Затем другой сын, — о, это еще юноша, благочестивый и смиренный, в противоположность мрачному растлевающему мировоззрению его брата, ищущий прилепиться, так сказать, к „народным началам“, или к тому, что у нас называют этим мудреным словечком в иных теоретических углах мыслящей интеллигенции нашей. Он, видите ли, прилепился к монастырю; он чуть было сам не постригся в монахи. В нем, кажется мне, как бы бессознательно, и так рано, выразилось то робкое отчаяние, с которым столь многие теперь в нашем бедном обществе, убоясь цинизма и разврата его и ошибочно приписывая всё зло европейскому просвещению, бросаются, как говорят они, к „родной почве“, так сказать, в материнские объятия родной земли, как дети, напуганные призраками, и у иссохшей груди расслабленной матери жаждут хотя бы только спокойно заснуть и даже всю жизнь проспать, лишь бы не видеть их пугающих ужасов. С моей стороны я желаю доброму и даровитому юноше всего лучшего, желаю, чтоб его юное прекраснодушие и стремление к народным началам не обратилось впоследствии, как столь часто оно случается, со стороны нравственной в мрачный мистицизм, а со стороны гражданской в тупой шовинизм — два качества, грозящие, может быть, еще большим злом нации, чем даже раннее растление от ложно понятого и даром добытого европейского просвещения, каким страдает старший брат его».

За шовинизм и мистицизм опять раздались было два-три клака. И уж конечно, Ипполит Кириллович увлекся, да и всё это мало подходило к настоящему делу, не говоря уже о том, что вышло довольно неясно, но уж слишком захотелось высказаться чахоточному и озлобленному человеку хоть раз в своей жизни. У нас потом говорили, что в характеристике Ивана Федоровича он руководился чувством даже неделикатным, потому что тот раз или два публично осадил его в спорах, и Ипполит Кириллович, помня это, захотел теперь отомстить. Но не знаю, можно ли было так заключить. Во всяком случае, всё это было только введением, затем речь пошла прямее и ближе к делу.

«Но вот третий сын отца современного семейства, — продолжал Ипполит Кириллович, — он на скамье подсудимых, он перед нами. Перед нами и его подвиги, его жизнь и дела его: пришел срок, и всё развернулось, всё обнаружилось. В противоположность „европеизму“ и „народным началам“ братьев своих, он как бы изображает собою Россию непосредственную — о, не всю, не всю, и боже сохрани, если бы всю! И, однако же, тут она, наша Росссюшка, пахнет ею, слышится она, матушка. О, мы непосредственны, мы зло и добро в удивительнейшем смешении, мы любители просвещения и Шиллера и в то же время мы бушуем по трактирам и вырываем у пьянчужек, собутыльников наших, бороденки. О, и мы бываем хороши и прекрасны, но только тогда, когда нам самим хорошо и прекрасно. Напротив, мы даже обуреваемы — именно обуреваемы — благороднейшими идеалами, но только с тем условием, чтоб они достигались сами собою, упадали бы к нам на стол с неба и, главное, чтобы даром, даром, чтобы за них ничего не платить. Платить мы ужасно не любим, зато получать очень любим, и это во всем. О, дайте, дайте нам всевозможные блага жизни (именно всевозможные, дешевле не помиримся) и особенно не препятствуйте нашему праву ни в чем, и тогда и мы докажем, что можем быть хороши и прекрасны. Мы не жадны, нет, но, однако же, подавайте нам денег, больше, больше, как можно больше денег, и вы увидите, как великодушно, с каким презрением к презренному металлу мы разбросаем их в одну ночь в безудержном кутеже. А не дадут нам денег, так мы покажем, как мы их сумеем достать, когда нам очень того захочется. Но об этом после, будем следить по порядку. Прежде всего пред нами бедный заброшенный мальчик, „на заднем дворе без сапожек", как выразился давеча наш почтенный и уважаемый согражданин, увы, происхождения иностранного! Еще раз повторю — никому не уступлю защиту подсудимого! Я обвинитель, я и защитник. Да-с, и мы люди, и мы человеки, и мы сумеем взвесить то, как могут повлиять на характер первые впечатления детства и родного гнездышка. Но вот мальчик уже юноша, уже молодой человек, офицер; за буйные поступки и за вызов на поединок ссылают его в один из отдаленных пограничных городков нашей благодатной России. Там он служит, там и кутит, и конечно — большому кораблю большое и плавание. Нам надо средств-с, средств прежде всего, и вот, после долгих споров, порешено у него с отцом на последних шести тысячах рублях, и их ему высылают. Заметьте, он выдал документ, и существует письмо его, в котором он от остального почти отрекается и этими шестью тысячами препирание с отцом по наследству оканчивает. Тут происходит его встреча с молодою, высокого характера и развития девушкой. О, я не смею повторять подробностей, вы их только что слышали: тут честь, тут самоотвержение, и я умолкаю. Образ молодого человека, легкомысленного и развратного, но склонившегося пред истинным благородством, пред высшею идеей, мелькнул перед нами чрезвычайно симпатично. Но вдруг после того, в этой же самой зале суда последовала совсем неожиданно и оборотная сторона медали. Опять-таки не смею пускаться в догадки и удержусь анализировать — почему так последовало. Но, однако, были же причины — почему так последовало. Эта же самая особа, вся в слезах негодования, долго таившегося, объявляет нам, что он же, он же первый и презирал ее за ее неосторожный, безудержный, может быть, порыв, но всё же возвышенный, всё же великодушный. У него же, у жениха этой девушки, и промелькнула прежде всех та насмешливая улыбка, которую она лишь от него одного не могла снести. Зная, что он уже изменил ей (изменил в убеждении, что она уже всё должна вперед сносить от него, даже измену его), зная это, она нарочно предлагает ему три тысячи рублей и ясно, слишком ясно дает ему при этом понять, что предлагает ему деньги на измену ей же: „Что ж, примешь или нет, будешь ли столь циничен", — говорит она ему молча своим судящим и испытующим взглядом. Он глядит на нее, понимает ее мысли совершенно (он ведь сам сознался здесь при вас, что он всё понимал) и безусловно присвоет себе эти три тысячи и прокучивает их в два дня с своею новою возлюбленной! Чему же верить? Первой ли легенде — порыву ли высокого благородства, отдающего последние средства для жизни и преклоняющегося пред добродетелью, или оборотной стороне медали, столь отвратительной? Обыкновенно в жизни бывает так, что при двух противоположностях правду надо искать посередине; в настоящем случае это буквально не так. Вероятнее всего, что в первом случае он был искренно благороден, а во втором случае так же искренно низок. Почему? А вот именно потому, что мы натуры широкие, карамазовские, — я ведь к тому и веду, — способные вмещать всевозможные противоположности и разом созерцать обе бездны, бездну над нами, бездну высших идеалов, и бездну под нами, бездну самого низшего и зловонного падения. Вспомните блестящую мысль, высказанную давеча молодым наблюдателем, глубоко и близко созерцавшим всю семью Карамазовых, господином Ракитиным: „Ощущение низости падения так же необходимо этим разнузданным, безудержным натурам, как и ощущение высшего благородства", — и это правда: именно им нужна эта неестественная смесь постоянно и беспрерывно. Две бездны, две бездны, господа, в один и тот же момент — без того мы несчастны и неудовлетворены, существование наше неполно. Мы широки, широки, как вся наша матушка Россия, мы всё вместим и со всем уживемся! Кстати, господа присяжные заседатели, мы коснулись теперь этих трех тысяч рублей, и я позволю себе несколько забежать вперед. Вообразите только, что он, этот характер, получив тогда эти деньги, да еще таким образом, чрез такой стыд, чрез такой позор, чрез последней степени унижение, — вообразите только, что он в тот же день возмог будто бы отделить из них половину, зашить в ладонку и целый месяц потом иметь твердость носить их у себя на шее, несмотря на все соблазны и чрезвычайные нужды! Ни в пьяном кутеже по трактирам, ни тогда, когда ему пришлось лететь из города доставать бог знает у кого деньги, необходимейшие ему, чтоб увезти свою возлюбленную от соблазнов соперника, отца своего, — он не осмеливается притронуться к этой ладонке. Да хоть именно для того только, чтобы не оставлять свою возлюбленную на соблазны старика, к которому он так ревновал, он должен бы был распечатать свою ладонку и остаться дома неотступным сторожем своей возлюбленной, ожидая той минуты, когда она скажет ему наконец: „Я твоя“, чтоб лететь с нею куда-нибудь подальше из теперешней роковой обстановки. Но нет, он не касается своего талисмана, и под каким же предлогом? Первоначальный предлог, мы сказали, был именно тот, что когда ему скажут: „Я твоя, вези меня куда хочешь“, то было бы на что увезти. Но этот первый предлог, по собственным словам подсудимого, побледнел перед вторым. Поколь, дескать, я ношу на себе эти деньги — „я подлец, но не вор“, ибо всегда могу пойти к оскорбленной мною невесте и, выложив пред нею эту половину всей обманно присвоенной от нее суммы, всегда могу ей сказать: „Видишь, я прокутил половину твоих денег и доказал тем, что я слабый и безнравственный человек и, если хочешь, подлец (я выражаюсь языком самого подсудимого), но хоть и подлец, а не вор, ибо если бы был вором, то не принес бы тебе этой половины оставшихся денег, а присвоил бы и ее, как и первую половину“. Удивительное объяснение факта! Этот самый бешеный, но слабый человек, не могший отказаться от соблазна принять три тысячи рублей при таком позоре, — этот самый человек ощущает вдруг в себе такую стоическую твердость и носит на своей шее тысячи рублей, не смея до них дотронуться! Сообразно ли это хоть сколько-нибудь с разбираемым нами характером? Нет, и я позволю себе вам рассказать, как бы поступил в таком случае настоящий Дмитрий Карамазов, если бы даже и в самом деле решился зашить свои деньги в ладонку. При первом же соблазне — ну хоть чтоб опять чем потешить ту же новую возлюбленную, с которой уже прокутил первую половину этих же денег, — он бы расшил свою ладонку и отделил от нее, ну, положим, на первый случай хоть только сто рублей, ибо к чему-де непременно относить половину, то есть полторы тысячи, довольно и тысячи четырехсот рублей — ведь всё то же выйдет: „подлец, дескать, а не вор, потому что всё же хоть тысячу четыреста рублей да принес назад, а вор бы все взял и ничего не принес". Затем еще через несколько времени опять расшил бы ладонку и опять вынул уже вторую сотню, затем третью, затем четвертую, и не далее как к концу месяца вынул бы наконец предпоследнюю сотню: дескать, и одну сотню принесу назад, всё то же ведь выйдет: „подлец, а не вор. Двадцать девять сотен прокутил, а всё же одну возвратил, вор бы и ту не возвратил". И, наконец, уже прокутив эту предпоследнюю сотню, посмотрел бы на последнюю и сказал бы себе: „А ведь и впрямь не стоит относить одну сотню — давай и ту прокучу!" Вот как бы поступил настоящий Дмитрий Карамазов, какого мы знаем! Легенда же об ладонке — это такое противоречие с действительностью, какого более и представить нельзя. Можно предположить всё, а не это. Но мы к этому еще вернемся».

Обозначив в порядке всё, что известно было судебному следствию об имущественных спорах и семейных отношениях отца с сыном, и еще, и еще раз выведя заключение, что, по известным данным, нет ни малейшей возможности определить в этом вопросе о дележе наследства, кто кого обсчитал или кто на кого насчитал, Ипполит Кириллович по поводу этих трех тысяч рублей, засевших в уме Мити как неподвижная идея, упомянул об медицинской экспертизе.

VII
ОБЗОР ИСТОРИЧЕСКИЙ

«Экспертиза медиков стремилась доказать нам, что подсудимый не в своем уме и маньяк. Я утверждаю, что он именно в своем уме, но что это-то и всего хуже: был бы не в своем, то оказался бы, может быть, гораздо умнее. Что же до того, что он маньяк, то с этим я бы и согласился, но именно в одном только пункте — в том самом, на который и экспертиза указывала, именно во взгляде подсудимого на эти три тысячи, будто бы недоплаченные ему отцом. Тем не менее, может быть, можно найти несравненно ближайшую точку зрения, чтоб объяснить это всегдашнее исступление подсудимого по поводу этих денег, чем наклонность его к помешательству. С своей стороны, я вполне согласен с мнением молодого врача, находившего, что подсудимый пользуется и пользовался полными и нормальными умственными способностями, а был лишь раздражен и озлоблен. Вот в этом и дело: не в трех тысячах, не в сумме собственно заключался предмет постоянного и исступленного озлобления подсудимого, а в том, что была тут особая причина, возбуждавшая его гнев. Причина эта — ревность!»

Здесь Ипполит Кириллович пространно развернул всю картину роковой страсти подсудимого к Грушеньке. Начал он с самого того момента, когда подсудимый отправился к «молодой особе», чтоб «избить ее», выражаясь его собственными словами, пояснил Ипполит Кириллович, «но вместо того, чтоб избить, остался у ног ее — вот начало этой любви. В то же время бросает взгляд на ту же особу и старик, отец подсудимого, — совпадение удивительное и роковое, ибо оба сердца зажглись вдруг, в одно время, хотя прежде и тот и другой знали же и встречали эту особу, — и зажглись эти оба сердца самою безудержною, самою карамазовскою страстью. Тут мы имеем ее собственное признание: „Я, — говорит она, — смеялась над тем и другим“. Да, ей захотелось вдруг посмеяться над тем и другим; прежде не хотелось, а тут вдруг влетело ей в ум это намерение, — и кончилось тем, что оба пали перед ней побежденные. Старик, поклонявшийся деньгам, как Богу, тотчас же приготовил три тысячи рублей лишь за то только, чтоб она посетила его обитель, но вскоре доведен был и до того, что за счастье почел бы положить к ногам ее свое имя и всё свое состояние, лишь бы согласилась стать законною супругой его. На это мы имеем свидетельства твердые. Что же до подсудимого, то трагедия его очевидна, она пред нами. Но такова была „игра“ молодой особы. Несчастному молодому человеку обольстительница не подавала даже и надежды, ибо надежда, настоящая надежда, была ему подана лишь только в самый последний момент, когда он, стоя перед своею мучительницей на коленях, простирал к ней уже обагренные кровью своего отца и соперника руки: в этом именно положении он и был арестован. „Меня, меня вместе с ним в каторгу пошлите, я его до того довела, я больше всех виновата!“ — восклицала эта женщина сама, уже в искреннем раскаянии, в минуту его ареста. Талантливый молодой человек, взявший на себя описать настоящее дело, — всё тот же господин Ракитин, о котором я уже упоминал, — в нескольких сжатых и характерных фразах определяет характер этой героини: „Раннее разочарование, ранний обман и падение, измена обольстителя-жениха, ее бросившего, затем бедность, проклятие честной семьи и, наконец, покровительство одного богатого старика, которого она, впрочем, сама считает и теперь своим благодетелем. В молодом сердце, может быть заключавшем в себе много хорошего, затаился гнев еще слишком с ранней поры. Образовался характер расчетливый, копящий капитал. Образовалась насмешливость и мстительность обществу". После этой характеристики понятно, что она могла смеяться над тем и другим единственно для игры, для злобной игры. И вот в этот месяц безнадежной любви, нравственных падений, измены своей невесте, присвоения чужих денег, вверенных его чести, — подсудимый, кроме того, доходит почти до исступления, до бешенства, от беспрерывной ревности, и к кому же, к своему отцу! И главное, безумный старик сманивает и прельщает предмет его страсти — этими же самыми тремя тысячами, которые сын его считает своими родовыми, наследством матери, в которых укоряет отца. Да, я согласен, это было тяжело перенести! Тут могла явиться даже и мания. Не в деньгах было дело, а в том, что этими же деньгами с таким омерзительным цинизмом разбивалось счастье его!»

Затем Ипполит Кириллович перешел к тому, как постепенно зарождалась в подсудимом мысль отцеубийства, и проследил ее по фактам.

«Сначала мы только кричим по трактирам — весь этот месяц кричим. О, мы любим жить на людях и тотчас же сообщать этим людям все, даже самые инфернальные и опасные наши идеи, мы любим делиться с людьми и, неизвестно почему, тут же, сейчас же и требуем, чтоб эти люди тотчас же отвечали нам полнейшею симпатией, входили во все наши заботы и тревоги, нам поддакивали и нраву нашему не препятствовали. Не то мы озлимся и разнесем весь трактир. (Следовал анекдот о штабс-капитане Снегиреве.) Видевшие и слышавшие подсудимого в этот месяц почувствовали наконец, что тут уже могут быть не одни крики и угрозы отцу, но что при таком исступлении угрозы, пожалуй, перейдут и в дело. (Тут прокурор описал семейную встречу в монастыре, разговоры с Алешей и безобразную сцену насилия в доме отца, когда подсудимый ворвался к нему после обеда.) Не думаю настойчиво утверждать, — продолжал Ипполит Кириллович, — что до этой сцены подсудимый уже обдуманно и преднамеренно положил покончить с отцом своим убийством его. Тем не менее идея эта уже несколько раз предстояла ему, и он обдуманно созерцал ее — на это мы имеем факты, свидетелей и собственное сознание его. Признаюсь, господа присяжные заседатели, — присовокупил Ипполит Кириллович, — я даже до сегодня колебался оставить за подсудимым полное и сознательное преднамерение напрашивавшегося к нему преступления. Я твердо был убежден, что душа его уже многократно созерцала роковой момент впереди, но лишь созерцала, представляла его себе лишь в возможности, но еще не определяла ни срока исполнения, ни обстоятельств. Но я колебался лишь до сегодня, до этого рокового документа, представленного сегодня суду госпожою Верховцевой. Вы сами слышали, господа, ее восклицание: „Это план, это программа убийства!" — вот как определяла она несчастное „пьяное" письмо несчастного подсудимого. И действительно, за письмом этим всё значение программы и преднамерения. Оно написано за двое суток до преступления, и, таким образом, нам твердо теперь известно, что за двое суток до исполнения своего страшного замысла подсудимый с клятвою объявлял, что если не достанет завтра денег, то убьет отца, с тем чтобы взять у него деньги из-под подушки „в пакете с красною ленточкой, только бы уехал Иван". Слышите: „только бы уехал Иван", — тут, стало быть, уже всё обдумано, обстоятельства взвешены — и что же: всё потом и исполнено как по писаному! Преднамеренность и обдуманность несомненны, преступление должно было совершиться с целью грабежа, это прямо объявлено, это написано и подписано. Подсудимый от своей подписи не отрицается. Скажут: это писал пьяный. Но это ничего не уменьшает и тем важнее: в пьяном виде написал то, что задумал в трезвом. Не было бы задумано в трезвом, не написалось бы в пьяном. Скажут, пожалуй: к чему он кричал о своем намерении по трактирам? Кто на такое дело решается *преднамеренно,* тот молчит и таит про себя. Правда, но кричал он тогда, когда еще не было планов и преднамерения, а лишь стояло одно желание, созревало лишь стремление. Потом он об этом уже меньше кричит. В тот вечер, когда было написано это письмо, напившись в трактире „Столичный город“, он, против обыкновения, был молчалив, не играл на биллиарде, сидел в стороне, ни с кем не говорил и лишь согнал с места одного здешнего купеческого приказчика, но это уже почти бессознательно, по привычке к ссоре, без которой, войдя в трактир, он уже не мог обойтись. Правда, вместе с окончательным решением подсудимому должно же было прийти в голову опасение, что он слишком много накричал по городу предварительно и что это может весьма послужить к его уличению и его обвинению, когда он исполнит задуманное. Но уж что же делать, факт огласки был совершен, его не воротишь, и, наконец, вывозила же прежде кривая, вывезет и теперь. Мы на звезду свою надеялись, господа! Я должен к тому же признаться, что он много сделал, чтоб обойти роковую минуту, что он употребил весьма много усилий, чтоб избежать кровавого исхода. „Буду завтра просить три тысячи у всех людей, — как пишет он своим своеобразным языком, — а не дадут люди, то прольется кровь“. Опять-таки в пьяном виде написано и опять-таки в трезвом виде как по писаному исполнено!»

Тут Ипполит Кириллович приступил к подробному описанию всех стараний Мити добыть себе деньги, чтоб избежать преступления. Он описал его похождения у Самсонова, путешествие к Лягавому — всё по документам. «Измученный, осмеянный, голодный, продавший часы на это путешествие (имея, однако, на себе полторы тысячи рублей — и будто, о, будто!), мучаясь ревностью по оставленному в городе предмету любви, подозревая, что она без него уйдет к Федору Павловичу, он возвращается наконец в город. Слава богу! Она у Федора Павловича не была. Он же сам ее и провожает к ее покровителю Самсонову. (Странное дело, к Самсонову мы не ревнивы, и это весьма характерная психологическая особенность в этом деле!) Затем стремится на наблюдательный пост „на задах“ и там — и там узнает, что Смердяков в падучей, что другой слуга болен, — поле чисто, а „знаки“ в руках его — какой соблазн! Тем не менее он все-таки сопротивляется; он идет к высокоуважаемой всеми нами временной здешней жительнице госпоже Хохлаковой. Давно уже сострадающая его судьбе, эта дама предлагает ему благоразумнейший из советов: бросить весь этот кутеж, эту безобразную любовь, эти праздношатания по трактирам, бесплодную трату молодых сил и отправиться в Сибирь на золотые прииски: „Там исход вашим бушующим силам, вашему романическому характеру, жаждущему приключений"». Описав исход беседы и тот момент, когда подсудимый вдруг получил известие о том, что Грушенька совсем не была у Самсонова, описав мгновенное исступление несчастного, измученного нервами ревнивого человека при мысли, что она именно обманула его и теперь у него, Федора Павловича, Ипполит Кириллович заключил, обращая внимание на роковое значение случая: «успей ему сказать служанка, что возлюбленная его в Мокром, с „прежним" и „бесспорным" — ничего бы и не было. Но она опешила от страха, заклялась-забожилась, и если подсудимый не убил ее тут же, то это потому, что сломя голову пустился за своей изменницей. Но заметьте: как ни был он вне себя, а захватил-таки с собою медный пестик. Зачем именно пестик, зачем не другое какое оружие? Но, если мы уже целый месяц созерцали эту картину и к ней приготовлялись, то чуть мелькнуло нам что-то в виде оружия, мы и схватываем его как оружие. А о том, что какой-нибудь предмет в этом роде может послужить оружием, — это мы уже целый месяц представляли себе. Потому-то так мгновенно и бесспорно и признали его за оружие! А потому всё же не бессознательно, всё же не невольно схватил он этот роковой пестик. И вот он в отцовском саду — поле чисто, свидетелей нет, глубокая ночь, мрак и ревность. Подозрение, что она здесь, с ним, с соперником его, в его объятиях и, может быть, смеется над ним в эту минуту, — захватывает ему дух. Да и не подозрение только — какие уж теперь подозрения, обман явен, очевиден: она тут, вот в этой комнате, откуда свет, она у него там, за ширмами, — и вот несчастный подкрадывается к окну, почтительно в него заглядывает, благонравно смиряется и благоразумно уходит, поскорее вон от беды, чтобы чего не произошло, опасного и безнравственного, — и нас в этом хотят уверить, нас, знающих характер подсудимого, понимающих, в каком он был состоянии духа, в состоянии, нам известном по фактам, а главное, обладая знаками, которыми тотчас же мог отпереть дом и войти!» Здесь по поводу «знаков» Ипполит Кириллович оставил на время свое обвинение и нашел необходимым распространиться о Смердякове, с тем чтоб уж совершенно исчерпать весь этот вводный эпизод о подозрении Смердякова в убийстве и покончить с этою мыслью раз навсегда. Сделал он это весьма обстоятельно, и все поняли, что, несмотря на всё выказываемое им презрение к этому предположению, он все-таки считал его весьма важным.

VIII
ТРАКТАТ О СМЕРДЯКОВЕ

«Во-первых, откуда взялась возможность подобного подозрения? — начал с этого вопроса Ипполит Кириллович. — Первый крикнувший, что убил Смердяков, был сам подсудимый в минуту своего ареста, и, однако, не представивший с самого первого крика своего и до самой сей минуты суда ни единого факта в подтверждение своего обвинения — и не только факта, но даже сколько-нибудь сообразного с человеческим смыслом намека на какой-нибудь факт. Затем подтверждают обвинение это только три лица: оба брата подсудимого и госпожа Светлова. Но старший брат подсудимого объявил свое подозрение только сегодня, в болезни, в припадке бесспорного умоисступления и горячки, а прежде, во все два месяца, как нам положительно это известно, совершенно разделял убеждение о виновности своего брата, даже не искал возражать против этой идеи. Но мы этим займемся особенно еще потом. Затем младший брат подсудимого нам объявляет давеча сам, что фактов в подтверждение своей мысли о виновности Смердякова не имеет никаких, ни малейших, а заключает так лишь со слов самого подсудимого и „по выражению его лица“ — да, это колоссальное доказательство было дважды произнесено давеча его братом. Госпожа же Светлова выразилась даже, может быть, и еще колоссальнее: „Что подсудимый вам скажет, тому и верьте, не таков человек, чтобы солгал“. Вот все фактические доказательства на Смердякова от этих трех лиц, слишком заинтересованных в судьбе подсудимого. И между тем обвинение на Смердякова ходило и держалось, и держится — можно этому поверить, можно это представить?»

Тут Ипполит Кириллович нашел нужным слегка очертить характер покойного Смердякова, «прекратившего жизнь свою в припадке болезненного умоисступления и помешательства». Он представил его человеком слабоумным, с зачатком некоторого смутного образования, сбитого с толку философскими идеями не под силу его уму и испугавшегося иных современных учений о долге и обязанности, широко преподанных ему практически — бесшабашною жизнию покойного его барина, а может быть и отца, Федора Павловича, а теоретически — разными странными философскими разговорами с старшим сыном барина, Иваном Федоровичем, охотно позволявшим себе это развлечение — вероятно, от скуки или от потребности насмешки, не нашедшей лучшего приложения.

Он мне сам рассказывал о своем душевном состоянии в последние дни своего пребывания в доме своего барина, — пояснил Ипполит Кириллович, — но свидетельствуют о том же и другие: сам подсудимый, брат его и даже слуга Григорий, то есть все те, которые должны были знать его весьма близко. Кроме того, удрученный падучею болезнию, Смердяков был „труслив как курица". „Он падал мне в ноги и целовал мои ноги, — сообщал нам сам подсудимый в ту минуту, когда еще не сознавал некоторой для себя невыгоды в таком сообщении, — это курица в падучей болезни", — выразился он про него своим характерным языком. И вот его-то подсудимый (о чем и сам свидетельствует) выбирает в свои доверенные и запугивает настолько, что тот соглашается наконец служить ему шпионом и переносчиком. В этом качестве домашнего соглядатая он изменяет своему барину, сообщает подсудимому и о существовании пакета с деньгами, и про знаки, по которым можно проникнуть к барину, — да и как бы он мог не сообщить! „Убьют-с, видел прямо, что убьют меня-с", — говорил он на следствии, трясясь и трепеща даже перед нами, несмотря на то, что запугавший его мучитель был уже сам тогда под арестом и не мог уже прийти наказать его. „Подозревали меня всякую минуту-с, сам в страхе и трепете, чтобы только их гнев утолить, спешил сообщать им всякую тайну-с, чтобы тем самым невинность мою перед ними видеть могли-с и живого на покаяние отпустили-с". Вот собственные слова его, я их записал и запомнил: „Как закричит, бывало, на меня, я так на коленки перед ними и паду". Будучи высокочестным от природы своей молодым человеком и войдя тем в доверенность своего барина, отличившего в нем эту честность, когда тот возвратил ему потерянные им деньги, несчастный Смердяков, надо думать, страшно мучился раскаянием в измене своему барину, которого любил как своего благодетеля. Сильно страдающие от падучей болезни, по свидетельству глубочайших психиатров, всегда наклонны к беспрерывному и, конечно, болезненному самообвинению. Они мучаются от своей „виновности“ в чем-то и перед кем-то, мучаются угрызениями совести, часто, даже безо всякого основания, преувеличивают и даже сами выдумывают на себя разные вины и преступления. И вот подобный-то субъект становится действительно виновным и преступным от страху и от запугивания. Кроме того, он сильно предчувствовал, что из слагающихся на глазах его обстоятельств может выйти нечто недоброе. Когда старший сын Федора Павловича, Иван Федорович, перед самою катастрофой уезжал в Москву, Смердяков умолял его остаться, не смея, однако же, по трусливому обычаю своему, высказать ему все опасения свои в виде ясном и категорическом. Он лишь удовольствовался намеками, но намеков не поняли. Надо заметить, что в Иване Федоровиче он видел как бы свою защиту, как бы гарантию в том, что пока тот дома, то не случится беды. Вспомните выражение в „пьяном“ письме Дмитрия Карамазова: „Убью старика, если только уедет Иван“; стало быть, присутствие Ивана Федоровича казалось всем как бы гарантией тишины и порядка в доме. И вот он-то и уезжает, а Смердяков тотчас же, почти через час по отъезде молодого барина, упадает в падучей болезни. Но это совершенно понятно. Здесь надо упомянуть, что, удрученный страхами и своего рода отчаянием, Смердяков в последние дни особенно ощущал в себе возможность приближения припадков падучей, которая и прежде всегда случалась с ним в минуты нравственного напряжения и потрясения. День и час этих припадков угадать, конечно, нельзя, но расположение к припадку каждый эпилептик ощутить в себе может заранее. Так говорит медицина. И вот только что съезжает со двора Иван Федорович, как Смердяков, под впечатлением своего, так сказать, сиротства и своей беззащитности, идет за домашним делом в погреб, спускается вниз по лестнице и думает: „Будет или не будет припадок, а что, коль сейчас придет?“ И вот именно от этого настроения, от этой мнительности, от этих вопросов и схватывает его горловая спазма, всегда предшествующая падучей, и он летит стремглав без сознания на дно погреба. И вот, в этой самой естественной случайности ухищряются видеть какое-то подозрение, какое-то указание, какой-то намек на то, что он *нарочно* притворился больным! Но если нарочно, то является тотчас вопрос: для чего же? Из какого расчета, с какою же целью? Я уже не говорю про медицину; наука, дескать, лжет, наука ошибается, доктора не сумели отличить истины от притворства, — пусть, пусть, но ответьте же мне, однако, на вопрос: для чего ему было притворяться? Не для того ли, чтобы, замыслив убийство, обратить на себя случившимся припадком заранее и поскорее внимание в доме? Видите ли, господа присяжные заседатели, в доме Федора Павловича в ночь преступления было и перебывало пять человек: во-первых, сам Федор Павлович, но ведь не он же убил себя, это ясно; во-вторых, слуга его Григорий, но ведь того самого чуть не убили, в-третьих, жена Григория, служанка Марфа Игнатьевна, но представить ее убийцей своего барина просто стыдно. Остаются, стало быть, на виду два человека: подсудимый и Смердяков. Но так как подсудимый уверяет, что убил не он, то, стало быть, должен был убить Смердяков, другого выхода нет, ибо никого другого нельзя найти, никакого другого убийцы не подберешь. Вот, вот, стало быть, откуда произошло это „хитрое" и колоссальное обвинение на несчастного, вчера покончившего с собой идиота! Именно только по тому одному, что другого некого подобрать! Будь хоть тень, хоть подозрение на кого другого, на какое-нибудь шестое лицо, то я убежден, что даже сам подсудимый постыдился бы показать тогда на Смердякова, а показал бы на это шестое лицо, ибо обвинять Смердякова в этом убийстве есть совершенный абсурд.

Господа, оставим психологию; оставим медицину, оставим даже самую логику, обратимся лишь к фактам, к одним только фактам, и посмотрим, что скажут нам факты. Убил Смердяков, но как? Один или в сообществе с подсудимым? Рассмотрим сперва первый случай, то есть, что Смердяков убивает один. Конечно, если убил, то для чего же нибудь, из какой-нибудь выгоды. Но, не имея ни тени мотивов к убийству из таких, какие имел подсудимый, то есть ненависти, ревности и проч., и проч., Смердяков, без сомнения, мог убить только лишь из-за денег, чтобы присвоить себе именно эти три тысячи, которые сам же видел, как барин его укладывал в пакет. И вот, замыслив убийство, он заранее сообщает другому лицу —

и к тому же в высочайшей степени заинтересованному лицу, именно подсудимому, — все обстоятельства о деньгах и знаках: где лежит пакет, что именно на пакете написано, чем он обернут, а главное, главное сообщает про эти „знаки", которыми к барину можно пройти. Что ж, он прямо, чтоб выдать себя, это делает? Или чтобы найти себе соперника, который, пожалуй, и сам пожелает войти и приобресть пакет? Да, скажут мне, но ведь он сообщил от страху. Но как же это? Человек, не смигнувший задумать такое бесстрашное и зверское дело и потом исполнить его, — сообщает такие известия, которые знает только он в целом мире и о которых, если бы только он об них умолчал, никто и не догадался бы никогда в целом мире. Нет, уж как бы ни был труслив человек, а уж если такое дело задумал, то уже ни за что бы не сказал никому по крайней мере про пакет и про знаки, ибо это значило бы вперед всего себя выдать. Что-нибудь выдумал бы нарочно, что-нибудь налгал бы другое, если уж от него непременно требовали известий, а уж об этом бы умолчал! Напротив, повторяю это, если б он промолчал хоть только об деньгах, а потом убил и присвоил эти деньги себе, то никто бы никогда в целом мире не мог обвинить его по крайней мере в убийстве для грабежа, ибо денег этих ведь никто, кроме него, не видал, никто не знал, что они существуют в доме. Если бы даже и обвинили его, то непременно сочли бы, что он из другого какого-нибудь мотива убил. Но так как мотивов этих за ним никто предварительно не приметил, а все видели, напротив, что он барином любим, почтен бариновою доверенностью, то, конечно бы, его последнего и заподозрили, а заподозрили бы прежде всего такого, который бы имел эти мотивы, кто сам кричал, что имеет эти мотивы, кто их не скрывал, перед всеми обнаруживал, одним словом, заподозрили бы сына убитого, Дмитрия Федоровича. Смердяков бы убил и ограбил, а сына бы обвинили — ведь Смердякову-убийце уж конечно было бы это выгодно? Ну, так вот этому-то сыну Дмитрию Смердяков, замыслив убийство, и сообщает вперед про деньги, про пакет и про знаки — как это логично, как это ясно!

Приходит день замышленного Смердяковым убийства, и вот он летит с ног, *притворившись,* в припадке падучей болезни, для чего? Уж конечно, для того, чтобы, во-первых, слуга Григорий, замысливший свое лечение и, видя, что совершенно некому стеречь дом, может быть, отложил бы свое лечение и сел караулить. Во-вторых, конечно для того, чтобы сам барин, видя, что его никто не караулит и страшно опасаясь прихода сына, чего не скрывал, усугубил свою недоверчивость и свою осторожность. Наконец, и главное, конечно для того, чтоб его, Смердякова, разбитого припадком, тотчас же перенесли из кухни, где он всегда отдельно ото всех ночевал и где имел свой особенный вход и выход, в другой конец флигеля, в комнатку Григория, к ним обоим за перегородку, в трех шагах от их собственной постели, как всегда это бывало, спокон века, чуть только его разбивала падучая, по распоряжениям барина и сердобольной Марфы Игнатьевны. Там, лежа за перегородкой, он, вероятнее всего, чтоб вернее изобразиться больным, начнет, конечно, стонать, то есть будить их всю ночь (как и было, по показанию Григория и жены его), — и всё это, всё это для того, чтоб тем удобнее вдруг встать и потом убить барина!

Но скажут мне, может быть, он именно притворился, чтоб на него, как на больного, не подумали, а подсудимому сообщил про деньги и про знаки именно для того, чтоб тот соблазнился и сам пришел, и убил, и когда, видите ли, тот, убив, уйдет и унесет деньги и при этом, пожалуй, нашумит, нагремит, разбудит свидетелей, то тогда, видите ли, встанет и Смердяков, и пойдет — ну, что же делать пойдет? А вот именно пойдет в другой раз убить барина и в другой раз унести уже унесенные деньги. Господа, вы смеетесь? Мне самому стыдно делать такие предположения, а между тем, представьте себе это, именно ведь подсудимый это самое и утверждает: после меня, дескать, когда я уже вышел из дому, повалив Григория и наделав тревоги, он встал, пошел, убил и ограбил. Уж я и не говорю про то, как бы мог Смердяков рассчитать это всё заранее и всё предузнать как по пальцам, то есть что раздраженный и бешеный сын придет единственно для того только, чтобы почтительно заглянуть в окно и, обладая знаками, отретироваться, оставив ему, Смердякову, всю добычу! Господа, я серьезно ставлю вопрос: где тот момент, когда Смердяков совершил свое преступление? Укажите этот момент, ибо без этого нельзя обвинять.

„А может быть, падучая была настоящая. Больной вдруг очнулся, услыхал крик, вышел“ — ну и что же? Посмотрел да и сказал себе: дай пойду убью барина? А почему он узнал, что тут было, что тут происходило, ведь он до сих пор лежал в беспамятстве? А впрочем, господа, есть предел и фантазиям.

„Так-с, — скажут тонкие люди, — а ну как оба были в согласии, а ну как это они оба вместе убили и денежки поделили, ну тогда как же?“

Да, действительно, подозрение важное, и во-первых — тотчас же колоссальные улики, его подтверждающие: один убивает и берет все труды на себя, а другой сообщник лежит на боку, притворившись в падучей, — именно для того, чтобы предварительно возбудить во всех подозрение, тревогу в барине, тревогу в Григории. Любопытно, из каких мотивов оба сообщника могли бы выдумать именно такой сумасшедший план? Но, может быть, это было вовсе не активное сообщество со стороны Смердякова, а, так сказать, пассивное и страдальческое: может быть, запуганный Смердяков согласился лишь не сопротивляться убийству и, предчувствуя, что его же ведь обвинят, что он дал убить барина, не кричал, не сопротивлялся, — заранее выговорил себе у Дмитрия Карамазова позволение пролежать это время как бы в падучей, „а ты там убивай себе как угодно, моя изба с краю“. Но если и так, то так как и опять-таки эта падучая должна была произвести в доме переполох, предвидя это, Дмитрий Карамазов уж никак не мог бы согласиться на такой уговор. Но я уступаю, пусть он согласился; так ведь все-таки вышло бы тогда, что Дмитрий Карамазов убийца, прямой убийца и зачинщик, а Смердяков лишь пассивный участник, да и не участник даже, а лишь попуститель от страха и против воли, ведь суд-то это бы уже непременно мог различить, и вот, что же мы видим? Только что арестовали подсудимого, как он мигом сваливает всё на одного Смердякова и его *одного* обвиняет. Не в сообщничестве с собой обвиняет, а его одного: один, дескать, он это сделал, он убил и ограбил, его рук дело! Ну что это за сообщники, которые тотчас же начинают говорить один на другого, — да этого никогда не бывает. И заметьте, какой риск для Карамазова: он главный убийца, а тот не главный, тот только попуститель и пролежал за перегородкой, и вот он сваливает на лежачего. Так ведь тот, лежачий-то, мог рассердиться, и из-за одного только самосохранения поскорее объявить правду истинную: оба, дескать, участвовали, только я не убивал, а лишь дозволил и попустил, от страху. Ведь он же, Смердяков, мог понять, что суд тотчас бы различил степень его виновности, а стало быть, мог и рассчитать, что если его и накажут, то несравненно ничтожнее, чем того, главного убийцу, желающего всё свалить на него. Но тогда, стало быть, уж поневоле сделал бы признание. Этого мы, однако же, не видали. Смердяков и не заикнулся о сообщничестве, несмотря на то, что убийца твердо обвинял его и всё время указывал на него как на убийцу единственного. Мало того: Смердяков же и открыл следствию, что о пакете с деньгами и о знаках сообщил подсудимому *он сам* и что без него тот и не узнал бы ничего. Если б он был действительно в сообщничестве и виновен, сообщил ли бы он так легко об этом следствию, то есть что это всё он сам сообщил подсудимому? Напротив, стал бы запираться и уж непременно искажать факты и уменьшать их. Но он не искажал и не уменьшал. Так может делать только невинный, не боящийся, что его обвинят в сообщничестве. И вот он, в приладке болезненной меланхолии от своей падучей и от всей этой разразившейся катастрофы, вчера повесился. Повесившись, оставил записку, писанную своеобразным слогом: „Истребляю себя своею волей и охотой, чтобы никого не винить". Ну что б ему прибавить в записке: убийца я, а не Карамазов. Но этого он не прибавил: на одно совести хватило, а на другое нет?

И что же: давеча сюда, в суд, приносят деньги, три тысячи рублей, — „те самые, дескать, которые лежали вот в этом самом пакете, что на столе с вещественными доказательствами, получил, дескать, вчера от Смердякова". Но вы, господа присяжные заседатели, сами помните грустную давешнюю картину. Я не возобновлю подробностей, однако же позволю себе сделать лишь два-три соображения, выбирая из самых незначительнейших, — именно потому, что они незначительны, а стало быть, не всякому придут в голову и забудутся. Во-первых, и опять-таки: от угрызения совести Смердяков вчера отдал деньги и сам повесился. (Ибо без угрызений совести он бы денег не отдал.) И уж конечно только вчера вечером в первый раз признался Ивану Карамазову в своем преступлении, как объявил и сам Иван Карамазов, иначе зачем бы он молчал до сих пор? Итак, он признался, почему же, опять повторю это, в предсмертной записке не объявил нам всей правды, зная, что завтра же для безвинного подсудимого страшный суд? Одни деньги ведь не доказательство. Мне, например, и еще двум лицам в этой зале совершенно случайно стал известен, еще неделю назад, один факт, именно, что Иван Федорович Карамазов посылал в губернский город для размена два пятипроцентные билета по пяти тысяч каждый, всего, стало быть, на десять тысяч. Я только к тому, что деньги у всех могут случиться к данному сроку и что, принеся три тысячи, нельзя доказать непременно, что это вот те самые деньги, вот именно из того самого ящика или пакета. Наконец, Иван Карамазов, получив вчера такое важное сообщение от настоящего убийцы, пребывает в покое. Но почему бы ему не заявить об этом тотчас же? Почему он отложил всё до утра? Полагаю, что имею право догадываться почему: уже неделю как расстроенный в своем здоровье, сам признавшийся доктору и близким своим, что видит видения, что встречает уже умерших людей; накануне белой горячки, которая сегодня именно и поразила его, он, внезапно узнав о кончине Смердякова, вдруг составляет себе следующее рассуждение: „Человек мертв, на него сказать можно, а брата спасу. Деньги же есть у меня: возьму пачку и скажу, что Смердяков пред смертью мне отдал“. Вы скажете, это нечестно; хоть на мертвого, но нечестно же лгать, даже и для спасения брата? Так, ну а что, если он солгал бессознательно, если он сам вообразил, что так и было, именно окончательно пораженный в рассудке своем известием об этой внезапной смерти лакея? Вы ведь видели давешнюю сцену, видели, в каком положении был этот человек. Он стоял на ногах и говорил, но где был ум его? За давешним показанием горячечного последовал документ, письмо подсудимого к госпоже Верховцевой, писанное им за два дня до совершения преступления, с подробною программой преступления вперед. Ну так чего же мы ищем программу и ее составителей? Точь-в-точь по этой программе и совершилось, и совершилось не кем другим, как ее составителем. Да, господа присяжные заседатели, „совершилось как по писаному“! И вовсе, вовсе мы не бежали почтительно и боязливо от отцова окошка, да еще в твердой уверенности, что у того теперь наша возлюбленная. Нет, это нелепо и неправдоподобно. Он вошел и — покончил дело. Вероятно, он убил в раздражении, разгоревшись злобой, только что взглянул на своего ненавистника и соперника, но убив, что сделал, может быть, одним разом, одним взмахом руки, вооруженной медным пестом, и убедившись затем уже после подробного обыска, что ее тут нет, он, однако же, не забыл засунуть руку под подушку и достать конверт с деньгами, разорванная обложка которого лежит теперь здесь на столе с вещественными доказательствами. Я говорю к тому, чтобы вы заметили одно обстоятельство, по-моему прехарактерное. Будь это опытный убийца и именно убийца с целью одного грабежа, — ну, оставил ли бы он обложку конверта на полу, в том виде, как нашли ее подле трупа? Ну будь это, например, Смердяков, убивающий для грабежа, — да он бы просто унес весь пакет с собой, вовсе не трудясь распечатывать над трупом жертвы своей; так как знал наверно, что в пакете есть деньги — ведь при нем же их вкладывали и запечатывали, — а ведь унеси он пакет совсем, и тогда становится неизвестным, существовало ли ограбление? Я вас спрашиваю, господа присяжные, поступил ли бы так Смердяков, оставил ли бы он конверт на полу? Нет, именно так должен был поступить убийца исступленный, уже плохо рассуждающий, убийца не вор и никогда ничего до тех пор не укравший, да и теперь-то вырвавший из-под постели деньги не как вор укравший, а как свою же вещь у вора укравшего унесший — ибо таковы именно были идеи Дмитрия Карамазова об этих трех тысячах, дошедшие в нем до мании. И вот, захватив пакет, которого он прежде никогда не видал, он и рвет обложку, чтоб удостовериться, есть ли деньги, затем бежит с деньгами в кармане, даже и подумать забыв, что оставляет на полу колоссальнейшее на себя обвинение в виде разорванной обложки. Всё потому, что Карамазов, а не Смердяков, не подумал, не сообразил, да и где ему! Он убегает, он слышит вопль настигающего его слуги, слуга хватает его, останавливает и падает, пораженный медным пестом. Подсудимый соскакивает к нему вниз из жалости. Представьте, он вдруг уверяет нас, что он соскочил тогда к нему вниз из жалости, из сострадания, чтобы посмотреть, не может ли ему чем помочь. Ну такова ли эта минута, чтобы выказать подобное сострадание? Нет, он соскочил именно для того, чтоб убедиться: жив ли единственный свидетель его злодеяния? Всякое другое чувство, всякий другой мотив были бы неестественны! Заметьте, он над Григорием трудится, обтирает ему платком голову и, убедясь, что он мертв, как потерянный, весь в крови, прибегает опять туда, в дом своей возлюбленной — как же не подумал он, что он весь в крови и что его тотчас изобличат? Но подсудимый сам уверяет нас, что он даже и внимания не обратил, что весь в крови; это допустить можно, это очень возможно, это всегда бывает в такие минуты с преступниками. На одно — адский расчет, а на другое не хватает соображения. Но он думал в ту минуту лишь о том, где *она*. Ему надо было поскорее узнать, где она, и вот он прибегает в ее квартиру и узнает неожиданное и колоссальнейшее для себя известие: она уехала в Мокрое со своим „прежним“, „бесспорным“!»

IX

ПСИХОЛОГИЯ НА ВСЕХ ПАРАХ. СКАЧУЩАЯ ТРОЙКА. ФИНАЛ РЕЧИ ПРОКУРОРА

Дойдя до этого момента в своей речи, Ипполит Кириллович, очевидно избравший строго исторический метод изложения, к которому очень любят прибегать все нервные ораторы, ищущие нарочно строго поставленных рамок, чтобы сдерживать собственное нетерпеливое увлечение, — Ипполит Кириллович особенно распространился о «прежнем» и «бесспорном» и высказал на эту тему несколько в своем роде занимательных мыслей. «Карамазов, ревновавший ко всем до бешенства, вдруг и разом как бы падает и исчезает перед „прежним“ и „бесспорным“. И тем более это странно, что прежде он совсем почти и не обращал внимания на эту новую для себя опасность, грядущую в лице неожиданного для него соперника. Но он всё представлял себе, что это еще так далеко, а Карамазов всегда живет лишь настоящею минутой. Вероятно, он считал его даже фикцией. Но мигом поняв больным сердцем своим, что, может быть, потому-то эта женщина и скрывала этого нового соперника, потому-то и обманывала его давеча, что этот вновь прилетевший соперник был слишком для нее не фантазией и не фикцией, а составлял для нее всё, всё ее упование в жизни, — мигом поняв это, он смирился. Что же, господа присяжные, я не могу обойти умолчанием эту внезапную черту в душе подсудимого, который бы, казалось, ни за что не способен был проявить ее, высказалась вдруг неумолимая потребность правды, уважения к женщине, признания прав ее сердца, и когда же — в тот момент, когда из-за нее же он обагрил свои руки кровью отца своего! Правда и то, что и пролитая кровь уже закричала в эту минуту об отмщении, ибо он, погубивший душу свою и всю земную судьбу свою, он невольно должен был почувствовать и спросить себя в то мгновение: „Что значит он и что может он значить *теперь* для нее, для этого любимого им больше души своей существа, в сравнении с этим «прежним» и «бесспорным», покаявшимся и воротившимся к этой когда-то погубленной им женщине с новой любовью, с предложениями честными, с обетом возрожденной и уже счастливой жизни. А он, несчастный, что даст он ей *теперь,* что ей предложит?" Карамазов всё это понял, понял, что преступление его заперло ему все дороги и что он лишь приговоренный к казни преступник, а не человек, которому жить! Эта мысль его раздавила и уничтожила. И вот он мгновенно останавливается на одном исступленном плане, который, при характере Карамазова, не мог не представиться ему как единственным и фатальным исходом из страшного его положения. Этот исход — самоубийство. Он бежит за своими заложенными чиновнику Перхотину пистолетами и в то же время дорогой, на бегу, выхватывает из кармана все свои деньги, из-за которых только что забрызгал руки свои отцовской кровью. О, деньги теперь ему нужнее всего: умирает Карамазов, застреливается Карамазов, и это будут помнить! Недаром же мы поэт, недаром же мы прожигали нашу жизнь, как свечку с обоих концов. „К ней, к ней, — и там, о, там я задаю пир на весь мир, такой, какого еще не бывало, чтобы помнили и долго рассказывали. Среди диких криков, безумных цыганских песен и плясок мы подымем заздравный бокал и поздравим обожаемую женщину с ее новым счастьем, а затем — тут же, у ног ее, размозжим перед нею наш череп и казним нашу жизнь! Вспомнит когда-нибудь Митю Карамазова, увидит, как любил ее Митя, пожалеет Митю!" Много картинности, романического исступления, дикого карамазовского безудержу и чувствительности — ну и еще чего-то другого, господа присяжные, чего-то, что кричит в душе, стучит в уме неустанно и отравляет его сердце до смерти; это *что-то* — это совесть, господа присяжные, это суд ее, это страшные ее угрызения! Но пистолет всё помирит, пистолет — единственный выход, и нет другого, а там — я не знаю, думал ли в ту минуту Карамазов, *„что будет там"*, и может ли Карамазов по-гамлетовски думать о том, что там будет? Нет, господа присяжные, у тех Гамлеты, а у нас еще пока Карамазовы!»

Тут Ипполит Кириллович развернул подробнейшую картину сборов Мити, сцену у Перхотина, в лавке, с ямщиками. Он привел массу слов, изречений, жестов, всё подтвержденных свидетелями, — и картина страшно повлияла на убеждение слушателей. Главное, повлияла совокупность фактов. Виновность этого исступленно мятущегося и уже не берегущего себя человека выставилась неотразимо. «Нечего уже ему было беречь себя, — говорил Ипполит Кириллович, — два-три раза он чуть-чуть было не сознался вполне, почти намекал и только разве не договаривал (здесь следовали показания свидетелей). Даже ямщику в дороге крикнул: „Знаешь ли, что ты убийцу везешь!" Но договорить все-таки ему нельзя было: надо было попасть сперва в село Мокрое и уже там закончить поэму. Но что же, однако, ожидает несчастного? Дело в том, что почти с первых же минут в Мокром он видит и, наконец, постигает совершенно, что „бесспорный" соперник его вовсе, может быть, уж не так бесспорен и что поздравлений с новым счастьем и заздравного бокала от него не хотят и не принимают. Но вы уже знаете факты, господа присяжные, по судебному следствию. Торжество Карамазова над соперником оказалось неоспоримым и тут — о, тут начался совсем уже новый фазис в его душе, и даже самый страшный фазис изо всех, какие пережила и еще переживет когда-либо эта душа! Положительно можно признать, господа присяжные, — воскликнул Ипполит Кириллович, — что поруганная природа и преступное сердце — сами за себя мстители полнее всякого земного правосудия! Мало того: правосудие и земная казнь даже облегчают казнь природы, даже необходимы душе преступника в эти моменты как спасение ее от отчаяния, ибо я и представить себе не могу того ужаса и тех нравственных страданий Карамазова, когда он узнал, что она его любит, что для него отвергает своего „прежнего" и „бесспорного", что его, его, „Митю", зовет с собою в обновленную жизнь, обещает ему счастье, и это когда же? Когда уже всё для него покончено и когда уже ничего невозможно! Кстати, сделаю вскользь одну весьма важную для нас заметку для пояснения настоящей сущности тогдашнего положения подсудимого: эта женщина, эта любовь его до самой этой последней минуты, до самого даже мига ареста, пребывала для него существом недоступным, страстно желаемым, но недостижимым. Но почему, почему он не застрелился тогда же, почему оставил принятое намерение и даже забыл, где лежит его пистолет? А вот именно эта страстная жажда любви и надежда ее тогда же, тут же утолить и удержали его. В чаду пира он приковался к своей возлюбленной, тоже вместе с ним пирующей, прелестной и обольстительной для него более, чем когда-либо, — он не отходит от нее, любуется ею, исчезает пред нею. Эта страстная жажда даже могла на миг подавить не только страх ареста, но и самые угрызения совести! На миг, о, только на миг! Я представляю себе тогдашнее состояние души преступника в бесспорном рабском подчинении трем элементам, подавившим ее совершенно: во-первых, пьяное состояние, чад и гам, топот пляски, визг песен, и она, она, раскрасневшаяся от вина, поющая и пляшущая, пьяная и смеющаяся ему! Во-вторых, ободряющая отдаленная мечта о том, что роковая развязка еще далеко, по крайней мере не близко, — разве на другой только день, лишь наутро придут и возьмут его. Стало быть, несколько часов, это много, ужасно много! В несколько часов можно много придумать. Я представляю себе, что с ним было нечто похожее на то, когда преступника везут на смертную казнь, на виселицу: еще надо проехать длинную-длинную улицу, да еще шагом, мимо тысяч народа, затем будет поворот в другую улицу и в конце только этой другой улицы страшная площадь! Мне именно кажется, что в начале шествия осужденный, сидя на позорной своей колеснице, должен именно чувствовать, что пред ним еще бесконечная жизнь. Но вот, однако же, уходят дома, колесница всё подвигается — о, это ничего, до поворота во вторую улицу еще так далеко, и вот он всё еще бодро смотрит направо и налево и на эти тысячи безучастно любопытных людей, приковавшихся к нему взглядами, и ему всё еще мерещится, что он такой же, как и они, человек. Но вот уже и поворот в другую улицу — о! это ничего, ничего, еще целая улица. И сколько бы ни уходило домов, он всё будет думать: „Еще осталось много домов“. И так до самого конца, до самой площади. Так, представляю себе, было тогда и с Карамазовым. „Еще там не успели, — думает он, — еще можно что-нибудь подыскать, о, еще будет время сочинить план защиты, сообразить отпор, а теперь, теперь — теперь она так прелестна!" Смутно и страшно в душе его, но он успевает, однако же, отложить от своих денег половину и где-то их спрятать — иначе я не могу объяснить себе, куда могла исчезнуть целая половина этих трех тысяч, только что взятых им у отца из-под подушки. Он в Мокром уже не раз, он там уже кутил двое суток. Этот старый, большой деревянный дом ему известен, со всеми сараями, галереями. Я именно предполагаю, что часть денег скрылась тогда же, и именно в этом доме, незадолго пред арестом, в какую-нибудь щель, в расщелину, под какую-нибудь половицу, где-нибудь в углу, под кровлей — для чего? Как для чего? Катастрофа может совершиться сейчас, конечно мы еще не обдумали, как ее встретить, да и некогда нам, да и стучит у нас в голове, да и к *ней-то* тянет, ну а деньги? — деньги во всяком положении необходимы! Человек с деньгами — везде человек. Может быть, такая расчетливость в такую минуту вам покажется неестественною? Но ведь уверяет же он сам, что еще за месяц пред тем, в один тоже самый тревожный и роковой для него момент, он отделил от трех тысяч половину и зашил себе в ладонку, и если, конечно, это неправда, что и докажем сейчас, то всё же эта идея Карамазову знакомая, он ее созерцал. Мало того, когда он уверял потом следователя, что отделил полторы тысячи в ладонку (которой никогда не бывало), то, может быть, и выдумал эту ладонку, тут же мгновенно, именно потому, что два часа пред тем отделил половину денег и спрятал куда-нибудь там в Мокром, на всякий случай, до утра, только чтобы не хранить на себе, по внезапно представившемуся вдохновению. Две бездны, господа присяжные, вспомните, что Карамазов может созерцать две бездны, и обе разом! В том доме мы искали, но не нашли. Может, эти деньги и теперь еще там, а может, и на другой день исчезли и теперь у подсудимого. Во всяком случае, арестовали его подле нее, перед ней на коленях, она лежала на кровати, он простирал к ней руки и до того забыл всё в ту минуту, что не расслышал и приближения арестующих. Он ничего еще не успел приготовить в уме своем для ответа. И он и ум его были взяты врасплох.

И вот он пред своими судьями, пред решителями судьбы своей. Господа присяжные заседатели, бывают моменты, когда, при нашей обязанности, нам самим становится почти страшно пред человеком, страшно и за человека! Это минуты созерцания того животного ужаса, когда преступник уже видит, что всё пропало, но всё еще борется, всё еще намерен бороться с вами. Это минуты, когда все инстинкты самосохранения восстают в нем разом и он, спасая себя, глядит на вас пронизывающим взглядом, вопрошающим и страдающим, ловит и изучает вас, ваше лицо, ваши мысли, ждет, с которого боку вы ударите, и создает мгновенно в сотрясающемся уме своем тысячи планов, но все-таки боится говорить, боится проговориться! Эти унизительные моменты души человеческой, это хождение ее по мытарствам, эта животная жажда самоспасения — ужасны и вызывают иногда содрогание и сострадание к преступнику даже в следователе! И вот мы этому всему были тогда свидетелями. Сначала он был ошеломлен, и в ужасе у него вырвалось несколько слов, его сильно компрометирующих: „Кровь! Заслужил!" Но он быстро сдержал себя. Что сказать, как ответить — всё это пока еще у него не готово, но готово лишь одно голословное отрицание: „В смерти отца не виновен!" Вот пока наш забор, а там, за забором, мы, может быть, еще что и устроим, какую-нибудь баррикаду. Компрометирующие первые восклицания свои он спешит, предупреждая вопросы наши, объяснить тем, что считает себя виновным лишь в смерти слуги Григория. „В этой крови виновен, но кто же убил отца, господа, кто убил? Кто же мог убить его, *если не я?*" Слышите это: спрашивает он нас же, нас же, пришедших к нему самому с этим самым вопросом! Слышите вы это забегающее вперед словечко: „если не я", эту животную хитрость, эту наивность и эту карамазовскую нетерпеливость? Не я убил, и думать не моги, что я: „Хотел убить, господа, хотел убить, — признается он поскорее (спешит, о, спешит ужасно!), — но всё же неповинен, не я убил!" Он уступает нам, что хотел убить: видите, дескать, сами, как я искренен, ну так тем скорее поверьте, что не я убил. О, в этих случаях преступник становится иногда неимоверно легкомыслен и легковерен. И вот тут, совсем как бы нечаянно, следствие вдруг задало ему самый простодушный вопрос: „Да не Смердяков ли убил?" Так и случилось, чего мы ожидали: он страшно рассердился за то, что предупредили его и поймали врасплох, когда он еще не успел приготовить, выбрать и ухватить тот момент, когда вывести Смердякова будет всего вероятнее. По натуре своей он тотчас же бросился в крайность и сам начал нас изо всех сил уверять, что Смердяков не мог убить, не способен убить. Но не верьте ему, это лишь его хитрость: он вовсе, вовсе еще не отказывается от Смердякова, напротив, он еще его выставит, потому что кого же ему выставить, как не его, но он сделает это в другую минуту, потому что теперь это дело пока испорчено. Он выставит его только, может быть, завтра или даже через несколько дней, приискав момент, в который сам же крикнет нам: „Видите, я сам отрицал Смердякова больше, чем вы, вы сами это помните, но теперь и я убедился: это он убил, и как же не он!» А пока он впадает с нами в мрачное и раздражительное отрицание, нетерпение и гнев подсказывают ему, однако, самое неумелое и неправдоподобное объяснение о том, как он глядел отцу в окно и как он почтительно отошел от окна. Главное, он еще не знает обстоятельств, степени показаний очнувшегося Григория. Мы приступаем к осмотру и обыску. Осмотр гневит его, но и ободряет: всех трех тысяч не разыскали, разысканы только полторы. И уж конечно, лишь в этот момент гневливого молчания и отрицания вскакивает ему в голову в первый раз в жизни идея об ладонке. Без сомнения, он чувствует сам всю невероятность выдумки и мучится, страшно мучится, как бы сделать ее вероятнее, так сочинить, чтоб уж вышел целый правдоподобный роман. В этих случаях самое первое дело, самая главная задача следствия — не дать приготовиться, накрыть неожиданно, чтобы преступник высказал заветные идеи свои во всем выдающем их простодушии, неправдоподобности и противоречии. Заставить же говорить преступника можно лишь внезапным и как бы нечаянным сообщением ему какого-нибудь нового факта, какого-нибудь обстоятельства дела, которое по значению своему колоссально, но которого он до сих пор ни за что не предполагал и никак не мог усмотреть. Этот факт был у нас наготове, о, уже давно наготове: это показание очнувшегося слуги Григория об отворенной двери, из которой выбежал подсудимый. Про эту дверь он совсем забыл, а что Григорий мог ее видеть, и не предполагал. Эффект вышел колоссальный. Он вскочил и вдруг закричал нам: „Это Смердяков убил, Смердяков!" — и вот выдал свою заветную, свою основную мысль, в самой неправдоподобной форме ее, ибо Смердяков мог убить лишь после того, как он поверг Григория и убежал. Когда же мы ему сообщили, что Григорий видел отпертую дверь раньше своего падения, а выходя из своей спальни, слышал стонущего за перегородкой Смердякова — Карамазов был воистину раздавлен. Сотрудник мой, наш почтенный и остроумный Николай Парфенович, передавал мне потом, что в это мгновение ему стало его жалко до слез. И вот в это-то мгновение, чтоб поправить дело, он и спешит нам сообщить об этой пресловутой ладонке: так и быть, дескать, услышьте эту повесть! Господа присяжные, я уже выразил вам мои мысли, почему считаю всю эту выдумку об зашитых за месяц перед тем деньгах в ладонку не только нелепицей, но и самым неправдоподобным измышлением, которое только можно было приискать в данном случае. Если б даже искать на пари: что можно сказать и представить неправдоподобнее, — то и тогда нельзя бы было выдумать хуже этого. Тут, главное, можно осадить и в прах разбить торжествующего романиста подробностями, теми самыми подробностями, которыми всегда так богата действительность и которые всегда, как совершенно будто бы незначащая и ненужная мелочь, пренебрегаются этими несчастными и невольными сочинителями и даже никогда не приходят им в голову. О, им в ту минуту не до того, их ум создает лишь грандиозное целое — и вот смеют им предлагать этакую мелочь! Но на этом-то их и ловят! Задают подсудимому вопрос: „Ну, а где вы изволили взять материал для вашей ладонки, кто вам сшил ее?" — „Сам зашил". — „А полотно где изволили взять?" Подсудимый уже обижается, он считает это почти обидною для себя мелочью и, верите ли, искренно, искренно! Но таковы все они. „Я от рубашки моей оторвал". — „Прекрасно-с. Стало быть, в вашем белье мы завтра же отыщем эту рубашку с вырванным из нее клочком". И сообразите, господа присяжные, ведь если бы только мы нашли в самом деле эту рубашку (а как бы ее не найти в его чемодане или комоде, если бы такая рубашка в самом деле существовала), — то ведь это уж факт, факт осязательный в пользу справедливости его показаний! Но этого он не может сообразить. — „Я не помню, может, не от рубашки, я в хозяйкин чепчик зашил". — „В какой такой чепчик?" — „Я у ней взял, у нее валялся, старая коленкоровая дрянь". — „И вы это твердо помните?" — „Нет, твердо не помню..." И сердится, сердится, а между тем представьте: как бы это не помнить? В самые страшные минуты человеческие, ну на казнь везут, вот именно эти-то мелочи и запоминаются. Он обо всем забудет, а какую-нибудь зеленую кровлю, мелькнувшую ему по дороге, или галку на кресте — вот это он запомнит. Ведь он, зашивая ладонку свою, прятался от домашних, он должен был помнить, как унизительно страдал он от страху с иглой в руках, чтобы к нему не вошли и его не накрыли; как при первом стуке вскакивал и бежал за перегородку (в его квартире есть перегородка)... Но, господа присяжные, для чего я вам это всё сообщаю, все эти подробности, мелочи! — воскликнул вдруг Ипполит Кириллович. — А вот именно потому, что подсудимый стоит упорно на всей этой нелепице до самой сей минуты! Во все эти два месяца, с той самой роковой для него ночи, он ничего не разъяснил, ни одного объяснительного реального обстоятельства к прежним фантастическим показаниям своим не прибавил; всё это, дескать, мелочи, а вы верьте на честь! О, мы рады верить, мы жаждем верить, хотя бы даже на честь! Что же мы, шакалы, жаждущие крови человеческой? Дайте, укажите нам хоть один факт в пользу подсудимого, и мы обрадуемся, — но факт осязательный, реальный, а не заключение по выражению лица подсудимого родным его братом или указание на то, что он, бия себя в грудь, непременно должен был на ладонку указывать, да еще в темноте. Мы обрадуемся новому факту, мы первые откажемся от нашего обвинения, мы поспешим отказаться. Теперь же вопиет справедливость, и мы настаиваем, мы ни от чего отказаться не можем». Ипполит Кириллович перешел тут к финалу. Он был как в лихорадке, он вопиял за пролитую кровь, за кровь отца, убитого сыном «с низкою целью ограбления». Он твердо указывал на трагическую и вопиющую совокупность фактов. «И что бы вы ни услышали от знаменитого своим талантом защитника подсудимого, — не удержался Ипполит Кириллович, — какие бы ни раздались здесь красноречивые и трогательные слова, бьющие в вашу чувствительность, всё же вспомните, что в эту минуту вы в святилище нашего правосудия. Вспомните, что вы защитники правды нашей, защитники священной нашей России, ее основ, ее семьи, ее всего святого! Да, вы здесь представляете Россию в данной момент, и не в одной только этой зале раздастся ваш приговор, а на всю Россию, и вся Россия выслушает вас как защитников и судей своих и будет ободрена или удручена приговором вашим. Не мучьте же Россию и ее ожидания, роковая тройка наша несется стремглав и, может, к погибели. И давно уже в целой России простирают руки и взывают остановить бешеную, беспардонную скачку. И если сторонятся пока еще другие народы от скачущей сломя голову тройки, то, может быть, вовсе не от почтения к ней, как хотелось поэту, а просто от ужаса — это заметьте. От ужаса, а может, и от омерзения к ней, да и то еще хорошо, что сторонятся, а пожалуй, возьмут да и перестанут сториться, и станут твердою стеной перед стремящимся видением, и сами остановят сумасшедшую скачку нашей разнузданности, в видах спасения себя, просвещения и цивилизации! Эти тревожные голоса из Европы мы уже слышали. Они раздаваться уже начинают. Не соблазняйте же их, не копите их всё нарастающей ненависти приговором, оправдывающим убийство отца родным сыном!..»

Одним словом, Ипполит Кириллович хоть и очень увлекся, но кончил-таки патетически — и, действительно, впечатление, произведенное им, было чрезвычайное. Сам он, окончив речь свою, поспешно вышел и, повторяю, почти упал в другой комнате в обморок. Зала не аплодировала, но серьезные люди были довольны. Не так довольны были только одни дамы, но всё же и им понравилось красноречие, тем более что за последствия они совсем не боялись и ждали всего от Фетюковича: «наконец-то он заговорит и, уж конечно, всех победит!» Все поглядывали на Митю; всю речь прокурора он просидел молча, сжав руки, стиснув зубы, потупившись. Изредка только подымал голову и прислушивался. Особенно, когда заговорили о Грушеньке. Когда прокурор передавал о ней мнение Ракитина, в лице его выразилась презрительная и злобная улыбка, и он довольно слышно проговорил: «Бернары!» Когда же Ипполит Кириллович сообщал о том, как он допрашивал и мучил его в Мокром, Митя поднял голову и прислушивался со страшным любопытством. В одном месте речи как будто хотел даже вскочить и что-то крикнуть, но, однако, осилил себя и только презрительно вскинул плечами. Про этот финал речи, именно про подвиги прокурора в Мокром, при допросе преступника, потом у нас в обществе говорили и над Ипполитом Кирилловичем подсмеивались: «Не утерпел, дескать, человек, чтобы не похвастаться своими способностями». Заседание было прервано, но на очень короткий срок, на четверть часа, много на двадцать минут. В публике раздавались разговоры и восклицания. Я иные запомнил:

— Серьезная речь! — нахмуренно заметил господин в одной группе.

— Психологии навертел уж много, — раздался другой голос.

— Да ведь всё правда, неотразимая истина!

— Да, это он мастер.

— Итог подвел.

— И нам, и нам тоже итог подвел, — присоединился третий голос, — в начале-то речи, помните, что все такие же, как Федор Павлович?

— И в конце тоже. Только он это соврал.

— Да и неясности были.

— Увлекся маленько.

— Несправедливо, несправедливо-с.

— Ну нет, все-таки ловко. Долго ждал человек, а вот и сказал, хе-хе!

— Что-то защитник скажет?

В другой группе:

— А петербургского-то он напрасно сейчас задел: «бьющих-то на чувствительность» помните?

— Да, это он неловко.

— Поспешил.

— Нервный человек-с.

— Вот мы смеемся, а каково подсудимому?

— Да-с. Митеньке-то каково?

— А вот что-то защитник скажет?

В третьей группе:

— Это какая такая дама, с лорнетом, толстая, с краю сидит?

— Это генеральша одна, разводка, я ее знаю.

— То-то, с лорнетом.

— Шушера.

— Ну нет, пикантненькая.

— Подле нее через два места сидит блондиночка, та лучше.

— А ловко они его тогда в Мокром накрыли, а?

— Ловко-то ловко. Опять рассказал. Ведь он про это здесь по домам уж сколько рассказывал.

— И теперь не утерпел. Самолюбие.

— Обиженный человек, хе-хе!

— И обидчивый. Да и реторики много, фразы длинные.

— Да и пугает, заметьте, всё пугает. Про тройку-то помните? «Там Гамлеты, а у нас еще пока Карамазовы!» Это он ловко.

— Это он либерализму подкуривал. Боится!

— Да и адвоката боится.

— Да, что-то скажет господин Фетюкович?

— Ну, что бы ни сказал, а наших мужичков не прошибет.

— Вы думаете?

В четвертой группе:

— А про тройку-то ведь у него хорошо, это где про народы-то.

— И ведь правда, помнишь, где он говорит, что народы не будут ждать.

— А что?

— Да в английском парламенте уж один член вставал на прошлой неделе, по поводу нигилистов, и спрашивал министерство: не пора ли ввязаться в варварскую нацию, чтобы нас образовать. Ипполит это про него, я знаю, что про него. Он на прошлой неделе об этом говорил.

— Далеко куликам.

— Каким куликам? Почему далеко?

— А мы запрем Кронштадт да и не дадим им хлеба. Где они возьмут?

— А в Америке? Теперь в Америке.

— Врешь.

Но зазвонил колокольчик, всё бросилось на места. Фетюкович взошел на кафедру.

X

РЕЧЬ ЗАЩИТНИКА. ПАЛКА О ДВУХ КОНЦАХ

Всё затихло, когда раздались первые слова знаменитого оратора. Вся зала впилась в него глазами. Начал он чрезвычайно прямо, просто и убежденно, но без малейшей заносчивости. Ни малейшей попытки на красноречие, на патетические нотки, на звенящие чувством словечки. Это был человек, заговоривший в интимном кругу сочувствующих людей. Голос у него был прекрасный, громкий и симпатичный, и даже в самом голосе этом как будто заслышалось уже нечто искреннее и простодушное. Но всем тотчас же стало понятно, что оратор может вдруг подняться до истинно патетического — и «ударить по сердцам с неведомою силой». Говорил он, может быть, неправильнее Ипполита Кирилловича, но без длинных фраз и даже точнее. Одно не понравилось было дамам: он всё как-то изгибался спиной, особенно в начале речи, не то что кланяясь, а как бы стремясь и летя к своим слушателям, причем нагибался именно как бы половиной своей длинной спины, как будто в середине этой длинной и тонкой спины его был устроен такой шалнер, так что она могла сгибаться чуть не под прямым углом. В начале речи говорил как-то раскидчиво, как будто без системы, схватывая факты наразбив, а в конце концов вышло целое. Речь его можно было бы разделить на две половины: первая половина — это критика, это опровержение обвинения, иногда злое и саркастическое. Но во второй половине речи как бы вдруг изменил и тон и даже прием свой и разом возвысился до патетического, а зала как будто ждала того и вся затрепетала от восторга. Он прямо подошел к делу и начал с того, что хотя поприще его и в Петербурге, но он уже не первый раз посещает города России для защиты подсудимых, но таких, в невинности которых он или убежден, или предчувствует ее заранее. «То же самое произошло со мной и в настоящем случае, — объяснил он. — Даже только из одних первоначальных газетных корреспонденций мне уже мелькнуло нечто, чрезвычайно меня поразившее в пользу подсудимого. Одним словом, меня прежде всего заинтересовал некоторый юридический факт, хотя и часто повторяющийся в судебной практике, но никогда, мне кажется, в такой полноте и с такими характерными особенностями, как в настоящем деле. Факт этот надо бы мне формулировать лишь в финале моей речи, когда я закончу мое слово, но, однако, я выскажу мою мысль и в самом начале, ибо имею слабость приступать прямо к предмету, не припрятывая эффектов и не экономизируя впечатлений. Это, может быть, с моей стороны нерасчетливо, но зато искренно. Эта мысль моя, формула моя — следующая: подавляющая совокупность фактов против подсудимого и в то же время ни одного факта, выдерживающего критику, если рассматривать его единично, самого по себе! Следя далее по слухам и по газетам, я утверждался в моей мысли всё более и более, и вдруг я получил от родных подсудимого приглашение защищать его. Я тотчас же поспешил сюда и здесь уже окончательно убедился. Вот чтобы разбить эту страшную совокупность фактов и выставить недоказанность и фантастичность каждого обвиняющего факта в отдельности, я и взялся защищать это дело».

Так начал защитник и вдруг возгласил:

«Господа присяжные заседатели, я здесь человек свежий. Все впечатления легли на меня непредвзято. Подсудимый, буйный характером и разнузданный, не обидел меня предварительно, как сотню, может быть, лиц в этом городе, отчего многие и предупреждены против него заранее. Конечно, и я сознаюсь, что нравственное чувство здешнего общества возбуждено справедливо: подсудимый буен и необуздан. В здешнем обществе его, однако же, принимали, даже в семействе высокоталантливого обвинителя он был обласкан. (Nota bene. При этих словах в публике раздались два-три смешка, хотя и быстро подавленные, но всеми замеченные. Всем у нас было известно, что прокурор допускал к себе Митю против воли, потому единственно, что его почему-то находила любопытным прокурорша — дама в высшей степени добродетельная и почтенная, но фантастическая и своенравная и любившая в некоторых случаях, преимущественно в мелочах, оппонировать своему супругу. Митя, впрочем, посещал их дом довольно редко.) Тем не менее я осмелюсь допустить, — продолжал защитник, — что даже и в таком независимом уме и справедливом характере, как у моего оппонента, могло составиться против моего несчастного клиента некоторое ошибочное предубеждение. О, это так натурально: несчастный слишком заслужил, чтобы к нему относились даже с предубеждением. Оскорбленное же нравственное и, еще пуще того, эстетическое чувство иногда бывает неумолимо. Конечно, в высокоталантливой обвинительной речи мы услышали все строгий анализ характера и поступков подсудимого, строгое критическое отношение к делу, а главное, выставлены были такие психологические глубины для объяснения нам сути дела, что проникновение в эти глубины не могло бы вовсе состояться при сколько-нибудь намеренно и злостно предубежденном отношении к личности подсудимого. Но ведь есть вещи, которые даже хуже, даже гибельнее в подобных случаях, чем самое злостное и преднамеренное отношение к делу. Именно, если нас, например, обуяет некоторая, так сказать, художественная игра, потребность художественного творчества, так сказать, создания романа, особенно при богатстве психологических даров, которыми Бог оделил наши способности. Еще в Петербурге, еще только собираясь сюда, я был предварен — да и сам знал безо всякого предварения, что встречу здесь оппонентом глубокого и тончайшего психолога, давно уже заслужившего этим качеством своим некоторую особливую славу в нашем молодом еще юридическом мире. Но ведь психология, господа, хоть и глубокая вещь, а все-таки похожа на палку о двух концах (смешок в публике). О, вы, конечно, простите мне тривиальное сравнение мое; я слишком красноречиво говорить не мастер. Но вот, однако же, пример — беру первый попавшийся из речи обвинителя. Подсудимый, ночью, в саду, убегая перелезает через забор и повергает медным пестом вцепившегося в его ногу лакея. Затем тотчас же соскакивает обратно в сад и целых пять минут хлопочет над поверженным, стараясь угадать: убил он его или нет? И вот обвинитель ни за что не хочет поверить в справедливость показания подсудимого, что соскочил он к старику Григорию из жалости. „Нет, дескать, может ли быть такая чувствительность в такую минуту; это-де неестественно, а соскочил он именно для того, чтоб убедиться: жив или убит единственный свидетель его злодеяния, а стало быть, тем и засвидетельствовал, что он совершил это злодеяние, так как не мог соскочить в сад по какому-нибудь другому поводу, влечению или чувству“. Вот психология; но возьмем ту же самую психологию и приложим ее к делу, но только с другого конца, и выйдет совсем не менее правдоподобно. Убийца соскакивает вниз из предосторожности, чтоб убедиться, жив или нет свидетель, а между тем только что оставил в кабинете убитого им отца своего, по свидетельству самого же обвинителя, колоссальную на себя улику в виде разорванного пакета, на котором было написано, что в нем лежали три тысячи. „Ведь унеси он этот пакет с собою, то никто бы и не узнал в целом мире, что был и существовал пакет, а в нем деньги, и что, стало быть, деньги были ограблены подсудимым". Это изречение самого обвинителя. Ну так на одно, видите ли, не хватило предосторожности, потерялся человек, испугался и убежал, оставив на полу улику, а как вот минуты две спустя ударил и убил другого человека, то тут сейчас же является самое бессердечное и расчетливое чувство предосторожности к нашим услугам. Но пусть, пусть это так и было: в том-то де и тонкость психологии, что при таких обстоятельствах я сейчас же кровожаден и зорок, как кавказский орел, а в следующую минуту слеп и робок, как ничтожный крот. Но если уж я так кровожаден и жестоко расчетлив, что, убив, соскочил лишь для того, чтобы посмотреть, жив ли на меня свидетель или нет, то к чему бы, кажется, возиться над этою новою жертвою моей целых пять минут, да еще нажить, пожалуй, новых свидетелей? К чему мочить платок, обтирая кровь с головы поверженного, с тем чтобы платок этот послужил потом против меня же уликой? Нет, если мы уж так расчетливы и жестокосерды, то не лучше ли бы было, соскочив, просто огорошить поверженного слугу тем же самым пестом еще и еще раз по голове, чтоб уж убить его окончательно и, искоренив свидетеля, снять с сердца всякую заботу? И наконец, я соскакиваю, чтобы проверить, жив или нет на меня свидетель, и тут же на дорожке оставляю другого свидетеля, именно этот самый пестик, который я захватил у двух женщин и которые обе всегда могут признать потом этот пестик за свой и засвидетельствовать, что это я у них его захватил. И не то что забыл его на дорожке, обронил в рассеянности, в потерянности: нет, мы именно отбросили наше оружие, потому что нашли его шагах в пятнадцати от того места, где был повержен Григорий. Спрашивается, для чего же мы так сделали? А вот именно потому и сделали, что нам горько стало, что мы человека убили, старого слугу, а потому в досаде, с проклятием и отбросили пестик, как оружие убийства, иначе быть не могло, для чего же его было бросать с такого размаху? Если же могли почувствовать боль и жалость, что человека убили, то, конечно, уж потому, что отца не убили: убив отца, не соскочили бы к другому поверженному из жалости, тогда уже было бы иное чувство, не до жалости бы было тогда, а до самоспасения, и это, конечно, так. Напротив, повторяю, размозжили бы ему череп окончательно, а не возились бы с ним пять минут. Явилось место жалости и доброму чувству именно потому, что была пред тем чиста совесть. Вот, стало быть, другая уж психология. Я ведь нарочно, господа присяжные, прибегнул теперь сам к психологии, чтобы наглядно показать, что из нее можно вывесть всё что угодно. Всё дело, в каких она руках. Психология подзывает на роман даже самых серьезных людей, и это совершенно невольно. Я говорю про излишнюю психологию, господа присяжные, про некоторое злоупотребление ею».

Здесь опять послышались одобрительные смешки в публике, и всё по адресу прокурора. Не буду приводить всей речи защитника в подробности, возьму только некоторые из нее места, некоторые главнейшие пункты.

XI
ДЕНЕГ НЕ БЫЛО. ГРАБЕЖА НЕ БЫЛО

Был один пункт, даже всех поразивший в речи защитника, а именно полное отрицание существования этих роковых трех тысяч рублей, а стало быть, и возможности их грабежа.

«Господа присяжные заседатели, — приступил защитник, — в настоящем деле всякого свежего и непредубежденного человека поражает одна характернейшая особенность, а именно: обвинение в грабеже и в то же время совершенная невозможность фактически указать на то: что именно было ограблено? Ограблены, дескать, деньги, именно три тысячи — а существовали ли они в самом деле — этого никто не знает. Рассудите: во-первых, как мы узнали, что были три тысячи, и кто их видел? Видел их и указал на то, что они были уложены в пакет с надписью, один только слуга Смердяков. Он же сообщил о сем сведении еще до катастрофы подсудимому и его брату Ивану Федоровичу. Дано было тоже знать госпоже Светловой. Но все эти три лица сами этих денег, однако, не видали, видел опять-таки лишь Смердяков, но тут сам собою вопрос: если и правда, что они были и что видел их Смердяков, то когда он их видел в последний раз? А что, если барин эти деньги из-под постели вынул и опять положил в шкатулку, ему не сказавши? Заметьте, по словам Смердякова, деньги лежали под постелью, под тюфяком; подсудимый должен был их вырвать из-под тюфяка, и однако же, постель была ничуть не помята, и об этом старательно записано в протокол. Как мог подсудимый совсем-таки ничего не помять в постели и вдобавок с окровавленными еще руками не замарать свежейшего, тонкого постельного белья, которое нарочно на этот раз было постлано? Но скажут нам: а пакет-то на полу? Вот об этом-то пакете и стоит поговорить. Давеча я был даже несколько удивлен: высокоталантливый обвинитель, заговорив об этом пакете, вдруг сам — слышите, господа, сам — заявил про него в своей речи, именно в том месте, где он указывает на нелепость предположения, что убил Смердяков: „Не было бы этого пакета, не останься он на полу как улика, унеси его грабитель с собою, то никто бы и не узнал в целом мире, что был пакет, а в нем деньги, и что, стало быть, деньги были ограблены подсудимым“. Итак, единственно только этот разорванный клочок бумаги с надписью, даже по признанию самого обвинителя, и послужил к обвинению подсудимого в грабеже, „иначе-де не узнал бы никто, что был грабеж, а может быть, что были и деньги“. Но неужели одно то, что этот клочок валялся на полу, есть доказательство, что в нем были деньги и что деньги эти ограблены? „Но, отвечают, ведь видел их в пакете Смердяков“, но когда, когда он их видел в последний раз, вот об чем я спрашиваю? Я говорил с Смердяковым, и он мне сказал, что видел их за два дня пред катастрофой! Но почему же я не могу предположить, например, хоть такое обстоятельство, что старик Федор Павлович, запершись дома, в нетерпеливом истерическом ожидании своей возлюбленной вдруг вздумал бы, от нечего делать, вынуть пакет и его распечатать: „Что, дескать, пакет, еще, пожалуй, и не поверит, а как тридцать-то радужных в одной пачке ей покажу, небось сильнее подействует, потекут слюнки“, — и вот он разрывает конверт, вынимает деньги, а конверт бросает на пол властной рукой хозяина и уж, конечно, не боясь никакой улики. Послушайте, господа присяжные, есть ли что возможнее такого предположения и такого факта? Почему это невозможно? Но ведь если хоть что-нибудь подобное могло иметь место, то ведь тогда обвинение в грабеже само собою уничтожается: не было денег, не было, стало быть, и грабежа. Если пакет лежал на полу как улика, что в нем были деньги, то почему я не могу утверждать обратное, а именно, что пакет валялся на полу именно потому, что в нем уже не было денег, взятых из него предварительно самим хозяином? „Да, но куда ж в таком случае делись деньги, если их выбрал из пакета сам Федор Павлович, в его доме при обыске не нашли?“ Во-первых, в шкатулке у него часть денег нашли, а во-вторых, он мог вынуть их еще утром, даже еще накануне, распорядиться ими иначе, выдать их, отослать, изменить, наконец, свою мысль, свой план действий в самом основании и при этом совсем даже не найдя нужным докладываться об этом предварительно Смердякову? А ведь если существует хотя бы даже только возможность такого предположения, то как же можно столь настойчиво и столь твердо обвинять подсудимого, что убийство совершено им для грабежа и что действительно существовал грабеж? Ведь мы, таким образом, вступаем в область романов. Ведь если утверждать, что такая-то вещь ограблена, то надобно указать эту вещь или по крайней мере доказать непреложно, что она существовала. А ее даже никто и не видал. Недавно в Петербурге один молодой человек, почти мальчик, восемнадцати лет, мелкий разносчик с лотка, вошел среди бела дня с топором в меняльную лавку и с необычайною, типическою дерзостью убил хозяина лавки и унес с собою тысячу пятьсот рублей денег. Часов через пять он был арестован, на нем, кроме пятнадцати рублей, которые он уже успел истратить, нашли все эти полторы тысячи. Кроме того, воротившийся после убийства в лавку приказчик сообщил полиции не только об украденной сумме, но и из каких именно денег она состояла, то есть сколько было кредиток радужных, сколько синих, сколько красных, сколько золотых монет и каких именно, и вот на арестованном убийце именно такие же деньги и монеты и найдены. Вдобавок ко всему последовало полное и чистосердечное признание убийцы в том, что он убил и унес с собою эти самые деньги. Вот это, господа присяжные, я называю уликой! Вот тут уж я знаю, вижу, осязаю деньги и не могу сказать, что их нет или не было. Так ли в настоящем случае? А между тем ведь дело идет о жизни и смерти, о судьбе человека. „Так, скажут, но ведь он в ту же ночь кутил, сорил деньгами, у него обнаружено полторы тысячи рублей — откуда же он взял их?“ Но ведь именно потому, что обнаружено было всего только полторы тысячи, а другой половины суммы ни за что не могли отыскать и обнаружить, именно тем и доказывается, что эти деньги могли быть совсем не те, совсем никогда не бывшие ни в каком пакете. По расчету времени (и уже строжайшему) дознано и доказано предварительным следствием, что подсудимый, выбежав от служанок к чиновнику Перхотину, домой не заходил, да и никуда не заходил, а затем всё время был на людях, а стало быть, не мог отделить от трех тысяч половины и куда-нибудь спрятать в городе. Вот именно это соображение и было причиною предположения обвинителя, что деньги где-то спрятаны в расщелине в селе Мокром. Да уж не в подвалах ли Удольфского замка, господа? Ну не фантастическое ли, не романическое ли это предположение. И заметьте, ведь уничтожься только это одно предположение, то есть что спрятано в Мокром, — и всё обвинение в грабеже взлетает на воздух, ибо где же, куда же девались тогда эти полторы тысячи? Каким чудом они могли исчезнуть, если доказано, что подсудимый никуда не заходил? И такими-то романами мы готовы погубить жизнь человеческую! Скажут: „Все-таки он не умел объяснить, где взял эти полторы тысячи, которые на нем обнаружены, кроме того, все знали, что до этой ночи у него не было денег“. А кто же это знал? Но подсудимый дал ясное и твердое показание о том, откуда взял деньги, и если хотите, господа присяжные заседатели, если хотите, — никогда ничего не могло и не может быть вероятнее этого показания и, кроме того, более совместного с характером и душой подсудимого. Обвинению понравился собственный роман: человек с слабою волей, решившийся взять три тысячи, столь позорно ему предложенные невестой его, не мог, дескать, отделить половину и зашить ее в ладонку, напротив, если б и зашил, то расшивал бы каждые два дня и отколупывал бы по сотне и таким образом извел бы всё в один месяц. Вспомните, всё это было изложено тоном, не терпящим никаких возражений. Ну а что, если дело происходило вовсе не так, а ну как вы создали роман, а в нем совсем другое лицо? В том-то и дело, что вы создали другое лицо! Возразят, пожалуй: „Есть свидетели, что он прокутил в селе Мокром все эти три тысячи, взятые у госпожи Верховцевой, за месяц перед катастрофой, разом, как одну копейку, стало быть, не мог отделить от них половину“. Но кто же эти свидетели? Степень достоверности этих свидетелей на суде уже обнаружилась. Кроме того, в чужой руке ломоть всегда больше кажется. Наконец, никто из этих свидетелей денег этих сам не считал, а лишь судил на свой глаз. Ведь показал же свидетель Максимов, что у подсудимого было в руках двадцать тысяч. Видите, господа присяжные, так как психология о двух концах, то уж позвольте мне и тут другой конец приложить, и посмотрим, то ли выйдет.

За месяц до катастрофы подсудимому были вверены для отсылки по почте три тысячи рублей госпожою Верховцевой, но вопрос: справедливо ли, что были вверены с таким позором и с таким унижением, как провозглашено было давеча? В первом показании о том же предмете у госпожи Верховцевой выходило не так, совершенно не так; во втором же показании мы слышали лишь крики озлобления, отмщения, крики долго таившейся ненависти. Но уж одно то, что свидетельница раз в первом показании своем показала неверно, дает право нам заключить, что и второе показание могло быть неверно. Обвинитель „не хочет, не смеет“ (его слова) дотрогиваться до этого романа. Ну и пусть, я тоже не стану дотрогиваться, но, однако, позволю себе лишь заметить, что если чистая и высоконравственная особа, какова бесспорно и есть высокоуважаемая госпожа Верховцева, если такая особа, говорю я, позволяет себе вдруг, разом, на суде, изменить первое свое показание, с прямою целью погубить подсудимого, то ясно и то, что это показание ее было сделано не беспристрастно, не хладнокровно. Неужели же у нас отнимут право заключить, что отомщавшая женщина могла многое преувеличить? Да, именно преувеличить тот стыд и позор, с которым были ею предложены деньги. Напротив, они были предложены именно так, что их еще можно было принять, особенно такому легкомысленному человеку, как наш подсудимый. Главное, он имел тогда в виду скорое получение от отца этих должных ему по расчету трех тысяч. Это легкомысленно, но именно по легкомыслию своему он и был твердо уверен, что тот их выдаст ему, что он их получит и, стало быть, всегда может отправить вверенные ему госпожою Верховцевой деньги по почте и расквитаться с долгом. Но обвинитель ни за что не хочет допустить, что он мог в тот же день, в день обвинения, отделить из полученных денег половину и зашить в ладонку: „не таков, дескать, это характер, не мог иметь таких чувств“. Но ведь сами же вы кричали, что широк Карамазов, сами же вы кричали про две крайние бездны, которые может созер-

833

цать Карамазов. Карамазов именно такая натура о двух сторонах, о двух безднах, что при самой безудержной потребности кутежа может остановиться, если что-нибудь его поразит с другой стороны. А ведь другая-то сторона — любовь, именно вот эта новая загоревшаяся тогда как порох любовь, а на эту любовь нужны деньги, и нужнее, о! гораздо нужнее, чем даже на кутеж с этою самою возлюбленною. Скажет она ему: „Твоя, не хочу Федора Павловича“, и он схватит ее и увезет — так было бы на что увезти. Это ведь важнее кутежа. Карамазову ль этого не понять? Да он именно этим и болен был, этою заботой, — что ж невероятного, что он отделил эти деньги и припрятал на всякий случай? Но вот, однако, время уходит, а Федор Павлович трех тысяч подсудимому не выдает, напротив, слышно, что определил их именно на то, чтобы сманить ими его же возлюбленную. „Если не отдаст Федор Павлович, — думает он, — то ведь я перед Катериной Ивановной выйду вором“. И вот у него рождается мысль, что эти же полторы тысячи, которые он продолжает носить на себе в этой ладонке, он придет, положит пред госпожою Верховцевой и скажет ей: „Я подлец, но не вор“. И вот, стало быть, уже двойная причина хранить эти полторы тысячи как зеницу ока, отнюдь не расшивать ладонку и не отколупывать по сту рублей. Отчего откажете вы подсудимому в чувстве чести? Нет, чувство чести в нем есть, положим неправильное, положим весьма часто ошибочное, но оно есть, есть до страсти, и он доказал это. Но вот, однако же, дело усложняется, мучения ревности достигают высшей степени, и всё те же, всё прежние два вопроса обрисовываются всё мучительнее и мучительнее в воспаленном мозгу подсудимого: „Отдам Катерине Ивановне: на какие же средства увезу я Грушеньку?“ Если он безумствовал так, и напивался, и бушевал по трактирам во весь этот месяц, то это именно, может быть, потому, что самому было горько, невмочь переносить. Эти два вопроса до того наконец обострились, что довели его наконец до отчаяния. Он послал было своего младшего брата к отцу просить у него эти три тысячи в последний раз, но, не дождавшись ответа, ворвался сам и кончил тем, что избил старика при свидетелях. После этого получить, значит, уже не у кого, избитый отец не даст. В тот же день вечером он бьет себя по груди, именно по верхней части груди, где эта ладонка, и клянется брату, что у него есть средство не быть подлецом, но что все-таки он останется подлецом, ибо предвидит, что не воспользуется средством, не хватит силы душевной, не хватит характера. Почему, почему обвинение не верит показанию Алексея Карамазова, данному так чисто, так искренно, неподготовленно и правдоподобно? Почему, напротив, заставляет меня верить деньгам в какой-то расщелине, в подвалах Удольфского замка? В тот же вечер, после разговора с братом, подсудимый пишет это роковое письмо, и вот это-то письмо и есть самое главное, самое колоссальное уличение подсудимого в грабеже! „Буду просить у всех людей, а не дадут люди, убью отца и возьму у него под тюфяком, в пакете с розовою ленточкой, только бы уехал Иван“ — полная-де программа убийства, как же не он? „Совершилось по написанному!“ — восклицает обвинение. Но, во-первых, письмо пьяное и написано в страшном раздражении; во-вторых, опять-таки о пакете он пишет со слов Смердякова, потому что сам пакета не видал, а в-третьих, написано-то оно написано, но совершилось ли по написанному, это чем доказать? Достал ли подсудимый пакет под подушкой, нашел ли деньги, существовали ли они даже? Да и за деньгами ли подсудимый побежал, припомните, припомните! Он побежал сломя голову не грабить, а лишь узнать, где она, эта женщина, его сокрушившая, — не по программе, стало быть, не по написанному он побежал, то есть не для обдуманного грабежа, а побежал внезапно, нечаянно, в ревнивом бешенстве! „Да, скажут, но все-таки, прибежав и убив, захватил и деньги“. Да, наконец, убил ли он еще или нет? Обвинение в грабеже я отвергаю с негодованием: нельзя обвинять в грабеже, если нельзя указать с точностью, что именно ограблено, это аксиома! Но убил ли еще он, без грабежа-то убил ли? Это-то доказано ли? Уж не роман ли и это?»

XII

ДА И УБИЙСТВА НЕ БЫЛО

«Позвольте, господа присяжные, тут жизнь человеческая, и надо быть осторожнее. Мы слышали, как обвинение само засвидетельствовало, что до самого последнего дня, до сегодня, до дня суда, колебалось обвинить подсудимого в полной и совершенной преднамеренности убийства, колебалось до самого этого рокового „пьяного" письма, представленного сегодня суду. „Совершилось как по писаному!" Но опять-таки повторяю: он побежал к ней, за ней, единственно только узнать, где она. Ведь это факт непреложный. Случись она дома, он никуда бы не побежал, а остался при ней и не сдержал бы того, что в письме обещал. Он побежал нечаянно и внезапно, а о „пьяном" письме своем он, может быть, вовсе тогда и не помнил. „Захватил, дескать, пестик" — и помните, как из этого одного пестика нам вывели целую психологию: почему-де он должен был принять этот пестик за оружие, схватить его как оружие, и проч., и проч. Тут мне приходит в голову одна самая обыкновенная мысль: ну что, если б этот пестик лежал не на виду, не на полке, с которой схватил его подсудимый, а был прибран в шкаф? — ведь подсудимому не мелькнул бы он тогда в глаза, и он бы убежал без оружия, с пустыми руками, и вот, может быть, никого бы тогда и не убил. Каким же образом я могу заключать о пестике как о доказательстве вооружения и преднамерения? Да, но он кричал по трактирам, что убьет отца, а за два дня, в тот вечер, когда написал свое пьяное письмо, был тих и поссорился в трактире лишь с одним только купеческим приказчиком „потому-де, что Карамазов не мог не поссориться". А я отвечу на это, что уж если замыслил такое убийство, да еще по плану, по написанному, то уж наверно бы не поссорился и с приказчиком, да, может быть, и в трактир не зашел бы вовсе, потому что душа, замыслившая такое дело, ищет тишины и стушевки, ищет исчезновения, чтобы не видали, чтобы не слыхали: „Забудьте-де обо мне, если можете", и это не по расчету только, а по инстинкту. Господа присяжные, психология о двух концах, и мы тоже умеем понимать психологию. Что же до всех этих трактирных криков во весь этот месяц, то мало ли раз кричат дети али пьяные гуляки, выходя из кабаков и ссорясь друг с другом: „Я убью тебя", но ведь не убивают же. Да и самое это роковое письмо — ну не пьяное ли оно раздражение тоже, не крик ли из кабака выходящего: убью, дескать, всех вас убью! Почему не так, почему не могло быть так? Почему это письмо роковое, почему, напротив, оно не смешное? А вот именно потому, что найден труп убитого отца, потому что свидетель видел подсудимого в саду, вооруженного и убегающего, и сам был повержен им, стало быть, и совершилось всё по написанному, а потому и письмо не смешное, а роковое. Слава богу, мы дошли до точки: „коли был в саду, значит, он и убил". Этими двумя словечками: коли *был* так уж непременно и *значит,* всё исчерпывается, всё обвинение, — „был, так и значит". А если не *значит,* хотя бы и был? О, я согласен, что совокупность фактов, совпадение фактов действительно довольно красноречивы. Но рассмотрите, однако, все эти факты отдельно, не внушаясь их совокупностью: почему, например, обвинение ни за что не хочет допустить правдивости показания подсудимого, что он убежал от отцова окошка? Вспомните даже сарказмы, в которые пускается здесь обвинение насчет почтительности и „благочестивых" чувств, вдруг обуявших убийцу. А что, если и в самом деле тут было нечто подобное, то есть хоть не почтительность чувств, но благочестивость чувств? „Должно быть, мать за меня замолила в эту минуту", — показывает на следствии подсудимый, и вот он убежал, чуть лишь уверился, что Светловой у отца в доме нет. „Но он не мог увериться чрез окно", — возражает нам обвинение. А почему же не мог? Ведь окно отворилось же на поданные подсудимым знаки. Тут могло быть произнесено одно какое-нибудь такое слово Федором Павловичем, мог вырваться какой-нибудь такой крик — и подсудимый мог вдруг удостовериться, что Светловой тут нет. Почему непременно предполагать так, как мы воображаем, как предположили воображать? В действительности может мелькнуть тысяча вещей, ускользающих от наблюдения самого тонкого романиста. „Да, но Григорий видел дверь отворенною, а стало быть, подсудимый был в доме наверно, а стало быть, и убил". Об этой двери, господа присяжные... Видите ли, об отворенной этой двери свидетельствует лишь одно лицо, бывшее, однако, в то время в таком состоянии само, что... Но пусть, пусть была дверь отворена, пусть подсудимый отперся, солгал из чувства самозащиты, столь понятного в его положении, пусть, пусть он проник в дом, был в доме — ну и что же, почему же непременно коли был, то и убил? Он мог ворваться, пробежать по комнатам, мог оттолкнуть отца, мог даже ударить отца, но, удостоверившись, что Светловой нет у него, убежал, радуясь, что ее нет и что убежал, отца не убив. Именно потому, может быть, и соскочил через минуту с забора к поверженному им в азарте Григорию, что в состоянии был ощущать чувство чистое, чувство сострадания и жалости, потому что убежал от искушения убить отца, потому что ощущал в себе сердце чистое и радость, что не убил отца. Красноречиво до ужаса описывает нам обвинитель страшное состояние подсудимого в селе Мокром, когда любовь вновь открылась ему, зовя его в новую жизнь, и когда ему уже нельзя было любить, потому что сзади был окровавленный труп отца его, а за трупом казнь. И однако же, обвинитель все-таки допустил любовь, которую и объяснил по своей психологии: „Пьяное, дескать, состояние, преступника везут на казнь, еще долго ждать, и проч., и проч.“. Но не другое ли вы создали лицо, господин обвинитель, опять-таки спрашиваю? Так ли, так ли груб и бездушен подсудимый, что мог еще думать в тот момент о любви и о вилянии пред судом, если бы действительно на нем была кровь отца? Нет, нет и нет! Только что открылось, что она его любит, зовет с собою, сулит ему новое счастье, — о, клянусь, он должен был тогда почувствовать двойную, тройную потребность убить себя и убил бы себя непременно, если бы сзади его лежал труп отца! О нет, не забыл бы, где лежат его пистолеты! Я знаю подсудимого: дикая, деревянная бессердечность, взведенная на него обвинением, несовместна с его характером. Он бы убил себя, это наверно; он не убил себя именно потому, что „мать замолила о нем“, и сердце его было неповинно в крови отца. Он мучился, он горевал в ту ночь в Мокром лишь о поверженном старике Григории и молил про себя Бога, чтобы старик встал и очнулся, чтоб удар его был несмертелен и миновала бы казнь за него. Почему не принять такое толкование событий? Какое мы имеем твердое доказательство, что подсудимый нам лжет? А вот труп-то отца, укажут нам тотчас же снова: он выбежал, он не убил, ну так кто же убил старика?

Повторяю, тут вся логика обвинения: кто же убил, как не он? Некого, дескать, поставить вместо него. Господа присяжные заседатели, так ли это? Впрямь ли, действительно ли уж так-таки совсем некого поставить? Мы слышали, как обвинение перечло по пальцам всех бывших и всех перебывавших в ту ночь в этом доме. Нашлось пять человек. Трое из них, я согласен, вполне невменяемы: это сам убитый, старик Григорий и жена его. Остаются, стало быть, подсудимый и Смердяков, и вот обвинитель с пафосом восклицает, что подсудимый потому указывает на Смердякова, что не на кого больше указать, что будь тут кто-нибудь шестой, даже призрак какого-либо шестого, то подсудимый сам бы тотчас бросил обвинять Смердякова, устыдившись сего, а показал бы на этого шестого. Но, господа присяжные, почему бы я не мог заключить совершенно обратно? Стоят двое: подсудимый и Смердяков — почему же мне не сказать, что вы обвиняете моего клиента единственно потому, что вам некого обвинять? А некого лишь потому, что вы совершенно предвзято заранее исключили Смердякова из всякого подозрения. Да, правда, на Смердякова показывают лишь сам подсудимый, два брата его, Светлова, и только. Но ведь есть же и еще кое-кто из показывающих: это некоторое, хотя и неясное брожение в обществе какого-то вопроса, какого-то подозрения, слышан какой-то неясный слух, чувствуется, что существует какое-то ожидание. Наконец, свидетельствует и некоторое сопоставление фактов, весьма характерное, хотя, признаюсь, и неопределенное: во-первых, этот припадок падучей болезни именно в день катастрофы, припадок, который так старательно принужден был почему-то защищаться отстаивать обвинитель. Затем это внезапное самоубийство Смердякова накануне суда. Затем не менее внезапное показание старшего брата подсудимого, сегодня на суде, до сих пор верившего в виновность брата и вдруг приносящего деньги и тоже провозгласившего опять-таки имя Смердякова как убийцы! О, я вполне убежден вместе с судом и с прокуратурой, что Иван Карамазов — больной и в горячке, что показание его действительно могло быть отчаянною попыткой, замышленною притом же в бреду, спасти брата, свалив на умершего. Но, однако же, все-таки произнесено имя Смердякова, опять-таки как будто слышится что-то загадочное. Что-то как будто тут не договорено, господа присяжные, и не покончено. может быть, еще договорится. Но об этом пока оставим, это еще впереди. Суд решил давеча продолжать заседание, но теперь пока, в ожидании, я бы мог кое-что, однако, заметить, например, по поводу характеристики покойного Смердякова, столь тонко и столь талантливо очерченной обвинителем. Но, удивляясь таланту, не могу, однако же, вполне согласиться с сущностью характеристики. Я был у Смердякова, я видел его и говорил с ним, он произвел на меня впечатление совсем иное. Здоровьем он был слаб, это правда, но характером, но сердцем — о нет, это вовсе не столь слабый был человек, как заключило о нем обвинение. Особенно не нашел я в нем робости, той робости, которую так характерно описывал нам обвинитель. Простодушия же в нем не было вовсе, напротив, я нашел страшную недоверчивость, прячущуюся под наивностью, и ум, способный весьма многое созерцать. О! обвинение слишком простодушно почло его слабоумным. На меня он произвел впечатление совершенно определенное: я ушел с убеждением, что существо это решительно злобное, непомерно честолюбивое, мстительное и знойно завистливое. Я собрал кой-какие сведения: он ненавидел происхождение свое, стыдился его и со скрежетом зубов припоминал, что „от Смердящей произошел“. К слуге Григорию и к жене его, бывшим благодетелями его детства, он был непочтителен. Россию проклинал и над нею смеялся. Он мечтал уехать во Францию, с тем чтобы переделаться во француза. Он много и часто толковал еще прежде, что на это недостает ему средств. Мне кажется, он никого не любил, кроме себя, уважал же себя до странности высоко. Просвещение видел в хорошем платье, в чистых манишках и в вычищенных сапогах. Считая себя сам (и на это есть факты) незаконным сыном Федора Павловича, он мог ненавидеть свое положение сравнительно с законными детьми своего господина: им, дескать, всё, а ему ничего, им все права, им наследство, а он только повар. Он поведал мне, что сам вместе с Федором Павловичем укладывал деньги в пакет. Назначение этой суммы, — суммы, которая могла бы составить его карьеру, — было, конечно, ему ненавистно. К тому же он увидал три тысячи рублей в светленьких радужных кредитках (я об этом нарочно спросил его). О, не показывайте никогда завистливому и самолюбивому человеку больших денег разом, а он в первый раз увидал такую сумму в одной руке. Впечатление радужной пачки могло болезненно отразиться в его воображении, на первый раз пока безо всяких последствий. Высокоталантливый обвинитель с необыкновенною тонкостью очертил нам все pro и contra предположения о возможности обвинить Смердякова в убийстве и особенно спрашивал: для чего тому было притворяться в падучей? Да, но ведь он мог и не притворяться вовсе, припадок мог прийти совсем натурально, но ведь мог же и пройти совсем натурально, и больной мог очнуться. Положим, не вылечиться, но всё же когда-нибудь прийти в себя и очнуться, как и бывает в падучей. Обвинение спрашивает: где момент совершения Смердяковым убийства?

Но указать этот момент чрезвычайно легко. Он мог очнуться и встать от глубокого сна (ибо он был только во сне: после припадков падучей болезни всегда нападает глубокий сон) именно в то мгновение, когда старик Григорий, схватив за ногу на заборе убегающего подсудимого, завопил на всю окрестность: „Отцеубивец!" Крик-то этот необычайный, в тиши и во мраке, и мог разбудить Смердякова, сон которого к тому времени мог быть и не очень крепок: он, естественно, мог уже час тому как начать просыпаться. Встав с постели, он отправляется почти бессознательно и безо всякого намерения на крик, посмотреть, что такое. В его голове болезненный чад, соображение еще дремлет, но вот он в саду, подходит к освещенным окнам и слышит страшную весть от барина, который, конечно, ему обрадовался. Соображение разом загорается в голове его. От испуганного барина он узнает все подробности. И вот постепенно, в расстроенном и больном мозгу его созидается мысль — страшная, но соблазнительная и неотразимо логическая: убить, взять три тысячи денег и свалить всё потом на барчонка: на кого же и подумают теперь, как не на барчонка, кого же могут обвинить, как не барчонка, все улики, он тут был? Страшная жажда денег, добычи, могла захватить ему дух, вместе с соображением о безнаказанности. О, эти внезапные и неотразимые порывы так часто приходят при случае и, главное, приходят внезапно таким убийцам, которые еще за минуту не знали, что захотят убить! И вот Смердяков мог войти к барину и исполнить свой план, чем, каким оружием, — а первым камнем, который он поднял в саду. Но для чего же, с какою же целью? А три-то тысячи, ведь это карьера. О! я не противоречу себе: деньги могли быть и существовать. И даже, может быть, Смердяков-то один и знал, где их найти, где именно они лежат у барина. „Ну, а обложка денег, а разорванный на полу пакет?" Давеча, когда обвинитель, говоря об этом пакете, изложил чрезвычайно тонкое соображение свое о том, что оставить его на полу мог именно вор непривычный, именно такой, как Карамазов, а совсем уже не Смердяков, который бы ни за что не оставил на себя такую улику, — давеча, господа присяжные, я, слушая, вдруг почувствовал, что слышу что-то чрезвычайно знакомое. И представьте себе, именно это самое соображение, эту догадку о том, как бы мог поступить Карамазов с пакетом, я уже слышал ровно за два дня до того от самого Смердякова, мало того, он даже тем поразил меня: мне именно показалось, что он фальшиво наивничает, забегает вперед, навязывает эту мысль мне, чтоб я сам вывел это самое соображение, и мне его как будто подсказывает. Не подсказал ли он это соображение и следствию? Не навязал ли его и высокоталантливому обвинителю? Скажут: а старуха, жена Григория? Ведь она же слышала, как больной подле нее стонал во всю ночь. Так, слышала, но ведь соображение это чрезвычайно шаткое. Я знал одну даму, которая горько жаловалась, что ее всю ночь будила на дворе шавка и не давала ей спать. И однако, бедная собачонка, как известно стало, тявкнула всего только раза два-три во всю ночь. И это естественно; человек спит и вдруг слышит стон, он просыпается в досаде, что его разбудили, но засыпает мгновенно снова. Часа через два опять стон, опять просыпается и опять засыпает, наконец, еще раз стон, и опять через два часа, всего в ночь раза три. Наутро спящий встает и жалуется, что кто-то всю ночь стонал и его беспрерывно будил. Но непременно так и должно ему показаться; промежутки сна, по два часа каждый, он проспал и не помнит, а запомнил лишь минуты своего пробуждения, вот ему и кажется, что его будили всю ночь. Но почему, почему, восклицает обвинение, Смердяков не признался в посмертной записке? „На одно-де хватило совести, а на другое нет“. Но позвольте: совесть — это уже раскаяние, но раскаяния могло и не быть у самоубийцы, а было лишь отчаяние. Отчаяние и раскаяние — две вещи совершенно различные. Отчаяние может быть злобное и непримиримое, и самоубийца, накладывая на себя руки, в этот момент мог вдвойне ненавидеть тех, кому всю жизнь завидовал! Господа присяжные заседатели, поберегитесь судебной ошибки! Чем, чем неправдоподобно всё то, что я вам сейчас представил и изобразил? Найдите ошибку в моем изложении, найдите невозможность, абсурд? Но если есть хотя тень возможности, хотя тень правдоподобия в моих предположениях — удержитесь от приговора. А тут разве тень только? Клянусь всем священным, я вполне верю в мое, в представленное вам сейчас, толкование об убийстве. А главное, главное, меня смущает и выводит из себя всё та же мысль, что изо всей массы фактов, нагроможденных обвинением на подсудимого, нет ни единого, хоть сколько-нибудь точного и неотразимого, а что гибнет несчастный единственно по совокупности этих фактов. Да, эта совокупность ужасна; эта кровь, эта с пальцев текущая кровь, белье в крови, эта темная ночь, оглашаемая воплем „отцеубивец!", и кричащий, падающий с проломленною головой, а затем эта масса изречений, показаний, жестов, криков — о, это так влияет, так может подкупить убеждение, но ваше ли, господа присяжные заседатели, ваше ли убеждение подкупить может? Вспомните, вам дана необъятная власть, власть вязать и решить. Но чем сильнее власть, тем страшнее ее приложение! Я ни на йоту не отступаю от сказанного мною сейчас, но уж пусть, так и быть, пусть на минуту и я соглашусь с обвинением, что несчастный клиент мой обагрил свои руки в крови отца. Это только предположение, повторяю, я ни на миг не сомневаюсь в его невинности, но уж так и быть, предположу, что мой подсудимый виновен в отцеубийстве, но выслушайте, однако, мое слово, если бы даже я и допустил такое предположение. У меня лежит на сердце высказать вам еще нечто, ибо я предчувствую и в ваших сердцах и умах большую борьбу... Простите мне это слово, господа присяжные заседатели, о ваших сердцах и умах. Но я хочу быть правдивым и искренним до конца. Будем же все искренни!..»

В этом месте защитника прервал довольно сильный аплодисмент. В самом деле, последние слова свои он произнес с такою искренне прозвучавшею нотой, что все почувствовали, что, может быть, действительно ему есть что сказать и что то, что он скажет сейчас, есть и самое важное. Но председатель, заслышав аплодисмент, громко пригрозил «очистить» залу суда, если еще раз повторится «подобный случай». Всё затихло, и Фетюкович начал каким-то новым, проникновенным голосом, совсем не тем, которым говорил до сих пор.

XIII

ПРЕЛЮБОДЕЙ МЫСЛИ

«Не совокупность только фактов губит моего клиента, господа присяжные заседатели, — возгласил он, — нет, моего клиента губит, по-настоящему, один лишь факт: это —

труп старика отца! Будь простое убийство, и вы при ничтожности, при бездоказательности, при фантастичности фактов, если рассматривать каждый из них в отдельности, а не в совокупности — отвергли бы обвинение, по крайней мере усумнились бы губить судьбу человека по одному лишь предубеждению против него, которое, увы, он так заслужил! Но тут не простое убийство, а отцеубийство! Это импонирует, и до такой степени, что даже самая ничтожность и бездоказательность обвиняющих фактов становится уже не столь ничтожною и не столь бездоказательною, и это в самом непредубежденном даже уме. Ну как оправдать такого подсудимого? А ну как он убил и уйдет ненаказанным — вот что чувствует каждый в сердце своем почти невольно, инстинктивно. Да, страшная вещь пролить кровь отца, — кровь родившего, кровь любившего, кровь жизни своей для меня не жалевшего, с детских лет моих моими болезнями болевшего, всю жизнь за мое счастье страдавшего и лишь моими радостями, моими успехами жившего! О, убить такого отца — да это невозможно и помыслить! Господа присяжные, что такое отец, настоящий отец, что это за слово такое великое, какая страшно великая идея в наименовании этом? Мы сейчас только указали отчасти, что такое и чем должен быть истинный отец. В настоящем же деле, которым мы так все теперь заняты, которым болят наши души, — в настоящем деле отец, покойный Федор Павлович Карамазов, нисколько не подходил под то понятие об отце, которое сейчас сказалось нашему сердцу. Это беда. Да, действительно, иной отец похож на беду. Рассмотрим же эту беду поближе — ведь ничего не надо бояться, господа присяжные, ввиду важности предстоящего решения. Мы даже особенно не должны бояться теперь и, так сказать, отмахиваться от иной идеи, как дети или пугливые женщины, по счастливому выражению высокоталантливого обвинителя. Но в своей горячей речи уважаемый мой противник (и противник еще прежде, чем я произнес мое первое слово), мой противник несколько раз воскликнул: „Нет, я никому не дам защищать подсудимого, я не уступлю его защиту защитнику, приехавшему из Петербурга, — я обвинитель, я и защитник!“ Вот что он несколько раз воскликнул и, однако же, забыл упомянуть, что если страшный подсудимый целые двадцать три года столь благодарен был всего только за один фунт орехов, полученных от единственного человека, приласкавшего его ребенком в родительском доме, то, обратно, не мог же ведь какой человек и не помнить, все эти двадцать три года, как он бегал босой у отца „на заднем дворе, без сапожек, и в панталончиках на одной пуговке", по выражению человеколюбивого доктора Герценштубе. О господа присяжные, зачем нам рассматривать ближе эту „беду", повторять то, что все уже знают! Что встретил мой клиент, приехав сюда к отцу? И зачем, зачем изображать моего клиента бесчувственным, эгоистом, чудовищем? Он безудержен, он дик и буен, вот мы теперь его судим за это, а кто виноват в судьбе его, кто виноват, что при хороших наклонностях, при благородном чувствительном сердце он получил такое нелепое воспитание? Учил ли его кто-нибудь уму-разуму, просвещен ли он в науках, любил ли кто его хоть сколько-нибудь в его детстве? Мой клиент рос покровительством божиим, то есть как дикий зверь. Он, может быть, жаждал увидеть отца после долголетней разлуки, он, может быть, тысячу раз перед тем, вспоминая как сквозь сон свое детство, отгонял отвратительные призраки, приснившиеся ему в его детстве, и всею душой жаждал оправдать и обнять отца своего! И что ж? Его встречают одними циническими насмешками, подозрительностью и крючкотворством из-за спорных денег; он слышит лишь разговоры и житейские правила, от которых воротит сердце, ежедневно „за коньячком", и, наконец, зрит отца, отбивающего у него, у сына, на его же сыновние деньги, любовницу, — о господа присяжные, это отвратительно и жестоко! И этот же старик всем жалуется на непочтительность и жестокость сына, марает его в обществе, вредит ему, клевещет на него, скупает его долговые расписки, чтобы посадить его в тюрьму! Господа присяжные, эти души, эти на вид жестокосердые, буйные и безудержные люди, как мой клиент, бывают, и это чаще всего, чрезвычайно нежны сердцем, только этого не выказывают. Не смейтесь, не смейтесь над моею идеей! Талантливый обвинитель смеялся давеча над моим клиентом безжалостно, выставляя, что он любит Шиллера, любит „прекрасное и высокое". Я бы не стал над этим смеяться на его месте, на месте обвинителя! Да, эти сердца — о, дайте мне защитить эти сердца, столь редко и столь несправедливо понимаемые, — эти сердца весьма часто жаждут нежного, прекрасного и справедливого, и именно как бы в контраст себе, своему буйству, своей жестокости, — жаждут бессознательно, и именно жаждут. Страстные и жестокие снаружи, они до мучения способны полюбить, например, женщину, и непременно духовною и высшею любовью. Опять-таки не смейтесь надо мной: это именно так всего чаще бывает в этих натурах! Они только не могут скрыть свою страстность, подчас очень грубую, — вот это и поражает, вот это и замечают, а внутри человека не видят. Напротив, все их страсти утоляются быстро, но около благородного, прекрасного существа этот по-видимому грубый и жестокий человек ищет обновления, ищет возможности исправиться, стать лучшим, сделаться высоким и честным — „высоким и прекрасным“, как ни осмеяно это слово! Давеча я сказал, что не позволю себе дотронуться до романа моего клиента с госпожою Верховцевой. Но, однако, полслова-то можно сказать: мы слышали давеча не показание, а лишь крик исступленной и отмщающей женщины, и не ей, о, не ей укорять бы в измене, потому что она сама изменила! Если б имела хоть сколько-нибудь времени, чтоб одуматься, не дала бы она такого свидетельства! О, не верьте ей, нет, не „изверг“ клиент мой, как она его называла! Распятый человеколюбец, собираясь на крест свой, говорил: „Аз есмь пастырь добрый, пастырь добрый полагает душу свою за овцы, да ни одна не погибнет...“ Не погубим и мы души человеческой! Я спрашивал сейчас: что такое отец, и воскликнул, что это великое слово, драгоценное наименование. Но со словом, господа присяжные, надо обращаться честно, и я позволю назвать предмет собственным его словом, собственным наименованием: такой отец, как убитый старик Карамазов, не может и недостоин называться отцом. Любовь к отцу, не оправданная отцом, есть нелепость, есть невозможность. Нельзя создать любовь из ничего, из ничего только Бог творит. „Отцы, не огорчайте детей своих“, — пишет из пламенеющего любовью сердца своего апостол. Не ради моего клиента привожу теперь эти святые слова, я для всех отцов вспоминаю их. Кто мне дал эту власть, чтоб учить отцов? Никто. Но как человек и гражданин взываю — vivos voco![1] Мы на земле недолго, мы делаем много дел дурных и говорим слов дурных. А потому

---

[1] Призываю живых! *(лат.)*

будем же все ловить удобную минуту совместного общения нашего, чтобы сказать друг другу и хорошее слово. Так и я: пока я на этом месте, я пользуюсь моею минутой. Недаром эта трибуна дарована нам высшею волей — с нее слышит нас вся Россия. Не для здешних только отцов говорю, а ко всем отцам восклицаю: „Отцы, не огорчайте детей своих!" Да исполним прежде сами завет Христов и тогда только разрешим себе спрашивать и с детей наших. Иначе мы не отцы, а враги детям нашим, а они не дети наши, а враги нам, и мы сами себе сделали их врагами! „В ню же меру мерите, возмерится и вам" — это не я уже говорю, это Евангелие предписывает: мерить в ту меру, в которую и вам меряют. Как же винить детей, если они нам меряют в нашу меру? Недавно в Финляндии одна девица, служанка, была заподозрена, что она тайно родила ребенка. Стали следить за нею и на чердаке дома, в углу за кирпичами, нашли ее сундук, про который никто не знал, его отперли и вынули из него трупик новорожденного и убитого ею младенца. В том же сундуке нашли два скелета уже рожденных прежде ею младенцев и ею же убитых в минуту рождения, в чем она и повинилась. Господа присяжные, это ли мать детей своих? Да, она их родила, но мать ли она им? Осмелится ли кто из нас произнести над ней священное имя матери? Будем смелы, господа присяжные, будем дерзки даже, мы даже обязаны быть таковыми в настоящую минуту и не бояться иных слов и идей, подобно московским купчихам, боящимся „металла" и „жупела". Нет, докажем, напротив, что прогресс последних лет коснулся и нашего развития, и скажем прямо: родивший не есть еще отец, а отец есть — родивший и заслуживший. О, конечно, есть и другое значение, другое толкование слова „отец", требующее, чтоб отец мой, хотя бы и изверг, хотя бы и злодей своим детям, оставался бы все-таки моим отцом, потому только, что он родил меня. Но это значение уже, так сказать, мистическое, которое я не понимаю умом, а могу принять лишь верой, или, вернее сказать, *на веру,* подобно многому другому, чего не понимаю, но чему религия повелевает мне, однако же, верить. Но в таком случае это пусть и останется вне области действительной жизни. В области же действительной жизни, которая имеет не только свои права, но и сама налагает великие обязанности, — в этой области мы, если хотим быть гуманными, христианами наконец, мы должны и обязаны проводить убеждения, лишь оправданные рассудком и опытом, проведенные чрез горнило анализа, словом, действовать разумно, а не безумно, как во сне и в бреду, чтобы не нанести вреда человеку, чтобы не измучить и не погубить человека. Вот, вот тогда это и будет настоящим христианским делом, не мистическим только, а разумным и уже истинно человеколюбивым делом...»

В этом месте сорвались было сильные рукоплескания из многих концов залы, но Фетюкович даже замахал руками, как бы умоляя не прерывать и чтобы дали ему договорить. Всё тотчас затихло. Оратор продолжал:

«Думаете ли вы, господа присяжные, что такие вопросы могут миновать детей наших, положим, уже юношей, положим, уже начинающих рассуждать? Нет, не могут, и не будем спрашивать от них невозможного воздержания! Вид отца недостойного, особенно сравнительно с отцами другими, достойными, у других детей, его сверстников, невольно подсказывает юноше вопросы мучительные. Ему по-казенному отвечают на эти вопросы: „Он родил тебя, и ты кровь его, а потому ты и должен любить его". Юноша невольно задумывается: „Да разве он любил меня, когда рождал, — спрашивает он, удивляясь всё более и более, — разве для меня он родил меня: он не знал ни меня, ни даже пола моего в ту минуту, в минуту страсти, может быть разгоряченной вином, и только разве передал мне склонность к пьянству — вот все его благодеяния... Зачем же я должен любить его, за то только, что он родил меня, а потом всю жизнь не любил меня?" О, вам, может быть, представляются эти вопросы грубыми, жестокими, но не требуйте же от юного ума воздержания невозможного: „Гони природу в дверь, она влетит в окно", — а главное, главное, не будем бояться „металла" и „жупела" и решим вопрос так, как предписывает разум и человеколюбие, а не так, как предписывают мистические понятия. Как же решить его? А вот как: пусть сын станет пред отцом своим и осмысленно спросит его самого: „Отец, скажи мне: для чего я должен любить тебя? Отец, докажи мне, что я должен любить тебя?" — и если этот отец в силах и в состоянии будет ответить и доказать ему, — то вот и настоящая нормальная семья, не на предрассудке лишь мистическом утверждающаяся, а на основаниях разумных, самоотчетных и строго гуманных. В противном случае, если не докажет отец, — конец тотчас же этой семье: он не отец ему, а сын получает свободу и право впредь считать отца своего за чужого себе и даже врагом своим. Наша трибуна, господа присяжные, должна быть школой истины и здравых понятий!»

Здесь оратор был прерван рукоплесканиями неудержимыми, почти исступленными. Конечно, аплодировала не вся зала, но половина-то залы все-таки аплодировала. Аплодировали отцы и матери. Сверху, где сидели дамы, слышались визги и крики. Махали платками. Председатель изо всей силы начал звонить в колокольчик. Он был видимо раздражен поведением залы, но «очистить» залу, как угрожал недавно, решительно не посмел: аплодировали и махали платками оратору даже сзади сидевшие на особых стульях сановные лица, старички со звездами на фраках, так что, когда угомонился шум, председатель удовольствовался лишь прежним строжайшим обещанием «очистить» залу, а торжествующий и взволнованный Фетюкович стал опять продолжать свою речь.

«Господа присяжные заседатели, вы помните ту страшную ночь, о которой так много еще сегодня говорили, когда сын, через забор, проник в дом отца и стал наконец лицом к лицу с своим, родившим его, врагом и обидчиком. Изо всех сил настаиваю — не за деньгами он прибежал в ту минуту: обвинение в грабеже есть нелепость, как я уже и изложил прежде. И не убить, о нет, вломился он к нему; если б имел преднамеренно этот умысел, то озаботился бы по крайней мере заранее хоть оружием, а медный пест он схватил инстинктивно, сам не зная зачем. Пусть он обманул отца знаками, пусть он проник к нему — я сказал уже, что ни на одну минуту не верю этой легенде, но пусть, так и быть, предположим ее на одну минуту! Господа присяжные, клянусь вам всем, что есть свято, будь это не отец ему, а посторонний обидчик, он, пробежав по комнатам и удостоверясь, что этой женщины нет в этом доме, он убежал бы стремглав, не сделав сопернику своему никакого вреда, ударил бы, толкнул его, может быть, но и только, ибо ему было не до того, ему было некогда, ему надо было знать, где она. Но отец, отец — о, всё сделал лишь вид отца, его ненавистника с детства, его врага, его обидчика, а теперь — чудовищного соперника! Ненавистное чувство охватило его невольно, неудержимо, рассуждать нельзя было: всё поднялось в одну минуту! Это был аффект безумства и помешательства, но и аффект природы, мстящей за свои вечные законы безудержно и бессознательно, как и всё в природе. Но убийца и тут не убил — я утверждаю это, я кричу про это — нет, он лишь махнул пестом, в омерзительном негодовании, не желая убить, не зная, что убьет. Не будь этого рокового песта в руках его, и он бы только избил отца, может быть, но не убил бы его. Убежав, он не знал, убит ли поверженный им старик. Такое убийство не есть убийство. Такое убийство не есть и отцеубийство. Нет, убийство такого отца не может быть названо отцеубийством. Такое убийство может быть причтено к отцеубийству лишь по предрассудку! Но было ли, было ли это убийство в самом деле, взываю я к вам снова и снова из глубины души моей! Господа присяжные, вот мы осудим его, и он скажет себе: „Эти люди ничего не сделали для судьбы моей, для воспитания, для образования моего, чтобы сделать меня лучшим, чтобы сделать меня человеком. Эти люди не накормили и не напоили меня, и в темнице нагого не посетили, и вот они же сослали меня в каторгу. Я сквитался, я ничего им теперь не должен и никому не должен во веки веков. Они злы, и я буду зол. Они жестоки, и я буду жесток“. Вот что он скажет, господа присяжные! И клянусь: обвинением вашим вы только облегчите его, совесть его облегчите, он будет проклинать пролитую им кровь, а не сожалеть о ней. Вместе с тем вы погубите в нем возможного еще человека, ибо он останется зол и слеп на всю жизнь. Но хотите ли вы наказать его страшно, грозно, самым ужасным наказанием, какое только можно вообразить, но с тем чтобы спасти и возродить его душу навеки? Если так, то подавите его вашим милосердием! Вы увидите, вы услышите, как вздрогнет и ужаснется душа его: „Мне ли снести эту милость, мне ли столько любви, я ли достоин ее“, — вот что он воскликнет! О, я знаю, я знаю это сердце, это дикое, но благородное сердце, господа присяжные. Оно преклонится пред вашим подвигом, оно жаждет великого акта любви, оно загорится и воскреснет навеки. Есть души, которые в ограниченности своей обвиняют весь свет. Но подавите эту душу милосердием, окажите ей любовь, и она проклянет свое дело, ибо в ней столько добрых зачатков. Душа расширится и узрит, как Бог милосерд и как люди прекрасны и справедливы. Его ужаснет, его подавит раскаяние и бесчисленный долг, предстоящий ему отселе. И не скажет он тогда: „Я сквитался", а скажет: „Я виноват пред всеми людьми и всех людей недостойнее". В слезах раскаяния и жгучего страдальческого умиления он воскликнет: „Люди лучше, чем я, ибо захотели не погубить, а спасти меня!" О, вам так легко это сделать, этот акт милосердия, ибо при отсутствии всяких чуть-чуть похожих на правду улик вам слишком тяжело будет произнести: „Да, виновен". Лучше отпустить десять виновных, чем наказать одного невинного — слышите ли, слышите ли вы этот величавый голос из прошлого столетия нашей славной истории? Мне ли, ничтожному, напоминать вам, что русский суд есть не кара только, но и спасение человека погибшего! Пусть у других народов буква и кара, у нас же дух и смысл, спасение и возрождение погибших. И если так, если действительно такова Россия и суд ее, то — вперед Россия, и не пугайте, о, не пугайте нас вашими бешеными тройками, от которых омерзительно сторонятся все народы! Не бешеная тройка, а величавая русская колесница торжественно и спокойно прибудет к цели. В ваших руках судьба моего клиента, в ваших руках и судьба нашей правды русской. Вы спасете ее, вы отстоите ее, вы докажете, что есть кому ее соблюсти, что она в хороших руках!»

XIV
МУЖИЧКИ ЗА СЕБЯ ПОСТОЯЛИ

Так кончил Фетюкович, и разразившийся на этот раз восторг слушателей был неудержим, как буря. Было уже и немыслимо сдержать его: женщины плакали, плакали и многие из мужчин, даже два сановника пролили слезы. Председатель покорился и даже помедлил звонить в колокольчик: «Посягать на такой энтузиазм значило бы посягать на святыню» — как кричали потом у нас дамы. Сам оратор был искренно растроган. И вот в такую-то минуту и поднялся еще раз «обменяться возражениями» наш Ипполит Кириллович. Его завидели с ненавистью: «Как? Что это? Это он-то смеет еще возражать?» — залепетали дамы. Но если бы даже залепетали дамы целого мира, и в их главе сама прокурорша, супруга Ипполита Кирилловича, то и тогда бы его нельзя было удержать в это мгновение. Он был бледен, он сотрясался от волнения; первые слова, первые фразы, выговоренные им, были даже и непонятны; он задыхался, плохо выговаривал, сбивался. Впрочем, скоро поправился. Но из этой второй речи его я приведу лишь несколько фраз.

«...Нас упрекают, что мы насоздавали романов. А что же у защитника, как не роман на романе? Недоставало только стихов. Федор Павлович в ожидании любовницы разрывает конверт и бросает его на пол. Приводится даже, что он говорил при этом удивительном случае. Да разве это не поэма? И где доказательство, что он вынул деньги, кто слышал, что он говорил? Слабоумный идиот Смердяков, преображенный в какого-то байроновского героя, мстящего обществу за свою незаконнорожденность, — разве это не поэма в байроновском вкусе? А сын, вломившийся к отцу, убивший его, но в то же время и не убивший, это уж даже и не роман, не поэма, это сфинкс, задающий загадки, которые и сам, уж конечно, не разрешит. Коль убил, так убил, а как же это, коли убил, так не убил — кто поймет это? Затем возвещают нам, что наша трибуна есть трибуна истины и здравых понятий, и вот с этой трибуны „здравых понятий“ раздается, с клятвою, аксиома, что называть убийство отца отцеубийством есть только один предрассудок! Но если отцеубийство есть предрассудок и если каждый ребенок будет допрашивать своего отца: „Отец, зачем я должен любить тебя?“ — то что станется с нами, что станется с основами общества, куда денется семья? Отцеубийство — это, видите ли, только „жупел“ московской купчихи. Самые драгоценные, самые священные заветы в назначении и в будущности русского суда представляются извращенно и легкомысленно, чтобы только добиться цели, добиться оправдания того, что нельзя оправдать. „О, подавите его милосердием“, — восклицает защитник, а преступнику только того и надо, и завтра же все увидят, как он будет подавлен! Да и не слишком ли скромен защитник, требуя лишь оправдания подсудимого? Отчего бы не потребовать учреждения стипендии имени отцеубийцы, для увековечения его подвига в потомстве и в молодом поколении?

Исправляются Евангелие и религия: это, дескать, всё мистика, а вот у нас лишь настоящее христианство, уже проверенное анализом рассудка и здравых понятий. И вот воздвигают пред нами лжеподобие Христа! *В ню же меру мерите, возмерится и вам,* восклицает защитник и в тот же миг выводит, что Христос заповедал мерить в ту меру, в которую и вам отмеряют, — и это с трибуны истины и здравых понятий! Мы заглядываем в Евангелие лишь накануне речей наших для того, чтобы блеснуть знакомством все-таки с довольно оригинальным сочинением, которое может пригодиться и послужить для некоторого эффекта, по мере надобности, всё по размеру надобности! А Христос именно велит не так делать, беречься так делать, потому что злобный мир так делает, мы же должны прощать и ланиту свою подставлять, а не в ту же меру отмеривать, в которую мерят нам наши обидчики. Вот чему учил нас Бог наш, а не тому, что запрещать детям убивать отцов есть предрассудок. И не станем мы поправлять с кафедры истины и здравых понятий Евангелие Бога нашего, которого защитник удостоивает назвать лишь „распятым человеколюбцем“, в противоположность всей православной России, взывающей к нему: „Ты бо еси Бог наш!..“».

Тут председатель вступился и осадил увлекшегося, попросив его не преувеличивать, оставаться в должных границах, и проч., и проч., как обыкновенно говорят в таких случаях председатели. Да и зала была неспокойна. Публика шевелилась, даже восклицала в негодовании. Фетюкович даже и не возражал, он взошел только, чтобы, приложив руку к сердцу, обиженным голосом проговорить несколько слов, полных достоинства. Он слегка только и насмешливо опять коснулся «романов» и «психологии» и к слову ввернул в одном месте: «Юпитер, ты сердишься, стало быть, ты не прав», чем вызвал одобрительный и многочисленный смешок в публике, ибо Ипполит Кириллович уже совсем был не похож на Юпитера. Затем на обвинение, что будто он разрешает молодому поколению убивать отцов, Фетюкович с глубоким достоинством заметил, что и возражать не станет. Насчет же «Христова лжеподобия» и того, что он не удостоил назвать Христа Богом, а назвал лишь «распятым человеколюбцем», что «противно-де православию и не могло быть высказано с трибуны истины и здравых понятий», — Фетюкович намекнул на «инсинуацию» и на то, что, собираясь сюда, он по крайней мере рассчитывал, что здешняя трибуна обеспечена от обвинений, «опасных для моей личности как гражданина и верноподданного...» Но при этих словах председатель осадил и его, и Фетюкович, поклонясь, закончил свой ответ, провожаемый всеобщим одобрительным говором залы. Ипполит же Кириллович, по мнению наших дам, был «раздавлен навеки».

Затем предоставлено было слово самому подсудимому. Митя встал, но сказал немного. Он был страшно утомлен и телесно, и духовно. Вид независимости и силы, с которым он появился утром в залу, почти исчез. Он как будто что-то пережил в этот день на всю жизнь, научившее и вразумившее его чему-то очень важному, чего он прежде не понимал. Голос его ослабел, он уже не кричал, как давеча. В словах его послышалось что-то новое, смирившееся, побежденное и приникшее.

«Что мне сказать, господа присяжные! Суд мой пришел, слышу десницу божию на себе. Конец беспутному человеку! Но, как Богу исповедуясь, и вам говорю: „В крови отца моего — нет, не виновен!" В последний раз повторяю: „Не я убил". Беспутен был, но добро любил. Каждый миг стремился исправиться, а жил дикому зверю подобен. Спасибо прокурору, многое мне обо мне сказал, чего и не знал я, но неправда, что убил отца, ошибся прокурор! Спасибо и защитнику, плакал, его слушая, но неправда, что я убил отца, и предполагать не надо было! А докторам не верьте, я в полном уме, только душе моей тяжело. Коли пощадите, коль отпустите — помолюсь за вас. Лучшим стану, слово даю, перед Богом его даю. А коль осудите — сам сломаю над головой моей шпагу, а сломав, поцелую обломки! Но пощадите, не лишите меня Бога моего, знаю себя: возропщу! Тяжело душе моей, господа... пощадите!»

Он почти упал на свое место, голос его пресекся, последнюю фразу он едва выговорил. Затем суд приступил к постановке вопросов и начал спрашивать у сторон заключений. Но не описываю подробности. Наконец-то присяжные встали, чтоб удалиться для совещаний. Председатель был очень утомлен, а потому и сказал им очень слабое напутственное слово: «Будьте-де беспристрастны, не внушайтесь красноречивыми словами защиты, но, однако же, взвесьте, вспомните, что на вас лежит великая обязанность», и проч., и проч. Присяжные удалились, и наступил перерыв заседания. Можно было встать, пройтись, обменяться накопившимися впечатлениями, закусить в буфете. Было очень поздно, уже около часу пополуночи, но никто не разъезжался. Все были так напряжены и настроены, что было не до покоя. Все ждали, замирая сердцем, хотя, впрочем, и не все замирали сердцем. Дамы были лишь в истерическом нетерпении, но сердцами были спокойны: «Оправдание-де неминуемое». Все они готовились к эффектной минуте общего энтузиазма. Признаюсь, и в мужской половине залы было чрезвычайно много убежденных в неминуемом оправдании. Иные радовались, другие же хмурились, а иные так просто повесили носы: не хотелось им оправдания! Сам Фетюкович был твердо уверен в успехе. Он был окружен, принимал поздравления, перед ним заискивали.

— Есть, — сказал он в одной группе, как передавали потом, — есть эти невидимые нити, связующие защитника с присяжными. Они завязываются и предчувствуются еще во время речи. Я ощутил их, они существуют. Дело наше, будьте спокойны.

— А вот что-то наши мужички теперь скажут? — проговорил один нахмуренный, толстый и рябой господин, подгородный помещик, подходя к одной группе разговаривавших господ.

— Да ведь не одни мужички. Там четыре чиновника.

— Да, вот чиновники, — проговорил, подходя, член земской управы.

— А вы Назарьева-то, Прохора Ивановича, знаете, вот этот купец-то с медалью, присяжный-то?

— А что?

— Ума палата.

— Да он всё молчит.

— Молчит-то молчит, да ведь тем и лучше. Не то что петербургскому его учить, сам весь Петербург научит. Двенадцать человек детей, подумайте!

— Да помилуйте, неужто не оправдают? — кричал в другой группе один из молодых наших чиновников.

— Оправдают наверно, — послышался решительный голос.

— Стыдно, позорно было бы не оправдать! — восклицал чиновник. — Пусть он убил, но ведь отец и отец! И наконец, он был в таком исступлении... Он действительно мог только махнуть пестом, и тот повалился. Плохо только, что лакея тут притянули. Это просто смешной эпизод.

Я бы на месте защитника так прямо и сказал: убил, но не виновен, вот и черт с вами!

— Да он так и сделал, только «черт с вами» не сказал.

— Нет, Михаил Семеныч, почти что сказал, — подхватил третий голосок.

— Помилуйте, господа, ведь оправдали же у нас великим постом актрису, которая законной жене своего любовника горло перерезала.

— Да ведь не дорезала.

— Всё равно, всё равно, начала резать!

— А про детей-то как он? Великолепно!

— Великолепно.

— Ну, а про мистику-то, про мистику-то, а?

— Да полноте вы о мистике, — вскричал еще кто-то, — вы вникните в Ипполита-то, в судьбу-то его отселева дня! Ведь ему завтрашний день его прокурорша за Митеньку глаза выцарапает.

— А она здесь?

— Чего здесь? Была бы здесь, здесь бы и выцарапала. Дома сидит, зубы болят. Хе-хе-хе!

— Хе-хе-хе!

В третьей группе.

— А ведь Митеньку-то, пожалуй, и оправдают.

— Чего доброго, завтра весь «Столичный город» разнесет, десять дней пьянствовать будет.

— Эх ведь черт!

— Да черт-то черт, без черта не обошлось, где ж ему и быть, как не тут.

— Господа, положим, красноречие. Но ведь нельзя же и отцам ломать головы безменами. Иначе до чего же дойдем?

— Колесница-то, колесница-то, помните?

— Да, из телеги колесницу сделал.

— А завтра из колесницы телегу, «по мере надобности, всё по мере надобности».

— Ловкий народ пошел. Правда-то есть у нас на Руси, господа, али нет ее вовсе?

Но зазвонил колокольчик. Присяжные совещались ровно час, ни больше, ни меньше. Глубокое молчание воцарилось, только что уселась снова публика. Помню, как присяжные вступили в залу. Наконец-то! Не привожу вопросов по пунктам, да я их и забыл. Я помню лишь ответ на первый и главный вопрос председателя, то есть «убил ли с целью грабежа преднамеренно?» (текста не помню). Всё замерло. Старшина присяжных, именно тот чиновник, который был всех моложе, громко и ясно, при мертвенной тишине залы, провозгласил:

— Да, виновен!

И потом по всем пунктам пошло всё то же: виновен да виновен, и это без малейшего снисхождения! Этого уж никто не ожидал, в снисхождении-то по крайней мере почти все были уверены. Мертвая тишина залы не прерывалась, буквально как бы все окаменели — и жаждавшие осуждения, и жаждавшие оправдания. Но это только в первые минуты. Затем поднялся страшный хаос. Из мужской публики много оказалось очень довольных. Иные так даже потирали руки, не скрывая своей радости. Недовольные были как бы подавлены, пожимали плечами, шептались, но как будто всё еще не сообразившись. Но, боже мой, что сталось с нашими дамами! Я думал, что они сделают бунт. Сначала они как бы не верили ушам своим. И вдруг, на всю залу, послышались восклицания: «Да что это такое? Это еще что такое?» Они повскакали с мест своих. Им, верно, казалось, что всё это сейчас же можно опять переменить и переделать. В это мгновение вдруг поднялся Митя и каким-то раздирающим воплем прокричал, простирая пред собой руки:

— Клянусь Богом и Страшным судом его, в крови отца моего не виновен! Катя, прощаю тебе! Братья, други, пощадите другую!

Он не договорил и зарыдал на всю залу, в голос, страшно, каким-то не своим, а новым, неожиданным каким-то голосом, который бог знает откуда вдруг у него явился. На хорах, наверху, в самом заднем углу раздался пронзительный женский вопль: это была Грушенька. Она умолила кого-то еще давеча, и ее вновь пропустили в залу еще пред началом судебных прений. Митю увели. Произнесение приговора было отложено до завтра. Вся зала поднялась в суматохе, но я уже не ждал и не слушал. Запомнил лишь несколько восклицаний, уже на крыльце, при выходе.

— Двадцать лет рудничков понюхает.

— Не меньше.

— Да-с, мужички наши за себя постояли.

— И покончили нашего Митеньку!

Конец четвертой и последней части.

ЭПИЛОГ

I
ПРОЕКТЫ СПАСТИ МИТЮ

На пятый день после суда над Митей, очень рано утром, еще в девятом часу, пришел к Катерине Ивановне Алеша, чтоб сговориться окончательно о некотором важном для них обоих деле и имея, сверх того, к ней поручение. Она сидела и говорила с ним в той самой комнате, в которой принимала когда-то Грушеньку; рядом же, в другой комнате, лежал в горячке и в беспамятстве Иван Федорович. Катерина Ивановна сейчас же после тогдашней сцены в суде велела перенести больного и потерявшего сознание Ивана Федоровича к себе в дом, пренебрегая всяким будущим и неизбежным говором общества и его осуждением. Одна из двух родственниц ее, которые с ней проживали, уехала тотчас же после сцены в суде в Москву, другая осталась. Но если б и обе уехали, Катерина Ивановна не изменила бы своего решения и осталась бы ухаживать за больным и сидеть над ним день и ночь. Лечили его Варвинский и Герценштубе; московский же доктор уехал обратно в Москву, отказавшись предречь свое мнение насчет возможного исхода болезни. Оставшиеся доктора хоть и ободряли Катерину Ивановну и Алешу, но видно было, что они не могли еще подать твердой надежды. Алеша заходил к больному брату по два раза в день. Но в этот раз у него было особое, прехлопотливое дело, и он предчувствовал, как трудно ему будет заговорить о нем, а между тем он очень торопился: было у него еще другое неотложное дело в это же утро в другом месте, и надо было спешить. Они уже с четверть часа как разговаривали. Катерина Ивановна была бледна, сильно утомлена и в то же время в чрезвычайном болезненном возбуждении: она предчувствовала, зачем, между прочим, пришел к ней теперь Алеша.

— О его решении не беспокойтесь, — проговорила она с твердою настойчивостью Алеше. — Так или этак, а он все-таки придет к этому выходу: он должен бежать! Этот несчастный, этот герой чести и совести — не тот, не Дмитрий Федорович, а тот, что за этой дверью лежит и что собой за брата пожертвовал, — с сверкающими глазами прибавила Катя, — он давно уже мне сообщил весь этот план побега. Знаете, он уже входил в сношения... Я вам уже кой-что сообщила... Видите, это произойдет, по всей вероятности, на третьем отсюда этапе, когда партию ссыльных поведут в Сибирь. О, до этого еще далеко. Иван Федорович уже ездил к начальнику третьего этапа. Вот только неизвестно, кто будет партионным начальником, да и нельзя это так заранее узнать. Завтра, может быть, я вам покажу весь план в подробности, который мне оставил Иван Федорович накануне суда, на случай чего-нибудь... Это было в тот самый раз, когда, помните, вы тогда вечером застали нас в ссоре: он еще сходил с лестницы, а я, увидя вас, заставила его воротиться — помните? Вы знаете, из-за чего мы тогда поссорились?

— Нет, не знаю, — сказал Алеша.

— Конечно, он тогда от вас скрыл: вот именно из-за этого плана о побеге. Он мне еще за три дня перед тем открыл всё главное — вот тогда-то мы и начали ссориться и с тех пор все три дня ссорились. Потому поссорились, что когда он объявил мне, что в случае осуждения Дмитрий Федорович убежит за границу вместе с той тварью, то я вдруг озлилась — не скажу вам из-за чего, сама не знаю из-за чего... О, конечно, я за тварь, за эту тварь тогда озлилась, и именно за то, что и она тоже, вместе с Дмитрием, бежит за границу! — воскликнула вдруг Катерина Ивановна с задрожавшими от гнева губами. — Иван Федорович как только увидел тогда, что я так озлилась за эту тварь, то мигом и подумал, что я к ней ревную Дмитрия и что, стало быть, всё еще продолжаю любить Дмитрия. Вот и вышла тогда первая ссора. Я объяснений дать не захотела, просить прощения не могла; тяжело мне было, что такой человек мог заподозрить меня в прежней любви к этому... И это тогда, когда я сама, уже давно перед тем, прямо сказала ему, что не люблю Дмитрия, а люблю только его одного! Я от злости только на эту тварь на него озлилась! Через три дня, вот в тот вечер, когда вы вошли, он принес ко мне запечатанный конверт, чтоб я распечатала тотчас, если с ним что случится. О, он предвидел свою болезнь! Он открыл мне, что в конверте подробности о побеге и что в случае, если он умрет или опасно заболеет, то чтоб я одна спасла Митю. Тут же оставил у меня деньги, почти десять тысяч, — вот те самые, про которые прокурор, узнав от кого-то, что он посылал их менять, упомянул в своей речи. Меня страшно вдруг поразило, что Иван Федорович, всё еще ревнуя меня и всё еще убежденный, что я люблю Митю, не покинул, однако, мысли спасти брата и мне же, мне самой доверяет это дело спасения! О, это была жертва! Нет, вы такого самопожертвования не поймете во всей полноте, Алексей Федорович! Я хотела было упасть к ногам его в благоговении, но как подумала вдруг, что он сочтет это только лишь за радость мою, что спасают Митю (а он бы непременно это подумал!), то до того была раздражена лишь одною только возможностью такой несправедливой мысли с его стороны, что опять раздражилась и вместо того, чтоб целовать его ноги, сделала опять ему сцену! О, я несчастна! Таков мой характер — ужасный, несчастный характер! О, вы еще увидите: я сделаю, я доведу-таки до того, что и он бросит меня для другой, с которой легче живется, как Дмитрий, но тогда... нет, тогда уже я не перенесу, я убью себя! А когда вы вошли тогда и когда я вас кликнула, а ему велела воротиться, то, как вошел он с вами, меня до того захватил гнев за ненавистный, презрительный взгляд, которым он вдруг поглядел на меня, что — помните — я вдруг закричала вам, что это *он, он один* уверил меня, что брат его Дмитрий убийца! Я нарочно наклеветала, чтоб еще раз уязвить его, он же никогда, никогда не уверял меня, что брат — убийца, напротив, в этом я, я сама уверяла его! О, всему, всему причиною мое бешенство! Это я, я и приготовила эту проклятую сцену в суде! Он захотел доказать мне, что он благороден и что пусть я и люблю его брата, но он все-таки не погубит его из мести и ревности. Вот он и вышел в суде... Я всему причиною, я одна виновата!

Еще никогда не делала Катя таких признаний Алеше, и он почувствовал, что она теперь именно в той степени невыносимого страдания, когда самое гордое сердце с болью крушит свою гордость и падает побежденное горем. О, Алеша знал и еще одну ужасную причину ее теперешней муки, как ни скрывала она ее от него во все эти дни после осуждения Мити; но ему почему-то было бы слишком больно, если б она до того решилась пасть ниц, что заговорила бы с ним сама, теперь, сейчас, и об этой причине. Она страдала за свое «предательство» на суде, и Алеша предчувствовал, что совесть тянет ее повиниться, именно перед ним, перед Алешей, со слезами, со взвизгами, с истерикой, с битьем об пол. Но он боялся этой минуты и желал пощадить страдающую. Тем труднее становилось поручение, с которым он пришел. Он опять заговорил о Мите.

— Ничего, ничего, за него не бойтесь! — упрямо и резко начала опять Катя, — всё это у него на минуту, я его знаю, я слишком знаю это сердце. Будьте уверены, что он согласится бежать. И, главное, это не сейчас; будет еще время ему решиться. Иван Федорович к тому времени выздоровеет и сам всё поведет, так что мне ничего не придется делать. Не беспокойтесь, согласится бежать. Да он уж и согласен: разве может он свою тварь оставить? А в каторгу ее не пустят, так как же ему не бежать? Он, главное, вас боится, боится, что вы не одобрите побега с нравственной стороны, но вы должны ему это великодушно *позволить,* если уж так необходима тут ваша санкция, — с ядом прибавила Катя. Она помолчала и усмехнулась.

— Он там толкует, — принялась она опять, — про какие-то гимны, про крест, который он должен понести, про долг какой-то, я помню, мне много об этом Иван Федорович тогда передавал, и если б вы знали, как он говорил! — вдруг с неудержимым чувством воскликнула Катя, — если б вы знали, как он любил этого несчастного в ту минуту, когда мне передавал про него, и как ненавидел его, может быть, в ту же минуту! А я, о, я выслушала тогда его рассказ и его слезы с горделивою усмешкою! О, тварь! Это я тварь, я! Это я народила ему горячку! А тот, осужденный, — разве он готов на страдание, — раздражительно закончила Катя, — да и такому ли страдать? Такие, как он, никогда не страдают!

Какое-то чувство уже ненависти и гадливого презрения прозвучало в этих словах. А между тем она же его предала. «Что ж, может, потому, что так чувствует себя пред ним виноватой и ненавидит его минутами», — подумал про себя Алеша. Ему хотелось, чтоб это было только «минутами». В последних словах Кати он заслышал вызов, но не поднял его.

— Я для того вас и призвала сегодня, чтоб вы обещались мне сами его уговорить. Или, по-вашему, тоже бежать будет нечестно, не доблестно, или как там... не по-христиански, что ли? — еще с пущим вызовом прибавила Катя.

— Нет, ничего. Я ему скажу всё... — пробормотал Алеша. — Он вас зовет сегодня к себе, — вдруг брякнул он, твердо смотря ей в глаза. Она вся вздрогнула и чуть-чуть отшатнулась от него на диване.

— Меня... разве это возможно? — пролепетала она побледнев.

— Это возможно и должно! — настойчиво и весь оживившись, начал Алеша. — Ему вы очень нужны, именно теперь. Я не стал бы начинать об этом и вас преждевременно мучить, если б не необходимость. Он болен, он как помешанный, он всё просит вас. Он не мириться вас к себе просит, но пусть вы только придете и покажетесь на пороге. С ним многое совершилось с того дня. Он понимает, как неисчислимо перед вами виновен. Не прощения вашего хочет: «Меня нельзя простить», — он сам говорит, а только чтоб вы на пороге показались...

— Вы меня вдруг... — пролепетала Катя, — я все дни предчувствовала, что вы с этим придете... Я так и знала, что он меня позовет!.. Это невозможно!

— Пусть невозможно, но сделайте. Вспомните, он в первый раз поражен тем, как вас оскорбил, в первый раз в жизни, никогда прежде не постигал этого в такой полноте! Он говорит: если она откажет прийти, то я «во всю жизнь теперь буду несчастлив». Слышите: каторжный на двадцать лет собирается еще быть счастливым — разве это не жалко? Подумайте: вы безвинно погибшего посетите, — с вызовом вырвалось у Алеши, — его руки чисты, на них крови нет! Ради бесчисленного его страдания будущего посетите его теперь! Придите, проводите во тьму... станьте на пороге, и только... Ведь вы должны, *должны* это сделать! — заключил Алеша, с неимоверною силой подчеркнув слово «должны».

— Должна, но... не могу, — как бы простонала Катя, — он на меня будет глядеть... я не могу.

— Ваши глаза должны встретиться. Как вы будете жить всю жизнь, если теперь не решитесь?

— Лучше страдать во всю жизнь.

— Вы должны прийти, вы *должны* прийти, — опять неумолимо подчеркнул Алеша.

— Но почему сегодня, почему сейчас?.. Я не могу оставить больного...

— На минуту можете, это ведь минута. Если вы не придете, он к ночи заболеет горячкой. Не стану я говорить неправду, сжальтесь!

— Надо мной-то сжальтесь, — горько упрекнула Катя и заплакала.

— Стало быть, придете! — твердо проговорил Алеша, увидав ее слезы. — Я пойду скажу ему, что вы сейчас придете.

— Нет, ни за что не говорите! — испуганно вскрикнула Катя. — Я приду, но вы ему вперед не говорите, потому что я приду, но, может быть, не пойду... Я еще не знаю...

Голос ее пресекся. Она дышала трудно. Алеша встал уходить.

— А если я с кем-нибудь встречусь? — вдруг тихо проговорила она, вся опять побледнев.

— Для того и нужно сейчас, чтоб вы там ни с кем не встретились. Никого не будет, верно говорю. Мы будем ждать, — настойчиво заключил он и вышел из комнаты.

II
НА МИНУТКУ ЛОЖЬ СТАЛА ПРАВДОЙ

Он поспешил в больницу, где теперь лежал Митя. На второй день после решения суда он заболел нервною лихорадкой и был отправлен в городскую нашу больницу, в арестантское отделение. Но врач Варвинский по просьбе Алеши и многих других (Хохлаковой, Лизы и проч.) поместил Митю не с арестантами, а отдельно, в той самой каморке, в которой прежде лежал Смердяков. Правда, в конце коридора стоял часовой, а окно было решетчатое, и Варвинский мог быть спокоен за свою поблажку, не совсем законную, но это был добрый и сострадательный молодой человек. Он понимал, как тяжело такому, как

Митя, прямо вдруг перешагнуть в сообщество убийц и мошенников и что к этому надо сперва привыкнуть. Посещения же родных и знакомых были разрешены и доктором, и смотрителем, и даже исправником, всё под рукой. Но в эти дни посетили Митю всего только Алеша да Грушенька. Порывался уже два раза увидеться с ним Ракитин; но Митя настойчиво просил Варвинского не впускать того.

Алеша застал его сидящим на койке, в больничном халате, немного в жару, с головою, обернутой полотенцем, смоченным водою с уксусом. Он неопределенным взглядом посмотрел на вошедшего Алешу, но во взгляде все-таки промелькнул как бы какой-то испуг.

Вообще с самого суда он стал страшно задумчив. Иногда по получасу молчал, казалось что-то туго и мучительно обдумывая, забывая присутствующего. Если же выходил из задумчивости и начинал говорить, то заговаривал всегда как-то внезапно и непременно не о том, что действительно ему надо было сказать. Иногда с страданием смотрел на брата. С Грушенькой ему было как будто легче, чем с Алешей. Правда, он с нею почти и не говорил, но чуть только она входила, всё лицо его озарялось радостью. Алеша сел молча подле него на койке. В этот раз он тревожно ждал Алешу, но не посмел ничего спросить. Он считал согласие Кати прийти немыслимым и в то же время чувствовал, что если она не придет, то будет что-то совсем невозможное. Алеша понимал его чувства.

— Трифон-то, — заговорил суетливо Митя, — Борисыч-то, говорят, весь свой постоялый двор разорил: половицы подымает, доски отдирает, всю «галдарею», говорят, в щепки разнес — всё клада ищет, вот тех самых денег, полторы тысячи, про которые прокурор сказал, что я их там спрятал. Как приехал, так, говорят, тотчас и пошел куролесить. Поделом мошеннику! Сторож мне здешний вчера рассказал; он оттудова.

— Слушай, — проговорил Алеша, — она придет, но не знаю когда, может, сегодня, может, на днях, этого не знаю, но придет, придет, это наверно.

Митя вздрогнул, хотел было что-то вымолвить, но промолчал. Известие страшно на него подействовало. Видно было, что ему мучительно хотелось бы узнать подробности разговора, но что он опять боится сейчас спросить: что-нибудь жестокое и презрительное от Кати было бы ему как удар ножом в эту минуту.

— Вот что она, между прочим, сказала: чтоб я непременно успокоил твою совесть насчет побега. Если и не выздоровеет к тому времени Иван, то она сама возьмется за это.

— Ты уж об этом мне говорил, — раздумчиво заметил Митя.

— А ты уже Груше пересказал, — заметил Алеша.

— Да, — сознался Митя. — Она сегодня утром не придет, — робко посмотрел он на брата. — Она придет только вечером. Как только я ей вчера сказал, что Катя орудует, смолчала; а губы скривились. Прошептала только: «Пусть ее!» Поняла, что важное. Я не посмел пытать дальше. Понимает ведь уж, кажется, теперь, что та любит не меня, а Ивана?

— Так ли? — вырвалось у Алеши.

— Пожалуй, и не так. Только она утром теперь не придет, — поспешил еще раз обозначить Митя, — я ей одно поручение дал... Слушай, брат Иван всех превзойдет. Ему жить, а не нам. Он выздоровеет.

— Представь себе, Катя хоть и трепещет за него, но почти не сомневается, что он выздоровеет, — сказал Алеша.

— Значит, убеждена, что он умрет. Это она от страху уверена, что выздоровеет.

— Брат сложения сильного. И я тоже очень надеюсь, что он выздоровеет, — тревожно замстил Алеша.

— Да, он выздоровеет. Но та уверена, что он умрет. Много у ней горя...

Наступило молчание. Митю мучило что-то очень важное.

— Алеша, я Грушу люблю ужасно, — дрожащим, полным слез голосом вдруг проговорил он.

— Ее к тебе *туда* не пустят, — тотчас подхватил Алеша.

— И вот что еще хотел тебе сказать, — продолжал каким-то зазвеневшим вдруг голосом Митя, — если бить станут дорогой аль *там*, то я не дамся, я убью, и меня расстреляют. И это двадцать ведь лет! Здесь уж *ты* начинают говорить. Сторожа мне *ты* говорят. Я лежал и сегодня всю ночь судил себя: не готов! Не в силах принять! Хотел «гимн» запеть, а сторожевского тыканья не могу осилить! За Грушу бы всё перенес, всё... кроме, впрочем, побой... Но ее *туда* не пустят.

Алеша тихо улыбнулся.

— Слушай, брат, раз навсегда, — сказал он, — вот тебе мои мысли на этот счет. И ведь ты знаешь, что я не солгу тебе. Слушай же: ты не готов, и не для тебя такой крест. Мало того: и не нужен тебе, не готовому, такой великомученический крест. Если б ты убил отца, я бы сожалел, что ты отвергаешь свой крест. Но ты невинен, и такого креста слишком для тебя много. Ты хотел мукой возродить в себе другого человека; по-моему, помни только всегда, во всю жизнь и куда бы ты ни убежал, об этом другом человеке — и вот с тебя и довольно. То, что ты не принял большой крестной муки, послужит только к тому, что ты ощутишь в себе еще больший долг и этим беспрерывным ощущением впредь, во всю жизнь, поможешь своему возрождению, может быть, более, чем если б пошел *туда*. Потому что там ты не перенесешь и возропщешь и, может быть, впрямь наконец скажешь: «Я сквитался». Адвокат в этом случае правду сказал. Не всем бремена тяжкие, для иных они невозможны... Вот мои мысли, если они так тебе нужны. Если б за побег твой остались в ответе другие: офицеры, солдаты, то я бы тебе «не позволил» бежать, — улыбнулся Алеша. — Но говорят и уверяют (сам этот этапный Ивану говорил), что большого взыску, при умении, может и не быть и что отделаться можно пустяками. Конечно, подкупать нечестно даже и в этом случае, но тут уже я судить ни за что не возьмусь, потому, собственно, что если б мне, например, Иван и Катя поручили в этом деле для тебя орудовать, то я, знаю это, пошел бы и подкупил; это я должен тебе всю правду сказать. А потому я тебе не судья в том, как ты сам поступишь. Но знай, что и тебя не осужу никогда. Да и странно, как бы мог я быть в этом деле твоим судьей? Ну, теперь я, кажется, всё рассмотрел.

— Но зато я себя осужу! — воскликнул Митя. — Я убегу, это и без тебя решено было: Митька Карамазов разве может не убежать? Но зато себя осужу и там буду замаливать грех вовеки! Ведь этак иезуиты говорят, этак? Вот как мы теперь с тобой, а?

— Этак, — тихо улыбнулся Алеша.

— Люблю я тебя за то, что ты всегда всю цельную правду скажешь и ничего не утаишь! — радостно смеясь, воскликнул Митя. — Значит, я Алешку моего иезуитом поймал! Расцеловать тебя всего надо за это, вот что! Ну, слушай же теперь и остальное, разверну тебе и остальную половину души моей. Вот что я выдумал и решил: если я и убегу, даже с деньгами и паспортом и даже в Америку, то меня еще ободряет та мысль, что не на радость убегу, не на счастье, а воистину на другую каторгу, не хуже, может быть, этой! Не хуже, Алексей, воистину говорю, что не хуже! Я эту Америку, черт ее дери, уже теперь ненавижу. Пусть Груша будет со мной, но посмотри на нее: ну американка ль она? Она русская, вся до косточки русская, она по матери родной земле затоскует, и я буду видеть каждый час, что это она для меня тоскует, для меня такой крест взяла, а чем она виновата? А я-то разве вынесу тамошних смердов, хоть они, может быть, все до одного лучше меня? Ненавижу я эту Америку уж теперь! И хоть будь они там все до единого машинисты необъятные какие али что — черт с ними, не мои они люди, не моей души! Россию люблю, Алексей, русского Бога люблю, хоть я сам и подлец! Да я там издохну! — воскликнул он вдруг, засверкав глазами. Голос его задрожал от слез.

— Ну так вот как я решил, Алексей, слушай! — начал он опять, подавив волнение, — с Грушей туда приедем — и там тотчас пахать, работать, с дикими медведями, в уединении, где-нибудь подальше. Ведь и там же найдется какое-нибудь место подальше! Там, говорят, есть еще краснокожие, где-то там у них на краю горизонта, ну так вот в тот край, к последним могиканам. Ну и тотчас за грамматику, я и Груша. Работа и грамматика, и так чтобы года три. В эти три года аглицкому языку научимся как самые что ни на есть англичане. И только что выучимся — конец Америке! Бежим сюда, в Россию, американскими гражданами. Не беспокойся, сюда в городишко не явимся. Спрячемся куда-нибудь подальше, на север али на юг. Я к тому времени изменюсь, она тоже, там, в Америке, мне доктор какую-нибудь бородавку подделает, недаром же они механики. А нет, так я себе один глаз проколю, бороду отпущу в аршин, седую (по России-то поседею) — авось не узнают. А узнают, пусть ссылают, всё равно, значит, не судьба! Здесь тоже будем где-нибудь в глуши землю пахать, а я всю жизнь американца из себя представлять буду. Зато помрем на родной земле. Вот мой план, и сие непреложно. Одобряешь?

— Одобряю, — сказал Алеша, не желая ему противоречить.

Митя на минуту смолк и вдруг проговорил:

— А как они в суде-то подвели? Ведь как подвели!

— Если б и не подвели, всё равно тебя б осудили, — проговорил, вздохнув, Алеша.

— Да, надоел здешней публике! Бог с ними, а тяжело! — со страданием простонал Митя.

Опять на минуту смолкли.

— Алеша, зарежь меня сейчас! — воскликнул он вдруг, — придет она сейчас или нет, говори! Что сказала? Как сказала?

— Сказала, что придет, но не знаю, сегодня ли. Трудно ведь ей! — робко посмотрел на брата Алеша.

— Ну еще бы же нет, еще бы не трудно! Алеша, я на этом с ума сойду. Груша на меня всё смотрит. Понимает. Боже, Господи, смири меня: чего требую? Катю требую! Смыслю ли, чего требую? Безудерж карамазовский, нечестивый! Нет, к страданию я не способен! Подлец, и всё сказано!

— Вот она! — воскликнул Алеша.

В этот миг на пороге вдруг появилась Катя. На мгновение она приостановилась, каким-то потерянным взглядом озирая Митю. Тот стремительно вскочил на ноги, лицо его выразило испуг, он побледнел, но тотчас же робкая, просящая улыбка замелькала на его губах, и он вдруг, неудержимо, протянул к Кате обе руки. Завидев это, та стремительно к нему бросилась. Она схватила его за руки и почти силой усадила на постель, сама села подле и, всё не выпуская рук его, крепко, судорожно сжимала их. Несколько раз оба порывались что-то сказать, но останавливались и опять молча, пристально, как бы приковавшись, с странною улыбкой смотрели друг на друга; так прошло минуты две.

— Простила или нет? — пролепетал наконец Митя и в тот же миг, повернувшись к Алеше, с искаженным от радости лицом прокричал ему:

— Слышишь, что спрашиваю, слышишь!

— За то и любила тебя, что ты сердцем великодушен! — вырвалось вдруг у Кати. — Да и не надо тебе мое прощение, а мне твое; всё равно, простишь аль нет, на всю жизнь в моей душе язвой останешься, а я в твоей — так и надо... — она остановилась перевести дух.

— Я для чего пришла? — исступленно и торопливо начала она опять, — ноги твои обнять, руки сжать, вот так, до боли, помнишь, как в Москве тебе сжимала, опять сказать тебе, что ты бог мой, радость моя, сказать тебе, что безумно люблю тебя, — как бы простонала она в муке и вдруг жадно приникла устами к руке его. Слезы хлынули из ее глаз.

Алеша стоял безмолвный и смущенный; он никак не ожидал того, что увидел.

— Любовь прошла, Митя! — начала опять Катя, — но дорого до боли мне то, что прошло. Это узнай навек. Но теперь, на одну минутку, пусть будет то, что могло бы быть, — с искривленною улыбкой пролепетала она, опять радостно смотря ему в глаза. — И ты теперь любишь другую, и я другого люблю, а все-таки тебя вечно буду любить, а ты меня, знал ли ты это? Слышишь, люби меня, всю твою жизнь люби! — воскликнула она с каким-то почти угрожающим дрожанием в голосе.

— Буду любить и... знаешь, Катя, — переводя дух на каждом слове, заговорил и Митя, — знаешь, я тебя, пять дней тому, в тот вечер любил... Когда ты упала, и тебя понесли... Всю жизнь! Так и будет, так вечно будет...

Так оба они лепетали друг другу речи почти бессмысленные и исступленные, может быть даже и неправдивые, но в эту-то минуту всё было правдой, и сами они верили себе беззаветно.

— Катя, — воскликнул вдруг Митя, — веришь, что я убил? Знаю, что теперь не веришь, но тогда... когда показывала... Неужто, неужто верила!

— И тогда не верила! Никогда не верила! Ненавидела тебя и вдруг себя уверила, вот на тот миг... Когда показывала... уверила и верила... а когда кончила показывать, тотчас опять перестала верить. Знай это всё. Я забыла, что я себя казнить пришла! — с каким-то вдруг совсем новым выражением проговорила она, совсем непохожим на недавний, сейчашний любовный лепет.

— Тяжело тебе, женщина! — как-то совсем безудержно вырвалось вдруг у Мити.

— Пусти меня, — прошептала она, — я еще приду, теперь тяжело!..

Она поднялась было с места, но вдруг громко вскрикнула и отшатнулась назад. В комнату внезапно, хотя и совсем тихо, вошла Грушенька. Никто ее не ожидал. Катя стремительно шагнула к дверям, но, поравнявшись с Грушенькой, вдруг остановилась, вся побелела как мел и тихо, почти шепотом, простонала ей:

— Простите меня!

Та посмотрела на нее в упор и, переждав мгновение, ядовитым, отравленном злобой голосом ответила:

— Злы мы, мать, с тобой! Обе злы! Где уж нам простить, тебе да мне? Вот спаси его, и всю жизнь молиться на тебя буду.

— А простить не хочешь! — прокричал Митя Грушеньке, с безумным упреком.

— Будь покойна, спасу его тебе! — быстро прошептала Катя и выбежала из комнаты.

— И ты могла не простить ей, после того как она сама же сказала тебе: «Прости»? — горько воскликнул опять Митя.

— Митя, не смей ее упрекать, права не имеешь! — горячо крикнул на брата Алеша.

— Уста ее говорили гордые, а не сердце, — с каким-то омерзением произнесла Грушенька. — Избавит тебя — всё прощу...

Она замолкла, как бы что задавив в душе. Она еще не могла опомниться. Вошла она, как оказалось потом, совсем нечаянно, вовсе ничего не подозревая и не ожидая встретить, что встретила.

— Алеша, беги за ней! — стремительно обратился к брату Митя, — скажи ей... не знаю что... не дай ей так уйти!

— Приду к тебе перед вечером! — крикнул Алеша и побежал за Катей. Он нагнал ее уже вне больничной ограды. Она шла скоро, спешила, но как только нагнал ее Алеша, быстро проговорила ему:

— Нет, перед этой не могу казнить себя! Я сказала ей «прости меня», потому что хотела казнить себя до конца. Она не простила... Люблю ее за это! — искаженным голосом прибавила Катя, и глаза ее сверкнули дикою злобой.

— Брат совсем не ожидал, — пробормотал было Алеша, — он был уверен, что она не придет...

— Без сомнения. Оставим это, — отрезала она. — Слушайте: я с вами туда на похороны идти теперь не могу. Я послала им на гробик цветов. Деньги еще есть у них, кажется. Если надо будет, скажите, что в будущем я никогда их не оставлю... Ну, теперь оставьте меня, оставьте, пожалуйста. Вы уж туда опоздали, к поздней обедне звонят... Оставьте меня, пожалуйста!

ПОХОРОНЫ ИЛЮШЕЧКИ. РЕЧЬ У КАМНЯ

Действительно, он опоздал. Его ждали и даже уже решились без него нести хорошенький, разубранный цветами гробик в церковь. Это был гроб Илюшечки, бедного мальчика. Он скончался два дня спустя после приговора Мити. Алеша еще у ворот дома был встречен криками мальчиков, товарищей Илюшиных. Они все с нетерпением ждали его и обрадовались, что он наконец пришел. Всех их собралось человек двенадцать, все пришли со своими ранчиками и сумочками через плечо. «Папа плакать будет, будьте с папой», — завещал им Илюша, умирая, и мальчики это запомнили. Во главе их был Коля Красоткин.

— Как я рад, что вы пришли, Карамазов! — воскликнул он, протягивая Алеше руку. — Здесь ужасно. Право, тяжело смотреть. Снегирев не пьян, мы знаем наверно, что он ничего сегодня не пил, а как будто пьян... Я твёрд всегда, но это ужасно. Карамазов, если не задержу вас, один бы только еще вопрос, прежде чем вы войдете?

— Что такое, Коля? — приостановился Алеша.

— Невинен ваш брат или виновен? Он отца убил или лакей? Как скажете, так и будет. Я четыре ночи не спал от этой идеи.

— Убил лакей, а брат невинен, — ответил Алеша.

— И я то же говорю! — прокричал вдруг мальчик Смуров.

— Итак, он погибнет невинною жертвой за правду! — воскликнул Коля. — Хоть он и погиб, но он счастлив! Я готов ему завидовать!

— Что вы это, как это можно, и зачем? — воскликнул удивленный Алеша.

— О, если б и я мог хоть когда-нибудь принести себя в жертву за правду, — с энтузиазмом проговорил Коля.

— Но не в таком же деле, не с таким же позором, не с таким же ужасом! — сказал Алеша.

— Конечно... я желал бы умереть за всё человечество, а что до позора, то всё равно: да погибнут наши имена. Вашего брата я уважаю!

— И я тоже! — вдруг и уже совсем неожиданно выкрикнул из толпы тот самый мальчик, который когда-то объявил, что знает, кто основал Трою, и, крикнув, точно так же, как и тогда, весь покраснел до ушей, как пион.

Алеша вошел в комнату. В голубом, убранном белым рюшем гробе лежал, сложив ручки и закрыв глазки, Илюша. Черты исхудалого лица его совсем почти не изменились, и, странно, от трупа почти не было запаху. Выражение лица было серьезное и как бы задумчивое. Особенно хороши были руки, сложенные накрест, точно вырезанные из мрамора. В руки ему вложили цветов, да и весь гроб был уже убран снаружи и снутри цветами, присланными чем свет от Лизы Хохлаковой. Но прибыли и еще цветы от Катерины Ивановны, и когда Алеша отворил дверь, штабс-капитан с пучком цветов в дрожащих руках своих обсыпал ими снова своего дорогого мальчика. Он едва взглянул на вошедшего Алешу, да и ни на кого не хотел глядеть, даже на плачущую помешанную жену свою, свою «мамочку», которая всё старалась приподняться на свои больные ноги и заглянуть поближе на своего мертвого мальчика. Ниночку же дети приподняли с ее стулом и придвинули вплоть к гробу. Она сидела, прижавшись к нему своею головой, и тоже, должно быть, тихо плакала. Лицо Снегирева имело вид оживленный, но как бы растерянный, а вместе с тем и ожесточенный. В жестах его, в вырывавшихся словах его было что-то полоумное. «Батюшка, милый батюшка!» — восклицал он поминутно, смотря на Илюшу. У него была привычка, еще когда Илюша был в живых, говорить ему ласкаючи: «Батюшка, милый батюшка!»

— Папочка, дай и мне цветочков, возьми из его ручки, вот этот беленький, и дай! — всхлипывая попросила помешанная «мамочка». Или уж ей так понравилась маленькая беленькая роза, бывшая в руках Илюши, или то, что она из его рук захотела взять цветок на память, но она вся так и заметалась, протягивая за цветком руки.

— Никому не дам, ничего не дам! — жестокосердно воскликнул Снегирев. — Его цветочки, а не твои. Всё его, ничего твоего!

— Папа, дайте маме цветок! — подняла вдруг свое смоченное слезами лицо Ниночка.

— Ничего не дам, а ей пуще не дам! Она его не любила. Она у него тогда пушечку отняла, а он ей подарил, — вдруг в голос прорыдал штабс-капитан при воспоминании о том, как Илюша уступил тогда свою пушечку маме. Бедная помешанная так и залилась вся тихим плачем, закрыв лицо руками. Мальчики, видя, наконец, что отец не выпускает гроб от себя, а между тем пора нести, вдруг обступили гроб тесною кучкой и стали его подымать.

— Не хочу в ограде хоронить! — возопил вдруг Снегирев, — у камня похороню, у нашего камушка! Так Илюша велел. Не дам нести!

Он и прежде, все три дня говорил, что похоронит у камня; но вступились Алеша, Красоткин, квартирная хозяйка, сестра ее, все мальчики.

— Вишь, что выдумал, у камня поганого хоронить, точно бы удавленника, — строго проговорила старуха хозяйка. — Там в ограде земля со крестом. Там по нем молиться будут. Из церкви пение слышно, а дьякон так чисторечиво и словесно читает, что всё до него кажный раз долетит, точно бы над могилкой его читали.

Штабс-капитан замахал наконец руками: «Несите, дескать, куда хотите!» Дети подняли гроб, но, пронося мимо матери, остановились пред ней на минутку и опустили его, чтоб она могла с Илюшей проститься. Но увидав вдруг это дорогое личико вблизи, на которое все три дня смотрела лишь с некоторого расстояния, она вдруг вся затряслась и начала истерически дергать над гробом своею седою головой взад и вперед.

— Мама, окрести его, благослови его, поцелуй его, — прокричала ей Ниночка. Но та, как автомат, всё дергалась своею головой и безмолвно, с искривленным от жгучего горя лицом, вдруг стала бить себя кулаком в грудь. Гроб понесли дальше. Ниночка в последний раз прильнула губами к устам покойного брата, когда проносили мимо нее. Алеша, выходя из дому, обратился было к квартирной хозяйке с просьбой присмотреть за оставшимися, но та и договорить не дала:

— Знамо дело, при них буду, христиане и мы тоже. — Старуха, говоря это, плакала.

Нести до церкви было недалеко, шагов триста, не более. День стал ясный, тихий; морозило, но немного. Благовестный звон еще раздавался. Снегирев суетливо и растерянно бежал за гробом в своем старについком, коротеньком, почти летнем пальтишке, с непокрытою головой и с старою, широкополою, мягкою шляпой в руках. Он был в какой-то неразрешимой заботе, то вдруг протягивал руку, чтоб поддержать изголовье гроба, и только мешал несущим, то забегал сбоку и искал, где бы хоть тут пристроиться. Упал один цветок на снег, и он так и бросился подымать его, как будто от потери этого цветка бог знает что зависело.

— А корочку-то, корочку-то забыли, — вдруг воскликнул он в страшном испуге. Но мальчики тотчас напомнили ему, что корочку хлебца он уже захватил еще давеча и что она у него в кармане. Он мигом выдернул ее из кармана и, удостоверившись, успокоился.

— Илюшечка велел, Илюшечка, — пояснил он тотчас Алеше, — лежал он ночью, а я подле сидел, и вдруг приказал: «Папочка, когда засыплют мою могилку, покроши на ней корочку хлеба, чтоб воробушки прилетали, я услышу, что они прилетели, и мне весело будет, что я не один лежу».

— Это очень хорошо, — сказал Алеша, — надо чаще носить.

— Каждый день, каждый день! — залепетал штабс-капитан, как бы весь оживившись.

Прибыли наконец в церковь и поставили посреди ее гроб. Все мальчики обступили его кругом и чинно простояли так всю службу. Церковь была древняя и довольно бедная, много икон стояло совсем без окладов, но в таких церквах как-то лучше молишься. За обедней Снегирев как бы несколько попритих, хотя временами все-таки прорывалась в нем та же бессознательная и как бы сбитая с толку озабоченность: то он подходил к гробу оправлять покров, венчик, то, когда упала одна свечка из подсвечника, вдруг бросился вставлять ее и ужасно долго с ней провозился. Затем уже успокоился и стал смирно у изголовья с тупо-озабоченным и как бы недоумевающим лицом. После Апостола он вдруг шепнул стоявшему подле его Алеше, что Апостола *не так* прочитали, но мысли своей, однако, не разъяснил. За Херувимской принялся было подпевать, но не докончил и, опустившись на колена, прильнул лбом к каменному церковному полу и пролежал так довольно долго. Наконец приступили к отпеванию, роздали свечи. Обезумевший отец засуетился было опять, но умилительное, потрясающее надгробное пение пробудило и сотрясло его душу. Он как-то вдруг весь съежился и начал часто, укороченно рыдать, сначала тая голос, а под конец громко всхлипывая. Когда же стали прощаться и накрывать гроб, он обхватил его руками, как бы не давая накрыть Илюшечку, и начал часто, жадно, не отрываясь целовать в уста своего мертвого мальчика. Его наконец уговорили и уже свели было со ступеньки, но он вдруг стремительно протянул руку и захватил из гробика несколько цветков. Он смотрел на них, и как бы новая какая идея осенила его, так что о главном он словно забыл на минуту. Мало-помалу он как бы впал в задумчивость и уже не сопротивлялся, когда подняли и понесли гроб к могилке. Она была недалеко, в ограде, у самой церкви, дорогая; заплатила за нее Катерина Ивановна. После обычного обряда могильщики гроб опустили. Снегирев до того нагнулся, с своими цветочками в руках, над открытою могилой, что мальчики, в испуге, уцепились за его пальто и стали тянуть его назад. Но он как бы уже не понимал хорошо, что совершается. Когда стали засыпать могилу, он вдруг озабоченно стал указывать на валившуюся землю и начинал даже что-то говорить, но разобрать никто ничего не мог, да и он сам вдруг утих. Тут напомнили ему, что надо покрошить корочку, и он ужасно заволновался, выхватил корку и начал щипать ее, разбрасывая по могилке кусочки: «Вот и прилетайте, птички, вот и прилетайте, воробушки!» — бормотал он озабоченно. Кто-то из мальчиков заметил было ему, что с цветами в руках ему неловко щипать и чтоб он на время дал их кому подержать. Но он не дал, даже вдруг испугался за свои цветы, точно их хотели у него совсем отнять, и, поглядев па могилку и как бы удостоверившись, что всё уже сделано, кусочки покрошены, вдруг неожиданно и совсем даже спокойно повернулся и побрел домой. Шаг его, однако, становился всё чаще и утопленнее, он спешил, чуть не бежал. Мальчики и Алеша от него не отставали.

— Мамочке цветочков, мамочке цветочков! Обидели мамочку, — начал он вдруг восклицать. Кто-то крикнул ему, чтоб он надел шляпу, а то теперь холодно, но, услышав, он как бы в злобе шваркнул шляпу на снег и стал приговаривать: «Не хочу шляпу, не хочу шляпу!» Мальчик Смуров поднял ее и понес за ним. Все мальчики до единого плакали, а пуще всех Коля и мальчик, открывший Трою, и хоть Смуров, с капитанскою шляпой в руках, тоже ужасно как плакал, но успел-таки, чуть не на бегу, захватить обломок кирпичика, красневший на снегу дорожки, чтоб метнуть им в быстро пролетевшую стаю воробушков. Конечно, не попал и продолжал бежать плача. На половине дороги Снегирев внезапно остановился, постоял с полминуты как бы чем-то пораженный и вдруг, поворотив назад к церкви, пустился бегом к оставленной могилке. Но мальчики мигом догнали его и уцепились за него со всех сторон. Тут он, как в бессилии, как сраженный, пал на снег и, биясь, вопия и рыдая, начал выкрикивать: «Батюшка, Илюшечка, милый батюшка!» Алеша и Коля стали поднимать его, упрашивать и уговаривать.

— Капитан, полноте, мужественный человек обязан переносить, — бормотал Коля.

— Цветы-то вы испортите, — проговорил и Алеша, — а «мамочка» ждет их, она сидит плачет, что вы давеча ей не дали цветов от Илюшечки. Там постелька Илюшина еще лежит...

— Да, да, к мамочке! — вспомнил вдруг опять Снегирев. — Постельку уберут, уберут! — прибавил он как бы в испуге, что и в самом деле уберут, вскочил и опять побежал домой. Но было уже недалеко, и все прибежали вместе. Снегирев стремительно отворил дверь и завопил жене, с которою давеча так жестокосердно поссорился.

— Мамочка, дорогая, Илюшечка цветочков тебе прислал, ножки твои больные! — прокричал он, протягивая ей пучочек цветов, померзших и поломанных, когда он бился сейчас об снег. Но в это самое мгновение увидел он перед постелькой Илюши, в уголку, Илюшины сапожки, стоявшие оба рядышком, только что прибранные хозяйкой квартиры, — старенькие, порыжевшие, заскорузлые сапожки, с заплатками. Увидав их, он поднял руки и так и бросился к ним, пал на колени, схватил один сапожок и, прильнув к нему губами, начал жадно целовать его, выкрикивая: «Батюшка, Илюшечка, милый батюшка, ножки-то твои где?»

— Куда ты его унес? Куда ты его унес? — раздирающим голосом завопила помешанная. Тут уж зарыдала и Ниночка. Коля выбежал из комнаты, за ним стали выходить и мальчики. Вышел наконец за ними и Алеша. «Пусть переплачут, — сказал он Коле, — тут уж конечно нельзя утешать. Переждем минутку и воротимся».

— Да, нельзя, это ужасно, — подтвердил Коля. — Знаете, Карамазов, — понизил он вдруг голос, чтоб никто не услышал, — мне очень грустно, и если б только можно было его воскресить, то я бы отдал всё на свете!

— Ах, и я тоже, — сказал Алеша.

— Как вы думаете, Карамазов, приходить нам сюда сегодня вечером? Ведь он напьется.

— Может быть, и напьется. Придем мы с вами только вдвоем, вот и довольно, чтоб посидеть с ними часок, с матерью и с Ниночкой, а если все придем разом, то им опять всё напомним, — посоветовал Алеша.

— Там у них теперь хозяйка стол накрывает, — эти поминки, что ли, будут, поп придет; возвращаться нам сейчас туда, Карамазов, иль нет?

— Непременно, — сказал Алеша.

— Странно всё это, Карамазов, такое горе, и вдруг какие-то блины, как это всё неестественно по нашей религии!

— У них там и семга будет, — громко заметил вдруг мальчик, открывший Трою.

— Я вас серьезно прошу, Карташов, не вмешиваться более с вашими глупостями, особенно когда с вами не говорят и не хотят даже знать, есть ли вы на свете, — раздражительно отрезал в его сторону Коля. Мальчик так и вспыхнул, но ответить ничего не осмелился. Между тем все тихонько брели по тропинке, и вдруг Смуров воскликнул:

— Вот Илюшин камень, под которым его хотели похоронить!

Все молча остановились у большого камня. Алеша посмотрел, и целая картина того, что Снегирев рассказывал когда-то об Илюшечке, как тот, плача и обнимая отца, восклицал: «Папочка, папочка, как он унизил тебя!» — разом представилась его воспоминанию. Что-то как бы сотряслось в его душе. Он с серьезным и важным видом обвел глазами все эти милые, светлые лица школьников, Илюшиных товарищей, и вдруг сказал им:

— Господа, мне хотелось бы вам сказать здесь, на этом самом месте, одно слово.

Мальчики обступили его и тотчас устремили на него пристальные, ожидающие взгляды.

— Господа, мы скоро расстанемся. Я теперь пока несколько времени с двумя братьями, из которых один пойдет в ссылку, а другой лежит при смерти. Но скоро я здешний город покину, может быть очень надолго. Вот мы и расстанемся, господа. Согласимся же здесь, у Илюшина камушка, что не будем никогда забывать — во-первых, Илюшечку, а во-вторых, друг об друге. И что бы там ни случилось с нами потом в жизни, хотя бы мы и двадцать лет потом не встречались, — все-таки будем помнить о том, как мы хоронили бедного мальчика, в которого прежде бросали камни, помните, там у мостика-то? — а потом так все его полюбили. Он был славный мальчик, добрый и храбрый мальчик, чувствовал честь и горькую обиду отцовскую, за которую и восстал. Итак, во-первых, будем помнить его, господа, во всю нашу жизнь. И хотя бы мы были заняты самыми важными делами, достигли почестей или впали бы в какое великое несчастье — всё равно не забывайте никогда, как нам было раз здесь хорошо, всем сообща, соединенным таким хорошим и добрым чувством, которое и нас сделало на это время любви нашей к бедному мальчику, может быть, лучшими, чем мы есть в самом деле. Голубчики мои, — дайте я вас так назову — голубчиками, потому что вы все очень похожи на них, на этих хорошеньких сизых птичек, теперь, в эту минуту, как я смотрю на ваши добрые, милые лица, — милые мои деточки, может быть, вы не поймете, что я вам скажу, потому что я говорю часто очень непонятно, но вы все-таки запомните и потом когда-нибудь согласитесь с моими словами. Знайте же, что ничего нет выше, и сильнее, и здоровее, и полезнее впредь для жизни, как хорошее какое-нибудь воспоминание, и особенно вынесенное еще из детства, из родительского дома. Вам много говорят про воспитание ваше, а вот какое-нибудь этакое прекрасное, святое воспоминание, сохраненное с детства, может быть, самое лучшее воспитание и есть. Если много набрать таких воспоминаний с собою в жизнь, то спасен человек на всю жизнь. И даже если и одно только хорошее воспоминание при нас останется в нашем сердце, то и то может послужить когда-нибудь нам во спасение. Может быть, мы станем даже злыми потом, даже пред дурным поступком устоять будем не в силах, над слезами человеческими будем смеяться и над теми людьми, которые говорят, вот как давеча Коля воскликнул: «Хочу пострадать за всех людей», — и над этими людьми, может быть, злобно издеваться будем. А все-таки как ни будем мы злы, чего не дай Бог, но как вспомним про то, как мы хоронили Илюшу, как мы любили его в последние дни и как вот сейчас говорили так дружно и так вместе у этого камня, то самый жестокий из нас человек и самый насмешливый, если мы такими сделаемся, все-таки не посмеет внутри себя посмеяться над тем, как он был добр и хорош в эту теперешнюю минуту! Мало того, может быть, именно это воспоминание одно его от великого зла удержит, и он одумается и скажет: «Да, я был тогда добр, смел и честен». Пусть усмехнется про себя, это ничего, человек часто смеется над добрым и хорошим; это лишь от легкомыслия; но уверяю вас, господа, что как усмехнется, так тотчас же в сердце скажет: «Нет, это я дурно сделал, что усмехнулся, потому что над этим нельзя смеяться!»

— Это непременно так будет, Карамазов, я вас понимаю, Карамазов! — воскликнул, сверкнув глазами, Коля. Мальчики заволновались и тоже хотели что-то воскликнуть, но сдержались, пристально и умиленно смотря на оратора.

— Это я говорю на тот страх, что мы дурными сделаемся, — продолжал Алеша, — но зачем нам и делаться дурными, не правда ли, господа? Будем, во-первых и прежде всего, добры, потом честны, а потом — не будем никогда забывать друг об друге. Это я опять-таки повторяю. Я слово вам даю от себя, господа, что я ни одного из вас не забуду; каждое лицо, которое на меня теперь, сейчас, смотрит, припомню, хоть бы и чрез тридцать лет. Давеча вот Коля сказал Карташову, что мы будто бы не хотим знать, «есть он или нет на свете?». Да разве я могу забыть, что Карташов есть на свете и что вот он не краснеет уж теперь, как тогда, когда Трою открыл, а смотрит на меня своими славными, добрыми, веселыми глазками. Господа, милые мои господа, будем все великодушны и смелы, как Илюшечка, умны, смелы и великодушны, как Коля (но который будет гораздо умнее, когда подрастет), и будем такими же стыдливыми, но умненькими и милыми, как Карташов. Да чего я говорю про них обоих! Все вы, господа, милы мне отныне, всех вас заключу в мое сердце, а вас прошу заключить и меня в ваше сердце! Ну, а кто нас соединил в этом добром хорошем чувстве, об котором мы теперь всегда, всю жизнь вспоминать будем и вспоминать намерены, кто как не Илюшечка, добрый мальчик, милый мальчик, дорогой для нас мальчик на веки веков! Не забудем же его никогда, вечная ему и хорошая память в наших сердцах, отныне и во веки веков!

— Так, так, вечная, вечная, — прокричали все мальчики своими звонкими голосами, с умиленными лицами.

— Будем помнить и лицо его, и платье его, и бедненькие сапожки его, и гробик его, и несчастного грешного отца его, и о том, как он смело один восстал на весь класс за него!

— Будем, будем помнить! — прокричали опять мальчики, — он был храбрый, он был добрый!

— Ах, как я любил его! — воскликнул Коля.

— Ах, деточки, ах, милые друзья, не бойтесь жизни! Как хороша жизнь, когда что-нибудь сделаешь хорошее и правдивое!

— Да, да, — восторженно повторили мальчики.

— Карамазов, мы вас любим! — воскликнул неудержимо один голос, кажется Карташова.

— Мы вас любим, мы вас любим, — подхватили и все. У многих сверкали на глазах слезинки.

— Ура Карамазову! — восторженно провозгласил Коля.

— И вечная память мертвому мальчику! — с чувством прибавил опять Алеша.

— Вечная память! — подхватили снова мальчики.

— Карамазов! — крикнул Коля, — неужели и взаправду религия говорит, что мы все встанем из мертвых, и оживем, и увидим опять друг друга, и всех, и Илюшечку?

— Непременно восстанем, непременно увидим и весело, радостно расскажем друг другу всё, что было, — полусмеясь, полу в восторге ответил Алеша.

— Ах, как это будет хорошо! — вырвалось у Коли.

— Ну, а теперь кончим речи и пойдемте на его поминки. Не смущайтесь, что блины будем есть. Это ведь старинное, вечное, и тут есть хорошее, — засмеялся Алеша. — Ну пойдемте же! Вот мы теперь и идем рука в руку.

— И вечно так, всю жизнь рука в руку! Ура Карамазову! — еще раз восторженно прокричал Коля, и еще раз все мальчики подхватили его восклицание.

1879—1880

ПРИМЕЧАНИЯ

С. 5. *Посвящается Анне Григорьевне Достоевской.* — Анна Григорьевна Достоевская (урожденная Сниткина; 1846—1918) — с 1867 г. вторая жена Достоевского.

С. 10. *...пленной мысли раздражением.* — Неточная цитата из стихотворения М. Ю. Лермонтова «Не верь себе» (1839).

С. 13. *...и Прудона и Бакунина...* — Пьер-Жозеф Прудон (1809—1865) — французский социолог, экономист, социалист-утопист анархического толка. Михаил Александрович Бакунин (1814—1876) — русский революционер-народник, теоретик анархизма.

С. 14. *...достигнет совершенных лет...* — По русскому законодательству совершеннолетие наступало в 21 год.

С. 20. *...вопрос о церковном суде.* — Этот вопрос возник в 1864 г. в связи с общей судебной реформой. По поводу реорганизации церковного суда в печати поднялась полемика, которая продолжалась и в 1870-е годы. Одни («гражданственники») настаивали на укреплении государственного начала в церковном суде, другис («церковники») — на всецелом подчинении этого суда духовенству.

С. 30. *Il faudrait les inventer, эти крючья, для меня нарочно...* — Ироническая перефразировка известного высказывания Вольтера: «Если бы Бога не было, его следовало бы выдумать».

Это как один француз описывал ад: «J'ai vu l'ombre d'un cocher, qu' avec l'ombre d'une brosse frottait l'ombre d'une carrosse». — Несколько переиначенные стихи из пародии на VI песнь «Энеиды», написанные братьями Клодом, Шарлем и Никола Перро и их другом Бореном около 1648 г.

С. 33. *...после покорения Константинополя...* — Константинополь (древнерусское — Цареград, ныне — Стамбул) был захвачен турецким султаном Магометом II в 1453 г.

С. 44. *На фон Зона похож...* — См. ниже примеч. к с. 103.

С. 47. *...еще задолго до раскола.* — Раскол (старообрядство, староверие) — течение, возникшее в середине XVII в. как протест против новшеств патриарха Никона (1605—1681), которые заключались в исправлении церковных книг и некоторых церковных обычаев и обрядов.

С. 49. *«Господин исправник, будьте, говорю, нашим, так сказать, Направником!»* — Эдуард Францевич Направник (1839—1916) — русский композитор и дирижер Петербургской оперы.

С. 50. *...философ Дидерот.* — Дени Дидро (1713—1784) — французский писатель и философ-материалист.

Княгиня Дашкова была восприемницей, а Потемкин крестным отцом... — Екатерина Романовна Дашкова (1743—1810) — ближайшая помощница Екатерины II в дворцовом перевороте 1762 г. Была в ее царствование президентом Российской академии, встречалась с Дидро. Григорий Александрович Потемкин (1739—1791) — русский военный и государственный деятель, фаворит Екатерины II.

С. 64. *...гантированную ручку.* — Гантированная (от *фр.* gant — перчатка) — в перчатке.

С. 66. *...и только «вырастет лопух на могиле»...* — Имеются в виду слова Базарова в романе И. С. Тургенева «Отцы и дети» (1862).

С. 72. *Чистейшее ультрамонтанство! ...Э, да у нас и гор-то нету!..* — Каламбур основан на буквальном восприятии слова «ультрамонтанство» (от *лат.* ultra montis — буквально: за горами). Ультрамонтанство — возникшее в XV в. течение в католической церкви, сторонники которого стремились целиком подчинить Церковь Папе Римскому, отстаивая его право на вмешательство в светские дела любого государства. В XIX в. ультрамонтанство особенно распространилось в качестве противовеса революционному движению.

С. 73. *Когда же римское языческое государство возжелало стать христианским...* — Христианство сделалось государственной религией Римской империи в начале IV в. В 325 г. на Никейском вселенском соборе был выработан Символ веры — свод догматов христианской религии — и оформлен союз Церкви с государственной, светской властью.

С. 77. *В Риме же так уж тысячу лет вместо церкви провозглашено государство.* — Папская, или Церковная, область (столица — Рим) возникла в 756 г. и в виде особого теократического государства существовала до 1870 г. Достоевский утверждал, что католическая Церковь строится на «государственной» основе власти и подчинения.

С. 78. *Это папе Григорию Седьмому не мерещилось!* — Григорий VII — Папа Римский в 1073—1085 гг., считавший власть Папы безграничной, стремился поставить себя (и своих преемников) во главе церковной и светской иерархии.

С. 79. *...вскоре после декабрьского переворота...* — Переворот, совершенный 2 декабря 1851 г. Луи Наполеоном Бонапартом (1808—1873), объявившим себя императором.

С. 82. *...даже антропофагия.* — Антропофагия — людоедство.

С. 85. *...имевшего Анну с мечами на шее...* — С 1855 г. к ордену св. Анны, как и к другим орденам, жалуемым за военные заслуги, стали присоединять изображение двух накрест лежащих мечей.

С. 88. *Она, может быть, в юности пала, заеденная средой...* — Достоевский не принимал теории, согласно которой человек есть продукт социальной среды и обстоятельств и которая, по мнению писателя, снимает с человека нравственную ответственность.

С. 89. *...все-таки вы родственник, как ни финтите, по святцам докажу...* — Святцы — список христианских святых и праздников в календарном порядке на двенадцать месяцев года. По ним нельзя доказать родства.

С. 90. *...после такого эскапада...* — Эскапада (*фр.* escapade — проказа, шалость) — здесь: выходка.

С. 103. *...знаете вы, что такое фон Зон?* — Дело об убийстве фон Зона разбиралось в Петербургском окружном суде 28 и 29 марта 1870 г. Фон Зона заманили в притон в центре Петербурга, зверски убили и ограбили.

С. 104. *...в хлыстовщину втянешься...* — Хлысты — одна из самых мрачных, изуверских сект, возникшая в России в XVII в.

С. 106. *...на семи соборах проклинали...* — Из вселенских Соборов (съездов высшего духовенства христианской Церкви) православная Церковь признает семь первых. Начиная с первого Собора, на котором было осуждено как ересь арианство, почти на каждом из них кто-нибудь подвергался проклятию и осуждению.

Те-те-те, вознепщеваху! и прочая галиматья! Непщуйте, отцы, а я пойду. — Непщевать (*др.-русск.*) — думать, полагать, рассуждать; не обращать внимания.

С. 122. *Не верь фантому.* — Фантом (*фр.* fantôme) — призрак, видение. Здесь: не верь тому, что видишь.

Не верь толпе пустой и лживой, // Забудь сомнения свои... — Строки из стихотворения Н. А. Некрасова «Когда из мрака заблужденья...» (1846).

С. 123. *...он попался ко мне, как золотая рыбка старому дурню рыбаку в сказке.* — Имеется в виду «Сказка о рыбаке и рыбке» (1833) А. С. Пушкина.

С. 124. *Будь, человек, благороден!* — Цитата из стихотворения Гете «Божественное» (1783) в переводе А. Струговщикова.

И Силен румянорожий // На споткнувшемся осле... — заключительные строки стихотворения А. Н. Майкова «Барельеф» (1842). Силен — спутник Вакха, бога вина и плодородия в греческой мифологии.

Робок, наг и дик скрывался... — Свою исповедь Митя начинает стихотворением Ф. Шиллера «Элевзинский праздник» (1798), цитируя вторую, третью, четвертую строфы в переводе В. А. Жуковского.

С. 125. *Чтоб из низости душою...* — Первая половина седьмой строфы стихотворения «Элевзинский праздник» в том же переводе.

С. 126. *Душу божьего творенья...* — из гимна Ф. Шиллера «К радости» (1785) в переводе Ф. И. Тютчева, сначала седьмая, затем пятая строфы.

С. 128. *...цветочки польдекоковские...* — Поль де Кок (1793— 1871) — популярный в России XIX века французский романист.

С. 129. *...в этом баталионе, в линейном...* — Линейный батальон — батальон пограничных войск.

С. 147. *...три радужные бумажки...* — Радужная — сторублевая.

С. 148. *...услышал от него об одном русском солдате...* — Речь идет об унтер-офицере 2-го Туркестанского батальона Фоме Данилове, взятом в плен кипчаками и погибшем в Маргелане 21 ноября 1875 г.

С. 155. *Каковы маркизы де Сады, а?* — Маркиз де Сад — литературное имя французского писателя Донасьена Альфонса Франсуа, маркиза де Сада (1740—1814), автора произведений, изображающих утонченный разврат и жестокость.

С. 157. *...il y a du Piron là-dedans.* — Алексис Пирон (1689— 1773) — французский поэт и драматург, который своими произведениями приобрел репутацию скабрезного писателя.

С. 181. *...всех четырех стран света, пяти то есть!* — Митя путает страны (север, юг, восток, запад) и части света, которых в XIX в. насчитывали пять: Европа, Азия, Африка, Америка, Австралия.

С. 193. *...в Лаодикии собор... тако глаголет...* — В Лаодикии, городе в Малой Азии в 360 или 370 г. состоялся церковный собор, правила которого вошли в состав церковного канона.

С. 195. *Ободняв уже в монастыре...* — Ободнять (*обл.*) — слово означает полное наступление дня. Здесь: попривыкнув, осмотревшись.

С. 206. *Монах в гарнитуровых штанах!* — Искаженное — гродетуровый; гродетур — легкая шелковая ткань.

С. 222. *Den Dank, Dame, begehr ich nicht...* — Цитата из баллады Ф. Шиллера «Перчатка» (1797).

С. 229. *...стал говорить словоерсами.* — Словоерс — звук «с», прибавлявшийся иногда в конце слов в знак почтения к собеседнику.

С. 232. *И ничего во всей природе // Благословить он не хотел.* — Цитата из стихотворения А. С. Пушкина «Демон» (1823).

С. 259. *В двенадцатом году было на Россию великое нашествие императора Наполеона французского первого, отца нынешнему...* — Наполеон I (1769—1821) был не отцом Наполеона III (1808—1873), о котором говорит Смердяков, а дядей.

С. 266. *...сохранить «оттенок благородства»...* — Неточная цитата из эпиграммы А. С. Пушкина «Сказали раз царю...» (1825). «Льстецы, льстецы! старайтесь сохранить // И в подлости осанку благородства».

С. 269. *...был один старый грешник в восемнадцатом столетии...* — Имеется в виду Вольтер; фраза, цитируемая Иваном, встречается в его послании CXI, озаглавленном «Автору новой книги о трех самозванцах» (1769).

С. 272. *Я читал вот как-то и где-то про «Иоанна Милостивого»...* — Эпизод, рассказанный Иваном, взят из «Легенды о св. Юлиане Милостивом» (1876) Гюстава Флобера.

С. 277. *У Некрасова есть стихи о том, как мужик сечет лошадь... «по кротким глазам».* — Имеется в виду стихотворение

Н. А. Некрасова «До сумерек» из цикла «О погоде. Уличные впечатления» (1859).

И вот интеллигентный образованный господин и его дама секут собственную дочку... — Имеется в виду дело С. Л. Кронеберга, по поводу которого Достоевский выступил в «Дневнике писателя» за 1876 г.

Нанимается адвокат. — В деле Кронеберга адвокатом был В. Д. Спасович (1829—1906).

Девчоночку маленькую, пятилетнюю, возненавидели отец и мать... — Имеется в виду дело Евгении и Александра Брунст, обвинявшихся в 1879 г. в истязании пятилетней дочери.

С. 279. *...в «Архиве», в «Старине», что ли...* — Имеются в виду журналы «Русский архив» (1863—1917) и «Русская старина» (1870—1918). Рассказ о мальчике, затравленном собаками, был помещен в журнале «Русский вестник» (1877, № 9).

...и да здравствует освободитель народа! — Имеется в виду Александр II (1818—1881), в печати названный «освободителем» за отмену крепостного права (1861).

С. 280. *Люди сами, значит, виноваты: им дан был рай, они захотели свободы и похитили огонь с небеси...* — Объединены два сюжета: библейский — о грехопадении первых людей, утративших данный им было рай, и античный — о титане Прометее, похитившем для людей небесный огонь.

С. 283—284. *В «Notre Dame de Paris» у Виктора Гюго... свой bon jugement.* — В начале романа «Собор Парижской богоматери» (1831) описывается народный праздник в Париже XV в., на котором дается представление — мистерия о «милосердном суде» Девы Марии.

С. 283. *...в честь рождения французского дофина...* — В «Соборе Парижской богоматери» говорится не о дне рождения дофина (наследника престола), а о приезде фламандских посланников, желавших устроить брак между дофином и Маргаритой Фландрской.

С. 284. *...ходило тогда много повестей и «стихов»...* — Имеются в виду анонимные повести и стихи религиозного содержания, не признаваемые Церковью, но чрезвычайно распространенные на западе и востоке Европы в течение всего Средневековья.

Есть, например, одна монастырская поэмка (конечно, с греческого): «Хождение Богородицы по мукам», с картинами и со смелостью не ниже дантовских. — «Хождение Богородицы по мукам» — одно из популярных сказаний византийского происхождения, рано проникшее на Русь.

С. 285. *Верь тому, что сердце скажет, // Нет залогов от небес.* — Цитата из стихотворения Ф. Шиллера «Желание» (1801) в переводе В. А. Жуковского.

Как раз явилась тогда на севере, в Германии, страшная новая ересь. — Имеется в виду Реформация — широкое антифеодальное движение, принявшее форму борьбы с католической Церковью и в XVI в. охватившее большинство стран Западной Европы.

Удрученный ношей крестной... — заключительная строфа стихотворения Ф. И. Тютчева «Эти бедные селенья...» (1855).

В великолепных автодафе // Сжигали злых еретиков. — Несколько переиначенные строки из поэмы А. И. Полежаева «Кориолан» (1834, опубл. полн. 1857).

С. 286. *...ad majorem gloriam Dei.* — Девиз ордена иезуитов, учрежденного в XVI в. испанцем Игнатием Лойолой (1491—1556).

С. 287. *...горячая и «бездыханная» севильская ночь. Воздух «лавром и лимоном пахнет».* — Измененная цитата из трагедии А. С. Пушкина «Каменный гость» (1826—1830; сц. 2): «Недвижим теплый воздух, ночь лимоном // И лавром пахнет...»

С. 290. *...великий дух говорил с тобой в пустыне...* — Имеется в виду евангельский рассказ об искушении Христа дьяволом.

С. 295. *Великий пророк твой в видении и в иносказании говорит...* — Имеется в виду Иоанн Богослов, автор Апокалипсиса, который часто здесь цитируется.

С. 302. *...даже у масонов есть что-нибудь вроде этой же тайны в основе их...* — Масоны или франкмасоны (от *фр.* franc-maçon — вольный каменщик) — члены тайного союза, оформившегося в XVIII в. в Англии и затем распространившегося по всем странам. Деятельность масонов, стремившихся к созданию («строительству») новой религии, с помощью которой можно бы было подчинить себе весь мир, была окружена строжайшей тайной как от инакомыслящих, так и внутри масонской иерархии — среди масонов разных степеней.

...на «темные стогна града» (1828). — Неточная цитата из стихотворения А. С. Пушкина «Воспоминание». Стогна — площади, улицы города.

С. 304. *...к твоему Pater Seraphicus...* — Намек на Франциска Ассизского (1181 или 1182—1226), итальянского проповедника, основателя ордена францисканцев. Имя Pater Seraphicus (отец серафический) по отношению к св. Франциску, принятое католической Церковью, восходит к легендарным фактам его жития — видению Христа в облике серафима, которое однажды посетило Франциска.

С. 310. *...своим слугой Личардой при них состоять.* — Личарда — слуга короля Гвидона в переводной «Повести о Бове-Королевиче», получившей хождение на Руси не позднее середины XVI в. как в письменной, так и в устной форме.

С. 371. *...горе самим истребившим себя...* — Самоубийство, по понятиям христианской Церкви, — один из самых тягчайших грехов. Приравнивая самоубийц к язычникам или еретикам, церковь запрещает погребать их по тем же обрядам, что и прочих.

С. 434. *«Отелло не ревнив, он доверчив»,*— заметил Пушкин... — неточная цитата из заметок А. С. Пушкина 1830-х гг. «Table-talk» («Застольные разговоры»).

С. 440. *Довольно! как сказал Тургенев.* — «Довольно. Отрывок из записок умершего художника» (1865) — повесть И. С. Тургенева, которую Достоевский ранее уже пародировал в романе «Бесы» (1871—1872).

С. 442. *Я написала... писателю Щедрину...* — Полемика Достоевского с М. Е. Салтыковым-Щедриным началась в 1860-е гг.

В ответ на ироническое упоминание своего имени в «Братьях Карамазовых» Щедрин возразил Достоевскому в «Отечественных записках» за 1879 г. (статьи «Первое октября», «Первое ноября. — Первое декабря»).

...да и слово «современная» напомнило бы им «Современник»... — «Современник» — литературный и общественно-политический журнал, основанный в 1836 г. А. С. Пушкиным и ставший в 1840— 1860-х гг. органом русской революционной демократии. Выпад Достоевского против Щедрина и «Современника», в котором активно сотрудничал и который одно время редактировал Щедрин, служит поздним отголоском ожесточенной полемики этого журнала с журналами братьев Достоевских «Время» (1861—1863) и «Эпоха» (1864—1865).

С. 446. *«И только шепчет тишина...»* — Неточная цитата из «Руслана и Людмилы» (1820) А. С. Пушкина: «И мнится... шепчет тишина...»

С. 458. *Легковерен женский нрав, // И изменчив, и порочен.* — Цитата из стихотворения Ф. И. Тютчева «Поминки (Из Шиллера)» (1851).

С. 463. *Помнишь Гамлета: «Мне так грустно, так грустно, Горацио... Ах, бедный Иорик!»* — Имеется в виду сцена I из пятого действия трагедии Шекспира «Гамлет» (1601).

С. 464. *Еще последнее сказанье и...* — Неточная цитата из трагедии А. С. Пушкина «Борис Годунов» (1824—1825).

С. 472. *Храмовой праздник* — праздник в честь святого или события, которому посвящен храм.

С. 481. *...там есть помещик Максимов, которого высек Ноздрев...* — Имеется в виду заключительный эпизод IV главы поэмы Н. В. Гоголя «Мертвые души» (1842).

...за нанесение помещику Максимову личной обиды розгами в пьяном виде... — Цитата из названной главы.

С. 482. *Фенарди* — известный в 1820-е гг. фокусник, имя которого упоминается в IV главе «Мертвых душ».

С. 482—483. *«Ты ль это, Буало, какой смешной наряд».* — Из эпиграммы И. А. Крылова «На перевод поэмы „L'art poétique"» (опубл. 1814).

С. 483. *Ты Сафо, я Фаон, об этом я не спорю...* — Эпиграмма К. Н. Батюшкова «Мадригал новой Сафе» (1809), первый стих которой несколько изменен.

Ci-gît Piron qui ne fut rien // Pas même académicien. — «Моя эпитафия» — двустишие Алексиса Пирона, написанное вследствие несостоявшегося выбора поэта в академики.

С. 484. *...за Россеюшку, старую бабусеньку...* — Намек на финальные строки романа И. А. Гончарова «Обрыв» (1869).

За Россию в пределах до семьсот семьдесят второго года! — При первом разделе Польши в 1772 г. собственно польские земли отошли к Австрии и Пруссии, но не к России.

С. 495. *...это у них весенние игры...* — Начиная с Масленицы, целый ряд народных весенних праздников, связанных с языческими верованиями глубокой древности, имеет самый «вакхический» характер. Игры и пляски в Мокром, происходящие в конце августа, соотносятся с весенними праздниками своим откровенным разгулом.

С. 497. *...танец саботьеру.* — Саботьера (*фр.* sabotière) — французский народный танец.

С. 501. *...«точно горячий уголь в душе»...* — Вариация известных строк из стихотворения А. С. Пушкина «Пророк» (1826, опубл. 1828).

С. 520. *«Помните того парня... что убил купца Олсуфьева...»* — Отголоски дела Зайцева, о котором сообщалось в печати в январе 1879 г.

...изготовить... сотских... — Сотский — низшее должностное лицо сельской полиции, избиравшееся сельским сходом.

С. 525. *...поражен до эпидермы...* — Эпидерма — верхний слой кожи.

С. 527. *...и искателем его с фонарем, с Диогеновым фонарем...* — Диоген Синопский (ок. 412—323 гг. до н. э.) — древнегреческий философ-киник. Согласно преданию, среди бела дня ходил с зажженным фонарем и на вопрос, зачем он делает это, отвечал: «Ищу человека».

С. 534. *«Терпи, смиряйся и молчи»...* — Неточная цитата из стихотворения Ф. И. Тютчева «Silentium!» (1830).

С. 582. *...ветер «сухой и острый»...* — Цитата из стихотворения Н. А. Некрасова «Перед дождем» (1846).

...этого своего нещечка... — Нещечко (*обл.*) — здесь: сокровище, любимое существо.

С. 583. *...задать «экстрафеферу»...* — От *нем.* extra — особый и Pfeffer — перец, т. е. распечь, дать взбучку.

С. 584. *...во время вакаций...* — Вакации (*лат.* vacatio — освобождение) — каникулы.

С. 587. *...сиверкое ноябрьское утро...* — Сиверкое (*обл.*) — здесь: холодное с сыростью.

С. 592. *Ох, дети, дети, как опасны ваши лета.* — Слегка измененное начало басни И. И. Дмитриева «Петух, кот и мышонок» (1802).

С. 605. *...выдержать на фербанте...* — На фербанте (*нем.* Verbannung — изгнание, ссылка) — на расстоянии.

С. 607. *О, все мы эгоисты, Карамазов!* — Намек на теорию разумного эгоизма, развитую Н. Г. Чернышевским в романе «Что делать?» (1862—1863).

С. 608. *...в рекреационное время...* — Рекреация (*лат.* recreatio — буквально: восстановление) — перемена, промежуток между уроками.

С. 624. *Классические языки... это полицейская мера...* — Насаждение классических языков в гимназиях реакционным министром народного просвещения Д. А. Толстым (1823—1889) было продиктовано желанием оторвать учащуюся молодежь от растущего в стране революционного движения. Вопрос о реальном и классическом образовании широко обсуждался в печати 1860—1870-х гг.

С. 626. *...можно ведь и не веруя в Бога любить человечество... Вольтер же не веровал в Бога, а любил человечество?* — Перифраза слов В. Г. Белинского в «Письме к Н. В. Гоголю» (1847).

С. 627. *Я, впрочем, «Кандида» читал...* — «Кандид, или Оптимизм» (1759) — философская повесть Вольтера, высмеивающая философию оптимизма английского просветителя А. Попа (1688—1744) и немецкого философа Г.-В. Лейбница (1646—1716).

Я социалист, Карамазов, я неисправимый социалист... — Коля повторяет слова А. И. Герцена из «Письма к императору Александру Второму», напечатанного в «Полярной звезде на 1855 г.».

...христианская вера послужила лишь богатым и знатным... — Здесь и далее варьируются слова В. Г. Белинского из «Письма к Н. В. Гоголю».

С. 628. *...место о Татьяне, зачем она не пошла с Онегиным, я читал.* — Имеется в виду статья девятая о «Сочинениях Александра Пушкина» В. Г. Белинского.

...в лапки Третьего отделения и брать уроки у Цепного моста... — III Отделение собственной его императорского величества канцелярии с 1838 г. помещалось в Петербурге у Цепного моста (ныне мост Пестеля), наб. Фонтанки, 16.

Будешь помнить здание // У Цепного моста! — Первая часть стихотворения «Послания» («Из Петербурга в Москву»), напечатанного в «Полярной звезде на 1861 г.», кн. 6. Вторая часть стихотворения (а не его начало) — «Из Москвы в Петербург» — была напечатана в № 221 «Колокола» от 1 июня 1866 г.

...один этот нумер «Колокола»... — «Колокол» — революционная газета А. И. Герцена и Н. П. Огарева, в 1857—1867 гг. печатавшаяся за границей и нелегально распространявшаяся в России.

С. 652. *Вашему Пушкину за женские ножки монумент хотят ставить...* — Еще в 1862 г. в печати был поднят вопрос о памятнике поэту. Открытие памятника состоялось 6 июня 1880 г. и сопровождалось праздничными торжествами. На одном из них (8 июня) Достоевский произнес свою речь о Пушкине.

С. 653. *Судебный аффект.* — Аффект — болезненное состояние, при котором человек перестает осознавать свои действия. По уголовному праву пореформенной России ссылка на аффект, к которой часто прибегали защитники, снижала наказание.

С. 664. *...засел за апокрифические Евангелия...* — за повествования о жизни Христа, не признаваемые Церковью.

С. 665. *Эфика. Это что такое эфика?* — Имеется в виду этика (или, *устар.*, ифика) — учение о нравственности.

...Клод Бернар. Это что такое? — Клод Бернар (1813—1878) — французский естествоиспытатель, физиолог и патолог, стремившийся найти общие принципы, руководящие жизнью животных и растений.

С. 666. *...де мыслибус non est disputandum...* — Перефразировка латинского изречения: «De gustibus non est disputandum» (О вкусах не спорят).

С. 668. *«Уж какая ж эта ножка...»* — Стихи Ракитина — насмешка Достоевского над пародией Д. Д. Минаева (1835—1889) на стихотворение А. С. Пушкина «Город пышный, город бедный...» (1828):

Я от ножек сам в угаре,
И за них-то ноет грудь;
Ведь на наших тротуарах
Их легко себе свихнуть...

С. 672. ...*последний кодрант.* — Кодрант — мелкая медная римская монета.

С. 721. *Вот, например, спириты...* — Спириты (от *лат.* spiritus — дух) — лица, признающие загробную жизнь духов умерших и возможность общения с ними. Достоевский не раз полемизировал со сторонниками спиритизма в «Дневнике писателя» за 1876 г.

С. 724. *Catana sum et nihil humanit a me alienit puto.* — Перефразировка стиха из комедии Теренция (ок. 185—159 гг. до н. э.) «Самоистязатель», акт 1, сц. 1, ст. 25.

С. 726. ...*Гатцук внесёт в календарь...* — А. А. Гатцук (1832—1891) в 1870—1880-е гг. издавал в Москве «Газету А. Гатцука...» и «Крестный календарь» на предстоящий год с еженедельным приложением.

С. 727. *Мальц-экстракт* — солодовый экстракт, употребляемый в диетических целях.

...*«я ведь тоже разные водевильчики».* — Слова Хлестакова из комедии Н. В. Гоголя «Ревизор» (1836; д. 3, явл. 6).

С. 728. *Je pense donc je suis...* — Афоризм французского философа Рене Декарта (1596—1650) в его «Рассуждении о методе» (1637, ч. IV).

С. 729. ...*у нас ведь тоже есть такое одно отделение...* — Намек на III Отделение собственной его императорского величества канцелярии — орган политического сыска и следствия, созданный Николаем I в 1826-м и упраздненный в 1880 г.

...*«все отвергал, законы, совесть, веру...»* — Слова Репетилова из комедии А. С. Грибоедова «Горе от ума» (1824, д. 4, явл. 4).

С. 730. ...*от «смягчения ваших нравов».* — Вопрос о том, происходит ли постепенное «смягчение нравов» (словосочетание, уже в XIX в. ставшее штампом) в связи с развитием наук, искусств и ремесел, чрезвычайно занимал французских просветителей XVIII в. В отличие от Ж.-Ж. Руссо (1712—1778) Вольтер отвечал на него положительно.

С. 732. ...*в «отцы пустынники и в жены непорочны» пожелаешь вступить...* — Намек на стихотворение А. С. Пушкина «Отцы пустынники и жены непорочны...» (1836) — поэтическое переложение молитвы Ефрема Сирина (IV в.).

...*как говорит актер Горбунов.* — И. Ф. Горбунов (1831—1896) — актер, писатель, талантливый рассказчик-импровизатор, с которым Достоевский был лично знаком.

С. 733. *Ça lui fait tant de plaisir et à moi si peu de peine!* — Острота восходит к эпиграмме неизвестного автора на французскую актрису Ж.-К. Госсен (1711—1767).

С. 734. *Я вот думал... предстать в виде отставного действительного статского советника, служившего на Кавказе, со звездой*

Льва и Солнца на фраке... — Действительный статский советник — один из высших гражданских чинов в дореволюционной России, четвертого класса. Орден Льва и Солнца — персидский орден, которым иногда награждались русские чиновники на Кавказе.

Мефистофель, явившись к Фаусту, засвидетельствовал о себе, что он хочет зла, а делает лишь добро. — Имеются в виду слова Мефистофеля в третьей сцене первой части трагедии Гете «Фауст» (1773—1831):

> Частица силы я,
> Желавшей вечно зла, творившей лишь благое.
>
> (Пер. Н. А. Холодковского).

...умершее на кресте Слово восходило в небо, неся на персях своих душу распятого одесную разбойника... — «Слово» — здесь: Христос. По евангельскому преданию, он был распят между двумя разбойниками, одного из которых (раскаявшегося) он обещал взять с собой в рай.

С. 737. *...вспомнил Лютерову чернильницу!* — Вождь Реформации в Германии Мартин Лютер (1483—1546) верил в существование дьявола. Сохранилось предание, будто Лютер запустил в дьявола чернильницей, когда тот мешал ему работать над переводом Библии.

С. 739. *Который час? — Скоро двенадцать... это был не сон!* — Согласно старинному поверью, полночь — время, когда исчезают призраки и прекращается действие волшебных чар.

С. 740. *...отыщешь хвост, длинный, гладкий, как у датской собаки...* — По народному поверью, нечистая сила может принимать любое обличье; часто она появляется в образе собаки.

С. 753. *...подмарать их нравственную репутацию, а стало быть, само собой подмарать и их показания.* — Этот адвокатский прием, как один из распространенных приемов защиты, Достоевский отмечал у В. Д. Спасовича в «Дневнике писателя» за 1876 г. (гл. вторая, III).

С. 754. *...старший сын учили.* — Григорий (а затем и прокурор) называют Ивана, а не Митю старшим сыном Федора Павловича Карамазова.

С. 762. *...какой-то гернгутер или «моравский брат»...* — Гернгутерство — религиозно-общественное движение, возникшее в XVIII в. в местечке Гернгуте в Саксонии и получившее распространение в XVIII—XIX вв. и в России. Учение гернгутеров имело в виду нравственное перевоспитание людей. Своими корнями оно восходило к учению «моравских братьев» — чешской религиозной секты, зародившейся в середине XV в.

С. 788. *...нового гласного суда, дарованного нам в настоящее царствование.* — По судебной реформе 1864 г. в России был введен суд присяжных, который был открытым и гласным.

Вот там молодой блестящий офицер высшего общества... под головы подушки. — Имеется в виду дело Ландсберга, обвинявшегося в 1879 г. в убийстве надворного советника Власова и мещанки Семенидовой.

С. 789. *...вопросов о том: «Что будет там?»* — Имеется в виду монолог Гамлета в трагедии Шекспира «Гамлет», (д. 3, сц. 1), начинающийся словами: «Быть или не быть? вот в чем вопрос...»

...«он между нами жил»... — Первая строка стихотворения Пушкина (1834), посвященного А. Мицкевичу.

Великий писатель предшествовавшей эпохи, в финале величайшего из произведений своих... — Имеется в виду финал поэмы Гоголя «Мертвые души».

С. 790. *...«как солнце в малой капле вод»...* — Цитата из оды Г. Р. Державина «Бог» (1784).

С. 791. *Все нравственные правила старика — après toi le déluge.* — Выражение, приписываемое и Людовику XV (королю Франции с 1715 г. по 1774 г.), и маркизе де Помпадур (1720—1764).

С. 825. *...«ударить по сердцам с неведомою силой».* — Цитата из стихотворения А. С. Пушкина «Ответ анониму» (1830).

С. 832. *Да уж не в подвалах ли Удольфского замка, господа?* — «Тайны Удольфского замка» (1794) — популярный в России в первой половине XIX в. роман английской писательницы Анны Радклиф (1764—1823), произведениями которой Достоевский зачитывался в детстве.

С. 846. *...как человек и гражданин взываю — vivos voco!* — «Vivos voco!» — первые слова эпиграфа Ф. Шиллера к «Песни о колоколе» (1799). Они стали лозунгом «Колокола», газеты А. И. Герцена и Н. П. Огарева.

С. 848. *«Он родил тебя... даже врагом своим».* — Рассуждения Франца Моора в трагедии Ф. Шиллера «Разбойники» (1781; д. 1, сц. 1).

«Гони природу в дверь, она влетит в окно...» — Цитата из басни Ж. де Лафонтена «Кошка, превращенная в женщину» в вольном переводе Н. М. Карамзина, который включил этот стих в свой очерк «Чувствительный и холодный. Два характера» (1803).

С. 851. *Лучше отпустить десять виновных, чем наказать одного невинного...* — Несколько измененные слова Петра I из его Воинского устава (1716). Эти слова цитировались В. Д. Спасовичем в заключение одной из своих речей.

С. 856. *...ведь оправдали же у нас великим постом актрису, которая законной жене своего любовника горло перерезала.* — Имеется в виду дело Каировой, которое Достоевский подробно анализировал в майском номере «Дневника писателя» за 1876 г. (гл. первая).

С. 867. *...в тот край, к последним могиканам.* — «Последний из могикан» (1826) — роман американского писателя Ф. Купера (1789—1851).

С. 871. *...я желал бы умереть за все человечество, а что до позора, то все равно: да погибнут наши имена.* — Коля цитирует слова французского политического деятеля, известного оратора, жирондиста Верньо (1753—1793), сказанные им на одном из заседаний Конвента (1792).

В. Ветловская

СОДЕРЖАНИЕ

ЧАСТЬ ЧЕТВЕРТАЯ

Литературно-художественное издание

ФЕДОР МИХАЙЛОВИЧ ДОСТОЕВСКИЙ
БРАТЬЯ КАРАМАЗОВЫ

Художественный редактор Валерий Гореликов
Технический редактор Татьяна Раткевич
Корректоры Людмила Ни,
Ольга Золотова, Татьяна Никонова
Верстка Степана Долбнина
Руководитель проекта Максим Крютченко

Подписано в печать 27.10.2010. Формат издания 76×100 ¹/₃₂.
Печать офсетная. Гарнитура «Петербург». Тираж 7000 экз.
Усл. печ. л. 39,48. Заказ № 3805.

ООО «Издательская Группа „Азбука-Аттикус"» —
обладатель товарного знака АЗБУКА®
119991, г. Москва, 5-й Донской проезд, д. 15, стр. 4

Филиал ООО «Издательская Группа „Азбука-Аттикус"»
в Санкт-Петербурге
196105, г. Санкт-Петербург, ул. Решетникова, д. 15

ЧП «Издательство „Махаон-Украина"»
04073, г. Киев, Московский пр., д. 6 (2-й этаж)

Отпечатано в соответствии с предоставленными материалами
в ЗАО «ИПК Парето-Принт», г.Тверь
www.pareto-print.ru

ПО ВОПРОСАМ РАСПРОСТРАНЕНИЯ ОБРАЩАЙТЕСЬ:

В Москве:
ООО «Издательская Группа „Азбука-Аттикус"»
Тел. (495) 933-76-00, факс (495) 933-76-19
E-mail: sales@atticus-group.ru; info@azbooka-m.ru

В Санкт-Петербурге:
Филиал ООО «Издательская Группа „Азбука-Аттикус"»
Тел: (812) 324-61-49, 388-94-38, 327-04-56, 321-66-58, факс: (812) 321-66-60
E-mail: trade@azbooka.spb.ru; atticus@azbooka.spb.ru

В Киеве:
ЧП «Издательство „Махаон-Украина"»
Тел./факс: (044) 490-99-01
E-mail: sale@machaon.kiev.ua

Сайты в интернете:
www.azbooka.ru, www.atticus-group.ru

KAKB407904R